Vorherrschende Religionen in der heutigen Welt

Alaska

Grönland

Kanada

Island

Norwegen

Dänemark

Groß-
britannien

Irland

Niederl.
Belgien

Deutschl.

Tsc

Schweiz

Öste

Vereinigte Staaten von Amerika

Nordatlantik

Frankreich

Italien

Portugal

Spanien

Marokko

Mexiko

Westsahara

Algerien

Li

Kuba

Mauretanien

Mali

Niger

Belize

Haiti

Honduras

Guatemala

Gambia

Burkina
Faso

El Salvador

Guinea Bissau

Nicaragua

Guinea

Costa Rica

Venezuela

Sierra Leone

Elfenb.
küste

Ghana

Nigeria

Kamerun

Panama

Surinam

Liberia

Togo

Kolumbien

Guayana

Französisch Guayana

Benin

Äquat.
Guinea

Gabun

Ecuador

Peru

Brasilien

Südatlantik

Na

Bolivien

Paraguay

Chile

Uruguay

Argentinien

Naturreligionen

Hinduismus und Islam

Buddhismus

China: Reste von Konfuzianismus, Buddhismus, Taoismus

Japan: Shintoismus, Buddhismus, Sekten

Christentum (röm. Katholizismus,
Protestantismus, Orthodoxie)

Islam

verschiedene Religionen

Gemeinschaft Unabhängiger Staaten (GUS)
(ehemalige UdSSR)

stland
ttland
auen

aine

Georgien

Kasachstan

Kirgisien

Mongolei

N.Korea

S.Korea

Japan

Nordpazifik

ürkei
Armenien

Aserbai-
dschan

Usbekistan

Turkestan

Tadschikistan

Lib.
Israel
entum

Irak

Iran

Afghanistan

China

Taiwan

Kuwait

Saudi-
Arabien

Pakistan

Hongkong

ypten

Sikhismus

Indien

Myanmar

Laos

Thailand

Kamb.

Philippinen

Parsen
(Zoroastrismus)

Vietnam

Südpazifik

Äthiopien

Sri Lanka

Malaysia

Uganda

Kenia

Somalia

Tansania

Indonesien

Papua
Neu-
guinea

lawi

ia

Indischer Ozean

bwe

Mosambik

a

Madagaskar

Swasiland

Lesotho

Australien

Neuseeland

RELIGIONEN
HEUTE

RELIGIONEN HEUTE

MARY PAT FISHER

KÖNEMANN

Originalausgabe © 1997 Calmann & King Ltd., London, England.
Text © Mary Pat Fisher

Designer: Karen Osborne
Bildbeschaffung: Julia Hanson
Karten: Eugene Fleury

Fachberatung:
Deepali Bhanot, Delhi University
Robert Carter, Trent University
David Chappell, University of Hawaii
Homi Dhalla, Bombay University
Kathleen Margaret Dugan, San Diego University
John A. Grim, Bucknell University
Sheldon R. Isenberg, University of Florida
Timothy Miller, University of Kansas
Anand Mohan, Queens College of the City University of New York
Basheer Nafi, International Institute of Islamic Thought, Virginia
Bhai Kirpal Singh, Gobind Sadan Institute of
Advanced Studies in Comparative Religion

Originaltitel:
LIVING RELIGIONS

© 1999 für die deutsche Ausgabe:
Könemann Verlagsgesellschaft mbH
Bonner Str. 126, D-50968 Köln

Übersetzung aus dem Englischen (für Thomas Pfaffen Buchproduktion):
Gabriele-Sabine Gugetzer (Vorwort, Kapitel 1, 2, 13, 14)
Helmut Ross (Kapitel 3, 4, 5, 6, 7, 8, 12)
Dr. Christian Rochow (Kapitel 9, 10, 11)
Redaktion und Satz der deutschen Ausgabe:
Thomas Paffen Buchproduktion, Münster

Projektkoordination: Marten Brandt
Herstellungsleiter: Detlev Schaper
Herstellungsassistenz: Ursula Schümer
Druck und Bindung: Sing Cheong Printing Co., Ltd.
Printed in Hong Kong, China
ISBN 3-8290-1892-4

10 9 8 7 6 5 4 3 2 1

Coverabbildung: (MC34749) Michael Chase,
    St. Clemente: Gateway to the Hills.
    Privatsammlung/Bridgeman Art Library
Schmutztitel: Gebet in Tibet.
Titelseite: Caodai-Tempel bei Ho-Chi-Minh-Stadt, Vietnam.

INHALT

KAPITEL 10

DAS CHRISTENTUM

Seite 265

KAPITEL 11

DER ISLAM

Seite 331

KAPITEL 12

SIKHISMUS

Seite 375

VORWORT

Religion ist kein verstaubtes Museumsstück. Religion an der Wende des Jahrhunderts lebt in Menschen und an Orten auf der ganzen Welt. *Religionen heute* nähert sich den Weltreligionen und untersucht deren Traditionen hinsichtlich ihrer Bedeutung und Aktualität. Auf verständliche Weise werden die Entwicklungen, Grundsätze und Praktiken der wichtigsten heute gelebten Glaubensrichtungen dargelegt. Besondere Berücksichtigung dabei findet das persönliche Bewußtsein des Gläubigen, seine Darstellung der entsprechenden Religion und ihrer Bedeutung im modernen Leben.

Neue Aspekte und Inhalte

Nach dem Zusammenbruch des Kommunismus in Osteuropa wurde auch die offene Religionsausübung in diesen Ländern wieder möglich. Fast alle lebendigen Religionen sind in diesen Ländern vertreten und waren daher von den gesellschaftspolitischen Veränderungen betroffen. *Religionen heute* spürt den Nuancen dieser neuen historischen Lage nach, aus dem Blickwinkel von Gläubigen, die sowohl die Unterdrückung wie auch die jetzige größere Religionsfreiheit erlebt haben.

Der Band erscheint am Ende des 20. Jahrhunderts und zu Beginn des 21. Jahrhunderts – ein Zeitrahmen, der in vielen Religionen als Periode einer bedeutenden Veränderung gesehen wird. Daher widmet sich das Schlußkapitel dem Thema »Religion am Ende des Jahrhunderts« und gibt einen Überblick über die aktuellen Entwicklungen, die sich weltweit in allen Religionen finden. Dazu gehören ebenso ein zunehmender Fundamentalismus, gleichbedeutend mit Unbeugsamkeit und Starrheit, wie das Aufbrechen historischer Grenzen zwischen Angehörigen verschiedener Glaubensrichtungen. Das Buch beschäftigt sich mit religiösen Prinzipien in Geschäftsleben und Politik und beschreibt

Glaubenstaten einzelner, die versuchen, nach den Lehren ihrer Religion zu leben. Zentral sind hierin sogenannte Lehrgeschichten aus jeder Glaubensrichtung. Diese optisch in Kästen zusammengefaßten Erzählungen stehen für sich und werden ohne Analyse oder Interpretation wiedergegeben, ähnlich, wie sie auch der Gläubige hören würde, um den Leser auf möglichst vielen Ebenen anzusprechen und vielleicht sogar Ausgangspunkt für Diskussionen zu sein, in denen es um die zentralen Werte der jeweiligen Religion geht.

Besondere aktuelle Bezüge

Die besonderen aktuellen Bezüge sind beispielsweise die persönlichen Gespräche mit Menschen aller Glaubensrichtungen, die im Hinblick auf die Tradition der jeweiligen Religion einen sehr direkten Eindruck vermitteln. Sie sind in Kästen und in Auszügen im Text wiedergegeben.

Weiterhin enthält das Buch ein seltenes und faszinierendes Interview mit einer sibirischen Schamanin (Kapitel 2) sowie andere Gespräche mit Gläubigen aus der früheren Sowjetunion, die ich während mehrerer Aufenthalte dort führen konnte.

Das Buch zitiert ausführlich aus Primärquellen, um der Denkweise und den Besonderheiten jeder einzelnen Religionstradition einen möglichst direkten Zugang zu eröffnen. Besonders markante Sentenzen sind in Kästen vom Rest des Texts abgehoben.

Um die einzelnen Religionen in ihrer Tradition möglichst lebendig zu gestalten, wirmen sich 58 Farb- und 187 Schwarzweißabbildungen dem religiösen Leben heute. Die Bildlegenden vermitteln einen tieferen Eindruck von den Charakteristika und den Ausrichtungen jeder religiösen Tradition und der Menschen, die sie praktizieren.

Vier Kapitel sind besonders hervorzuheben. Das

Schlußkapitel beschreibt die Situation der Religionen am Ende des Jahrhunderts, während sich das erste Kapitel mit der Frage nach Religion im allgemeinen beschäftigt. Dabei wird Religion dargestellt als eine gültige Interpretation der Realität, die vielerlei Ausprägungen hat. Es widmet sich insbesondere der Diskussion der Frauen und des Weiblichen in der Religion und berührt damit einen Bereich, der in früheren Darstellungen der Weltreligionen keine große Beachtung fand, sich hier jedoch wie ein roter Faden durch das Ganze zieht. Es thematisiert auch die Widersprüche der Religionen, die zuweilen eben nicht nur das Beste, sondern auch das Schlimmste im Menschen hervorgebracht haben.

Im zweiten Kapitel geht es um die Religionen der Naturvölker, die wir noch zu wenig begreifen. Deshalb habe ich versucht, nicht eine weitere, oft irreführende Beschreibung eingeborener Traditionen aus der Perspektive des Außenstehenden zu liefern, sondern direkt »zur Sache zu kommen«, nämlich zu beschreiben, wie diese Menschen ihre sehr naturverbundene Religiosität erfahren. Und gerade jetzt, wo sich unsere Welt kurz vor dem Abgrund zu einem ökologischen Inferno befindet, müssen die letzten noch überlebenden Vertreter dieser alten religiösen Wege wirklich gehört und richtig wiedergegeben werden.

Das vorletzte Kapitel liefert einen Rahmen zum Verständnis neuer religiöser Bewegungen und diskutiert die neuen und bedeutenden religiösen Entwicklungen des ausgehenden 19. und des beginnenden 20. Jahrhunderts vor dem Hintergrund der Tatsache, daß religiöse Strömungen sich in der gesamten Menschheitsgeschichte schon immer ständig neu- und weiterentwickelt haben.

Lernhilfen

Ich habe versucht, jede Tradition klar und ohne überflüssiges Beiwerk an Namen und Daten zu präsentieren. Schlüsselbegriffe sind kursiv gedruckt und werden beim ersten Erscheinen im Text und später im ausführlichen Anhang definiert.

Die Geschichte aller bedeutenden Religionen wird im betreffenden Kapitel anhand einer Zeittafel aufgezeigt. Zeitgleiche Entwicklungen aller Religionen lassen sich in der übergreifenden Zeittafel am Ende des Buches verfolgen.

Danksagungen

Um jede Religion aus ihrem Inneren heraus begreifen zu können, bin ich viele Jahre lang gereist, um mit Gläubigen und Lehrern zu sprechen und zu beten, sie über ihre persönlichen Erfahrungen zu befragen und ihre Religionen wissenschaftlich zu erforschen.

Bei der Vorbereitung dieser Ausgabe habe ich mit einem Team gearbeitet, dessen Mitglieder Autoritäten auf ihrem jeweiligen Gebiet sind und mir detaillierte Vorschläge machen und Material für die Überprüfung zur Verfügung stellen konnten. Ich bedanke mich bei Deepali Bhanot von der Universität Delhi, Robert Carter von der Trent University, Homi Dhalla von der Universität Bombay, David Chappell von der University of Hawaii, Kathleen Margaret Dugan von der San Diego University, John A. Grim von der Bucknell University, Sheldon R. Isenberg von der University of Florida, Timothy Miller von der University of Kansas, Anand Mohan vom Queens College of the City University of New York, Basheer Nafi vom Internationalen Institut für Islamisches Gedankengut und Bhai Kirpal Singh vom Gobind Sadan Institute for Advanced Studies in Comparative Religions, Neu-Delhi. Sie alle sind außerordentlich hilfsbereit und enthusiastisch an dieses Buch herangegangen.

Um das Forschungsspektrum möglichst breit zu halten, habe ich auch mit anderen Wissenschaftlern zusammengearbeitet, für deren Hilfe ich mich hier bedanke. Ich bin ferner dankbar für die großzügige Hilfe all meiner Berater, auch wenn die Verantwortung für den Inhalt dieses Buches letztendlich bei mir liegt, und offen für konstruktive Bemerkungen anderer Wissenschaftler.

Dieses Buch wurde von vielen Professoren und Dozenten im Fachbereich Weltreligionen überprüft und gelesen, darunter William R. Goodman jun. vom Lynchburg College, Robert Imperato vom Saint Leo College, Barbara Ring Kotowski von der University of Texas in El Paso und dem El Paso Community College, Scott Lowe von der University of North Dakota, Elizabeth Neumeyer vom Kellogg Community College, Maurine Stein vom Prairie State College, Lee Bailey vom Ithaca College. Viele russische Wissenschaftler haben den Text überprüft; ihre Kommentare waren besonders hilfreich bei der Vorbereitung von Zusätzen, insbesondere hinsichtlich der aktuellen Situation und in der ehemaligen Sowjetunion. Die vielen Vorschläge, Ideen und Quellen, die mir von ihnen zur Verfügung gestellt wurden, waren äußerst wertvoll, und ich möchte mich an dieser Stelle bei allen bedanken.

Vielleicht am wichtigsten für die spirituelle Bedeutung des Buches sind die vielen Gläubigen, Lehrer und Gelehrten jeder Religion, die die Möglichkeit, ihren Weg wahrheitsgetreu darzustellen, enthusiastisch aufgriffen und dafür großzügig ihre Zeit, ihr Wissen und ihre Bücher zur Verfügung gestellt haben. Einige von ihnen sind in den Texten zitiert; viele andere haben zusätzlich geholfen. Ich möchte besonders den Menschen danken, die ihren Weg in Gesprächen beschrieben haben; die Gespräche sind in Kästen wiedergegeben. Alle diese Menschen haben mit mir ihrem Reichtum an Erfahrungen und Informationen geteilt.

Glücklicherweise war Melanie White von Calmann and King in London meine Lektorin. Ihrer Auffassungsgabe, ihrer Intelligenz und ihrer Professionalität bei den Details in der Produktion ist es zu verdanken, daß dieses Buch auch in ästhetischer Hinsicht wieder interessant ist. Heather Gross war mir bei den jedem Kapitel vorangestellten Symbolen behilflich, von denen einige traditionell sind, während andere ihrer kreativen Fantasie entstammen.

Abschließend gebührt mein größter Dank meinem eigenen verehrten Lehrer Baba Virsa Singh von Gobind Sadan. Mit seiner Inspiration gelangen der Laie ebenso wie der bedeutende Gelehrte jeder Religion zu einem besseren Verständnis und einer intensiveren Ausübung ihres Glaubens.

Möge Gott uns alle auf unserer Suche nach der Wahrheit leiten.

Mary Pat Fisher
Gobind Sadan Institute for Advanced Studies in
Comparative Religions, Neu-Delhi

KAPITEL 1
WIE SICH RELIGION ÄUSSERT

Schon vor Sonnenaufgang stehen die Mitglieder einer moslemischen Familie in Malaysia auf, vollziehen ihre Waschungen, richten ihre Gebetsteppiche gen Mekka, verbeugen sich, machen einen Fußfall und beten zu Allah. In einer Kathedrale in Frankreich wiederum formieren sich die Gläubigen in einer Reihe, um eine Oblate zu sich zu nehmen, die ihnen der Priester auf die Zunge legt, dabei leise die Worte sagt: »Nimm hin den Leib Christi.« In einem Dorf in Südindien hat eine Gruppe von Frauen einen zylinderförmigen Stein mit Milch und duftender Sandelholzpaste gesalbt und als Zeichen der Verehrung Blumenopfer vor ihn auf den Boden gelegt. In Japan sitzen die Mönche eines Zen-Klosters aufgerichtet in ihrer Meditationshaltung im Schneidersitz; die völlige Stille wird nur gelegentlich von dem klatschenden Geräusch des *Kyosaku* unterbrochen, der auf ihre Schultern fällt. Auf einem Berg in Mexiko begrüßen Männer, Frauen und Kinder, die schon seit Tagen religiöse Tänze aufgeführt und dabei weder Nahrung noch Wasser zu sich genommen haben, einen über ihnen fliegenden Adler mit einem Pfeifton aus den kleinen hölzernen Flöten, die sie um den Hals tragen. Und an einem Bach im ländlichen Iowa sitzt eine junge Frau, die mit geschlossenen Augen das Universum darum bittet, ihrem Leben einen tieferen Sinn zu verleihen.

Diese und zahllose andere Augenblicke im Leben der Menschen auf der ganzen Welt sind wie Fäden zu dem Teppich verwoben, den wir »Religion« nennen; ein Wort, das wohl aus dem Lateinischen stammt und von »relegere« (gewissenhaft beobachten) und »religari« (an Gott gebunden sein) abgeleitet ist. Unabhängig von der beeindruckenden Vielfalt religiöser Ausdrucksweisen steht doch hinter jeder Religion das Ziel, den Menschen jenseits der Oberfläche des Lebens an etwas zu binden und eine größere Realität zu schaffen, die hinter der Welt liegt oder unsichtbar die Welt beeinflußt, die wir mit unseren fünf Sinnen aufnehmen können.

Versuche, mit dieser allumfassenden Realität in Kontakt zu treten, haben in der Vergangenheit die unterschiedlichsten Formen angenommen. Es existieren organisierte Institutionen wie der Buddhismus oder das Christentum, es gibt heilige Schriften und historische Traditionen. Aber es gibt auch ganz persönliche, intime Erfahrungen von Menschen, die keiner institutionalisierten Religion angehören, sich aber dennoch eine innere Welt geschaffen haben, in der sie beten, meditieren oder sogar direkte Erfahrungen mit einer unerklärlichen, geisterähnlichen Präsenz machen.

In diesem Einführungskapitel soll zunächst ein Verständnis von Religion im allgemeinen entwickelt werden – warum es Religion gibt und welche Formen sie annimmt –, bevor wir die Merkmale bestimmter religiöser Gruppierungen, die heute ihren Glauben ausüben, genauer untersuchen wollen.

Ein spirituelles Erlebnis kann man allein oder in einer Gemeinschaft erleben. Mitglieder der Hare Krishna-Sekte versetzen sich durch ihre Lobpreisungen des Gottes Krishna, der von den Hindus sehr verehrt wird, in einen Zustand wahrer Ekstase.

Warum existieren Religionen?

Die Universalität von Religionen könnte man aus zwei unterschiedlichen Blickwinkeln erklären: Es existiert tatsächlich eine tiefere Realität, die nicht unmittelbar gefaßt werden kann, jedoch von Menschen aller Kulturen immer erfahren wurde. Der Umgang mit dieser Erfahrung und ihre Anpassung an die unmittelbar erfaßte Realität werden institutionalisiert und damit zu einer Religion. Aus einem anderen Blickwinkel könnte man die Existenz einer anderen als der materiellen Realität auch bestreiten: Die Menschen haben Religionen erfunden, um irgendwelche persönlichen Bedürfnisse zu befriedigen. Der Psychoanalytiker Sigmund Freud beschrieb Religion als »eine universelle obsessive Neurose« und schilderte sie als kosmische Projektion, in der der Mensch seine Liebe-Angst-Beziehung zu seinen Eltern nachspielt. Andere glauben, Religion existiere (oder sei zumindest dazu mißbraucht worden), um Menschen zu manipulieren. Historisch gesehen, dienten Religionen häufig der säkularen Macht und unterstützten diese. Karl Marx hingegen argumentierte, die Religion einer Kultur entwickle sich, ebenso wie alle anderen Aspekte ihrer Sozialstruktur, aus dem wirtschaftlichen Rahmen. Für ihn war Religion nicht die Reaktion auf eine spirituelle Realität, sondern diente als Instrument zur Unterdrückung des Volkes und spiegelte die Ungerechtigkeit der Sozialstrukturen wider.

Es ist der Mensch, der die Religion erschafft und nicht die Religion, die den Menschen erschafft ... die religiöse Welt ist nichts weiter als der Reflex der realen Welt ... Religion ist der Seufzer der unterdrückten Kreatur, ist Gefühl in einer herzlosen Welt und die Seele in Lebensbedingungen, wo keine Seele lebt. Religion ist Opium fürs Volk ...[1]

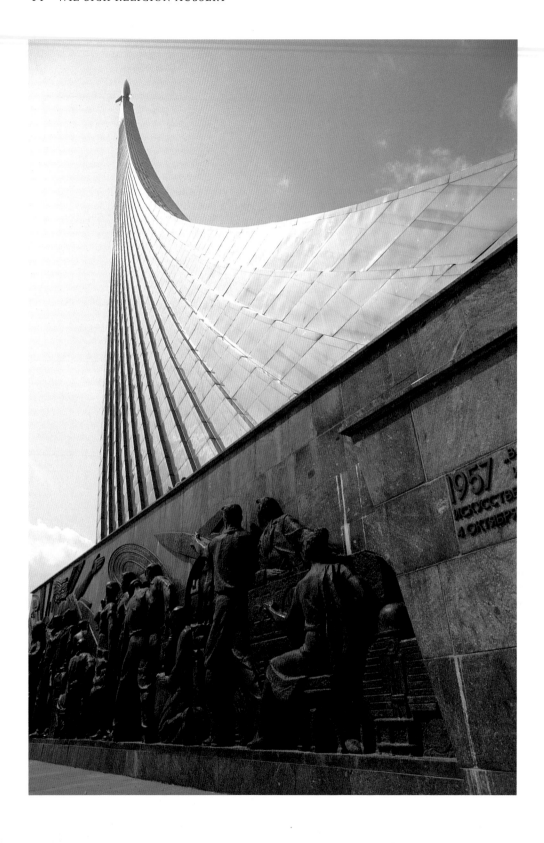

Marx hatte beobachtet, daß religiöse Autoritäten im Besitz absoluter Wahrheit zu sein behaupteten und es zuließen, daß diese in den Händen sozialer und politischer Kräfte der jeweiligen Zeit als Waffe genutzt würden. Daher klagte er die christlichen Autoritäten seiner Zeit an, »abscheuliche Taten der Unterdrücker« dadurch zu unterstützen, daß sie sie als gerechte Bestrafung der Sünder durch Gott deklarierten. In ähnlicher Weise haben andere Kritiker die Religionen des Ostens beschuldigt, die Leiden der Armen auf deren eigene Verfehlungen in einem früheren Leben zurückzuführen. Religion auf diese Weise einzusetzen und zu interpretieren, verringere die gesellschaftliche Wahrnehmung der Notwendigkeit, denen zu helfen, die unterdrückt seien und leiden müßten.

Die Unwissenschaftlichkeit der Religion ist der Ansatz wieder anderer Kritiker. Diese Denkweise entwickelte sich mit der Glorifizierung westlicher Wissenschaften. Seit dem 17. Jahrhundert trennt die westliche Wissenschaft Seele und Verstand von Materie. Die physikalischen Realitäten des Universums wurden als eigene Welten gesehen, als eine Riesenmaschine, die man auseinandernehmen, begreifen und je nach Wunsch des Menschen einsetzen könne. Der Glaube, daß die Seele in der materiellen Welt Dinge erschaffen, durchdringen oder beeinflussen könne, wurde verworfen, denn die Seele, der Geist seien unsichtbar und wissenschaftlich daher nicht verifizierbar. Anders als zuvor waren religiöse Konzepte nicht mehr geschätzt; was vorher respektiert wurde, schien nun irrational. Man prophezeite sogar, Religionen würden vollkommen unbedeutend werden, da die Wissenschaft bald auf alles eine Antwort finden werde.

Doch in neuerer Zeit entwickelte sich eine Weltsicht, die den Religionen wieder positiver gegenübersteht. Zu den Denkern, die diese Wandlung eingeleitet haben, gehörten auch bedeutende Wissenschaftler. Religiöser Zynismus weicht der Suche nach Spiritualität, auch wenn dabei nicht unbedingt die Glaubensrichtungen unserer Vorfahren im Vordergrund stehen müssen.

Die Erfüllung menschlicher Grundbedürfnisse

Viele Bedürfnisse des Menschen werden nicht durch die äußeren Gegebenheiten des Lebens gestillt. Schon das vernunftbedingte Wissen, daß es nur dieses eine Leben gebe, ist ein Beispiel dafür. Der Mensch wird geboren, muß jeden Tag sein Überleben sichern, altert und stirbt.

Die Annahme, daß danach nichts mehr komme, und die daraus resultierende Furcht vor dem Tod könnten verhindern, Freude am Leben zu empfinden. Alle Handlungen wären dann sinnlos. Daher ist die Auseinandersetzung mit der eigenen Sterblichkeit ein Grundaspekt des spirituellen Lebens. Der christliche Mönch David Steindl-Rast will sogar beobachtet haben, daß Mönche aller Religionen bei einem Zusammentreffen nach spätestens fünf Minuten bereits über den Tod sprechen!

> Es hat den Anschein, daß der Mensch auf der ganzen Welt schon immer nach etwas gesucht habe, was über seinen eigenen Tod und seine eigenen Probleme hinausgehe, was überdaure und wahrhaft und zeitlos sei. Er hat es Gott genannt, hat ihm viele Namen gegeben; und die meisten von uns glauben an etwas in dieser Richtung, ohne es je wirklich zu erfahren.
>
> *Jiddu Krishnamurti*[2]

Gegenüberliegende Seite: Das riesige Denkmal, das während der Sowjetzeit zum Gedenken an die Erforschung des Weltraums in Moskau errichtet wurde, symbolisiert die Verehrung der Wissenschaft als Hoffnungsträger für die ganze Welt.

Viele Menschen suchen nach der Gewißheit, daß das Leben in irgendeiner Form nach dem Tode weitergehe. Dabei handelt es sich häufig zugleich um den Versuch, dem jetzigen Leben Sinn und Bedeutung zu geben. Oft sind es materielle Wünsche, deren Erfül-

Einige Religionen versuchen, das Weltliche zu überwinden und darauf zu schauen, was dahinter liegt. Andere Religionen, darunter auch der Zen-Buddhismus, der diese Zeichnung des Meditierenden Froschs *aus dem 18. Jahrhundert beeinflußte, finden ihre letzte Realität in der intensiven Erfahrung des Hier und Jetzt.*

lung vorübergehend Sinn stiftet. Nach ihrer Befriedigung erscheinen die Wünsche jedoch oft als hohl und bedeutungslos. Buddha sagt:

Siehe!
Die Welt ist eine königliche Karosse, die farbenprächtig glitzert.
Nicht mehr.
Die Narren lassen sich täuschen, doch die Weisen nicht.«[3]

Alle Religionen leisten Hilfe auf der Suche nach Sinn und Bedeutung innerhalb des Weltlichen, indem sie den transpersonalen Lebensdimensionen nachspüren, dem Ewigen, dem Unendlichen, das über die Enge persönlicher oder gesellschaftlicher Belange hinausgeht. Einige Religionen negieren dabei völlig den Wert des irdischen Lebens, während andere den »Himmel auf Erden« anstreben und jeden Moment im Leben in ein Bewußtsein des Ewigen und Heiligen tauchen.

Einige Menschen streben nach Perfektion, aber das Absolute und Ultimative scheint in der Welt, die der Mensch mit seinen fünf Sinnen erleben kann, nicht zu existieren. Die Suche nach der perfekten Liebe zwischen Menschen oder der Gerechtigkeit innerhalb einer von Ungerechtigkeit geprägten menschlichen Gesellschaft wird notwendigerweise enttäuscht. Religiöse Praktiken können dem Menschen einen Einblick in die Perfektion von Liebe, Gerechtigkeit und ewiger Wahrheit verschaffen, wie sie in den riesigen Dimensionen von Zeit und Raum existieren.

Andere Menschen hingegen spüren ihre eigene Unzulänglichkeit und wollen sie überwinden. Religionen beschreiben Ideale, die Menschen in die Lage versetzen, sich auf fast radikale Weise zu verändern. Mahatma Gandhi beispielsweise war als Kind extrem schüchtern, ängstlich und gehemmt. Mit dem Beginn seiner Meditation über die große Hindu-Schrift, die Bhagavadgita, begann seine Entwicklung zu einer der bedeutendsten politischen Persönlichkeiten. Besonders das zweite Kapitel dieser Schrift beeindruckte Gandhi sehr. Es war »in die Tafel meines Herzens gemeißelt«[4]. Hier ein Auszug:

Der lebt in Weisheit,
der sich in allem sieht und alles in sich sieht.
Dessen Liebe für den Herrn der Liebe
jedes selbstsüchtige Verlangen und jede Sinnsuche,
die das Herz beschwert, verzehrt hat …

Der ist für immer frei, der aus dem
Käfig des Ich und Mein ausgebrochen ist,
um sich mit dem Herrn der Liebe zu verbinden.
Das ist das höchste Stadium. Erreiche es und
gehe vom Tod in die Unsterblichkeit.[5]

Bei schweren Krankheiten, Armut und Entbehrung, Angst oder Trauer suchen die Menschen oft bei einer göttlichen Macht Hilfe. Agnes Collard, eine gläubige Christin, empfand nach einer vierjährigen schweren Krebserkrankung, daß ihr bevorstehender Tod sie näher an das brachte, was sie als Gott bezeichnete:

Ich weiß nicht, wer oder was Er ist, doch ich bin mir fast sicher, daß es Ihn gibt. Ich spüre
seine Existenz, fühle, wie er mir während dieser furchtbaren Momente nahesteht. Und ich
verspüre Liebe. Manchmal fühle ich mich in diese Liebe eingehüllt wie in einen Kokon.«[6]

Ein nostalgisches Streben nach Perfektion war die schöpferische Kraft und Inspiration hinter solchen kunstvoll ausgestatteten Gotteshäusern wie der Hagia Sophia in Istanbul. Ursprünglich eine Kirche, wurde sie bei der Eroberung der Stadt durch die Türken im Jahr 1453 in eine Moschee umgewandelt.

Die religiöse Literatur ist voll mit Geschichten von Menschen, die in ihrer Verzweiflung um Hilfe gerufen und diese durch Wunder erhalten haben. Manchmal besteht eine solche Hilfe auch in der Stärke der Erduldung. Der im 18. Jahrhundert wirkende chassidische Meister Baal Shem Tov lehrte beispielsweise, daß die Wechselfälle des Lebens auch Wege seien, auf denen man zum Göttlichen gelange, und der Islam lehrt Geduld und das getreue Warten auf die nie versiegende Gnade Allahs.

Auch der Apostel Paulus schrieb trotz der Widrigkeiten, die er zu erdulden hatte, über den »Frieden Gottes, der alles menschliche Begreifen weit übersteigt«[7]. Und Gandhi verspürte, obwohl er im Gefängnis saß, ein Gefühl des Glücks, denn niemand konnte seine Zwiesprache mit dem Gott der Liebe verhindern.

Innere Probleme können auch durch Veränderung des Denkens gelöst weden. In einigen asiatischen Religionen ist die Vorstellung, daß die Menschen autonom agierende und voneinander unterschiedliche Individuen seien, nur Illusion. Was der Mensch für »sein« Bewußtsein und für »seinen« Körper hält, befindet sich tatsächlich in ständiger Veränderung. Das Freisein von Problemen besteht darin, die Realität des weltlichen Wandels zu erkennen und zu akzeptieren und dem eigenen »kleinen« Selbst in Relation zu dem ewigen Selbst weniger Bedeutung beizumessen. Die alten Sagen Indiens bezeichnen es als »dieses ewige Sein, das nie bewiesen werden kann ... makellos, jenseits des Äthers, das ungeborene Selbst, groß und ewig ... der Schöpfer, der alles gemacht hat«[8].

Viele kontemplative sprituelle Traditionen lehren Methoden, wie man sich in das eigene Innere vertieft, um zu entdecken, wie man alle Bindungen, Bedürfnisse, Wünsche und Gefühle des Ärgers oder Grolls, die mit dem kleinen Ich verbunden sind, tilgen und dabei die Reinheit des wahren Selbst zum Vorschein bringen kann. Hat der Mensch dieses Selbst einmal in sich entdeckt, wird er es überall entdecken. Diese Erkenntnis birgt das Gefühl des Glaubens, in dem nach den Worten des Philosophen William James

... dumpfe Untergebenheit weit hinter sich gelassen wird und ein Gefühl des Willkommens seinen Platz eingenommen hat, das sich irgendwo zwischen fröhlicher Gelassenheit und enthusiastischem Glücksgefühl bewegt.[9]

Kabir war ein Weber und lebte im 15. Jahrhundert. Dieser religiöse Begründer wurde gleichermaßen vom Islam und vom Hinduismus beeinflußt. Seine Worte aus dem heiligen Buch der Sikhs beschreiben dieses Stadium spiritueller Seligkeit:

Der blaue Himmel reißt mehr und mehr auf,
die alltägliche Erfahrung des Versagens vergeht,
der Schaden, den ich bei mir angerichtet habe, vergeht,
eine Million Sonnen kommen zu mir mit Licht,
wenn ich fest verankert in dieser Welt sitze.[10]

Auch andere Menschen sehen sich als Teil dieser Welt des Lichts, an die sie sich noch schemenhaft erinnern können, und sehnen sich nach einer Rückkehr. William Wordsworth schrieb im 19. Jahrhundert:

Unsere Geburt ist nichts als Schlaf und Vergessen;
die Seele, die sich mit uns erhoben hat, unser Lebensstern
wird an einem anderen Ort untergehen und kommt von weit her;
hat nicht alles vergessen,
und ist nicht völlig nackt und bloß,
doch Wolken des Ruhms hinter uns herziehend, kommen wir
von Gott, unserem Zuhause.[11]

Wenn der Mensch die Natur in ihrer ganzen natürlichen Schönheit erlebt oder Zeuge

Ein Sturmsystem nördlich von Hawaii, fotografiert aus dem Fenster der Apollo 9, März 1969.

einer reinen, wahren menschlichen Liebe wird, empfindet er vielleicht auch einen anderen religiösen Impuls: den der Wertschätzung für unsere außergewöhnliche Schöpfung. Ray Fadden gehört zum Ältestenrat der Mohawk Nation. Er beschreibt die spirituellen Traditionen der Indianer als »Dankes-Religion«. Menschen, die in allen erschaffenen Menschen ein Wunder sehen, beginnen jeden Tag mit neuer Dankbarkeit. Bruder David Steindl-Rast sieht Dankbarkeit sogar als Basis eines geistlichen Lebens. Religionen lehren den Menschen, daß »jemand« oder »etwas« existiere, dem man für alle diese Dinge danken könne. Für und an alle Schöpfung schrieb der heilige Franz von Assisi seinen Sonnengesang als Hoheslied:

Seid gepriesen, o Herr, mit all den Dingen, die Du erschaffen hast. Seid gepriesen, Bruder Sonne, der den Tag bringt und uns Licht gibt. Er ist hell und leuchtend mit einem glänzenden Gesicht und er bezieht seine Bedeutung von oben.

Seid gepriesen, o Herr, für die Schwester Mond und die Sterne am Himmel. Du hast sie klar und kostbar und wunderbar gemacht.

Seid gepriesen, o Herr, für unseren Bruder Wind und für die Luft und die Wolken und die windstillen Tage und jede Art des Wetters, durch die Du Deinen Geschöpfen Nahrung gibst.

Seid gepriesen, o Herr, für unsere Schwester Wasser, die sehr hilfsbereit und demütig ist, kostbar und rein.

Seid gepriesen, o Herr, für unseren Bruder Feuer, durch den Du das Dunkel erhellst; er ist hell, leuchtend und stark.

Seid gepriesen, o Herr, für unsere Mutter Erde, denn sie erhält und ernährt uns und bringt die verschiedensten Früchte und Gräser und leuchtende Blumen hervor.

Seid gepriesen, o Herr, für unsere Schwester, den körperlichen Tod, dem kein lebendiger Mensch entfliehen kann. Seid gepriesen, o Herr, für alle Deine Kreaturen. Wir danken Dir ...[12]

Doch hinter dem Wunder der Schöpfung könnte sich auch Intelligenz verbergen. Wer oder was könnte das sein? In der Religion sucht der Mensch nach Wissen und Verständ-

nis, nach Antworten auf die vielen Fragen, die er an das Leben stellt. Wer sind wir? Warum sind wir hier? Was passiert mit uns nach unserem Tod? Warum gibt es Leid? Warum existiert das Böse? Hört da oben überhaupt jemand zu?

Wer seine eigene Sicherheit in ganz klaren Antworten finden will, sucht diese in Religionen, die über Dogmen verfügen – ein System von Grundsätzen, die als absolut wahr dargestellt und angenommen werden, selbst wenn diese außerhalb des Wissens liegen, das der Mensch mit seinen persönlichen Erfahrungen erlangt hat. Absoluter Glaube kann Menschen Erleichterung verschaffen – von Ängsten befreien, durch Verwurzelung ein Gefühl der Sicherheit hervorrufen, Sinn und Ordnung in einer schnellebigen Welt und ihrer rasch sich verändernden sozialen Ordnung schaffen. Religionen können auch Regeln aufstellen, die von der Ernährung bis zu persönlichen Beziehungen alles im Leben festlegen. Solche Vorschriften symbolisieren die irdischen Reflexionen der kosmischen Ordnung. Andere Religionen hingegen ermuntern ihre Anhänger, auf diese immer wiederkehrenden Fragen eigene Antworten zu finden und die Ungewißheiten des Nichtwissens intellektuell auszuleben, die alten Konzepte immer wieder zu durchbrechen, bis nichts mehr bleibt als die Wahrheit selbst.

Und schließlich kann auch die verstörende Empfindung, allein im Universum zu sein, den Menschen zur Religion bringen. Diese Isolation kann als schmerzhaft, sogar beängstigend empfunden werden. Das Göttliche wird gesucht, als sei es ein liebender Elternteil oder ein Freund. Andere Wege bieten die Möglichkeit der Transzendenz. Durch sie verliert der Mensch das Gefühl der Isolation, indem er sich auf mystische Weise mit dem Einen verbindet, der Realität selbst.

Realitäten jenseits der sichtbaren Welt

Religiosität kann also durch persönliche Bedürfnisse bedingt sein – das Verlangen nach Unsterblichkeit, nach Sinn und Bedeutung, nach Perfektion, persönlicher Weiterentwicklung, Problemflucht, Suche nach Glück, Frieden, Verständnis und Ordnung, Gefühle der Dankbarkeit oder Isolation. Der Glaubende jedoch würde bestreiten, daß das Übernatürliche die Projektion eines Wunschdenkens sei. Wer glaubt, hat entweder selbst eine größere Realität erlebt, oder er vertraut den Worten eines Lehrers, der solche Erlebnisse kennt. Selbst die Wissenschaft, lange eine Bastion der religiösen Skepsis, bekennt mittlerweile, daß es außerhalb der materiellen Werte, die wir mit unseren normalen Sinnen erfahren können, noch viel mehr gibt.

MYSTISCHE ERFAHRUNGEN MIT DEM HEILIGEN Glaube entspringt häufig einer mystischen Erfahrung – dem überwältigenden Bewußtsein, von einer Realität berührt worden zu sein, die über das normale Leben weit hinausgeht. Wer solche Erfahrungen gemacht hat, kann nicht leicht darüber sprechen, denn sie betreffen etwas außerhalb der (in Sprache faßbaren) Welt von Zeit und Raum Liegendes. Trotzdem wissen die Betref-

Der Bildhauer Alberto Giacometti hat oft die existentielle Einsamkeit, die einige Menschen verspüren, in seinen Arbeiten eingefangen, wie hier in seinem Werk Gehender Mann *(1947–48).*

> *Ich baue nicht auf das Sichtbare, sondern auf das, was jetzt noch niemand sehen kann. Denn was wir jetzt sehen, besteht nur eine gewisse Zeit. Das Unsichtbare aber bleibt ewig bestehen.*   *2. Korintherbrief 4,18*

fenden aber sofort und zweifelsfrei, daß sie spirituelle Realität erlebt haben. Teilhard de Chardin, der hochgeschätzte französische Paläontologe und Jesuit, war überzeugt, daß Gott »das Herz aller Dinge« sei, weil er das »einzigartige Leben aller Dinge«[13] äußerst in-

Ein Gefühl der Präsenz des Großen Unsagbaren kann über das scheinbar so normale und alltägliche Leben hereinbrechen (Samuel Palmer, The Waterfalls, Pistil Mawddach, North Wales, *1835–36).*

tensiv erlebt hatte. George William Russell, ein irischer Autor, beschreibt seine mystischen Erfahrungen unter dem Pseudonym »AE«. Er lag auf einem Hang

> *… und dachte an gar nichts, nur an das Sonnenlicht und wie wunderbar es war, hier zu dösen, als ich plötzlich heftige Herzschmerzen bekam und wußte, daß es etwas Persönliches und Intimes war. Es fing damit an, daß alle Sinne sich erweiterten und klar wurden, und wandte sich nach innen, und erst hörte ich Musik, die wie sich entfernende Glocken klang … dann eröffnete sich mir das Herz des Hangs, und ich wußte, daß für die, die da waren, dieser Hügel nicht existierte und daß sie nichts ahnten von dem massiven Berg, der über die Paläste des Lichts gehäuft war, und der Wind glänzte und war klar wie ein Diamant und voller Farbe wie ein Opal, als sie durch das Tal glitzerten, und ich wußte, daß um mich herum das Goldene Zeitalter war und daß wir diejenigen gewesen waren, die es nicht mehr gesehen hatten, aber daß es sich nie von der Welt entfernt hatte.[14]*

Die Begegnung mit einer transzendenten Realität ist in der spirituellen Tradition mit vielen Namen versehen worden: Erleuchtung, Gotteserfahrung, Kensho, Erweckung, Selbsterkenntnis, Gnosis, Heimkehr. Solche Begegnungen können sich spontan ergeben, wie in todesähnlichen Erlebnissen, in denen sich die Betroffenen plötzlich in einer Welt von unirdischer Leuchtkraft wiederfinden, aber auch das Ergebnis von Meditation, Fasten, Beten, Singen, Drogen oder Tanz sein.

[Der »Strahl der Erleuchtung« bringt einen] in ein Stadium wunderbarster Inspiration, Begeisterung, unglaublicher Freude, einer schmerzvoll-süßen Erkenntnis, daß das ganze Leben grundlegend richtig ist und daß es weiß, was es tut.

Nona Coxhead[15]

Für die Erkenntnis gibt es Stufen, wie es auch viele Stufen des Bewußtseins gibt. In seiner klassischen Forschungsstudie *The Varieties of Religious Experience* (»Die Vielfalt religiöser Erfahrung«) kam William James zu dem Schluß:

> *Unser normales Wachbewußtsein, das wir rationales Bewußtsein nennen, ist nur eine besondere Form des Bewußtseins, das die ganze Zeit – nur getrennt durch die hauchdünnsten Wände – von potentiellen Formen ganz anderer Bewußtseinsstadien umgeben ist …*
> *Keine Darstellung des Universums in seiner Totalität kann endgültig sein, die diese anderen Formen des Bewußtseins außer acht läßt.*[16]

Wissenschaft, Religion und ein neues Verständnis

Wie die Religion sucht auch die Wissenschaft nach Universalprinzipien, die die Natur erklären. Die heutige Trennung dieser beiden Bereiche Religion und Wissenschaft war übrigens im Altertum kaum gemacht worden. In der östlichen wie in der westlichen Kultur gab es ein universelles Bestreben, Realität als Ganzes zu begreifen.

Im alten Griechenland, dem Ursprung vieler Ideen des abendländischen Denkens, versuchte eine Gruppe von Denkern, die auch »Naturphilosophen« genannt wurden, die Welt durch die eigene Beobachtung und Wahrnehmung zu begreifen. Plato hingegen mißtraute dem Zeugnis der menschlichen Sinne. Er entwickelte eine Reihe von Unterscheidungen: zwischen dem sinnlich Wahrnehmbaren und dem verstandesmäßig Erschließbaren, zwischen Körper und Seele, Erscheinung und Realität, Objekten und Ideen. Für ihn stand die Seele über dem Körper, und die Vernunft (Aktivität) war den Sinnen (Ablenkung) vorzuziehen. Diese Wertung dominierte das abendländische Gedankengut während des gesamten Mittelalters; dahinter stand auch der Glaube, daß die Natur als Ganzes von Gott geschaffen worden sei, um die Menschheit zu retten.

Mit der Renaissance trennten sich in Europa zwischen dem 14. und 16. Jahrhundert die Wege von Wissenschaft und Religion. Ein neues Konzept, das das Universum als eine riesige Menge von Tatsachen betrachtete, die von niemandem mit irgend einem erkenn-

Auch Wissenschaftler können sich vorstellen, daß die Perfektion der Eigenschaften, die einem Vogel das Fliegen ermöglichen, auf die Existenz einer unsichtbaren organisierenden Kraft oder eines Schöpfers hindeutet.

baren Ziel geplant worden sind, fand immer stärkere Verbreitung. Die Denker der Renaissance waren zuversichtlich, daß physikalische Beobachtungen und mathematische
Analysen alle Grundlagen der Natur und wissenschaftliche Instrumente die ganze Wahrheit über das Universum sichtbar machen würden. Und da Mikroskope und Teleskope
weder Gott noch Seelen, noch Unsterblichkeit entdeckten, galten diese nun als subjek-
tive Launen. Der Erfolg der Physik und die Persönlichkeit Isaac Newtons, der die Bewegung von Materie auf geniale Weise beschrieb, ermunterten die Menschen, auch die Welt
selbst für eine gigantische Maschine zu halten.

Während der Aufklärung im 18. Jahrhundert ließen die Deisten noch die Möglichkeit
gelten, daß die Welt von Gott geschaffen worden sei. Daß dem Göttlichen im Verlauf des
materiellen Universums oder der Menschheitsgeschichte noch eine einleuchtende Rolle
zukam, glaubten sie hingegen nicht mehr. Mitte des 19. Jahrhunderts begründete der Na-
turforscher Charles Darwin seine Theorie über die Entstehung der Arten mit dem Überleben des Stärkeren und widersprach damit einer wörtlichen Auslegung der biblischen
Genesis, derzufolge Gott innerhalb von sechs Tagen aus dem Nichts den Himmel und die
Erde und alle Pflanzen und Tiere auf ihr erschaffen habe. Gegen Ende des 19. Jahrhunderts wurden schließlich alle Werte des Abendlandes, die mit der jüdisch-christlichen Tradition verknüpft waren, in Frage gestellt, und Nietzsche erklärte: »Gott ist tot!«

An der Schwelle zum 21. Jahrhundert nimmt der religiöse Dogmatismus in einigen
Bereichen zu, während der wissenschaftliche Dogmatismus abzuebben scheint. Es gibt
mittlerweile Wissenschaftler, die glauben, daß eine »wissenschaftliche Wahrheit« in jedem
Bereich der Forschung immer nur begrenzt und relativ ist, insofern sie durch den engen
Rahmen menschlicher Wahrnehmung und menschlichen Verstehens definiert ist. Wissenschaftliche Instrumente können die Grenzen menschlicher Wahrnehmung erweitern,
aber Wissenschaftler und Forscher sind sich der Tatsache bewußt, daß jenseits des meß-
und berechenbaren Bereichs noch mehr liegt.

Daß empirische Untersuchungen allein unzulänglich sind, hat man in den religiösen
Traditionen des Morgenlands schon vor langer Zeit erkannt. Damals wurde der Wert von
Wahrnehmung und Vernunft darin gesehen, daß sie bei der Aneignung von normalem
Nutzwissen hilfreich waren, nicht jedoch bei der Erlangung transzendenten Wissens, das
sich mit dem Geheimnis des Seins beschäftigte. Dieses Geheimnis, so glaubt man, konnte
nur durch spirituelle Erfahrungen verstanden werden.

Doch nicht nur in ihren Antworten, auch in ihren Fragen ist die Wissenschaft beschränkt. Professor Anand Mohan von der City University of New York:

> *Ganz egal, wie klug und wie sorgfältig das Universum um uns durch die Wissenschaft*
> *auch erforscht wird, ein Kernthema wird doch immer seinen zentralen Punkt behalten.*
> *Und das ist: Die systematische Suche nach beschreibenden Fakten, Meßdaten und quan-*
> *titativer Analyse, die das Werkzeug der empirischen Wissenschaft darstellen, schließt*
> *per Definition aus, daß alle qualitativen Aspekte wie die Bedeutung, der Wert und*
> *Zweck der Natur und im Leben des Menschen überhaupt in Betracht gezogen werden.*
> *Dies sind aber genau die Fragen, die traditionell zum Bereich der Religion gehören.*[17]

Biologen sind der Auffassung, daß die Natur eine bestechende Harmonie von wunderbar komplexen, voneinander abhängigen Einzelteilen ist. Und je mehr sie ihr Wissen über
die Welt vergrößern und die noch unbekannten Bereiche erforschen, desto beeindruck-
ter zeigen sich Wissenschaftler von den Ergebnissen. So entdeckten sie beispielsweise,
daß sich die Sterne nicht hätten bilden können, wenn die Gravitationskraft nur ein klein
wenig stärker oder schwächer wäre. Oder daß die Flugfähigkeit von Vögeln, mit den Worten des Genetikers Lucien Cuenot, »von Tausenden Details abhängig ist: langen Federn
an den Flügeln und am Schwanz, mit Luftkammern versehenen Knochen, Luftsäcken,

Brustknochen und Brustmuskeln, einem bestimmten Bau der Rippen, des Halses, der Füße, des Rückgrats, des Beckens, daß sich die Häkchen der Federn automatisch ineinander verzahnen usw«[18]. Daraus ergibt sich die Frage, ob das Zusammentreffen so vieler Charakteristika nur einer zufälligen Anordnung der Atome entstammt oder nicht doch einer bewußten Anlage durch einen Schöpfer des Universums. Die Biologen Robert Augros und George Stanciu kamen bei ihrem Überblick über die in der organischen Welt vorhandene Intelligenz zu dem Schluß, daß

> *… die Natur weder Funktion noch Struktur verschwendet. Sie stellt die gesamte Ausrüstung, die jeder Organismus zum Leben benötigt, zur Verfügung, aber belastet ihn nicht mit nutzlosen Organen … Jede Zelle, jedes Gewebe, jedes Organ dient einem Zweck. Jedes Tier, jede Pflanze hat einen Zweck bei ihren Aktivitäten vor Augen. Die ganze Natur ist durch Sinn und Zweck geordnet.*[19]

In der Quantenphysik des 20. Jahrhunderts ist diese Transformation des wissenschaftlich-forschenden Blickwinkels besonders augenfällig. Statt eines maschinenähnlichen Universums, das unabhängig von einem menschlichen Beobachter existiert, entdeckten Forscher, daß sich das Verhalten subatomarer Partikel nur innerhalb eines dynamischen interdependenten Ganzen erklären lasse. Was der Mensch zudem mit seinen fünf Sinnen erfassen kann, ist nicht die letzte, ultimative Realität. Trägheit und Dichte von Masse sind beispielsweise reine Illusion. Jedes Atom besteht vorrangig aus leerem Raum, in dem winzige Partikel umherschwirren. Diese subatomaren Partikel, wie Neutronen, Protonen und Elektronen, können gar nicht als »Dinge« beschrieben werden. In Experimenten verhalten sie sich mal als Energie, mal als Masse, mal als wellenähnliche Verbindungen, aber auch als Einzelteilchen. Sie haben keinen präzisen Standort, und man kann sie an mehreren Orten gleichzeitig antreffen. Die wellenähnlichen Verbindungen wiederum existieren nicht unabhängig von dem Verstand und der Denkweise der beobachtenden Person. Das menschliche Bewußtsein ist unauflöslich verbunden mit dem, das es gerade zu beobachten glaubt. Der Physiker David Bohm formulierte es so: »Alles durchdringt alles.«[20]

Konventionelle Auffassungen darüber, was Materie sei, werden heute längst nicht mehr von allen Wissenschaftlern geteilt. Früher wurde gelehrt, daß Materie eine von drei Formen annehme: fest, flüssig, gasförmig. 1985 jedoch schufen Forscher eine bizarre Erscheinung, das sogenannte Bose-Einstein-Kondensat: bei diesem gab es keinen Endpunkt des einen und Beginn eines anderen Atoms; sie bildeten eine Wolke.

Zahlreiche Erklärungen über das Universums – vom wissenschaftlichen Standpunkt aus unorthodox, vom spirituellen Standpunkt her durchaus möglich – werden heutzutage auch von angesehenen Wissenschaftlern angeregt. Der Quantenphysiker David Bohm stellt sich das Universum als multidimensional vor. Die Dimension, die der Mensch sehen und als »real« sich vorstellen kann, ist die *entwickelte* Ordnung, doch hinter dieser liegt noch die *damit zusammenhängende* Ordnung, in der sich Trennungen zu einem geschlossenen Ganzen zusammenfügen. Dahinter können noch andere subtile Dimensionen liegen, die zu einem unendlichen Grund verschmelzen, der sich als Licht entfaltet.

Die Welt ist nicht so, wie sie sich oberflächlich darstellt. Der menschliche Körper wirkt verhältnismäßig fest und stabil, doch er befindet sich in ständiger Veränderung und konstantem Austausch mit der Umwelt. Augen, Ohren, Nasen, Zunge und Haut des Menschen geben keine absoluten Wahrheiten wieder. Die Sinnesorgane des Menschen funktionieren eher als Filter, die aus einem multidimensionalen Universum nur die Charakteristika auswählen, die der Mensch für sein Überleben benötigt. So wäre es wesentlich schwieriger, eine Straße zu überqueren, wenn man die gesamte elektromagnetische Energie in der Atmosphäre wahrnehmen und Röntgenstrahlen, Radiowellen, Gammastrahlen, IV- und UV-Licht sehen könnte, statt der geringen Bandbreite, die wir als Farben des sichtbaren Spektrums sehen. Instrumente können zwar eine größere Bandbreite an Energien wahrnehmen, doch man weiß heute, daß hinter den meßbaren noch andere Bereiche liegen. Selbst die Fähigkeit des Menschen, sich vorzustellen, was er nicht durch seine Sinne erfahren kann, ist durch Organisation des menschlichen Gehirns eingeschränkt. Die Möglichkeit, vielleicht sogar die Gewißheit zu akzeptieren, daß die letzte und endgültige Realität jenseits des Bereichs liege, den der Mensch durch empirische Erfahrungen oder Rationalität erfassen könne, gilt heute nicht mehr als unwissenschaftlich.

> *Das schönste und tiefste Gefühl, das wir erleben können, ist die Erfahrung des Mystischen. Es ist die Säerin aller echten Wissenschaft. Der Mensch, der dieses Gefühl nicht kennt, der nicht mehr staunen und in Ehrfurcht gebannt vor etwas stehen kann, ist so gut wie tot. Zu wissen, daß das, was wir nicht ergründen können, wirklich existiert, drückt sich als höchste Weisheit und strahlendste Schönheit aus, die unsere dumpfen Sinne nur in ihrer primitivsten Form wahrnehmen können – dieses Wissen, dieses Spüren ist der Kern wahrer Religiosität … Ein Mensch ist Teil des Ganzen … Er erfährt sich selbst, seine Gedanken und seine Gefühle als etwas, das vom Rest abgetrennt ist – eine Art optischer Illusion seines Bewußtseins … Unsere Aufgabe muß sein, uns aus diesem Gefängnis zu befreien, in dem wir unser Mitleid auf alle lebenden Kreaturen ausdehnen und die ganze Natur in ihrer Schönheit umarmen.*
>
> *Albert Einstein*[21]

Wie kann man die letzte Realität erleben?

Es gibt zwei Wege, Wissen zu erlangen: durch rationales Denken (Vernunft) und durch zielgerichtete Intuition. Rational zu denken bedeutet, aus den Wahrnehmungen der Sinne allgemeine Kategorien abzuleiten und diese systematisch in logische Konzepte von Realität zu unterteilen. Doch selbst die Vernunft kann bei verschiedenen Menschen zu verschiedenen Ergebnissen führen. Thomas Hobbes, ein englischer Philosoph und Staatstheoretiker des 17. Jahrhunderts, folgerte, daß Gott einfach nur eine Idee sei, die die menschliche Vorstellungskraft aus ihren Ideen der sichtbaren Welt geschaffen habe. Ein Zeitgenosse, der französische Rationalist René Descartes, hingegen betonte, das Bewußtsein der eigenen Existenz und das logische Denken seien Beweis für die Existenz Gottes.

Andere Menschen gelangen zum Glauben, indem sie ohne Hinterfragen übernehmen, was bedeutende religiöse Persönlichkeiten entschieden oder religiöse Traditionen als Dogma festgelegt haben. Göttliche Eingebung ließ den Propheten Muhammad sagen: »Ich glaube an das Buch, das Allah hinabgesandt hat.«[22] Das beinhaltete nicht nur den heiligen Koran, sondern auch die Botschaften, die von früheren Propheten der jüdisch-christlichen Tradition verkündet wurden, darunter Jesus und Mose.

Doch manche Menschen entwickeln einen Glauben erst dann, wenn sie auf ihre Fragen Antworten erhalten haben. Martin Luther suchte nach dem Glauben an Gott in wahren Stürmen des Zweifels, »wütete mit einem glühenden und aufgewühlten Gewissen«[23].

Einige Religionen ermutigen ihre Anhänger dazu, die eigenen intuitiven Fähigkeiten zu entwickeln, um unmittelbar spirituelle Wahrheiten wahrzunehmen – eine Wahrnehmung, die über die Sinne, die Grenzen des menschlichen Verstandes und den blinden Glauben hinausgeht. In diesem Fall spricht man von *Mystik*, von dem griechischen Wort *mýein* (»sich schließen« [der Lippen und Augen]) abgeleitet. In den Upanishaden des Altertums, den Lehren der großen indischen Meditations-Lehrmeister, werden die Schüler

zu tiefer Meditation aufgefordert; anschließend, wenn sie ihre Gedanken vollständig auf Liebe konzentriert haben, sollen sie ihr Bewußtsein wie einen Pfeil auf die Zielscheibe ausrichten – das ewige Eine. In den Religionstraditionen der Naturvölker hingegen wurden die Menschen oft dazu angehalten, sich Entbehrungen zu unterziehen: So konnten sie vom Unsichtbaren eine Vision als Leitfaden für künftige Handlungen erbitten.

Viele Religionen haben Meditationstechniken entwickelt, mit deren Hilfe intuitive Weisheit aus den Tiefen des Bewußtseins an die Oberfläche aufsteigt – oder die Stimme des Göttlichen, das in das Bewußtsein des einzelnen dringt. Ob diese Weisheit eine natürliche innere Begabung des Individuums ist oder eine äußere Stimme – der Vorgang ist ähnlich.

Das Bewußtsein wird einleitend von der Welt abgewendet, auch von den eigenen Gedanken und Gefühlen, die man in der Meditation loszulassen sucht. Bei der Fokussierung des eigenen Bewußtseins auf einen Punkt helfen Konzentrationstechniken wie das Beobachten des eigenen Atems oder das Flackern eines Kerzenlichts. Ist das Bewußtsein zur Ruhe gekommen, fällt damit auch die Trennung zwischen Innen und Außen weg. Der Sehende verschmilzt mit dem Gesehenen in der Verbindung von Subjekt und Objekt, wobei die innere Natur der Dinge sich offenbart.

Unsere übliche Erkenntnis von der Welt ist meist dergestalt, daß wir unser Selbst als von den wahrgenommenen Objekten der Welt getrennt empfinden. In einem Moment der Erleuchtung kann diese dualistische Sichtweise überwunden werden: Das Echte und dessen Wahrnehmung verschmelzen miteinander. Das *Mundaka Upanishad* sagt: »Verliere dich in der Ewigkeit, so wie sich der Pfeil im Ziel verliert.« Für einen Hindu ist diese Einstellung gleichbedeutend mit der Erlangung von *Moksha,* der Befreiung, durch das man in die Wahrnehmung der ewigen Realität tritt, Brahman genannt. Diese Realität wird ebenso direkt erkannt wie das eigene Selbst. Der Sufi-Mystiker Abu Yazid drückt es so aus: »Ich entledigte mich meiner Hülle, wie eine Schlange sich der ihren entledigt, blickte in mein Wesen und sah, daß ›Ich Er bin‹.«[24]

Aber dieses erleuchtete Bewußtsein kann jemandem ohne vergleichbare Erfahrungen nicht vermittelt werden, wenngleich sich in unserer religiösen Literatur immer wieder Versuche dazu finden. Weder die menschliche Sprache noch die menschliche Logik, die beide die Erfahrung einer separaten Formenwelt betreffen, können hinreichend die Einheitlichkeit der letzten Realität zum Ausdruck bringen.

Verschiedene Auffassungen der letzten Realität

Das Heilige hat viele Gesichter – denn eine Annäherung erfolgt auf unterschiedlichen Wissensebenen, durch unterschiedliche Menschen, zu verschiedenen Zeitaltern, von verschiedenen Kulturen. Die letzte Realität kann als *immanent* (der Welt innewohnend) oder als transzendent (außerhalb des materiellen Universums befindlich) definiert werden. Viele Menschen sehen das Heilige durch ein personalisiertes Wesen verkörpert, einen Vater, eine Mutter, einen Lehrer, Freund, Geliebten oder eben eine bestimmte Gottheit. Religionen, die auf der Beziehung des einzelnen zu einem göttlichen Wesen beruhen, werden *theistische* Religionen genannt. Erkennt eine Religion nur ein einziges göttliches Wesen an, ist diese Religion *monotheistisch.* Wenn jedoch das Göttliche in verschiedenen Formen zum Ausdruck kommt, wird diese Religion als *polytheistisch* bezeichnen.

Manche Menschen glauben, daß das Heilige zwar unsichtbar sei, manchmal jedoch in Menschengestalt auf die Erde komme, wie Jesus Christus oder Krishna, oder sich auf besondere Weise manifestiere (so sah beispielsweise Mose eine Flamme, die aus einem Dornbusch loderte, ohne diesen zu verbrennen). Oder die eigentlich unsichtbare Gottheit wird

Gegenüberliegende Seite: In vielen Religionen ist die rituelle Reinigung mit Wasser gleichzeitig eine Reinigung des Inneren, durch die man einen Zugang zur letzten Realität gewinnen kann.

mit menschlichen Begriffen beschrieben. Die Theologin Sallie McFague spricht vom liebenden Gott, indem sie ihm menschliche Gefühle zuschreibt:

> *Gott als Liebender ist der, der die Welt nicht über seine Fingerspitzen liebt, sondern allumfassend und leidenschaftlich. Der sich ihrer Vielfalt und Üppigkeit erfreut, sie als attraktiv und wertvoll empfindet und sich an ihrer Erfüllung erfreut. Gott als Liebender ist die bewegende Kraft der Liebe im Universum und verkörpert die Sehnsucht nach Einheit mit allen Brüdern und Schwestern.*[25]

Zu allen Zeiten existierten religiöse Autoritäten, die ihre jeweils bevorzugte Gottheit als die einzig wahre Gottheit ausgaben und Andersgläubige der Falschgläubigkeit bezichtigten. Sie nannten sie »Heiden« oder »Nichtgläubige«. Die so Bezeichneten standen ihnen meist genauso ablehnend gegenüber. Sind solch starre Positionen erst einmal eingenommen – häufig in bewaffneten Auseinandersetzungen ausgefochten oder Konversion erzwingend –, ist wohl kaum anzunehmen, daß alle Glaubenden – in unterschiedlichen Sprachen – von demselben unbeschreiblichen Wesen oder von unterschiedlichen Aspekten desselben unfaßbaren Ganzen sprechen.

Der *Atheismus* hingegen steht für den Nichtglauben an Gottheiten. Viele kommunistisch regierte Länder folgten der Auffassung von Karl Marx und lehnten den Glauben ab oder bekämpften ihn sogar. Ein »säkularer« Glaube an eine (vorgeblich) altruistische Regierung sollte ihn ersetzen. Der namhafte protestantische Theologe Reinhold Niebuhr beschrieb den atheistischen Kommunismus als »Irreligion, die sich in eine neue politische Religion verwandelte und in den Schriften von Marx (und später Lenin) als heilige Schrift kanonisiert wurde«, wobei Marx die Rolle des »verehrten Propheten einer neuer Weltreligion zukam«[26].

Es ist nicht ungewöhnlich, daß Menschen aller Glaubensrichtungen überall in der Welt so etwas wie die Marxsche Botschaft, daß der Kollektivismus den entmenschlichenden Auswirkungen der modernen Industriegesellschaft und des Kapitalimus entgegenstehe, und damit seine scharfe Kritik an der Unterdrückung von Menschen im Namen der Religion wie eine neue Religion begrüßten.

Atheismus kann sich jedoch auch von innen heraus aus der Überzeugung entwickeln, es gebe keinen Grund für den Glauben, daß das Leben mehr als nur diesseitig sei. Die Aussage eines amerikanischen College-Studenten steht für viele, die eine typisch moderne Form des unfreiwilligen Atheismus befürworten:

> *In einer modernen, industrialisierten Welt mit ihrer wissenschaftlich geprägten Weltsicht zu leben bedeutet, bis zu einem gewissen Grad ein Atheist zu sein. Ich persönlich möchte kein Atheist sein; die kalte mechanische Weltsicht ist mir zutiefst zuwider und widerspricht meinem Bedürfnis nach Wärme und Lebenssinn, wie sie von Gott kommen. Doch ich bin in einem säkularen, wissenschaftlich geprägten Umfeld erzogen und ausgebildet worden – wo Gott nicht existiert, dafür aber Atome und Moleküle und Gene und Zellen. Wo Präsidenten und Könige die Mächte dieser Welt sind, nicht etwa ein göttlicher Plan oder eine göttliche Kraft, an die meine Vorfahren wohl geglaubt haben. Ich kann nicht wirklich an Gott glauben.*
> *Wenn ich Gott finden will, muß ich nach ihm (oder ihr) in Büchern, in der Natur oder in mir selbst suchen, niemals jedoch im Fernsehen, in Schulen oder Einkaufszentren – kurz gesagt, in keinem Bereich des Mainstream. Sooft die Ansichten dieses Mainstream, der gottlos ist, in meinem Kopf und meiner Denkweise wiederholt werden, wird der atheistische Teil in mir verstärkt.*[27]

Der *Agnostizismus* hingegen leugnet das Göttliche nicht, ist aber davon überzeugt, daß Menschen nicht in der Lage seien, eine solche Existenz zu erkennen. Andererseits sei

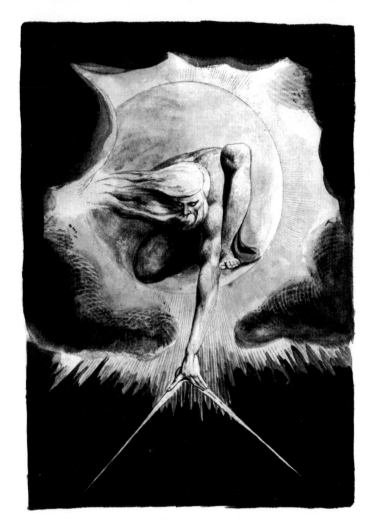

Das Konzept von Gott als altem Mann mit Bart, der die Welt vom Himmel aus regiert, wurde durch die Kunst einer patriarchalischen monotheistischen Tradition verstärkt, wie hier William Blakes Frontispiz zu »Europa«, Der Schöpfungsakt, *1794.*

eine letzte Realität in *nichttheistischer* Form denkbar. Sie könne als »unveränderliche Einheit«, als »Solchheit« oder einfach als »der Weg« erfahren werden. Solche Denkkonzepte beinhalten keinen Schöpfergott.

Doch Kategorien dieser Art müssen einander nicht ausschließen; daher können »Glaubensetikettierungen« der jeweiligen Konfessionen manchmal eher zu Verwirrung als zu einem Verständnis von Religionen führen. Einige polytheistische Traditionen verfügen über eine Hierarchie von Göttern und Göttinnen, an deren Spitze ein höchstes Wesen steht. Im Hinduismus hingegen verkörpert jede einzelne Gottheit alle Aspekte des Göttlichen. In den auftretenden Paradoxien bei der Anwendung menschlicher Logik und Sprache auf den lineares Denken transzendierenden Bereich ist der Glaube, daß Gott ein sehr persönliches Wesen und gleichzeitig in allem präsent sei, durchaus möglich. Ebenso können Mystiker tiefe persönliche Erfahrungen mit dem Göttlichen machen und diese zugleich als so unaussprechlich empfinden, daß sie sie als jenseits des menschlichen Wissens stehend bezeichnen. Der im 11. Jahrhundert wirkende jüdische Rabbiner Maimonides betonte:

… der menschliche Verstand kann Gott nicht begreifen. Nur Gott kann sich begreifen. Die einzige Form des Verständnisses von Gott, das wir haben können, ist die Erkenntnis der Nutzlosigkeit, sich Ihn vorzustellen.[28]

Das *Jaap Sahib*, die bedeutenden Lobpreisungen Gottes des zehnten Sikh-Gurus Guru Gobind Singh, bestehen größtenteils aus den negativen Eigenschaften Gottes:

> *Ich grüße den Einen, der weder Farbe noch Tönung hat,*
> *Ich grüße den Einen, der keinen Anfang hat.*
> *Ich grüße den Unergründlichen,*
> *Ich grüße den Unbegreifbaren …*
> *Mein Herr, Du bist formlos und besitzt keinen Gleichrangigen*
> *Jenseits von Geburt und der physischen Elemente.*
> *Jenseits einer Beschreibung und ohne Kleid*
> *Du bist namenlos und wunschlos.*
> *Du bist jenseits der Gedanken und für immer ein Geheimnis.*
> *Du bist unbesiegbar und furchtlos.*[29]

Für einige Menschen existiert nur der Aspekt des Göttlichen, der sich ihnen offenbart hat. Andere fühlen die Existenz eines göttlichen Wesens mit vielen Gesichtern, daß alle Religionen einen gemeinsamen Ursprung haben. Pater Bede Griffiths ist ein katholischer Mönch; er lebt in einer Gemeinschaft in Indien, die eine Vereinigung der Traditionen des Westens mit denen des orientalischen, östlichen Glaubens anstrebt. Seiner Meinung nach kann man den gemeinsamen Nenner aller Religionen finden, wenn man sich nur intensiv genug mit allen religiösen Formen und Ausprägungen beschäftigt:

> *In jeder religiösen Tradition existiert die eine göttliche Realität, die eine ewige Wahrheit,*
> *doch es ist unter Symbolen verborgen … Das göttliche Geheimnis ist immer von*
> *einem Schleier verdeckt, doch jede Offenbarung (oder »Enthüllung«) deckt einen Aspekt*
> *dieser einen Wahrheit auf oder macht, wenn Sie so wollen, diesen Schleier an einem*
> *gewissen Punkt durchsichtiger. Die semitischen Religionen, das Judentum und der Islam,*
> *enthüllen den transzendentalen Aspekt des göttlichen Mysteriums mit sagenhafter*
> *Kraft. Die orientalischen Religionen hingegen enthüllen die göttliche Immanenz mit*
> *unvergleichlicher Tiefe. Doch in jedem ist auch der gegensätzliche Aspekt enthalten, allerdings weniger offensichtlich.*[30]

Anbetung und Symbole

Wie immer man die letzte Realität auch empfinden mag: Ihre Größe inspiriert auch ihre Verehrung. Die äußeren Formen der Religion bestehen zum größten Teil in dem Bemühen des Menschen, dieser Verehrung Ausdruck zu verleihen und vielleicht in das heilige Stadium der Kommunion mit dem so Verehrten zu treten. Auf der ganzen Welt werden Rituale, Sakramente, Gebete und spirituelle Praktiken dazu verwendet, eine Atmosphäre des Heiligen zu schaffen oder sich in ein Bewußtseinsstadium zu versetzen, in dem man den Hauch des Ewigen spüren kann.

> *Unsere religiösen Zeremonien sind nichts weiter als die Schatten dieser großen, universalen*
> *Anbetung, die im Himmel durch die Legionen himmlischer Wesen auf allen Ebenen*
> *erfolgt, und unsere Gebete bohren einen Weg durch diesen Vorhang, der unsere Erdebene*
> *von der himmlischen trennt, und ermöglichen vielleicht eine Kommunikation mit den*
> *zukünftigen Mächten.*
>   *Pir Vilayat Inayat Khan*[31]

Religiöse Gruppenzeremonien enthalten oftmals eine Teilung von Nahrung; dazu gehören auch ein offenes Feuer oder Kerzen, die Reinigung mit Wasser, Blumen, Duftöle und Opfergaben. Alle diese Aspekte besitzen einen tieferen inneren Sinn. Professor Antony Fernando aus Sri Lanka erklärt den Sinn von Opfergaben:

> *Selbst der Ungebildetste weiß, daß kein Gott in Wahrheit seine Opfergaben aufnimmt oder tatsächlich überhaupt benötigt. Was Menschen als Gaben bringen, ist das, was sie besitzen. Was man besitzt, wird einem so wichtig, daß es fast integraler Bestandteil des eigenen Lebens ist. So ist eine Opfergabe in gewissem Sinn also die Gabe seiner selbst. Menschen geben sich als Opfergabe, weil sie wissen, daß das allgemeine Verständnis vom Eigentum ihrer selbst auf einem falschen Verständnis vom Leben beruht. Niemand kann je wirklich etwas »besitzen« – ob materielle Güter, den Ehepartner, die Kinder, den eigenen Atem. Opfer und Gaben sind der dramatische Ausdruck, daß man selbst sein Leben in letzter Konsequenz nicht besitzt, und drücken auch den Willen aus, ein pflicht- und kein lustorientiertes Leben zu führen.*[32]

Ein frühes Bild einer Großen Mutter, Schöpferin und Bewahrerin des Universums (Tel Halaf, 5. Jahrtausend v. Chr.).

Das Ziel der Religionen liegt jenseits der menschlichen Ausdrucksfähigkeit. Gläubige errichten Denkmäler, Statuen und Gebäude, durch die und in denen sie das Göttliche anbeten, doch solche Formen sind nicht das Göttliche selbst. Die Ansprache des Unsichtbaren kann nur durch Metaphern erfolgen. Das tiefste Bewußtsein kann nicht die alltägliche Sprache sprechen; was es weiß, kann es nur über Bilder anklingen lassen.

Viele Völker haben zur Darstellung ähnlicher heiliger Bedeutungen auch ähnliche Bilder gewählt. Oft ist es die Sonne, die dank ihrer Ausstrahlungskraft als Symbol des Göttlichen verehrt wird. Der Himmel hingegen ist der Wohnort vieler Götter, denn er liegt über der Erde. Bedeutende spirituelle Führer sind in vielen Kulturen von jungfräulichen Müttern geboren worden, denn der Samen ihrer Zeugung ist nicht menschlichen Ursprungs, sondern entspringt dem unsichtbaren Einen.

Heute werden solche Symbole nicht mehr wörtlich, sondern metaphorisch interpretiert; man versteht sie als Hilfsmittel, mit denen sich eine Gesellschaft oder das Individuum etwas vorstellen kann. Joseph Campbell beispielsweise vermutete, daß die heiligen Mythen einer Gruppe grundlegenden sozialen Zwecken dienten; sie würden ein Gefühl des Wunderbaren in der Schöpfung wachrufen, den ethischen Kodex der jeweiligen Gruppe beinhalten und dem einzelnen dazu verhelfen, die Veränderungen in seinem Lebenszyklus mit einem Gefühl der Harmonie zu erleben. Dem Psychoanalytiker C. G. Jung folgend, interpretierte Campbell die Legenden der Heldenfahrt (Geschichten über Trennung, Initiation und Rückkehr zu seinem Volk mit der Wahrheit) als eine Form der psychologischen Instruktion des einzelnen:

> *Mythologie hat die Aufgabe, die genauen Gefahren und Techniken des dunklen, inneren Wegs von der Tragödie zur Komödie aufzuzeigen. Was passiert, ist daher ‚phantastisch und unwirklich und repräsentiert psychologische, nicht physische Triumphe. Der Weg, den sich der mythologische Held bahnt, mag überirdisch sein, [aber] er ist grundsätzlich ein innerer Weg – in Tiefen, wo unklare Widerstände überwältigt werden und lang verlorene, vergessene Mächte wieder belebt werden, um der Transfiguration der Welt zu dienen.*[33]

Auf der anderen Seite haben Gelehrte manches als Metapher interpretiert, was Gläubige als wörtlich und wahr ansehen. Die Medizinmänner der Naturvölker erleben beispielsweise ihre spirituellen Verbündeten als real, obwohl sie oft unsichtbar sind. Symbole fremder Religionen, die einem nicht vertraut sind, können anfangs durchaus als befremdlich, sogar unangenehm empfunden werden. Man muß in die mystischen Wahrheiten eindringen, die diese verkörpern, oder mit denen mitfühlen, die an sie glauben, oder ein intellektuelles Verständnis für ihren metaphorischen Inhalt entwickeln.

Frauen und das Weibliche in der Religion

Viele Mythen, die in den heutigen Religionen überdauert haben, lassen sich auf die Unterdrückung der frühen weiblich orientierten Religionen durch spätere männlich orientierte Religionssysteme zurückführen. Archäologische Funde aus vielen Kulturen, die jetzt ausgewertet wurden, legen die Theorie nahe, daß die Anbetung einer weiblichen Gottheit ursprünglich weit verbreitet war. Obwohl es damals – und heute – auch Kulturen gab, die das Göttliche nicht personifizierten, ihm kein Geschlecht zuschrieben und in diesem Bereich keine Hierarchie kannten, gab es unter den übrigen Kulturen einige, deren höchste Gottheit weiblich war.

So wie heute die höchste männliche Gottheit in verschiedenen Religionen verschiedene Namen trägt (Gott, Allah), besaß damals auch die Große Göttin viele Namen. Im alten Indien hieß sie Danu oder Diti, in China die Große Mutter Nu Kwa, in Ägypten war sie die Kobragöttin Ua Zit, in Griechenland die Schöpfergöttin Gaia, bei den Azteken hieß sie Coatlique die Mutter, bei den Skandinaviern war sie Freya, die Königinmutter, bei den Pueblo-Indianern Nordamerikas hieß sie Große Spinnenfrau und bei den Dahomey Mawu die Allmächtige Schöpferin. Eine Verehrungsschrift an die Göttin Ishtar, der höchsten Gottheit des alten Babylon, aus dem 18. oder 17. Jahrhundert v. Chr. stammend, läßt auf die Kräfte schließen, die ihr zugeschrieben wurden:

> *Ihr, die die Entscheidung trifft, Göttin aller Dinge. Der Obersten des Himmels und der Erde, die angebetet wird; Ihr, die die Bitten anhört, die zum Gebet einlädt; Ihr, der Göttin des Mitleids, die die Rechtschaffenheit liebt; Ishtar, die Königin, die alles unterdrückt, was verwirrt ist. Der Königin des Himmels, der Göttin des Universums, der Einen, die im schrecklichen Chaos gewandelt ist und Leben durch das Gesetz der Liebe brachte; und uns aus dem Chaos heraus Harmonie.*[34]

Tempel und Bilder, die anscheinend der Anbetung weiblicher Gottheiten gedient haben, finden sich an fast allen jungsteinzeitlichen und frühgeschichtlichen Ausgrabungsorten Europas und des Nahen und Mittleren Ostens. Oft war die Göttin symbolisch verbunden mit Wasser, Schlangen, Eiern, Spiralen, dem Mond, der Gebärmutter, der Vulva, den Magnetfeldern der Erde, mit hellseherischen Fähigkeiten und der Ewigkeit der Schöpfung und der Erneuerung des Lebens.

Einige Göttinnen-Anbeter behaupteten zuweilen, über Techniken der spirituellen Wiedergeburt und Erleuchtung zu verfügen oder die niedere Energie der Erde, wie sie die Schlange symbolisierte, in die Bereiche höheren spirituellen Wissens und in ekstatische Erlebnisse der Kommunion mit dem Leben erheben zu können. Die Sexualität spielte bei solchen Praktiken meist eine Rolle, und der rituelle Beischlaf galt als Mittel zur Beschaffung spiritueller Energien.

In solchen überwiegend landwirtschaftlichen Kulturen, die weibliche Gottheiten verehrten, hatten die Frauen selbst ebenfalls wichtige Positionen im sozialen Gefüge inne. Die Erbfolge wurden oft durch die Mütter bestimmt, die Frauen wurden in ihren Positionen als Priesterinnen, Heilerinnen, Beraterinnen, Prophetinnen, manchmal auch als Kriegerinnen verehrt; sie taten sich ebenso in der Entwicklung neuer Agrartechniken hervor.

Was geschah mit diesen Religionen? Heute versuchen Forscher und Gelehrte, nicht nur die Realität, das Ausmaß und die Charakteristika der Verehrung weiblicher Gottheiten Stück für Stück zu einem Puzzle zusammenzusetzen, sondern auch die Umstände, die zu ihrem Verschwinden führten. Ein neuerer kulturübergreifender Überblick von Eli Sagan (*The Dawn of Tyranny*) läßt darauf schließen, daß der oft gewaltsame Übergang von gemeinschaftlich und verwandtschaftlich organisierten Gruppierungen und Stammesverbänden zu zentralistischen Monarchien von männerdominierten sozialen und reli-

In der Hindu-Tradition versteht man die große Göttin Durga (links) als das aktive Element, das die dämonischen Kräfte vertreiben kann. Sie trägt Symbole kosmischer Energien und andere Aspekte des Göttliches bei sich (Durga tötet den Büffeldämon, Indien, um 1760).

giösen Strukturen begleitet war. In solchen Reichen basierte die soziale Ordnung auf Loyalität gegenüber dem König und Angst vor seiner Macht. In Europa und dem Mittleren Osten wurde die Verehrung weiblicher Gottheiten durch die Invasion indoeuropäischer Stämme (wohl aus den Steppen Rußlands stammend) unterdrückt, in denen Männer das Sagen hatten und eine höchste männliche Gottheit verehrt wurde. Diese Eroberungszüge fanden zwischen dem 3. und 2. Jahrtausend v. Chr. statt; der erstmalige Einsatz von Pferdestreitwagen war verheerender als alle anderen Kriegsmittel bis dahin.

Die Gottheit der Indoeuropäer ist oft als Sturmgott beschrieben worden, der auf einem Berg lebte und Licht (das Gute) in die Dunkelheit (das Schlechte, das mit dem Weiblichen assoziiert wurde) brachte. Die mit dem Kampf um Vorherrschaft zwischen männlichen und weiblicher Gottheit verbundenen Mythen erwähnen häufig eine männliche Gottheit, die mit einer Schlange oder einem Drachen kämpfte – so wie in dem frühen hebräischen Mythos von Jahwes Sieg über Leviathan (ein anderer Name für Lotan, die Göttin Kanaans). In Indien tötete der arische Gott Indra, »er, der Städte überwältigt«, die Muttergottheit Danu und ihren Sohn, die in den vedischen Schriften der Eroberer als Schlangen und dann als tote Kuh und ihr Kalb beschrieben werden.

Manchmal blieb die weibliche Gottheit in Koexistenz bestehen oder tauchte später bei der Verehrung männlicher Gottheiten wieder auf. Einflußreiche Göttinnen begleiten beispielsweise die neuen Gottheiten Indiens oder waren diesen als Pendant zur Seite gestellt; in anderen Fällen waren sie androgyn und verkörperten sowohl das Männliche als auch das Weibliche.

Durga, als schöne Frau auf einem Löwen reitend dargestellt, wird als die atemberaubende Pracht und Macht einer Gottheit verehrt. Im Christentum, so sehen es zumindest einige Gelehrte, ersetzt die Verehrung der Mutter Maria in gewisser Hinsicht die frühere Verehrung einer weiblichen Gottheit.

Mit der Unterdrückung weiblicher Gottheiten ging jedoch auch die Unterdrückung der spirituellen Teilnahme von Frauen einher. In patriarchalischen Gesellschaftsordnungen wurden die Frauen nun verbreitet Eigentum der Männer, deren Herrschaft sie sich zu beugen hatten. Und obwohl Jesus Christus zu seinen Lebzeiten Frauen geehrt und mit ihnen gearbeitet hatte, gingen seine späteren männlichen Anhänger dazu über, die Position der Frau innerhalb der Kirche zu beschneiden.

Doch man entledigte sich nicht nur ihres spirituellen Beitrags: Mit dem Austausch der weiblichen Gottheiten wurden in den patriarchalischen Gesellschaften wohl auch die »weiblichen« Aspekt der Religion abgewertet – die Empfänglichkeit, die Intuition, die ekstatische mystische Vereinigung, die allem Anschein nach in der Tradition weiblicher Gottheiten noch hatten ausgelebt werden dürfen. Die Angst vor den Kräften, die latent im Unbewußten und Unbekannten schlummerten, und die unkontrollierten Aspekte der menschlichen Psyche führten später zu Hexenverfolgungen, deren Ziel fast ausschließlich Frauen waren, und zu einem Mißtrauen gegenüber dem Mystischen in beiden Geschlechtern, die es gewagt hatten, ihre ekstatische und sehr persönliche Beziehung zum Göttlichen auszudrücken.

Obwohl Frauen in vielen Religionen den Männern in spiritueller Hinsicht noch nicht gleichgestellt sind, wird diese Situation mittlerweile jedoch in weiten Bereichen verändert. Auch dieses Buch beschäftigt sich in der Auseinandersetzung mit den unterschiedlichen Religionen mit den jeweiligen Positionen der Frauen und verzeichnet die Veränderungen, die inzwischen eingetreten sind. Die feministische christliche Theologin Rosemary Ruether ist der Meinung, daß das Streben der Frauen nach größerer religiöser Partizipation dazu beitragen kann, über die Geschlechterfrage hinaus andere Zersplitterungen im spirituellen Leben des modernen Menschen wieder zusammenzufügen:

> *Die feministische religiöse Revolution … strebt voran zu einer Alternative, die die Trennung zwischen »maskulin« und »feminin«, zwischen Verstand und Körper, zwischen Männern und Frauen als geschlechtsspezifischen Gruppen, zwischen Gesellschaft und Natur und zwischen den Rassen und Klassen heilen kann.*[35]

Fundamentalistische und liberale Interpretationen

Innerhalb desselben Glaubens interpretieren die Menschen ihre Traditionen durchaus verschieden. Die Bezeichnungen für solche Interpretationen sind oft negativ besetzt oder beeinflußt, im Kern aber wortneutral und rein beschreibend.

Die *orthodoxe* Tradition betrachtet ihre Religion eher unter einem historischen Blickwinkel. Ein orthodoxer Gläubiger wird versuchen, sich an den althergebrachten Praktiken, Gesetzen und Glaubensbekenntnissen zu orientieren. Ein *Fundamentalist* ist in der Regel jemand, der sich modernen Einflüssen auf seine Religion widersetzt und die Aspekte betont, die er als historischen Kern sieht. In unserer heutigen Zeit sehen viele Menschen ihr Dasein als einzigartiges Individuum einer etablierten Gruppe durch die tiefgreifenden sozialen Veränderungen bedroht, wie sie die moderne Industriegesellschaft und -kultur mit sich brachte. Der Zusammenbruch von Familienstrukturen, der Verlust der geographischen Heimat und Verwurzelung, der Niedergang eines eindeutigen Verhaltenskodexes und der Verlust an Kontrolle können sehr beängstigend wirken. Die Hinwendung zu religiösen Glaubensgrundsätzen oder Praktiken der Vergangenheit mag in dieser Situation wie ein sicherer Anker erscheinen. Religiöse Führer können diese Hinwendung zur Rigidität noch verstärken, indem sie sich als absolute Autoritäten präsentieren oder den Menschen die heiligen Schriften einer Religion als absolut wahrhaftig (und wörtlich wahr) darlegen. Sie können auch Antipathie, sogar Gewalt gegenüber Andersgläubigen schüren.

Die Engel weinen

Wo immer unschuldige Männer, Frauen und Kinder aus dem einfachen Grund umgebracht werden, weil sie einer anderen Rasse, Hautfarbe oder Nationalität angehören oder in einen Glauben geboren wurden, den ihre große Mehrheit nie wirklich verstehen und kaum je wirklich im wahren Sinne ausüben konnte – wo immer der unbescholtene Name der Religion bloße Politur ist, hinter der maßloser politischer Ehrgeiz und bodenlose Gier stecken – wo immer Ruhm und Ehre Allahs durch das Mündungsfeuer eines Gewehrs gesucht werden – wo immer Mitleid zu Habgier wird und die Moral dem Fluch des Zweckdienlichen und des Kompromisses weichen muß – wo immer es auch sein mag, ob in Jugoslawien oder Algerien, in Liberia oder im Tschad, dem wunderschönen Sudan, in Los Angeles oder Abuja, in Kaschmir oder in Conakry, in Colombo oder Cotabatu – dort überall ist Gott vertrieben worden, und der Teufel hat gesiegt, dort überall weinen die Engel, und die Seele des Menschen zieht sich voller Verzweiflung zusammen, dort werden im Namen Gottes Menschen entmenschlicht, und dort ist die Gnade und Schönheit des Lebens zerfressen und zerstört.[36]

Dr. Syued Z. Abedin,
Direktor des Institute for Muslim Minority Affairs

Die Bezeichnung »Fundamentalismus« wird häufig verwendet zur Beschreibung dieser selektiven Betonung von Teilaspekten einer religiösen Tradition und der Gewalt gegenüber Menschen anderer Religionszugehörigkeit. Doch eine solche Bezeichnung ist irreführend, denn keine Religion hat den Haß gegenüber Andersgläubigen zur Grundlage, und »Fundamentalisten« sind nicht per se daran interessiert, zu den wahren Ursprüngen ihrer Religion zurückzukehren. Ein moslemischer »Fundamentalist«, der darauf besteht, daß Frauen den Schleier zu tragen haben, bezieht diese Vorschrift nicht etwa aus den Grundlagen des heiligen Korans, sondern vielmehr aus der historisch und kulturell bedingten Tradition einiger moslemischer Länder. Auch ein Sikh-»Fundamentalist«, der auf Äußerlichkeiten wie Turban, Schwert und Stahlband konzentriert ist, übersieht die zentrale Bedeutung, die die Gurus der Sikhs der inneren Ausübung der Religion im Gegensatz zu der äußeren beimessen. Ein Hindu-»Fundamentalist«, der sich gegen die Anwesenheit christlicher Missionare bei den Armen wehrt, ignoriert ein Grundprinzip der urzeitlichen Religion Indiens, nämlich die von Toleranz geprägte Auffassung, daß es viele Wege gebe, die zur gleichen universalen Wahrheit führen. Für Reverend Valson Thampu, Herausgeber des in Indien erscheinenden Blatts *Traci,* sind solche auf Selektion basierenden fundamentalistischen Bestrebungen »eine Verabsolutierung dessen, was in spirituellem oder ethischem Sinne in einer religiösen Tradition völlig überflüssig ist. Wahrer spiritueller Enthusiasmus oder Eifer hingegen konzentriert sich vollständig darauf, der spirituellen Essenz treu zu bleiben.«[37]

Als religiöse *Liberale* werden Gläubige bezeichnet, die der religiösen Tradition mit mehr Flexibilität begegnen. Ihnen mögen die heiligen Schriften ihrer Religion eher als Produkte einer spezifischen Kultur und Zeit erscheinen und weniger als ewige Worte der Wahrheit; Passagen aus den heiligen Texten sehen sie als Metapher und nicht als wörtlich zu nehmende Aussagen. Wenn sie religiös engagiert sind, bemühen sie sich eher um eine Reform dessen, wie ihre Religion öffentlich gesehen und praktiziert wird. Als *Häretiker* wiederum werden Gläubige bezeichnet, die öffentlich kontroverse Positionen vertreten, die mit dem Gedankengut des orthodoxen religiösen Establishments unvereinbar sind. *Mystiker* hingegen lassen sich von ihren eigenen spirituellen Erfahrungen leiten, die mit jeder der oben genannten Positionen übereinstimmen können, gleichgültig ob es sich um die der Fundamentalisten oder die der Häretiker handelt.

Die negativen Seiten der organisierten Religion

Es ist die Tragik der Religionen, daß sie die Menschheit oft entzweit haben, anstatt zu einen. Daß sie Menschen oft unterdrückt haben, anstatt zu befreien, oft verängstigt, anstatt zu beseelen.

Da das menschliche Bedürfnis nach Antwort der Religionen so stark ist, haben die Inhaber religiöser Macht eine Position, von der aus sie die Gläubigen dominieren und kontrollieren können. In vielen Religionen wird solchen Führern sogar eine legitime Autorität verliehen, das spirituelle Leben der Gläubigen zu leiten, denn ihr Wissen, ihre Weisheit und ihr ganz besonderer Zugang zum Göttlichen sind hoch angesehen. Da Religionen mit dem Unsichtbaren, dem Mysteriösen, sich befassen, ist die Art der Führung solcher Leitfiguren mit den Erfahrungen des alltäglichen Lebens nicht immer nachvollziehbar. In diesem Fall muß man einfach »glauben«. Wenngleich der Glaube eine wesentliche Grundlage der Spiritualität ist, besteht natürlich die Möglichkeit, daß man sich »falschen Aposteln« anschließt. Wie in der säkularen sind auch in der religiösen Welt die Führer sich selbst und anderen gegenüber nicht unbedingt aufrichtig hinsichtlich ihrer wahren Motive. Vielleicht deuten sie ihre eigenen Gedanken und Wünsche fälschlicherweise als das Wort und den Willen Gottes. Und da einige Menchen die Aufgabe des eigenen Ich als das Wichtigste ansehen, könnte ein unwürdiger spiritueller Führer dieses Bestreben mißbrauchen, indem er sich an die Stelle dessen setzt, dem das Ich und damit die Kontrolle über die Person auszuliefern ist.

Religionen zeichnen ein Bild vom Leben nach dem Tod. So können sie auch die Angst der Menschen vor dem Tod und ihre Furcht vor Bestrafung im irdischen und ewigen Leben mißbrauchen. Der folgende Auszug aus einer Predigt des calvinistischen Predigers Jonathan Edwards vor seiner Gemeinde in Neuengland verdeutlicht, welch erschreckende Züge eine solche Bildsprache annehmen kann:

> So seid ihr [Sünder] in den Händen eines wütenden Gottes; und nur, weil es ihm beliebt, werdet ihr in diesem Moment nicht von immerwährender Zerstörung getroffen. Der Gott, der euch über den Abgrund der Hölle hält, so wie man eine Spinne oder ein ekelerregendes Insekt ins Feuer hält, verabscheut Euch und fühlt sich zutiefst angegriffen; seine Rache euch gegenüber brennt wie Feuer; er empfindet Euch nur für würdig, ins Feuer geworfen zu werden.[38]

Religionen können versuchen, uns ethische Entscheidungshilfe für das Leben zu geben und ein Gewissen zu entwickeln. Doch wer Anlagen zu Zwangsvorstellungen oder zum Verfolgungswahn besitzt, für den kann sich die Angst vor der Sünde und der darauf folgenden Bestrafung zu einer Neurose, sogar zu einer Psychose entwickeln. Der Versuch, eine auf Bestrafung ausgerichtete Religion zu verlassen, um keinen weiteren seelischen Schaden zu nehmen, kann zu einem schweren Schuldkomplex führen. Mit anderen Worten: Religionen besitzen durchaus das Potential, bei ihren Anhängern tiefe psychische Schäden anzurichten.

Weil einige Religionen, besonders im asiatischen Raum, als Lohn für spirituelle Betätigung ein Stadium der Glückseligkeit verheißen, können Religionen durchaus als Fluchtmöglichkeiten vor den Problemen des täglichen Lebens mißbraucht werden. Der Psychologe John Welwood hat beobachtet, daß östliche Religionen vor allem im Westen in dem unbewußten Motiv übernommen werden, dem eigenen – unbefriedigenden – Leben zu entfliehen; er nennt dieses Phänomen »spirituelle Umgehung«:

> Eine spirituelle Umgehungsstraße zu nehmen mag gerade für die Menschen besonders verlockend sein, die die einzelnen Entwicklungsstadien ihres Lebens nur mit Mühe

meistern, besonders zu einem Zeitpunkt, wo solche Entwicklungsmarken, die früher völlig normal waren – das Verdienen des Lebensunterhalts mit würdevoller Arbeit, das Ernähren einer Familie, das Führen einer Ehe – sich heute für weite Teile der Bevölkerung als zunehmend schwierig, sogar unmöglich gestalten. In ihrem Versuch, sich zu autonomen Individuen zu entwickeln, kommen solche Menschen dann in Kontakt mit spirituellen Lehren und Praktiken anderer Kulturen, die jedoch davon ausgehen, daß eine Person ihre Grundentwicklungsstadien im Leben bereits gemeistert hat.[39]

Gerade weil sich Gläubige so stark an ihre Religion klammern können – sei es durch Ängste, durch Bedürfnisse, durch tiefen Glauben –, ist diese potentiell auch ein Zentrum politischer Macht. Wo keine Trennung von Staat und Kirche besteht, ist der Glaube der vorherrschenden Religion der einzig wahre Glaube im Land, der zur Unterdrückung Andersgläubiger mißbraucht werden kann. Die »Weltkonferenz der Religionen«, die 1991 im indischen Kochi abgehalten wurde, äußerte sich dazu in ihrem Schlußwort:

Es ist unsere Erfahrung, daß die Interpretation religiöser Lehren oft zur Erhaltung sozialer Ungerechtigkeiten zurechtgebogen wurde – die Unterdrückung der Frau, anderer Rassen, der Mißbrauch der Menschenrechte, der Genozid und die Ausgrenzung der Armen.
Die Religion ist zur Manipulation, Ausbeutung und Trennung der Menschen mißbraucht worden, anstatt diese zu einer von Mitgefühl geprägten Einheit zusammenzuschweißen.[40]

Religion kann als Sammelplatz für Kriege gegen andere Nationen fungieren, indem sie den Drang nach Kontrolle über anderen Menschen als heiliges Ziel darstellt. In der Menschheitsgeschichte sind auf diese Weise unvorstellbar viele Menschen ums Leben gekommen, deren »falsche« Religion ausgemerzt und durch die »wahre« Religion ersetzt werden sollte. Unsere menschliche Spiritualität hat das Potential, uns durch die Bande der Liebe, der Harmonie und des gegenseitigen Respekts zu einen. Doch oft diente sie statt dessen zur Errichtung von Barrieren aus Haß und Intoleranz.

Die institutionalisierten Religionen versuchen, den Lehren ihrer Begründer zu folgen. Darin liegt aber auch die Gefahr zu großer Konzentration auf die Bewahrung äußerer Formen der religiösen Tradition zu einer Vernachlässigung des inneren »Geistes«. Die Lebendigkeit eines jeden spirituellen Weges kann nur erfahren, nicht aber in Dogmen zementiert werden. Rituale ohne eine echte innere Erfahrung sind leere Rahmen.

Keine Religion ist frei von solchen Verzerrungen. Um eine Religion lebendig, wahr und pulsierend zu erhalten, muß eine echte Verbindung mit dem nicht Sichtbaren bestehen, unbedingte Ehrlichkeit und ein reines Herz. Bei der Betrachtung der verschiedensten religiösen Ausprägungen, die heute auf der Welt zu finden sind, stößt man auf Menschen und Gruppierungen, die den Funken des Göttlichen frisch und lebendig erhalten. Man findet sie überall, in jeder Religion.

KAPITEL 2

DIE HEILIGEN WEGE DER NATUR- RELIGIONEN

»Alles lebt«

Auch heute noch leben überall auf der Erde Menschen in geographisch kleinen Gebieten oder in kleinen Gruppen; sie folgen den von ihren Vorfahren überlieferten heiligen Wegen, die sie den modernen Umständen angepaßt haben. Diese Naturvölker und ethnischen Gruppen sind Abkömmlinge der ursprünglichen Bewohner eines Gebietes, das nun von politischen Systemen bestimmt wird, auf die sie kaum noch Einfluß besitzen.

Naturvölker machen mindestens vier Prozent der Weltbevölkerung aus. Einige dieser Gruppen, die noch den uralten religiösen Traditionen folgen, leben in engem Kontakt mit der Natur in nichtindustrialisierten Kleinkulturen; viele sind es allerdings nicht mehr. Aber obwohl ihr traditioneller Lebensstil nachhaltig gestört wurde, halten viele Naturvölker noch an einem spirituellen Weg fest, der sich von allen anderen Religionen unterscheidet. Es sind Überlieferungen, die bis heute überdauert haben; die Menschen sehen sie als Unterweisung in eine bestimmte Lebensweise. Unter der Übermacht der Kolonialisierung und der damit verbundenen Ausrottung ethnischer Gruppierungen, dem Druck globaler Religionen zur Konversion, dem Materialismus des Industriezeitalters und der Zerstörung ihres natürlichen Lebensraumes durch die Wirtschaft und ihren grenzenlosen Bedarf an Konsumgütern ging dieses Ursprungswissen allerdings fast verloren.

Es gibt beispielsweise nur noch wenige Ältere, die über Seherfähigkeiten verfügen, und auch nur noch wenige junge Leute, die bereit sind, die lange und harte Ausbildung zu einem spirituellen Führer einer solche Naturreligion auf sich zu nehmen. Gleichzeitig ist aber gerade in unserer Zeit das Interesse an diesen Traditionen neu entfacht worden. Vielleicht ergibt sich doch noch die Möglichkeit, dieses Wissen zu retten.

Bis zu welchem Grad können [Naturvölker] überhaupt die Werte der traditionellen Religion wiederaufleben lassen – in einer Welt, die dank Erschließung und Entwicklung, Elektronik und fast an Zeitreisen erinnernde Transportmöglichkeiten den Verstand verloren hat und intellektuell auf einer Ablehnung spiritueller und geisterbezogener Vorkommnisse basiert?
Vine Deloria jun.[1]

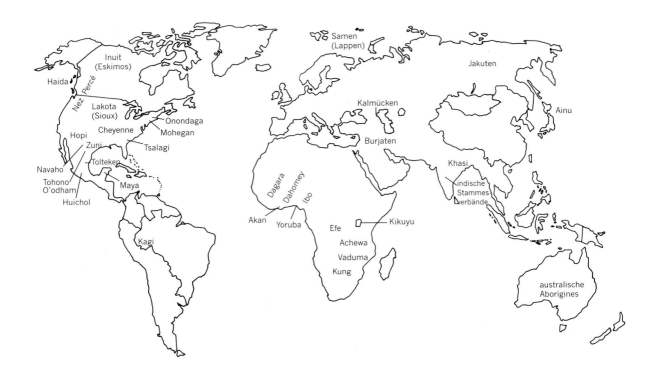

Verständnisbarrieren

Wer einer solchen ethnischen Gruppe nicht angehört, weiß wenig über deren religiöse Praktiken und versteht sie auch nicht ohne weiteres. Bei Unterdrückungen wurden solche Traditionen meist heimlich ausgeübt: Seit der Ankunft der Konquistadoren in Mittelamerika beispielsweise lebten die alten Lehren dort 500 Jahre lang im verborgenen und wurden nur innerhalb der Familie mündlich von einer Generation zur anderen weitergegeben. Von den nahe des Baikalsee ansässigen Burjaten hingegen glaubte man, sie seien schon vor Jahrhunderten zum Buddhismus und zum Christentum bekehrt; nach dem Zusammenbruch des Kommunismus kamen allerdings nur wenige von ihnen zur Einweihung eines buddhistischen Tempels, wohingegen fast die gesamte Bevölkerung der Gegend an den einheimischen Zeremonien teilnahm, die 1992 und 1993 auf Olkhon Island begangen wurden.

In einigen Gegenden Australiens leben die religiöse Lehren der Aborigines seit 200 Jahren »im Untergrund« fort – seit Ankunft der ersten weißen Siedler und der christlichen Missionare. Die Aborigines-Frau Lorraine Mafi Williams erklärt es so:

> Wir haben unsere religiösen und spirituellen Denkweisen weggepackt und unsere Kultur ebenso. Als die Missionare kamen, sagten uns unsere Ältesten, wir sollten Respekt zeigen, zuhören, gehorsam sein, zur Kirche gehen, in die Sonntagsschule gehen, aber die christliche Doktrin nicht übernehmen, weil wir sonst unsere Kultur und unsere Spiritualität verlieren würden. So sind wir in dem, was wir wissen, immer in Gottes Gesetz geblieben.[2]

Daß sich neuere globale Traditionen mit älteren Praktiken vermischen, ist nicht ungewöhnlich. So übernahm der Buddhismus beispielsweise bei seiner Verbreitung auch die

Annähernde Verteilung der Naturvölker, die in diesem Kapitel erwähnt werden.

Gebräuche anderer Regionen und Kulturen und erkannte auch die dortigen Gottheiten an. Heutzutage glauben viele Naturvölker an eine globale Religion und halten gleichzeitig an vielen ihrer eigenen religiösen Traditionen fest.

Doch erst seit kurzer Zeit haben auch Außenstehende die Möglichkeit, Zugang zu diesen Praktiken zu gewinnen. Es waren vorrangig Anthropologen, die das spirituelle Verhalten aus einer nichtspirituellen Perspektive der westlichen Wissenschaft und Forschung betrachteten. Gelegentlich haben Naturvölker in dem Wissen, daß Menschen aus anderen Kulturen die Wahrheit hinter ihrem Glauben kaum verstehen würden, die Forscher mit Fehlinformationen versorgt, um ihre Praktiken vor den Nichtinitiierten zu schützen.

Mittlerweile hat die Forschung aber einen verständnisvolleren und sich selbst gegenüber kritischeren Ansatz gefunden; er äußert sich in der Beschreibung von Gerhardus Cornelius Oosthuizen, der als Europäer die traditionellen Religionen Afrikas erforscht:

> [Die] Weltsicht des Westens ist eine abgeschlossene, im großen und ganzen vollständige und unveränderbare, fußt auf Überzeugungen und beinhaltet keine Mysterien oder Rätsel. Mit anderen Worten, sie ist eine starre, programmierte Maschine ... dieser abgeschlossene Blickwinkel ist den Afrikanern völlig fremd, denn dieser Kontinent ist noch zutiefst religiös ... Diese Welt ist nicht abgeschlossen und beruht nicht vorrangig auf Überzeugungskraft; sie verfügt über enorme Tiefe, ist von grenzenloser Mannigfaltigkeit und wahrhaft mysteriös; diese Welt ist rastlos, ein lebendiger und wachsender Organismus.[3]

Die Naturvölker-Spiritualität ist ein Lebensweg, eine bestimmte Einstellung allem Leben gegenüber. Sie ist keine getrennte Erfahrung wie die Meditation am Morgen oder der Kirchenbesuch am Sonntag. Idealerweise durchdringt die Spiritualität alle Lebensmomente, sie offenbart sich in Ehrfurcht beim Sammeln von Töpferton ebenso wie im Respekt bei Stammestreffen. Ein Ältester der Huichol aus Mexiko formuliert es so:

> Alles, was wir im Leben tun, dient dem Ruhm Gottes. Wir loben ihn mit einem gut gefegten Flur, einem gut gejäteten Feld, einer glänzenden Machete, den leuchtenden Farben eines Bildes oder einer Stickerei. So bereiten wir uns auf ein langes Leben vor und beten dafür, daß es ein gutes Leben werde.[4]

Die Kikuyu sind in Kenia ansässig. Ihre Tradition legt äußersten Wert auf eine genaue Kenntnis des Landstrichs, in dem sie leben, auf die Orientierung an der Sonne und dem Mount Kenya, dem »heiligen Berg der Stärke und des Glanzes«.

In den meisten Eingeborenenkulturen werden solche spirituellen Lebenswege mündlich überliefert. Lehrsätze werden selbst erfahren und nicht aus Büchern übernommen. Deshalb existieren in diesen Kulturen auch keine heiligen Schriften (mit Ausnahme einiger Texte, darunter den Codices der Maya, die von den Eroberern vernichtet wurden), die in anderen Religionen den Kern der Traditionen bilden. Darum ist die Religiosität der Naturvölker auch dynamisch und flexibel und auch heute noch voller Lebendigkeit. Ein Verständnis für die mündliche Überlieferung als Schlüssel zu den historischen Erfahrungen von Einzelpersonen oder Gruppen entwickelte die internationale Forschergemeinde jedoch erst in der zweiten Hälfte des 20. Jahrhunderts.

Die Lebenswege vieler Kleinkulturen sind so eng mit dem Umfeld verknüpft, in dem sie leben, daß sie auch nur in diesem Kontext eine Bedeutung haben. In solchen Kulturen akzeptiert man das Recht des anderen auf seinen Lebensweg und versucht Außenseiter nicht zu bekehren.

Traditionelles Leben muß allerdings nicht unbedingt im traditionellen Umfeld und auf althergebrachte Weise stattfinden. Die Cherokee-Priesterin Dhyani Ywahoo beispielsweise lebte eine Zeitlang in Brooklyn. Auch dort setzte sie ihre zeremoniellen Riten fort. (Die Nachbarn hielten die traditionellen Feuerstellen im Garten für einen Grillplatz). Sie sagt:

> *Die Idee, daß man als traditioneller Indianer in die Vergangenheit zurückkehren und alles wegwerfen muß, ist nicht realistisch. Ein traditioneller Indianer zu sein bedeutet, auf traditionelle Weise zu denken, Respekt der Natur gegenüber zu zeigen und immer im Auge zu haben, wie dies so vielen Menschen wie möglich dienen könnte.*[5]

Langsam öffnen sich die Türen zu den Kulturen der Naturvölker, zum einen, weil deren Älteste sehr besorgt sind über die wachsenden Gefahren, die den gesamten Planeten bedrohen. Einige sind dazu übergegangen, ihre Grundwerte, manchmal auch ihre esoterischen Praktiken mit anderen zu teilen, in der Hoffnung, auf diese Weise die Industriegesellschaften von einer möglichen Zerstörung der Welt abhalten zu können. Zum anderen sind es die Gläubigen anderer Religionen, die zunehmend den Wert und die Tiefgründigkeit des Naturvölkerglaubens erkennen. Zum dritten sind es die Menschen, die zwar nicht in Eingeborenenkulturen aufgewachsen sind, sich aber deren Religiosität zuwenden, da sie in ihren eigenen Traditionen bestimmte Aspekte wie die Liebe zur Natur und zur Erde vermissen. Doch das Interesse Außenstehender kann auch störend oder verändernd auf die Naturvölkertraditionen wirken. George Tinker ist ein Theologe vom Indianerstamm der Osage. Er beschreibt eine in Nordamerika häufig auftretende Situation:

> *Das erste, was diesen spirituell-kulturellen Zusammentreffen des heutigen New Age auf Indianerseite zum Opfer fällt, ist meist der starke und tiefgehende kulturelle Wert der Gemeinschaft und des Gruppenzusammenhalts, wie sie für fast jedes Naturvolk von höchster Bedeutung sind ... Wohlmeinende New-Ager kommen aus New York oder Chicago oder nehmen das Flugzeug aus Österreich und Dänemark, um an den jährlichen Zeremonien teilzunehmen, die ursprünglich aus dem Grund abgehalten wurden, um das Wohlergehen einer räumlich begrenzten Gemeinschaft sicherzustellen. Den Rest des Reservats sehen diese Besucher kaum oder nie; die Armut, das Leid der Leute, die dort leben müssen, fällt ihnen nicht auf. Und dann verlassen sie uns und haben nur ihr persönliches, individuelles spirituelles Hoch erlebt.*[6]

Wer mit Naturvölkerlehren im Gepäck durchs Land reist, wird überall von Neugierigen überrannt. Dennoch stehen viele Stammesangehörige dieser Entwicklung verhalten gegenüber. Ihre spirituellen Wege sind das einzige, was ihnen noch geblieben ist, und sie befürchten deren Ausverkauf. Umgekehrt, so glaubt Dhyani Ywahoo, kommen auch Außenstehende mit solchen Religionen nicht so einfach zurecht:

Vorsicht: Die Religion der Indianer ist wie Feuer. Es ist ein Feuer, das die Verwirrung einfach wegbrennt. Ein Feuer, das den Körper erwärmt und das Leid mindert, doch auch ein Feuer, das Illusionen zerstört. Unsere Lehren sind sehr bedeutungsvoll und stark. Oberflächlich gesehen, mögen sie fast simpel erscheinen. Doch je älter man wird, desto mehr erkennt man die Subtilität und Tiefe dieser Weisheit. Von einigen Ritualen sind die Menschen sehr fasziniert. Aber sie können bei demjenigen, der darauf nicht richtig vorbereitet ist, einen Nervenzusammenbruch verursachen, denn die Lehren der nordamerikanischen Indianer sind sowohl ein innerer wie auch ein äußerer Prozeß.[7]

Kulturelle Vielfalt

Dieses Kapitel beschäftigt sich mit den Glaubenswegen der Naturvölker allgemein. Die Traditionen haben sich in materiell und religiös verschiedenen Kulturen entwickelt. Einige dieser Kulturen stammen von Zivilisationen ab, die zum Erhalt ihrer auf engem Raum lebenden Bevölkerung hochentwickelte urbane Technologien entwickelt hatten. Als der spanische Konquistador Cortes im Jahr 1519 Tenochtitlan eroberte (heute liegt es unterhalb von Mexiko-City), traf er beispielsweise auf eine wunderschöne, saubere Stadt mit prächtiger Architektur, deren Häuser über eigene sanitäre Anlagen verfügten. Es gab einen höchst genauen Kalender und moderne mathematische und Astronomiesysteme. Ein anderes Volk, die Tsalagi, besaßen bereits vor über 2000 Jahren eine entwickelte Theokratie. Frühere afrikanische Königreiche waren kulturell hoch entwickelt und besaßen Kenntnisse im Kunsthandwerk wie dem Bronzeguß.

Am anderen Ende der Skala befanden sich die wenigen Kulturen, die noch heute eine Überlebensstrategie des Jagens und Sammeln verfolgen. Einige der australischen Aborigines ziehen als Sammler umher, sind dabei allerdings auf regierungseigene Standorte beschränkt. Die Überlebensstrategie nomadischer Völker setzt Einfachheit im materiellen Besitz voraus; was sich leicht sammeln oder im nächsten Lager neu errichten läßt, muß auf der Reise nicht mühsam mitgeführt werden. Doch materielle Einfachheit ist nicht gleichbedeutend mit spiritueller Besitzlosigkeit. Die Aborigines beispielsweise besitzen eine komplexe *Kosmogonie*, ein Modell vom Entstehen des Weltalls und seiner Bestimmung, und ausreichende Kenntnisse über ihren eigenen Lebensbereich.

Einige der traditionellen Völker leben in den Enklaven ihrer Vorfahren und sind dadurch bis zu einem gewissen Grad vor dem Druck und den Problemen des modernen Industriezeitalters geschützt, gleichzeitig aber nicht völlig unberührt von der Außenwelt. Schon seit Tausenden von Jahren bevölkern Stammesverbände die Berge und Wälder Indiens und nutzen die Bäume und Pflanzen als Nahrung und Medizin. Im 20. Jahrhundert stießen politisch und wirtschaftlich stärkere Gruppierungen in diese Regionen vor und machten die 50 Millionen in solchen Verbänden lebenden Inder teilweise zu landlosen Tagelöhnern. Im Südwesten der Vereinigten Staaten leben die Hopiindianer bereits seit mindestens 800–1000 Jahren auf einem Hochplateau. Ihr heiliger ritueller Kalender ist mit dem jährlichen Säh- und Erntezyklus verknüpft.

Andere Naturvölker wiederum leben wegen beruflicher Perspektiven in einem eher urbanen Umfeld und besuchen ihre heiligen Stätten und Schreine lediglich. So sind die Teilnehmer von Zeremonien, die im Landesinneren von Mexiko abgehalten werden, im Alltagsleben U-Bahn-Fahrer, Journalisten und Künstler, die zwar indianischen Ursprungs sind, aber in Mexiko-City leben. Lorraine Mafi Williams ist Filmemacherin. Sie lebt in Sydney, kehrt jedoch – wie andere Aborigines – immer dann zu ihren heiligen Stätten zurück (von denen einige im Besitz von Nichteingeborenen sind), wenn sie eine spirituelle Wiederbelebung und eine Auffrischung der eigenen Kultur sucht und »wenn uns die Industriewelt der Weißen zuviel wird«[8].

Doch nicht nur innerhalb und zwischen den Naturvölkern existieren unterschiedliche Lebensstile. Auch in ihrer Anpassung an dominante Religionen unterscheiden sich die Naturreligionen. Oft haben sich die religiösen Praktiken der ethnischen Völker mit denen der globalen Religionen verwoben – wie im Buddhismus, dem Islam und dem Christentum. So sind beispielsweise die Buddhaschreine in den Haushalten Südostasiens fast identisch mit den Geisterhäusern, in denen noch den lokalen Geistern geopfert wird. Haitis Voodoo-Kult ist ebenfalls »importiert«: Tausende von Sklaven brachten die Tradition der Dahomey aus Westafrika dorthin, wo sie ihren Namen nach dem wichtigsten der nichtmenschlichen Geister, Vodu, erhielt. Als sie von den europäischen Kolonialherren gezwungen wurden, den christlichen Glauben anzunehmen, vereinigten die Anbeter des Voodoo ihre alten Götter mit den Bildern von katholischen Heiligen.

Die Interaktionen zwischen Naturvölkern und größeren, staatlich organisierten Gesellschaften oder Kolonialmächten verlief weltweit stets zu Lasten der ersteren. Andererseits sicherte manchmal eine Anpassung an die dominanten Religionen das Überleben der Tradition. Ebenso waren manche Völker ernsthaft bemüht, die dominante Religion auszuüben, und brachten dadurch gelegentlich frischen Wind in solche Religionen – ein Beispiel ist die sehr lebendige Ausübung des Christentums im ländlichen Afrika. In anderen Fällen leben zwangsweise konvertierte Menschen ihren neuen Glauben nur gleichgültig. Und schließlich kann aus dem Vermischen der Traditionen auch eine Hybride entstehen.

Trotz ihrer geschichtlich und wirtschaftlich unterschiedlichen Entwicklung haben die heiligen Wege der ethnischen Völker jedoch einiges gemein. So existieren linguistische Ähnlichkeiten zwischen der Sprache der Tsalagi in Amerika, den Tibetern und den Ainu, den Eingeborenen Japans – vermutlich aufgrund der Kontakte, die im Altertum über heute nicht mehr bestehende Landbrücken gepflegt wurden.

Bei den Efe-Pygmäen, einem sanftmütigen Volk, das im Ituri-Wald in Zaire beheimatet ist, lernen die Kinder den Wert des Kreises schätzen, indem sie das »Kreisspiel« spielen. Dabei bilden sie mit ihren Füßen einen Kreis, jeder nennt ein rundes Objekt und dann etwas, was Rundheit symbolisiert (der Kreis der Familie, das Zusammensein, ein Regenbogen).

Bestimmte Symbole und Metaphern erscheinen in der religiösen Kunst und den religiös motivierten Geschichten vieler traditioneller Kulturen auf der ganzen Welt, wobei die Beziehung der Menschen zu diesen Symbolen und ihre Bedeutungen nicht automatisch die gleichen sind. Der folgende Abriß beschreibt einige immer wiederkehrende Themen im Spiritualismus unterschiedlicher Kleinkulturen.

Der Kreis der richtigen Beziehungen

Für viele Naturvölker ist alles im Kosmos aufs engste miteinander verbunden. Ein Symbol der Einheit zwischen den Teilen dieser heiligen Realität ist ein Kreis. Dieses Symbol wird nicht von allen Naturvölkern verwendet; die Navaho beispielsweise empfinden den Kreis als Einschränkung und Begrenzung. Doch vielen anderen gilt er als heilig, weil er unendlich ist – ohne Anfang, ohne Ende. Die Zeit ist kreisförmig und nicht linear, denn sie kehrt immer wieder an denselben Ort zurück. Das Leben dreht sich um die Generationszyklen Geburt, Jugend, Reife und physischer Tod, um die Wiederkehr der Jahreszeiten, um den Zyklus von Mond, Sonne, Sternen und Planeten.

Dieses Verständnis des Lebens als eines Komplexes aus Kreisen gilt als perfekte Grundstruktur der Harmonie. Lame Deer, ein heiliger Mann der Lakota (Sioux), erklärt:

> *Die Natur will, daß Dinge rund sind. Die Körper der Menschen und Tiere haben keine Ecken. Uns gilt der Kreis als Symbol des Zusammenhalts der Menschen, die miteinander um ein Lagerfeuer sitzen, wo Verwandte und Freunde friedlich vereint die Pfeife von Hand zu Hand gehen lassen. Das Camp, in dem jedes Tipi seinen Platz hatte, war ebenfalls ein Kreis. Das Tipi war ein Ring, in dem Menschen in einem Kreis saßen. Alle Familien im Dorf waren wiederum Kreise in einem größeren Kreis, Teil des Verbandes der sieben Lagerfeuer der Sioux, die eine Nation repräsentierten. Diese Nation war jedoch nur ein Teil des Universums, das selbst kreisförmig ist und aus der Erde besteht, die rund ist, aus der Sonne, die rund ist, aus den Sternen, die rund sind. Der Mond, der Horizont, der Regenbogen – Kreise inmitten von Kreisen, ohne Anfang und ohne Ende.[9]*

Um das natürliche Gleichgewicht der Lebenkreise zu bewahren, werden in Naturvölkern das richtige Verhältnis und die richtige Beziehung zu allem gelehrt, was existiert: Ihre Verwandten sind auch die nichtsichtbaren Welten der Geister, das Land und das Wetter, die Menschen und Tiere und die innewohnenden Kräfte.

Beziehungen zu den Geistern

Viele Naturreligionen verehrten ein Höchstes Wesen, weil es den Kosmos erschaffen hat. Bei den Sioux heißt es Wakan tanka oder »Großes Geheimnisvolles« oder »Großer Geist«. Afrikanische Namen für diesen einen sind Attribute, die ihn als »Allmächtigen«, »Schöpfer«, »Den man überall antrifft«, »Der durch sich selbst existiert« oder »Der den Wald begann« beschreiben. Die aChewa aus Malawi verwenden für die Schöpfung und die Quelle dieser Schöpfung das gleiche Wort, *Moyo*. Das Höchste Wesen ist oft männlich, doch auch weibliche Formen existieren, wie die Erdmuttergottheit Ala bei den Ibo. Viele Sprachen machen gar keinen Unterschied zwischen männlichen und weiblichen Pronomina; manche sehen das Göttliche auch als androgyne Kraft, die aus der Interaktion zwischen den männlichen und weiblichen Aspekten des Universums entsteht.

Das Bewußtsein der Beziehung zu der Großen Macht gilt als äußerst wichtig, doch diese Macht bleibt unsichtbar und geheimnisvoll. Ein Schamane der Inuit beschreibt die Erfahrungen seines Volkes:

... eine Macht, die wir Sila nennen, die sich nicht mit einfachen Worten beschreiben läßt. Ein Großer Geist, der die Welt und das Wetter und alles Leben auf der Erde trägt, ein Geist, der so mächtig ist, daß das [was er sagt] der Menschheit nicht durch einfache Worte kommunziert wird, sondern durch Sturm und Schnee und Regen und die Wildheit des Meeres; alle die Kräfte der Natur, die der Mensch fürchtet. Aber Sila besitzt eine weitere Art [der Kommunikation], die durch Sonnenlicht und eine ruhige See und kleine Kinder, die voller Unschuld spielen und nichts verstehen, getragen wird. Kinder hören eine weiche und sanfte Stimme, fast wie die einer Frau. Sie erscheint ihnen auf geheimnisvolle Weise, doch ist so sanft, daß sie keine Angst vor ihr haben; sie hören nur, daß Gefahr droht ... Wenn alles gut ist, schickt Sila der Menschheit keine Botschaft, sondern zieht sich zurück in das endlose Nichts und hält sich abseits.«[10]

Für die Burjaten Rußlands ist die höchste Macht der Welt der ewig blaue Himmel, Tengry. Vielen Kulturen war das Große Geheimnisvolle früher wahrscheinlich näher. Afrikanische Mythen lassen darauf schließen, daß der Hohe Gott den Menschen ursprünglich so nahe war, daß sie respektlos wurden. Der Allmächtige war wie der Himmel, so sagten sie, und einst so nahe, daß sich Kinder an ihm ihre schmutzigen Hände abwischten und die Frauen (die von den Männern für den Rückzug des Göttlichen verantwortlich gemacht wurden) brachen sich Stücke davon für ihre Suppen ab und stießen beim Ausmahlen des Getreides mit ihren Stöcken daran. Obwohl man im südlichen und zentralen Afrika an ein höheres Wesen glaubt, das dem Universum und weniger mächtigen Geistern voransteht, sieht man dieses Wesen jedoch als zu weit entfernt, als zu mächtig oder zu gefährlich an, als daß es angebetet oder um Hilfe ersucht werden könnte.

Es sind die vielen unsichtbaren Mächte, die im täglichen Leben stärker eingebunden und für die Menschen erreichbarer sind. Einige dieser Mächte haben keine Form, sondern eine mysteriöse und geheiligte Präsenz. Andere besitzen eine konkretere Form und Persönlichkeit, sind aber dennoch unsichtbar. Dazu können auch Gottheiten mit menschlicher Persönlichkeit gehören, ebenso die Naturgeister an besonderen Plätzen (Bäume und Berge, die verehrt werden), helfende Tiergeister, personifizierte Elementargewalten, Ahnen, die sich um ihre lebenden Verwandten kümmern, oder besondere Wesen, wie die Bewahrer der vier Himmelsrichtungen.

Der Ahnenkult kann sehr wichtig sein. Ein traditionell denkender Afrikaner sieht eine einzelne Person nicht als Individuum, sondern als ein Konglomerat vieler Seelen von Eltern und Vorfahren, die sie mit ihren Gefühlen erfüllen. Reverend William Kingsley Opoku, der Organisator des African Council for Spiritual Churches, erklärt es so:

Unsere Ahnen sind unsere Heiligen. Christliche Missionare wollten, daß wir zu ihren Heiligen, zu ihren toten Menschen beten. Doch was ist mit unseren Heiligen? Im Gebet haben wir sie kennengelernt, wir ersuchen sie um Eingebung, arbeiten durch sie an der Weiterentwicklung unserer Zivilisation und allem, was uns umgibt, und verlassen uns nicht auf eine Theologie, die von weit her kommt. Wenn man seinen Ahnen dankbar ist, erteilen einem die Großmutter, der Großvater, die einen hervorbrachten, ihren Segen. Wenn man sie vernachlässigt, weil sie tot sind oder weil man sie für schlechte Menschen hält – Nichtafrikaner sagten uns, wir sollten unseren Ahnen nicht gehorchen und sie nicht befragen, eben weil sie schlechte Menschen seien –, dann ist das eine schreckliche mentale Einengung. Es ist furchtbar.[11]

Für einen traditionellen Afrikaner ist der Austausch mit seinen »lebenden Toten« von höchster Wichtigkeit, den Ahnen, die noch nicht so lange tot sind und an die sich einige Menschen noch erinnern können. Man bereitet ihnen Essen, schenkt ihnen zu trinken ein und zeigt damit, daß sie in gewisser Weise noch leben und sich mit dem Leben der

EINE LEHRGESCHICHTE

Osun und die Macht der Frauen

Olodumare, der Höchste Schöpfer, der weiblich und männlich zugleich ist, wollte die Erde für den Menschen bewohnbar machen. Zur Organisation dieser Aufgabe entsandte Olodumare die 17 wichtigsten Gottheiten. Osun war darunter die einzige Frau. Jeder Gottheit waren besondere Fähigkeiten und Aufgaben verliehen. Doch zu den Planungstreffen luden die männlichen Gottheiten Osun nicht ein: »Sie ist doch eine Frau.«

Olodumare hatte Osun jedoch große Kräfte verliehen. Ihr Schoß ist die Quelle allen Lebens im Universum. In ihr liegen ungeheure Kraft, grenzenloses Potential und endlose Existenz. Sie trägt eine makellos geschnitzte und mit Perlen verzierte Krone, und mit ihrem ebenfalls mit Perlen verzierten Kamm zieht sie einen Scheitel für göttliche und menschliche Lebenswege gleichermaßen. Sie ist die Anführerin der Aje, der mächtigen Wesen und anderer Kräfte der Welt.

Da die männlichen Gottheiten sie ignorierten, machte Osun deren Pläne zunichte. Die männlichen Gottheiten kehrten zu Olodumare zurück, um ihn um Hilfe zu bitten. Olodumare hörte ihnen zu und fragte dann: »Was ist mit Osun?« »Sie ist nur eine Frau«, antworteten sie, »deshalb haben wir sie ausgeschlossen.« Olodumare reagierte äußerst heftig: »Ihr müßt zu ihr gehen, sie um Verzeihung bitten, ihr ein Opfer bringen und geben, was immer sie verlangt.«

Das taten die männlichen Gottheiten, und Osun vergab ihnen. Und worum bat sie? Sie wollte die geheime Initiation, mit der Männer die Frauen in den Hintergrund drängen. Sie wollte sie für sich selbst und für alle Frauen, die gleich stark waren. Die Männer willigten ein und eröffneten ihr das geheime Wissen. Seit dieser Zeit waren ihre Pläne von Erfolg gekrönt.[12]

Menschen befassen. Kommt man dieser Aufgabe nicht nach, kann das Unheil über die ganze Familie bringen.

Die im westafrikanischen Burkina Faso ansässigen Dagara sind mit den *Kontombili* vertraut, die zwar wie Menschen aussehen, aber nur ungefähr 30 Zentimeter groß sind, denn sie drücken ihre spirituelle Macht mit Bescheidenheit aus. Andere westafrikanische Stämme, Nachkommen alter hierarchischer Zivilisationen, glauben an einen großen Pantheon, den *Orisa* oder *Vodu* der Götter, und kennen für jeden der Götter einen besonderen Kult der Verehrung. Bei den Yoruba ist diese Form der Anbetung am ausgeklügelsten : Sie haben 1700 Götter! Die Orisha verkörpern die dynamischen Lebensmächte, wie Oya, die Göttin des Todes und der Veränderung, die sich durch Tornados, Blitz, Sturm und Feuer ausdrückt, wie Olokun, den Gebieter über die mysteriösen Tiefen des Bewußtseins, Shango, einen früheren König, der nun als Sturmgott der Elektrizität und des Genies verehrt wird, Ifa, Gottheit der Weisheit, und Obatala, Quelle der Kreativität, Wärme und Erleuchtung.

Wer sich ihnen mit Verehrung nähert, dem dienen die Geister als Helfer, sie sind Vermittler zwischen den Menschen und den Mächten und auch Lehrer, wobei ihre Lehren erschreckende Formen annehmen und mit Blitz und Donner den Glauben und den Mut der Menschen auf die Probe stellen können. Doch die richtige Beziehung zu den Geistern kann zu einer geheiligten Partnerschaft werden. Ernsthaft Suchende respektieren sie, hören ihnen in Stille zu, lernen von ihnen und reinigen sich, bevor sie ihre Dienste zum Guten der Menschen in Anspruch nehmen. Am besten zu dieser Anrufung befähigt sind die Medizinmänner und -frauen, die ihr Leben in den Dienst dieser Aufgabe gestellt haben.

Lehren über die Geister helfen den Menschen auch, in einer Gesellschaft miteinander zu leben. Professor Deidre Badejo machte die Beobachtung, daß in der Yoruba-Tradition ein Ideal des sozialen Gleichgewichts existiert zwischen dem unglaublichen Potential und der Kreativität der Frauen, Leben zu gebären und zu erhalten, und der Macht der Männer, Leben zu schützen. Aufgrund verschiedener innerer und äußerer Zwänge hat sich das Gleichgewicht nun auf die Seite der männlichen Dominanz verschoben, doch die Geschichten, die sich mit weiblicher Macht und Stärke beschäftigen, und die Notwendigkeit der Männer, diese anzuerkennen, sind noch immer Teil der Kultur und lehren eine ideale Symmetrie zwischen männlichen und weiblichen Rollen.

Verwandtschaft mit der Schöpfung

Zusätzlich zu den unsichtbaren Mächten sind alle Aspekte der greifbaren Welt mit Geist durchtränkt und spirituell miteinander verbunden. Deshalb wird alles als Familie erfahren. Diese Gemeinschaft ist äußerst wichtig und kann sich auch über die in einem bestimmten Gebiet lebenden Menschen hinaus erstrecken. Viele Völker traditionellen Glaubens kennen die Erde als ihre Mutter. Das Land, auf dem sie leben, ist Teil ihres Körpers, wird geliebt, respektiert und ist jedem sehr vertraut. Oren Lyons, ein Ältester aus dem Onondaga Nation Wolf Clan, beschreibt die Intimität dieser Beziehung:

> *Das Wissen [der Naturvölker] ist tief und entspringt der Tatsache, daß sie seit unzähligen Generationen an einem Ort gelebt haben. Es nährt sich daraus, daß sie den Sonnenaufgang im Osten und den Sonnenuntergang im Westen von der gleichen Stelle aus über lange Zeiträume beobachtet haben. Das Land, die Flüsse und die großen Seen, die uns umgeben, sind uns genauso vertraut wie die Gesichter unserer Mütter und Väter. Tatsächlich nennen wir die Erde Etenoha, das heißt Unsere Mutter, aus der alles Leben entspringt … Für uns ist unser Lebensraum nicht wild, sondern ein Ort großer Sicherheit und großen Friedens, der einen mit Leben erfüllt.*[13]

Im Gegensatz zu der industrialisierten Welt, die die Erde ausbeuten und beherrschen will, sehen die ethnischen Völker sich heutzutage in der Rolle der Bewahrer ihrer Mutter, der Erde. Sie warnen eindringlich vor der Zerstörung der Umwelt. Ihre Prophezeiungen weisen auf das Potential eines globalen Desasters hin, und ihre Visionäre sagen, daß sie die Erde weinen hören. Der australische Ureinwohner Bill Neidjie gehört zu den Ältesten seines Stammes. Er beschreibt den Schmerz, den die Erde fühlt:

> *Ich spüre es mit meinem Körper,*
> *mit meinem Blut.*
> *Ich fühle alle diese Bäume,*
> *dieses ganze Land …*
> *Wenn Du Schmerzen verspürst …*
> *Kopfschmerzen, Schmerzen am Körper,*
> *Dann hat jemand gerade einen Baum oder Gras getötet.*
> *Du fühlst, weil Dein Körper auch in diesem Baum oder in der Erde ist.*
> *Sagen kann Dir das keiner,*
> *Du mußt es selbst spüren.*
> *Wenn ein Baum krank ist …*
> *fühlst Du es.*
> *Vielleicht zwei oder drei Jahre lang.*
> *Du wirst schwach …*
> *Nur ein bißchen, ein bißchen …*
> *Weil der Baum langsam verfällt …*
> *Er stirbt.*[14]

In der traditionellen Weltsicht steckt die Erde voller lebender Mächte. Felsen, Gewässer, Berge, die andere Völker als unbeseelt empfinden, werden von Naturvölkern personifi-

Viele traditionell orientierte Völker lernen ein Gefühl der Verehrung und eine Verbundenheit mit der Natur, wie es dieses Bild aus Botswana von Elisabeth Sunday andeutet.

ziert. Sie leben. Und so muß beispielsweise vor einer erfolgreichen Bergbesteigung erst die Erlaubnis des Berges dazu eingeholt werden. Die Seher und Visionäre können die Geister eines Gewässers sehen; viele traditionelle Kulturen glauben, daß in bestimmten Hainen Geister lebten, die dort von besonders ausgebildeten Priesterinnen und Priestern zum Gespräch aufgesucht würden. Mit den Worten eines Pit River-Indianers: »Alles lebt. Das ist das, was wir Indianer glauben.«[15]

Man ist mit allen Kreaturen verwandt und schreibt ihnen ein Bewußtsein und die Stärke des Großen Geistes zu. Viele Naturvölker sind mit einer »ökologischen« Sichtweise aufgewachsen: Sie wissen, daß alle Dinge voneinander abhängen, und werden gelehrt, mit allen Wesen eine Wechselbeziehung statt einer dominierenden Beziehung einzugehen. Der hawaiianische Schamanenpriester (*Kahuna*) Kahu Kawai'i erklärt:

> *Wie man sich einem Menschen gegenüber fühlt, den man liebt, so mag man sich auch einem vertrockneten Blatt auf dem Boden gegenüber fühlen und dem Regen gegenüber, der im Wald und im Wind ist. Es besteht eine so starke Intimität, daß alles mit einem spricht und alles darauf reagiert, wie man selbst als Wesen ist – als wenn ein Spiegel die eigenen Gefühle reflektieren würde.*[16]

Selbst ihre Träume sehen Naturvölker häufig als eng verbunden mit ihrem Lebensumfeld, und sie entnehmen ihnen Hinweise für eine richtige Lebensführung.

Man muß sich Bäumen, Tieren, Insekten und Pflanzen mit Sorgfalt und Bedacht nähern. Wenn man einen Baum fällen oder ein Tier töten muß, muß man vorher seine Absicht erklären und das betreffende Wesen um Vergebung bitten. Die wissenschaftliche

Forschung hat mittlerweile herausgefunden, daß es eine Art Kommunikation zwischen Menschen und nichtmenschlicher Species geben kann: Pflanzen wachsen besser, wenn man sie liebt und hegt, und in Versuchen, bei denen eine Person nur daran dachte, ihr zu schaden, zeigte die Pflanze bei einigen Lügendetektor-Tests eine Angstreaktion.

Nach Überzeugung der Naturvölker kann allerdings derjenige, der der Natur schadet, im Gegenzug auch von ihr verletzt werden. Wenn ein Burjate zum Hausbau einen Baum fällt, muß er den Geistern des Waldes erst Milch, Butter, Reis und Alkohol anbieten und sie um Vergebung bitten, sonst ist es wahrscheinlich, daß er krank wird. Als im Jahr 1994 ein halbfranzösischer Burjate als Geschäftsmann in sein Land zurückkehrte und dort in Svyatoy Nos, einem malerischen Ort, der seit langem als Heiligtum des Gottes Huushanbaabay galt, ein Gästehaus baute, warnten ihn die anderen, als er mit dem Bäumefällen begann, daß der Bau nicht erfolgreich sein werde. Er baute das Gästehaus trotzdem. Drei Monate später brannte es nieder.

Respekt ist etwas, was in ethnischen Kulturen immer und allen Geschöpfen gezollt werden muß, auch wenn manchmal eine Art sanfte »Gewalt« dazu notwendig ist. Beim traditionellen Walfang der Inuit mit dem Kajak beispielsweise standen früher die Chancen wegen der stürmischen, eisigen See so gut für den Wal, daß es notwendig war, ihn mit Gesängen und Ritualen zu betören und zu verwirren.

Naturvölker haben einen reichen Schatz an Geschichten über ihre Beziehung zu nichtmenschlichen Geschöpfen. So lassen sich Heiler beispielsweise von bestimmten Bäumen »beraten«, welche Kräuter sie bei der Heilung von Menschen einsetzen sollen. Die Frauen unter den australischen Aborigines sind besonders geschickt in der Abrichtung von Jagdhunden. Von Vögeln glaubt man, daß sie den Menschen Botschaften aus der Welt der Geister brächten. Ein Ältester der Hopi berichtet, daß er einmal drei Tage und Nächte mit einer Klapperschlange gebetet habe. »Natürlich war sie anfangs nervös, doch als ich ihr einen Gesang vortrug, erkannte sie die Wärme meines Körpers und beruhigte sich. Wir haben sehr gut zusammen gebetet.«[17]

Macht-Beziehungen

Eine weitere Gemeinsamkeit besteht im Aufbau einer Beziehung zu spiritueller Energie.

> *Alle Tiere haben Macht, denn der Große Geist wohnt ihnen inne, selbst einer winzigen Ameise, einem Schmetterling, einer Blume, einem Felsen. Die Ansichten des modernen weißen Mannes enthalten uns diese Macht vor und verwässern sie. Zur Natur zu kommen, ihre Kraft zu spüren, es zuzulassen, daß sie einem hilft – dafür braucht man Zeit und Geduld … Ihr habt so wenig Zeit zum Nachdenken … Es vermindert das Leben einer Person, diese ganze Schufterei und Hetzerei.*   Lame Deer vom Stamm der Lakota[18]

An bestimmten Orten und Wesen, so glaubt man, sei die Macht der Geister besonders stark konzentriert. Auf Polynesien bezeichnet man diese Kraft als *Mana* und meint damit die Lebenskraft, die es einem ermöglicht, mit außergewöhnlicher Stärke, Verständnis und Effektivität zu handeln. Wer sich dafür geöffnet hat, kann diese Kraft spüren und nutzbringend lenken und einsetzen.

Tlakaelel ist ein zeitgenössischer spiritueller Führer der Tolteken in Mexiko. Er beschreibt, wie diese Kraft auf eine Person wirken kann, wenn diese in einen Spiegel aus Obsidianglas blickt, der traditionell dazu verwendet wurde, Macht und Stärke zu konzentrieren:

An einem unzugänglich liegenden Schrein, den die Indianer Neu-Mexikos besuchen, schützt ein Ring aus Steinen den heiligen Bereich, wo sonnengebleichte Geweihe und andere Opfergaben um zwei Steine gelegt werden, deren Form an Berglöwen erinnert.

Hat man den Punkt erreicht, wo man sich mit seinem ganzen Willen dort hinein konzentrieren kann, verspürt man Ekstase. Es ist ein ganz wunderbares Gefühl, und alles ist hell. Alles vibriert mit winzigen Signalen, als hörte man Musik, die in Wellen käme und sehr weich und glatt wäre. Alles glänzt in einem blauen Licht. Und man spürt ein Gefühl der Süße. Davon ist alles bedeckt, und es herrscht Frieden. Es ist ein Gefühl, das einem Orgasmus ähnlich ist, aber sehr lange anhalten kann.[19]

Heilige Stätten werden von Eingeweihten an der Kraft erkannt, die sie dort verspüren. Solche konzentrierten Kraftzentren kannten schon die alten Völker; sie existieren aber auch noch heute. Manche von ihnen wurden immer wieder von verschiedenen aufeinanderfolgenden Religionen genutzt, entweder um sich ihrer Energie zu bedienen, oder um die vorangegangene Religion zu inkorporieren. Die Kathedrale von Chartres beispielsweise wurde auf einer alten Ritualstätte errichtet.

Ist ein Naturvolk gezwungen, sein angestammtes Land zu verlassen, empfinden es viele Stammesmitglieder als wirkliche Tragödie, daß sie damit den Zugang zu ihren geheiligten Stätten verlieren. Wenn Außenstehende dieses Land kaufen wollen, um dadurch beispielsweise Abbaurechte zu erwerben, kommt es häufig zu Kontroversen innerhalb der Stämme zwischen denjenigen, die die spirituellen Werte bewahren, und denjenigen, die Profit machen wollen.

Da sich Macht durch heilige Praktiken erlangen läßt, haben gegebenenfalls auch die rituell genutzten Objekte solcher Menschen, die über eine spirituelle Dimension verfügen, sehr viel Macht. Besondere Steine und Tierartefakte können diese Kraft in sich bergen. Auch das Tragen eines Tierfells kann solche Macht vermitteln – die spirituelle Energie des Bären oder des Wolfs beispielsweise. Macht läßt sich ebenso durch Visionen erlangen, durch das Geschenk einer geheiligten Pfeife oder durch das Privileg, für ein heiliges Medizinbündel Objekte sammeln zu dürfen.

In einigen Kulturen, vor allem bei den Plainsindianern Nordamerikas, glaubt man, daß Frauen über eine bestimmte natürliche Macht verfügen, für deren Erlangung Männer härter arbeiten müßten. Diese weibliche Kraft wird als geheimnisvoll, gefährlich und unkontrolliert angesehen. Während des Monatszyklus soll sie am größten sein.

Die weibliche Fortpflanzungskraft hat einen anderen Wert als männliche Arten von Kraft. Bei einigen Ritualen, an denen Männer und Frauen gemeinsam teilnehmen, wird das Monatsblut als Schwächung oder Störung des Rituals oder der spirituellen männlichen Kraft angesehen. Es gibt jedoch Kulturen, wie die der Ainu in Japan, in denen das Monatsblut als höchst wirksames Opfer an die Erde zurückgegeben wird.

Das Erlangen von Macht ist wünschenswert und zugleich gefährlich. Bei Mißbrauch zu persönlichem Vorteil wird sie destruktiv und kann sich gegen die betreffende Person richten. Um die spirituelle Macht in die richtigen Kanäle zu leiten, gilt innerhalb vieler ethnischer Kulturen ein streng reglementiertes Leben, dessen Grenzen entsprechend vermittelt werden. Wer nach Macht strebt oder sie erlangt, ohne sich darum bemüht zu haben, muß sich beständig von jeglichen selbstsüchtigen Motiven reinigen und seine Handlungen auf das Wohl des Ganzen ausrichten. So sollte der Indianer, der die Pfeife trägt, moralisch über jeden Zweifel erhaben sein und niemanden abweisen, der ihn um Hilfe bittet.

Macht ist kein Selbstzweck. Das Ziel der spirituellen Praktiken, bei denen die Erlangung von Macht zweitrangig ist, beschreibt Tlakaelel:

> … *sich mit der Natur zu identifizieren und sich mit allem zu organisieren, was existiert, um es für den eigenen Zweck einzusetzen – das Leben auf diesem Planeten zu bewahren und das Höchste Wesen der Zukunft zu schaffen.*[20]

Spirituelle Spezialisten

In einigen der heute noch existierenden Verbände von Jägern und Sammlern hat die Religion einen relativ privaten Charakter. Jeder einzelne verfügt über einen direkten Zugang zum Nichtgesehenen. Obwohl die Geister unsichtbar sind, gelten sie als Teil der Natur. Jeder kann spontan mit ihnen in Verbindung treten und benötigt dafür weder komplexe Zeremonien noch die Unterstützung eines anderen.

Weiter verbreitet ist jedoch die Auffassung, daß die spirituelle Welt gefährlich sei – so gefährlich wie ein Feuer, das den verbrennen kann, der auf ihre Kräfte nicht vorbereitet ist, wie Dhyani Ywahoo es beschreibt. Obwohl man vom einzelnen erwartet, daß er bestimmte persönliche Formen der Anbetung pflegt, beispielsweise ein Gebet spricht, bevor er ein Tier oder eine Pflanze tötet, sind viele Interaktionsformen mit den Geistern besonders dafür ausgebildeten Spezialisten vorbehalten. Solche Spezialisten wurden nur Schritt für Schritt in das geheime Wissen eingeweiht, das sie zu Mittlern zwischen dem Sichtbaren und dem Unsichtbaren macht. Durch Rituale wie Reinigung und Entschlackung bieten sie sich als Opfer an, als Gefäß für das heilige Wissen und die Rolle des Heiligen.

Verschiedene heilige Rollen

Die Rollen dieser Spezialisten sind von Gruppe zu Gruppe unterschiedlich; auch kann ein und dieselbe Person mehrere Rollen übernehmen. Eine häufig anzutreffende Spezialisierung ist die des Erzählers. Da die Bräuche durch mündliche Überlieferung weiterge-

Ein Geschichtenerzähler des Kung-Volkes in Botswana unterhält sein Publikum und gibt dabei gleichzeitig die Lehren der Vergangenheit weiter.

geben werden, müssen die Erzähler lange und komplexe Geschichten und Lieder auswendig lernen, um an heilige Traditionen ihrer Gruppe zu erinnern und diese an die nächste Generation weitergeben zu können. Für die australischen Aborigines beispielsweise ist es unverzichtbar, daß ihre Kinder lernen, woher ihr Volk und die Geschöpfe in ihrem Landstrich stammen, ebenso, daß sie das Wetter und den Sternenhimmel verstehen lernen. Solche Themen werden in Liedern behandelt, die mehr als 100 Strophen haben können. Die ebenfalls mündlich weitergegebenen Epen der Ainu sind bis zu 6000 Zeilen lang. Gesänge der Yoruba-orisa umfassen 256 »Bände« von je 800 Versen.

Was man nur in der Erinnerung trägt, ist physisch unzerstörbar. Doch wenn ein Stamm klein ist und seine Geschichtenerzähler sterben, geht damit auch das Wissen des Stammes verloren. Dies geschah in großem Ausmaß bei den ersten Kontakten mit Kolonialmächten, als Naturvölker Kriegen und fremden Seuchen zum Opfer fielen. Professor Wande Abimbola, der es sich zur Aufgabe gemacht hat, die mündliche Überlieferung der Yoruba zu bewahren, hat Tausende von Kassetten mit ihren Gesängen aufgenommen. Doch das allein reicht nicht: Man braucht auch Menschen, die diese Gesänge verstehen und interpretieren können.

Andere Geschichtenerzähler bringen die Energie der alten Bräuche in eine neue Form. Sie sehen sich als Barden und Künstler. In Afrika beispielsweise gelten Dichter als »Techniker des Geheiligten«, die mit der gefährlichen Geisterwelt kommunizieren; sie werden mit dem Fluß und dem Rhythmus des Wassers assoziiert. Wer die Sprechtrommel beherrscht, wird als Kommunikator mit den Geistern, den Ahnen und dem Höchsten Wesen hoch geschätzt. So heißt es auf Akan:

Der Daumen, Finger mit Mund, wache auf und spreche!
Der Daumen, bewaffnet mit Stöcken zum Trommeln,
Ist redseliger und beredter
Als ein Mensch, der schläft:
Wach auf und komme![21]

Oft tauchen in diesen Geschichten auch Schwindler auf, beispielsweise in der Gestalt von Füchsen. Sie sind widersprüchliche, wandelbare Wesen. Ähnlich ergeht es den heiligen Clowns, die sich während eines öffentlich abgehaltenen Rituals als Narren blamieren müssen, um die Menschen mit Hilfe des Humors zu belehren. Selbst über die heiligsten dieser Rituale machen sie sich dann lustig; damit wollen sie vermitteln, daß die Menschen sich nicht zu ernst nehmen sollen. Ein heiliger Narr, der in der Lakota-Sprache *Heyoka* genannt wird, muß sehr unschuldig und zugleich sehr wissend der menschlichen Natur gegenüber sein und auch über Seherqualitäten der Geister verfügen.

> *Das Leben ist Heiligkeit und Stumpfsinnigkeit des Alltags, ist Traurigkeit und Lachen,*
> *ist Verstand und Bauch, alles miteinander vermischt. Der Große Geist will gar nicht,*
> *daß wir sie sauber trennen.*   Leonard Crow Dog, Medizinmann der Lakota[22]

Begehrter ist die Position als Mitglied eines Geheimbundes. Bei einigen Stämmen existieren solche speziellen Gruppen, denen man nur per Initiation oder Einladung angehören kann; dadurch wertet man entweder das eigene Ansehen auf oder nähert sich der spirituellen Welt an. Bei Zeremonien tragen die Mitglieder meist besondere Kostüme, um ihre menschliche Identität zu verbergen und die Identität der Seelen der dargestellten Geister anzunehmen. Mitglieder von Geheimbünden in afrikanischen Religionen erscheinen gelegentlich in Tiergestalt oder verkörpern Ahnen. Dies soll ausdrücken, daß die Toten die Lebenden noch immer beobachten und als ehrfurchteinflößende Beschützer der Dörfer zur Verfügung stehen. Der nur Männern zugängliche Oro-Geheimbund in einigen Yoruba-Stämmen setzt seine Autorität bei der Durchsetzung männlicher Dominanz ein: Wenn Oro erscheint und brüllend ein Stück Holz an einem Seil schwenkt, bleiben die Frauen in ihren Hütten.

Doch auch Frauen haben ihre Geheimbünde. Die Aktivitäten dieser Bünde sind Außenstehenden bislang kaum vertraut. Bei den australischen Aborigines werden die Mitglieder der Männer- und Frauengruppen in getrennte, aber untereinander in Beziehung stehende Rollen für Männer und Frauen aufgenommen. Wenn beispielsweise die Jungen zur Beschneidung durch den männlichen Geheimbund vom Stamm abgesondert werden, vollzieht der weibliche Geheimbund zum gleichen Zeitpunkt Trennungsrituale. Manchmal werden dann auch rituelle Schaukämpfe mit dem männlichen Geheimbund veranstaltet. Alle diese Rituale, ob männlichen oder weiblichen Ursprungs, richten sich letztlich an die Traumzeit der Ewigkeit, in der es diese Trennung zwischen männlich und weiblich nicht gibt.

Ähnlich machen auch die heiligen Tänzer das Unsichtbare sichtbar. Mit ihren Körperbewegungen, die eine eigene Sprache sprechen, drücken sie die Natur und Beschaffenheit des Kosmos aus, und diese Sprache wird durch die gemeinsamen Geschichten und Erfahrungen einer Gruppe verstanden. Gleichzeitig erhält man auf diese Weise die Welt der Ahnen im Bewußtsein der nachfolgenden Generationen lebendig.

In einigen sozial strukturierten Gesellschaften gibt es das Amt des Priesters und der Priesterin. Sie sind für ihre Aufgabe ausgebildet – Durchführung der Rituale, die den rich-

Black Elk, ein Visionär und Heiler.

tigen Ablauf der Natur sicherstellen, gegebenenfalls Kontaktaufnahme mit besonderen Geistern oder Gottheiten. In Westafrika üben sie in geringerem Umfang meist noch einen weltlichen Beruf aus. Dennoch wird auch von ihnen erwartet, daß sie sich in einem Zustand ritueller Reinheit befinden, viel Zeit mit der Kommunikation mit ihrem besonders verehrten Geist verbringen, diesem Geist huldigen und ihn befragen, welche Handlungen und Verhaltensweisen er von den Menschen erwarte. In Westafrika gibt es auch Menschen, die als Medien mit den Gotteshäusern verbunden sind. Sie versetzen sich in Trance und lassen Gottheiten oder Geister von sich Besitz ergreifen, um auf diese Weise den Menschen Botschaften zu überbringen.

Schamanen

Unter den spirituellen Spezialisten der Naturvölker zeichnen sich die Schamanen besonders aus. Sie haben viele Namen, doch das aus dem Sibirischen stammende Wort wird von den Wissenschaftlern als Oberbegriff für alle jene Menschen verwendet, die als mystische Mittelsmänner mit ganz konkreten Zielen (zum Beispiel der Heilung von Kranken) zwischen der physischen und nichtphysische Welt stehen. Aus archäologischen Funden weiß man, daß die schamanische Tradition sehr alt ist, mindestens 20 000–30 000 Jahre. Das Werden zum Schamanen und die Ausübung der schamanische Kunst tragen auf der ganzen Welt bemerkenswert ähnliche Züge.

Schamanen können Helfer einer Gruppe oder Gesellschaft sein und ihre Fertigkeiten und Fähigkeiten zum Wohle anderer einsetzen. Man darf sie also keinesfalls mit Zauberern verwechseln, die Menschen mittels Schwarzer Magie Schaden zufügen oder selbstsüchtige Motive verfolgen und umsetzen und dabei die kosmische Ordnung stören. Spirituelle Macht ist neutral; die Art des Einsatzes ist abhängig von dem, der sie nutzt. So kann ein Schamane entweder Krankheiten verursachen oder diese heilen. Was die Indianer Nordamerikas als »Heilkraft« beschreiben, entsteht nicht direkt in der Person des Medizinmannes. Black Elk erklärt es so:

> Natürlich war nicht ich derjenige, der jemanden heilte. Es war die Kraft des Universums, und die Visionen und Zeremonien machten mich nur zu einem Loch, durch das diese Kraft zu den Zweibeinern fließen konnte. Hätte ich geglaubt, daß ich es selbst vollbringen würde, dann hätte sich dieses Loch geschlossen, und die Kraft wäre nicht mehr geflossen.[23]

Es gibt viele Arten von Medizin. Medizin kann physische, psychische und spirituelle Probleme heilen. Heiltechniken physischer Art umfaßt die Anwendung von Heilkräutern, Ernährungsempfehlungen, Schwitzbäder, Massagen, Kauterisation (Ätzung) und das Aussaugen von Giften.

Doch die Behandlung ist eine ganzheitliche und umfaßt Körper, Geist und Seele des Menschen unter besonderer Berücksichtigung der heilenden Beziehungen innerhalb der Gruppe: Daher kann auch eine metaphysische Heilung zum Einsatz kommen, wie Gebete, Gesänge und Zeremonien, in denen die Kraft der Gruppe aufgebaut wird unter Hinzuziehung spiritueller Helfer.

Ist das Eindringen einer schädlichen Macht, vielleicht Wut oder Verärgerung, die sich als Energie von einer anderen Person übertragen hat, Ursache der Erkrankung, versucht der Medizinmann vielleicht, sie mit Hilfe spiritueller Helfer herauszusaugen und in ein Gefäß zu pressen.

Solche schamanischen Heilmethoden, früher als Quacksalberei abgetan, finden heute langsam auch in der etablierten medizinischen Wissenschaft Anerkennung. Es gibt mittlerweile Krankenhäuser, die es Medizinmännern gestatten, ihre Patienten zu behandeln; in den USA wurden Medizinmänner der Navaho durch das National Institute of Mental

Health beauftragt und bezahlt, junge Indianer in den vielschichtigen Zeremonien zu unterweisen, die sich bei der Behandlung von Geisteskrankheiten bei den Navaho oft als effektiver erwiesen haben als die Psychiatrie des Westens.

Über ihre Heilfertigkeiten hinaus sollen einige Schamanen, so glaubt man, über weitere Fähigkeiten verfügen, die es ihnen gestatten, beispielsweise mit Pflanzen und Tieren zu reden, das Wetter zu beeinflussen, die spirituelle Welt zu sehen und mit ihr zu kommunizieren und Weissagungen zu machen. Besonders letztere Fähigkeit ist in Afrika hoch entwickelt. Dabei werden Techniken wie das Lesen aus Kaurimuscheln angewendet. Mado Somé von den Dagara sagt:

Weissagungen sind eine Form des Zugangs zu Informationen über etwas, was jetzt passiert, allerdings nicht genau dort, wo man lebt. Weissagungen sind dem Besitz eines Fernsehgeräts vergleichbar. Dank des Fernsehers weiß man, was außerhalb des direkten Lebensbereiches oder Wohnortes passiert oder wie etwas, was gerade passiert, enden wird. Die Kaurimuscheln funktionieren wie ein Mittler zwischen uns und der nächsten Welt. Weissagungen sind eigentlich die Inschriften von Informationen auf solchen physischen Dingen, die es dem Schamamen – dessen Augen sich im Verlauf der vielen Medizinreisen verändert haben – ermöglichen, diese zu lesen und zu interpretieren.[24]

Schamanen sind kontemplative Menschen, erklärt Lame Deer:

Der Wicasa Wakan *[heilige Mann] will allein sein. Er will nicht in einer Gruppe sein und sich nicht mit alltäglichen Fragen befassen. Er meditiert gerne, lehnt sich gerne an einen Baum oder einen Felsen, spürt, wie sich die Erde unter ihm bewegt, fühlt das Gewicht dieses riesigen lodernden Himmels auf sich. Auf diese Weise kann er Dinge verstehen lernen. Wenn er seine Augen schließt, sieht er viele Dinge ganz klar. Denn was man mit geschlossenen Augen sieht, darauf kommt es an.*
Der wicasa wakan *liebt die Stille und hüllt sich in sie ein wie in eine Decke – eine laute*

Links *Traditionelle Wahrsager aus Mali fegen den Sand und lassen ihn über Nacht unberührt. Die Fußspuren der Tiere, die in dieser Zeit darübergelaufen sind, geben ihnen am nächsten Tag Aufschluß über Fragen, die ihnen jemand gestellt hat.*

Rechts *Die mexikanische* Curandera *(Heilerin)* Maria Sabina *hat halluzinogene Pilze zu sich genommen, um sich in Ekstase zu versetzen. Sie ruft: »Ich bin eine Doktorfrau … Ich bin die Morgenstern-Frau … Ich bin die Mond-Frau … Ich bin die Himmel-Frau … sie sagen, es sei dort alles weich.«*

Lebendige heilige Wege der Naturvölker

Nadeschda Ananjewna Stepanowa gehört zu den wenigen traditionellen burjatischen Schamaninnen und entstammt einer Familie, die viele mächtige Schamanen hervorgebracht hat. Ihre Mutter hatte versucht, dies zu verhindern. Buddhistische Lamas hatten den Eindruck erwecken wollen, Schamanen seien ignorante, primitive Diener der dunklen, niederen Mächte, mit denen man keinen Umgang pflegen sollte. Zudem war der Ruf der Schamanen in neuerer Zeit durch »Pseudoschamanen« geschädigt worden. Doch wenn ein Schamane einen spirituellen Ruf verspürt, wäre es gefährlich, ihm nicht nachzugehen. Nadeschda erklärt es so:

»Als Kind wußte ich, wann ich krank werden würde, und konnte alles auswendig wiederholen, was der Lehrer gesagt oder ich in einem Buch gelesen hatte. Aber das hielt ich für normal. Im Alter von 26 Jahren sagte man mir, daß ich Schamanin werden würde, eine bedeutende Schamanin sogar. Als ich das meiner Mutter erzählte, sagte sie: ›Nein, wirst du nicht.‹ Sie nahm eine Flasche und ging damit in ihre Heimatstadt. Als sie zurückkam, sagte sie: ›Alles wird weggenommen werden, du wirst keine Schamanin.‹ Ich verstand sie nicht. In dem Jahr, in dem ich hätte Schamanin werden sollen, wurde ich ernsthaft krank, und meine Mutter war plötzlich gelähmt. Normalerweise hat man dann einen hohen Blutdruck, doch der meiner Mutter war normal. Die Ärzte waren überrascht, aber ich begriff, daß wir beide so schwer krank waren, weil sie sich gegen die Götter gestellt hatte.

Niemand konnte mich heilen. Dann sagte ein Seher: ›Du mußt heilen.‹ Ich erwiderte: ›Aber ich weiß doch nichts vom Heilen.‹ Doch eine Stimme in mir sagte: ›Wenn du keine Schamanin wirst, wirst Du sterben. Du wirst von einem Lastwagen mit einem blauen Nummernschild überrollt.‹ Ich begann mit dem Sammeln von Material über Medizin und alte Riten und konnte danach viel tun, denn alles, was wir brauchen, ist zu sehen und zu fühlen. Ich wurde von den männlichen Schamanen aller Familien initiiert. Dabei betete jeder in einer ganz bestimmten Richtung zu seinem Gott, denn jeder Gott hat seine genaue Richtung. Jeder Schamane bat seine Götter, mir zu helfen, mich zu schützen, mir Macht zu verleihen. Das Ritual fand Anfang März statt. Es war eisig und windig, ich war nur leicht bekleidet, aber mir war nicht kalt. Der Wind berührte mich gar nicht. Ich saß ungefähr vier Stunden bewegungslos, aber mir war nicht kalt.

Ich begann mit dem Heilen. Das ist sehr schwer. Durch die Augen der Kinder und Erwachsenen erlebt man selbst deren Schmerz. Ich weiß, ob ich eine Person heilen kann.

Das wichtigste ist für mich, einer Person zu helfen, wenn ich kann. Ich bete zu meinen Göttern und flehe sie um Gnade an. Ich bitte sie, aufzupassen und zu helfen. Ich spüre den Schmerz derjenigen, die zu mir kommen, und will ihn lindern. Ich habe *Yodo* – die Borke eines Tannenbaums, an der ein Bär gekratzt hat; der Rauch hat reinigende Wirkung. Ich vollziehe Rituale, die die Seele wiederbringen, und oftmals wirken sie. Meine Ahnen sind mir sehr nahe; ich sehe sie so, wie ich Sie sehe.

Im vergangenen Jahr fand auf der Insel Olechon im Baikalsee eine große Zusammenkunft von Schamanen aus Tschita, Irkutsk, Ulan-Ude, Jakutien und Burjatien statt. Wir beteten zu den Großen Geistern des Baikalsees und erbaten das Wohlergehen und den Wohlstand von Burjatien. Seit langer Zeit hatte sich niemand mehr an diese Geister gewendet. Man hatte sie vergessen, und sie waren eingeschlafen. Sie konnten keine aktive Rolle im Leben der Menschen mehr spielen und ihnen nicht mehr helfen. *Teylagan,* das Gebet der Schamanen für ganz Burjatien, sollte sie aufwecken.

Es war ein sehr klarer sonniger Tag ohne eine Wolke am Himmel. Als das Gebet begann, fing es an zu regnen. Das war ein sehr gutes Zeichen, denn eine lang andauernde Dürre hatte geherrscht. Die Schamanen von Olechon hatten zwar versucht, den Regen zu beschwören, doch es war ihnen nicht gelungen. Aber als wir uns alle versammelt und drei Schafe geopfert hatten, gelang es ihnen, und die Schamanen dieses Gebietes waren sehr dankbar.

Wir hatten immer zu den 13 nördlichen Nainkhats gebetet, den Großen Geistern dieses Gebietes. Doch als die Buddhisten kamen, begannen die Verfolgungen, und die Menschen beteten nur noch insgeheimen und nur für ihre Familien. Sie konnten nicht mehr für die ganze Burjaten-Nation beten und vergaßen es. Schamanen wurden getötet. Das Sowjetregime zwang uns dann dazu, unseren Glauben zu vergessen, und wir vergaßen ihn. Die Menschen sollten nur noch für den Moment leben und ihre Wurzeln vergessen. Was ist der Mensch schon ohne seine Wurzeln? Nichts. Damit verliert man alles. Deshalb hat jetzt niemand mehr Mitleid mit dem anderen. Nun ernten wir, was wir gesät haben – Überfälle, Alkoholismus, Drogen. Das ist unser Desaster. Deshalb müssen wir zu unseren Göttern beten.

Beim Teylagan stiegen am ersten Tag drei blaue Säulen aus der Erde in den Himmel empor – es war ein Gebet an Ehon-Bahve, den wichtigsten Geist Baikals, und an alle drei Götter. Am zweiten Tag beteten wir zum Vogelgott und sahen viele Vögel und einen Regenbogen.«[25]

*Stille, deren Stimme wie Donner ist und ihm viele Dinge sagt. Ein solcher Mann zieht es
vor, an einem Ort zu sein, wo es kein anderes Geräusch als das Summen der Insekten gibt.
Er sitzt gen Westen und fragt um Hilfe. Er spricht mit den Pflanzen, und sie antworten
ihm. Er hört auf die Stimmen der Wama Kaskan – all derer, die sich auf der Erde bewegen, der Tiere. Aus allen Lebewesen fließt etwas ständig in ihn ein, und etwas strömt aus
ihm heraus.*[26]

Die Rolle des Schamanen kann entweder vererbt oder als Begabung erkannt werden. In
beiden Fällen ist eine harte Ausbildung zu absolvieren. Um sich selbst in einen Zustand
der mythischen Ekstase versetzen, zwischen normaler und nichtnormaler Realität sich
bewegen zu können, müssen Schamanen den physischen Tod und die Wiedergeburt selbst
erfahren haben. Es gibt unter ihnen die Erfahrung spontaner, todesähnlicher Erlebnisse.
Uvavnuk, eine Schamanin der Inuit, wurde spirituell initiiert, als sie von einem Kugel-
blitz getroffen wurde. Als sie wieder zu sich kam, besaß sie große Kräfte, die sie zum Wohle ihres Volkes einsetzte.

---

*Das große Meer hat mich in Bewegung gesetzt,
mich davongetrieben,
mich bewegt, wie das Schilf sich im Fluß bewegt.
Das Himmelsgewölbe und die Wucht der Stürme
haben den Geist in mir bewegt,
bis ich fortgetragen werde
und dabei vor Freude zittere.*

Uvavnuk, Schamanin der Netsilik-Inuit[27]

Links *Viele traditionelle
Völker glauben, daß
Frauen über besondere
spirituelle Kräfte verfügen;
deshalb gibt es bei ihnen
auch viele Priesterinnen
und Schamaninnen.*
Rechts *Die Trommel, die
»Stimme der Vorfahren«,
wird von Schamanen auf
der ganzen Welt eingesetzt,
um sich in Trance zu ver-
setzen. In diesem Stadium
können sie mit der Geisterwelt in Kontakt treten -
wie hier auf diesem alten
Foto, das einen Schama-
nen vom ostsibirischen
Volk der Jakuten zeigt.*

Andere Schamanen unterziehen sich zur Vorbereitung den Ritualen der Reinigung, der Isolation und der körperlichen Qual, bis sie Kontakt zur spirituellen Welt aufnehmen können. Igjugarjuk aus der nördlichen Hudsonbai setzte sich in einem winzigen Schneehaus aus eigener Entscheidung einer einmonatigen Phase des Hungers, des Durstes und der Kälte aus, um damit die Aufmerksamkeit von Pinga, einem weiblichen Helfergeist, auf sich zu ziehen:

> *Mein Noviziat fand mitten im kältesten Winter statt, und ich, der nie mit etwas Warmem in Berührung kam und mich nicht bewegen durfte, war eiskalt, und es war so ermüdend, zu sitzen, denn man wagte es nicht, sich hinzulegen, daß es sich manchmal so anfühlte, als würde ich ein bißchen sterben. Erst am Ende der 30 Tage erschien mir ein helfender Geist, ein wunderschöner helfender Geist, an den ich nie gedacht hatte. Sie war eine weiße Frau, die mir erschien, als ich vor Erschöpfung zusammengebrochen war und schlief. Doch ich sah sie lebensecht über mir schweben, und von dem Tage an konnte ich weder meine Augen schließen noch träumen, ohne sie zu sehen ... Sie war mir von Pinga geschickt, als Zeichen, daß Pinga nun auf mich aufmerksam geworden war und mir Kräfte verleihen würde, die mich zum Schamanen machen würden.*[28]

Doch ein Schamane muß sich nicht nur mit dem Tod vertraut machen, sondern auch eine langwierige Ausbildung in den schamanischen Techniken auf sich nehmen, die Namen und Rollen der Geister und die Geheimnisse und Mythen seines Stammes kennen. Novizen werden sowohl von älteren Schamanen als – angeblich – auch von den Geistern selbst eingewiesen. Wenn die Geister einen Schamanen nicht akzeptieren und nicht einweisen, ist er auch nicht in der Lage, diese Rolle zu übernehmen.

Die helfenden Geister, die die zukünftigen Schamanen in ihrer Tod-und-Wiedergeburt-Phase erreichen, werden in der heiligen Welt zu wichtigen Partnern. Oft ist es ein Geist in Form eines Tieres, der zum Schutzgeist des Schamanen wird und ihm besondere Kräfte verleiht. Bei seiner Arbeit kann der Schamane später sogar die Gestalt dieses Tieres annehmen. Viele Stämme glauben, daß heilende Schamanen die Fähigkeiten und Macht eines Bären benötigen. Bei den Samen (Lappen) verwandeln sich die Schamanen in Wölfe, Rentiere, Bären und Fische.

Zusätzlich zu ihrem mächtigen Alter ego in Form eines Tieres besitzen Schamanen auch die Fähigkeit, parallele spirituelle Welten zu betreten, wann immer es ihnen beliebt, um von dort Wissen, Kraft oder Hilfe für diejenigen mitzubringen, die sie benötigen. Um in diese Welt einzutreten, muß der Schamane eine andere Bewußtseinsebene einnehmen. Dazu benutzt er Techniken, die auf der ganzen Welt angewendet werden: Trommeln, Rasseln, Gesänge, Tanz und in manchen Fällen halluzinogene Drogen. Damit soll das geöffnet werden, was die Schamanen der mexikanischen Huichol als *Narieka* bezeichnen, der Weg zum Herzen, der Kanal für die göttliche Macht, der Punkt, an dem sich die menschliche Welt mit der Geisterwelt trifft. Dies wird oft erfahren und künstlerisch wiedergegeben als ein Muster aus konzentrischen Kreisen.

Die »Reise«, die Schamanen dann erleben, geht typischerweise in die Unterwelt oder in die Oberwelt. Für ihren Eintritt in die Unterwelt begeben sich die Schamanen gedanklich durch ein real existierendes Loch – eine Quelle, ein hohler Baumstamm, eine Höhle, der Bau eines Tieres oder ein zeremoniell genutztes Loch, das als Nabel der Erde gesehen wird – in den Boden. Solche Eingänge führen meist in Tunnel, die sich im weiteren Verlauf zu hellen Landschaften öffnen. Die Wiedergabe solcher Erfahrungen schließt nicht nur das ein, was der Schamane dabei sah, sondern auch, was er dabei fühlte – beispielsweise wie sich die Wände des Tunnels beim Abstieg anfühlten.

Der Schamane betritt die Unterwelt, trifft dort auf Wesen und bringt vielleicht von dort etwas mit, was sein Klient benötigt. Dies können ein Schutzgeist oder eine verlo-

rene Seele sein, die mitgenommen werden, um eine Person aus einem Koma zu erwecken. Manchmal kann der Schamane für eine bestimmte Zeit auch vom Geist verstorbener Verwandter besessen sein, damit ein betroffener Kranker auf diese Weise eine gestörte Beziehung mit ihnen, die als Grund für die Krankheit gesehen wird, lösen kann. Um von der Welt der Lebenden in die Welt der Toten zu gelangen, muß häufig ein Fluß überquert werden, der die Grenze zwischen den beiden Welten markiert. In der Tradition Westafrikas existieren drei Flüsse, die diese Welten trennen und mit einem Kanu überquert werden müssen. Eine andere häufige Variante stellt das Passieren des Flusses der Unterwelt über eine Brücke dar, die von einem Tier bewacht wird. Der Reisende wird dabei meist von einem helfenden alten Mann oder einer alten Frau begleitet. Dieser weltweite schamanische Vorgang ist in Kulturen, die die ursprünglichen Lebensweisen unterdrückt haben, nur noch in Mythen enthalten, beispielsweise in der Geschichte von Orpheus.

Konzentrische Kreise und Spiralen tauchen in der visionären Kunst der ganzen Welt auf, wie hier bei den »Traumbildern« der australischen Aborigines. Dabei sollen parallele und ursprüngliche Realität dargestellt werden. Oft deuten diese Muster eine Reise durch spirituelle Ebenen an, die zu einer Vereinigung mit dem Großen Heiligen führt.

Zeitgenössische Rituale

Auch wenn die Mächte des Lebens, die die Naturvölker respektieren, nicht sichtbar sind, kann mit ihnen auf symbolische, nonverbale Weise in Kontakt getreten werden, beispielsweise durch das Verstreuen von Maismehl als Dankesopfer für die reiche Ausbeute der Erde oder den Einsatz von Pfeifenrauch als »Transportmittel« für Gebete an die Geister. Das Leben, so wissen diese Völker aus der Beobachtung, richtet sich an strengen Gesetzen der Natur aus. Und die Menschen können dazu beitragen, die Harmonie des Universums durch die Einhaltung der Rituale zu bewahren.

Solche Zeremonien, die beispielsweise dem natürlichen Gleichgewicht und einer erfolgreichen Jagd oder Ernte dienen, müssen allerdings mit großer Genauigkeit ausgeführt werden. So gibt es für bestimmte Zeiten ganz bestimmte Geschichten. Chona, eine Medizinfrau vom Indianerstamm der Tohono O'odham (Papago), berichtete der Anthropologin Ruth Underhill:

> Ich hätte dir das nicht erzählen dürfen [den Ursprung von Coyote, der dabei half, die Welt in Ordnung zu bringen, wenn auch mit ein paar Fehlern]. Diese Dinge über den Ursprung und Anfang sind heilig. Man sollte sie nicht erzählen, wenn es heiß ist und die Schlangen draußen sind. Die Schlangen bewachen unsere Geheimnisse. Wenn wir erzählen, was verboten ist, beißen sie.[29]

Präzision in Ritualen ist aber nicht nur eine Übung, mit der man sich der Traditionen erinnert. Dhyani Ywahoo sieht auch eindringliche psychologische und spirituelle Gründe dafür, »die Dinge richtig zu machen«. Auf die richtige Form zu achten bringt Klarheit und schafft einen heiligen Raum, in dem vieles passieren kann:

> Wichtig ist, daß ein Ritual einen Anfang besitzt. Und vor diesem Anfang muß die Vorbereitung stehen, damit Körper und Geist des Menschen auf eine bestimmte Stufe der Dynamik gelangen können. [Nach] der Enthaltsamkeit von einigen Dingen, nach bestimmten Übungen, einer bestimmten Lebensweise und einem bestimmte Verhalten, werden die Schläfrigkeit und die Illusionen, die unsere wahre Natur verschleiern können, transparenter. Man kann sie leichter loslassen. Auch entwickelt man eine gewisse Friedfertigkeit, wenn man sich an bestimmte Vorschriften hinsichtlich Sprache und Verhalten im Umgang mit anderen halten muß.
> Dann kommt der Anfang, wo alle Menschen zusammenkommen und sich eine tiefe familiäre Bindung entwickelt. Jetzt wird einem auch klar, was man in Beziehungen in seinem eigenen Verhalten ändern muß.
> Nun beginnen die tatsächlichen Zeremonien, zu denen sehr viel Reinigung, Beruhigung und Versöhnung und visionäres Sehen [gehört] – das Wissen, was mein eigener Sinn und Zweck ist, und das Sehen, was passieren muß. Dann entspringt aus dem Ritual selbst eine Energie, damit sich die Vision zum Vorteil der Familie, des Clans, der Nation und aller Wesen ausdrücken kann.[30]

Gruppenbräuche

Die religiösen Wege von Naturvölkern sind gemeinschaftsorientiert. Durch Gruppenrituale wird nicht nur das Heilige verehrt, es werden auch die Bindungen untereinander und zu allen Geschöpfen gestärkt.

Durch Rituale können die Menschen ihr alltägliches Bewußtsein verlassen und in ein Bewußtsein eintreten, das das Heilige spürt. Wenn die Teilnehmer ein solches Bewußtseinsstadium wieder verlassen, verspüren sie meist auch ein gestärktes Gruppenbewußtsein, das die Mitglieder zu einer starken Gruppe zusammenschweißt. Jede Gruppe hat ihre eigenen Rituale, die den Geistern des Lebens gewidmet sind, doch bestimmte Muster sind immer gleich. Es gibt Rituale für die wichtigen Stationen im menschlichen Lebenszyklus – Geburt, Namensgebung, Pubertät, Ehe, Tod. Diese Riten helfen dem Menschen beim Übergang von einem Stadium zum anderen und machen ihm bewußt, wie wichtig sein Beitrag zum Leben ist. Wenn ein Hopibaby 20 Tage alt ist, wird es bei Sonnenaufgang zum erstenmal den Strahlen von Vater Sonne präsentiert und erhält einen offiziellen Namen. Sein Gesicht wird einer rituellen Reinigung mit geheiligtem Maismehl unterzogen, eine Zeremonie, die anläßlich seines Todes für die Reise in die Unterwelt wiederholt wird.

Oben links *Für die Wald-Pygmäen des Ituri-Regenwaldes ist der Große Geist im Wald selbst verkörpert. Seine gutartige Präsenz ist zugleich Vater und Mutter. Pygmäenmänner führen einen Dankbarkeitstanz an den Wald auf, um sich bei ihm für die Tiere zu bedanken, die er ihnen als Nahrung zur Verfügung stellt.*

Oben rechts *In Westafrika erscheinen die Götter und Geister der Toten den Lebenden in Verkleidung. Die Geheimnisse der Geister werden durch die kostümierten Initiierten zum Teil sichtbar gemacht.*

Links *Dieser Altar im Haus eines mexikanischen Heilers zeigt die Vermischung der Naturreligion mit späteren Religionen. Schlange, Maske, Gemüse, Eier und »Vogelnest« sind christlichen Symbolen gegenübergestellt.*

Doch es gibt auch kollektive Rituale, die die Überlebensstrategie der gesamten Gruppe stärken. In Agrargesellschaften gehören dazu verschiedene Formen, um Regen zu bitten, den Wuchs der Nutzpflanzen sicherzustellen und sich für die Ernte zu bedanken. Während der großen Dürrezeit von 1988 wurde Leonard Crow Dog, ein Heiliger Mann der Sioux, von drei nichtindianischen Gemeinden im Mittleren Westen gebeten, bei ihnen Regenzeremonien durchzuführen – eine wirkliche Anerkennung der Kraft, die diesen Bräuchen innewohnt. Dhyani Ywahoo erklärt: »Wenn Indianer singen, damit der Regen komme, dann kommt er, denn diese Sänger habe eine Entscheidung getroffen: Sie und das Wasser und die Luft und die Erde sind eins.«[31]

Rituelle Aufführungen, die sich mit der Entstehung und der heiligen Geschichte des Volkes beschäftigen, berühren Darsteller und Zuschauer emotional. Dieses gelingt durch besondere Kostüme, Körperbemalung, Musik, Masken und vielleicht auch einen heiligen Austragungsort.

Die Aufführungen bieten eine Art Schnittstelle zwischen den Menschen, dem Land und der spirituellen Welt. Gleichzeitig veranschaulichen sie die Mystik und bringen auf diese Weise die Menschen in einen direkten Kontakt mit der Geisterwelt. Auch die Berichte von Stammesmitgliedern über ihre eigenen heiligen Visionen und Träume, von denen man erwartet, daß sie mit dem Rest der Gemeinschaft geteilt werden, werden oft in einer dramatisierten Fassung wiedergegeben.

Der Legende nach erhielten die Plainsindianer die geheiligte Pfeife von White Buffalo Calf Woman. Sie war ein Werkzeug zur Kommunikation mit den Mysterien und zum Verständnis des Lebens und der Wege, die es nimmt. Der Kopf der Pfeife repräsentierte den weiblichen Teil des Großen Geistes, der Hals der Pfeife den männlichen. Wenn sie im Ritual miteinander verbunden würden, sei, so glaubt man, die Macht des Geistes anwesend, indem die Pfeife in einem Kreis umhergereicht werde und sich eine Form der kollektiven Kommunion miteinander und mit dem Göttlichen entspinne.

Auch zur rituellen Reinigung und spirituellen Erneuerung der Mitglieder kommen die Gruppen zusammen. Die Indianer in Nord- und Mittelamerika reinigten ihre heiligen Stätten und ihren Besitz mit dem Rauch besonderer Kräuter wie Salbei und Süßgras. Viele Stämme bauen igluförmige Schwitzhäuser, in denen man sich im Dunkeln um heiße Steine eng zusammendrängt. Wenn die Steine mit Wasser begossen werden, steigt heißer Dampf empor und reinigt Körper und Lungen wie Feuer. Dieses Ritual wird von Gebeten begleitet. Leonard Crow Dog sagt über eine solche Schwitzhütte, *Inipi* genannt:

> Das *Inipi* *ist wohl unsere älteste Zeremonie, denn es ist um die einfachsten, lebenspendenden Dinge herum errichtet: das Feuer, das von der Sonne kommt, die Wärme, ohne die es kein Leben geben kann,* Inyan Wakan *oder* Tunka – *den Felsen, der existierte, als die Erde begann, und der auch noch am Ende der Welt da sein wird –, die Erde, den Schoß der Mutter, das Wasser, das alle Geschöpfe brauchen, unseren grünen Bruder, der Salbei. Inmitten all dieser Dinge sitzt der Mensch, nackt, wie er geboren war, und spürt das Gewicht und den Geist zahlloser Generationen vor ihm, fühlt, daß er ein Teil der Erde sei, ein Kind der Natur, nicht ihr Beherrscher.*[32]

Pilgerreisen zu solchen heiligen Stätten werden häufig von der gesamten Gemeinschaft unternommen. Die Burjaten versammeln sich auf dem Berg Erde, wo die Erdgeister leben. Sie fassen sich an den Händen, bilden einen Kreis um ihn herum und spielen dabei Spiele. Dabei erscheine, so heißt es, inmitten des riesigen Kreises eine große Energie. Die Huicholindianer, die in den Bergregionen des westlichen Mexiko leben, unternehmen einmal im Jahr eine Reise in eine Wüste, die sie Wirikuta nennen, das Heilige Land der Sonne. Sie glauben, daß dort die Schöpfung begonnen habe. Wie schon ihre Ahnen, sammeln sie an diesem heiligen Platz ihren Jahresbedarf an Peyote-Kakteen. Für sie ist der Kaktus mit den bewußtseinsverändernden Eigenschaften der »kleine Hirsch«, ein Geist, der ihnen hilft, mit der Welt der Geister zu kommunizieren.

Wenn Naturvölker-Gruppen durch äußere Gewalt auseinandergerissen werden, geht die Bindekraft dieser Gruppenrituale verloren. Die Afrikaner, die als Sklaven in die Neue Welt kamen, verloren nicht nur ihre individuelle Identität, sondern auch ihre Zugehörigkeit zu einer engen Gemeinschaft. In dem Bemühen, dieses Gemeinschaftsgefühl der Afro-amerikaner, das auf gemeinsamen spirituellen Bräuchen gründet, wiederaufleben zu lassen, schuf Professor Maulana Ron Karenga ein modernes Fest, *Kwanzaa* genannt, das zurückgeht auf die Erntedankfeste der schwarzafrikanischen Naturvölker, die sie »Erste Früchte« nannten.

Mit symbolischen Objekten (Kerzen, Mais, Früchte und Gemüse und ein »Vereinigungspokal« – alle Gegenstände erhalten ihren Namen auf Suaheli) wird eine besondere Atmosphäre geschaffen. Zwischen dem 26. Dezember und dem 1. Januar versammeln sich Familien und Familiengruppen, um ihre Reife und ihr Wachstum während des vergangenen Jahres zu überdenken. Sie betrachten ihre eigenen Erfahrungen der sogenannten Sieben Prinzipien – Einheit, Selbstbestimmung, Arbeit im Kollektiv, Familienorientierung, Zweck und tieferer Sinn, Kreativität im Umgang mit begrenzten Ressourcen und Selbstvertrauen - und belohnen einander für Fortschritte mit kleinen Geschenken.

Individuelle Bräuche

In der Religion der Naturvölker spielt die persönliche Verbindung des einzelnen mit den Geistern eine wichtige Rolle. Die Menschen erkennen die Existenz der Geister an und gehen im Alltagsleben auf unterschiedlichste Weise mit ihnen um. Auf der Suche nach Kräutern darf man beispielsweise nicht die erste Pflanze entwurzeln, die man findet; ihr werden ein Opfer und ein Gebet dargebracht, damit ihre Verwandten den Grund für das Sammeln verstehen. Schutzgeister und Visionen werden von allen Menschen gesucht, nicht nur von Spezialisten wie den Schamanen. Diese mögen zwar über mehr Helfer in der Welt der Geister und über mehr Macht verfügen, doch visionäre Erlebnisse und die Möglichkeit der Anbetung stehen allen offen. Ethnische Bräuche hat man deshalb auch als »demokratisierten Schamanismus« bezeichnet.

Geister können überall verehrt werden, auch wenn es Tempel für sie gibt. Wande Abimbola beschreibt es:

> *Man kommt nach São Paulo in Brasilien, nimmt den Aufzug in das 24. Stockwerk eines Apartmenthauses und trifft einen Freund. Der bringt Dich in eine Ecke seiner Wohnung und sagte: »Komm und begrüße meinen Shango.« Er befindet sich in einer kleinen Schüssel. Für die Anbetung des Orisa braucht man keine großen Tempel, auch wenn es für die meisten von ihnen in Afrika Tempel gibt. Wenn man ein Anhänger von Ifa ist, trägt man die Objekte von ihm bei sich in der Tasche. Wenn man Ogun opfern will, legt man etwas aus Eisen auf den Boden und bietet ihm ein Opfer dar. So wie Christen eine Bibel oder vielleicht ein Kreuz mit sich tragen.«[33]*

Um sich für den Kontakt mit der Geisterwelt zu öffnen, unterziehen sich Menschen vieler Naturvölker einer *Visionssuche.*
Nach der rituellen Reinigung werden sie alleine an einen heiligen Ort geschickt. Dort rufen sie die Geister an, damit diese ihnen etwas über den Sinn ihres Lebens mitteilen und ihnen auf ihrer Reise behilflich sein mögen. Daran kann sich eine heilige Mission anschließen, beispielsweise ein Sonnentanz. Tlakaelel erklärt die Visionssuche, die er praktiziert:

Der Sonnentanz-Weg der Selbstaufopferung

In den meisten ethnischen Traditionen ist die Aufopferung im Dienste der Gemeinschaft hoch angesehen. Das eigene kleine Selbst soll durch Reinigungszeremonien aufgesprengt werden und dem Großen Geist als reines Medium für seine Energie dienen. Bei den Naturvölkern Amerikas hat man dafür eine sehr starke Zeremonie, den Sonnentanz. Bei den Oglala-Lakota tanzen die Teilnehmer, ihren Blick auf die Sonne gerichtet, bis zu vier Tage lang, ohne Wasser oder Nahrung zu sich zu nehmen, und erbitten den Segen für ihr Volk. Diese Zeremonie soll ihnen, so ist überliefert, erstmals durch die Vision eines Mannes mit dem Namen Kablaya gegeben worden sein.

Auf verschiedene Weise wird der Sonnentanz jetzt in jedem Frühjahr und Sommer an vielen heiligen Stätten gefeiert, vorrangig im Mittleren Westen und in den nordamerikanischen Plains. Theoretisch sollen nur diejenigen tanzen, die auch die Vision erhielten, am Tanz teilzunehmen. Einige Teilnehmer kommen, um Buße zu tun und sich zu reinigen; andere bieten sich als Medium an, um für alle oder einen bestimmten Menschen, der

Hilfe benötigt, um Segen zu bitten. Eine Teilnahme zur Befriedigung eigener Bedürfnisse gilt nicht als korrekt.

Die Tänzer geloben, an einer bestimmten Anzahl von Tänzen teilzunehmen. Manchmal sind auch Frauen und Kinder unter den Teilnehmern; Nichtindianern ist der Zugang im allgemeinen allerdings untersagt.

Die Kraft, die einem Sonnentanz innewohnt, macht es erforderlich, daß jeder Bestandteil dieses Rituals im Sinne einer heiligen Zeremonie ausgeführt wird. So müssen sich die Tänzer vorher einer Visionssuche und einer Reinigung in Schwitzhäusern unterziehen. Trotz Durst und Erschöpfung nehmen einige Teilnehmer an jedem Tanztag zusätzlich an Sitzungen in den Schwitzhäusern teil. Für den Mittelpunkt des Kreises wird ein Baum ausgewählt (bei den Lakota ist dies eine Pyramidenpappel, die, kreuzweise eingeschnitten, ein vielspitziges Sternenmuster zeigt, das die Sonne repräsentiert). Die Opferung dieses Baumes wird von rituellen Gebeten begleitet. Die Teilnehmer können auch Gebetsflaggen in die Äste des Baumes binden, bevor er in der Mitte des Tanzkreises hochgezogen wird.

Schwitzhäuser dienen der physischen und spirituellen Reinigung. Eine Balkenkonstruktion wird mit Häuten oder Decken abgedeckt. In der Hütte selbst werden erhitzte Felsbrocken mit Wasser begossen, um einen versengenden Dampf zu erzeugen.

Während des Tanzes selbst werden die Teilnehmer durch Abfolgen mit symbolischer Bedeutung geführt. Diese Choreographie ist von Stamm zu Stamm unterschiedlich. Bei den Lakotaindianern bewegen sich die Sonnentänzer nicht im Kreis, sondern gleichen ihre Position im Verlauf des Tages nur leicht dem veränderten Sonnenstand an, so daß sie diese immer direkt anblicken. In Mexiko hingegen orientiert sich die Tanzabfolge an der Verehrung der vier Himmelsrichtungen, die nacheinander angeblickt werden.

Während sie tanzen, blasen die Teilnehmer auf Pfeifen, die ursprünglich aus den Flügelknochen des Schelladlers, heute jedoch meist aus hohlen Stöcken geschnitzt sind. Bei seinen Anweisungen für den Tanz hatte Kablaya wohl erklärt: »Wenn ihr auf der Pfeife blast, erinnert euch immer daran, daß ihre Stimme die des Schelladlers ist; euer Großvater, Wakan-Tanka, wird dieses Geräusch immer hören, denn es ist in Wahrheit seine Stimme.«[34]

Die Tänzer werden von anderen Teilnehmern unterstützt, die besondere heilige Lieder singen und auf einer großen Trommel schlagen. Wenn ihre Energie nachläßt, läßt auch die der Tänzer nach. Eine Tänzerin des Sonnentanzes erklärt, daß man nach einer Weile »die Trommel nicht mehr von außen hört. Es ist, als wäre sie in dir, und man selbst weiß gar nicht mehr, daß man tanzt.« Die Tänzer helfen einander auch durch den Einsatz von Federn, die sie bei sich tragen und mit denen sie ermüdeten Tänzern Luft zufächern. Auch gemeinschaftlich erlebte Visionszeremonien können Teil des Sonnentanzes sein.

Jeder Tänzer ist Träger einer geheiligten Pfeife. Zwischen den Tanzrunden kann diese gemeinsam mit den Beobachtern des Tanzes geraucht werden, die dazu in den Kreis geführt werden und die Pfeifen austeilen, um die Tänzer durch die Kraft des Rauches zu stärken.

Am dritten oder vierten Tag können auch die Nichttänzer in den Kreis geführt werden, um eine Heilungsrunde zu tanzen. Zu diesem Zeitpunkt sind die Tänzer bereits so gereinigt, gestärkt und besitzen eine gewisse spirituelle Vollmacht, daß sie alle als Heiler arbeiten können, indem sie ihre Federn als Instrumente zur Übertragung der göttlichen Macht einsetzen.

Die Leiden, denen sich jeder Tänzer freiwillig aussetzt, werden durch Piercing noch verstärkt. Wenn ein Teilnehmer eine entsprechende Vision hatte (und sein Stamm das Piercing praktiziert, was nicht jeder Stamm tut), wird zu einem bestimmten Zeitpunkt während des Tanzes in die Haut auf Brust, Rücken oder Arme geschnitten; in diese Einschnitte werden angespitzte Stöcke getrieben. Dabei wird die Haut auch auf unterschiedliche Weise durchtrennt. Häuptlinge ziehen Büffelschädel, die mit Seilen an den Stöcken befestigt sind; damit wird die Bürde symbolisiert, die sie für ihren Stamm zu tragen haben. Häufiger ist die Variante, bei der Seile über den Baum in der Mitte geworfen und an den Stöcken festgebunden werden. Die gepiercten Tänzer werden dann nach oben gezogen, sie »fliegen« an flatternden Adlerschwingen, bis die Stöcke die Haut zerreißen. Man glaubt, daß es um so schwerer sei, sich zu befreien, je stärker der Wunsch sei, den man bei diesem Opfer äußere. Ein Lakota-Tänzer erhielt in seiner Vision die Aufforderung, eine ganze Nacht am Baum zu hängen. Er mußte an vielen Stellen gepierct werden, um sein Gewicht gleichmäßig zu verteilen, und dann am Morgen vom Baum heruntergeholt werden.

Doch warum beinhaltet dieser Tanz so viel Leiden? Ein Sonnentänzer der Lakota erklärt: »Keiner weiß, warum, aber das Leiden macht unsere Gebete ehrlicher. Der Sonnentanz prüft die eigene Ehrlichkeit und bringt den eigenen Geist über seine Grenzen hinaus.« Während des Tanzes überwinden viele Tänzer ihr physisches Leid und verspüren ein immer stärker werdendes Gefühl der Euphorie. Ein mexikanischer Tänzer erklärt es so:

Es ist nicht Schmerz. Es ist Ekstase. Wir bekommen die Energie von der Sonne und dem Kontakt mit Mutter Erde. Man spürt auch die Energie der Adler [die oft über uns fliegen], aller Tiere, aller Pflanzen, die einen umgeben, der ganzen Vegetation. Das Rauchen der Pfeife ist dann wie Nahrung oder Energie; der Rauch nährt mit Energie, damit man weitermachen kann. Und zwischendurch halten wir unsere Handflächen in die Sonne, um von ihr Energie zu tanken. Man kann es in seinem ganzen Körper spüren, wie ein vollständiges Energiebad.«

---

* Die Namen der interviewten Tänzer werden zum Schutz der Privatsphäre und zur Bewahrung der Heiligkeit des Tanzes nicht genannt.

Ein Weg der Kommunikation mit den ungesehenen Geistern besteht darin, ihnen Opfer darzubringen. Diese Frau opfert Geistern, die auf Bali mit der Reisernte assoziiert werden.

Man ist auf einem Berg, einer Wüste oder in einer Höhle, isoliert, nackt, nur von den persönlichen heiligen Dingen umgeben, die man sich in den Jahren der Vorbereitung erarbeitet hat – Adlerfedern, Pfeife, Copal [Baumrinde, die als intensiver Duft dient]. Vier Tage und vier Nächte wird man dort ohne Wasser oder Nahrung allein gelassen. Wenn man nun nach seiner Vision sucht, können viele Dinge passieren. Man sieht Dinge, die sich bewegen. Man sieht Tiere, die sich einem nähern. Manchmal sieht man Personen, die einem viel bedeuten; sie bringen Wasser. Man glaubt zu verdursten, doch um einen herum sind Grenzen markiert, ein Schutz durch Hunderte von Tabakschnüren. Man verläßt diesen Kreis nicht, und die Vision wird verschwinden, wenn sie kommen und einem Wasser anbieten oder sich auch nur auf den Boden werfen. Oder es kommt jemand und hilft dir durch seine Stärke und überbringt dir Botschaften.[35]

Doch man darf nicht aus selbstsüchtigen, persönlichen Motiven um eine Vision bitten. Man unterzieht sich dieser Tortur, die ganz bewußt physisch und emotional äußerst anstrengend ist, um den Menschen und den Planeten zu helfen.

Aktuelle Fragen

Leider ist in vielen Teilen der Welt das traditionelle spirituelle Wissen zum großen Teil verlorengegangen. Schuld daran sind Menschen, die sich des Landes der Naturvölker bemächtigt haben oder die ihre Seelen mit Hilfe eines anderen Glaubens retten wollten. Unter dem Schlagwort »Tötet den Indianer, aber rettet den Menschen« nahm man beispielsweise in den USA früher die Kinder ihren Eltern weg und gab sie in speziell dafür gegründete Internate, in denen ihnen eine andere kulturelle Identität vermittelt werden sollte. Ihre traditionellen Lebensweisen wurden als minderwertig dargestellt; sie wurden ihrem traditionellen heiligen Leben und einer normalen Teilnahme daran entfremdet. In Afrika ist die ursprüngliche Vorstellung von der Zeit als eines Flusses zwischen Vergangenheit und Gegenwart – mit Betonung der aktuell stattfindenden Erfahrungen – sehr schnell durch ein westliches Konzept der Zeit ersetzt worden, das eine ständige Angst vor der Zukunft beinhaltet. Dieser Wechsel hat zu großer psychischer Orientierungslosigkeit und sozialer und politischer Instabilität geführt. Die spirituellen Kulturen, die sich mit Weltreligionen wie dem Islam, dem Buddhismus oder dem Christentum vermischt haben, untersuchen nun die Beziehung zwischen ihrer früheren und der interkulturell missionarischen Tradition.

Bis vor kurzem waren Naturvölker auch Opfer zwar wohlmeinender, aber völlig erfolgloser Entwicklungsprojekte. In Zimbabwe beispielsweise wurden Tausende von traditionell autark lebenden Vaduma von ihrem seit Urzeiten bewohnten Land entwurzelt, um einem riesigen künstlichen See zur Bewässerung eines Hunderte Kilometer entfernten Gebietes Platz zu machen. Jameson Kurasha von der Universität von Zimbabwe beschreibt, welche Folgen diese Entscheidung auf die Vaduma hatte:

> *Nachdem ihnen diese »Entwicklungs-Idee« aufgezwungen worden war, waren die Familien plötzlich getrennt – durch eine riesige Menge Wasser. Nun waren die Murinye- und Mugabe-Familien voneinander getrennt. Heute sind sie Völker ohne eine faßbare Vergangenheit, die sie leitet und vereint, denn ihre Vergangenheit (d. h. ihre Ahnen) sind entweder begraben oder vom See weggeschwemmt. Sie sind mehr oder weniger ein Volk, das kein Zuhause mehr besitzt. Die Trennung hatte Auswirkungen auf die Kultur, die nicht mehr rückgängig zu machen sind.*
> *Wirtschaftlich gesehen geht es ihnen schlechter. Man hat ihnen die Sümpfe genommen und sie in trockene Reservate umgesiedelt, wo sie den Behörden Geld zahlen müssen, wenn sie fischen wollen. All das passierte im Namen der Entwicklung und des nationalen Interesses. Dieses nationale Interesse war eine Bewässerungsanlage, die Hunderte Kilometer entfernt in Chiredzi lag. Dort sollte eine ständige Bewässerung der zum Export bestimmten Ernte sichergestellt werden, die der Nation Devisen einbringen sollte. Doch die Opfer dieses Entwicklungsprojekts wissen mit dem Begriff Devisen nichts anzufangen. Bei einer Dürre starben 1992 viele Murinye und Mugabe vereinsamt auf ihrem Reservat, und die Tiere und Bäume ertranken zu Tausenden.«*[36]

Moderne Entwicklungsprojekte werden nun von den agrarisch orientierten Naturvölkern überall in der Welt in Frage gestellt. Der Wille, die alten Weisheiten wiederaufleben zu lassen, äußerte sich darin, daß zunächst einmal ihre Daseinsberechtigung anerkannt wurde. Als beispielsweise 1995 die Regenzeit im Norden Thailands mit Überschwemmungen große Schäden angerichtet hatte, ließen die Dorfbewohner, deren Häuser und Felder zerstört worden waren, ein altes Naturritual wiederaufleben und entschuldigten sich bei dem Fluß Mae Chaem. Eine früher von Respekt geprägte Beziehung zu diesem Fluß war mit der Einführung moderner Wasserwirtschaftstechniken wie Dämmen und künstlicher Bewässerung verschwunden. Doch nun bauten die Dorfbewohner bei Sonnenaufgang Altäre im Fluß und beluden sie mit Süßigkeiten, Nüssen, Bananen, Zuckerrohr, Lebensmitteln und Zigaretten, die als Opfergabe für die Geister des Waldes, die Gottheiten der Erde und die Schutzgeister des Flusses gedacht waren. In ihren Gebeten ersuchten sie um Vergebung für ihren Mißbrauch des Wassers und baten darum, daß der Wasserspiegel gesenkt werde.

Naturvölkern ist ihre religiöse Tradition meist nicht nur äußerst wichtig und wertvoll, sondern zunehmend auch wesentlich für die Zukunft der ganzen Welt. Ihr Verständnis der Welt steht dem mechanistischen, entmenschlichten, umweltzerstörerischen Lebensstil entgegen. Die »alten Pfade« werden nicht als minderwertig gesehen, im Gegenteil: Intakte Gruppen wie die Kogi aus dem Hochland des kolumbianischen Regenwalds glauben, daß sie die Ältesten-Brüder der ganzen Menschheit seien und die Verantwortung für das Gleichgewicht im Universum und die Rückbesinnung ihrer jüngeren Brüder trügen, die durch den Wunsch nach materiellem Reichtum verwirrt worden seien.

Persönliche Visionen und uralte Prophezeiungen, die vor einem Lebensstil warnen, der die Erde und die spirituellen Dimensionen mißachtet, führt die Ältesten der Naturreligionen zu internationalen Zusammenkünften, bei denen sie sich Gehör verschaffen können, um die ganze Welt. Sie betonen die Bedeutung der spirituellen Einsichten und Beobachtungen der Naturvölker über den Zustand des Planeten, über politische Zustände und die Lebensweisen der heutigen Zeit.

Bei internationalen Versammlungen, die das Schicksal des Planeten thematisieren, sind es häufig die Stimmen der Ältesten, die die bei solchen Anlässen meist vorherrschenden abgehobenen Abstraktionen mit einer heiligen Wirklichkeit verbinden können. Abgesandte der Naturvölker zum Parliament of World Religions, das 1993 in Chicago abgehalten wurde, bemerkten:

Vor 100 Jahren beim Parliament of World Religions im Jahr 1893 wurden die zutiefst religiösen Naturvölker der westlichen Hemisphäre nicht geladen. Wir sind immer noch hier und kämpfen immer noch darum, uns Gehör zu verschaffen, denn es geht uns um Mutter Erde und unsere Kinder.[37]

Die Ältesten, die sich nun Gehör verschaffen können, wollen die Menschen dazu bekehren, alles Lebende zu respektieren – was ihrer Meinung nach eine Grundvoraussetzung für die Harmonie des gesamten Planeten darstellt. Eine Denkschrift aus dem Jahr 1989, veröffentlicht vom Traditional Circle of Indian Elders and Youth, der sich auf den Queen Charlotte Islands versammelt hatte, enthält die nachfolgende Mahnung an spirituelle Rechte und Bedürfnisse:

Zunehmend beginnt man in der ganzen Welt, die Integrität der Naturvölker anzuerkennen. Unsere spirituellen Visionen erlangen auf internationaler Ebene und bei internationalen Fragen Gleichrangigkeit und Unterstützung … Doch müssen wir alle Menschen daran erinnern, daß die Ausübung unserer Spiritualität gewisse Elemente voraussetzt. Wir brauchen den Zugang zu heiligen Stätten, die geschützt werden müssen. Wir brauchen den Zugang zu heiligen Tieren, die nicht einem bürokratischen Regelwerk unterworfen werden dürfen. Wir brauchen die Rückkehr zu geheiligten Objekten, von denen sich viele nun in Museen, historischen Gesellschaften, Universitäten und Privatsammlungen befinden.
Naturvölker aus der ganzen Welt besitzen ein Geburtsrecht und eine Verantwortung für ihr angestammtes Land. Unsere kulturelle und spirituelle Identität hängt ab von einem Land, das unser ist. Wenn die Nationen dem Land, der Natur in ihrer traditionellen Philosophie und ihren Werten treu bleiben, dann ist ihre Zukunft gesichert.[38]

Die Friedensnobelpreisträgerin Rigoberta Menchú von den K'iché Maya betont:

Viele Menschen haben schon gesagt, daß die Naturvölker Mythen der Vergangenheit seien, Ruinen, die gestorben seien. Doch die Gemeinschaft der Naturvölker ist weder ein Rudiment der Vergangenheit noch ein Mythos. Sie steckt voller Lebenskraft, hat eine Richtung und eine Zukunft. Sie besitzt viel Weisheit und nichtmateriellen Reichtum, den sie geben kann. Sie haben uns nicht getötet und werden uns auch jetzt nicht töten. Wir treten nach vorne, um zu sagen: »Nein, wir sind hier. Wir leben.«[39]

KAPITEL 3
HINDUISMUS

»Ganz vertieft und voll der Liebe«

Auf dem indischen Subkontinent hat sich eine komplexe Vielfalt von Glaubensrichtungen entwickelt. Unter der Bezeichnung »Hinduismus« werden gemeinhin alle Glaubensrichtungen zusammengefaßt, die die alten Schriften – die Veden – verehren. Der Begriff ist von dem Namen abgeleitet, den die eindringenden Neuankömmlinge den Bewohnern der Indusregion gaben. Der einheimische Begriff für die auf den Veden fußenden Traditionen des gesamten indischen Raums hingegen lautet *Sanatana Dharma* (»ewige Religion«). Sanatana (»ewig« oder »zeitlos«) spiegelt den Glauben wider, daß diese Religion seit jeher existiert. Dharma ist von dem Wort für »Unterstützung« abgeleitet. Oft als »Religion« übersetzt, umfaßt seine Bedeutung Pflicht, Naturgesetz, sozialen Wohlstand, Ethik und die Ausrichtung sämtlicher Lebensaktivitäten auf eine transzendentale Erkenntnis.

Der spirituelle Ausdruck des Sanatana Dharma reicht von extremer Askese bis hin zu extremer Sinnlichkeit, von den Höhen der persönlichen Hingabe an eine Gottheit bis hin zu den Höhen einer abstrakten Philosophie, von der metaphysischen Verkündigung der Einheit jenseits der materiellen Welt bis hin zur Verehrung von Bildnissen der unterschiedlichsten Gottheiten.

Die indische Tradition kennt zahlreiche Götter; man geht von 33 Millionen Göttern aus. Das Göttliche, so glauben die Hindus, hat unzählige Gesichter, und alle sind göttlich. Die extreme Bandbreite innerhalb des Sanatana Dharma ist auch eine Folge der langen Entwicklung. Nur wenige der unzähligen, im Laufe der Jahrtausende entstandenen Glaubensrichtungen gingen verloren, so daß im modernen Indien weiterhin zahllose Strömungen anzutreffen sind.

> *Wahrheit ist eine; verschieden benennen sie die Weisen.*   *Rigveda*

Eine Möglichkeit, sich diesem Mosaik aus Glaubensvorstellungen und Praktiken zu nähern, besteht darin, die mutmaßliche chronologische Entwicklung heute koexistierender Muster nachzuzeichnen. Dieser Ansatz kann indes nur als grobes Raster dienen. Religionshistoriker und Anhänger der unterschiedlichen Glaubensrichtungen haben nämlich sehr verschiedene Vorstellungen von dem historischen Ursprung jener Elemente, die den heutigen Hinduismus ausmachen.

Die archäologischen Belege sind lückenhaft, und in Indien legt man traditionell keinen besonderen Wert auf historische Genauigkeit, sondern versieht Schilderungen historischer Begebenheiten und Gestalten gerne mit mythologischem und symbolischem Beiwerk. Denn im Sanatana Dharma gilt das Leben des menschlichen Körpers als ver-

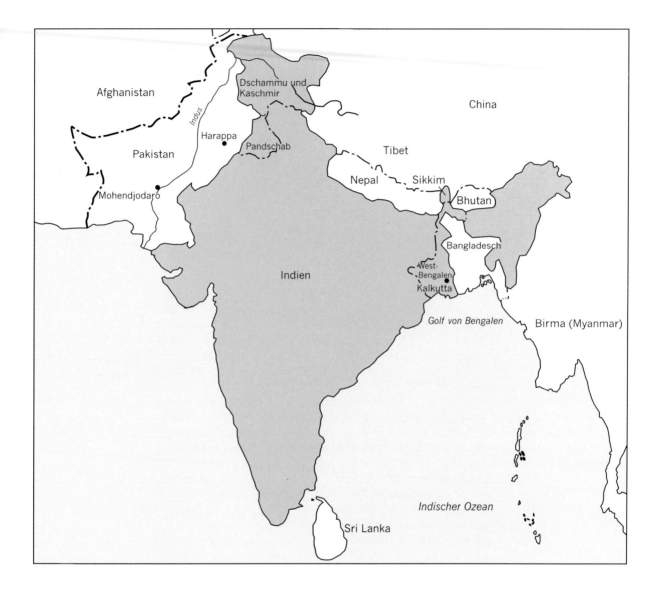

Einige Regionen des indischen Subkontinents gelangten zu politischer Unabhängigkeit. So etwa liegt das Industal im weitgehend moslemisch geprägten Pakistan.

gänglich und die Welt als illusorisch. Die menschlichen Errungenschaften wurden zu keinem Zeitpunkt präzise aufgezeichnet, da sie als unbedeutend galten. Von Bedeutung jedoch ist das Leben der Seele.

Prävedische Religion

Viele Aspekte des zeitgenössischen Hinduismus waren wohl bereits in den Religionen vorhanden, die von den Ureinwohnern Indiens praktiziert wurden. Einige Vorstellungen der Drawiden haben sich offenbar in südindischen Dörfern erhalten. Von etwa 2500 v. Chr. (oder sogar noch früher) bis 1500 v. Chr. gab es im Industal (im heutigen Pakistan) einige hochentwickelte urbane Zentren. Archäologen stießen in Harappa und Mohendjodaro auf größere befestigte Städte (Harappa-Kultur).

Zwar fand man in den harappischen Städten kaum schlüssige Belege für die Existenz von Tempeln, jedoch zeigten die Bewohner eine große Sorgfalt beim Erhalt ihrer Rohrleitungssysteme. Die Häuser besaßen Brunnen, Baderäume oder Böden mit Abflußrinnen und sogar eingebaute Aborte. Die Abfälle wurden mit Hilfe eines raffinierten gemauerten öffentlichen Abflußsystems entsorgt. Das wichtigste Bauwerk von Mohendjodaro bezeichnen die Archäologen als Großes Bad – ein geräumiges, zentrales Becken mit Einstiegstreppe, umgeben von einem offenen Hof und weiteren Räumlichkeiten, bei denen es sich um private Baderäume gehandelt haben könnte. Die Historiker mutmaßen anhand dieser Belege, daß die frühe Indusbevölkerung der Hygiene und/oder der rituellen Reinigung einen gewissen religiösen Wert beimaß.

Anscheinend verehrte man auch eine lebenspendende Kraft. Obgleich nur wenige rituelle Kunstwerke erhalten sind, fand man Siegel mit einer asketischen männlichen Figur im yogatypischen Schneidersitz. Die Figur zeigt einen erigierten Phallus, trägt einen großen gehörnten Kopfschmuck und ist umgeben von kräftigen Tieren wie Stieren und Tigern. Außerdem fand man steinerne *Lingas* – bis zu 60 Zentimeter hohe, länglich-ovale Natursteine oder Skulpturen.

Siegel wie Lingas lassen annehmen, daß die frühe Indusbevölkerung gewisse Meditationspraktiken kannte und eine Gottheit mit den Attributen des späteren Gotts Shiva[1] verehrte, auch heute noch eine der wichtigsten Verkörperungen des Göttlichen. *Puja*, das indische Wort für »rituelle Verehrung«, leitet sich ab von einem alten drawidischen Wort für »salben«. Vielleicht wurden die Lingas damals von den Gläubigen ehrfurchtsvoll gesalbt, wie noch heute in Indien üblich.

Von besonderer Bedeutung unter den Funden sind Stücke, die offenbar eine bedeutende Göttin verehren. Heilige Gefäße gleich jenen, die in südindischen Dörfern auch heute noch zu Ehren der Göttin verwendet werden, waren möglicherweise bereits damals mit dem Weiblichen als dem Behältnis der ursprünglichen Lebenssubstanz assoziiert. Steinaltäre neben heiligen Bäumen sind überdies ein weiterer Beleg für die Anbetung lokaler Gottheiten. Noch heute besteht der Volksglaube, in jedem Baum hause ein Baumgeist, und vielen von ihnen werden Opfergaben dargebracht.

Die Flußgöttin Ganga. Die Würdigung heiliger Bäume, der Reinigungskraft der Flüsse und des Weiblichen als Symbol der Fülle ist womöglich prävedischen Ursprungs, blieb jedoch in den indischen Künsten und Ritualpraktiken erhalten.

Vedische Religion

Westliche Historiker gehen davon aus, daß die hochorganisierten Kulturen des Industales und die Dörfer in anderen Teilen des Subkontinents allmählich von nomadischen außerindischen Eindringlingen überfremdet wurden. Vorherrschend wurde nun der Einfluß der Arier (das Sanskrit-Wort *arya* bedeutet »edel« oder »der den Wert des Lebens kennt«). Sie gehörten zu jenen indoiranischen Stämmen, die im 2. Jahrtausend v. Chr. die Steppen im südlichen Rußland verließen. Die Arier besaßen eine vergleichsweise schlichte materielle Kultur und vermutlich keine Schriftsprache. Sie hatten sich zu patriarchalisch organisierten Stämmen zusammengeschlossen und beteten Naturgötter (wie Feuer und Himmel) an. Ihre Überlegenheit gegenüber den Einheimischen verdankten sie dem Einsatz bestimmter Kriegstechniken (vor allem den Streitwagen).

Die Veden

Die archäologischen Belege, anhand derer die Wissenschaftler die Geschichte der arischen Invasion nachzeichnen, zeigen, daß auf die Induszivilisation eine materiell grobschlächtige Kultur folgte. Die heiligen Schriften, die sich bis in diese frühe Zeit zurückverfolgen lassen, erreichten jedoch große spirituelle Höhen. Diese sogenannten *Veden*

HINDUISMUS

Westliche Sichtweise		Indische Tradition
	6000 **v. Chr.**	*Veden* von Rishis gehört, mündlich tradiert, um 8000–6000
	5000	
	4000	
Harappa-Kultur, um 3500–1500	**3000**	Beginn des Kali Yuga: Vishnu inkarniert als Vyasa, der die *Veden* niederschreibt, um 3102
arische Invasion in Nordindien um 2000–900	**2000**	
Erste Niederschrift der frühen *Veden*, um 1500		
Upanischaden aufgezeichnet, um 1000–500	**1000**	
Niederschrift der *Brahmanas*, um 900–700		
Jainismus: Mahavira, um 599–527		
Buddhismus: Buddha, um 563–483		
Ramayana (heutige Form), 400 v. Chr.–200 n.Chr.	**500**	
Mahabharata (heutige Form), 400 v. Chr.–400 n.Chr.		
Patanjali systematisiert die Yoga-Sutras, bis 200 v. Chr.		Yoga-Praktiken alten heimischen Ursprungs
	n. Chr.	
Manu-Kodex, vor 100 n.Chr.		
Niederschrift der *Tantras*, um 300		*Tantras* ebenso alt wie die *Upanischaden*
Neuordnung der Vedanta durch Shankara, um 500–800	**500**	
Blütezeit der Bhakti-Bewegung, 600–1800		
Beginn der moslemischen Invasionen, 711		
Niederschrift von »Purana des Herrn«, um 800–900	**1000**	
Mogulreich, 1556–1707	**1500**	
Brahma Samaj gegründet, 1828		
Ramakrishna, 1836–86		
Arya Samaj gegründet, 1875		
Indien unter britischer Herrschaft, 1857–1947	**2000**	

In den Veden finden sich Lobeshymnen auf die Kuh, die den Hindus weiterhin als heilig gilt und als Mutter verehrt wird, da sie Milch gibt. Im Rahmen der traditionell vegetarischen Ernährung dient die Kuh der Erzeugung von Milchprodukten und nicht als Fleischquelle.

(»Wissensgrund«) genießen noch heute höchste Verehrung als heilige Texte und als Grundlage aller späteren Schriften.

Die Veden bestehen aus vier Teilen, die sich anscheinend im Lauf der Zeit herausgebildet haben. Die ältesten Texte sind die Samhitas – Lobpreisungen und Anbetungen der Gottheiten.

Dann entstanden die Brahmanas – Anleitungen für den Vollzug ritueller Opfer. Vielleicht weil sie feststellen mußten, daß diese Rituale nicht unweigerlich zu den gewünschten Ergebnissen führten, gingen einige Menschen in die Wälder, um dort als Eremiten zu meditieren.

Ihre Schriften bilden die Aranyakas oder »Waldtexte«. Die jüngsten Veden sind die Upanischaden, bestehend aus den Lehren spiritueller Meister. Ihr Hauptthema ist die Erkenntnis der geistlichen Einheit aller Existenz, einer obersten gestaltlosen Realität jenseits der Welt des vergänglichen Scheins.

Diese heiligen Lehren entstanden vermutlich zwischen 1500 und 1000 v. Chr., obgleich die Inder wie auch manche Gelehrte sie für weit älter halten. Die Veden sind jedenfalls viel älter als ihre ältesten Schriften, denn ursprünglich wurden sie mündlich von den Lehrern an die Schüler weitergegeben und wohl erst später innerhalb eines Zeitraums von 800 bis 900 Jahren niedergeschrieben.

Nach Auffassung der orthodoxen Hindus sind die Veden nicht Menschenwerk, sondern die Offenbarung des ewigen göttlichen Wissens, wie es von den altehrwürdigen Weisen (*Rishis*) »vernommen« wurde. Demnach stehen die Schriften jenseits des menschlichen Zeitbegriffs und sind damit heute ebenso relevant wie vor Jahrtausenden. Das *Gaya-*

tri-Mantra, eine Strophe aus einer vedischen Hymne, wird noch heute von den Gläubigen als heiligstes Gebet täglich gesprochen:

> Om [der schöpferische Urlaut],
> Bhu Bhuvah Svah [die drei Welten: Erde, Lüfte und Himmel],
> Tat Savitur Varenyum,
> Bhargo Devasya Dheemahe [Verehrung von Pracht, Herrlichkeit und Barmherzigkeit,
> die von dem göttlichen Licht ausstrahlen, das auf die drei Welten fällt],
> Dhiyo Yo Nah Prachodayat [Fürbitte um Erlösung durch Erwecken des Lichts der
> universalen Einsicht].[1]

Als älteste vedische Schrift – vielleicht älteste Schrift überhaupt – gilt der *Rigveda* mit Lobpreisungen und Fürbitten an die *Devas* (die »Leuchtenden«), die kontrollierenden Mächte innerhalb des Kosmos. Wichtige Gottheiten waren demnach Indra (Gott des Donners), Agni (Gott des Feuers), Soma (mit einem heiligen Trank assoziiert) und Ushas (Göttin der Morgenröte). Zu den Devas zählten dunkle Erdgötter wie lichte Gottheiten des Himmels und der Himmelssphären. Hinter den unzähligen Aspekten des Göttlichen nahmen die Weisen indes eine unsichtbare Realität wahr – jenseits menschlichen Verstehens, unablässig erschaffend und erhaltend und Zeit, Raum und Kausalität umschließend.

Opfer

Im Mittelpunkt der vedischen Verehrung stand das Feueropfer. Anscheinend versammelte die Gemeinschaft sich um eine Feuerstätte und warf Opfergaben hinein, die das

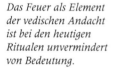

Das Feuer als Element der vedischen Andacht ist bei den heutigen Ritualen unvermindert von Bedeutung.

Feuerwesen *Agni* den Göttern übermitteln sollte. Die dem Feuerwesen Agni gesungenen vedischen Hymnen sind komplexe Anrufungen an die Macht der Wahrheit gegenüber der Finsternis.

Die rituelle Verwendung des Feuers zum Opfern von Butterschmalz (*ghi*) und Getreide an die Devas ist nach wie vor ein zentraler Aspekt der hinduistischen Andacht. Der zeitgenössische Seher Sri Aurobindo schrieb ausführlich über die metaphorischen Bedeutungen Agnis. Hier einige seiner Erkenntnisse:

> Die vedische Gottheit Agni ist die erste jener Mächte, die aus der unermeßlichen und verborgenen Gottheit hervorgingen. Agni ist die Form, das Feuer, die kraftvolle Wärme und der flammende Wille dieser Göttlichkeit. [Das Wort Agni] beschreibt eine brennende Helligkeit und wird daher dem Feuer zugeordnet. Wenn der Mensch, aus seiner Nacht erweckt, gewillt ist, seine inneren und äußeren Aktivitäten den Göttern einer wahreren und höheren Existenz darzubieten und so von der Sterblichkeit in die weit entlegene Unsterblichkeit aufzusteigen, so ist es diese Flamme der aufwärtsstrebenden Kraft und Willensstärke, die er anzünden muß; in dieses Feuer muß er das Opfer werfen.[2]

Mit der Zeit entwickelten sich komplizierte Feuerrituale, die von den Brahmanen-Priestern beaufsichtigt wurden. Die *Brahmanas* gaben detaillierte Anweisungen für die Durchführung der Feueropfer. Die Priester mußten vorgegebene Spruchformeln, heilige Gesänge und heilige Handlungen vollziehen, um den Geist jenseits alles Existierenden anzurufen (später bezeichnet als *Brahman*, das Absolute, die höchste Realität). Die auch als *Mantras* bezeichneten Spruchformeln waren heilige Verse, deren Klang die von ihnen symbolisierte Realität heraufbeschwören sollte. Als Sprache bediente man sich des Sanskrits (»wohlgeformt«), das als Wiedergabe der Klangbilder von Objekten, Taten und Eigenschaften galt, wie sie von den altehrwürdigen Weisen in tiefer Meditation vernommen wurden.

Die Feuerrituale fanden offenbar im Freien statt; sie wurden bevorzugt am Zusammenfluß zweier Flüsse abgehalten. Als äußerst heilig galt der Schnittpunkt der größten Ströme des frühen arischen Siedlungsgebietes, der heiligen Flüsse Ganges und Jumna. Noch heute gilt diese Stätte als besonders segensreich und stellt eines der wichtigsten Pilgerziele dar.

Die Opfergaben an Agni bestanden meist aus zerlassener Butter, Getreide, Soma und bisweilen auch Tieren. Soma war ein Trank, offenbar bereitet aus einer besonderen, an gebirgigen Standorten wachsenden Pflanze, deren Saft als so kraftspendend galt, daß allein der Gott Indra ihn unverdünnt trinken konnte, um sich für seinen Kampf gegen die Dämonen zu stärken. Die menschlichen Gläubigen indes verdünnten ihn für den rituellen Genuß mit Wasser oder Milch. Obwohl in neuerer Zeit etliche Anstrengungen unternommen wurden, diesen Trank wiederzuentdecken, konnte die Soma-Pflanze noch nicht identifiziert werden.

Der vedische Gottesdienst bestand vornehmlich aus Opferungen. Die menschlichen Opfergaben verweisen metaphorisch auf das eine ursprüngliche und persönliche Opfer, durch das der Kosmos entstanden war: die Zergliederung des Urwesens *Purusha* durch die Götter. Aus seinem Geist wurde zum Beispiel der Mond, aus seinen Augen die Sonne und aus seinem Atem der Wind.

Das vedische Opferprinzip beruht auf der Vorstellung, daß großzügige Opfer an eine Gottheit in bestimmter Weise belohnt werden. Diese Einstellung gegenüber dem Geben blieb in der indischen Kultur erhalten. Gastfreundschaft genießt somit starke Bedeutung. Jemanden vor der eigenen Haustür abzuweisen gilt als große Sünde, da es sich bei dem Betreffenden um eine inkarnierte Gottheit handeln könnte. Noch heute werden Opferungen und öffentliche Speisungen im Rahmen großangelegter Zeremonien vollzogen.

Berufsbettler nutzen diesen Glauben an die Segnungen, die dem Gebenden bevorstehen. Den höchsten Stellenwert indes genießen die spirituellen Opfer – sich Gott gänzlich zu überantworten, symbolisiert als Selbstenthauptung und demütige Darbietung des eigenen Kopfes.

Kasten und gesellschaftliche Pflichten

Irdischen Opfern kam die Funktion zu, das kosmische Uropfer Purushas widerzuspiegeln und somit die rechte Weltordnung zu erhalten. Die Opfer mußten korrekt dargebracht werden, damit sich die Götter von den Anliegen der Menschen leiten ließen. Da die Opferungen eine wechselseitige Verbindung mit den Göttern darstellten, mußten die für die öffentlichen Opferungen zuständigen Priester sorgfältig ausgebildet werden und hohen Ansprüchen an rituelle Reinheit genügen.

Die so Ausgebildeten – die Brahmanen – bildeten eine besondere Berufsgruppe (*Jati*). Die vedische Religion sah für das ordnungsgemäße Funktionieren der Gesellschaft eine klare Arbeitsteilung innerhalb von vier großen Berufsgruppen vor, den späteren Kasten. Die Brahmanen waren Priester und Philosophen, spezialisiert auf das spirituelle Leben. Sie standen noch über der nächsten Gruppe, den später als *Kshatriyas* bezeichneten Adligen des feudalen Indien (Könige, Krieger, Vasallen). Als Hüter und Wahrer der Gesellschaft erwartete man von ihnen Mut und Erhabenheit. Die *Vaishyas* waren Gewerbetreibende, Bauern und Händler. Die Kaste der *Shudras* bestand aus Arbeitern und Handwerkern.

Einige Shudras waren für besonders unreine Verrichtungen zuständig, so daß sie aus hygienischen Gründen vom Rest der Gesellschaft isoliert wurden. Tätigkeiten wie das Beseitigen von Unrat und Leichen und das Kehren der Straßen ließen ihre Körper und Kleidung als potentielle Krankheitsüberträger erscheinen; sie galten daher bald als »unberührbar«. Diese niederen, jedoch notwendigen Tätigkeiten wurden meist von Angehörigen der unterworfenen dunkelhäutigen Urbevölkerung verrichtet.

Alles Religiöse wurde zunehmend von den rituell reinen und gut geschulten Priestern kontrolliert, und der Kontakt zwischen den Kasten unterlag Beschränkungen. Die Kastenzugehörigkeit wurde erblich und spiegelte nicht mehr die individuellen Begabungen wider. Das Kastensystem wurde für die Ausprägung des Hinduismus ebenso bedeutsam wie die Veden, bis dessen soziale Ungerechtigkeit im 19. Jahrhundert öffentlich angeprangert wurde.

Einer der Gegner war der couragierte Mahatma Gandhi, der die Angehörigen der niedrigsten Kaste als *Harijans* (»Kinder Gottes«) bezeichnete. Das Stigma der »Unberührbarkeit« wurde 1948 offiziell abgeschafft; dennoch bestehen auch im modernen Indien zahlreiche Kastenunterschiede fort. Unstandesgemäße Ehen stoßen in Indien auch heutzutage oftmals auf Mißfallen. Wenn sich zwei junge Menschen ineinander verlieben und einer von ihnen der niedrigsten Kaste angehört, werden die Familien sie in manchen Fällen eher töten, als die Eheschließung zu erlauben, um Ungnade oder Vergeltung abzuwehren.

Trotz der Mißstände gehört die durch das Kastensystem repräsentierte Arbeitsteilung zum Grundansatz des Sanatana Dharma, das großes Gewicht auf die sozialen Pflichten und den Verzicht auf individuelle Wünsche zugunsten der sozialen Ordnung legt. Dahinter steht die Absicht, den Menschen über die irdischen Belange zu erheben und zu ermutigen, nach höheren Gesetzen zu handeln. Die Veden, weitere Schriften und die überlieferten Gebräuche haben die Inder dahin gehend konditioniert, ihre sozialen Rollen zu akzeptieren.

Diese wurden in einer bedeutenden Schrift dargelegt, dem um 100 n. Chr. zusammengestellten *Manu-Kodex.* Er umfaßt Vorschriften für sämtliche Lebensaspekte, so auch für das rechte Verhalten von Herrschern, Speiseverbote, Heiratsgesetze, tägliche Rituale, Reinigungsriten, Sozialgesetze und ethische Leitlinien. Zudem gebietet er Gastfreundschaft und die Kultivierung von Tugenden wie Kontemplation, Wahrhaftigkeit, Mitgefühl, Loslassen, Großzügigkeit, Umgänglichkeit und Selbstkontrolle. Auch die wechselseitigen Pflichten beider Geschlechter sind aufgeführt: Von den Frauen wird erwartet, daß sie sich den Männern allzeit unterordnen, und die Männer sollen den Frauen in häuslicher Umgebung mit Ehrerbietung begegnen. Diese Dharma-Gesetze sind in der indischen Kultur weiterhin sehr einflußreich.

Die Beziehung zwischen Brahman und Atman.

Transzendente Realität

Von den vier Teilen der Veden sind die Upanischaden offenbar als letzte entstanden – wie man annimmt, um 1000–500 v. Chr. oder danach. Sie stehen für die mystischen Einsichten der Rishis, die diese – auf der Suche nach der höchsten Realität – durch ihre Meditationen in den Wäldern gewannen, und gelten vielfach als Höhepunkt indischen Denkens, ja sämtlicher je verfaßter spiritueller Literatur. Die Upanischaden wurden nicht der breiten Masse vermittelt, sondern blieben den fortgeschrittenen Suchenden nach spiritueller Wahrheit vorbehalten.

KONTEMPLATION DES LEUCHTENDEN SELBST Das Wort »Upanischade« umfaßt die Vorstellung eines hingebungsvollen Schülers, der sich bei seinem Lehrmeister niederläßt, um eine private spirituelle Instruktion über die höchste Realität zu empfangen, die sämtliche Zweifel und Unwissenheit auflöst. Die Betonung liegt indes nicht wie in der früheren vedischen Religion auf rituellen Handlungen, sondern auf der inneren Erfahrung als Weg zur Erkenntnis und Unsterblichkeit.

Die körperlichen Sinne, so lehren die Rishis, dienen der äußeren Wahrnehmung; Augen, Ohren, Nase, Zunge und Haut werden durch Sinnenwonnen verlockt, die letztlich jedoch flüchtig und unbeständig sind. Sie vergehen einfach, und dann stirbt man, ohne je erfahren zu haben, was von größerem Wert ist und unendlich und immerwährend existiert. Das Wahre und Beständige, so sagen sie, kann nur entdecken, wer sich von allem Weltlichen abwendet. Sie lehrten ihre Schüler, die Aufmerksamkeit nach innen zu richten und somit von innen heraus eine transzendente Realität zu entdecken. Diese ungesehene, doch alles durchdringende Realität nannten sie Brahman, das Unerkennbare:

Ihn kann weder das Auge sehen noch die Zunge aussprechen oder der Geist begreifen.[3]

Aus Brahman entspringt die Vielfalt der Formen, die Menschen eingeschlossen. Die Rishis machten die freudige Entdeckung, daß sie Brahman als die Grundlage des wesenseigenen Selbst (*Atman*) in sich selbst zu finden vermochten. Die Existenz gleicht einem Rad mit dem Einen in der Mitte und den individuellen Wesen, die gleich Speichen nach außen streben. Ein Rishi erläuterte diese Beziehung folgendermaßen:

Am Anfang gab es nur Existenz – nur eine, ohne eine Sekunde. Er, der Eine, dachte bei sich: Laß mich viele sein, ich will wachsen. So entwarf er aus sich selbst das Universum, und nachdem er dies getan hatte, trat er in jedes Wesen ein. Alles, was ist, hat sein Selbst allein in ihm. Von allen Dingen ist er die tiefste Essenz. Er ist die Wahrheit. Er ist das Selbst. Und das … DAS BIST DU. Chandogya-Upanischade[4]

Wenn man, so erklärten die Rishis, das innere Selbst (Atman) und somit auch seine Quelle (Brahman) entdeckt, geht das Selbst in seiner transzendenten Quelle auf, und man empfindet einen unaussprechlichen Frieden.

REINKARNATION Neben diesen tiefgründigen Beschreibungen des Absoluten enthalten die Upanischaden einige Lehren, die für sämtliche Formen des Sanatana Dharma zentral sind – so auch die Idee der Reinkarnation. Als Antwort auf die universale Frage: »Was geschieht nach dem Tod?« lehrten die Rishis, daß die Seele den Leichnam verläßt und in einen neuen Körper eintritt. In späteren Schriften verglich man dies mit dem Ausziehen alter und dem Anlegen neuer Kleidung. Man wird in unzähligen Körpern immer wiedergeboren – vielleicht als Tier oder als eine andere Lebensform –, doch das Selbst bleibt stets gleich. Als Mensch geboren zu werden bietet der Seele eine kostbare und seltene Gelegenheit, in Richtung auf das letzte Ziel voranzuschreiten – die Befreiung von der Wiedergeburt und der Verschmelzung mit der absoluten Realität.

KARMA Eine wichtige Folgerung aus der Vorstellung, in einem anderen Körper wiedergeboren zu werden, führt uns zu dem Begriff Karma. Er steht für das Handeln und auch die Konsequenzen des Handelns. All unser Tun und all unser Denken und Streben formen unsere künftigen Erfahrungen. Unser Leben ist das, was wir daraus gemacht haben. Und wir selbst werden geformt durch das, was wir taten: »Wie ein Mensch handelt, so wird er ... Ein Mensch wird rein durch reine Taten und unrein durch unreine Taten.«[5] Und nicht nur in diesem Leben ernten wir das Gute oder Böse, das wir gesät haben; es folgt uns auch nach dem körperlichen Tod und beeinflußt unsere nächste Inkarnation. Dies ist eine ethisch sehr anspruchsvolle Lehre, denn all unser Tun hat weitreichende Konsequenzen.

Letztes Ziel indes ist nicht das Führen eines guten Lebens durch gute Taten, sondern die Befreiung aus dem durch das Karma bestimmten Kreislauf aus Geburt, Tod und Wiedergeburt (*Samsara*). Dem Samsara zu entrinnen, bedeutet *Moksha* zu erreichen – die Befreiung von den Beschränkungen durch Raum, Zeit und Materie mittels Erkenntnis des ewigen Absoluten. Es bedarf vieler aufeinanderfolgender Inkarnationen, um die Erlösung von der irdischen Not zu erlangen. Dieses Streben nach Befreiung von der irdischen Existenz ist einer der Grundpfeiler des klassischen Hinduismus wie auch des Buddhismus.

Religiöse Andacht – die Epen und Puranas

Es fällt schwer, zum unpersönlichen Absoluten zu beten, denn es besitzt keine Gestalt und läßt sich nicht vollkommen vom eigenen Selbst unterscheiden. Dem gegenüber steht die eher persönliche Verehrung eines göttlichen Wesens, die sich aus der Existenz der Statuen einer Göttin und eines Ur-Shiva im alten Indien folgern läßt. Sie hatte vermutlich während der vedischen Ära Bestand und fand später auch schriftlichen Ausdruck. *Bhakti*, die Hingabe an eine persönliche Manifestation des Brahman, wurde zum Herzstück jenes Hinduismus, wie ihn die meisten seiner heutigen Anhänger erleben.

Obgleich die Upanischaden zahlreiche Andachtspassagen enthalten, erblühte die persönliche Verehrung einer personifizierten Gottheit erst in der den Veden folgenden spirituellen Literatur. Nach 500 v. Chr. (so die westliche Forschung) entstanden zwei wichtige Gruppen von Schriften: die *Epen* und die *Puranas*. Ihr Nutzen bestand darin, spirituelle Einsicht und Hingabe durch Mythen und Legenden über nationale Ereignisse zu popularisieren. Besonders hilfreich waren sie bei der Verbreitung der hinduistischen Lehre in Zeiten, da Buddhismus und Jainismus – in Indien entstandene Bewegungen, die jedoch die Autorität der Veden nicht anerkannten – zunehmend Anhänger fanden.

Im Gegensatz zu den recht abstrakten Darstellungen des göttlichen Prinzips in den Upanischaden sind die Epen und Puranas ungemein theistisch, d. h., sie personifizieren das höchste Wesen, das sie in Form verschiedener menschenähnlicher Gottheiten darstellen. Hierzu T. M. P. Mahadevan:

Das Denken der Hindus sträubt sich dagegen, der Gottheit eine Gestalt oder einen Namen zuzuordnen, die unveränderlich oder festgeschrieben sind. Daher begegnen wir im Hinduismus zahllosen Gottesgestalten und unzähligen göttlichen Namen. Und es ist eine von allen Hindus anerkannte Wahrheit, daß die Ehrerbietung gegenüber einer dieser Formen oder einem Namen den einen höchsten Gott erreicht.[6]

In zwei großen Epen, *Ramayana* und *Mahabharata*, ist das höchste Wesen meist als Vishnu dargestellt, der in kritischen Perioden der kosmischen Zyklen auf der Erde interveniert. In der unfaßlichen Weite der Zeit, wie sie die Hindus annehmen, dauert jeder Weltzyklus 4 320 000 000 Jahre und entspricht einem Tag im Leben des Schöpfergottes Brahma. Jeder Weltzyklus ist in vier Zeitalter (*Yugas*) unterteilt.

Im ersten Weltzeitalter herrscht Dharma – Gerechtigkeit und Ordnung. Das zweite Zeitalter gleicht einer auf drei Beinen stehenden Kuh: Der Mensch muß lernen, die ihm angemessene Rolle in der Gesellschaft einzunehmen. Während des dunkleren dritten Zeitalters werden die offenbarten Werte nicht länger anerkannt, die Menschen verlieren ihre Nächstenliebe und Bereitschaft zur Selbstaufgabe, und es gibt keine Heiligen mehr. Das letzte Zeitalter, *Kali Yuga,* ist schließlich so unausgeglichen wie eine Kuh, die auf einem Bein zu stehen versucht: Die Welt ist denkbar schlecht – Egoismus, Ignoranz, Rücksichtslosigkeit, Kriege. Gemäß der hinduistischen Zeitrechnung befinden wir uns inmitten von Kali Yuga, das an einem Freitag im Jahr 3102 v. Chr. begann. Dieses Zeitalter wird folgendermaßen beschrieben:

Wenn die Gesellschaft einen Zustand erreicht, in dem Eigentum Rang verleiht, Reichtum zur einzigen Quelle der Tugend wird, Leidenschaft zum einzigen Band zwischen Mann und Weib, Falschheit zur Quelle des Erfolgs im Leben, Sex das einzige Vergnügen, und wenn äußerer Zierrat mit innerer Religion verwechselt wird …[7]

Jeder dieser umfassenden Zyklen zeugt von dem immerwährenden Kampf zwischen Gut und Böse, wobei sich das Gleichgewicht unweigerlich vom wahren Dharma hin zur Auflösung verändert und wieder zurück zum Dharma, wenn die Götter erneut gegen die Antigötter obsiegen. Die Puranas führen die zahlreichen Inkarnationen auf, in denen der

Während des nordindischen Ramlila-Festes finden gewaltige Figuren des Ravana und der Dämonen aus dem Ramayana-Epos zum Vergnügen der Massen auf dramatische Weise den Feuertod.

Herr in einer Welt, wo das Dharma im Niedergang begriffen ist, dazu beizutragen hat, die Tugend wiederherzustellen und das Böse zu besiegen. So etwa soll Vishnu zu Beginn des Kali Yuga als Vyasa erschienen sein, um die Veden niederzuschreiben, da die Menschen kein gutes Gedächtnis mehr besaßen. Es gilt als unausweichlich, daß Vishnu in Erwiderung der Fürbitten leidender Menschen immer wieder zurückkehren wird, und als ebenso unabwendbar, daß er dem Widerstand »dämonischer Mächte« begegnen wird, die ebenfalls Teil der kosmischen Zyklen sind.

DAS RAMAYANA Die Epen handeln von diesem ewigen Spiel zwischen Gut und Böse, wie es durch die Kämpfe der menschlichen Inkarnationen Vishnus symbolisiert wird. Zugleich schildern sie Lehrbeispiele für ein tugendhaftes Leben: ein Leben im Bewußtsein der durch die soziale Rolle aufgegebenen Verantwortung. Man ist zuerst Tochter, Schwester, Frau, Mutter oder Freundin und erst an zweiter Stelle ein Individuum.

Das wohl um 100 oder 200 v. Chr. verfaßte Ramayana ist in ganz Indien sehr beliebt und wird alljährlich mit großem Prunk aufgeführt. Es stellt auf liebenswerte Weise die mitmenschlichen Pflichten heraus und porträtiert Idealtypen wie den idealen Diener, Bruder, König oder die ideale Ehefrau.

Vishnu nimmt die Gestalt des tugendhaften Prinzen Rama an, um Ravana zu töten, den zehnköpfigen Dämonenkönig von Sri Lanka. Rama soll seinem Vater auf den Thron folgen, doch die Mutter seines Stiefbruders zwingt den König, Rama für 14 Jahre in die Wälder zu verbannen. Als moralisches Vorbild fügt sich Rama und tut damit kund, daß ein Sohn seinen Eltern gegenüber zu unbedingtem Gehorsam verpflichtet sei, selbst wenn ihre Anordnungen als falsch erschienen. Mit ihm geht seine Frau Sita, ein Modell der weiblichen Hingabe in einer patriarchalischen Gesellschaft. Sie lehnt sein Angebot ab, in der Bequemlichkeit zurückzubleiben:

> O mein Herr! Vater, Mutter, Sohn, Bruder oder Schwiegertochter nehmen die Folgen ihrer Taten wahrhaft auf sich; doch eine Ehefrau, o bester aller Männer, teilt das Schicksal ihres Mannes. Deshalb hat man mich nicht minder geheißen als dich, in den Wald zu gehen. Wenn du gehst, werde ich vor dir gehen, auf Dornen und stechendes Gras tretend. Ich werde dir kein Ungemach bereiten, sondern von Wurzeln und Früchten leben. Und es wird Teiche geben, mit wilden Gänsen und anderem Federvieh, leuchtend mit ausgewachsenen Lotosblüten, wo wir baden können. Dort werde ich glücklich sein mit dir auch für 100 oder 1000 Jahre.[8]

Schließlich wird Sita von Ravana entführt, der in seinem von schrecklichen Dämonen bewachten Inselkönigreich vergeblich um sie wirbt. Obwohl Rama viel Macht besitzt, bedürfen er und sein Halbbruder Lakshman der tatkräftigen Hilfe der Affen und Bären, um Sita zu befreien. Der Affe Hanuman wird zum Helden der Geschichte. Er symbolisiert die Kraft von Glaube und Hingabe bei der Überwindung menschlicher Schwächen. In seiner Liebe zum Herrn vermag er alles zu tun.

Das blutige Gefecht endet in einem Zweikampf zwischen Ravana und Rama. Rama segnet einen heiligen Pfeil mit vedischen Mantras und schießt ihn geradewegs in Ravanas Herz. In einer überlieferten Fassung des Ramayana verdächtigt Rama, als beide wieder vereint sind, Sita der Untreue. Um ihre Unschuld zu beweisen, unterzieht sie sich mit Erfolg einer Feuerprobe, wobei sie den Schutz Agnis erfährt. Nachdem Ramas Königswürde wiederhergestellt ist, bittet er Sita um weitere Beweise für ihre Reinheit, um die Integrität seiner Herrschaft gegenüber dem Mißtrauen seiner Untertanen zu bewahren. Nach zahlreichen Prüfungen spricht sie diese Worte, löst sich in ein Leuchten auf und verschwindet im Erdboden:

Rama und Laskhman durchbohren die Brust des Dämonen Ravana mit Pfeilen. Im Hintergrund Hanuman mit seiner Affenhorde. Von Ravanas Dämonen bewacht, wartet Sita auf dessen Anwesen (Nordindien, etwa 19. Jahrhundert).

O Herr meines Seins, ich erkenne dich in mir und mich in dir. Ewig ist unsere Beziehung. Durch diesen Körper, den ich annahm, sind meine Dienste dir und deinen Nachfahren gegenüber nun vollendet. Diesen Körper löse ich in seinen einstigen Zustand auf. Mutter Erde, du gabst mir Gestalt. Ihrer habe ich mich bedient, wie ich es sollte. In Anerkenntnis ihrer Reinheit magst du sie gütig in deinen Leib aufnehmen.[9]

Indische Epen sind beabsichtigterweise auf vielfältige Weise interpretierbar. So etwa kann man alle Charaktere des Ramayana als Teile unserer selbst interpretieren. Rama wäre demnach das angeborene Prinzip der Güte, Ravana hingegen unsere dunkle Seite – das zu Gier, Eifersucht und Selbstsucht tendierende Ego. Sita steht für unsere Hingabe an das höchste Wesen. Wenn unsere gute Seite sein Sita verliert, werden wir nur noch Böses erblicken – gleich den Dämonen, die Rama bekämpfen mußte. Um unser hingebungsvolles Verhältnis zu Brahman wiederherzustellen, müssen wir das Ego töten.

Sitas Rolle in dieser Geschichte illustriert auch zwei Merkmale der Spiritualität von Hindu-Frauen. Das eine ist das Ideal der Heirat im Sinne einer spirituellen Partnerschaft. Mit Heirat verbinden sich spirituelle Disziplin, Dienstbarkeit und Voranschreiten zu einem spirituellen Ziel, weniger der Aspekt des eigenen Vergnügens. Männer und Frauen sollen einander ergänzen, wenngleich sich das Ideal der Befreiung traditionell weitgehend auf den Mann bezieht.

Als zweites Merkmal genießt das Weibliche im Vergleich zu anderen Religionen im Hinduismus hohe Verehrung. Frauen, die Vorbildern wie Sita folgen, leisten einen wichtigen Beitrag zum guten Erdenleben, bestehend aus Dharma (gesellschaftliche Ordnung), Wohlstand (durch die Geburt von Söhnen in einer patriarchalischen Gesellschaft) und der Ästhetik der Sinnenfreuden. Frauen sind glückverheißende Wesen und werden mythologisch mit Wohlstand, Schönheit, Pracht und Anmut assoziiert. Als Sexualpartnerinnen helfen sie den Männern bei der Aktivierung der beseelenden Lebenskraft. Zeremonielle Opfer sind nur vollständig, wenn die Frau gemeinsam mit ihrem Mann daran teilnimmt.

Trotz dieser Idealisierung werden Frauen nicht ermutigt, durch eigene spirituelle Praktiken nach Befreiung zu streben. Ihre Rolle ist gemeinhin mit der des Mannes verknüpft,

Inderin beim Auftragen eines Schutzsymbols aus Reispaste, entsprechend der altehrwürdigen Tradition, wonach die Frauen intuitive Muster schufen, um ihren Familien spirituellen Schutz zu bescheren.

EINE LEHRGESCHICHTE

Hanuman, der Affenhäuptling

Hanuman war göttlicher Herkunft und besaß legendäre Kräfte, doch er lebte im Körper eines Affen und führte eine Affenarmee an. Als Rama seine Frau Sita suchte, die von Ravana entführt worden war, bat er den Affenkönig um Hilfe. Dieser entsandte Hanuman und seine Armee, um gen Süden zu suchen.

Als die Affen das Meer erreichten, das Indien von Sri Lanka trennt, waren sie ratlos, denn Affen können ja nicht schwimmen. Ein Geier brachte die Nachricht, daß Sita sich als Gefangene Ravanas tatsächlich auf der anderen Seite des Meeres befinde. Was tun? Ein alter Affe erinnerte Hanuman an die Fähigkeiten, die er als Kind gezeigt hatte; er könne leicht bis Lanka springen und wieder zurück, wenn er sich nur seiner Macht und seiner göttlichen Herkunft besinne.

Hanuman meditierte, bis er stark und zuversichtlich wurde. Dann bestieg er einen Berg, schüttelte sich und wurde größer und kräftiger. Als er sich schließlich bereit fühlte, machte er sich mit Gebrüll auf und schleuderte sich durch den Himmel, wobei seine Augen wie ein Waldbrand loderten.

In Lanka angekommen, schrumpfte sich Hanuman auf Katzengröße, um Ravanas Befestigungen erkunden zu können. Nach vielen gefährlichen Abenteuern überbrachte er Sita die Nachricht, daß sich Rama auf ihre Befreiung vorbereite. Dann sprang er zurück auf das indische Festland.

In der Schlacht von Lanka wurden Rama und Lakshman lebensgefährlich verwundet. Nur ein Kraut, das allein im Himalaja wuchs, konnte sie retten. Rama treu ergeben, flog Hanuman zu den Bergen. Nachdem er zahlreiche Gefahren gemeistert hatte und dort angelangt war, wußte er nicht genau, welches Kraut er pflücken sollte. Also entwurzelte er den ganzen Berg und brachte ihn nach Lanka. Das Kraut indes würde nur vor Mondaufgang wirken. Noch in der Luft sah Hanuman, wie der Mond eben aufgehen wollte. So verschlang er ihn und erreichte Lanka noch rechtzeitig, um Rama und Lakshman zu retten.

Der siegreiche Rama belohnte Hanuman mit einem goldenen Perlenarmband. Dieser jedoch zerkaute es und warf es fort. Ein Bär fragte ihn, warum er diese Gabe Gottes abgelehnt habe, und Hanuman erwiderte, es sei für ihn ohne Nutzen, da es nicht Ramas Namen trage. Darauf der Bär: »Wenn du so denkst, warum hältst du an deinem Körper fest?« Daraufhin riß sich Hanuman den Brustkorb auf, und da saßen Rama und Sita in seinem Herzen, und auf all seinen Knochen und Muskeln stand »Ram, Ram, Ram« geschrieben.

---

der die Position ihres Gottes und Gurus einnimmt. Jahrhundertelang hoffte man sogar darauf, daß sich eine Frau nach dem Ableben ihres Mannes dafür entscheiden würde, mit dem Leichnam gemeinsam lebendig verbrannt zu werden, um mit ihm auch nach dem Tod vereint zu bleiben. Diese höchste Aufopferung nennt man *Sati* (»gute Frau«). Sie wurde als religiöse Zeremonie vollzogen, bei der die Witwe ihren Brautsari trug, gesegnet wurde und sich vor den Älteren verbeugte.

Dieses extreme Ideal der Pflichterfüllung und Hingabe wurde den Frauen in manchen Fällen aufgezwungen. Witwen befanden sich generell in einer schwierigen Lage, denn man betrachtete sie als unrein und unerwünscht, sofern sie sich nicht für eine strenge Askese entschieden. Das Sati wurde schließlich im Jahr 1829 offiziell abgeschafft, und Witwen durften ab 1856 erneut heiraten.

Die Rolle der indischen Frau war zwiespältig und ist es auch weiterhin. In frühvedischer Zeit waren Frauen relativ freie und angesehene Mitglieder der indischen Gesellschaft und nahmen gleichberechtigt an wichtigen spirituellen Ritualen teil. Als die Briten im 19. Jahrhundert ihre Herrschaft in Indien antraten, war die Frau praktisch eine Sklavin der Familie ihres Mannes, und die Anbetung der Göttin war vielerorts durch die

Krishna und Arjuna diskutieren tiefgründige philosophische Fragen in einem Streitwagen, hier dargestellt auf einem Torbogen über dem heiligen Ganges in Rishikesh.

Verehrung von Göttern verdrängt worden, wobei die Göttinnen als deren Gemahlinnen eine Nebenrolle einnahmen. Wegen der Erwartung, daß die Familie eines Mädchen die Familie des Jungen durch das Hochzeitsarrangement mit einer stattlichen Mitgift versorgen werde, verkörpern Mädchen eine so große wirtschaftliche Belastung, daß zahlreiche weibliche Föten abgetrieben oder weibliche Säuglinge kurz nach der Geburt getötet werden. Dennoch gibt es im heutigen Indien zahlreiche gebildete Frauen, und viele, wie etwa die verstorbene ehemalige Ministerpräsidentin Indira Gandhi, haben hohe politische Ämter erreicht.

DAS MAHABHARATA   Das zweite berühmte Epos ist das Mahabharata. Es ist fünfzehnmal so lang wie die Bibel, offenbar halbwegs historisch und dürfte um 300 v. Chr. entstanden sein. Die Handlung erzählt von dem Konflikt zwischen den Söhnen einer Königsfamilie, die beide die Herrschaft über ein Königreich in der Nähe des heutigen Delhi anstreben. Die eingeschobenen Lehren handeln von der Bedeutung von Söhnen, den Pflichten des Königtums, dem Nutzen der asketischen Praxis und des rechtschaffenen Handelns und den Qualitäten der Götter. Im Gegensatz zu den idealisierten Charakteren des Ramayana zeigt das Mahabharata sämtliche Seiten der menschlichen Natur, so auch Gier, Wollust, Ränkespiel und Machtstreben. Es gilt als relevant für alle Zeiten und alle Völker. Eine Fernsehserie, in der das Mahabharata filmisch umgesetzt ist, erzielt in Indien anhaltend hohe Einschaltquoten. In allen seinen Episoden lehrt das Mahabharata den einen Grundsatz, daß das Glück anderer eine Voraussetzung für das eigene Glück sei. Diese vorrangige Beachtung des Nächsten bildet die Grundlage des Dharma.

Ein besonders wichtiger Teil des Mahabharata ist die *Bhagawadgita* (»Lehrgesang des Erhabenen«). Krishna, eine der Inkarnationen Vishnus, erscheint als Wagenlenker des Arjuna, der sich – auf der tugendhaften Seite stehend – auf einen Kampf vorbereitet, in dem Brüder gegen Brüder antreten. Dieser Kampf bietet den Anlaß für eine theologische

Abhandlung über die Natur des Glaubens, die unsere irdischen Pflichten und unser spirituelles Streben einander gegenüberstellt. Vor dem Gefecht wird Arjuna von Krishna in die Kunst der Selbstüberwindung und Erkenntnis des Ewigen eingewiesen. Diese Anleitungen sind bis in die Gegenwart von zentraler Bedeutung für die spirituelle Praxis der Hindus.

Arjuna wird angewiesen, seine Aufmerksamkeit von den ungestümen Anfechtungen der Sinne abzuwenden und jegliches Gefühl der Anziehung oder Abneigung zu ignorieren, um geistige Ausgeglichenheit zu erzielen. Ihm wird eingeschärft, Andacht zu üben und die vorgeschriebenen vedischen Opfer darzubringen, dies jedoch allein zum Zweck der Disziplinierung, Pflichterfüllung und Vorbildhaftigkeit, nicht zur Belohnung – »alles Neigen zum Erfolg oder Scheitern aufgeben … verzichtend auf die Früchte des Handelns in der materiellen Welt.«[10]

Gott Krishna erläutert, daß, wer alles aus Liebe zum höchsten Wesen tue, den vedischen Pflichtbegriff hinter sich lasse. Indem er dem Höchsten all sein Tun »ohne Gewinnsucht und frei von Egoismus und Lethargie«[11] darbiete und wisse, daß sein ewiges Selbst von den Empfindungen des Körpers gesondert sei, empfinde er Frieden, Freiheit von irdischen Verstrickungen und unerschütterliches Glück.

Das Yoga-Wissen um die Überwindung des »niederen Selbst« durch das »höhere Selbst« ist so alt, daß Krishna sagt, es sei ursprünglich dem Sonnengott und dann durch dessen Mittler dem Menschen gegeben worden. Doch es ging verloren, und nun erneuert Krishna seine Anweisungen hinsichtlich »dieses sehr alten Wissens um die Beziehung zum Höchsten«[12]. Immer wieder nahm er menschliche Gestalt an, um die wahre Religion zu lehren:

Wann immer und wo immer die praktische Religion zurückgeht und die Religionslosigkeit stark zunimmt, komme ich herab.

Es gibt zahlreiche Darstellungen, in denen Krishna die Menschen durch die Kraft der Liebe zum Göttlichen hinzieht, symbolisiert durch den Liebreiz seines Flötenspiels.

Oben *Im Rahmen des Janmashtami zu Ehren von Krishnas Geburtstag werden Legenden über Krishnas Kindheit oftmals von Kindern nachgespielt.*
Rechts *Ein Sannyasin (auch als Sadhu bezeichnet) verzichtet auf nahezu alle Besitztümer und führt ein rein spirituelles Leben.*

Um die Frommen zu erlösen und die Ungläubigen zu vernichten, und auch um die Grundsätze der Religion neu ins Werk zu setzen, komme ich Jahrtausend über Jahrtausend.[13]

Krishna sagt, daß alles seinem Sein entspringe:

*Keine Wahrheit gibt es über mir. Alles ruht auf mir, wie Perlen auf einem Faden …
Ich bin der Geschmack des Wassers, das Licht der Sonne und des Mondes, die Silbe* Om *in den vedischen Mantras; ich bin der Klang im Äther und die Fähigkeit im Menschen …
Alle Zustände des Seins – Güte, Leidenschaft oder Ignoranz – zeigen sich durch meine*

Energie. In einer Weise bin ich alles – doch bin ich unabhängig. Ich unterliege nicht den Erscheinungsformen dieser materiellen Natur.[14]

Diese oberste Gottheit offenbart sich den meisten Sterblichen nicht. Gott vermögen nur diejenigen zu erkennen, die ihn lieben, und für sie ist es leicht, denn ihnen ist er allzeit gegenwärtig: »Was immer du tust, was immer du ißt, was immer du opferst oder fortgibst, welche Mäßigung du auch vollziehst – tu dies … als Gabe an mich.« Bereits der geringste liebevolle Akt der Hingabe an Krishna führt zu ihm: »Wenn jemand mir mit Liebe und Ergebenheit ein Blatt, eine Blume, eine Frucht oder Wasser darbringt, werde ich es annehmen.«[15] Aufrichtige Andacht bildet einen direkten Weg zum Göttlichen: »Jenen, die stets hingebungsvoll sind und mich mit Liebe verehren, gebe ich das Verstehen, durch das sie zu mir gelangen.«[16]

KRISHNA DER PURANAS   In den *Bhagawata Purana* (»Geschichten des Herrn«) wird das *Bhakti,* die in Indien besonders populäre Form der Verehrung, die als bester Weg im Kali Yuga gilt, noch deutlicher. Die meisten Indologen datieren die Schrift auf das 8. oder 9. Jahrhundert n. Chr., doch manche Inder betrachten es als eines jener Werke, die Vyasa zu Beginn des Kali Yuga niederschrieb. Der Überlieferung nach fühlte sich Vyasa, nachdem er sämtliche Veden, Puranas und das Mahabharata niedergeschrieben hatte, immer noch nicht zufrieden, so als fehle etwas. Er fragte seinen spirituellen Meister, warum dies so sei, und dieser erwiderte, das fehlende Element sei die Liebe zum Göttlichen. Was Vyasa daraufhin verfaßte, beschreibt das höchste Wesen als eine zu verehrende Person.

Diese höchste Gottheit wird zunächst in ihrer Unermeßlichkeit dargestellt, als jenes Wesen, dessen Körper das materielle Universum beseelt. Etwa:

Seine Augen sind der erzeugende Mittelpunkt aller Arten von Formen, und sie funkeln und leuchten. Seine Augäpfel sind wie die Sonne und die himmlischen Planeten. Seine Ohren hören von allen Seiten und nehmen alle Veden auf, und sein Gehör ist der erzeugende Mittelpunkt des Himmels und aller Arten von Klängen.[17]

Unser materielles Universum ist nur eines von Millionen materieller Universen. Jedes gleicht einer Blase im ewigen spirituellen Himmel, die aus den Poren im Körper Vishnus aufsteigt, und diese Blasen werden entstehen und vergehen, während Vishnu aus- und einatmet. Dieser Kosmos ist derart weit gefaßt, daß ihn der Geist unmöglich zu begreifen vermag. Viel einfacher ist es dagegen, Vishnu in seiner Inkarnation als Krishna, den Kühe hütenden Knaben, zu begreifen und zu verehren. Wurde er in der Bhagawadgita noch als weiser Lehrer gezeigt, so ist der inkarnierte Gott der Puranas ein vielgeliebtes Kind, das von Kuhhirten in der Region Vrindavan bei Mathura am Jumna-Fluß aufgezogen wird. In diesem Gebiet lebte früher einmal tatsächlich ein Hirtenstamm, doch es bleibt unklar, ob die Krishna-Geschichten eine historische Grundlage haben.

Irdische Freuden kommen in den Mythen häufig vor: Der Knabe Krishna stiehlt den Nachbarn einige Butterkugeln und wandert blumenumkränzt durch den Wald, fröhlich auf seiner Flöte spielend. Zwischen einigen Episoden, in denen er mit sorgloser Tapferkeit die das Volk bedrohenden Dämonen besiegt, stiehlt er spielerisch die Herzen der *Gopis* (Mädchen), von denen viele verheiratet sind. Magisch von ihm angezogen, glaubt jede, daß er nur mit ihr allein tanze. Zudem ist er von physischer Schönheit.

Krishna wird schließlich zu einer heldenhaften Mission abberufen und kehrt nicht wieder zu den Gopis zurück. Ihre Trauer bei seinem Fortgehen, ihr liebevolles Gedenken an seine anmutige Gegenwart und ihre starke Sehnsucht dienen als Modelle für den Weg des *Bhakti,* den Weg der extremen Hingabe.

Für die Hindus verkörpert das emotionale Verlangen des Liebenden eines der geeig-

Viele Gurus zogen in den Westen, um das Sanatana Dharma dort zu verbreiten. Paramahansa Yoganandas Buch Autobiography of a Yogi *ist für viele Menschen westlicher Kultur nach wie vor attraktiv.*

netsten Mittel, sich auf den höchsten Gott zu konzentrieren. Das Göttliche wird dabei als Person erlebt, nicht als unpersönliches Prinzip.

Spirituelle Disziplin

Ein weiterer Aspekt des Sanatana Dharma ist die spirituelle Disziplin. Man glaubt, daß der Prozeß der spirituellen Erkenntnis oder Befreiung zumindest ein Leben, vermutlich aber viele Leben dauere. Die Inkarnation in dieser Welt wird geschätzt als Chance, der spirituellen Vollkommenheit näher zu kommen. Die einzelnen Techniken waren offenbar bereits im alten Indien bekannt.

In der Vergangenheit war spirituelle Ausbildung in der Regel nur für männliche Angehörige der oberen Kasten verfügbar; Frauen und Shudras waren ausgeschlossen. Den Anfang bildete eine Initiationszeremonie, in welcher der Knabe den heiligen Faden erhielt – ein dreifädiges, über der Schulter zu tragendes Band.

Die Lebenszeit eines männlichen Hindus wird in idealisierter Form in vier Abschnitte zu je ungefähr 25 Jahren unterteilt. In den ersten 25 Jahren ist er ein keuscher Schüler zu Füßen seines Lehrers. Danach kommt die Hausvater-Phase, in der er erwartungsgemäß heiratet, eine Familie gründet und einen produktiven gesellschaftlichen Beitrag leistet. Anschließend beginnt er, teilweise sich zurückzuziehen, vom weltlichen Streben sich zu lösen und der Meditation und dem Studium der Schriften sich zuzuwenden. Mit 75 ist er dann in der Lage, sich ganz aus der Gesellschaft zurückzuziehen und ein *Sannyasin* zu werden.

Der Sannyasin lebt als Entsagender, widmet sich der Kontemplation und vollzieht eine rituelle Loslösung von Frau und Familie mit den Worten: »Niemand gehört mir, und ich gehöre niemandem.« Manche Sannyasins nehmen in komfortablen Tempeln Quartier, andere gehen – manche von ihnen nackt – allein auf Wanderschaft, nur mit Wasserkrug, Gehstock und Bettelschale ausgestattet.

Schweigend konzentriert sich der Sannyasin auf Übungen, die ihn schließlich vom Samsara zum kosmischen Bewußtsein führen.

Die Mehrzahl der heutigen männlichen Hindus verfolgt diesen Weg nicht bis zum Stadium des Sannyasin im hohen Alter, wenngleich es noch zahlreiche Sannyasins gibt. Einige von ihnen haben der Welt bereits in jüngeren Jahren entsagt, sich einem der zahlreichen hinduistischen Mönchsorden angeschlossen und leben in einem *Ashram* oder einer abgeschiedenen Gemeinschaft, die sich um einen Guru gebildet hat.

Der Guru

Viele, die den Weg des Studiums und der Entsagung wählen, begeben sich unter die Obhut eines spirituellen Lehrers oder *Gurus*. Im Sanskrit bedeutet Guru »der Ehrwürdige« oder »der den Schüler aus dem Dunkel der Unwissenheit führt«. Dies geschieht nicht durch akademische Lehre, sondern mittels Erleuchtung. Gurus erklären sich nicht zu Lehrmeistern; vielmehr fühlen sich die Menschen von selbst zu ihnen hingezogen, um den gleichen spirituellen Fortschritt zu erreichen.

> *Nicht jeder Beliebige kann ein Guru sein. Ein großer Baumstamm schwimmt auf dem Wasser und vermag auch Tiere zu tragen. Doch ein wertloses Stück Treibholz versinkt, wenn ein Mann darauf sitzt, und er ertrinkt.*   *Ramakrishna*[18]

Ramana Maharshi (gest. 1951), der auf einem heiligen Berg in Südindien lebte, war derart dem höchsten Bewußtsein hingegeben, daß er weder redete noch aß und von einem anderen heiligen Mann zwangsernährt werden mußte. Die Bedürfnisse jener, die sich um ihn versammelt hatten, aktivierten sein Mitgefühl und seine Weisheit, so daß er ihnen in ihren spirituellen Bedürfnissen spontan Rat erteilte. Bereits sein Blick soll viele Besucher erleuchtet haben.

In der südindischen Siddha-Tradition ist man dazu übergegangen, durch die Kraft von Blick, Wort, Berührung oder Gedanke (*Shaktipat*) zu »lehren«. Ein Schüler des verstorbenen Swami Muktananda (er nennt ihn liebevoll »Baba«, Vater) beschreibt diesen Vorgang:

> *Wenn ein Suchender* Shaktipat *empfängt, erlebt er einen Überfluß an innerer Wonne und gerät in Ekstase. In Babas Gegenwart verschwinden alle Zweifel und Befürchtungen, und man erlebt eine innere Zufriedenheit und Erfüllung.*[19]

Ramakrishna, ein großer Heiliger, der im 19. Jahrhundert lebte, sagte einmal, jemand, der mit aufrichtigem Verlangen und ernstem Gebet an Gott herantrete, benötige keinen Guru. Solche Menschen indes seien rar, und die meisten Suchenden brauchten einen Lehrer.

Nachdem ein Suchender seinen Guru gefunden hat, liebt und verehrt er ihn als seinen spirituellen Vater. Der Guru hingegen benimmt sich durchaus nicht immer wie ein liebender Vater; oftmals werden die Schüler unwirsch behandelt, um Glauben und Hingabe zu prüfen oder um das Ego abzustreifen. Die wahrhaft Ergebenen sind dennoch dankbar für jede Gelegenheit, ihrem Guru aus Liebe dienen zu können. Oftmals verbeugen sie sich, um seine Füße oder den Saum seines Gewandes zu berühren, teils aus Demut (sich den Staub von den Füßen des Gurus auf das eigene Haupt zu streuen bedeutet völlige Unterwerfung), teils weil von den Füßen des Gurus große Kraft ausgehen soll. Die Demütigung vor dem Guru gilt als Voraussetzung für den Empfang seiner Lehre. Dies wird oft durch die Metapher vom Glas und Wasserkrug veranschaulicht: Falls das Glas (der Schüler oder *Chela*) bereits voll ist, kann aus dem Krug (Guru) kein Wasser (spirituelle Weisheit) mehr hineingegossen werden. Auch wenn sich Glas und Krug auf gleicher Höhe befinden, kann das Gießen nicht stattfinden. Vielmehr muß das Glas leer sein und unterhalb des Kruges stehen, damit das Wasser ungehindert in das Glas gelangen kann.

Verhaltensweisen, die von Außenstehenden oftmals als Verehrung des Gurus selbst interpretiert werden, sind eigentlich auf das durch den Guru Vermittelte ausgerichtet. Hierzu Swami Satchidananda:

> *Selbst wenn du für dich den richtigen Lehrer findest, solltest du dennoch wissen, wer der wirkliche Guru ist. Denke daran: Es ist nicht der physische Körper, sondern das Selbst, das innere Licht. Was du dir aneignen willst, ist seine Lebensweise und Gelassenheit … Letztlich sollten all diese Gestalten und Namen im gestaltlosen und namenlosen Einen, dem absoluten Guru, aufgehen.*[20]

Praktiken des Yoga

Spirituell Suchende werden gemeinhin aufgefordert, sich in Disziplinen zu üben, die den Geist klären und einen Zustand heiteren, abgeklärten Bewußtseins unterstützen. Diesen Zustand der Ausgeglichenheit, Reinheit, Weisheit und Seelenruhe bezeichnet man als *sattvisch* – im Gegensatz zum Zustand der Ruhelosigkeit oder Lethargie.

Die Praktiken zur Förderung der sattvischen Eigenschaften sind insgesamt unter der

Versierte Yogis besitzen eine extreme, dem Meditationserfolg dienende Körperbeherrschung.

Kundalini-Yoga geht von der Vorstellung aus, daß der Körper in einem Energiefeld existiere, das an den Hauptchakras – Punkten entlang der Körperlängsachse – am stärksten konzentriert sei.

Oben *Das für den schöpferischen Urlaut stehende
Symbol OM wird von
den harmonisierten
Gegensätzen Sonne und
Mond überragt. Das OM
zu singen bedeutet, mit
dieser kosmischen Klang-
schwingung zu kommu-
nizieren.*
Rechts *Gläubige Musiker stimmen ihr Inneres
auf die subtilen Resonan-
zen ein, die sie in den
klassischen indischen
Instrumenten vernehmen.*

Bezeichnung *Yoga* bekannt – »Joch« oder »Vereinigung« des individuellen Bewußtseins
mit dem unendlichen Bewußtsein. In moderner Klassifizierung gibt es vier Hauptwege
des Yoga, die jeweils für unterschiedliche Persönlichkeiten geeignet sind: *Raja, Jnana,
Karma* und *Bhakti.*

RAJA-YOGA   Die körperlichen und geistigen Übungen des Raja-Yoga sind den Nicht-
hindus am besten bekannt, da sie im Westen populär wurden. Im heutigen Indien sind
sie trotz ihres angeblich extrem hohen Alters nicht sonderlich verbreitet. Gelegentlich
wird die Ansicht vertreten, die *Sadhanas* (Übungen) seien bereits seit der Steinzeit bekannt und bildeten die Grundlage für die bedeutende Induskultur.

Eines der dazugehörigen Elemente sind die *Asanas* – Haltungsübungen zur Reinigung
des Körpers und zur Entwicklung des Konzentrationsvermögens. Atemübungen dienen
dazu, die Nerven zu beruhigen und den Körper vermehrt mit *Prana* zu versorgen, der unsichtbaren Lebensenergie. Die Atmung gilt als Schlüssel für die Kontrolle dieses Ener-
gieflusses innerhalb des subtilen Energiefeldes, das den Körper umgibt und durchdringt.
Den Hauptpfad kennzeichnen eine Reihe von *Chakras* – subtile Energiezentren entlang
der Wirbelsäule. Die Energie vom tiefsten, gröbsten Chakra am Grund der Wirbelsäule
bis zum höchsten, feinsten Energiezentrum auf dem Scheitel fließen zu lassen ist das Ziel
der Übungen des *Kundalini*-Yoga (»kundalini« bezieht sich auf die latente Energie der un-

teren Wirbelsäule). Im Idealfall führt die Öffnung der höchsten Chakras zur Wonne der Vereinigung mit dem Sublimen. In voll eröffnetem Zustand wird dieses Scheitel-Chakra als tausendblättriger, lichtdurchfluteter Lotos dargestellt.

Neben diesen Körper- und Atemübungen ist im indischen Denken bereits seit langem die Vorstellung verwurzelt, daß die Wiederholung bestimmter Laute eine heilige Wirkung entfaltet. Wie es heißt, sollen manche frühen Yoga-Meister geheimnisvolle Klänge ausgemacht und durch das *Mantra* (gesungene heilige Klänge) einen Aspekt des Göttlichen in Form von Klangschwingungen zum Ausdruck gebracht haben können.

Mystiker leiten das Wort »mantra« (oder »mantram«) von den Sanskritwurzeln »man« (Geist) und »tri« (überqueren) ab. Das Singen heiliger Silben ermöglicht dem Bewußtsein, den geistigen Ozean zu überqueren; es mildert und erhebt dabei die Schwingungen des Gläubigen, wirkt besänftigend auf den Geist und bringt seine Sinne in Einklang mit dem göttlichen Urgrund aller Existenz. Inder vergleichen den Geist gern mit dem stets rastlos umhertastenden Rüssel eines Elefanten. Gibt man dem Elefanten einen kleinen Stock, so wird er ihn festhalten und das Interesse an anderen Objekten verlieren. Nicht anders gibt das Mantra dem unsteten Geist etwas zum Festhalten und beruhigt ihn durch die auf einen Punkt konzentrierte Wahrnehmung. Mit voller Konzentration und Hingabe gesungen, soll das Mantra überdies die Gegenwart und Segnungen der gepriesenen Gottheit herbeiführen.

In Indien entstanden zahlreiche Formen der Musik zur Intensivierung dieser inneren Einstimmung. Bei entsprechender spiritueller Hingabe der Musiker können solche Konzerte stundenlang andauern. Die größte Bedeutung wird dabei den »ungehörten, ungespielten« göttlichen Klängen beigemessen, die mit den Ohren nicht zu vernehmen sind.

Geistige Festigung und Erhöhung kann auch durch visuelle Konzentration erfolgen, etwa auf eine Kerzenflamme, das Bildnis eines Heiligen oder Gurus, das Symbol OM oder auf *Yantras* – Diagramme mit kosmischer Symbolik. Das oben rechts abgebildete Yantra zeigt den physischen Kern des Universums als einen Punkt, umgeben von drei Kreisen

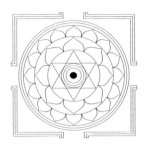

Ein Yantra – kosmisches Symbol und Mittel zur Konzentration.

Hindu-Pandits (Gelehrte) bei der Anbetung der Durga. Sie scharen sich um ein komplexes Yantra, das die »große Muttergöttin« herbeirufen soll.

für die drei Qualitäten der Natur: Ausgeglichenheit, Aktivität und Trägheit. Die beiden verschränkten Dreiecke symbolisieren die miteinander verknüpften männlichen und weiblichen Eigenschaften des Göttlichen. Die Lotosblüten stehen für die Liebe und Schönheit des als Materie sich manifestierenden Geistes. Das nach allen Seiten offene Quadrat steht für die unendliche Ausweitung der Schöpfung. Manche großen Yantra-Muster sind aus farbigen Körner hergestellt und dienen der rituellen Anrufung besonderer Gottheiten.

Im Zustand der Meditation, wie sie idealerweise auf die Konzentration folgt, haben sich alle weltlichen Gedanken verflüchtigt. An die Stelle des normalen Denkens ist das lichte Bewußtsein getreten, das nun das spontane Entstehen von Einsichten in Form blitzhafter Erleuchtung ermöglicht. Farbige Lichter, Visionen, Wogen der Ekstase oder Besuche unsterblicher Wesen sind ebenfalls möglich. Geist, Herz und Körper können eine allmähliche Wandlung erleben.

Keines dieser Phänomene gilt jedoch als Selbstzweck. Höchstes Ziel der Yoga-Meditation ist das *Samadhi* – ein überbewußter Zustand der Vereinigung mit dem Absoluten. Swami Sivananda unternimmt folgenden Beschreibungsversuch:

> *Worte und Sprache reichen nicht aus, um diesen exaltierten Zustand zu beschreiben … Geist, Intellekt und Sinne hören auf zu funktionieren … Dies ist ein Zustand ewiger Wonne und ewiger Weisheit. Sämtliche Dualitäten verschwinden gänzlich … Alles Sichtbare verschmilzt im Unsichtbaren oder Ungesehenen. Die einzelne Seele wird sich selbst zum Gegenstand der Kontemplation.*[21]

JNANA-YOGA   Diese Form des Yoga nutzt das rationale Denken, und versucht nicht, es durch Konzentrationsübungen zu überwinden. Bei diesem »Weg der Weisheit« gilt Unwissen als die Wurzel aller Probleme dieser Welt. Die grundlegende Ignoranz besteht aus unserer Vorstellung, wir selbst seien vom Absoluten getrennt. Ramana Maharshi empfahl, sich ständig zu fragen: »Wer bin ich?« Durch intellektuelle Anstrengung entdeckt der Suchende, daß nicht der Körper, die Sinne, der pranische Körper oder der Geist diese Frage stellen, sondern etwas Jenseitig-Ewiges:

> *Nachdem alles Obige als »nicht dies«, »nicht das« verneint wurde, wird die allein verbleibende Bewußtheit – daß ich dieser Gedanke »Wer bin ich?« bin – alle anderen Gedanken zerstören und gleich dem Stock zum Ordnen des brennenden Scheiterhaufens am Ende selbst zerstört werden. Dann erst wird Selbsterkenntnis entstehen.*[22]

Beim Jnana-Weg muß der Suchende auch die spirituellen Tugenden entwickeln (Ruhe, Beherrschung, Verzicht, Ergebenheit, Konzentration und Glaube) und intensiv nach Befreiung streben. Indem er alle Zweifel und geistigen Gewohnheiten hinter sich läßt, gelangt er schließlich von der theoretischen Kenntnis des Selbst zu dessen unmittelbarem Erleben. Höchste Weisheit ist demnach spirituelle Einsicht, nicht intellektuelles Wissen.

> *Allein spirituelles Wissen vermag unser Elend für immer zu zerstören; jedes andere Wissen beseitigt die Bedürftigkeit nur für gewisse Zeit.*   Swami Vivekananda[23]

KARMA-YOGA   Im Gegensatz zu den asketischen und kontemplativen Praktiken ist bei diesem Weg das weltliche Handeln von Belang. Karma-Yoga ist ein Dienst, der ohne Interesse für das Kommende und ohne das persönliche Gefühl des Gebens erwiesen wird. Der Yogi weiß, daß das Absolute sämtliche Handlungen ausführt, und daß alles Handeln

Die Liebe zwischen Radha und Krishna dient als Vorbild für die Hingabe der Bhaktas an das höchste Wesen.

ein Geschenk an das Absolute ist. Dieses Bewußtsein führt zur Befreiung vom Selbst inmitten der Tätigkeit. Krishna erläutert diese Grundsätze bereits in der Bhagawadgita:

> *Eine Person in göttlichem Bewußtsein, obgleich beschäftigt mit Sehen, Hören, Berühren,*
> *Riechen, Essen, Umhergehen, Schlafen und Atmen, weiß stets bei sich, daß sie eigentlich*
> *gar nichts tut. Denn während sie gibt, empfängt, die Augen öffnet oder schließt, weiß*
> *sie stets, daß nur die materiellen Sinne beschäftigt sind mit ihren Gegenständen und daß*
> *sie weitab von ihnen ist.*
> *Die beständig ergebene Seele erreicht ungetrübten Frieden, denn die Ergebnisse allen*
> *Tuns werden Mir dargeboten; wohingegen jemand, der sich nicht in Harmonie mit dem*
> *Göttlichen befindet, der gierig ist auf die Früchte seiner Arbeit, sich verstrickt.*[24]

BHAKTI-YOGA   Dieser vierte spirituelle Weg, der Pfad der Ergebenheit, wird von den meisten indischen Anhängern des Sanatana Dharma gewählt. »Bhakti« bedeutet »teilhaben« und in einer von intensiver Liebe geprägten Beziehung zum höchsten Wesen zu stehen. Bhakta Nam Dev beschrieb diese tiefe Liebe in folgenden süßen Metaphern:

> *Dein Name ist herrlich, herrlich ist Deine Gestalt, und überaus herrlich ist Deine Liebe,*
> *o mein allgegenwärtiger Herr.*
> *Wie der Regen teuer ist der Erde, wie der Blütenduft teuer der Biene, wie die Mangofrucht*
> *teuer dem Kuckuck, so teuer ist der Herr meiner Seele.*
> *Wie die Sonne teuer ist der Brandente, wie der See Man Sarowar teuer ist dem Schwan,*
> *wie der Gemahl teuer ist dem Eheweib, so teuer ist Gott meiner Seele.*
> *Wie die Milch teuer ist dem Säugling, wie der Regenguß teuer ist dem Sperber, der nichts*
> *trinkt als Regentropfen, wie das Wasser teuer ist dem Fisch, so teuer ist der Herr meiner*
> *Seele.*[25]

Die Hingabe der Bhaktas, so wird geglaubt, ist dem höchsten Wesen lieber als die ritualisierte Frömmigkeit. Erzählt wird die Geschichte eines frommen Brahmanen, der an einer steinernen Shiva-Statue täglich rituelle Andacht hielt. Eines Tages mußte er zu seiner tiefen Bestürzung feststellen, daß der Schrein mit Wildblumen und Resten von Schweinefleisch dekoriert war, den Hinterlassenschaften eines Jägers, der angehalten hatte, um Shiva auf seine eigene Weise zu verehren. In der Absicht, dem Brahmanen eine Lektion zu erteilen, erschien ihm Shiva im Traum und wies ihn an, aus einem Versteck heraus den Jäger bei seiner Form der Andacht zu beobachten. Als der Jäger zum Gebet kam, sah er, daß aus einem Auge der Statue Blut heraustropfte. Ohne zu zögern, riß er sich eines seiner Augen aus und legte es auf das der Statue. Die Blutung stoppte, doch dann begann das andere Auge zu bluten. Der Jäger schickte sich eben an, sich auch das zweite Auge herauszureißen, als Shiva sich zeigte, den Jäger heilte und ihn als einen seiner erwählten Gefolgsleute mitnahm, nunmehr genannt »der Geliebte des Auges«.

Jeder Bhakta erhofft in letzter Konsequenz, daß Shiva ihm tatsächlich erscheinen möge. Bhakta Ravi Das, ein Schuhmacher, der aufgrund seiner intensiven Hingabe zu einem hochangesehenen spirituellen Lehrer wurde, flehte seinen Geliebten an: »Ich bin ein Opfer zu dir, mein Allgegenwärtiger Herr. Warum schweigst du? Viele Geburten war ich von dir getrennt. Dieses Leben nun widme ich dir. Ich lebe allein durch die Hoffnung auf dich. So lange habe ich dich nicht mehr gesehen.«[26]

Die im 15. Jahrhundert lebende rajputische Prinzessin Mirabai war in jungen Jahren mit einem Herrscher vermählt worden, doch seit ihrer Kindheit hatte sie sich ganz Krishna hingegeben. Als sie weiterhin all ihre Zeit mit Gebeten an Krishna zubrachte, versuchte ihr Mann voller Wut, sie zu vergiften. Angeblich trank Mirabai das Gift, während sie in Ekstase lachend vor Krishna tanzte. In dessen Gegenwart erschien ihr das Gift wie Nektar und konnte ihr nicht schaden. Der wahrhaft ergebene Bhakta zeigt eine solche

Lebendiger Hinduismus

Sarala Chakrabarty, in Kalkutta lebende Mutter erwachsener Kinder, nahm spirituellen Unterricht bei einem Guru der Ramakrishna-Tradition. Ihre Liebe zum höchsten Wesen in seinen zahlreichen Formen ist stark persönlich geprägt.

»In unserer Hindu-Religion verehren wir bestimmte Formen von Gott. Gott ist unendlich, doch das können wir uns nicht vorstellen. Wir brauchen eine endliche Person, die man lieben kann wie einen Freund, Vater, Sohn oder Geliebten. Solch eine Beziehung knüpfen wir zu Gott. Wenn ich ihn mir als meinen Geliebten vorstelle, kann ich immer an ihn denken. Wenn ich denke, er sei mein Vater, und ich Probleme habe, bete ich zu ihm und bitte ihn, mich zu retten.

Und ich bete immer zur Heiligen Mutter [Ramakrishnas spirituelle Braut und Nachfolgerin, Sarada Devi]. Wenn ich ein Problem habe, wird Mutter mich retten. Sie hat das versprochen, als sie ihren Körper verließ (Sie nennen das ›Sterben‹) und sprach: ›Ich segne alle, die gekommen sind, die kommen und die kommen werden, alle segne ich sie.‹ Nur Mutter kann so etwas sagen – solch ein großes Herz, so viel Zuneigung.

Ich fühle etwas. Jemand steht hinter mir. Immer fühle ich beschützende Hände auf meinen Schultern. Gott schützt jeden ohne Ausnahme. Ich bin nicht sein einziges Kind, doch es ist nur mein Gott.

Alles will ich von Gott, doch Gott will nichts von mir, außer Bhakti – Hingabe.

Eine Mutter verlangt nichts von ihrem Kind außer Liebe. Sie sagt nur: ›Bete zu mir, rufe mich, und ich werde alles für dich tun.‹ Auf Reisen sage ich zu ihr: ›Ich spreche mit dir‹, und es geschieht.

Wie wir Gott lieben, so liebt Gott uns. Unser Herr Krishna sagt, Liebe ist das Seil, das Gott festbindet und zu uns herabzieht.

Ich habe einen sehr mächtigen Guru, einen Swami von der Ramakrishna-Mission, der kürzlich verschied. Er gab mir ein Mantra, das mir sehr viel Frieden gibt. Wenn ich singe, kann ich nicht davon ablassen. Doch die Zeit ist um, jemand ruft, ich muß kochen, arbeiten – dann stehe ich auf und singe im Geiste weiter. Im Bett bete und singe ich und merke dann, daß ich ruhig und zufrieden bin, ohne körperliche und seelische Probleme. Ich bin sehr glücklich und glückselig. Alle Probleme sind verschwunden.«

Hingabe, daß die geliebte Gottheit darauf reagieren und im Leben des Bhaktas tatsächlich anwesend sein soll.

Auch wenn der Gläubige auf dem Bhakta-Pfad das Ego nicht unbedingt bis zum Samadhi transzendiert, übergibt er doch sein gesamtes Sein dem geliebten höchsten Wesen. Ramakrishna erläutert, warum der Weg des Bhakti für die meisten Menschen am besten geeignet ist:

Solange der Ich-Sinn besteht, so lange sind wahres Wissen und Befreiung unmöglich …
[Doch] wie können einige wenige diese Vereinigung (Samadhi) erzielen und sich von
diesem »Ich« befreien? Dies gelingt nur sehr selten. Rede soviel du magst, suche beständig
die Einsamkeit, und doch wird dieses »Ich« immer zu dir zurückkehren. Heute fälle die
Pappel, und morgen wirst du neue Triebe finden. Wenn du schließlich herausfindest, daß
dieses »Ich« nicht zerstört werden kann, dann lasse es das dienende »Ich« bleiben.[27]

Rechts *Zum Ende der Durga Puja werden Bildnisse der zehnarmigen Bezwingerin des Bösen zu einem Fluß gebracht und der Tiefe überantwortet, damit sie zu ihrem Gefährten Shiva, der sie im Himalaja erwartet, zurückkehren kann.*
Ganz rechts *Kali verkörpert das Urbild der transzendentalen Kraft der Kundalini-Erdenergie, Zerstörerin von Heuchelei und Selbstsucht.*

Theistische Glaubensgemeinschaften

Nachdem die Rituale und die Philosophie der Brahmanen das Sanatana Dharma dominiert hatten, wurde um 600 n.Chr. der Bhakti-Weg vorherrschend. Er eröffnete auch den Shudras und den Frauen die Möglichkeit, sich spirituell zu äußern, und bildet seither den Hauptweg der Massen. Möglicherweise hatte dieser Weg zuvor schon einmal bestanden, da die Verehrung persönlicher Gottheiten sogar älter ist als die vedische Religion.

Im Hinduismus lassen sich drei Hauptgruppen unterscheiden: die das Göttliche als Vishnu verehrenden *Vaishnavas*, die das Göttliche als Shiva verehrenden *Shaivas* und die *Shaktas*, die die weibliche Schöpferkraft verehren. Jeder Gläubige hat seine eigene »ausgewählte Gottheit«, achtet jedoch auch andere Götter.

Der hinduistische Glaube fußt letztlich auf einer geschlechtslosen Gottheit mit den drei grundlegenden Aspekten des Schöpfens, Bewahrens und Zerstörens. Letzteres gilt als Gnadenakt, der die Fortdauer der kosmischen Zyklen gestattet.

Shaktas

Schätzungsweise 50 Millionen Hindus verehren eine Form der Göttin Shakti. Wie bereits erwähnt, reicht die Verehrung des weiblichen Aspekts des Göttlichen vermutlich bis auf die vorarische Bevölkerung des indischen Subkontinents zurück. Ihre als *Shakti* bezeichnete Macht wird häufig mit der Kundalini-Energie in Zusammenhang gebracht, ihre überquellende Schöpfungskraft symbolisieren meist höchst erotische, sinnliche Darstellungen.

Zu den vielen verehrten Formen des femininen Prinzips zählen auch jene, die die Gottheit als Ganzheit repräsentieren – als ewigen Schöpfer, Bewahrer und Zerstörer. *Durga* wird oftmals als eine schöne Frau mit sanftmütigem Ausdruck dargestellt. Sie besitzt zehn Arme, in denen sie Waffen hält, um die Dämonen zu besiegen, die das Dharma bedrohen. Auf einem Löwen reitend (siehe S. 33), verkörpert sie die strahlende Pracht des inkarnierten Gottes und die elementare leuchtende Macht in ihrer gutmütigen weiblichen Form.

Kali hingegen steht für das Göttliche in seiner zürnenden Form. In manchen Darstellungen trieft sie vor Blut, und Schädel symbolisieren sie als Zerstörerin des Bösen. Bei ihrer Verehrung gab es eine dunkle »linkshändige« Seite mit Tier- und angeblich auch Menschenopfern. Die »rechtshändige« Art der Verehrung von Mutter Kali besteht darin, ihre Hilfe bei der inneren Wandlung zu erbitten. Sie hilft allen, die dem höchsten Wesen aufrichtig dienen, und kappt mit ihrem gnadenreichen Schwert alle persönlichen Hindernisse auf dem Weg zur Erkenntnis der Wahrheit. Zugleich öffnet sie die Arme für jene, die sie lieben. Zwei ihrer acht Arme halten ein Schwert und einen abgetrennten menschlichen Kopf. Ein dritter Arm zeigt die Geste des »Fürchte dich nicht«, ein vierter hält Gaben für ihre Anhänger bereit.

Unnachgiebig gegenüber Missetätern, doch liebevoll und mitfühlend gegenüber ihren Anhängern, trägt Kali eine Maske der Häßlichkeit. Die göttliche Wirklichkeit ist ein Ganzes, das Angenehmes wie Unangenehmes und Schöpfung wie Zerstörung umfaßt. Für den Hindu sind Tod und Geburt miteinander verknüpft, da sie im ewigen Kreislauf einander folgen. Wie der Sanskrit-Gelehrte Leela Arjunwadkar feststellt, besteht in der klassischen indischen Literatur eine tiefempfundene Einheit aller Geschöpfe:

> *Darum begegnen wir in der Sanskrit-Literatur allen Arten von Charakteren – menschlichen Wesen, Göttern und Göttinnen, Flüssen, Dämonen, Bäumen, Schlangen, Himmelsnymphen etc., und ihre Teilhabe an dem gleichen Gefühlsleben ist jene Nabelschnur, die alle an Mutter Natur bindet.*[28]

Seit alters her wurde die Anbetung des göttlichen Weiblichen daher mit der Verehrung der Natur – vor allem in Form großer Bäume und Flüsse – assoziiert. Als besonders heilig und von extrem kraftvoller weiblicher Präsenz gilt der Ganges, dessen aus dem Himalaja stammendem Wasser eine außergewöhnlich reinigende Kraft zugeschrieben wird. Pilger nehmen ein Bad im Ganges, um ihre Sünden abzuwaschen.

Heilige Texte, die sogenannten *Tantras*, geben Anleitungen für die Verherrlichung des weiblichen Göttlichen. Das »rechtshändige« Tantra ist im populären Hinduismus fest etabliert. Beim »linkshändigen« Tantra indes handelt es sich um ein Konglomerat von geheimen Praktiken, wie etwa rituellem Geschlechtsverkehr und sakramentaler Verwendung ansonsten verbotener Nahrungsmittel wie Fleisch und Wein, um die Leidenschaft zu entflammen. Im Idealfall wird die Verwendung dieser Stimulanzien streng kontrolliert; sie dienen nicht dem Vergnügen, sondern als Mittel, das begrenzte persönliche Bewußtsein zu transzendieren und die potentielle körperliche Energie in eine sublime Vereinigung mit der höchsten Macht zu treiben.

Die Shakti-Verehrung fand auch Eingang in die Anbetung männlicher Gottheiten. Man glaubt, daß jeder Gott eine Begleiterin habe, dargestellt in enger Umarmung als Sinnbild der ewigen Einheit des männlichen und weiblichen Prinzips in dem göttlichen Einen. Innerhalb dieser Paare wird das Weibliche oftmals als beseelende Kraft aufgefaßt, wobei der transzendente männliche Aspekt so lange inaktiv bleibt, bis er mit der hervorbringenden weiblichen Energie vereint wird.

Shaivas

Ebenfalls recht alt ist die Verehrung *Shivas* – eine persönliche, facettenreiche Manifestation der eigenschaftslosen höchsten Gottheit. In älteren Systemen verkörpert Shiva einen der drei Hauptaspekte der Göttlichkeit: Brahma (Schöpfer), Vishnu (Bewahrer) und Shiva (Zerstörer). Seine Anhänger verehren Shiva als Ganzheit mit ihren zahlreichen Aspek-

Als Gott des Tanzes zertritt Shiva den Dämon des Bösen und trägt zugleich die Flamme der Zerstörung wie die Trommel der Schöpfung. Die eine seiner beiden freien Hände zeigt die Geste »Fürchte dich nicht«, die andere, zum erhobenen Fuß weisende Hand symbolisiert Seligkeit.

Dieses große Linga aus dem 6. Jahrhundert ist Shiva als der nichtmanifesten Schöpferkraft jenseits von Raum und Zeit gewidmet.

ten. Hierzu Swami Sivasiva Palani, Shaiva und Herausgeber von *Hinduism Today:* »Shiva ist der Nichtmanifeste; er ist Schöpfer, Bewahrer, Zerstörer, persönlicher Gott, Freund, uranfängliche Seele.« Und er ist die »alles durchdringende Grundenergie, die mehr oder weniger unpersönliche leuchtende Liebe, die alles durchströmt«[29]. In zahlreichen Darstellungen tanzt Shiva über dem Körper des von ihm getöteten Dämons, Licht und Dunkel, Gut und Böse, Schöpfung und Zerstörung, Ruhe und Tätigkeit im ewigen Lebenstanz versöhnend.

Shiva ist überdies der Gott der Yogis, denn er symbolisiert Askese. Zahlreiche Darstellungen zeigen ihn in strenger Meditation auf dem Berg Kailas, gekleidet in ein Tigerfell und mit einer Schlange um den Hals, die seinen Triumph über das Ego symbolisiert. In einer berühmten Geschichte schluckt Shiva das Gift, das die ganze Welt mit Finsternis bedroht, und neutralisiert es durch die Kraft seines Meditierens.

Shiva hat verschiedene Begleiterinnen (Shaktis), darunter auch Durga, vor allem aber seine ergebene Gattin Parvati. Ihre Vereinigung bewirkt ein ungehindertes Strömen der kosmischen Energie, die das Universum besät und befreit. Aus mystischer Sicht gelten beide jedoch als ewig keusch. Shiva und seine Shakti werden auch als zwei Aspekte eines einzigen Wesens ausgedrückt. In den Darstellungen mancher Bildhauer ist Shiva androgyn, besitzt also männliche wie weibliche Züge. Diese Einheit kommt oft abstrakt zum Ausdruck als Linga in einem Yoni (seinem weiblichen Gegenstück).

Lingas sind natürliche oder zurechtgehauene zylindrische Formen, die seit der Antike in Indien verehrt werden (und offenbar auch in anderen Kulturen, bis zum entfernten Hawaii). Besonders geschätzt werden natürliche Steine, die beispielsweise durch bestimmte Flüsse glattgeschliffen wurden. Als unaussprechlich kostbar gelten die raren Lingas aus Naturkristall. Die Lingas wurden oftmals als Phallussymbole aufgefaßt, die meisten Shiva-Anhänger hingegen betrachten diese sexuelle Zuordnung geradezu als ihrem Glauben entgegengesetzt. Ihrer Auffassung nach besteht das ursprüngliche und reine Ver-

Ein Tag voller Wunder im Jahr 1995: Von einem Löffel, der an eine Ganesh-Statue gehalten wird, fließt die Milch langsam ab.

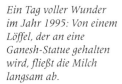

Bei zahllosen Gelegenheiten erbittet man den Segen von Ganesh. Hier wurde sein Bildnis vor einer Hochzeitsfeier auf eine Wand gemalt.

ständnis darin, das Linga als ein fast amorphes, »gestaltloses« Symbol für die nichtmanifeste, transzendente Natur Shivas anzusehen – jenseits von Zeit, Raum, Kausalität und Form –, wohingegen das Yoni den manifesten Aspekt der Gottheit darstellt.

Shiva und seine Familie – seine Gattin Parvati, ihr elefantenköpfiger Sohn Ganesh, der Stier Nandi und die Kobra, die sich in Darstellungen häufig über den Kopf Shivas beugt – waren Gegenstand eines besonderen Wunders, das sich in Tempeln in vielen Teilen Indiens und auch in Hindu-Tempeln anderswo in der Welt ereignete. Am 21. September 1995 begannen Statuen, die diesen Gottheiten geweiht waren, Milch aus Löffeln, Tassen und sogar aus von den Gläubigen geopferten Eimern zu trinken. Menschenmassen standen an den Tempeln Schlange, um zu sehen, ob das Göttliche ihre Gaben akzeptierte. Viele, die nach den wie ein Lauffeuer sich verbreitenden Berichten nur aus Neugier gekommen waren, machten die unglaubliche Erfahrung, daß die Milch allmählich aus dem Löffel abfloß, den sie an die Lippen der Statue hielten, oder daß sie, über ein Shiva-Linga gegossen, einfach verschwand. Skeptiker bemühten wissenschaftliche Erklärungen wie Massenhysterie oder kapillare Vorgänge innerhalb des Steins, doch die Erscheinung dauerte nur einen Tag und überzeugte alle, die sie erlebt hatten. Entgegen manchen Erwartungen akzeptierten die Statuen auch die Milch, die von Angehörigen der niedrigsten Kasten dargeboten wurde.

Vaishnavas

Im Gegensatz zu Shakti und Shiva wird Vishnu als gütige, barmherzige Gottheit verehrt. Ein Mythos handelt von einem Weisen, der entsandt wurde, um zu entscheiden, wer der größte aller Götter sei, indem er ihr Temperament herausforderte. Die ersten beiden, Brahma und Shiva, beleidigte er; dies wurde ihm entsprechend quittiert. Als er auf Vishnu stieß, schlief dieser. Um Vishnus Gutmütigkeit wissend, ging er so weit, ihn durch Fußtritte zu wecken. Doch anstatt wütend zu reagieren, massierte Vishnu voller Zärtlichkeit den Fuß des Weisen in der Sorge, daß er sich verletzt haben könnte. Nun rief der Mann: »Dieser Gott ist der mächtigste, denn er übertrifft alle durch Güte und Großherzigkeit!«

Besondere Verehrung genießt Vishnus Inkarnation als Krishna. Der im 16. Jahrhundert in Bengalen lebende ekstatische Heilige und Weise Sri Caitanya entfachte die Liebe des Volkes für Krishna, der als flötespielender Geliebter verehrt wird. Wie Sri Caitanya es vorgab, übernimmt der Gläubige die Rolle der Radha – Krishnas Liebster unter den Gopis (Mädchen) – und macht sich (falls männlich) zu einem liebenden Weib, um die wonnevolle Gegenwart von Gott Krishna zu erfahren. Diese Form der hinduistischen Ergebenheit gelangte als Hare Krishna-Bewegung in den 1960er Jahren erst in die USA und dann auch in andere Länder.

Vishnus häufige Begleiterin, Sri Lakshmi, ist ebenfalls eine traditionelle Göttin, die auch als solche verehrt wird. Sie wird mit blühendem Wachstum und ruhmreicher Königsmacht assoziiert und oftmals als strahlende Frau dargestellt, die auf einer vom Wasser getragenen Lotosblume sitzt.

Die Lotosblume, die im Schlamm wurzelt und doch unverdorben auf dem Wasser schwimmt, ist Sinnbild der geläuterten spirituellen Energie, die sich über die irdische Verunreinigung erhebt. Sie symbolisiert zudem das fruchtbare Wachstum des Organischen, denn in alle Ewigkeit wird die Welt immer wieder aus einer Lotosblume geboren, die aus Vishnus Nabel wächst.

Die philosophischen Hauptsysteme

Obgleich die Anhänger des Sanatana Dharma mehrheitlich Bhaktas sind, fand die spirituelle Weisheit Indiens auch in Form komplexer philosophischer Denkrichtungen Ausdruck. Es entstanden zahlreiche Einzelsysteme, die folgendes gemeinsam haben:

1. Eine tiefe Verwurzelung in den Veden und anderen Schriften, doch auch in unmittelbarem, persönlichem Erleben der Wahrheit durch Meditation.
2. Zentrale Bedeutung der Ethik für ein geordnetes Sozialleben. Das Leiden wird als existent anerkannt und dem Gesetz des Karma zugeschrieben. Daraus ergibt sich der Anreiz zu einem moralischeren Verhalten.
3. Letzte Ursache für das Leiden ist, daß der Mensch seine wahre Natur nicht kennt – sein allwissendes, allmächtiges, allgegenwärtiges, vollkommenes und ewiges Selbst.

Es gibt zwei große, in Indien entstandene philosophische Systeme, die die Veden nicht als maßgeblich anerkennen, jedoch in weiten Teilen aus den gleichen Quellen schöpfen wie das Sanatana Dharma. Dies sind der Jainismus und der Buddhismus, die in den beiden nächsten Kapiteln behandelt werden. Samkhya, Yoga und Advaita Vedanta sind weitere einflußreiche Glaubenssysteme.

Samkhya

Das Samkhya gilt als eines der ältesten indischen Systeme, wenngleich sein Ursprung noch nicht exakt datierbar ist. Sein Begründer, der halb legendäre Weise Kapila, wird bereits im Mahabharata erwähnt, dessen heutige Form offenbar irgendwann zwischen 400 v. Chr. und 400 n. Chr. entstand. Da jedoch bereits im Buddhismus und Jainismus, die zeitgleich im 6. Jahrhundert v. Chr. entstanden, Samkhya-Prinzipien enthalten sind, müßte das System entsprechend älter und womöglich prävedischen Ursprungs sein.

Die Samkhya-Philosophie geht von zwei Zuständen der Wirklichkeit aus. Der eine ist das *Purusha*, das ewig weise, reine, freie, unveränderliche und akausale Selbst. Der andere ist das *Prakriti*, die Substanz des materiellen Universums. All unser Leiden – Hauptthema in den Überlegungen Kapilas – entstammt unserer Verwechslung von Prakriti und Purusha, dem ewigen Selbst. Ausgehend von einer dualistischen Auffassung vom Leben, geht es darum, die letzte transzendente Realität des Purusha von den vergänglichen Erscheinungen des Prakriti, das uns Glück, aber auch Elend und Verblendung beschert, zu unterscheiden.

Dies erhellt die Geschichte von Indra, dem einstigen König der Götter. Die anderen Götter zwangen ihn, im Körper eines Schweins auf die Erde zu kommen. Dort angelangt, genoß er das Leben, wälzte sich im Schlamm und zeugte Nachkommen. Die Devas waren entsetzt und fuhren hinab, um ihn zur Rückkehr zu bewegen, doch Indra hatte seinen königlichen Status vergessen und beharrte darauf, ein Schwein zu bleiben. Unfähig, ihm seinen Wahn auszureden, versuchten die Devas, seine Ferkel zu töten. Zutiefst bestürzt, paarte sich Indra einfach erneut. Dann töteten die Devas seine Gespielin. Indra trauerte, blieb jedoch in seiner Suhle. Schließlich mußten sie auch ihn töten, um ihn wieder zu Verstand zu bringen. Nun konnte seine Seele den Körper des Schweines sehen, den sie bewohnt hatte, und war froh, in den Himmel zurückzukehren. Die Moral der Geschichte lautet, daß auch wir wie Götter seien, die die Höhen vergessen hätten, aus denen sie gekommen seien; so sehr seien wir den Freuden und Sorgen des Erdenlebens verhaftet.

Yoga

Als Philosophie verstanden, zielt Yoga darauf ab, das irdische Leben als solches zu erkennen und eine Identifizierung mit unserem ewigen Sein herbeizuführen. Dieses System steht in enger Verbindung zur Samkhya-Philosophie als praktischem Weg, den Unterschied zwischen Purusha (Geist) und Prakriti (materielle Energie) unmittelbar zu erfahren.

Wie bereits erwähnt, sind die Sadhanas (Methoden) des Yoga extrem alt. Um 200 v. Chr. wurden sie von einem Yogi namens Patanjali (vielleicht auch von mehreren Personen gleichen Namens) zu einem kohärenten System zur Erreichung des höchsten Bewußtseins zusammengefaßt. Diese 196 kurzen Merksätze bezeichnet man als Sutras – wörtlich »Leitfäden« –, die der Kommentierung bedürfen. Buch 2.5 etwa enthält folgendes Sutra: »Unwissenheit bedeutet, Unbeständiges als beständig, Unreines als rein, Schmerzhaftes als angenehm und das Nichtselbst als Selbst anzusehen.«

Die Yogis meinen, es sei leichter, einen wilden Tiger zu besänftigen als den Geist, den sie mit einem trunkenen, von einem Skorpion gestochenen Affen vergleichen. Das Problem besteht darin, daß der Geist unser Hilfsmittel ist, um das Selbst zu erkennen. Wenn der Spiegel des Geistes getrübt ist, reflektiert er diese Trübung und nicht das reine innere Licht. Ziel der Yoga-Praktiken ist eine vollkommene Beruhigung und Klärung des Geistes.

Der Geist läßt sich leicht von dieser Klarheit ablenken durch Hindernisse, die jedem begegnen, der zu meditieren versucht: Unwohlsein, Benommenheit, Zweifel, Nachlässigkeit, Trägheit, Sinnlichkeit, Fehlwahrnehmungen, keinen festen Grund erreichen zu können oder wieder zurückzufallen. Patanjali begegnet diesen Ablenkungen mit den sogenannten Acht Gliedern des Yoga:

1. *Yama* (Verzicht auf Beziehungen zu anderen, Gewaltlosigkeit, Wahrhaftigkeit, nicht stehlen, Ehelosigkeit, keine Gier)

2. *Niyama* (persönliche Pflichten: Reinheit, Genügsamkeit, Selbstkasteiung, Studium und Hingabe)
3. *Asanas* (Körperhaltungen)
4. *Pranayama* (Atemkontrolle)
5. *Pratyahara* (Nichtbeachtung von Sinneseindrücken)
6. *Dharana* (Konzentration)
7. *Dhyana* (Meditation)
8. *Samadhi* (Kontemplation oder Aufgehen im überbewußten Zustand).

Um Samadhi zu erreichen, bedarf es einer ständigen Kontrolle von Geist und Körper, so daß sie ruhig und beständig werden und ausschließlich auf das Göttliche ausgerichtet sind. Im Samadhi ist das Bewußtsein der materiellen Existenz aufgegeben, und man taucht ein in den »spirituellen Himmel«. Hierzu Gerard Blitz, ein führender europäischer Yoga-Lehrer:

> *Das »Ich« verschwindet. Du lebst nun jeden Augenblick mit dem Strom des Lebens. Du lebst ohne dich. Du besitzt eine phantastische Energie und ein offenes Herz, bist voller Liebe, hast Intelligenz und Bewußtsein. [Das bedeutet] in jedem Augenblick im Leben sein, vollständig, ohne Furcht, ohne zu ermüden. Stets lädst du deine Batterien auf, also: Aktion. Du erreichst Siddhis, einen höheren Bewußtseinszustand, in dem du mehr Fähigkeiten hast. Doch diese Macht [ist vielleicht] ein Hindernis, und [du verwendest sie womöglich, um] Leute zu beeinflussen. Du mußt verschwinden. Du mußt zu nichts werden. Du mußt dienen.*[30]

Advaita Vedanta

Während Samkhya und Yoga dualistische Systeme darstellen, ist das Advaita (»nicht zwei«) Vedanta *monistisch* angelegt, da es nur eine Wirklichkeit postuliert. Es basiert auf den Upanischaden (bezeichnet als Vedanta, »Ende der Veden«). Als Begründer gilt Vyasa, der die Upanischaden irgendwann zwischen 1000 und 500 v. Chr. systematisierte. Shankara überarbeitete die Lehren vermutlich zwischen dem 6. und 9. Jahrhundert n. Chr. Angeblich wurde er von einem 1000 Jahre alten südindischen Yogi initiiert (einige versteckte Weise sollen durch innere alchimistische Vorgänge halb unsterblich geworden sein). Er empfing die Tradition vom Schüler des Schülers von Vyasas Sohn.

Laut Shankara ist unser materielles Leben bloße Illusion. Es ist wie eine Welle, die sich kurzfristig aus dem Ozean erhebt – der einzigen Wirklichkeit. Die Unwissenheit besteht darin, zu glauben, daß die Wellen sich vom Ozean unterschieden. Brahman, der absolute Geist, der keinen Anfang und kein Ende besitzt, ist das Wesen allen Seins. Es ist der ewige Ozean der Wonne, in dem die Formen geboren werden und sterben, wodurch der falsche Schein der Wirklichkeit entsteht. Das Maya – die Kraft, durch die das Absolute sich verhüllt – läßt uns glauben, das physikalische Universum besitze eine eigene Wirklichkeit.

In der Philosophie Shankaras bezieht sich das Maya auf die Illusion, daß die Welt, wie wir sie wahrnehmen, real sei. Hierzu verwendet er die Metapher einer Seilschlinge, die in der Dämmerung mit einer Schlange verwechselt wird. Wie das Seil existiert die physikalische Welt zwar tatsächlich, doch wir überdecken sie mit unseren Erinnerungen und subjektiven Gedanken. Nur das sich niemals Verändernde ist wahrhaft real. Alles andere verändert sich und ist nicht von Dauer. Die Phänomenhaftigkeit ist nicht das gleiche wie Realität.

In unserem Unwissen meinen wir als Individuen zu existieren, wobei wir die funda-

Gläubige pilgern zu rituellen Waschungen und Anbetungen der Sonne zu heiligen Flüssen, vor allem zum Ganges. Dieses Bad hinduistischer Frauen fand zu Beginn einer Eklipse statt.

Viele Hindu-Familien haben einen besonderen Raum oder ein Eckchen für die Verehrung (Puja) ihrer Lieblingsgötter reserviert.

Millionen von Hindus unternehmen alljährlich beschwerliche Pilgerreisen zu entlegenen Bergschreinen.

mentale absolute Realität reinen Seins, reinen Bewußtseins und reiner Wonne mit der Vorstellung von einem gesonderten Ego-Selbst überdecken. Es ist ein Fehler, sich mit Körper oder Geist zu identifizieren, die zwar existieren, jedoch keine unveränderliche Realität besitzen. Wenn jemand zu transzendentem Bewußtsein gelangt, setzt diese Überlagerung aus, und man erfährt das monistische Einssein der Realität.

Populäre Formen der Verehrung

Der Hinduismus kennt eine Vielzahl persönlicher und öffentlicher Anlässe, bei denen das höchste Wesen in vielerlei Formen geehrt wird.

Andachten und Rituale

Die alten Schriften empfehlen 16 Riten, um den Gläubigen auf seinem Lebensweg zu reinigen und zu weihen; dazu gehören Riten zum Zeitpunkt der Empfängnis, das Flechten der Haare der Schwangeren, ebenso Riten für Geburt, Namensgebung, den ersten Ausgang, die erste Aufnahme fester Nahrung, den Beginn der Ausbildung, das Schmücken der Knaben mit dem heiligen Faden, den Beginn der Veda-Studien, Heirat und Tod. Ziel ist die beständige Erhebung des Individuums über seine im Grunde animalische Natur.

Pilgerreisen an heilige Orte und Flüsse gelten ebenfalls als besondere Gelegenheiten zur persönlichen Reinigung und spirituellen Erhebung. Millionen von Pilgern unternehmen alljährlich den anstrengenden Aufstieg zu entlegenen Gebirgsstätten, die als heilig gelten.

Fast alle indischen Haushalte besitzen einen Schrein mit Bildern oder Figürchen verschiedener Gottheiten, viele auch einen gesonderten Andachtsraum. Das *Puja* (Verehrung) setzt auch heute noch rituelle Reinheit voraus. Gebete und Opferungen werden nach dem Morgenbad oder nach dem abendlichen Waschen vollzogen. Das Puja ist täglich durchzuführen, wenngleich in orthodoxen Familien menstruierende Frauen als unrein gelten und sich den Schreinen nicht nähern dürfen. Meist schwenkt man ein Öllämpchen oder ein glimmendes Räucherstäbchen kreisförmig vor den Götterbildnissen. Wenn der Gläubige einen Guru hat, gehört dessen Bild gewöhnlich ebenfalls zum Schrein, und er wird ebenso wie die Götter als ein geliebter Gast verehrt.

In öffentlichen Andachtszeremonien wird die Gegenwart des Göttlichen durch Kulthandlungen beschworen, die alle Sinne ansprechen: Shiva-Lingas werden mit kostbaren Substanzen gesalbt wie Butterschmalz (Ghi), Honig oder Sandelholzpaste, und es werden Rosenwasser und Blumen als Opfergaben dargeboten. In einem Tempel wird den Gläubigen der hohe Segen des *Darsan* zuteil – der durch die Augen der Bildnisse vermittelte Blickkontakt mit dem Göttlichen. Mantras und Glöckchen erklingen, Räucherwerk und Blüten erfüllen die Umgebung mit erbaulichen Düften. *Prasad* – durch Darbieten an die Götter und/oder an den eigenen Guru geweihte Speisen – wird an die Gläubigen verteilt, die es als geheiligt empfinden.

Das Götterbildnis wird behandelt wie ein leibhaftiger König oder eine Königin. Man schwenkt feinhaarige Wedel, um die Umgebung für seine Anwesenheit zu reinigen. In angemessenen Abständen werden den Gottheiten auf eigenen Tellern ansprechende Mahlzeiten dargeboten. Nur makelloses Obst ist erlaubt. Während der Besuchszeiten hält die Gottheit Hof und gibt den Gläubigen eine Audienz. Am Morgen wird das Bildnis rituell gebadet und für den Tag prachtvoll gekleidet. Abends ist es in Nachtkleidung zur Ruhe zu betten. Wenn es heiß ist, hält die Gottheit nachmittags ein Schläfchen, was entsprechend zu berücksichtigen ist. An Festtagen werden die Bildnisse vorsichtig durch die Straßen getragen.

Auf Außenstehenden wirkt es häufig wie das Spiel von Kindern mit ihren Puppen. Für den Gläubigen aber wird das Göttliche durch diesen Liebesdienst wirklich und gegenwärtig. Dabei ist die Statue kein Symbol der Gottheit, vielmehr wird diese durch sie erfahrbar, indem sie die Aufmerksamkeiten des Gläubigen erwidert. Hierzu Swami Sivasiva Palani:

> Man glaubt, daß die innere Essenz der mit Liebe dargebotenen Dinge auf unsichtbare und recht mystische Weise tatsächlich vom Göttlichen aufgenommen werde. Es ist, als speisten wir unseren Gott auf innere Weise. Wenn dies richtig vollzogen wird, mit der richtigen Einstellung, der rechten Herzlichkeit und den richtigen Mantras – so glauben wir –, können wir die Aufmerksamkeit des persönlichen Herrn gewinnen und in diesem Vorgang tatsächlich miteinander kommunizieren. Wenn ich von »wir« und »er« spreche, dann benenne ich einen Dualismus, den es dabei zu überwinden gilt. Man benutzt den Dualismus des Puja, um den Monismus zu finden, der ihm zugrunde liegt.[31]

Neben der Verehrung des Göttlichen in Form von Bildnissen beachten die orthodoxen Brahmanen zahlreiche Tage des Fastens und Gebets, die die günstigen Phasen der Sonnen- und Mondzyklen berücksichtigen oder auch Zeiten der Gefahr wie die vier Monsunmonate.

Religiöse Feste

Das Sanatana Dharma würdigt das Göttliche in derart vielen Formen, daß irgendwo in Indien nahezu täglich eine religiöse Feier stattfindet. Staatlich anerkannt sind 16 Feiertage, an denen sich jeder den Scharen der Gläubigen anschließen kann. Es handelt sich zum Teil um bewegliche, nach dem Mondkalender festgelegte Tage. Die meisten hinduistischen Feste geben dem Glauben auf sehr fröhliche Weise Ausdruck. Drohende Übel werden mit Hilfe der von allen heraufbeschworenen Götter überwunden, und Ausgelassenheit hilft den Feiernden, ihre Ängste abzulegen.

An einem Abend mitten im Winter veranstaltet man das fröhliche *Lohari:* Ein Freudenfeuer wird entzündet, in das man Popcorn, Erdnüsse und Sesambonbons wirft, um damit symbolisch auszudrücken, daß man sich seiner Übel entledigt und zugleich den Segen für das kommende Jahr erfleht. Diese Zeremonie vollziehen vor allem Familien, in denen im vorausgegangenen Jahr ein Knabe geboren wurde, damit diesem eine glückliche Zukunft beschert werde.

Holi ist ein ausgelassenes Fest, das den Tod des Winters und die Rückkehr des farbenprächtigen Frühlings feiert. In nordindischen Gegenden mit zahlreichen Anhängern Vishnus wird der Festtag mit Krishna assoziiert, der als Kind einen Dämon getötet haben soll, der im Dienst des Winterkönigs stand. Pilgerscharen kommen nach Mathura, um Krishnas spielerischen Umgang mit den Gopis nachzuerleben. Die Festlichkeiten gehen vermutlich auf die Urbevölkerung zurück. In einigen Regionen ist diese zweitägige Vergnügung Kama gewidmet, dem Gott der geschlechtlichen Liebe. Unter welchem Vorwand auch immer: Scharenweise begibt man sich auf die Straße, um jeden, dem man begegnet, mit bunten Flüssigkeiten zu bespritzen. Am Ende dieser ungehemmten Fröhlichkeiten umarmen sich alle, und alter Zwist ist zu Beginn des neuen Jahres beigelegt.

Naga Panchami, ein besonderer Tag im Juli oder August, ist den Schlangen (*Nagas*) gewidmet. Diese nämlich galten bei den Ureinwohnern als sehr mächtige Götter. Heute ist dies nicht anders. Vor allem in südindischen Dörfern werden Tausende von Schlangen gefangen und von mutigen Männern zur Schau gestellt. Die Köpfe der als besonders heilig geltenden Kobras werden von den Gläubigen mit Zinnober und Reis bestreut. An Naga Panchami verzichten die Bauern auf das Pflügen, um keine Schlangenlöcher zu zerstören.

Im August oder September feiern die Vaishnavas den Geburtstag Krishnas (*Janmashtami*). An seinem Geburtsort Mathura fastet und wacht man bis Mitternacht und erzählt sich dabei Geschichten aus Krishnas Leben. Anderswo werden Töpfe mit Milch, Quark und Butter hoch über dem Boden aufgehängt. Junge Männer bilden eine menschliche Pyramide, um sie zu erhaschen, und tollen dann mit den Töpfen umher, trinkend und den Inhalt verschüttend wie Krishna, der verspielte Dieb dieser von ihm geliebten Milchprodukte.

Vor allem in West- und Südindien findet am Sommerende das *Ganesh Chaturti* zu Ehren von Ganesh statt. Spezielle Töpfer fertigen hierzu Tonbildnisse des elefantenköpfigen Gottes, Beseitigers von Hindernissen und Sohnes der Parvati, die ihn als Knaben aus dem Bodensatz ihres Badezubers schuf und ihn Wache halten ließ, während sie badete. Da sie Shiva nicht hineinlassen wollte, zerschmetterte ihr wütender Gemahl den Kopf des Knaben in tausend Stücke. Parvati verlangte, daß der Knabe mit neuem Kopf zum Leben erweckt werde, doch der erste Kopf, den man fand, war der eines jungen Elefanten. Um Parvatis Kummer über diese merkwürdige Verpflanzung zu lindern, verlieh Shiva Ganesh die Macht, Hindernisse zu beseitigen. Heute wird der elefantenköpfige Gott in sämtlichen Ritualen als erster angerufen. Nachdem man sie zehn Tage lang besungen und ihnen Süßigkeiten geopfert hat, werden die Bildnisse von Ganesh zu einem Gewässer getragen und mit Gebeten für ein gutes Jahr bis zum nächsten Ganesh Chaturti verabschiedet.

Die ersten neun oder zehn Tage im Mondmonat Asvina (September oder Oktober) sind in verschiedenen Teilen Indiens entweder der *Durga Puja* (kunstvolle Bildnisse der vielarmigen Göttin erinnern an ihre Macht, die dämonischen Kräfte zu besiegen) oder dem *Dussehra* (riesige Abbilder des verruchten Ravana und seiner Helfer werden verbrannt, erinnernd an den Höhepunkt des Ramayana und den Triumph Ramas, seines

Bruders Laksman und des geliebten Affen Hanuman) gewidmet. Oder aber beide Aspekte werden in die Zeremonien aufgenommen, da sie beide vom Triumph des Guten über das Böse handeln.

Zwanzig Tage später feiert man *Divali*, das fröhliche viertägige Fest der Lichter, interpretiert als Rückkehr Ramas aus dem Exil, als Puja der Lakshmi (der Göttin des Wohlstands, die nur saubere Haushalte aufsucht) oder als Neues Jahr (nach einem der indischen Kalender). Es gilt als günstige Zeit, seine Geschäfte und Finanzen zu ordnen. Die Menschen säubern ihre Häuser nach der Monsunzeit, legen neue Kleider an, spielen und feiern, verehren tönerne Bildnisse von Lakshmi und Ganesh und brennen Feuerwerke ab.

Würdevoller beginnt das *Mahashivaratri*, bei dem auf einen Tag des Fastens und einer Nacht der Wache (um sich bei Shiva verdient zu machen) jedoch ebenfalls Heiterkeit und Festessen folgen. Während des asketischen Teils nehmen viele Pilger in einem heiligen Fluß oder einem speziellen Wasserbehälter ein rituelles Bad. Man verehrt Shiva-Lingas und -Statuen, und die Gläubigen singen und erzählen Shiva-Geschichten, um einander wachzuhalten. Arya Samaj, eine reformistische Gruppierung, verdammt dies als Aberglaube und Götzendienst und begeht den Tag als das Ende einer wochenlangen Zelebrierung ihrer Reform. Man vollzieht vedische Feueropfer, führt spirituelle Gespräche und wirft am letzten Tag persönliche Gaben ins Feuer.

Asketen versammeln sich scharenweise für eine Prozession zum heiligen Ganges während des Kumbha Mela.

Ramakrishna, der große Mystiker des 19. Jahrhunderts, erkannte das Göttliche zugleich als gestaltlos und vielgestaltig, jedoch auch als jenseits aller Gestalt und Gestaltlosigkeit.

Ungefähr alle zwölf Jahre versammeln sich Millionen von Hindus aller Glaubensrichtungen zum größten Fest der Welt, dem *Kumbha Mela,* am Zusammenfluß von Ganges und Jumna sowie dem unsichtbaren Fluß der Erleuchtung, Saraswati. Auch Asketen finden sich scharenweise ein, um religiöse Diskussionen zu führen und sich in den heiligen Wassern zu reinigen.

Hinduismus heute

Der Hinduismus entwickelte sich in Indien nicht isoliert von anderen Religionen und nationalen Einflüssen. Immer wieder gab es Einwanderungswellen von außerhalb. Ab dem 8. Jahrhundert gerieten einige Regionen unter moslemische Herrschaft, und während des 16. und 17. Jahrhunderts wurde ein großes Gebiet von den moslemischen Großmoguln beherrscht. Trotz Zeiten der Intoleranz seitens moslemischer Herrscher führten Islam und Hinduismus meist eine friedliche Koexistenz neben den beiden ebenfalls in Indien entstandenen Glaubensrichtungen Buddhismus und Jainismus. Indische Händler brachten einige Aspekte des Sanatana Dharma nach Java und Bali, wo der Hinduismus mit einzigartigem balinesischem Gepräge bis heute überlebt hat.

Nach dem Zusammenbruch des Mogulreichs kamen die europäischen Kolonialisten. Die Briten gewannen die Oberhand, und 1857 wurde Indien unmittelbar der britischen Krone unterstellt. Christliche Missionare machten sich daran, die aus ihrer Sicht falschen Praktiken wie die Witwenverbrennung (Sati) und das Kastensystem zu korrigieren. Sie lehrten ihre indischen Schüler jedoch auch, daß der Hinduismus »intellektuell inkohärent und ethisch anfechtbar«[32] sei. Manche Inder folgten ihnen und entfernten sich zunehmend von ihren alten Traditionen. Andere, die diese Kritik für unzutreffend hielten, fragten sich, wie man den Hinduismus auf den modernen Geschmack zuschneiden und ihn mit dem Leben von heute versöhnen könne.

Um den westlichen Einflüssen zu begegnen, rief *Mahatma* (»Erhabene Seele«) *Gandhi* (gest. 1948) zu einem volksnahen Nationalismus auf, betonend, daß die Stärke der Menschen im Bewußtsein der spirituellen Wahrheit und im gewaltlosen Widerstand gegenüber der militärisch-industriellen Unterdrückung bestehe. Diese Eigenschaften seien das Wesen aller Religionen, so auch des Hinduismus, den er als die universale Religion ansah.

Der Hinduismus wurde nicht nur zu einem Hauptfaktor der politischen Einheit, sondern erfuhr auch von innen heraus eine Erneuerung, so etwa von *Ramakrishna* (1836–86), der die göttliche Mutter in Form der Kali verehrte. Rituale meidend, kommunizierte er mit ihr durch intensive Liebe. Er praktizierte tantrische Übungen und *Bhavanas* (liebevolle Beziehungen). So gelangte er zu spiritueller Macht und Einsicht, und angeblich umgab ihn auch ein sichtbares Strahlen. Er strebte danach, reine Hingabe zu vermitteln:

Ich suche nicht, gute Mutter, die Vergnügungen der Sinne! Nicht Ruhm suche ich! Noch strebe ich nach jenen Mächten, die einen Wunder tun lassen! Worum ich bete, o gute Mutter, ist reine Liebe zu Dir – nicht befleckt durch Begehren, Liebe ohne Beiwerk, Liebe, die nicht die Dinge der Welt sucht, Liebe zu Dir, die aus den Tiefen der unsterblichen Seele ungeheißen hervorquillt![33]

Ramakrishna verehrte das Göttliche letztlich in Form vieler hinduistischer Richtungen, und stand auch dem Islam und Christentum aufgeschlossen gegenüber. In allen Religionen fand er das Eine, dieselbe universale Wahrheit. Er hatte beständig Visionen der göttlichen Mutter, die er auf unorthodoxe, ungehemmte Weise voller Ekstase verehrte. So gab er einmal einer Katze etwas zu fressen, das der göttlichen Mutter im Tempel zuge-

Die Swadhyaya-Bewegung

20 Millionen Menschen in 100 000 indischen Dörfern sind heutzutage Nutznießer einer stummen sozialen Revolution, basierend auf den Grundsätzen der alten Hindu-Schriften, vor allem der *Bhagawadgita:* die sogenannte Swadhyaya-Bewegung. Dieser Name bedeutet Selbststudium anhand der überlieferten Lehrschriften als Mittel der kritischen Selbstanalyse. Auf dieser Grundlage hat sich das Leben der Dörfler und ihrer Dörfer nachhaltig verbessert.

Es begann in den 1950er Jahren, als der Schriftgelehrte Shri Pandurang Vaijnath Athavale Shastri – von seinen Anhängern »Dada« (älterer Bruder) genannt – sich überzeugt zeigte, daß die Gita »das Dilemma des modernen Menschen und die individuellen wie sozialen Probleme des materiellen Lebens aufheben kann«[34]. Er gründete eine Schule bei Bombay und verweigert sich bis heute jeglicher staatlichen und organisierten Finanzhilfe, da »jene Institutionen, die von der Gunst anderer abhängen, niemals etwas Wertvolles leisten oder göttliches Werk vollziehen können«[35]. Die einzelnen Gebäude benannte er nach den altehrwürdigen Weisen, die die Menschen lehrten, nach vedischen Prinzipien zu leben. Sie hatten erkannt, daß in jedem Menschen ein göttlicher Funke sei, dessen Erkenntnis ihm die Energie und den Halt gebe, sich zu erhöhen. Dada sagte einmal über den Weisen, der das Ramayana verfaßte:

> [Er] drängt uns förmlich, Ram – das Bewußtsein, daß der Herr allzeit bei uns und in uns sei – in jedes Haus und jedes Herz zu tragen, denn nur dies wird dem Schwächsten der Schwachen Kraft und Vertrauen geben und Freude und Wohlgeruch in das Leben jedes Menschen bringen.[36]

Die Erkenntnis des Göttlichen in sich selbst bewirkt das gleiche auch bei den Mitmenschen; dies ist der Beginn der sozialen Harmonie und Kooperation.

Dadas soziale Entwicklungsarbeit fußt auf dem Prinzip des Bhakti, der selbstlosen Hingabe. Er forderte seine Schüler auf, Pilgerreisen in arme Dörfer im Staat Gujarat zu unternehmen. Sie trugen ihre Nahrung mit sich und erbaten sich nichts von den Menschen, sondern hielten Versammlungen ab, um die dharmischen Prinzipien zu lehren. Dann begannen sie, aus vorhandenem Material schlichte Tempelhütten für die Angehörigen aller Kasten und Bekenntnisse zu errichten, nicht allein als religiöse Andachtsorte, sondern auch als weltliche Begegnungsstätten. Die Betreuung des Tempels wird im Wechsel von den Dorffamilien übernommen, und wer kann, gibt einen Teil seines Einkommens ab, damit dieser an die Bedürftigsten verteilt wird. Sie lernen, daß das Göttliche ihnen die Energie gibt, um zu arbeiten, so daß sie bereitwillig einen Teil ihres Einkommens spenden.

Da sie Arbeit als Gottesdienst betrachten, waren die Dorfbewohner auch dazu bereit, ein Stück Land als »Gottes Farm« gemeinsam zu bewirtschaften. Jeder leistet dort zum Dank an Gott einige Tage unentgeltlich Arbeit. Die Ernte gilt als »unpersönlicher Reichtum«. Ein Drittel des Geldes wird direkt an die Bedürftigen verteilt, der Rest fließt auf ein Gemeinschaftskonto für die Anschaffung größerer Maschinen und als Beihilfen zur Existenzgründung.

Die Bewegung verbreitet sich von Dorf zu Dorf, da Missionare, die die positiven Ergebnisse des Programms gesehen haben, in anderen Regionen für die Sache werben. Als in den westindischen Fischerdörfern erstmals Swadhyaya-Freiwillige eintrafen, mußten sie feststellen, daß dort sämtliche Einnahmen verspielt und vertrunken wurden. Heute legen dieselben Menschen einen Teil ihrer Einkünfte als Fischer und Lotsen sozusagen Gott zu Füßen. Da sie nichts mehr für Glücksspiele und Alkohol ausgaben, konnten sie sich Gemeinschaftsboote anschaffen, die nach dem Rotationsprinzip von begeisterten Freiwilligen bemannt werden. Die Einnahmen werden unpersönlich als Gottes Gabe an die Bedürftigen verteilt.

Die Swadhyayas schufen außerdem »Baumtempel«: Auf bisherigem Ödland werden Bäume gepflanzt und mit Sorgfalt gepflegt. Die Freiwilligen arbeiten mit einer solchen Hingabe, daß angeblich kein einziger Baum eingeht. Zu dem Programm gehören ferner auch Kulturprogramme, Sportvereine, Familienläden, Molkereizentren, Kinderhorte, Zentren für lokales Handwerk und Diskussionszentren für Intellektuelle und Experten.

In dem ständig sich vergrößernden Netzwerk der Swadhyayas gibt es keine Hierarchie und auch kein bezahltes Personal. Aus jenen, deren Leben sich durch inneres Studium und Gemeinschaftsdienst verbesserte, wurden begeisterte Freiwillige und lebende Beispiele dafür, daß der Mensch am glücklichsten ist, wenn dharmische Prinzipien über das Eigeninteresse gestellt werden.

dacht war, denn sie offenbarte sich ihm in allem, so auch in der Katze. Auch ließ er Sa-rada Devi, seine spirituelle Braut, in einem für die Gottheit reservierten Stuhl sitzen und verehrte sie damit als die Große Göttin.

Die heutige Ramakrishna-Bewegung oder Vedanta-Gesellschaft geht auf die von Ra-makrishna verkörperte reine Hingabe und universale spirituelle Weisheit zurück. Sie wurde von einem berühmten Schüler Ramakrishnas namens Vivekananda (1863–1902) gegründet, der die ewige Botschaft des Sanatana Dharma außerhalb Indiens bekannt machte und dabei im Westen auf so viel Interesse stieß, daß der Hinduismus zu einer Weltreligion wurde. Außerdem machte er die Inder erneut mit der Tiefgründigkeit ihrer großen Traditionen vertraut.

Innerhalb Indiens wurde der Hinduismus überdies durch Reformbewegungen wie *Brahma Samaj* und *Arya Samaj* beeinflußt. Die erste verteidigte den hinduistischen My-stizismus und die Bhakti-Hingabe an eine immanente Gottheit. Die zweite befürwortete eine Rückbesinnung auf die Reinheit der Veden und lehnte Götzendienst, Vielgötterei, priesterliche Privilegien und populäre Rituale ab. Obgleich verschieden, zielten beide Be-wegungen darauf ab, Intellektuelle vom Wert des »wahren« Hinduismus zu überzeugen. Heute praktizieren viele liberale Hindus nur die ihnen bedeutsam erscheinenden Traditionselemente. Die alten Wege lehnen sie aus Gottesfurcht oder Gewohnheit ab.

Kümmere dich nicht um Doktrinen, nicht um Dogmen, Sekten, Kirchen oder Tempel; wenig zählen sie im Vergleich mit dem Wesen des Seins in jedem [Menschen], der Spiritualität … Verdiene dies erst, erwerbe es, und kritisiere niemanden, denn alle Doktrinen und Bekenntnisse haben etwas Gutes in sich.

Ramakrishna[37]

Gurus hielten das Prinzip der Lehrer-Schüler-Unterweisung lebendig und unterrichteten viele moderne Nachfolger (männliche wie weibliche), die heute weltweit in Ashrams und Studienzentren hinduistisches Denken und Handeln lehren. Die seit den 1960er Jahren zunehmend verbreitete *Transzendentale Meditation* des Maharishi Mahesh Yogi verspricht einen großen Nutzen für den Praktizierenden. TM-Anhänger, die täglich nur zweimal 20 Minuten damit verbringen, ein geheimes Mantra zu wiederholen, sind angeblich zu ef-fizienterer Arbeit fähig, bessere Athleten, kreativer und lernfähiger und kommen ohne Drogen aus. Das TM-Programm für Fortgeschrittene enthält auch die Behauptung, daß den Teilnehmern beigebracht werden könne, in der Luft zu schweben.

Die TM-Forschung fand einen Rückgang der Kriminalität in Gebieten intensiver Me-ditation. Meditationsgruppen wurden daher in Problemzonen geschickt (beispielsweise zu Tumultstätten), um eine friedliche Atmosphäre zu verbreiten. Heutzutage verlangt man von interessierten Städten für diese Dienstleistung Millionen Dollar. Im Sommer 1993 reisten Tausende TM-Anhänger nach Washington, D. C., um dort durch zweimo-natiges Meditieren die Kriminalität zu vermindern. Laut Statistik ging die Verbrechens-rate tatsächlich um etwa 18 Prozent zurück.[38] Auch Strafgefangene erlernten TM, und es gibt Hinweise darauf, daß die Zahl der Rückfälle in den drei Jahren nach der Entlas-sung um 20 Prozent sank. TM als Alkoholismus- und Drogentherapie hat Berichten zu-folge eine Erfolgsquote von 65 Prozent.[39]

Manche selbsternannten hinduistischen »Gurus« erwiesen sich als Betrüger mit skan-dalösem Privatleben, Macht- und Geldgier. Nichtsdestoweniger wurden im Zuge der Ver-breitung der alten Lehren viele wichtige Schriften des Sanatana Dharma in andere Spra-chen übersetzt. Das Yoga hat zahlreiche Anhänger, wenngleich viele Nichtinder die Asanas und Atemübungen erlernen, ohne etwas über den spirituellen Kontext ihrer traditionellen Anwendung zu wissen. Das andere Extrem bilden die westlichen Asketen der Bewegung für Krishna-Bewußtsein, die ihren Besitz abgeben, orangefarbene Sannyasin-Gewänder tragen, die gesamte Krishna-Literatur studieren und dem Herrn mit demütigem Gesang und Andachtshandlungen Opfer darbringen. Sie verkörpern das einzige Beispiel für den »Export« des Bhakti-Hinduismus, inklusive indischer Kleidung, Speisen, Rituale und traditioneller Werte.

Als der indische Guru A. C. Bhaktivedanta Swami Prabhupada 1965 in den USA eintraf, brachte er die Askese und Bhakti-Hingabe in der Tradition von Sri Caitanyas Krishna-Verehrung von Indien in das Herz der westlichen materialistischen Kultur. Bis zu seinem Tod 1977 hatte er weltweit mehrere tausend Anhänger initiiert, die – wie hinduistische Mönche und Nonnen sich kleidend und ernährend – in Tempelgemeinschaften lebten.

Ihr Tag begann um vier Uhr morgens mit Meditation, Andacht, dem Singen der Namen Krishna und Ram und dem Schriftstudium, mit dem Ziel, vom materiellen Leben in Sinnenlust zum transzendenten spirituellen Glück zu finden. Tagsüber sang und tanzte man auf den Straßen, um andere mit den Wonnen Krishnas bekanntzumachen, verteilte Literatur (vornehmlich Swami Prabhupadas illustrierte und geschätzte Übersetzung der Bhagawadgita), warb neue Anhänger und sammelte Spenden.

Die Bewegung blieb nach dem Tod Swami Prabhupadas bestehen und wächst in verschiedenen Ländern noch an. Ihre russischen Anhänger behaupten jedoch, die Anbetung Krishnas sei für Rußland nichts Neues, vielmehr habe die vedische Kultur bereits vor Jahrtausenden und lange vor dem Christentum in ganz Rußland existiert. Im Tempel im Herzen Moskaus versammelt sich allmorgendlich eine große Gruppe von Mönchen in safranfarbenen Gewändern sowie Laienanhänger, um den heiligen Namen Krishnas zu singen und Vorträge zu hören, die sie vom materiellen Streben zur Liebe der »höchsten Gott-

Beim gemeinschaftlichen Tempelbesuch erbittet man den Segen für die gesamte Familie.

heit« – Gott Krishna – erheben sollen. Krishna Kaumar Das, Tempelvorsteher der Moskauer Vertretung der Internationalen Gesellschaft für Krishna-Bewußtsein, erlebte die Jahre der Unterdrückung durch das Sowjetregime als Student:

> *Manche der Anhänger kamen in Arbeitslager, manche in die Psychiatrie. Mir drohte man immer, ich sei der nächste auf der Liste. Wir trafen uns heimlich, doch fast immer gefolgt von KGB-Leuten. Dann aber kam Gorbatschow an die Macht, und durch Krishnas Gnade ist heute alles in Ordnung für [unser Werk der] Erhöhung der Menschheit auf eine transzendentale Ebene, so daß die Menschen mit dem höchsten Gott in Verbindung treten können.*[40]

Die internationale *Vedanta Society* und die *Ramakrishna Movement* lehren eine vereinfachte Fassung des Sanatana Dharma, basierend auf folgenden Grundprinzipien:

> *Wahrheit oder Gott ist Eines.*
> *Unsere wahre Natur ist göttlich.*
> *Zweck unseres Lebens ist es, das Eine in unserer Seele zu erkennen.*
> *Es gibt unzählige spirituelle Wege, die allesamt zu dieser Erkenntnis der Göttlichkeit führen.*[41]

Viele Richtungen, mit denen das Sanatana Dharma in der Welt vertreten ist, sind von einem höchst ökumenischen Geist der Toleranz geprägt. Swami Sivananda (1887–1963) verfaßte 340 Bücher und Flugblätter, um das spirituelle Wissen in englischer Sprache zu verbreiten. Er gründete die Yoga-Vedanta Forest Academy für die Erforschung und Praxis der hinduistischen Philosophien, Yoga-Sadanhas, Religionskomparatistik und Mystizismus sowie die unabhängige Divine Live Society für »alle, die sich den Idealen der Wahrheit, Gewaltlosigkeit und Reinheit verschrieben haben«. Gleichzeitig aber gibt es heute in Indien gewalttätige Auseinandersetzungen zwischen Hindus, Moslems und Sikhs; manche von ihnen haben sich in religiösen Fundamentalismus und Intoleranz geflüchtet, um den Unsicherheiten des rasanten Fortschritts und einer tausendjährigen Fremdherrschaft etwas entgegenzusetzen.

Disharmonie zwischen den Religionen wird zu gewalttätigem Haß, angefacht durch jene, die im Namen der Religion politische Zwecke verfolgen. Ende 1992 stürmte und zerstörte ein hinduistischer Mob die Moschee Babri Masjid, die der moslemische Herrscher Babar im 16. Jahrhundert in Ayodhya dort hatte errichten lassen, wo seine Armee zuvor einen hinduistischen Tempel niedergerissen hatte. Die daraufhin in ganz Indien einsetzenden Gewalttätigkeiten zwischen Hindus und Moslems offenbarten tiefe Antipathien, die von fundamentalistischen Organisationen noch verstärkt wurden. Eine von ihnen ist die Anfang des 20. Jahrhunderts entstandene RSS (Rashtriya Svayamsevak Sangh), die sich der kulturellen Erneuerung des Hinduismus verschrieben hat. Sie folgt den Idealen V. D. Savarkars und seinen Schriften über eine alte Hindu-Nation und das Hindutum und grenzt Moslems und Christen als Fremde aus – ganz im Gegensatz zur Geschichte des Sanatana Dharma, das vielfältige, koexistierende Arten der Anbetung entwickelt hat mit ebenso vielen Wegen zum Höchsten, wie es Menschen gibt.

Die RSS ist in den indischen Dörfern und Städten zehntausendfach vertreten und bietet Männern und Knaben eine Begegnungsstätte für Gesellschaftsspiele, Kampfsport, Gesang, Vorträge und Gebete an die als göttliche Mutter aufgefaßte Hindu-Nation. Man grüßt einander mit den Worten »Ram, Ram!«

Die politischen Zweige der RSS – so auch die BJP (Bharatiya Janata Party) – machen zunehmend auf sich aufmerksam, und ihr religiöser Ableger, Vishva Hindu Parishad (»World Hindu Society«), sponserte im ganzen Land »Einheitsprozessionen« mit Mutter Indien als Göttin.

Jene Gruppe, die einige Jahre lang für den Ersatz der Babri-Masjid-Moschee durch einen neuen Ram-Tempel agitiert hatte, befürwortet die neuerliche Herrschaft Rams und bezieht sich auf eine legendäre Zeit, als die hinduistischen Tugenden von einem vollkommenen Herrscher bewahrt wurden. Viele hinduistische Intellektuelle meinen jedoch, daß die Gefühle der kleinen Leute auf diese Weise durch Interessengruppen und Machtpolitiker zynisch ausgenutzt würden und Dogmen und Ausgrenzung in der altindischen Philosophie fehl am Platz seien.

Ungeachtet des politisch motivierten hinduistischen Fundamentalismus ist die brahmanische Orthodoxie im Niedergang begriffen; viele Inder sind heute den Traditionen weniger verhaftet als noch ihre Eltern und Großeltern. Einige »Unberührbare« sind zum Christentum oder zum Islam übergetreten, da es dort keine Kastenunterschiede gibt. Die indische Regierung versuchte die einst Ausgegrenzten für den Hinduismus zurückzugewinnen, indem sie staatliche Stellen für die sogenannten »Scheduled Castes« reservierte, doch arme Christen fordern nun das gleiche Privileg. Schätzungsweise 50 Prozent der indischen Christen gehörten einst diesen Kasten an.

In einer hinduistischen Gesellschaft, deren Religion das Weibliche als Shakti verehrt, sind Frauen durch gesellschaftliche Zwänge oftmals nahezu sklavisch an die Familien ihrer Männer gebunden. Der Status der Frauen wurde inzwischen untersucht, und entsprechende Gesetze wurden erlassen, um ihre soziale Stellung zu verbessern und die Bürde der Mitgift, die bisher auf den Familien lastete, zu verringern. Doch immer wieder werden Fälle von Unterdrückung bekannt.

Trotz dieser sozialen Probleme werden die facettenreichen Traditionen des Sanatana Dharma durch inner- wie außerindische Interessen lebendig gehalten. Der hinduistische Gelehrte und Staatsmann Karan Singh schreibt, daß die alten Veden aufgrund ihrer umfassenden Bedeutungsgebung stets für die Conditio humana relevant seien: »Wir, die Kinder der Vergangenheit und der Zukunft, der Erde und des Himmels, des Lichts und der Dunkelheit, des Menschlichen und des Göttlichen, zugleich vergänglich und ewig, von der Welt und dem Jenseitigen, in der Zeit und in der Ewigkeit, vermögen dennoch, unseren Zustand zu erkennen, uns über unsere irdischen Beschränkungen zu erheben und schließlich auch den drohenden Abgrund aus Raum und Zeit zu überschreiten. Dies ist der Kern der hinduistischen Botschaft.«[42]

KAPITEL 4

JAINISMUS

»Allzeit lasse Umsicht walten!«

Obgleich die religiösen Inder mehrheitlich dem Hinduismus anhängen, entstanden in Indien einige Religionen, die nicht auf den Veden basieren – so etwa der Jainismus, der allerdings bis vor kurzem außerhalb Indiens kaum bekannt war und dem selbst in seinem Mutterland nur eine kleine Minderheit angehört. Und doch enthalten die sanftmütig-asketischen Lehren manch wertvollen Hinweis für unser globales Überleben.

Frühe Beschreibungen des Jainismus durch westliche Beobachter klangen merkwürdig negativ. Es gab den Vorwurf, der Jainismus habe ein »leeres Herz«, da er keinen Heiland und keinen Schöpfergott als Ursprung kennt. Der Jainismus wird heute jedoch zunehmend interessanter, da man sein Potential erkennt, das menschliche Bewußtsein zu erhöhen und eine anspruchsvolle persönliche Ethik zu entwickeln. Krieg, das Kastenwesen und das Töten von Tieren werden strikt abgelehnt. Die Jaina-Lehren sehen den Menschen als unvollkommen an, halten jedoch das Versprechen bereit, durch strenge Kontrolle unserer Sinne und Gedanken Vollkommenheit, Freiheit und Glück erreichen zu können.

Tirthankaras und asketische Orden

Mahavira (»großer Held«, gest. um 526 v. Chr.), ein Zeitgenosse Buddhas, ist der bedeutendste Lehrer des Jainismus. Wie Buddha ein Prinz, gehörte er dem Kshatriya-Clan an und verzichtete mit 30 Jahren auf Rang und Wohlstand, um als spiritueller Sucher umherzuziehen. Legendär sind die Härten, die er dabei ertrug. So sollen ihn beispielsweise Dorfbewohner beim Meditieren mißhandelt haben, um ihn loszuwerden:

> *Als er einst mit bewegungslosem Körper [meditierend saß], schnitten sie in sein*
> *Fleisch, zogen an seinen Haaren und bewarfen ihn mit Dreck. Sie hoben ihn auf und*
> *ließen ihn fallen und störten so seine Meditationshaltungen. Die Sorge um seinen*
> *Körper aufgebend und frei von Begierde, erniedrigte sich der Ehrwürdige und ertrug*
> *den Schmerz.*[1]

Nach zwölf Jahren des Meditierens, Schweigens und Fastens erlangte Mahavira schließlich Befreiung und Vollkommenheit. Er verbreitete seine Lehren 30 Jahre lang bis zu seinem Tod in Parva, heute ein Wallfahrtsort. Seine Gemeinschaft bestand angeblich aus 14 100 Mönchen, 36 000 Nonnen sowie 310 000 weiblichen und 150 000 männlichen Laienanhängern aus sämtlichen Kasten.

Die Jaina-Lehren gehen vermutlich aber nicht auf Mahavira zurück. Dieser gilt vielmehr als der letzte von 24 *Tirthankaras* (»Wegbereiter«) des heutigen Zeitalters. In der Jaina-Kosmologie ist das Universum ohne Anfang und Ende. Es durchläuft auf alle Ewigkeit lange Zyklen des Fortschritts und des Niedergangs. Zu Beginn jedes Abwärtszyklus sind die Menschen glücklich, langlebig, tugendhaft und bedürfen keiner Religion. Wenn sich diese Eigenschaften verschlechtern, suchen die Menschen zunächst bei den Patriarchen Halt, doch bei fortschreitendem Niedergang müssen die Tirthankaras Religion schaffen, um die Menschen von den sich verschlimmernden Übeln der Welt fortzuleiten.

Als erster Tirthankara gilt der alte Gott Rishabha. Er schuf soziale Einrichtungen wie Ehe, Familie, Recht, Gesetz und Regierung, lehrte Ackerbau, Handwerk, Lesen, Schreiben und Mathematik und errichtete Dörfer und Städte. Während einer immensen Zeitspanne folgten ihm 23 weitere Tirthankaras. Der 22. Tirthankara – der für sein Mitgefühl gegenüber Tieren bekannte Vetter des Gottes Krishna – gilt unter Gelehrten gemeinhin als historische Figur. Während seiner Hochzeitsprozession vernahm er, so die Geschichte, das Klagen der Tiere, die geschlachtet werden sollten, und beschloß sogleich, nicht zu heiraten, damit nicht so viele Tiere zur Speisung der Hochzeitsgäste getötet würden. Er wurde Asket und wirkte viele Jahre als Prediger. Die mit ihm verlobte Prinzessin faßte den gleichen Beschluß und wurde eine asketische Nonne. Der 23. Tirthankara – ein Prinz, der zu einem extremen Asketen und großen Prediger der Jaina-Prinzipien wurde – lebte von 877 bis 777 v. Chr.

Das hohe Alter des Jainismus als nichtvedische, urindische Religion ist gut dokumentiert. Alte hinduistische und buddhistische Schriften erwähnen ihn als eine bereits existierende Tradition, die lange vor Mahavira bestand.

Die Lehren Mahaviras wurden nach seinem Tod nicht sogleich niedergeschrieben, sondern zunächst aus dem Gedächtnis weitererzählt, da die Mönche als besitzlose Asketen lebten. Im 3. Jahrhundert v. Chr. sagte der große Jaina-Heilige Bhadrabahu für die Region, in der Mahavira gelebt hatte (das heutige Bihar im Nordosten Indiens), eine längere Hungersnot voraus. Er führte etwa 12 000 Mönche nach Südindien, um der zwölf Jahre währenden Not zu entgehen. Als sie wieder in ihre Heimat zurückgekehrt waren, stellten sie fest, daß die dort verbliebenen Mönche zwei wichtige Änderungen eingeführt hatten: erstens eine Lockerung des Nacktheitsgebots für die Mönche, und zweitens die Einberufung eines Rates, um die bestehenden Jaina-Texte in einem Kanon von 45 Büchern festzuschreiben.

Unüberbrückbare Differenzen führten zur Aufspaltung in zwei Glaubensrichtungen: in die *Digambaras* (»Luftgekleidete«; jene, die nach ihrer Heimkehr die Änderungen als mit Mahavira unvereinbar ansahen) und die *Shvetambaras* (»Weißgekleidete«; jene, die in der Umgebung von dessen Lebensbereich geblieben waren). Zwischen den beiden asketischen Orden bestehen noch heute zwei wichtige Unterschiede: Die Digambaras gehen vollkommen nackt und symbolisieren damit ihre Unschuld und Unabhängigkeit von materiellen Gütern. Dabei betrachten sie sich nicht als nackt; sie haben vielmehr die Umwelt zur Kleidung gewählt, der sie auf diese Weise möglichst wenig schaden, da sie mit stoischer Ruhe jedes Wetter aushalten. Sie besitzen nur zwei Dinge: einen Wedel aus abgeworfenen Pfauenfedern und einen Flaschenkürbis als Wassergefäß. Die Shvetambaras hingegen vertreten die Ansicht, daß ein Stück weißes Tuch der Befreiung nicht im Wege stehe.

Beide Orden haben auch unterschiedliche Ansichten über die Fähigkeiten der Frauen. Digambaras glauben, daß Frauen nicht die für die Befreiung erforderliche Körper- und Willenskraft besäßen und nur befreit werden könnten, wenn sie in einem männlichen Körper wiedergeboren würden. Shvetambaras hingegen glauben, daß die Frauen zu den gleichen spirituellen Leistungen fähig seien wie die Männer, und daß der 19. Tirthankara eine Frau gewesen sei.

Der Einfluß des Jainismus in Indien litt unter der zunehmenden Popularität der hinduistischen Bhakti-Bewegung, wenngleich er niemals vollständig ausstarb. Noch heute

Rishabhadeva, der erste Tirthankara des gegenwärtigen Zeitalters. Die Tirthankaras werden stets im Lotossitz oder stehend abgebildet – eine Form der tiefen Meditation erleuchteter Wesen, die angeblich niemals schlafen (Nordostindien, 12.–13. Jahrhundert).

Das neue Jaina-Symbol: Handfläche mit Ahimsa-Inschrift. Die Swastika steht für den Kreislauf der Wiedergeburten. Die drei Punkte symbolisieren Einsicht, Wissen und rechtes Verhalten. Halbmond und Punkt versinnbildlichen die befreite Seele in den höchsten Sphären des Universums.

folgen Jaina-Händler, -Mönche und -Nonnen einer in 2000 Jahren kaum veränderten Lehre, wobei für die Ordensleute weit strengere Vorschriften gelten als für die Laien.

Befreiung der Seele – die ethischen Säulen

Inmitten einer Welt, die ihrer eigenen Überzeugung nach im Niedergang begriffen ist, nimmt die Hoffnung bei den Jainas großen Raum ein. Das *Jiva* – das höhere Bewußtsein oder die Seele des einzelnen – vermag sich zu erretten, indem es seine vollkommene, unveränderliche Natur entdeckt und somit das Elend des Erdenlebens hinter sich läßt. Zahlreiche Inkarnationen können hierzu vonnöten sein. Wie die Hindus und Buddhisten glauben auch die Jainas, daß wir vielfach wiedergeboren würden, bis wir schließlich vom *Samsara* befreit seien, dem Kreislauf von Geburt und Tod und den Höhen und Tiefen des Lebens.

Der allmähliche Prozeß, in dem die Seele lernt, sich von dem niederen Selbst und seinem Festhalten an allem Materiellen zu lösen, umfaßt die Reinigung des Lebenswandels, bis nur noch die Reinheit des Jiva übrig bleibt. Wer dieses Höchste in seiner Existenz erreicht hat, ist ein *Jina* (ein »Sieger« über die Leidenschaften), wovon sich der Begriff »Jaina« ableitet. Die Tirthankaras waren Jinas, die dabei halfen, daß andere ihren Weg fänden und die Gemeinschaft sich regenerierte, indem sie inspirierende spirituelle Prinzipien lehrten.

Karma

Die Seele liegt unter den Trümmern der karmischen Anhäufungen. Wie die Hindus und Buddhisten glauben auch die Jainas, daß unser Tun den weiteren Verlauf unseres derzeitigen und jedes künftigen Lebens beeinflusse, doch mit folgendem Unterschied: Den Jainas gilt das Karma als tatsächliche Materie – winzige Partikel, die wir handelnd und denkend anhäufen. Mahavira verglich das Karma mit Schichten aus Lehm, die auf der Seele lasten.

Jainas sind sehr darauf bedacht, die Anhäufung von Karma zu vermeiden. Wichtig für ihren Lebensalltag sind die Prinzipien von *Ahimsa* (Gewaltlosigkeit), *Aparigraha* (Besitzlosigkeit) und *Anekantwad* (Absolutheitsverzicht).

Ahimsa

In den Jaina-Lehren ist das Prinzip der Gewaltlosigkeit (Ahmisa) stark ausgeprägt. Die Jainas glauben, daß jeder Zentimeter des Universums mit teils winzigen Lebewesen ausgefüllt sei. Ein einziger Tropfen Wasser enthält bereits 3000 Lebewesen. Sie alle wollen leben. Der Mensch genießt keinerlei Vorrechte; alles verdient, zu leben und sich nach Kräften zu entwickeln. Jegliches Töten eines Lebewesens hat einen negativen Einfluß auf das Karma.

> *Alle atmenden, seienden, lebenden, empfindenden Kreaturen sollen nicht getötet werden, auch nicht mißhandelt, geschändet, gepeinigt oder vertrieben. Dies ist das reine, unveränderliche, ewige Gesetz … Das Gesetz recht verstehend, sollst du Gleichgültigkeit erlangen gegenüber den Eindrücken der Sinne, und nicht handeln nach irdischen Beweggründen.*
> *Akaranga-Sutra, IV, Lektion 1*[2]

Es ist schwierig, anderen Kreaturen keine Gewalt anzutun. Beim Gehen zertreten wir unwissentlich Insekten. Winzige Organismen, so die Jainas, werden eingeatmet und getötet. Jainas meiden das Essen nach Sonnenuntergang, damit Insekten, die sich auf den Speisen niedergelassen haben, nicht übersehen und unbeabsichtigt mitgegessen werden. Manche Jaina-Asketen tragen einen Mundschutz, um nicht lebenden Organismen einzuatmen.

Das menschliche Leben ist unvermeidbar destruktiv. Man kann bestenfalls hoffen, möglichst geringen Schaden anzurichten. Je höher die Lebensform, desto größer die karmische Bürde durch ihre Zerstörung. Der Stellenwert einer Lebensform ergibt sich aus ihrer Empfindsamkeit. Am höchsten angesiedelt sind Wesen mit zahlreichen Sinnen, wie Menschen, Götter und höhere Tiere (etwa Pferde, Schlangen, Affen und Elefanten). Am anderen Ende stehen die »einsinnigen« Geschöpfe, die allein den Berührungssinn besitzen. Hierzu zählen die Pflanzen und Elemente: die Erdenkörper in Erdreich, Mineralien und Steinen, die Wasserkörper in Seen und Flüssen, die Feuerkörper in Feuer und Blitz sowie die Windkörper in Wind und Gasen. Die Jaina-Sutras beschreiben das Leiden selbst dieser einsinnigen Wesen: Eine Verwundung erzeugt bei ihnen die gleiche Pein wie bei einem blinden und stummen Menschen, der den Verursacher nicht sehen und seinen Schmerz nicht ausdrücken kann.

Die Jainas sind daher strenge Vegetarier und handeln stets sehr umsichtig. So etwa entstand in Delhi ein einzigartiges Hospital für kranke und verletzte Vögel, das sich allen Bedürfnissen der Tiere mit großer Aufmerksamkeit widmet – bis hin zur Klimatisierung der Volieren im Sommer. Jainas gehen auch auf Märkte, wo die zum Verkauf angebotenen Tiere meist mit Draht zusammengebunden und in überhitzten Fahrzeugen ohne Wasser über große Entfernungen transportiert werden. Um dieses Leid zu verhindern, kaufen Jainas die Tiere und ermöglichen ihnen ein behagliches Dasein. Selbst das Forttreten eines Steinchens beim Spazierengehen bedeutet die Verletzung eines Lebewesens.

Das Ahimsa betrifft auch die Sorgfalt beim Sprechen und Denken, denn Schimpfwörter und negative Gedanken vermögen einen anderen zu verletzen. Da auch die berufliche Tätigkeit andere nicht verletzen darf, arbeiten die meisten Jainas in als harmlos geltenden Bereichen wie Banken, Büros, Bildung, Justiz und Verlagswesen. Der Ackerbau hingegen gilt als schädlich, denn mit dem Graben werden winzige Erdorganismen verletzt. Mit dem Anspannen eines Ochsen vor einen Pflug oder eines Wasserbüffels vor

Jaina-Nonnen tragen Mundtücher, um nicht Kleinlebewesen einzuatmen und zu verletzen. Sie führen all ihre weltlichen Besitztümer mit sich.

Vorschriften für Mönche und Nonnen

Die Jaina-Sutras enthalten detaillierte Vorschriften für jeden Aspekt im Leben der Mönche und Nonnen, um zu vermeiden, daß sie unreine oder für andere Lebensformen bedrohliche Handlungen begehen. In den Passagen über das Betteln um Nahrung etwa wird folgendes dargelegt:

Ein Mönch oder eine Nonne auf dem Bittgang soll keine Nahrung annehmen, die auf Pfahl, Pfosten, Säule, Gerüst, Plattform, Dach oder eine andere erhöhte Stätte gelegt wurde, denn solche von oben herabgeholte Nahrung ist unrein und nicht annehmbar. Der Kevalin [Allwissende] sagt: Dies ist der Grund: Der Laie könnte Stuhl, Bank, Leiter oder Handmühle nehmen und aufstellen und beim Daraufsteigen fallen oder straucheln. So könnte er sich Fuß, Arm, Brust, Bauch, Kopf oder einen anderen Körperteil verletzen; oder er könnte alle Arten von Lebewesen töten, ängstigen, zerdrücken, zermalmen, zerquetschen, verrenken oder ihnen Pein bereiten …

Ein Mönch oder eine Nonne auf dem Bittgang soll keine Nahrung annehmen, die in irdenen Gefäßen aufbewahrt wurde. Der Kevalin sagt: Dies ist der Grund: Der Laie könnte, dem Bettelnden zuliebe, das irdene Speisengefäß zerbrechen und dabei den Erdenkörper verletzen; in gleicher Weise könnte er verletzen den Feuerkörper, den Windkörper, Pflanzen und Tiere …

Wenn Mönch oder Nonne auf dem Bittgang in Herbergen, Gartenhäusern oder dem Haus oder Bad der Hausväter den Geruch von Speisen, Getränken oder süßen Aromen wahrnemen, sollen sie dies nicht riechen, gleichgültig sein gegen die Gerüche und nach dem angenehmen Geruch nicht gierig, begehrlich, habsüchtig oder lüstern sein.[3]

einen Wagen könnte nicht nur das Zugtier Schaden nehmen, sondern auch die winzigen lebenden Organismen auf dessen Körper.

Mönche und Nonnen sollen sich langsam bewegen, dabei stets nach unten blicken, um nicht auf Lebendiges zu treten, sitzend oder stehend meditierend die Zeit zubringen.

Aparigraha

Ein weiteres Jaina-Ideal ist die Unabhängigkeit von Dingen und anderen Menschen. Das Lebensnotwendige ist auf ein absolutes Minimum zu reduzieren. Besitz besitzt uns; sein Erwerb oder Verlust treibt unsere Emotionen an. Manche Jaina-Mönche tragen keine Kleidung, und die Tirthankaras werden stets nackt und somit als frei dargestellt. Selbst die Zuneigung zu Freunden und Verwandten bindet uns an das Samsara. Der Jainismus befürwortet zwar ein allumfassendes Mitgefühl, doch dies ist etwas anderes als abhängige Liebe. Der Mensch soll hilfreich und bewußt in der Welt leben, nicht jedoch ihren Fallstricken anheimfallen.

Das Aparaigraha (Besitzlosigkeit) gilt als Weg zum inneren Frieden. Wenn wir uns immer wieder von Dingen und Situationen lösen können, vermögen wir frei zu sein. Erzählt wird die Geschichte eines *Muni* (Mönch), der beobachtete, wie zwölf streunende Hunde einem anderen Hund, der einen Knochen im Maul trug, nachjagten. Als sie ihn eingeholt hatten, versuchten sie, ihm den Knochen zu entwinden. Verwundet und blutend ließ er los. Die anderen ließen ihn sogleich stehen, um dem neuen Besitzer des Knochens nachzujagen. Der Mönch zog aus dem Erlebten diese Lehre: Solange wir an den Dingen hängen, müssen wir dafür bluten. Lassen wir aber los, werden wir in Frieden gelassen.

Samani Sanmati Pragya, eine Jaina-Nonne aus den Wüsten Rajasthans, gehört einem Orden an, bei dem Kleidung und Bettzeug einer Nonne auf vier weiße Saris, einen weißen Schal und ein wollenes Tuch begrenzt sind. Sie erklärt:

Im Winter besitzen wir keine Steppdecke, um uns nachts zu wärmen, denn sie wäre zum Mitführen zu hinderlich. Im Sommer benutzen wir keinen Fächer. Es ist so heiß, daß wir nachts nicht schlafen können. Wir ertragen alle erdenklichen Umstände, bleiben dabei sehr glücklich. Unser Glück kommt von innen.[4]

Auch die Weltgemeinschaft kann aus dem Aparigraha Nutzen ziehen. Zeitgenössische Jainas verweisen darauf, daß ihr Prinzip des begrenzten Konsums einen Ausweg aus globaler Armut, Hunger und Umweltzerstörung biete, wie sie aus dem einseitigen Griff nach den Ressourcen resultiere. Hierzu Seine Heiligkeit, Acharya Sushil Kumar:

Wenn wir einfach leben, uns einschränken und nicht versuchen, uns jeden Wunsch zu erfüllen und immer mehr anzusammeln, werden wir die Umwelt automatisch schützen. Weil wir nicht so viele Dinge benötigen, werden wir keine Großindustrien brauchen, um Unnötiges herzustellen … Wenn wir einfach leben, wird die Umwelt automatisch sauber bleiben.[5]

Anekantwad

Das dritte ethische Grundprinzip ist Anekantwad (was grob mit »Relativität« übersetzt werden kann). Jainas bemühen sich, Zorn und einseitiges Urteil zu vermeiden. Sie bewahren ihre Unbefangenheit, indem sie sich vergegenwärtigen, daß jeder der zahlreichen Blickwinkel, aus denen man ein Problem betrachten kann, eine Teilwahrheit birgt. Sie erzählen die Geschichte von den Blinden, die einen Elefanten beschreiben sollen. Einer, der den Rüssel betastet, sagt, ein Elefant gleiche einer vom Himmel herabhängenden Schlange. Ein zweiter, der ein Bein betastet, meint, ein Elefant sei ein Baumstamm. Für den dritten, der den Schwanz hält, hat keiner der beiden recht, denn ein Elefant sei ein langes, haariges Ding. Ein vierter betastet ein Ohr und meint, ein Elefant sei etwas gänzlich anderes. Jeder von ihnen vertritt eine andere Version und einen Teil der Wahrheit.

Für die Jainas besitzt die Wahrheit in ihrer Umfänglichkeit zahlreiche Facetten. Es nützt nichts, anderen die Schuld zu geben. Vielmehr müssen wir unsere Aufmerksamkeit darauf richten, unsere eigene Sicht zu klären und zu öffnen. Shree Chitrabhanu, ein zeitgenössischer Jaina-Lehrer, beschreibt die Sichtweise, die sich einstellt, wenn man falsche Eindrücke eliminiert und das Einströmen des reinen Bewußtseins erlaubt:

Sobald du die offenen Schleusentore geschlossen, das verdorbene Wasser ausgetrocknet und alle Trümmer beseitigt hast, kannst du sie wieder öffnen, um den frischen, klaren Regen zu empfangen. Was ist dieser Regen? Es ist der Fluß des Maitri – reine Liebe, Mitgefühl und Kommunikation. Du fühlst dich frei und fließend mit allem … Du begegnest anderen, um zu teilen. Sieh, wie leicht du Menschen begegnest, wenn es kein Gefühl des Größeren oder Geringeren gibt, keinen Makel oder Bitterkeit, keine Schuldzuweisung oder Kritik.[6]

Spirituelle Praktiken

Der Jainismus fußt auf Askese und wird daher in seiner vollsten Ausprägung von Mönchen und Nonnen befolgt. Neben Meditationen gehören Ehelosigkeit, körperliche Buße,

Fasten und Anspruchslosigkeit zum Leben der Mönche und Nonnen. Sie schlafen auf nacktem Boden oder Holzbrettern und müssen jedem Wetter mit Gleichmut trotzen. Zur Initiation reißen sie sich die Haare an den Wurzeln heraus, anstatt sie abzurasieren. Sie müssen lernen, gesellschaftliche Mißbilligung zu akzeptieren, von der Speisung durch Dritte abhängig zu sein und keinen Stolz auf ihre spirituellen Fortschritte zu empfinden.

In ihrer Sorge, »einsinnige« Wesen zu verletzen, nehmen die Jaina-Mönche und -Nonnen das Ahimsa überaus ernst. Zu meiden sind Tätigkeiten wie Graben (wegen der Erdkörper), Baden, Schwimmen oder Gehen im Regen (wegen der Wasserkörper, die verletzt werden könnten), das Löschen oder Entfachen von Feuer (denn selbst das Anzünden eines Feuers bedeutet die Zerstörung eines Feuerkörpers), die Verwendung von Fächern (um einen plötzlichen Wechsel der Lufttemperatur zu vermeiden, der die Luftkörper verletzen würde), das Betreten von Grünflächen oder das Berühren lebender Pflanzen.

Ein wohlhabender Jaina-Geschäftsmann, Chef einer großen Baufirma, verblüffte kürzlich die Einwohner von Neu-Delhi, indem er vom Laien-Gelübde (beispielsweise innerhalb von 24 Stunden nur einmal zu essen und zu trinken) zu dem äußerst entsagungsreichen Leben eines nackten Digambara-Mönchs überging. Lala Sulekh Chand legte vor einer riesigen Festgesellschaft seine Kleidung und Besitztümer ab und verkündete:

Das Leben interessiert mich nicht. Nach meiner Erfahrung bedeutet Leben nur, 24 Stunden lang aufgewühlt zu sein und keinen Seelenfrieden zu finden. Ich habe all meine Verantwortungen und Verpflichtungen im Leben erfüllt und das Geschäft meinem Sohn und der Familie übergeben. Ich gehe diesen Weg nicht aufgrund irgendeines Problems.[7]

Dann setzte er sich und ließ sich ohne eine Regung von seinem Mentor Muni Amit Sagar sämtliche Haupthaare herausziehen, was anderthalb Stunden dauerte. Daraufhin ermahnte Muni Amit Sagar die Anwesenden, daß der Weg zur spirituellen Befreiung in der Unabhängigkeit und dem geduldigen, gleichgültigen Ertragen aller Schwierigkeiten liege. »Wir können nichts ändern, wohl aber unsere Erwartungshaltung«, sagte er. »Den Frieden, den man durch Verzicht erzielt, bekommt man nicht, indem man eine Menge religiöser Bücher liest.«[8]

> *Schwer zu besiegen ist man selbst; ist aber dies besiegt, so ist alles besiegt.*
> *Uttaradhyayana-Sutra 9,34–36*

Die meisten Laien-Jainas können den Verzicht nicht so weit treiben wie die Mönche und Nonnen. Dennoch vermögen sie Reinigung und Vervollkommnung zu erreichen. Die Jainas glauben, daß das Universum ohne Anfang sei und keinen Schöpfer oder Zerstörer kenne. Unser Leben ist das Ergebnis unserer Taten; nur durch eigenes Bemühen können wir gerettet werden. Hierzu Padma Agrawal:

Im Gegensatz zum Christentum und zu vielen Hindu-Kulten kennt der Jainismus keinen himmlischen Vater, der über uns wacht. Ganz im Gegenteil würde die Liebe zu einem persönlichen Gott eine Abhängigkeit darstellen, die den Jaina um so stärker an den Kreislauf der Wiedergeburt binden könnte. Dies aber ist etwas, was ausgelöscht werden muß.[9]

Die Welt wird von der Kraft der Natur und nach natürlichen Prinzipien angetrieben. Jainas glauben zwar an Götter und Dämonen, doch erstere unterliegen den gleichen niederen Leidenschaften wie die Menschen. Befreiung läßt sich nur erreichen, wenn man ein Mensch ist, denn nur dieser vermag die Seele von den karmischen Anhäufungen zu

EINE LEHRGESCHICHTE

Die Geschichte des Bahubali

Rishabha, der erste Tirthankara dieser Ära, hatte 100 Söhne von der einen Ehefrau und einen Sohn – Bahubali – von der anderen. Den Löwenanteil vermachte er seinem ältesten Sohn Bharat. Bharat legte es darauf an, der oberste Herrscher zu sein, und wollte seine Brüder, die kleinere Ländereien erhalten hatten, unterjochen. Alle unterwarfen sich ihm außer Bahubali, der sein Königreich nicht aufgeben wollte. Er sprach zu Bharat: »Beide sind wir unabhängig. Warum sollte ich mich dir unterwerfen?«

Beider Armeen nahmen auf dem Schlachtfeld Stellung. Von beiden Seiten traten die Weisen hervor und sprachen: »Im Widerstreit zweier Brüder werden Millionen Menschen getötet werden. Millionen Unschuldiger werden getötet, um die Egos zweier Brüder zu befriedigen. Warum sollte dies geschehen?« Also einigte man sich auf einen Zweikampf, der auf drei Arten vonstatten gehen sollte.

Zuerst schauten sie einander voll der Konzentration in die Augen, bis der erste wegsah. Hierin obsiegte Bahubali über Bharat. Dann kämpften sie unter Wasser, und erneut siegte Bahubali. Als drittes ergriff Bahubali den Bharat und hielt ihn hoch über dem Kopf, bereit, ihn zu Boden zu schmettern. So erhielt er seinen Namen – »Der mit den sehr kräftigen Armen«.

Als Bahubali den Bharat in die Höhe hielt, fuhr ihm folgendes durch den Kopf: »Wen will ich da werfen? Meinen eigenen Bruder. Wozu? Für dieses Stückchen Land? Für dieses Königreich? Würde ich nur dafür meinen Bruder töten?« Er setzte Bharat wieder zu Boden.

An diesem Punkt kam Bahubali der Gedanke, der Welt zu entsagen. Er beendete den Krieg und begann zu meditieren. Zwölf Jahr meditierte er – stehend. Weinreben rankten sich um seine Beine, und Schlangen ließen sich bei seinem Körper nieder. Viele versuchten ihn zu überreden, mit dem Meditieren aufzuhören, doch ihn ließ dies unbewegt. Dennoch konnte er die letzte Befreiung nicht erreichen.

Man fragte seinen Vater, Rishabha, warum Bahubali die Befreiung nicht erreichte. Allwissend erwiderte Rishabha, daß Bahubali kurz vor Beginn seines Meditierens noch den einen Gedanken hatte: »Ich stehe auf meines Bruders Boden.« Also ging Bharat und predigte ihm: »Dieser Boden ist universal, nicht mein noch dein.« Im gleichen Augenblick, da Bahubali dies erfaßte, war er befreit.

nigen. Bevor sie sich von den Karmas befreit, wandelt die weltliche Seele in einem endlosen Kreislauf der Tode und Wiedergeburten durch das Universum, wobei sie nach dem Tod ihres jeweiligen Körpers sogleich auf ein andersartiges Wesen übergeht. Acharya Shri Kund Kund: »Nirgends im Weltenraum des gesamten Universums gibt es einen Ort, wo die weltliche Seele nicht in vielen Formen, kleinen wie großen, geboren wurde.«[10]

Als Mensch geboren zu werden gilt den Jainas als letzte Etappe vor der Befreiung. In dieser kurzen, kostbaren Zeit der Inkarnation als Mensch ist daher keine Zeit zu verlieren.

Laien-Jainas können dem endgültigen Zustand zustreben, indem sie 14 Phasen des Seelenaufstiegs (Gunasthana) durchschreiten. Die ersten vier haben zum Ziel, falsche mentale Eindrücke zu beseitigen. Das moralische Streben nach innerer Reinigung beginnt mit der fünften Phase. Die Jainas versuchen, die Tiefen dessen auszuloten, was die Psychoanalytiker als »Schatten« bezeichnen, um sich von emotionalen Problemen zu befreien. Auf die Überwindung der spirituellen Trägheit folgen Selbstkontrolle und Preisgabe der Leidenschaften. Derweil heben sich die Schleier des Karmas, und die Seele erlebt mehr und mehr ihren natürlichen Glanz. Im höchsten Zustand der Vollkommenheit (Kevala) hat alles plumpe Tun ein Ende, und das befreite Wesen besitzt »schrankenlose Vision, un-

Mönch zu Füßen der Jaina-Statue des Gomateshvara (des entsagenden Sohnes des ersten Tirthankara) bei Mysore in Indien.

endliche Redlichkeit, Stärke, höchstes Entzücken, gestaltlose Existenz und einen Körper, der weder leicht ist noch schwer«[11].

Obgleich auch Laien strenge Entsagungsgelübde ablegen können, besteht ihr spirituelles Leben in der Regel aus folgenden sechs Pflichten: Praxis der Gleichmut durch Meditation, Lob der Tirthankaras, Verehrung der (als Bettelmönche lebenden) Lehrer, Entschädigung für moralische Verfehlungen, Gleichgültigkeit gegenüber dem Körper (oftmals durch fortgesetztes Einnehmen einer speziellen Haltung) und befristeter Verzicht auf bestimmte Speisen oder Tätigkeiten.

> *So wie Feuer morsches Holz rasch zu Asche werden läßt, so läßt ein Strebender, der ganz aufgeht im inneren Selbst und völlig losgelöst ist von äußeren Dingen, seinen Karma-Körper bis in die Wurzeln erschüttern, auszehren und verwelken.*
>
> *Samantabhadra, Aptamimamsa 24–27*

Die Tirthankaras werden in Form von Bildnissen verehrt, die alle gleich aussehen, da die vollkommene Seele unspezifisch ist. Symbole wie der stets mit dem ersten Tirthankara abgebildete Stier dienen der Identifizierung aller 24 Tirthankaras durch die Gläubigen.

Die Andächtigen zeigen ihre Ehrerbietung, sprechen aber keine Fürbitten, denn die Tirthankaras stehen über dem Menschlichen und sind als Helfer nicht verfügbar. Vielmehr sind sie ein Vorbild für das eigene Leben. Da es kein göttliches Einwirken geben kann, ist das Priestertum nicht sonderlich bedeutsam, und auch Laien können einzeln oder in Gruppen den Gottesdienst vollziehen.

Wenn ein Jaina am *Devapuja* (Verehrung der Tirthankara-Bildnisse) teilnimmt, muß er erspüren, daß er sich einem strahlenden und allwissenden lebendigen Jina nähert, aus

Lebendiger Jainismus

R.P. Jains Familie betreibt in Delhi zwei Büros für die unentgeltliche Abgabe homöopathischer Arzneimittel. Er selbst wendet als Indien-Koordinator von »Jainism Abroad« viel Zeit auf, um Jaina-Redner für Vorträge vor internationalem Publikum zu gewinnen.

»Wir glauben, daß der Jainismus nicht zu einer bestimmten Zeit entstand. Er ist zeitlos und dabei zeitgemäß. Wir sorgen für den Erhalt unserer Religion – der Religion der größten Buße, des höchsten Opfers und mit dem größten Beitrag für die Menschheit.

Ich hatte das Glück, 22 Länder der Erde zu bereisen. Nach innerem Abwägen bin ich zu diesem Schluß gekommen: Ich muß mich weiter bemühen, ein besserer Jaina zu werden. Würde die Welt – unter dem Etikett Jainismus oder auch nicht – die Jaina-Prinzipien befolgen, so würde dieser Planet überleben.

Ich bete, jedoch nicht zu Gott, wie andere Religionen ihn verstehen. Die 24 Tirthankaras sind Pfadfinder, deren Philosophie uns zeigt, wie wir leben sollten. Im Jainismus beten wir zum Herrn: ›Ich möchte sein wie du, nicht anders. Nicht geringer sein möchte ich als du.‹ Aus dieser Weisheit her bete ich: ›Zeige mir den rechten Weg‹, und nicht etwa: ›Gott, gib mir dieses Auto, dieses Haus, diese Frau.‹ Ich bitte darum, mir zu helfen, dem rechten Pfad zu folgen.

Der Jainismus ist ein schwieriger Glaube, doch wenn die Menschheit überleben will und dieser Planet für den Menschen bewohnbar bleiben soll, gibt es für mich nur diese Antwort. Ich will Ihnen einige kleine, weltliche Beispiele aus meinem eigenen Leben geben. Erstens bin ich strenger Vegetarier, denn wir glauben nicht, daß wir für unsere eigene Existenz auch nur den niedersten Lebensformen Gewalt antun müssen. Zweitens habe ich mir für meinen Privatbesitz Schranken auferlegt, also für die Menge an Kleidung, Schuhen und Möbeln. Meine Sandalen sind aus PVC, nicht aus Leder. Moderne, wohlhabende Leute lachen darüber. Sie glauben, ich sei ein Geizhals oder könne mir Leder nicht leisten. Doch ich sage ihnen: ›Ich bedaure euch. Möge euer Gott euch zu mehr Einsicht verhelfen. Warum müßt ihr Leder verwenden? Alle Welt weiß, daß Leder die Tötung unschuldiger Tiere voraussetzt. Was würdet ihr empfinden, wäret ihr als Tier geboren und würdet für Leder verwendet oder für MacDonald's Hamburger oder Pizzas von Pizza King?‹

Früher trug ich Seidenkleidung. An meinem 18. Geburtstag bat ich einen entfernten Verwandten, wegen des Milchpulvers keine Schokolade zu essen. Der sagte: ›Hör mal, du trägst Seide. Was predigst du da? Weißt du nicht, daß für einen Meter Seide 50 000 bis 100000 Seidenraupen lebendig gekocht werden? Seide tragen ist Sünde.‹ Als ich erfuhr, daß Naturseide so entsteht, sagte ich zu mir: ›R. P. Jain, was tust du deiner eigenen Seele an? Schäme dich!‹ Von dem Tag an gelobte ich, nie mehr in meinem Leben Naturseide zu tragen oder für andere zu kaufen, obwohl meine Schwester gern einen Seidensari hätte.

Ich versuchte auch, mit möglichst wenig Wasser auszukommen. Und beim Autofahren mache ich stets einen Bogen um Hunde, Kühe oder Büffel, die in Indien ja oft die Straßen bevölkern, um sie nicht anzufahren. Früher bin ich gern geritten. Eines Tages sagte mein Großvater zu mir: ›Schau, in meiner Jugend gab es keine Autos. Doch die Zeiten haben sich geändert, und du bist mit einem Auto gesegnet. Warum willst du dich auf dem Rücken eines Pferdes vergnügen? Eines Tages wirst du als Pferd geboren, und alle anderen werden auf dir reiten.‹ An jenem Tag trug ich meine Reithose zum letztenmal.

Ich habe wohl 50- bis 100mal Blut gespendet, nie für meine eigenen Verwandten oder weil der Empfänger Jaina wäre, sondern weil die Bedürftigen es brauchten. Ich habe kein Recht, meinen Körper wachsen zu lassen, ohne etwas beizusteuern. Auf dieser Erde lastet eine Schuld auf mir, die ich zurückzahlen muß. Ich atme Luft, trinke Wasser, esse. Was tue ich da?«

Im Rahmen der Jaina-Andacht werden Bildnisse des Tirthankara verehrt, ohne daß der Gläubige jedoch eine persönliche Antwort auf das Gebet oder entsprechende Hilfe erwartete.

dessen Körper die Lehren in Form eines göttlichen Klanges hervorgehen. Opfergaben und geschwenkte Lampen dienen als Zeichen der Ehrerbietung, doch im Gegensatz zu den Hindu-Pujas beinhalten die Jaina-Rituale nicht die Erwartung der Erwiderung durch das Objekt der Verehrung. Die Befreiung vom Samsara ist das Ergebnis persönlichen Bemühens, oftmals versinnbildlicht durch ein Symbol aus Reiskörnern.

Jainismus weltweit

Innerhalb des weitgehend hinduistischen Indien hielt sich der Jainismus jahrhundertelang wie eine kleine, heterodoxe Insel. Im 20. Jahrhundert machten ihn einige Lehrer auch außerhalb Indiens bekannt. Shree Chitrabhanu war 29 Jahre lang Mönch und legte fast 50 000 Kilometer barfuß zurück, um das indischen Volk die Jaina-Prinzipien zu lehren. Als er 1971 und 1972 zu einem Vortrag auf den Gipfelkonferenzen des »Temple of Spiritual Understanding« in der Schweiz und den USA eingeladen wurde, bedeutete seine umstrittene Entscheidung, persönlich anwesend sein zu wollen, in der Geschichte des Jainismus die erste Reise eines Jaina-Mönchs außerhalb Indiens. Inzwischen gründete er jainistische Meditationszentren in den USA, Brasilien, Kanada, Kenia, England und Indien.

Acharya Shri Sushil Kumar etablierte Jaina-Zentren in Großbritannien und den USA wie auch in Indien selbst. Er wies darauf hin, daß die Jaina-Schriften all jene als »Jains« ansehen, die die Jaina-Prinzipien praktizieren:

Wenn jemand ein wahres Symbol von Gewaltlosigkeit, Liebe, Mitgefühl, Frieden, Harmonie und Einssein ist, dann ist er der perfekte Jaina. Wir können niemand zum Jaina bekehren, wohl aber kannst du deine Gewohnheiten und deinen Geist bekehren.[12]

In diesem Sinn begann die Anuvrat-Bewegung des verehrten Acharya Tulsi 1949 damit, Menschen aller Glaubensrichtungen und Nationalitäten für die Anuvratas (»kleine Gelübde«) zu gewinnen, die er entwickelt hatte, um den Menschen zu helfen, inmitten einer ethisch ungesunden Gesellschaft einen starken moralischen Anspruch der Selbstbeherrschung wiederzubeleben: keine willentliche Tötung unschuldiger Geschöpfe, keine Angriffe und Aggressionen, sondern Eintreten für Weltfrieden und Abrüstung, keine Diskriminierung nach Kasten oder Rassen, keine religiöse Intoleranz, keine unlauteren geschäftlichen und politischen Praktiken, begrenzter Erwerb von Besitztümern, keine Suchtmittel, kein Verschwenden von Wasser und kein Fällen von Bäumen.

Acharya Tulsi verzichtete 1995 sogar auf seine Stellung als Ordensvorsteher, indem er Acharya Mahapragya als seinen Nachfolger einsetzte. Dessen Selbstbeschreibung deutet auf jene inneren Qualitäten hin, die den Jaina-Glauben lebendig halten:

Ich bin Asket. Meine Askese ist nicht an starre Rituale gebunden. Die Askese, an die ich glaube, ist nicht leblos. Ich glaube an eine Askese, die ein wahrhaftes Meer der Freude ist. Ich glaube an eine Askese, die eine fortwährende Quelle der Energie besitzt. Ich folge einer Tradition, doch ich behandle ihre dynamischen Elemente nicht als statisch. Ich ziehe Nutzen aus den Schriften, doch ich sehe keinen Sinn darin, sie als Last mit mir zu tragen …

In meinem Bewußtsein gibt es keine Knechtschaft des »dein und mein«. Es ist frei davon. Mein spirituelles Handeln besteht nicht darin, die Wahrheit »anzubeten«, sondern sie zu zerlegen und detailliert zu betrachten.

Meine einzige Lebensmission ist schrankenlose Neugier, die Wahrheit zu entdecken … Sie ist keine äußere Staffage. Wie ein Samen entsprießt sie meinem Sein.[13]

KAPITEL 5

BUDDHISMUS

»Befreien wird er die notleidende Welt durch das Boot des Wissens«

Zur gleichen Zeit, als Mahavira die Lehren des Jainismus verbreitete, predigte jener Mann, der später als Buddha bekannt wurde, eine weitere Alternative zum ritualisierten Brahmanismus im Indien des 6. Jahrhunderts v. Chr. Im Mittelpunkt seiner Lehren stand das irdische Leiden und dessen Aufhebung. Viele Religionen bieten tröstliche übernatürliche Lösungen für die Probleme des Erdenlebens – nicht so der Buddhismus in seinen frühen Ausprägungen, denn er besagt, daß die Errettung von allem Leiden ganz von uns selbst abhänge. Buddha lehrte, daß wir frei werden könnten, indem wir verstünden, wie wir uns eigenes Leid schafften.

Man könnte denken, daß die Vorstellung, sich selbst zu begegnen und die Verantwortung für die eigene Befreiung zu übernehmen, eher Unbehagen auslöse und einen unattraktiven Weg darstelle, der nur wenige Anhänger finde. Der Weg Buddhas jedoch verbreitete sich von seiner indischen Heimat im gesamten Fernen Osten und wurde dort oftmals zur vorherrschenden Religion. Hierbei wurden Aspekte früherer lokaler Traditionen aufgegriffen und diverse gottähnliche Buddhas akzeptiert, die man um Hilfe ersuchen konnte. Heute, mehr als 2500 Jahre nach Buddhas Tod, stößt die von ihm begründete Religion auch im Westen auf beträchtliches Interesse.

Das Leben Buddhas

Was wir über Buddha wissen, ist lückenhaft. Seine umfassenden Lehren wurden vermutlich frühestens 400 Jahre nach seinem Tod in schriftlicher Form zusammengetragen. Davor wurden sie offenbar mündlich überliefert (und vermehrt) und von Mönchen nach dem Gedächtnis gesungen, wobei einzelne Gruppen für das erinnernde Bewahren jeweils besonderer Teile seiner Lehren zuständig waren. Über das Leben Buddhas sind nur wenige Fakten bekannt. Das meiste, was gewöhnlich über das Leben Buddhas gelehrt wird, ist zwar reich an Symbolkraft, historisch jedoch nicht nachprüfbar.

Der Junge, der später den Titel Buddha (»Der Erleuchtete«) trug, wurde um 563 v. Chr. geboren. Sein Vater war offenbar ein wohlhabender Gutsbesitzer und eines der Oberhäupter des Kshatriya-Clans der Shakyas; die Familie lebte an den Ausläufern des Himalaja.

Legenden sprechen von einer wundersamen Empfängnis: Seine Mutter träumte, daß sie von Schutzgeistern in den Himalaja gebracht und in einem goldenen Haus auf eine göttliche Couch gelegt worden sei. Der künftige Buddha soll ihr als weißer Elefant erschienen und in ihren Leib eingetreten sein. Bereits vielmals inkarniert, hatte ihn sein Mitgefühl mit allen leidenden Wesen nochmals zur Erde gezogen.

BUDDHISMUS

	600 v. Chr. Gautama Buddha, um 563–483
	400
Theravada-Buddhismus 200 v. Chr.–200 n. Chr.	**200** König Ashoka verbreitet den Buddhismus außerhalb Indiens, ab etwa 258.
	Pali-Kanon in Indien niedergeschrieben, um 80(?)
Buddhismus gelangt nach China und dann nach Ostasien, um 50 n. Chr.	**n. Chr** Schriften zur Vervollkommnung der Weisheit, um 100 v. Chr.–300 n. Chr.
Mahayana-Buddhismus, 1. Jh.	**200** Nagarjuna erläutert den Begriff der Leere, um 3. Jh.
	400
	Buddhismus gelangt nach Japan, um 550
Blütezeit des chinesischen Buddhismus, 589–845	**600**
Songtsan erklärt Buddhismus zur Nationalreligion Tibets, 8. Jh.	**800**
Ächtung des Buddhismus in China, ab 845	
	1000
Chinesischer Chan-Buddhismus gelangt als Zen nach Japan, 13. Jh.	Milarepa, 1079–1153
Niedergang des Buddhismus in Nordindien, 13. Jh.	**1200** Nichiren, 1222–82
Niedergang des Buddhismus in Südindien, 15. Jh.	**1400**
	1600
	1800
	Unterdrückung des Buddhismus in Tibet durch das kommunistische China, ab 1959
	2000

Buddha bei seiner ersten Predigt. Die heilige Handgeste (Mudra) repräsentiert das Rad der Wiedergeburten.

Die Heimat Siddharthas bietet einen unbehinderten Blick auf die hohen Gipfel des Himalaja.

Allerlei Legenden ranken sich um die Deutung dieses mütterlichen Traums (und die Hinweise auf den Neugeborenen) durch die Brahmanen: Ein Sohn werde geboren, dessen Größe ihn entweder zum König über ganz Indien machen oder ihn dazu veranlassen werde, sich vom Erdenleben zurückzuziehen, erleuchtet zu werden und die Welt an seiner eigenen Erweckung teilhaben zu lassen.

Die verkündete Geburt fand in Lumbini statt, in einem abgeschiedenen Garten. Der Knabe erhielt den Namen Siddhartha* (»Wunsch-Erfüller« oder »Der sein Ziel erreicht hat«). Sein Familienname Gautama verweist auf einen alten Hindu-Weisen, auf den sich die Familie als Vorfahren oder spirituellen Führer berief.

Wie es heißt, lebte Siddharthas Vater in der Hoffnung, seinen Sohn für das Königtum zu gewinnen. Er tat alles, um dem Knaben das irdische Leben angenehm zu machen und zu verhindern, daß dieser sich für die Entsagung entscheide. Später beschrieb Siddhartha ein Leben mit prächtiger Kleidung, weißen Sonnenschirmen, Parfüms, Kosmetika, einem Haus für jede Jahreszeit, der Gesellschaft von Musikantinnen und einem Harem aus Tänzerinnen. Überdies wurde er im ritterlichen Sport geschult und mit einer Frau verehelicht, die ihm einen Sohn gebahr.

Mitten in diesem sorgenfreien Leben bekam Siddhartha offenbar Zweifel an dessen Wert. Ein früher Hinweis auf seinen späteren Weg hatte sich als mystisches Erlebnis in seiner Jugend ereignet. Unter einem Rosenapfelbaum sitzend, gelangte er spontan in einen äußerst wonnevollen Zustand der Meditation. Indessen verwunderte ihn die nüchterne Tatsache, daß das Leben trotz seiner zeitweiligen Freuden stets zu Zerfall und Tod führe. Der Legende nach sorgten die Götter dafür, daß er die »vier Erscheinungen« zu sehen bekam, die sein Vater sorgsam vor ihm zu verbergen gesucht hatte: einen gebückten Alten, einen Kranken, einen Toten und einen Mönch auf der Suche nach ewigen anstatt vergänglichen Freuden. Zunehmend unzufrieden über die Flüchtigkeit der Sinnengenüsse, entsagte Prinz Siddhartha mit 29 seinem Wohlstand und Thronanspruch, verließ Frau und Kind, schnitt sich die Haare ab und kleidete sich in das grobe Gewand eines Wanderasketen.

In seiner neuen Rolle stand er allerdings nicht allein da, denn viele indische Sannyasins führten bereits ein Leben in Armut und ohne Obdach, wie es für einen Suchenden nach spiritueller Wahrheit als angemessen betrachtet wurde. Anfangs versuchte sich der künftige Buddha in den überlieferten Methoden, wenngleich die neue, von ihm begründete Religion erheblich von manchen orthodoxen hinduistischen Glaubensvorstellungen abweichen sollte.

Er wandte sich nach Südosten, um bei einem berühmten Brahmanen, der zahlreiche Anhänger hatte, zu lernen. Angeblich erreichte Siddhartha bei ihm angeblich die Sphäre des Nichtseins, dennoch nahm er die Suche erneut auf, da er offenbar fühlte, daß es noch einen höheren Zustand der Erkenntnis gab.

Sein nächster brahmanischer Lehrer half ihm, die nächsthöhere Stufe zu erreichen – die Sphäre des »weder Wahrnehmens noch Nichtwahrnehmens«. Doch wiederum zog er weiter, unzufrieden, sein letztes Ziel nicht erreicht zu haben: den Weg der vollkommenen Befreiung vom Leiden. Er wandte sich an Tempelpriester, doch ihn erschütterte die Grausamkeit ihrer Tieropfer. Vor seinem Fortgang versuchte er ihnen zu vermitteln,

---

Buddhistische Begriffe sind überliefert sowohl im Pali (einem indischen Dialekt, der bei der Niederschrift der Lehren Buddhas verwendet wurde, wobei Buddha vermutlich einen anderen alten Dialekt sprach) als auch im Sanskrit (der indischen Kultursprache). So etwa ist *Sutta* (Pali für »das Gehörte oder Gelernte«) gleichbedeutend mit *Sutra* (Sanskrit). Dieses Kapitel verwendet – ausgenommen den Abschnitt über das Theravada – meist das im Westen geläufigere Sanskrit.

wie heuchlerisch und wertlos der Versuch sei, Missetaten durch das Zerstören von Leben zu sühnen.

Weiterhin suchend, traf Siddhartha auf fünf Schüler seines zweiten Lehrers, die als Asketen im Wald lebten.

Er bewunderte ihr Bemühen um Unterwerfung der Sinne und beschloß, ihre Praktiken als Experiment der Befreiung selbst auszuprobieren. Sechs Jahre lang übertraf er sie in härtester Askese: Nacktheit, Ertragen extremer Hitze und Kälte, Atemverhaltung, Dornenbett und stark eingeschränkte Nahrungsaufnahme.

Letztlich jedoch mußte er erkennen, daß ihn die extreme Askese nicht zur Erleuchtung geführt hatte.

Nun ging Siddhartha zu einem mittleren Weg zwischen Genußsucht und Selbstverleugnung über. Zur Enttäuschung der fünf Asketen, die ihn daraufhin verließen, gab er die strenge Askese auf und kam wieder zu Kräften, indem er in vertretbarem Maße Nahrung akzeptierte. Auf die Klarheit des Geistes vertrauend, begann er eine Periode der Reflexion. Als er tief meditierend in einer Vollmondnacht im Mai in Gaya unter einem heiligen Feigenbaum saß, erlebte er schließlich die höchste Erleuchtung.

Nachdem er vier Zustände heiterer Kontemplation durchlaufen hatte, erinnerte er sich zuerst an seine früheren Leben. Dann erkannte er den Kreislauf der Tode und Wiedergeburten, bei dem sich gute und schlechte Taten im nächsten Leben widerspiegeln. Schließlich offenbarten sich ihm die Existenz des Leidens, seine Quelle und die Mittel, es zu beseitigen.

Nach dieser höchsten Erfahrung soll er buchstäblich von innen heraus geleuchtet haben. Der Legende nach wurde er von Mara, der Personifikation des Übels, versucht, seine Einsichten für sich zu behalten, da sie für gewöhnliche Menschen zu kompliziert und tiefgründig seien. Doch Buddha, als den er sich nunmehr selbst erkannte, beschloß voller Mitgefühl, das Rad der Lehre in Bewegung zu setzen, und sei es auch nur zum Wohle der wenigen – derer mit »nur ein wenig Staub« in den Augen –, die verstehen würden.

Die ersten, mit denen Buddha das Wesen seiner Einsichten teilte, waren die fünf Asketen, die ihn verlassen hatten, weil sie dachten, er habe aufgegeben. In seiner berühmten Predigt im Gazellenhain von Sarnath lehrte er sie, was zur Essenz des Buddhismus wurde: die vier edlen Wahrheiten über das Leiden und den edlen achtfachen Weg der Befreiung vom Leiden. Somit wurden sie zu seinen ersten Schülern.

Buddha verbrachte 45 Jahre mit dem Lehren des *Dharma* (Pali: *Dhamma*) – für ihn bezeichnete dieser Begriff die grundlegende Realität und das rechte Verhalten in den einzelnen Entwicklungsphasen eines Menschen. Immer noch freiwillig als armer Lehrer mit Bettelschale durch Nordindien wandernd, predigte er zu Angehörigen aller Sekten und Klassen. Manche von ihnen wurden zu *Bhikshus* (Pali: *Bhikkus*) – Mönche, die seinem Leben in Armut und spiritueller Hingabe folgten. Andere, wie etwa sein Vater, folgten ihm als Laien. Sein Sohn schloß sich dem Orden der Bhikshus an.

Da der Orden nicht kastengebunden war, wurden Menschen aus allen sozialen Schichten zu Buddhisten und Bhikshus. Seine Stiefmutter und seine Frau wurden zu *Bhikshunis* (Pali: *Bhikkhunis*) – Mitglieder des von Buddha gegründeten Nonnenordens. Im Gegensatz zur Unterdrückung der Frau in der damaligen indischen Kultur gibt es zahlreiche Hinweise für die egalitäre Einstellung Buddhas gegenüber der Frau (jene Regeln, die buddhistische Nonnen den Mönchen unterordnen, wurden offenbar lange nach seinem Tod von Mönchen aufgestellt). Außerdem untersagte er Tieropfer und ermahnte seine Anhänger, alle Lebewesen gut zu behandeln.

Die Umstände vom Tode Buddhas im damals außergewöhnlich hohen Alter von 80

Jahren zeugen von seinem selbstlosen Streben, der Menschheit das Leiden zu ersparen. Seine letzte Mahlzeit, die ihm von einem Schmied serviert wurde, enthielt anscheinend Giftpilze oder verdorbenes Schweinefleisch.

Schwerkrank und um seinen bevorstehenden Tod wissend, machte sich Buddha dennoch zu seiner nächsten Lehrstation in Kusinara auf und bekehrte unterwegs einen jungen Mann. Er ließ dem Schmied die Nachricht zukommen, daß er wegen der Mahlzeit keine Reue empfinden oder sich Vorwürfe machen müsse, denn seine Speisengabe sei eine verdienstvolle Tat gewesen.

Am Zielort angelangt, legte er sich auf eine steinerne Bank, und wie es heißt, ließen die dortigen Bäume ihre Blüten auf ihn herabregnen. Als die Mönche ihm die letzte Ehrung erweisen wollten, drängte er sie, sich auf ihre eigene spirituelle Entwicklung zu konzentrieren:

Ihr müßt eure eigenen Leuchten sein, eure eigene Zuflucht … Ein Mönch wird zu seiner eigenen Leuchte und Zuflucht, indem er stets so auf seinen Körper, seine Gefühle, Wahrnehmungen, Stimmungen und Gedanken schaut, daß er die Begierde und Bedrücktheit der gewöhnlichen Menschen besiegt und stets bestrebt, gefaßt und im Geiste gesammelt ist.[1]

Buddha bestimmte weder einen Nachfolger noch ein Ordensoberhaupt. Dennoch überlebte der Buddhismus nicht nur, sondern wurde noch verbreitete, denn wie Ananda, sein engster Gehilfe, erklärte: »Wir sind nicht ohne Unterstützung. Wir haben die eine Unterstützung: Dharma.«[2]

Das Dharma

Der Buddhismus wird oftmals als eine nichttheistische Religion bezeichnet. Er kennt keinen persönlichen Schöpfergott, an den Gebete gerichtet werden können. Buddhisten des

Die endgültige Befreiung Buddhas in das Nirvana nach seinem physischen Tod wird durch diese gewaltige srilankische Statue symbolisiert, die ihn entspannt liegend und mit vor der Welt verschlossenen Augen darstellt.

Chicagoer Parlaments der Weltreligionen 1993 waren bestrebt, den Angehörigen anderer Religionen zu verdeutlichen, daß sie Buddha nicht anbeten:

> *Shakyamuni Buddha, der Begründer des Buddhismus, war weder Gott noch eine Gottheit.*
> *Vielmehr war er ein Mensch, der durch Meditation volle Erleuchtung erlangte und uns*
> *den Weg zur spirituellen Erweckung und Freiheit wies. Der Buddhismus ist daher keine*
> *Gottesreligion, sondern eine Religion der Weisheit, Erleuchtung und des Mitgefühls.*
> *Wie die Anbeter Gottes, die glauben, daß alle die Erlösung durch Beichte und ständiges*
> *Gebet erreichen könnten, glauben wir Buddhisten, daß allen Erlösung und Erleuchtung*
> *durch die Überwindung von Unreinheit und Verblendung und ein Leben in Meditation*
> *zugänglich seien. Im Gegensatz aber zu jenen, die an einen von uns gesonderten Gott*
> *glauben, wohnt Buddha – »der Wache und Erleuchtete« – für den Buddhisten in uns*
> *allen als Buddha-Natur oder Buddha-Geist.*[3]

Im Gegensatz zu anderen indischen Weisen konzentrierte sich Buddha nicht auf eine Beschreibung der letzten Wahrheit, des Wesens der Seele, des Lebens nach dem Tod oder des kosmischen Ursprungs. Solche Wißbegier, so sagte er, sei vergleichbar mit dem Verhalten des Mannes, der durch einen Giftpfeil verwundet wurde und sich weigerte, sich den Pfeil herausziehen zu lassen, bis er nicht Kaste und Herkunft des Angreifers, seinen Namen, Größe, Hautfarbe und sämtliche Details über Pfeil und Bogen erführe. In der Zwischenzeit starb er.

> *Religiös sein und das Dharma befolgen hat nichts mit dem Dogma zu tun, daß die Welt*
> *ewig sei; und es hat nichts mit dem anderen Dogma zu tun, daß die Welt nicht ewig sei.*
> *Denn gleich ob die Welt ewig ist oder anders, so gibt es doch Geburt, Alter, Tod, Sorge,*
> *Schmerz, Elend, Kummer und Verzweiflung. Um deren Überwindung geht es mir.*[4]

Buddha verglich seine Lehren mit einem Floß, das uns ans andere Ufer bringt, nicht mit dem Ufer oder mit Dingen, die wir mit uns herumtragen, sobald wir dort angelangt sind. Grundplanken dieses Floßes sind die Einsichten in die Wahrheiten der Existenz und den Weg der Befreiung; das andere Ufer und das Ziel des spirituellen Strebens ist das *Nirvana* (Pali: *Nibbana*).

Grundfakten der Existenz

In seiner allerersten Predigt im Gazellenhain an die fünf Asketen verkündete Buddha die vier edlen Wahrheiten, den Mittelpunkt all seiner späteren Lehren:

1. Das Leben ist unweigerlich mit Leiden verbunden, es ist unvollkommen und unbefriedigend.
2. Das Leiden hat seinen Ursprung in unserem Verlangen.
3. Es gibt einen Zustand ohne Leiden.
4. Es gibt einen Weg, diesen Zustand zu erreichen.

Buddha ist somit gegenüber der Grundbefindlichkeit des Menschen weder pessimistisch noch optimistisch eingestellt. Der srilankische Mönch und Gelehrte Walpola Rahula vergleicht das spirituelle Leben mit der ärztlichen Praxis: Beim Erstellen der Diagnose und Prognose für einen Kranken mag der eine Arzt das Gefühl haben, der Patient werde gewiß bald sterben und die Situation sei hoffnungslos. Ein zweiter Arzt mag den Patienten fälschlicherweise in Sicherheit wiegen. Und ein dritter Arzt wählt möglicherweise den nützlichsten Mittelweg:

… diagnostiziert die Symptome richtig, begreift Ursache und Natur der Krankheit, sieht deutlich, daß sie geheilt werden könne, und wendet beherzt eine Therapie an, die den Patienten rettet. Buddha ist wie dieser letzte Arzt. Er ist der weise und gelehrte Arzt für die Übel der Welt.[5]

Betrachten wir die Diagnose und Therapie unserer menschlichen Grundbefindlichkeit Schritt für Schritt, so besteht die erste edle Wahrheit Buddhas in der Existenz von *Duhkha* – Leiden, Unbeständigkeit, Leere. Wir alle erleben Kummer, unerfülltes Verlangen, Krankheit, Alter, Schmerzen, Seelenpein und Tod. Unser Glücksgefühl ist nicht von Dauer. Selbst unsere Identität ist unbeständig, denn es gibt kein kontinuierliches Ich. Was wir für unser Selbst halten, ist schlichtweg eine ständig sich wandelnde Ansammlung von flüchtigen Gefühlen, Sinneseindrücken, Gedanken und dahinschwindender Materie. Wir haben keine ewige, unveränderliche Seele; die momentane Identität führt zur nächsten wie eine Kerze, die durch eine andere entzündet wird. Auf diese Gegebenheiten beziehen sich die buddhistischen Lehrer, wenn sie ihre Dharma-Vorträge mit dem Satz beginnen: »Wir alle sind Menschen.«

Die zweite edle Wahrheit besagt, daß Duhkha seinen Ursprung im Verlangen hat – Verlangen nach Sinnenfreuden, Ruhm und Glück, danach, daß Dinge bleiben, wie sie sind, oder sich ändern – und im Festhalten an Gedanken. Weil wir das Wesen der Dinge und dessen, wonach wir verlangen, nicht verstehen, so sagt Buddha, führt das Verlangen uns zum Leiden. Alles ist stetem Wandel unterworfen. Wir versuchen, an einem Leben nach unseren Vorstellungen festzuhalten, doch das kann nicht gelingen, da alles in ständigem Fluß begriffen ist.

Im Buddhismus gilt das Unglück als unvermeidlicher Begleiter des Glücks. Auf Sonnenschein folgt Regen, eine schöne Blume wird verwelken, geliebte Freunde werden sterben, und auch unser Körper wird altern.

Hierzu der zeitgenössische Mönch Ajahn Sumedho: »Der Versuch, die Umstände zu arrangieren, zu kontrollieren und zu manipulieren, um stets zu bekommen, was wir wollen, stets zu hören, was wir hören wollen, und stets zu sehen, was wir sehen wollen, um niemals Unglück oder Verzweiflung erfahren zu müssen, ist ein hoffnungsloses Unterfangen.«[6]

Der Buddhist strebt statt dessen nach der Erkenntnis von Duhkha (Leiden, Unbehagen und Frustration bezüglich unserer Lebenssituation), *Anitya* (Vergänglichkeit) und *Anatta* (kein ewiges Selbst). Das Leiden hat seinen Nutzen, denn es hilft uns, die Dinge so zu sehen, wie sie wirklich sind. Wenn unsere Aufmerksamkeit auf die Tatsache gelenkt wird, daß alles sich verändert und vergeht, so können wir uns der Tatsache bewußt werden, daß nichts in dieser Welt eine unabhängige, solide Beschaffenheit besitzt. Es gibt allein momentane Konfigurationen innerhalb eines steten Wandlungsprozesses. Sobald wir diese grundlegenden Lebensfakten begriffen haben, können wir in diesem Leben frei sein und frei von einer weiteren Wiedergeburt.

Die dritte edle Wahrheit besagt, daß Duhkha zu Ende gehen kann, so daß sich die letzte Wirklichkeit offenbart, das Nirvana (Pali: Nibbana). In diesem Zustand gibt es kein Verlangen mehr und keine Illusion. Man lebt glücklich und erfüllt im Jetzt und Hier, frei von Ichbezogenheit und voll des Mitgefühls für andere, denen man gänzlich dienen kann, denn in diesem Zustand gibt es kein Denken an die eigene Person.

Die vierte edle Wahrheit besagt, daß nur ein moralisches, konzentriertes und weises Leben – der edle achtfache Weg Buddhas – das Verlangen und somit auch Leiden auslöschen könne.

Der achtfache Weg der Befreiung

Buddha erläuterte ein systematisches Vorgehen, wie sich der hingebungsbereite Mensch dem Leiden entziehen und das letzte Ziel der Befreiung erreichen kann. Der achtfache Pfad zeigt Wege, alle bisherigen Vergehen auszulöschen, neue Vergehen zu vermeiden und Verdienste für eine günstige Wiedergeburt zu erwerben. Die Vollendung des Pfades bedeutet, dem Kreislauf der Wiedergeburten zu entkommen und den Frieden des Nirvana zu finden.

Rechte Erkenntnis ist der erste Faktor. Zunächst bedeutet dies, Illusionen zu durchschauen, etwa die Vorstellung, etwas mehr Reichtum beschere Glück. Allmählich lernt man dann, scheinbar Selbstverständliches im Lichte der vier edlen Wahrheiten in Frage zu stellen. All unser Reden und Tun wird vom Geist beherrscht. Wenn unser Geist unrein und ungeschult ist, wird uns, so Buddha, das Leiden folgen, wie der Wagen dem Pferd folgt. Wenn wir aus einem gereinigten, geschulten Geist heraus denken und handeln, wird stets Glück die Folge sein.

Der *rechte Entschluß* ist der zweite Faktor. Buddha ermuntert uns, jegliche »unzuträglichen« emotionalen Wurzeln unseres Denkens aufzudecken, wie das Verlangen, unsere Unvollkommenheiten zu verbergen oder Kontakte zu meiden. Indem wir solche emotionalen Blockaden entdecken und ausmerzen, wird unser Denken frei von den Begrenzungen der Selbstbezogenheit – entspannt, klar und offen.

Rechtes Reden ist der dritte Faktor. Buddha ermahnt uns, unsere Neigung zu eitlem Reden, Geschwätz, Klatsch, harten Worten und Lügen aufzugeben und im Dienste von Wahrheit und Harmonie zu kommunizieren. Auch rät er uns, in positiver Weise mit uns selbst zu sprechen und uns zu sagen: »Wohlsein und Glück wünsche ich dir für heute.«

Rechtes Handeln, der vierte Faktor, beginnt für den Laien mit der Einhaltung der fünf Grundgebote für moralisches Verhalten: kein Leben zerstören, nicht stehlen, kein sexuelles Fehlverhalten, nicht lügen, keine Rauschmittel. Darüber hinaus sollen wir unser Handeln auf klarem Verstehen gründen. »Böse Taten«, so Buddha, »entstehen aus dem Motiv der Parteilichkeit, Feindseligkeit, Torheit und Furcht.«[7]

Das *rechte Leben* ist der fünfte Faktor. Es gilt sicherzustellen, daß der Erwerb des eigenen Lebensunterhalts nicht gegen die fünf Gebote verstößt und weder andere schädigt noch die soziale Harmonie beeinträchtigt.

Rechte Anstrengung, der sechste Faktor des achtfachen Wegs, meint ein beständiges Streben nach Abkehr von »unzuträglichen« Zuständen in Vergangenheit, Gegenwart und Zukunft. Dieser Weg eignet sich nicht für faule Menschen.

Rechte Achtsamkeit, der siebte Faktor, ist besonders charakteristisch für den Buddhismus, da der Weg zur Befreiung ein geistiger Weg ist. Allzeitiges Gewahrsein wird uns eingeschärft. Im *Dhammapada* – kurzen, angeblich von Buddha geäußerten Versen über den Weg zur Wahrheit – findet sich dieses markante Gebot:

> *Prüfe deinen Geist.*
> *Sei auf der Hut.*
> *Ziehe dich heraus*
> *wie ein Elefant aus dem Schlamm.*[8]

Rechte Sammlung, der achte Faktor, erfordert mentale Disziplin zur Beruhigung des Geistes selbst. »Er ist subtil, unsichtbar, trügerisch«[9], erläutert Buddha. Es bedarf daher einfallsreicher Methoden, um seine rastlose Natur zu erkennen und zu transzendieren. Ein gänzlich beruhigter Geist wird zu einem stillen Teich, in dem sich die wahre Natur aller Dinge deutlich spiegelt.

EINE LEHRGESCHICHTE

Die Affen hüten die Bäume

Der königliche Parkwächter wollte ein Fest in der Stadt besuchen. Er suchte jemanden zum Wässern der Bäume, damit er sich für etwa eine Woche freinehmen konnte. »Wie kann ich ein paar Leute finden, die sich um die Bäume kümmern?« fragte er sich. Dann fielen ihm die Affen im Park ein.

Er bestellte den Affenhäuptling zu sich. »Kannst du während meiner Abwesenheit die Bäume für mich wässern?«

»Oh, gewiß«, erwiderte der Affenhäuptling.

Darauf der Parkwächter: »Hier sind die Wassergefäße. Bitte sage den Affen im Park, sie sollen die Bäume wässern, solange ich fort bin.« Dann ging er davon.

Als es an der Zeit war, die Bäume zu wässern, sprach der Affenhäuptling zu den anderen Affen, die sich bei den Wassergefäßen eingefunden hatten: »Wir müssen sparsam mit dem Wasser umgehen. Aber wie? Wir müssen die Bedürfnisse jedes Baums berücksichtigen. Wie können wir ihre Bedürfnisse erfahren? Die Bäume mit langen Wurzeln brauchen viel Wasser, die mit kurzen Wurzeln brauchen weniger Wasser. Wir sollten uns die Arbeit teilen und Gruppen bilden. Zwei Affen bilden eine Gruppe: Einer zieht den Baum heraus, um zu sehen, ob er lange oder kurze Wurzeln hat. Der andere wässert ihn – mehr, wenn er sieht, daß die Wurzeln lang sind, und weniger, wenn die Wurzeln kurz sind.«

Die Affen teilten sich die Arbeit auf diese Weise. Sie wässerten alle Bäume im Gartenpark, und sämtliche Bäume gingen ein.

Ein weiser Mann kam vorbei und sah, was die Affen taten. Der Affenhäuptling, der sich für sehr klug hielt, erläuterte seine Anordnungen. Da äußerte der weise Mann diesen Sinnspruch:

Ein Törichter, auch wenn er Gutes tun will, kann statt dessen etwas tun, was zur Zerstörung führt.

(Fabel aus einem der früheren Leben Buddhas, nacherzählt von Phra Depvedi)

Die verschiedenen Schulen des Buddhismus lehrten unterschiedliche Meditationstechniken, doch dieses Grundprinzip bleibt bestehen.

> *Versuche achtsam zu sein, und laß die Dinge ihren natürlichen Gang nehmen. Dann wird dein Geist in jeder Umgebung ruhig werden wie ein klarer Waldteich. Alle Arten wunderbarer, seltener Tiere werden dorthin zum Trinken kommen, und du wirst die Natur aller Dinge deutlich erkennen. Viele merkwürdige und wunderliche Dinge wirst du kommen und gehen sehen, doch du wirst ruhig sein. Dies ist das Glück Buddhas.*
> *Achaan Chah, Meditationsmeister, Wat Ba Pong, Thailand[10]*

Der Kreislauf der Wiedergeburten

Im Gegensatz zu der orthodoxen Hindu-Lehre kennen die verschiedenen buddhistischen Lehren über die Reinkarnation keine ewige, wiedergeborene Seele. Im Buddhismus setzt ein sich wandelnder Seinszustand den anderen in Bewegung: Jedes Ereignis ist ursächlich bedingt. Die zentrale Ursache in diesem Prozeß ist das *Karma* (Pali: *Kamma*), das unsere Taten bezeichnet. Diese beeinflussen die Ebene der Wiedergeburt, auf der jener Pro-

Das Rad des Lebens: Die Tiere im Zentrum stehen für Wollust, Haß und Verblendung. Der nächste Kreis zeigt das Schicksal jener mit gutem (links) und jener mit schlechtem Karma (rechts). Der dritte Kreis symbolisiert die sechs Sphären der Existenz von den Göttern bis zu den Höllengefilden. Der äußere Rand zeigt die Kette der Ursachen und Wirkungen. Das Rad wird von einem Dämon ergriffen, der Tod und Unbeständigkeit versinnbildlicht.

zeß der Persönlichkeitsentwicklung, den wir als »Ich« denken, fortgesetzt wird. Unsere guten und schlechten Taten tragen beständig zu unserer Persönlichkeit bei. Wenn wir sterben, setzt sich dieser Vorgang fort, und die Flamme geht auf ein neues Leben über, das unser letztes Karma widerspiegelt.

Es gibt 31 Ebenen der Existenz, die von manchen Buddhisten mit psychologischen Metaphern gedeutet werden. Zu diesen Metaphern oder metaphysischen Wirklichkeiten zählen Höllen, »hungrige Geister« (gequält von unbefriedigtem Verlangen), Tiere, Menschen und Götter. In den unteren Ebenen sind auch die Götter unvollkommen und unbeständig.

Runde für Runde, Leben für Leben durchlaufen wir, gefangen im Kreislauf des *Samsara* (weltliche Erscheinungen), wiederholt Alter, Verfall, Leiden, Tod und schmerzvolle Wiedergeburt, sofern wir nicht in das Nirvana entlassen werden, das jenseits aller ursächlichen Existenzebenen liegt.

Nirvana

Über das Nirvana als Ziel der buddhistischen Praxis hat Buddha vergleichsweise wenig gesagt. Der Begriff beschreibt das Erlöschen einer Flamme in Ermangelung von Brennstoffen. Dem Kreislauf, in dem das Rad des Leidens durch Verlangen gespeist wird, kann nur entrinnen, wer aller Begierde ein Ende setzt und eine leidenschaftslose Existenz ohne karmische Konsequenzen erreicht.

Dies bedeutet für den *Arhant* (Pali: *Arhat* oder *Arahat*) oder Heiligen, der in seinem Leben zum Nirvana gefunden hat:

Kein Leiden für den,
der frei ist von Sorgen,
frei von den Fesseln des Lebens,
frei in all seinem Tun.
Er hat das Ende dieser Straße erreicht …

Wie ein Vogel, der unsichtbar am Himmel fliegt,
lebt er ohne Besitztümer,
Wissen ist seine Speise, Freiheit seine Welt,
während andere sich fragen …

Er fand zur Freiheit -
friedvoll sein Denken, friedvoll sein Reden,
friedvoll sein Tun, ruhig sein Geist.[11]

Was geschieht, wenn solch ein Wesen stirbt? Man tritt in einen todeslosen, friedvollen, unveränderlichen Zustand ein, der sich nicht beschreiben läßt. Individualität verschwindet, und man gelangt in das Reich der ultimativen Wahrheit, über das Buddha sich ausschwieg. Warum? Einmal ergriff er eine Handvoll Blätter vom Waldboden und fragte seine Jünger, was zahlreicher sei: die Blätter in seiner Hand oder die im Wald? Als sie antworteten: »Sehr wenige in Eurer Hand, Herr; viele mehr in dem Hain«, sagte er zu ihnen:

So ist es. Wißt also, Freunde: Der Dinge, die ich weiß und nicht offenbart habe, sind mehr
als der Wahrheiten, die ich weiß und offenbart habe. Und warum habe ich sie nicht
preisgegeben? Darum, Freunde, weil sie keinen Nutzen bringen, weil sie der Heiligkeit
nicht dienen, weil sie nicht von Abscheu zu Einhalt und Frieden führen, weil sie nicht vom
Wissen zu Weisheit und Nirvana führen.[12]

Südlicher und nördlicher Buddhismus

Sobald er eine kleine Gruppe von Jüngern um sich geschart hatte, entsandte sie Buddha, um das Dharma zu lehren:

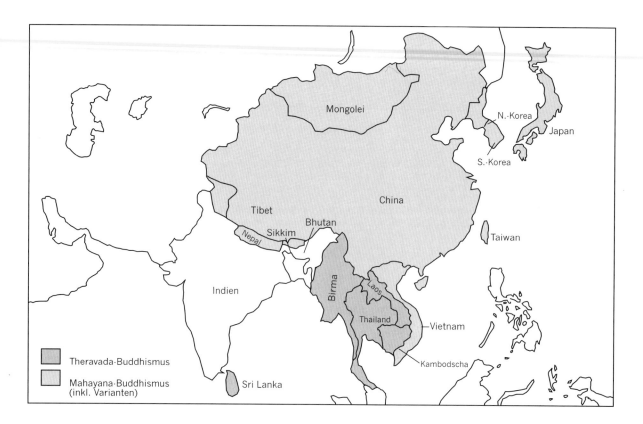

Diese Karte zeigt die ungefähre heutige Verbreitung des Theravada- und des Mahayana-Buddhismus.

Machet euch auf, ihr Mönche, für den Segen der Vielzähligen, für das Glück der Vielzähligen, aus Mitgefühl für die Welt, für Wohlergehen, Segen und Glück der Devas und der Männer ... Wesen gibt es mit wenig Staub in den Augen, die – das Dharma nicht vernehmend – verfallen, doch wenn sie das Dharma lernen, werden sie wachsen.[13]

Die missionarischen Bemühungen entwickelten sich in sämtliche Himmelsrichtungen. 200 Jahre nach Buddhas Tod regierte Ashoka, ein bedeutender indischer König, der vielen anderen Religionen gegenüber Wertschätzung empfand. Unter seiner Führerschaft verbreitete sich der Buddhismus auch in anderen Ländern und wurde so allmählich zur Weltreligion. Nach dem Tod Ashokas erstarkten die Brahmanen erneut; die Buddhisten wurden in einigen Teilen Indiens verfolgt. In der Zeit der moslemischen Invasionen des 12. Jahrhunderts starb der Buddhismus in Indien nahezu aus. Im Heimatland Buddhas wurde er niemals zur vorherrschenden Religion.

Im Zusammenhang mit der Erweiterung und Anpassung der Lehren Buddhas an verschiedene lokale Kulturen entstanden zahlreiche buddhistische Sekten, die in zwei Hauptzweige aufgeteilt werden können. Jene Form des Buddhismus, die sich eng an das zu halten versucht, was sie als Urlehren ansieht, wird *Theravada* oder Lehre der Ordensältesten genannt. Sie ist vorherrschend in den südasiatischen Ländern Sri Lanka, Birma, Thailand, Kambodscha und Laos und wird daher auch als Südliche Schule bezeichnet.

Die Nördliche Schule hingegen dominiert in Nepal, Tibet, China, Korea, der Mongolei und Japan. Ihre Anhänger bezeichnen sie als *Mahayana* (»großes Fahrzeug«), da sie ein größeres Floß zu besitzen glauben, das mehr Menschen aufnehmen kann als die starren Lehren des Theravada, das sie *Hinayana* (»kleines Fahrzeug«) nennen. Beide Gruppen eint der Glaube an die vier edlen Wahrheiten, den achtfachen Weg und die oben beschriebenen Lehren zu Karma und Nirvana.

Theravada: der Pfad der Achtsamkeit

Kennzeichnend für das Theravada ist die Bedeutung der frühen Schriften, die Betonung eines klösterlichen Lebens der Entsagung und seine Lehren der achtsamen Meditation – Merkmale, die jedoch eher auf Intellektuelle und Ordensleute zutreffen; die Praxis der Laien ist mehr von persönlicher Hingabe geprägt.

DER PALI-KANON   Die bislang hier aufgeführten Lehren und Zitate stammen alle aus dem Pali-Kanon, der »Bibel« des Theravada-Buddhismus. Da Buddha jahrzehntelang unermüdlich gelehrt hatte, füllen die ihm zugeschriebenen Äußerungen in der thailändischen Ausgabe des Kanons 45 Bände. Diese Kompilation wird auch als *Tipitaka* (Sanskrit: *Tripitaka*) bezeichnet – »die drei Gesetzeskörbe«. Die Lehren wurden gleich nach Buddhas Tod von einem Rat aus 500 Ältesten, die unmittelbar von ihm unterwiesen worden waren, zusammengetragen.

Der hochgeschätzte Ananda rezitierte die Vorträge Buddhas aus dem Gedächtnis, und ein anderer enger Schüler referierte die Ordensregeln. Dann einigten sich die Ältesten auf einen endgültigen Kanon der Lehren Buddhas, der zunächst mündlich weitergegeben und im 1. Jahrhundert v. Chr. auf Palmblättern niedergeschrieben und in Körben aufbewahrt wurde.

Die »drei Körbe« bestanden aus den Regeln für Mönche und Nonnen, den Vorträgen Buddhas und dem »Korb der weiteren Disziplin«. Der Legende nach predigte Buddha den letzten Teil den Göttern im Himmel, doch in der Gelehrtenwelt vermutet man in die-

Am Anfang der oftmals in jungen Jahren einsetzenden buddhistischen Ausbildung steht das Studium der alten Schriften.

sem höchst philosophischen, akademischen Teil des Kanons einen späteren Versuch, die Gedanken Buddhas zu systematisieren.

Neben dem Tipitaka beziehen sich die Theravadins noch auf andere, nichtkanonische Werke im Pali-Dialekt, so auf spätere Kommentare und wiederum deren Kommentare. Die 547 lebendigen Jataka-Erzählungen, beispielsweise die Geschichte von den törichten Affen (siehe S. 135), erscheinen in den Kommentaren und erläutern den Kontext der in den Vorträgen enthaltenen Kernsprüche (»Ein Törichter, auch wenn er Gutes tun will …«).

Diese Volkssagen wurden angeblich von Buddha erzählt; sie sollen Szenen aus seinen früheren Inkarnationen darstellen, dienen jedoch auch dazu, buddhistische Tugenden wie Weisheit und Mitgefühl zu veranschaulichen.

DAS DREIFACHE JUWEL   Wie alle Buddhisten, so milderten auch die Anhänger der Theravada-Schule die geistige Disziplinierung durch Verehren des *dreifachen Juwels:* Buddha (der Erleuchtete), Dharma (seine Lehre der letzten Wirklichkeit) und Sangha (der Orden seiner Schüler). Um Buddhist zu werden und sich immer wieder seiner Glaubensgrundlage zu versichern, nimmt die betreffende Person »Zuflucht« bei diesen drei Juwelen durch Aufsagen der Pali-Formel *Buddham saranam gacchami* (»Ich nehme Zuflucht bei Buddha«), *Dhammam saranam gacchami* (»Ich nehme Zuflucht beim Dharma«), *Sangham saranam gacchami* (»Ich nehme Zuflucht beim Sangha«).

Man nimmt Zuflucht bei Buddha, nicht indem man ihn um Hilfe bittet, sondern indem man ihn im Gebet als obersten Lehrer und inspirierendes Vorbild würdigt. In gewissem Sinn bedeutet diese Zuflucht bei Buddha, die Buddha-Weisheit in uns selbst zu würdigen.

Das Dharma ist wie eine Medizin, die unser Leiden jedoch erst heilt, wenn wir sie selbst einnehmen. Im Pali-Gesang wird das Dharma beschrieben als unmittelbar, zeitlos, Ruhe bewirkend und nur durch unmittelbares Erleben und persönliches Bemühen erkennbar.

Das Sangha ist der Orden der Bhikshus und Bhikshunis, die der Welt entsagt haben, um das Dharma zu befolgen, zu bewahren und daran teilzuhaben. Buddha gründete einen der ersten Mönchsorden überhaupt, und dieses Mönchtum bildet ein Kernstück im Theravada.

In Südostasien lebt derzeit etwa eine halbe Million Theravada-Mönche. Um ihr weltliches Leben zu vereinfachen und sich dem Studium und der Verbreitung des Dharma widmen zu können, müssen sie sich den Kopf kahlscheren und sich in schlichte Gewänder hüllen; sie dürfen nur wenige unverzichtbare Dinge besitzen und nach dem Mittag keine feste Nahrung zu sich nehmen, müssen im Zölibat leben und sind hinsichtlich Ernährung, Kleidung und medizinischer Versorgung auf den Laienstand angewiesen. Früh am Morgen machen sie sich mit ihrer Almosenschale auf den Weg, und die Laien betrachten es als verdienstvolle Gelegenheit, Garküchen zu errichten, um sie zu beköstigen. In einem System wechselseitiger Abhängigkeit wird dies von den Mönchen mit spirituellem Beistand, Segensgesängen und verschiedenen sozialen Diensten erwidert, oft auch mit weltlichem Rat und Unterricht. Mönche halten in den Klöstern Vorträge über das Dharma, auf Einladung auch in privaten Haushalten.

Die buddhistischen Klöster bilden den Mittelpunkt des dörflichen Lebens und stehen allen offen. Die Mönche haben eine hohe gesellschaftliche Stellung inne als Vorbild an Selbstbeherrschung, Güte und Intelligenz – niemand dürfte auf einem höheren Platz sitzen als ein Bhikshu.

In Theravada-Ländern ist es üblich, daß junge Männer ein befristetes Mönchsgelübde

In Südostasien werden die zahlreichen Mönche durch tägliche Beköstigung von den Laien unterstützt.

ablegen – oftmals nur für die Dauer des Monsuns, wenn auf den Feldern kaum gearbeitet werden kann. Sie tragen safranfarbene Gewänder, machen sich mit kahlgeschorenem Kopf und Bettelschale auf den Weg und empfangen religiöse Unterweisung, während sie ein Leben in Schlichtheit führen.

Im Gegensatz dazu erfahren die Bhikshunis (buddhistische Nonnen) in Südostasien traditionellerweise kaum gesellschaftliche Unterstützung. Bereits zu Lebzeiten Buddhas wurde bestimmt, daß die Nonnen das gleiche Leben führen sollten wie die Mönche und in den gleichen Klöstern untergebracht seien, doch bereits vor etwa 1000 Jahren verschwand der Orden der voll ordinierten Nonnen in den Theravada-Ländern vollständig. In zahlreichen frühbuddhistischen Schriften gelten die Frauen als ebenso befähigt wie die Männer, Weisheit und Nirvana zu erreichen, die spirituelle Macht jedoch blieb in den Händen der Mönche. Nach den Ordensregeln waren Nonnen, unabhängig von ihrem Alter, den Mönchen untergeordnet, so daß sie kaum Gelegenheit hatten, in Führungspositionen aufzusteigen.

Dessen ungeachtet empfinden viele Frauen heute ein ausgeprägtes Bedürfnis nach spiritueller Freiheit. Im Rahmen des Versuchs, in Theravada-Ländern wie Sri Lanka voll ordinierte Nonnenorden neu zu gründen, fand 1987 in Bodh Gaya die »Erste internationale Konferenz buddhistischer Nonnen« statt. In einem 1995 abgehaltenen Seminar über die Rolle buddhistischer Nonnen und weiblicher Laien bei der Aussöhnung Kambodschas erläuterte So Mouy, Gründerin eines Nonnenklosters, die Auswirkungen der weiblichen Unterordnung in Gemeinschaftsklöstern:

Wenn wir in den Tempeln bleiben, verbringen wir zuviel Zeit damit, für die Mönche zu kochen und sauberzumachen, und haben nicht genug Zeit für unsere eigene spirituelle Praxis. Wenn wir in der Sozial- und Entwicklungsarbeit eine größere Rolle spielen wollen, benötigen wir zunächst ein solideres spirituelles Fundament.[14]

Lebendiger Buddhismus

In Thailand sind über 93 Prozent der Bevölkerung Buddhisten. Staat und Sangha sind historisch eng miteinander verknüpft. Obgleich die Konsumkultur die traditionellen Werte zu unterlaufen beginnt, fühlten sich die Menschen bislang ungewöhnlich glücklich und frei, zum Teil vermutlich dank ihres buddhistischen Glaubens. Nachstehend die Aussagen zweier Frauen aus Bangkok.

Komkai Charoensuk, eine meditierende Großmutter und Schülerin verschiedener Mönche und Nonnen:

»Ich werde eben erst allmählich zu einer guten Buddhistin. Ich meditiere, aber nicht ständig. Man braucht viel Geduld und Aufmerksamkeit, nicht aber Zeit. Dieser jetzige Moment – das ist das Wichtigste, was wir erkennen müssen.

Wenn jemand wütend auf uns ist und uns beschimpft, sind wir schnell verletzt. Doch wir können uns bemühen, die Ursachen dieses Leidens und dieses Zorns herauszufinden. Je länger man den Schmerz in sich behält, desto schlimmer wird es. Der Zorn läßt einfach nicht nach. So verletzt man sich selbst. Und es ist dumm, Herz oder Geist in sich selbst zu verletzen. Doch wir brauchen viel Übung, um solches zu überwinden.

Wir wollen nicht anfangen, enden, wieder zurückkommen, wieder anfangen, enden und so fort. Wir wollen nicht wiedergeboren werden und leiden, dann glücklich sein und erneut leiden. Das ganze Leben besteht aus Lachen und Weinen. Darum möchten wir ins Nirvana gelangen: kein Glück mehr und kein Unglück mehr. Wenn dich nun jemand beschimpft, lächelst du nur, denn du weißt, warum er das tut. Du verstehst alles. Niemand kann dich verletzen.«

Prachoomsuk Achava-Amrung, Professorin für Bildungsforschung mit Ausbildung in Chemie und ehemalige Präsidentin der International Association of Educators for World Peace:

»Ich bin Wissenschaftlerin, und der Buddhismus ist sehr wissenschaftlich. Alles besteht aus Kausalbeziehungen. Es gibt keinen Gott und nichts Heiliges. Man muß sich selbst helfen. In einigen anderen Reli-gionen bittet man Gott um Hilfe, nicht aber im Buddhismus. Buddha sagte: ›Ich kann dich leiten, nicht aber dir helfen. Ich kann dir den Weg weisen, doch du mußt ihn gehen, nicht ich.‹

Die gesamte buddhistische Lehre ist Frieden, geistiger Frieden. ›Thai‹ bedeutet ›frei‹, historisch sehr interessant:

Thailand wurde während der europäischen Kolonialzeit niemals kolonialisiert. Verfügte es vielleicht über mächtige Waffen und riesige Armeen? Nicht im geringsten! Wir können frei bleiben, weil wir den Buddhismus im Herzen tragen. Wir lächeln, betrachten jeden als Freund. Wir haben ein Sprichwort, wonach man überall Freunde finden kann, jedoch nirgends Feinde, es sei denn, man erfindet sie.

Es ist schon sehr komisch, daß damals dieses britische Schlachtschiff durch den Golf von Thailand nach Bangkok segelte, und auch die Franzosen, und die Thai sagten: ›Welch ein großes Schiff! Gehen wir einmal schauen!‹ Statt sie zu beschießen, sagten sie nur: ›Können wir etwas für euch tun? Was fehlt dem Schiff?‹ Der Kapitän kam hinunter, und sie schlossen einen Freundschaftsvertrag – wie wir nicht wußten, zum Vorteil der Briten; wir unterschrieben nur. Wir sind freundlich, also fielen wir nicht, wurden nicht kolonisiert. Andere Länder jedoch kämpften, die Europäer hatten bessere Waffen und siegten.

Bei meiner Arbeit in der Friedensbewegung versuche ich daher, den Leuten diese Friedfertigkeit zu vermitteln, wie wir sie in Thailand haben. Außerdem besitzen wir Freiheit und die richtige Einstellung zu den Menschen. Wir sehen jeden als Freund. Wir versuchen die Welt zu lehren, Kinder zur Friedfertigkeit zu erziehen.«

VIPASHYANA-MEDITATION   Neben den Bemühungen um die Bewahrung der als Ur-
lehre Buddhas erachteten Schriften ist die Vipashyana-Meditation kennzeichnend für das
Theravada. Wörtlich bedeutet *Vipashyana* soviel wie »Einsicht«. Am Beginn dieser Me-
ditationsform steht die erhöhte Aufmerksamkeit für Details, um den Geist zu beruhigen,
zu konzentrieren und zu beobachten.

Für den birmanischen Meditationsmeister Mahasi Sayadaw bedeutet dies, daß man
sich beim Ein- und Ausatmen beobachtet und auf das Heben und Senken des Bauches
achtet. Um sich gedanklich auf diese Bewegung zu konzentrieren und sich nicht durch
verschiedenste unbewußte, konditionierte Reaktionen ablenken zu lassen, führt man
im Geiste beständig Protokoll über das Geschehen – »steigend«, »fallend«. Unweigerlich
werden in dem ruhelosen Geist weitere mentale Funktionen hervortreten, die ebenfalls lediglich zur Kenntnis genommen werden – »vorstellen«, »umherschweifen«, »erinnern« –, bevor man sich erneut der Atembewegung zuwendet. Ebenfalls auftretende
Körperempfindungen werden in gleicher Weise protokolliert – »juckend«, »angespannt«,
»ermüdet«.

Phasen der sitzenden wechseln mit Phasen der gehenden Meditation, bei denen die
Körperbewegungen genauestens zur Kenntnis genommen werden: »anheben«, »bewegen«, »aufsetzen«.

Die gleiche Achtsamkeit wird auch den alltäglichen Verrichtungen zuteil. Wenn ekstatische Zustände oder Visionen entstehen, soll der Meditierende sie einfach zur Kenntnis nehmen und sie verstreichen lassen, ohne an ihnen festzuhalten. Auch Emotionen
werden lediglich beobachtet, akzeptiert und dürfen wieder verklingen, anstatt als »gut«
oder »schlecht« bewertet zu werden. Jedoch, so der Dharma-Lehrer Joko Beck, bleiben
wir gewöhnlich in unseren Emotionen gefangen:

*Stupas wie diese glocken-
förmigen Monumente der
Großstupa-Anlage in
Borobudur (Java) können
Reliquien oder Buddha-
Statuen beherbergen und
sind Stätten der Wallfahrt.
Die länglichen Ohren
Buddhas stehen für Weis-
heit, der Haarknoten
repräsentiert höheres
Bewußtsein.*

Links *Im Tempel sitzend, verehrt man Statuen Buddhas als Sinnbild des ewigen kosmischen Prinzips.*
Rechts *In Südostasien stehen Buddha-Schreine am Straßenrand (bisweilen an belebten innerstädtischen Straßen), bei denen Laien ihre Opfergaben wie Speisen, Getränke, Elefantenfiguren, Blumen, Kerzen und Räucherwerk niederlegen. Es besteht eine recht große Ähnlichkeit mit den älteren Geister-Schreinen.*

Genau dort bleibt jeder stecken. Jeder ist von seinen Emotionen fasziniert, weil wir glauben, das seien wir. Wir fürchten, ein Niemand zu sein, wenn wir uns nicht mehr an sie klammern. Was wir natürlich auch sind! Wenn du in deine Gedanken, Hoffnungen, Träume wanderst, kehre um – nicht nur einmal, sondern zehntausendmal, wenn's sein muß, millionenmal, wenn's sein muß.[15]

In diesem Prozeß treten die von Buddha verkündeten Wahrheiten der Existenz – Duhkha, Anitya und Anatta – zutage, und der Geist wird ruhig, klar, aufmerksam und beweglich, losgelöst von allen Neigungen und Abneigungen.

BUDDHISTISCHE LAIEN   Obwohl Meditierende aus aller Welt heutzutage nach Südostasien reisen, um bei Meditationsmeistern zu studieren, wird deren anspruchsvolle Disziplin nur von vergleichsweise wenigen Theravadins gewählt, so daß die Klöster mehrheitlich keine Zentren der Meditation sind. Die Religiosität der meisten Laien ist eher von Frömmigkeit geprägt als von Intellektualität. Diese natürliche Tendenz anerkennend, entwickelte das Theravada gesonderte Wege für Bhikshus und Laien: Der Pfad der Mönche und Nonnen basiert auf der Entwicklung der zur Freiheit führenden Moralität, Konzentration und Weisheit; von den Laien hingegen wird lediglich erwartet, daß sie Almosen geben, die drei Zufluchten und die fünf Gebote einhalten und sich darum bemühen, innere Ruhe zu erreichen. Von den Laien erwartet man keine fundierte Kenntnis der Lehren Buddhas, und nur wenige versuchen, Erleuchtung zu finden.

Selbst innerhalb des relativ strengen Theravada-Pfades entstanden verschiedene Formen der Andacht. So werden beispielsweise Reliquien verehrt, die angeblich von Buddha stammen und in Stupas aufbewahrt werden – künstlichen Hügeln oder Turmbauten, die sich womöglich aus den spirituellen Traditionen der Ureinwohner ableiten. Im Doi-Su-thep-Tempel in der Nähe von Chiang Mai (Thailand) etwa wird ein winziger Knochen-splitter Buddhas aufbewahrt.

Um das Volk an dieser heiligen Reliquie teilhaben zu lassen, legte der Herrscher sie angeblich auf den Rücken eines heiligen weißen Elefanten (des legendären Symbols Bud-dhas), damit dieser die geeignetste Stätte für den Tempel auswählte. Der Elefant erklomm einen nahe gelegenen Hügel, bis er die glückverheißende Stelle erreicht hatte. Dann drehte er sich dreimal herum und kniete nieder.

Heute erklimmen Tausende von Pilgern die 290 Stufen zum Tempel und bitten um Segen, indem sie ein Bildnis von Buddha mit Blattgold schmücken, drei Räucherstäb-chen zu Ehren des dreifachen Juwels entzünden, Kerzen anstecken und Blumen opfern.

Bildnissen von Buddha begegnet man zuhauf in den Tempeln und Schreinen am Straßenrand – diese sind fast identisch mit den Schreinen der Naturgeister, die in Süd-ostasien noch recht verbreitet sind, da das Theravada sich auf die Naturreligionen bezo-gen hatte, anstatt sie zu ersetzen. Die Bildnisse von Buddha symbolisieren seine schüt-zende, lenkende Anwesenheit, obwohl Buddha nach orthodoxer Theravada-Lehre nicht mehr als Individuum existiert, da er in das Nirvana überging. Auch die Mönche gelten gewissermaßen als magische Beschützer, und die Gläubigen können um gesungenen Schutzsegen ersuchen. So etwa gibt es in den Büchern der Pali-Gesänge ein spezielles Gebet für den Schutz vor unerwünschten Kriechtieren wie Spinnen und Ratten, das sich

Buddhistische Nonnen, die traditionell einen geringeren Status als die Mönche besitzen, werden heutzutage als Gruppe zusehends stärker.

Kuan-yin (»der das Wehklagen vernimmt«), der Bodhisattva der Barmherzigkeit.

in liebevoller Güte (*Metta*) an sie wendet und dann bittet: »Mögen diese Wesen fortgehen!«[16]

Mahayana: der Pfad des Mitgefühls und der Metaphysik

Weitere buddhistische Praktiken und Lehren erschienen in unterschiedlichsten Schriften des 1. Jahrhunderts v. Chr. Diese Richtungen, die sich gegenüber den Pali-Schriften weniger orthodox zeigten, bilden zusammengenommen das Mahayana, das »große Fahrzeug«. Statt die Spaltung zwischen Ordensleuten und Laien zu betonen, verfolgen diese neuen Schriften einen liberaleren Ansatz, der alle mit einbezieht. Zwar erkennen sie den Pali-Kanon an, erheben zugleich jedoch den Anspruch, die fortgeschritteneren Lehren Buddhas auszudrücken – von ihren Anhängern als esoterische Lehren gedeutet –, die Buddha allein den Bodhisattvas vermittelte, den mitfühlenden, erleuchteten Wesen.

Die Mahayana-*Sutras* (Lehren) sind offen angelegt und betonen die Bedeutung des religiösen Erlebens. Das Dharma wird nicht von den Schriften allein verkörpert, sondern als die Quelle der Bekehrungserfahrung angesehen, die das Streben nach Erleuchtung als dem größten Wert im Leben erweckt. Im Gegensatz zur relativen Einheitlichkeit des Theravada verfügt jede der zahlreichen Mahayana-Schulen über spezielle Methoden für die Erweckung. Dennoch besitzen die meisten Mahayana-Traditionen einige Gemeinsamkeiten.

BODHISATTVAS   Das *Lotos-Sutra*, eine frühe Mahayana-Schrift, verteidigte die Neuerungen gegenüber dem Pali-Kanon, indem es behauptete, die älteren Lehren seien lediglich »kunstvolle Mittel« für jene mit geringeren Fähigkeiten und sollten nach Möglichkeit durch das wahre Dharma des Lotos-Sutra ersetzt werden. Die Idee der »kunstvollen Mittel« bezieht sich auf die Auffassung, daß Buddha seine Lehren auf die jeweiligen Zuhörer zuschnitt und je nach deren Bereitschaft, die volle Wahrheit zu vernehmen, mehr oder weniger vervollständigte. Sie wird von manchen Forschern als Möglichkeit interpretiert, frühere Lehren zu würdigen, zugleich über sie hinauszugehen und hilfreiche populäre Praktiken, Mythologien und lokale Gebräuche einzubeziehen.

Im Gegensatz zu dem früheren Ziel – die individuelle Befreiung vom Leiden durch die dazu Befähigten – nennt das Lotos-Sutra als höher bewertetes Ziel der Suche nach Erleuchtung das Werden wie Buddha zum Nutzen und zur Errettung anderer. Demnach sind wir nicht allein zur individuellen Befreiung aufgerufen, sondern zum Buddha-Sein. Abweichend von den früheren Lehren heißt es im Lotos-Sutra, daß alle Wesen die Fähigkeit zum Buddha-Sein hätten und dazu bestimmt seien, es letztlich zu erreichen. Einige Mitglieder der neuen Mahayana-Gemeinden nannten sich Bodhisattvas, die für die Erleuchtung Bestimmten. Mönche wie Laien legten hierzu das entsprechende Bodhisattva-Gelübde ab.

Diese Verpflichtung wird von den heutigen Mahayana-Buddhisten oftmals in Form der vier großen Bodhisattva-Gelübde ausgesprochen, die im 6. Jahrhundert in China von Tien-tai Chih-i zusammengestellt wurden:

Der Wesen sind unendlich viele; ich gelobe, sie alle zu retten.
Der hinderlichen Leidenschaften sind unendlich viele; ich gelobe, sie alle zu beenden.
Die Lehren zur Errettung anderer sind zahllos; ich gelobe, sie alle zu lernen.
Buddha-Sein ist die höchste Errungenschaft; ich gelobe, sie zu erreichen.

Hierzu seine Heiligkeit, der 14. Dalai Lama:

Die Motivation, das Buddha-Sein zu erreichen, um alle fühlenden Wesen zu retten, ist wirklich ein phantastischer Entschluß. Ein solcher Mensch wird sehr mutig, warmherzig, und er wird ein nützliches Glied der Gesellschaft.[17]

Nicht nur für dich allein bist du hier, sondern um aller empfindsamen Wesen willen. Halte deinen Geist rein und warm.

Soen Nakawaga-roshi[18]

Das Bodhisattva-Sein ist nicht allein ein Ideal für den Wandel auf Erden, denn es gibt auch zahlreiche himmlische Bodhisattvas, die den Bitten der Leidenden Gehör schenken und als Aspekte des ewigen Buddha angesehen werden. Jeder von ihnen besitzt eine spezielle Eigenschaft wie Weisheit oder Mitgefühl und kann von den Gläubigen um Hilfe ersucht werden.

Der populärste Bodhisattva in Ostasien ist Kuan-yin; er steht für das Mitgefühl und verweigert niemandem seine Hilfe. Obgleich auf indischen Bildnissen als männlich dargestellt (Avalokitesvara), heißt es im Lotos-Sutra, daß Kuan-yin jegliche Form annehme, deren es bedürfe, um anderen zu helfen; aufgeführt werden 33 Beispiele. In Ostasien wird Kuan-yin typischerweise als weiblich dargestellt, oftmals als Überbringerin oder Beschützerin von Säuglingen. Ein Bildnis mit Säugling wurde in Ostasien besonders populär als Zufluchtsstätte für Mütter, die Fehlgeburten erlitten haben.

DIE DREI KÖRPER BUDDHAS Im Theravada ist Buddha eine historische Figur, die nicht mehr existiert, doch ihr Dharma als Richtschnur zurückließ. Das Mahayana indes betrachtet Buddha als ein universales Prinzip. Metaphysisch soll Buddha in drei Formen oder »Körpern« ewig im Universum anwesend sein: erstens als Essenz des Wissens und Mitgefühls, als »Bewußtsein, verschmolzen mit dem universalen Bewußtsein«, zweitens als Körper des Entzückens, jenes strahlenden Aspekts des Buddha-Seins, das das Dharma den Bodhisattvas vermittelt, und drittens als Körper der Verwandlung, durch den das Buddha-Prinzip sich vermenschlicht, um zur Befreiung der Menschheit beizutragen.

In diesem dritten Körper erschien Buddha eine Zeitlang auf Erden als die historische Figur des Siddhartha Gautama aus dem Geschlecht der Shakyas. Die Mahayanins nennen ihn Shakyamuni Buddha, um ihn von anderen Manifestationen Buddhas zu unterscheiden. Anders als das nichttheistische Theravada gab das Mahayana dem Buddha-Sein somit einen nahezu theistischen Status. Die einfachen Gläubigen kennen daher eine Vielzahl von Buddhas und Bodhisattvas, an die sie ihre Fürbitten richten können. Manche Mahayanins jedoch deuten die Lehren über die Bodhisattvas und die drei Körper Buddhas eher symbolisch als Metaphern für die Aspekte des Bewußtseins innerhalb der kosmischen Mysterien. Aus dieser Sicht kann das Nirvana beschrieben werden als Zustand des reinen, wonnevollen und strahlenden Bewußtseins.

LEERE Die Buddhas der Mahayana-Schriften bewegen sich behende durch intergalaktische Räume und Zeiten, verdoppeln sich und erscheinen zugleich an verschiedenen Orten, entmaterialisieren und materialisieren sich nach Belieben. Fortgeschrittene Praktiker sind jedoch gehalten, diesen Erscheinungen keinen Wert beizumessen. Denn zahlreiche Schulen des Mahayana – wie auch die Theravadins – gehen ebenso von einer ewigen Realität aus, einer transzendenten Wahrheit oder Ordnung, durch die das Universum beherrscht wird.

In der Udana-Schrift des Pali-Kanons sagt Buddha: »Ihr Mönche, es gibt Nichtgeborenes, Nichtsterbendes, Nichtveränderliches, Nichtgeschaffenes. Wäre dies nicht so, hätte das Leben oder Lernen keinen Sinn.«

Hierzu führt der zeitgenössische Lehrer Roshi Jiyu Kennett aus: »Der Buddhismus sagt, was das Ewige nicht ist … Er sagt nicht, was es ist, denn täte er es, wäre er in einem Begriff befangen.«[19]

Einige der komplexesten und paradoxesten Mahayana-Lehren betreffen das *Shunyata* (»Leere«, »Leerheit«). Sie wurden etwa im 2. Jahrhundert n. Chr. von dem brillanten indischen Philosophen Nagarjuna auf der Grundlage der früheren Schriften über die Vervollkommnung der Weisheit erarbeitet.

Demnach liegen dem Kommen und Gehen alles Irdischen kein unabhängiger Ursprung und keine ewige Wirklichkeit zugrunde. *Samsara,* die Welt der Phänomene, ist daher leer. Mit den Worten des Dalai Lama:

> *Wenn wir jenes tibetische Wesen namens Dalai Lama tatsächlich finden wollen,*
> *können wir es nicht finden. Da ist etwas, wenn wir uns kneifen, doch wir können es*
> *nicht finden.*[20]

Das Nirvana ist auch leer in dem Sinn, daß es ein Gedankenkonstrukt ist, wenngleich es nicht von Bedingungen abhängt. Es ist keine ewige Realität, die man erreichen kann. In den paradoxen Analysen der Leere wird selbst die letzte Realität als Shunyata bezeichnet, da sie sämtliche Gedankenkonstrukte transzendiert.

In den Schriften zur Vervollkommnung der Weisheit wird der Schüler nach dem Erhalt der langwierigen Shunyata-Lehre gefragt, ob er sie verstanden habe. Er erklärt: »Wahrhaft, nichts wurde gelehrt.«

Die Schriften zur Vervollkommnung der Weisheit beschreiben die befreiende Erfahrung der Leere und bilden weitgehend die Grundlage des Mahayana. Verblüffende Eigenart des Mahayana ist die Anwendung der Idee der Leere auf alle Dinge, sogar auf die Lehren Buddhas.

Im populären Herz-Sutra, das in ganz Ostasien liturgische Verwendung findet, werden die Kernsätze des traditionellen Buddhismus systematisch »entleert«: Bodhisattva Kuanyin erkennt, daß die fünf Aggregate einer Person (Gestalt, Empfindung, Wahrnehmung, Reaktion und Bewußtsein) leer sind, und wird dadurch frei von allem Leiden. Dann werden Geburt und Tod, Reinheit und Unreinheit, Zunahme und Abnahme als leer erkannt; die sechs Sinnesobjekte, die sechs Sinnesorgane und die sechs Sinneswahrnehmungen werden als leer erkannt; so auch das Rad des Lebens, die vier edlen Wahrheiten und der achtfache Weg. Selbst Wissen und Erworbenes werden für leer erklärt. In dieser »Vervollkommnung der Weisheit« gibt es keine Hindernisse und somit keine Furcht, und die Verblendung hinter sich lassend, erreicht man das Nirvana, nachdem der Buddhismus seiner zentralen Objekte entledigt wurde. Das Herz-Sutra ersetzt die Doktrinen durch ein höchstes Mantra: *Gate, Gate, paragate, parasamgate, bodhi, svaha!* (Weg, weg, darüber hinweg, gegangen zum anderen Ufer. O Erleuchtung, alles Heil!) Dazu Prof. David Chappell:

> *Das systematische Entleeren der zentralen Traditionslehren ist in der Religionsgeschichte*
> *ohne Beispiel. (Man stelle sich einen Christen vor, der sagte, die Zehn Gebote, das*
> *Vaterunser und das apostolische Glaubensbekenntnis seien leer!) Und doch vermittelt*
> *die Einsicht in die Unbeständigkeit und den Zusammenhang aller Dinge dem*
> *Mahayana eine selbstkritische Tiefgründigkeit und umfassende Akzeptanz der Vielfältigkeit, die Ausgeglichenheit inmitten der Bewegung und Frieden inmitten des Mitgefühls*
> *bieten.*[21]

Tibetisches Vajrayana: Abkürzung zum Palast der Einheit

Von den zahlreichen Zweigen des Mahayana-Buddhismus erwies sich die in Tibet entwickelte Strömung als besonders wandlungsfreudig. Vor Einführung des Buddhismus dürfte in dieser Gebirgsregion die schamanistische Bon-Religion beheimatet gewesen sein. Im 7. Jahrhundert n. Chr. interessierte sich Songtsan, ein besonders mächtiger tibetischer König, für die in der Umgebung seines isolierten Königreiches praktizierte Religion. Er entsandte eine Gruppe von Schülern, die den Buddhismus in Indien studieren sollten, jedoch in der sengenden Hitze der Tiefebenen umkamen. Nur ein Mitglied einer zweiten Gruppe überstand die beschwerliche Überquerung des Himalaja und kehrte mit zahlreichen Sanskrit-Texten zurück. Nachdem einige der Texte ins Tibetische übersetzt worden waren, erklärte Songtsan den Buddhismus zur Nationalreligion und förderte die buddhistischen Tugenden bei seinen Untertanen.

Man erzählt, die Bon-Schamanen hätten diese Gefährdung ihrer Macht erst dann zu sabotieren aufgehört, als der tantrische Meister Padmasambhava im 8. Jahrhundert eingeladen wurde, von Kaschmir aus in das Land zu kommen. Auf dem Weg soll er die lokalen Bon-Götter unterworfen und konvertiert haben. Er (und vielleicht auch sein Begleiter Yeshe Tsogyel) entwickelte den tibetischen Buddhismus, indem er Bon-Elemente und esoterische Tantra-Praktiken in den Mahayana-Buddhismus einflocht. Zahlreiche Bon-Götter und -Göttinnen wurden als untergeordnete tantrische Schutzgottheiten aufgenommen. Tieropfer wurden jedoch durch symbolische Andachtsformen ersetzt, Schwarze Magie durch Praktiken der inneren Reinigung. Als die Menschen dazu übergingen, die tantrischen Lehren wörtlich zu nehmen und dem Alkohol und Sex im Namen der Spiritualität zu frönen, wurde Atisha aus dem indischen Nalanda, einem bedeutenden Zentrum der buddhistischen Lehre, gerufen, um Abhilfe zu schaffen.

Unter Atisha wurde der tibetische Buddhismus zu einem komplexen Pfad, dessen drei Stufen angeblich die von Gott Buddha vorgeschriebenen *Yanas* (Mittel des Fortschritts, der Verantwortung) seien. Obgleich sie in ihrer derzeitigen Ausprägung nicht von Buddha entwickelt wurden, soll dieser doch den Gedanken einer didaktisch abgestuften Lehre unterstützt haben.

Mittelpunkt des buddhistischen Lebens in Tibet waren lange Zeit die Bergklöster, bis die kommunistischen Chinesen sie schlossen und einen Großteil der Mönche umbrachten.

Die erste Stufe bezeichnen die Tibeter als Hinayana – Beruhigung des Geistes und Preisgabe von Bindungen durch Meditation. Zweite Stufe ist das Mahayana – Schulung in Mitgefühl und liebevoller Güte. Die dritte Stufe, ein fortgeschrittener esoterischer Weg, ist das *Vajrayana* (»unzerstörbares Diamant-Fahrzeug«) oder *Tantrayana*, gewissermaßen eine Abkürzung, die innerhalb nur eines Lebens Erleuchtung ermöglichen soll und extrem strenge Praktiken beinhaltet, die aus dem indischen Tantra-Yoga abgeleitet sind. Die Anhänger dieser Richtung versuchen, sich einen »Diamant-Körper« anzueignen, der es ihnen erlaubt, den Eintritt in die energiereichen höheren Bewußtseinsebenen körperlich auszuhalten.

Das Hinayana-Element dieses Prozesses ähnelt der Vipashyana-Meditation. Die Meditierenden sollen das Auf und Ab ihrer Emotionen beobachten und sich urteilsfrei von ihnen lösen. Während die Theravadins hierbei jedoch eher das Übergehen zur Leere des Samsara betonen, deuten die Tibeter das Zentrum der Emotionen als Energiequelle, wie Lama Tarthang Tulku erläutert:

Jede Erfahrung ist frisch und wertvoll, wenn wir unsere Erwartungen und Widerstände, Urteile und Denkgebilde preisgeben. In einer Haltung der Akzeptanz besitzen selbst unsere negativen Emotionen das Potential, unsere Kraft und Energie zu erhöhen. Konzentriere dich auf das Gefühl, nicht auf Gedanken darüber. Konzentriere dich auf das Zentrum des Gefühls, und dringe in diesen Raum ein. In diesem Zentrum ist eine klare, deutliche Energiedichte. Diese Energie besitzt eine große Kraft und vermag große Klarheit zu vermitteln. Unser Bewußtsein kann in die Emotion gehen und zu dieser reinen Energie Kontakt aufnehmen, so daß unsere Anspannung aufbricht. Mit Sanftheit und Selbstverständnis kontrollieren wir diese Energie.

Vielfach lehnen wir uns selbst ab, tadeln uns für dieses und jenes. Anstatt uns selbst abzulehnen, hilft es, sich zu vergegenwärtigen, daß unsere Negativitäten nicht von Bestand sind. Wenn sich unsere Gedanken und Vorstellungen ändern, wandelt sich auch unsere Einstellung, und eine frei fließende Energie entsteht. Je stärker wir unsere Vorstellungen und Festigkeit lockern, desto stärker wird diese Energie fließen.[22]

Der 14. Dalai Lama, geistiges Oberhaupt der tibetischen Buddhisten mit seiner Exilregierung im nordindischen Dharamsala an den Ausläufern des Himalaja, ist überall als mitfühlender Streiter für den Weltfrieden geachtet.

Nachdem sie die vom Mahayana-Buddhismus angestrebte Ruhe, Freiheit und liebevolle Güte erlangt haben, werden ausgewählte Vajrayana-Schüler von Gurus durch eine Reihe tantrischer Praktiken geleitet. Den höchsten Rang nehmen die als Lehrer verehrten Lamas ein. Manche von ihnen gelten als inkarnierte Bodhisattvas und werden bereits in jungen Jahren sorgsam auf ihre Rolle vorbereitet als jene, die die höchste Wahrheit erkannt haben und anderen helfen können, sich ihr weiter zu nähern. Wie im Hinduismus gelten die Unterwerfung gegenüber dem Guru und die Dankbarkeit für die Lehren als der einzige Weg, diese zu erhalten.

Anfang und Ende der tantrischen Meditation bildet stets die innere Leere, das erleuchtete Bewußtsein über die wahre Beschaffenheit der Dinge. Auf dieser Grundlage vollziehen die Anfänger Übungen im *Gottheits-Yoga,* indem sie über eine der vielen Gottheiten meditieren, die verschiedene Manifestationen der kosmischen Energie verkörpern. Diese strahlenden Gestalten sind zwar ebenso Trugbilder wie das Spiegelbild des Mondes auf dem Wasser, doch sie sollen dazu verhelfen, über die eigene wahre Natur zu reflektieren und diese ans Licht zu bringen. Einige dieser Gottheiten sind zornig, so etwa der das Dharma verteidigende Mahakala. Dem buddhistischen Verständnis nach sind zornige Taten ohne Haß bisweilen sozial notwendig, um Wahrheit und Gerechtigkeit zu schützen.

Die höchste Form des Vajrayana besteht in der Nutzung der subtilen Lebensenergien des Körpers für die Wandlung des Geistes. Nach längerer Praxis erreicht man eine sehr

Die chinesischen Kommunisten demontierten das traditionelle System, in dem ein Viertel aller männlichen Tibeter »unproduktive« Mönche waren, die von den Laien unterstützt wurden und beträchtliche weltliche Macht besaßen. Der Spiritualität innerhalb des Volkes tat dies jedoch keinen Abbruch, wie diese Gebetsszene zeigt.

hohe Bewußtseinsebene, in der der »grobe Geist« neutralisiert wird und der »subtile Geist« sich kraftvoll manifestiert, »reitend« auf dem von den Tibetern so bezeichneten »klaren Licht der Wonne«. Dieser innerste, subtile Geist des klaren Lichts gilt als einzig ewiger Aspekt der Existenz. Sobald er aufgedeckt ist, soll der Betreffende fähig sein, innerhalb nur eines Lebens Buddha-Sein zu erreichen.

Die Praktiken zur Wandlung des Geistes haben gewisse Begleiteffekte wie die Fähigkeit zur Levitation, Hellsichtigkeit, Dauermeditation ohne Schlaf und innerlichen Erwärmung des Körpers, während man nackt im Schnee sitzt. Milarepa, der berühmte tibetische Poet und Heilige, der durch große Entbehrungen zur Erleuchtung fand, sang einst dieses Lied:

Im Innern voller Wonne, nähre ich nicht
die Vorstellung »Ich leide«,
wenn es draußen unaufhörlich regnet.

Selbst auf Gipfeln schneeweißer Berge,
inmitten wirbelnder Graupeln und Flocken,
getrieben von den Winterwinden des neuen Jahres,
brennt dieses baumwollene Gewand wie Feuer.[23]

Eine der beliebtesten Gottheiten des tibetischen Buddhismus ist Tara, Erlöserin und Mutter der Erde, die beschützt und das spirituelle Streben unterstützt (Detail eines tibetischen Thanka, 18./19. Jh., Tempera auf Leinwand).

Die Tibeter waren der Verfolgung durch das kommunistische China ausgesetzt, das Tibet 1951 okkupierte, alte Klöster und Schriften zerstörte und während der jahrzehntelangen Besatzung schätzungsweise ein Sechstel der Bevölkerung ermordete. Hunderttausenden Tibetern gelang die Flucht ins Exil, so auch dem höchsten aller Lamas, dem 14. Dalai Lama – zugleich spiritueller und politischer Führer. Seine Vorträge in aller Welt trugen maßgeblich zur neuerlichen Belebung des Interesses für den Buddhismus bei. Als einer der weltweit höchstgeachteten religiösen Führer ist er selbst Vorbild für Frieden und Mit-

Zen-Meditation und Künste wie Bogenschießen, Teezeremonie, Kalligraphie, Gartenentwurf und Blumenarrangement dienen den Gläubigen dazu, den Geist zu schulen und zu einem ursprünglichen, unbefangenen Zustand der Einheit mit der letzten Realität zurückzufinden.

gefühl, wie er sie predigt. Der Dalai Lama setzt sich unermüdlich für ein Ende der chinesischen Okkupation Tibets ein. Gefragt, wie er angesichts der Situation Tibets seine Fassung bewahre, antwortet er:

Oh, da kommt immer noch Wut. Aber nur wie ein Blitz, nur für einen Augenblick. Haß und Abneigung kaum jemals. Wohl aber eine Abneigung gegen negative Emotionen, denn sie sind die Wurzel allen Leidens. Wenn man an das Leiden im Samsara denkt, ist das schlimmer als die Lage in Tibet … Der Feind lehrt dich innere Kraft. Der Geist ist von Natur aus sehr weich, doch wenn man Probleme hat, wird er sehr stark.[24]

Trotz aller Verfolgung blieben religiöse Inbrunst und Zeremonien in Tibet erhalten und durchdringen weiterhin jeden Lebensaspekt, vom Hausbau bis zur innigen Pilgerschaft. Sowohl Mönche als auch Laien bedienen sich beim Meditieren der *Thankas* und *Mandalas* – optische Hilfsmittel zur Konzentration und Erleuchtung. Diese zeigen Porträts eines Buddha oder Bodhisattva und ein das Universum symbolisierendes Diagramm. Eines der beliebtesten Mantras, die ebenfalls von beiden Gruppen gesungen werden, ist die Phrase, die mit Avalokitesvara, dem geliebten tibetischen Bodhisattva der Gnade, assoziiert wird: *Om mani padme hum.* Sie verweist auf das »Juwel im Lotos des Herzens«, jenen prächtigen Schatz, der in jedem von uns verborgen ist. Da man der Anzahl der Wiederholungen eine gewisse Bedeutung beimißt, werden die Mantras tausendfach aufgeschrieben und in Gebetsmühlen gefüllt oder an Gebetsfähnchen befestigt, die, vom Wind angetrieben, die Rezitation des Mantras fortsetzen.

Zen: der große Weg zur Erleuchtung

Während der Buddhismus um 50 n. Chr. zunächst nach China und dann nach Japan, Korea und Vietnam gelangte und dabei Elemente des Daoismus aufgriff, entwickelte sich eine andere radikale Ausformung der Religion, die schließlich Zen genannt wurde (chinesisch *Chan*, wiederum abgeleitet vom Sanskrit-Begriff *Dhyana*, der Yoga-Stufe der Meditation). Sie erhebt den Anspruch, das Wesen der Lehren Buddhas durch unmittelbare Erfahrung zu wahren, ausgelöst durch Geist-zu-Geist-Übertragung des Dharma. Schriften Buddhas und Bodhisattvas werden zugunsten der Schulung im intuitiven Erfassen der kosmischen Einheit (Buddha-Natur oder Leere) abgelehnt.

Ein wichtiger Weg zur unmittelbaren Erfahrung der Einheit aller Existenz ist *Zazen*, die sitzende »Meditation«. »Sitzen«, so der Sechste Zen-Patriarch, »bedeutet, absolute Freiheit zu erlangen und nicht zuzulassen, daß ein Gedanke durch äußere Objekte ausgelöst wird. Meditieren bedeutet, die Unerschütterlichkeit der eigenen Urnatur sich zu vergegenwärtigen.«[25]

Der große Weg ist nicht beschwerlich
für jene ohne Vorlieben.
Sind Liebe und Haß beide abwesend,
wird alles klar und unverstellt.
Doch mache die geringste Unterscheidung,
und Himmel und Erde sind unendlich getrennt.   *Sengtsan*[26]

Für das richtige Sitzen gelten strenge Vorschriften: Man muß eine spezielle aufrechte Haltung einnehmen und darf sich beim Meditieren nicht bewegen, um den Geist nicht abzulenken. Angestrebt wird geistige Konzentration und Klarheit. Eine Anfangsübung besteht darin, jedes Ein- und Ausatmen zu beobachten und von eins bis zehn mitzuzählen und wieder bei eins zu beginnen, falls etwas anderes als die Wahrnehmung des eigenen Atems ins Bewußtsein dringt. Dies klingt einfach, doch der Geist vieler Menschen ist derart ruhelos, daß sie Monate brauchen, bis sie schließlich bei zehn ankommen. Dies aber ist noch nicht das Ziel. Ziel ist vielmehr der Prozeß selbst, also die aufkommenden Gedanken zu erkennen und sie ohne Festhalten oder Vorlieben abklingen zu lassen.

Beim Sitzen im Zazen, ungestört durch Erscheinungen, offenbart sich der natürliche Geist. Dieser »Urgeist« ist weit und frei wie ein offener Himmel. Gedanken und Empfindungen mögen gleich Wolken vorbeiziehen, doch sie kommen und gehen wieder, ohne eine Spur zu hinterlassen. Was bleibt, ist Realität, »Wahres Sosein«. In manchen Zen-Schulen stellt sich die Wahrnehmung des Soseins als plötzlicher Durchbruch der Erleuchtung ein – *Kensho*.

Ein beruhigter Geist ermöglicht spontanes und natürliches Handeln. Zen-Schüler werden dazu angehalten, ein großes Vertrauen in ihr natürliches Funktionieren zu entwickeln, denn dieses entsteht aus unserer essentiellen Buddha-Natur. Es heißt, zwei Zen-Mönche seien ob ihrer Erleuchtung nackt durch die Wälder gelaufen und hätten Dinge auf Steine gekritzelt.

Andererseits wird in der Zen-Tradition Spontaneität mit intensiver, disziplinierter Konzentration verknüpft. In der Kunst der Kalligraphie ist der mit dem ganzen Körper in einem Atemzug vollzogene, perfekte spontane Pinselstrich das Ergebnis jahrelangen konzentrierten Übens. Sich ganz dem Augenblick hinzugeben, beim Tee-Einschenken sich allein des Tee-Einschenkens bewußt zu sein, ist eine Schlichtheit des Seins, die wir mehrheitlich erst noch erlernen müssen. Jede Aktivität, der wir uns nunmehr voll hingeben – sei es Malen, Tee-Servieren oder nur einfach Atmen –, offenbart das Sosein des Lebens, seine nichtbedingte Realität.

Die Ochsenhirten-Bilder des Zen illustrieren die Phasen des spirituellen Weges. Der Ochse steht für unsere wahre Natur. In der sechsten Phase hat der Suchende den Ochsen gefunden und reitet auf ihm nach Hause. In der achten Phase sind Ochse und Selbst vergessen: »Gerte, Tau, Ochse und Mann gleichermaßen gehören zur Leere.« In der zehnten Phase kehrt der Erleuchtete glücklich in das Alltagsleben zurück, »mit helfenden Händen den Marktplatz betretend« (Tuschmalerei von Gyokusei Jikihara).

Ein weiteres Hilfsmittel der Zen-Tradition ist das *Koan,* das die gesamte Aufmerksamkeit auf eine knifflige Frage lenkt wie: »Was ist der Klang einer klatschenden Hand?« oder »Wie sieht dein Gesicht vor der Geburt deiner Eltern aus?« Wie Roshi (»ehrwürdiger Lehrer«) Philip Kapleau anmerkt: »Koans streuen dem Intellekt absichtlich Sand in die Augen, um uns zu zwingen, unser geistiges Auge zu öffnen und in ihm die Welt und alles unentstellt durch unsere Urteile und Vorstellungen zu erblicken.« Um sich auf ein Koan zu konzentrieren, muß man es aus der Nähe betrachten, ohne darüber nachzudenken, und es unmittelbar erfahren. Roshi Kapleau ganz konkret: »Jedes Koan meint das gleiche: daß die Welt ein wechselseitig abhängiges Ganzes ist, und daß jeder einzelne von uns dieses Ganze ist.«[27]

Ziel der Zen-Übungen ist das *Satori* (Erleuchtung), die unmittelbare Erfahrung der Einheit aller Existenz, oftmals in Form der plötzlichen Erkenntnis, daß nichts von einem selbst gesondert ist. Oder mit den Worten eines Zen-Meisters:

Der Mond ist derselbe alte Mond,
die Blumen genau wie sie waren,
und doch wurde ich die Dingheit
aller Dinge, die ich sehe![28]

Amida erscheint, um die Gläubigen im westlichen Paradies zu begrüßen (Konkai Komya-ji, Kioto, 14. Jahrhundert).

Sämtliche Lebensaspekte werden zugleich äußerst kostbar und äußerst leer – beliebig. Dieses Paradox läßt sich nur mit mystisch erweitertem Bewußtsein erspüren, nicht aber intellektuell begreifen.

Erleuchtung ist jedoch kein Selbstzweck. Wie Zen-Meister Seung Sahn erläutert, erreicht man zunächst einen leeren, unentschlossenen Geisteszustand. Diese mentale Leere bringt die unmittelbare Erfahrung der Wahrheit – »Himmel ist blau, Baum ist grün, Zucker ist süß« – und der »mystischen Energie« des Lebens. Das wahre Ziel liegt jedoch noch fern:

Die mystische Energie soll allein dazu dienen, anderen zu helfen. Jemand ist hungrig –
Was? Jemand leidet – Was? Augenblick für Augenblick die korrekte Situation,
korrekte Funktion, korrekte Beziehung wahren. Das ist die originäre Aufgabe des
Menschen.[29]

Reines Land: *Anrufung von Amida-Buddha*

Zen verkörpert im wesentlichen ein inneres Bewußtsein, das jeglichem Tun große Aufmerksamkeit widmet und dem Laien wenig attraktiv scheint. In Indien und dem Fernen Osten entstanden jedoch auch weitaus populärere Strömungen. Einer der wichtigsten Trends ist der sogenannte Reines-Land-Buddhismus. Zu Zeiten großer gesellschaftlicher Umwälzungen (etwa während des Niedergangs des Feudalismus in Japan) war die Ansicht weit verbreitet, die Menschen seien inzwischen so degeneriert, daß sie nahezu unmöglich durch eigenes Bemühen Erleuchtung finden könnten. Viele wandten sich in ihrer Not statt dessen an Amida-Buddha. Amida (Sanskrit: Amithaba) ist der Buddha des schrankenlosen Lichts. Wie es in manchen Schriften heißt, soll er gelobt haben, all jenen eine besondere Stätte des Entzückens – das Reine Land – zu reservieren, die ihn voll des Glaubens und der Hingabe anriefen.

So wurde der Reines-Land-Buddhismus allmählich zur Massenbewegung. Im 10. Jahrhundert forderte beispielsweise ein japanischer Mönch namens Kuya seine Mitmenschen auf, sich ihm anzuschließen, während er mit einer Glocke um den Hals durch die Straßen tanzte, andächtige Lieder sang und Amida-Buddha mit Lobesgesängen anrief.

Dem Mönch Genshin verdanken wir eine höchst lebendige Schilderung, welche Ergebnisse das liebende Vertrauen in Amida-Buddha hat. Im Anschluß an eine anschauliche Beschreibung der acht Höllen und des brennenden Bottichs, in dem die Menschen wie Bohnen gekocht werden, schildert er die unaussprechlichen Wonnen, mit dem Tod im Reinen Land wiedergeboren zu werden:

Ringe, Armreife, eine Juwelenkrone und anderes Beiwerk in zahlloser Fülle schmückt seinen Körper. Und wenn er auf das Licht schaut, das von Buddha ausgeht, so wird sein Blick klar, und aufgrund seiner Erfahrungen in früheren Leben hört er die Klänge aller Dinge. Und welche Farbe er auch sieht und welchen Klang er auch vernimmt, es ist ein Wunderding.[30]

Viele Gläubige nehmen diese Aussagen wörtlich und erwarten bei hinreichender Frömmigkeit ein herrliches Leben nach dem Tode.

Manche dagegen verstehen das Reine Land als einen in diesem Leben erreichbaren Zustand, als Metapher für die mystische Erfahrung der Erleuchtung, bei der die frühere Identität »stirbt« und man in einen Zustand erweiterten Bewußtseins wiedergeboren wird. Demnach symbolisiert der Lotos das Erblühen des reinen Lotos aus dem Sumpf von Leiden und Ignoranz, den Buddha als Grundbefindlichkeit des Menschen ausgemacht hatte.

Hierzu der zeitgenössische Priester und Gelehrte Taitetsu Unno:

Friedenspilger fasten und beten in Bosnien, um auf ihrem Weg von Auschwitz nach Nagasaki und Hiroshima auf die Notwendigkeit der Gewaltlosigkeit aufmerksam zu machen.

Um in diesen Zustand wiedergeboren zu werden, muß man hier und jetzt in Erweckung wiedergeboren werden. Es gibt kein »nach dem Tod«. Der Buddhismus kennt keine Vergangenheit, Gegenwart und Zukunft, sondern Gegenwart auf Gegenwart auf Gegenwart … Wenn das Leben in diesem Augenblick erfüllt ist, ist der nächste Augenblick erfüllt. Und falls Tod der nächste Augenblick ist, so ist auch dieser erfüllt. Man kann nicht völlig verwirrt sein und sagen: »Wenn ich sterbe, werde ich gerettet und im Reinen Land wiedergeboren werden.« Man muß vorsichtig sein, denn das mag nicht stimmen. Doch wenn man etwas begreift, jetzt eine größere Erweckung hat, dann macht es nichts, wenn die Leute sagen: »Das ist ein Haufen Unsinn!« – denn jeder, wirklich jeder Augenblick ist erfüllt.[31]

Im pragmatischen China wurde der Chan-Buddhismus, der persönliches Bemühen und Meditation betont, oftmals mit dem Reines-Land-Buddhismus kombiniert, der das fromme Bitten um Errettung durch Amida-Buddha in den Vordergrund rückt. Obwohl Vertrauen auf »Eigenkräfte« und Vertrauen auf »Fremdkräfte« widersprüchlich scheinen, gilt die Kombination aus Meditation und Frömmigkeit als ein praktischer Weg der zielstrebigen Konzentration auf Buddha und somit auf das Reine Land der Erleuchtung.

Nichiren: Erlösung durch das Lotos-Sutra

Manche Reines-Land-Buddhisten zweifeln daran, durch eigenes Bemühen Reinheit erlangen zu können, weshalb sie sich der Gnade Amida-Buddhas in Demut überantworten. Ein im 13. Jahrhundert in Japan lebender Sohn eines Fischers, der sich Nichiren nannte, unterstrich hingegen, daß es wichtig sei, danach zu streben, nicht nur sich selbst, sondern auch die Gesellschaft zu reformieren. Für die politischen Wirren seiner Zeit machte er falsche buddhistische Wege verantwortlich; dazu zählte er auch die Ausrichtung des Reines-Land-Buddhismus auf das nächste anstatt des bestehenden Lebens. Die höchsten Wahrheiten des Buddhismus birgt für Nichiren das Lotos-Sutra, eine umfassende Sammlung von Parabeln, Versen und Beschreibungen unzähliger Seinsformen, die die Lehren Buddhas untermauern. Zwei dieser Wesen waren für ihn von besonderer Bedeutung: der Bodhisattva des überlegenen Handelns, der sich auch in schlechten Zeiten unerschütterlich einsetzt, die vollkommene Wahrheit zu verbreiten, und der stets mißhandelte Bodhisattva, der verfolgt wird, weil er darauf besteht, jeden zu verehren, in der unerschütterlichen Überzeugung, daß jede Person potentiell ein Buddha sei. Nichiren selber wurde von den Behörden wiederholt verfolgt, gab jedoch nicht auf, den Buddhismus in Japan zu reformieren und dessen geläuterte Essenz, das Bodhisattva-Ideal, in der Welt zu verbreiten.

Das von Nichiren und seinen Anhängern gesungene *Namu myoho rengekyo* ist Ausdruck des Glaubens an das ganze Lotos-Sutra. Heute von den Nichiren-Mönchen und -Nonnen stündlich gesungen, offenbart es seine Tiefen allmählich, während es jenseits allen Denkens nach innen dringt. Manche in der Nichiren-Tradition stehende Menschen unternehmen lange Friedensmärsche, etwa den 1995 von Nipponzan Myohoji gesponserten Marsch, der von Auschwitz bis nach Hiroshima und Nagasaki führte, um an das Ende des Zweiten Weltkriegs zu erinnern und an Gewaltlosigkeit und Achtung allen Lebens zu appellieren. Zum Rhythmus kleiner Handtrommeln singt man das *Namu myoho rengekyo* in der Hoffnung, zum Weltfrieden beizutragen, indem man sich vor dem Buddha in jedem Menschen verbeugt, auch wenn man Mißbrauch begegnet. Hierzu der ehrwürdige Nichidatsu Fujii, der 1985 im Alter von 100 Jahren verschied und Gandhis Lehre der Gewaltlosigkeit beeinflußt hatte:

Leben in einem westlichen Zen-Kloster

Seite an Seite aufgereiht, mit Vogelgezwitscher und Sonnenlicht, das durch die großen Fenster dringt, sitzen die Mönche und Laien des Zen-Bergklosters schweigend da. In Blöcken à 45 Minuten, unterbrochen durch Phasen aufmerksamen Gehens, unterstützen sie einander durch gemeinschaftliche stille Zazen-Praxis. Die Gruppe macht es vielen leichter, die strenge Disziplin ernsthafter Zen-Ausbildung zu üben.

In den Catskill Mountains bei Mount Tremper (New York) gelegen, zeugt dieses Kloster vom sichtbaren Wandel der Religion in den USA. Vor 100 Jahren wurde das Hauptgebäude aus behauenem Stein als Benediktinerkloster errichtet; später wurde daraus ein lutherisches Sommercamp. Neben dem Christus am Kreuz, draußen vor dem Gebäude, gibt es eine Statue Buddhas auf dem Altar im *Zendo* (Meditationshalle). Im Kloster leben elf voll ordinierte Mönche mit Gelübde auf Lebenszeit (sechs von ihnen sind Frauen), mehrere Novizen und Bewerber (nach westlicher Art), Laien (bis zu einem Jahr) und Teilnehmer an Kursen und Klausuren – zunehmend Vertreter des Bürgertums und nicht mehr die Hippies der 1960er und 70er Jahre. Man kommt nicht zum Ausruhen hierher, denn Zazen ist harte Arbeit, und die Lehrer stellen mit Hingabe Fallen, damit die Teilnehmer ihre Unfreiheiten entdecken können. Von ihnen wird erwartet, daß sie das nach intensivem Üben Gelernte in die Welt hinaustragen. Der Mönch Shugen meint hierzu: »Wenn Zen in der Welt nicht funktioniert, dann funktioniert es überhaupt nicht.«

Neben langen Phasen des schweigenden Sitzens und Gehens, neben Dharma-Vorträgen des hiesigen Zen-Meisters John Daido Loori Sensei (ein in beiden ursprünglichen Zen-Linien ausgebildeter Amerikaner) und Privatunterricht durch die Mönche nimmt man an strukturierten, nichttheistischen liturgischen Handlungen teil, die Aufmerksamkeit und Wertschätzung fördern sollen. Man singt auf Japanisch und Englisch, mit häufigen Verbeugungen gegeneinander, vor den Meditationskissen und vor Buddha auf dem Altar, in Anerkennung aller Wesen und Dankbarkeit für die Lehren. Wie Zen-Meister Daido betont, spie-

gelt die Liturgie das Innere einer Religion: »Im Katholizismus sind die Kathedralen ehrfurchtgebietend und die Gesänge raumgreifend; im Zen ist die Form schlicht, und die Gesänge sind erdnah, nicht jenseitig.«

Der Rest des Tages ist dem Erhalt der Gebäude und eines 80 Hektar großen Naturreservats gewidmet sowie Andachtsübungen, die schweigend absolviert werden. Bei den Büroarbeiten werden alte und neue Künste miteinander kombiniert: Man sitzt im Schneidersitz auf flachen Polstern vor dem PC und bedient sich kalligraphischer Fertigkeiten beim Entwurf von Schriftzeichen. Zu den schlichten Mahlzeiten wird Brot gereicht, das eine nahe gelegene Vollwertbäckerei spendet. Jede auch noch so weltliche Handlung – bis hin zum Zähneputzen – gilt als heilig in dem Sinn, daß Erleuchtung sich im Rahmen der Alltagserfahrung vollzieht.

Dem Vorbild ihres Lehrers Daido folgend – er ist hoch diszipliniert in der Geist-zu-Geist-Übertragung des Dharma und zugleich sehr bodenständig, zugänglich, mitfühlend und zudem verheiratet –, verhalten sich auch die Klosterbewohner menschlich und liebevoll. Die Nonnen rasieren sich für die Ordination den Kopf und halten das Haupthaar auch danach sehr kurz, doch für sie bedeutet diese »Beinahe-Glatze« Freiheit anstatt selbstaufopfernde Askese. Hierzu die Nonne Myotai:

Ich konnte jeden Windhauch spüren, und diese Kahlheit veränderte meine Sicht der Verhaltensmuster, die ich anderen gegenüber zeigte, und verdeutlichte mir in einem überraschenden Maß, wieviel »Zusätzliches« da noch war. Vor der Ordination gibt es eine mehrjährige Eingangsphase, um Klarheit zu gewinnen; nun keine Haare mehr zu haben bedeutete für mich, daß ich mich in meinem Umgang mit Männern nicht mehr nur als Frau empfand. Das war sehr befreiend. Und es war wunderbar, sich dadurch täglich daran zu erinnern, was ich mit meinem Leben angefangen habe.

Oben *Beschaulichkeit des Zendo im Zen-Bergkloster.*

Oben rechts *Oriyoki, ein zeremonielles Mahl, im Zen-Bergkloster.*

Rechts *John Daido Loori Sensei, Abt des Zen-Bergklosters.*

Wir glauben nicht daran, daß die Menschen gut sind, weil wir sehen, daß sie gut sind, sondern indem wir daran glauben, daß die Menschen gut sind, schalten wir unsere eigene Furcht aus und können uns somit eng mit ihnen verbinden. An die mitfühlende Kraft des höchsten Wesens zu glauben, das wir nicht sehen können, ist eine Disziplin, um an das unsichtbare Gute in anderen zu glauben.[32]

Das Singen des *Namu myoho rengekyo* führte überdies in Japan, England, Österreich und den USA zur Entstehung von bislang 70 Friedenspagoden – in Erfüllung der im Lotos-Sutra gemachten Prophezeiung, daß, wo immer diese Schrift der Lotosblüte des guten Dharma gepredigt werde, ein prachtvoller Stupa als greifbare Erinnerung an Buddhas »übernatürliche Durchdringungen« spontan entstehen werde. Bei der Errichtung der Pagoden aus gespendetem Baumaterial wirkten Menschen aller Glaubensrichtungen mit, die den von Nichidatsu Fujii ausgedrückten Glauben teilen und auf den Weltfrieden hoffen.

Ein weiterer neuer Zweig des Nichiren Shoshu ist das in Japan entstandene *Soka Gakkai* mit angeblich mehr als 20 Millionen Mitgliedern weltweit. Sein Anführer, Ikeda Daisaku, ruft zu einer friedlichen Weltrevolution durch Transformation des individuellen Bewußtseins auf. Wichtig für den Orden und für irdisches Glück ist das Singen des *Namu myoho rengekyo*. In einer seiner Broschüren heißt es:

Wer singt, vermag die Kraft und Weisheit zu erlangen, um in Zuversicht zu leben, jedes Problem zu überwinden, und eine glückliche Zukunft zu schaffen … Solcher Nutzen umfaßt bessere Jobs, Behausungen und Autos. Für den Buddhismus sind alle Lebenssphären wesentlich für das Glück.[33]

Diese Betonung des materiellen Nutzens mag eine selektive Interpretation des klassischen Buddhismus darstellen, der wohl eher die Loslösung von irdischen Belangen betonte. Das Soka Gakkai verfolgt jedoch die Strategie, den Menschen zunächst beim Erwerb irdischer Macht zu helfen und sie dann zu höheren Zielen zu führen. Weiter heißt es:

Wenn genügend Menschen leidenschaftlich den Standpunkt vertreten, daß das Leben heilig und unverletzlich sei, wird Frieden bevorstehen.[34]

Eine weitere neue Strömung des Buddhismus ist das ebenfalls durch das Lotos-Sutra inspirierte, in den 1930er Jahren von Nisano Nikkyo und Naganuma Myoko gegründete *Risshokoseikai*. Es soll der Welt die Botschaft des Lotos-Sutra auf praktische Weise vermitteln, um Glück und Frieden zu fördern. Man trifft sich, um die Anwendung der buddhistischen Lehre auf die eigenen Lebensprobleme zu diskutieren. Die international auf interreligiösem Sektor aktive Gruppierung meint: »Der Ewige Buddha, unsichtbar, doch allerorts gegenwärtig, ist die große Lebenskraft des Universums, die jeden von uns trägt.«[35]

Buddhismus im Westen

Bildnisse von Buddha werden inzwischen überall auf der Welt verehrt – im Osten ebenso wie im Westen. Ein Großteil dieser Verbreitung erfolgte im 20. Jahrhundert; die USA wurden dabei zu einem pulsierenden Zentrum des Buddhismus. Die buddhistischen Traditionen werden an zahlreichen Universitäten intensiv erforscht, und viele Menschen versuchen, buddhistische Meditationspraktiken zu erlernen.

Einige der höchsten tibetischen Lamas, die aus ihrer Heimat vertrieben wurden, haben in den USA spirituelle Gemeinden gegründet, mitsamt Altären voller tibetischer Artefakte. In Zentren wie dem der Insight Meditation Society im ländlichen Barre (Massachusetts) werden intensive, bis zu drei Monate dauernde Vipashyana-Klausuren abgehalten. Diese werden häufig von Theravada-Lehrern aus Südostasien oder Europa geleitet. Amerikanische Lehrer unterziehen sich bei traditionellen Meditationsmeistern in Südostasien einer strengen Ausbildung.

Neben zahlreichen Zen-Zentren, in denen Westler, die sich im Osten haben ausbilden lassen, Laien als Meditationslehrer dienen, gibt es auch einige Zen-Klöster, die eine solide Zazen-Ausbildung und ein klösterliches Leben als dauerhafte oder befristete Alternative zum weltlichen Leben offerieren. Im englischen Chithurst leitet der amerikanische Mönch Ajahn Sumedho eine klösterliche Waldgemeinschaft im Stil des thailändischen Theravada, wie er ihm selber vermittelt wurde.

Im Gegensatz zur kulturellen Unterdrückung der Frauen im Osten werden viele buddhistische Zentren in den USA von Frauen geführt. Führende Frauen des amerikanischen Buddhismus haben die traditionellen Lehren tief in sich aufgenommen und vermitteln sie ihren Mitmenschen auf frische, moderne Art.

Westliche Menschen entscheiden sich oftmals für den Buddhismus, weil sie den meditativen Frieden ersehnen. Inmitten eines chaotischen, materialistischen Lebens besteht der Wunsch, Leere zu entdecken, die eigene Identität abzulegen oder in der ruhigen Schlichtheit einer Meditationshalle (Zendo) mit der komplizierten Beschaffenheit des Geistes vertraut zu werden.

Zahlreiche Psychotherapeuten befassen sich mit dem Buddhismus wegen seiner Einsichten in Psyche und menschliches Leiden. Der Zen-Lehrer und Psychotherapeut Richard Clarke meint, eine Disziplin wie Zen sollte Teil der therapeutischen Ausbildung sein:

[Wir müssen] dazu kommen, an nichts festzuhalten. Zen soll den Menschen leiten, das Reich der Leere zu erfahren und zuzulassen, daß diese Erfahrung alles Leben durchdringt und zum Lebensgrund wird. Solch eine Person könnte überall sehr effizient sein, nicht nur, aber besonders als Therapeut. Jede menschliche Interaktion bekommt ihren Sinn.

Leere ist auch die Quelle unendlichen Mitgefühls bei der Arbeit mit Menschen: eine andere Person ohne festen Plan wirklich zu erspüren, ihr den Raum zu geben, zuzulassen, daß sie so sein möge, wie sie ist. Wenn ein Mensch so etwas in Gegenwart eines anderen erlebt, kann er all das fallenlassen, was er erfunden hat, um sich damit zu präsentieren. Jene Gesichter, Panzer und Formen des Selbst werden unnötig.[36]

Das wachsende westliche Interesse für den Buddhismus mit immer neu erscheinenden Büchern und Übersetzungen traditioneller Schriften trägt auch zur Revitalisierung des Buddhismus in Asien bei. Während Asien Anschluß an die Moderne fand, verloren zahlreiche seiner Völker das Interesse an den traditionellen Religionen, die zu oberflächlichen Neuinszenierungen zeremonieller Praktiken verkamen. Das starke westliche Interesse hingegen veranlaßt jene, die als Buddhisten aufwuchsen, ihre Religion neu zu bewerten und eine neue Tiefgründigkeit in ihr zu entdecken.

Buddhistinnen aus Ost und West kamen zu internationalen Begegnungen zusammen, um den Stellenwert der Frauen im Buddhismus aufzuwerten. Der 1987 in Bodhgaya gegründete internationale Verband der Buddhistinnen oder »Töchter Buddhas« setzt sich weiterhin dafür ein, daß die Bedingungen für die weibliche buddhistische Praxis und Ausbildung verbessert und Frauen zu Buddhismus-Dozentinnen ausgebildet werden.

Sozial engagierter Buddhismus

Die Relevanz des Buddhismus für die soziale Problematik rückt zunehmend stärker in den Blick. Entgegen der verbreiteten Annahme hat Buddha den Menschen nicht angeraten, auf der Suche nach der eigenen Erleuchtung die Gesellschaft dauerhaft zu verlassen. Hierzu der aus Sri Lanka stammende buddhistische Mönch Walpola Rahula:

> In einigen Fällen mag es jemandem dienen, eine Zeitlang zurückgezogen zu leben, um Geist und Charakter zu verbessern, als vorbereitende moralische, spirituelle und intellektuelle Schulung, um später stark genug zu sein, herauszutreten und anderen zu helfen. Wenn aber jemand sein ganzes Leben in Einsamkeit zubringt und nur an sein eigenes Glück und Heil denkt, ohne sich um seine Mitgeschöpfe zu sorgen, ist dies gewiß nicht mit der Lehre Buddhas vereinbar, die auf Liebe, Mitgefühl und Dienst am Mitmenschen basiert.[37]

Die buddhistischen Lehren zur Wandlung und Reinigung des Geistes sind weit besser bekannt als die sozialen Kommentare, die in der Tat viele Aussagen enthalten, wie dem sozialen Leiden begegnet werden soll. Da Buddha jedoch Gewaltlosigkeit predigte, wurden in seinem Namen keine heiligen Kriege geführt:

> Haß wird niemals durch Haß befriedet, sondern durch Liebe. Dies ist ein ewiges Gesetz. So wie eine Mutter ihr einziges Kind auch unter Lebensgefahr beschützen würde, ebenso bemühe du dich um ein weites Herz gegenüber allen Lebewesen. Laß deine Gedanken der grenzenlosen Liebe die ganze Welt über, unter und jenseits von dir durchdringen, ganz ohne Hemmnis, Haß oder Feindschaft. Ob du nun stehst, gehst, sitzt oder liegst: solange du wach bist, sollst du diese Achtsamkeit wahren.[38]

Viele Buddhisten waren daher gewaltlose gesellschaftliche Aktivisten und protestierten gegen Unrecht, Unterdrückung, Hunger, Tierquälerei, Atomtests, Krieg und Umweltzerstörung. E. F. Schumacher predigte eine »buddhistische Ökonomie«, um die Bereitschaft wiederherzustellen, einfach, großzügig und human miteinander zu leben. Während des Vietnamkrieges verbrannten sich zahlreiche buddhistische Mönche, um die Öffentlichkeit auf die Notwendigkeit einer Beendigung des Leidens aufmerksam zu machen. In Sri Lanka gründete ein buddhistischer Lehrer die Bewegung »Sarvodaya Shramadana Sangamaya«, die inzwischen 5000 Dörfer umfaßt und die Menschen zur Zusammenarbeit aufruft, gegen sozialen Verfall und Armut anzugehen: durch Schulen, Ernährungsprogramme, Straßen, Bewässerungskanäle und Verbreitung der vier edlen Wahrheiten und des achtfachen Wegs.

Wie Sulak Sivaraksa, Direktor des International Network of Engaged Buddhists, erläutert, bedeutet der sozial engagierte Buddhismus nicht automatisch eine Förderung des Buddhismus:

> Die gesellschaftliche Präsenz des Buddhismus besagt nicht, daß es viele von Buddhisten geleitete Schulen, Hospitäler, Kultureinrichtungen oder Parteien gibt, sondern daß die Schulen, Hospitäler, Kultureinrichtungen und Parteien von Humanismus, Liebe, Toleranz und Erleuchtung durchdrungen sind und geleitet werden – jenen Eigenschaften, denen der Buddhismus eine Öffnung, Entwicklung und Ausformung der menschlichen Natur zuschreibt. Dies ist der wahre Geist der Gewaltlosigkeit.[39]

Für den vietnamesischen Mönch Thich Nhat Hanh ist es Zeichen einer geisteskranken Zivilisation, nicht auf das uns umgebende Leiden zu reagieren:

Während der Rest der menschlichen Familie leidet und verhungert, kann der Genuß von fälschlicher Sicherheit und Wohlstand nur als Zeichen des Wahnsinns angesehen werden ... Wir haben ein System errichtet, das wir nicht kontrollieren können. Es zwingt sich uns auf, und wir wurden seine Sklaven und Opfer. Als Gegenleistung müssen die meisten von uns Zeit und Leben verpfänden, um Haus, Auto, Kühlschrank, Fernseher usw. zu besitzen. Wir stehen unentwegt unter bedrohlichem Zeitdruck. Früher konnten wir uns drei Stunden für eine Tasse Tee leisten und uns in heiter-spiritueller Atmosphäre der Gesellschaft von Freunden erfreuen. Wir konnten das Erblühen einer Orchidee in unserem Garten mit einem Fest feiern. So etwas können wir uns jedoch nicht mehr leisten. Zeit ist Geld, sagen wir. Wir schufen eine Gesellschaft, in der die Reichen immer reicher und die Armen immer ärmer werden und in der wir in unseren unmittelbaren Problemen derart befangen sind, daß wir es uns nicht leisten können, auf das zu achten, was mit dem Rest der menschlichen Familie geschieht.[40]

Somit ist der Buddhismus auch heutzutage noch relevant, und seine Einsichten sind ebenso notwendig wie im 6. Jahrhundert v. Chr., als Siddhartha Gautama dem Leben eines Prinzen entsagte, um alle empfindenden Wesen vom Leiden zu erlösen.

KAPITEL 6

DAOISMUS UND KONFUZIANISMUS

Die Einheit der Gegensätze

Während Indien den Hinduismus, den Jainismus und den Buddhismus hervorbrachte, entwickelten sich in Ostasien drei weitere große Religionen. Daoismus und Konfuzianismus entstanden weitgehend in China und gelangten erst später nach Japan und Korea. Shinto indes war spezifisch japanisch. Diese Religionen werden weiterhin vornehmlich mit ihren Heimatländern assoziiert. In diesem Kapitel wollen wir uns den beiden Religionen zuwenden, die in China aus ähnlichen Wurzeln, jedoch mit unterschiedlicher Akzentuierung entstanden. Shinto ist Gegenstand des nächsten Kapitels. Der Buddhismus, der ebenfalls bis nach Ostasien gelangte, wurde in der Praxis oftmals mit heimischen Traditionen vermischt.

Die in diesem und dem nächsten Kapitel separat dargestellten Religionen werden in Ostasien nicht sehr starr praktiziert. Daoismus und Konfuzianismus koexistieren in Ostasien trotz aller scheinbaren Gegensätze als einander ergänzende Wertesysteme, so daß das individuelle Denken und Handeln beide Strömungen zu umfassen vermag. Die politischen Veränderungen im China des 20. Jahrhunderts erschweren jedoch eine präzise Bestandsaufnahme oder Prognose der religiösen Praxis.

Alte Traditionen

Alle späteren religiösen Entwicklungen in China, Korea und Japan sind vom Geist entsprechender Urreligionen durchdrungen, vor allem vom Ahnenkult. Die Geister der Ahnen bleiben eine Zeitlang sehr eng mit den lebenden Nachfahren verbunden. Vor allem dem Urahn und den kürzlich Verstorbenen ist durch Bestattung, Trauerriten und fortgesetzte Opfer Respekt zu erweisen.

Die heiligen Rituale (*Li*) sind unverzichtbar, damit die Ahnen ihren Nachfahren beistehen, sofern sie mit gebührendem Respekt behandelt werden; im Fall der Vernachlässigung hingegen würden sie Probleme bereiten.

Neben dem Ahnenkult gibt es Schreine und Tempel für Naturgeister, aber auch für charismatische Persönlichkeiten, die trotz ihres Ablebens den Menschen zur Hilfe bereitstehen.

So verehren beispielsweise chinesische Küstenvölker »Die heilige Mutter im Himmel« als Hüterin der Meere. Angeblich im 10. Jahrhundert geboren, soll sie sich als junges Mädchen ihrer Wunderkräfte bedient haben, um Vater und Bruder vor dem Ertrinken zu retten, nachdem deren Boot untergegangen war.

Seit alters her erwähnt wird eine männliche Gottheit namens *Shang-ti* – der Oberhirte, Beherrscher des Universums, der höchste Vorfahr der Chinesen als Gottheit der alten Shang-Dynastie. Die für einzelne Aspekte des Kosmos und das örtliche Umfeld zuständigen Gottheiten waren ihm untergeordnet. Man kann diesen Gottheiten Opfer darbringen und sie bei persönlichen Problemen um Hilfe ersuchen, bisweilen vermittelt durch ein männliches oder weibliches Medium, das im Trancezustand mit den übernatürlichen Wesen kommuniziert.

Das Sheng-Hexagramm symbolisiert die verschiedenen, dem »Empordringen« zugeschriebenen Bedeutungen.

Neben der Verehrung dieser persönlichen Wesenheiten glaubt man in China seit langem daran, daß der Kosmos nicht das Werk eines Schöpfers sei, sondern die Manifestation einer selbsterzeugenden Kraft (*Chi*). Diese Kraft besitzt zwei Aspekte, deren Wechselwirkung den ständig sich wandelnden Phänomenen des Kosmos zugrunde liegen. *Yin* ist der dunkle, nachgiebige, »weibliche« Aspekt, *Yang* der helle, bestimmende, »männliche« Aspekt. Weisheit bedeutet, ihr stets sich wandelndes, doch regelmäßiges und ausgewogenes Muster zu erkennen und sich dem anzupassen. Diesen kreativen Rhythmus des Universums nennt man *Dao* oder »Weg«.

Im traditionellen Symbol durchdringen Yin und Yang einander (dargestellt durch die kleinen Punkte). Sobald ein Aspekt seine volle Ausprägung erhält, beginnt er zu schwinden, während der Gegenpol anwächst.

Die Alten ersannen zahlreiche Formen der Weissagung, um in Einklang mit den Ahnen und Göttern und zwischen Yin und Yang zu leben. Eines dieser Verfahren ist das *I Ging* (Yijing), das »Buch der Wandlungen«, das seit der Han-Dynastie (202 v. Chr.–220 n. Chr.) um zahlreiche gelehrte Kommentare erweitert wurde. Um sich dieses feinsinnigen Verfahrens bedienen zu können, unterzieht man die Weissagungsobjekte – z. B. Schafgarbenstengel oder Münzen – einer ehrfürchtigen Reinigung, stellt eine Frage, wirft die Objekte sechsmal und konsultiert das I Ging, um durch Deutung der symbolischen Antworten Rat zu finden.

Das Wurfmuster hat im I Ging die Form eines Hexagramms, bei dem das Yin durch eine unterbrochene und das Yang durch eine durchgehende Linie dargestellt ist. Die Kommentare zu den 64 möglichen Hexagrammen behandeln persönliche Eigenschaften, natürliche Phänomene und Familienbeziehungen. So wurde beispielsweise das 46. Hexagramm (»Das Empordringen«) von einigen Kommentatoren mit einem langsam und unsichtbar aus der Erde hervordringenden Baum verglichen:

So die erhabene Person mit ergebenem Charakter
häuft auf kleine Dinge,
um Hohes und Großes zu leisten.[1]

Eine anderer Kommentar basiert auf den beiden Dreierlinien innerhalb des Hexagramms: Drei Yin-Linien oben lassen sich als Hingabe und Nachgeben deuten. Setzt sich die untere Dreiergruppe aus zwei Yang-Linien über einer Yin-Linie zusammen, so deutet dies auf Sanftmut hin. Entsprechend den Kommentaren werden diese nichtaggressiven Qualitäten letztlich zum höchsten Erfolg führen.

Indem sie die Wege des Menschen und der Natur studierten und systematisierten, versuchten die alten Chinesen, ihr Handeln zu ordnen, um in einem sich wandelnden Kosmos einen klaren Weg gehen zu können. Sie erkannten, daß jede extreme Handlung als ausgleichende Reaktion ihr Gegenteil bewirkt, weshalb sie einen Mittelweg der Umsicht und Mäßigung anstrebten.

Daoismus - der Weg der Natur und der Unsterblichkeit

Der Daoismus ist ebenso voller Paradoxe wie die buddhistische Tradition, der Chan- oder Zen-Buddhismus, die er beeinflußte. Viele westliche Menschen, die auf der Suche sind nach einem sorglosen, natürlichen Leben fern der Alltagshetze, haben den Daoismus schätzen gelernt. Doch hinter den Worten von einem einfachen Leben in Harmonie mit der Natur steht eine Tradition großer mentaler und physischer Disziplin. Daoismus beinhaltet das Streben nach Ausrichtung auf die unbenennbare Urkraft und die zeremonielle Verehrung der Gottheiten – vom Jadekaiser bis zum Küchengott. Manche daoistischen Schriften raten zur Gleichmut gegenüber Geburt und Tod, andere wiederum lehren Wege zur physischen Unsterblichkeit. Diese Unterschiede entwickelten sich innerhalb einer alten Tradition, die so lange keinen Namen trug, bis sie sich vom Konfuzianismus abgrenzen mußte. Der Begriff »Daoismus« ist ein von Gelehrten erdachtes Etikett, das ungeschickt einer philosophischen Tradition ebenso wie einem Sortiment religiöser Sekten verpaßt wurde, die in einer komplexen Beziehung zur älteren Tradition stehen, zumindest jedoch zum Teil aus den frühen philosophischen Texten und Praktiken sich entwickelten.

Lehren daoistischer Weiser

Der genaue Ursprung der daoistischen Philosophie und Praktiken ist unklar, sieht man einmal davon ab, daß die vorhandenen Glaubensvorstellungen ein allgemeines Funda-

Laozi, einer der wichtigsten Mittler der daoistischen Tradition, wird häufig als humorvoller alter Mann dargestellt, der in die Berge reitet, nachdem er die 5000 Zeichen des Daodejing niederschrieb.

ment bildeten. Der chinesischen Tradition nach soll der Gelbe Kaiser, der angeblich 2697–2597 v. Chr. herrschte, diese Richtung bekannt gemacht haben. Demnach studierte er bei einem alten Weisen und entwickelte aus dem Gelernten Meditations-, Gesundheits- und Militärübungen. Nach hundertjähriger Herrschaft stieg er auf dem Rücken eines Drachen in den Himmel auf und wurde zu einem der Unsterblichen.

Die philosophischen Grundlagen des Daoismus werden in dem berühmten *Daodejing* (»Buch vom Weg und seiner Wirkkraft«) erläutert. Es wurde fast ebenso häufig übersetzt wie die Bibel, denn seine Gedanken sind nicht nur faszinierend, sondern für die von den knappen altchinesischen Schriftzeichen ausgehenden Übersetzer auch schwer faßlich. In einer neueren englischen Übersetzung von Stephen Mitchell werden die Weisen abwechselnd mit »er« und »sie« bezeichnet, da das Chinesische keine Genusunterschiede kennt. Ein weiteres Problem besteht darin, daß die existierenden chinesischen Ausgaben stellenweise voneinander abweichen.

Selbst der Autor des Daodejing steht nicht mit Sicherheit fest. Der Tradition nach diktierte Laozi (Lao-tzu, Lao tse), ein Kurator der königlichen Bibliothek der Chou-Dynastie, das Buch einem Grenzposten, als er sich im angeblichen Alter von 160 Jahren von der Gesellschaft abwandte und in die Berge ging. Der Wächter erkannte in Laozi einen Weisen und flehte ihn an, seine Weisheiten zu hinterlassen. Angeblich gab Laozi dieser Bitte nach, indem er die heute als Daodejing bekannten 5000 Zeichen niederschrieb. Dies soll sich im 6. Jahrhundert v. Chr. ereignet haben, und Laozi soll 53 Jahre älter gewesen sein als Konfuzius. Manche Historiker jedoch datieren das Daodejing auf etwa 300 v. Chr. und behaupten, es sei eine Reaktion auf den Konfuzianismus. Andere halten das Daodejing für eine mündliche Überlieferung, ausgehend von den Lehren mehrerer Weiser, und stellen die Existenz Laozis grundsätzlich in Frage. Wiederum andere sehen einen gewissen Lao T'an als Autor, der womöglich aber mit Laozi identisch ist.

Die in allen Übersetzungen durchscheinende zentrale Aussage des Buches lautet, daß man sich durch Aufnahmebereitschaft und Ruhe am besten mit dem natürlichen Fluß des Lebens harmonisieren könne.

Diese Lehren wurden auf eine einfühlsamere und humorvollere Art von einem Weisen namens Zhuangzi ausgearbeitet. Auch er war eine Zeitlang ein kleiner Regierungsbeamter, bevor er sich für ein freies und abgeschiedenes Eremitenleben entschied. Im Gegensatz zu Laozi, dessen Philosophie sich an Führungspersönlichkeiten richtete, behauptete Zhuangzi, die beste Art, in einer chaotischen, absurden Zivilisation zu leben, sei, sich von ihr zu lösen.

MIT DEM DAO FLIESSEN Herzstück der daoistischen Lehren ist das *Dao*, das »Namenlose«, »ewig Wirkliche«[2]. Wie der zeitgenössische Meister Da Liu meint, ist das Dao als Grundbegriff derart im chinesischen Denken verwurzelt, daß man es nicht – wie etwa »Güte« – definieren könne. Überdies ist das Dao eine mystische, für den Geist nicht faßliche Realität. Im Daodejing heißt es:

Das Dao, von dem man sprechen kann,
ist nicht das absolute Dao,
die Namen, die man geben kann,
sind keine absoluten Namen.
Das Namenlose ist der Ursprung von Himmel und Erde;
Das Benannte ist die Mutter aller Dinge …
Diese beiden (das Geheimnis und seine Manifestationen)
sind (ihrem Wesen nach) dasselbe …

beide können sie bezeichnet werden als das kosmische Mysterium:
vom Mysterium in das tiefere Mysterium reicht
die Pforte zum Geheimnis allen Lebens.[3]

Kapitel 25 des Daodejing geht näher auf das rätselhafte Unbenennbare ein:

Ein Ding gibt es, konfus geformt,
geboren vor Himmel und Erde.
Still und leer
steht es allein und ändert sich nicht,
kreist und erschöpft sich nicht.
Es vermag die Mutter der Welt zu sein.
Ich kenne nicht seinen Namen,
so bezeichne ich es als »der Weg«.
Ich behelfe mir mit dem Namen »das Große«.[4]

Obgleich wir das Dao nicht zu beschreiben vermögen, können wir mit ihm in Harmonie leben. Laozi beschreibt dieses Ideal:

Es formt der Mensch sich nach der Erde,
die Erde nach dem Himmel,
der Himmel nach dem Weg,
und der Weg nach der Natur.[5]

Das Leben in Harmonie mit dem Dao basiert auf mehreren Grundprinzipien. Eines von ihnen ist das Erfahren der transzendenten Einheit statt einer Getrenntheit aller Dinge. Hierzu Prof. Chang Chung-yuan: »Der Wert des Dao liegt in seiner Kraft, Gegensätze auf einer höheren Bewußtseinsebene zu versöhnen.«[6] Diese höhere Ebene kann nur erreichen, wer aufhört, persönliche Vorlieben zu empfinden. Nach Zhuangzi hat alles seine

EINE LEHRGESCHICHTE

Drei am Morgen

Gleich ob du auf einen kleinen Halm oder eine große Säule deutest, auf einen Aussätzigen oder die schöne Hsi-shih, auf schlüpfrige und anrüchige oder auf groteske und befremdliche Dinge, der Weg macht sie alle zu einem … Allein der weitblickende Mann weiß sie zu einem zu machen. So hat er keine Verwendung [für Kategorien], sondern verweist alles zu dem Beständigen. Das Beständige ist das Nützliche; das Nützliche ist das Gangbare; das Gangbare ist das Erfolgreiche; und mit Erfolg wird alles vollendet. Nur darauf vertraut er, vertraut darauf und weiß doch nicht, daß er dies tut. Dies nennt man den Weg.

Sich aber das Hirn zu zermartern bei dem Versuch, alles zu einem zu machen, ohne zu merken, daß sie dasselbe sind – dies heißt »Drei am Morgen«. Was meine ich damit? Als der Affendompteur Eicheln verteilte, sagte er: »Drei bekommt ihr am Morgen und vier am Abend.« Dies erzürnte die Affen. »Nun gut«, sprach er, »vier am Morgen und drei am Abend.« Die Affen waren entzückt. Die Wirklichkeit hinter den Worten änderte sich nicht, dennoch reagierten die Affen mit Freude und Zorn. Sollen sie, wenn sie wollen. So fügt sich der Weise dem Rechten und Unrechten und ruht im Himmel, dem Ausgleichenden.

Zhuangzi[7]

*Die Errichtungsstätten dao-
istischer und buddhistischer Tempel wurden in China traditionell
mit Hilfe der alten Kunst der
Geomantie (Feng-shui) bestimmt,
der bewußten Wahrnehmung
von Präsenz und Bewegung der
natürlichen Energien. Die Energien der Wasserfälle und Berge
galten als förderlich für die spirituelle Praxis (Buddhistischer
Tempel inmitten sich lichten-
der Berggipfel, Nördliche Sung-
Dynastie, um 940–967).*

eigene Natur und Funktion. Gleich ob entstellt oder schön, klein oder groß – alles ist eins
im Dao. Dem Daoismus geht es darum, das Universum unmittelbar zu erfahren, die Dinge,
wie sie sind, zu akzeptieren und mit ihnen zu kooperieren, und nicht darum, moralische
Ansprüche zu erheben und Dinge als »gut« oder »schlecht« zu etikettieren.

Hierin, so Zhuangzi, liegt die wahre Spiritualität:

*Ein solcher Mann vermag auf Wolken und Nebel zu reiten, Sonne und Mond zu besteigen
und jenseits der vier Meere zu wandeln. Leben und Tod betreffen ihn nicht. Um wie vieles
weniger noch wird er sich um Gut und Böse kümmern!*[8]

Der Daoist sucht die Erfahrung des Einsseins und übt zugleich weltliche Zurückhaltung. Er verhält sich wie ein Tal oder wie ein Strom, der allem Erforderlichen gestattet, in sein Leben einzufließen. Fließendes Wasser ist denn auch ein daoistisches Modell für das Sein. Es umgeht Hindernisse oder trägt sie allmählich ab, anstatt sie vergeblich anzugreifen, nährt mühelos die »zehntausend Dinge« des materiellen Lebens, arbeitet, ohne zu kämpfen, und läßt alles Erreichte hinter sich, ohne es zu besitzen. Laozi sagt:

> Wasser ist das weichste Ding auf Erden,
> und doch wird seine seidige Sanftheit
> ohne Mühen auch den härtesten Stein abtragen.
> Jeder weiß dies;
> nur wenige nutzen es in ihrem Lebensalltag.
> Die des Dao geben nach und überwinden.[9]

Hierbei handelt es sich um das daoistische Prinzip des *Wu Wei* – »nichts tun« oder nicht gegen die Natur handeln. Zhuangzi bedient sich der Analogie eines Metzgers, dessen Messer stets scharf bleibt, weil er seine Hand von der natürlichen Beschaffenheit des Gerippes leiten läßt, die ihn die Knochenzwischenräume finden läßt, so daß die Klinge mit kaum merklicher Bewegung ohne Widerstand zu schneiden vermag. Selbst bei aufkommenden Problemen gerät der Weise nicht in Panik und ergreift keine unnötigen Maßnahmen.

> Hast du die Geduld, zu warten,
> bis dein Schlamm herabsinkt und das Wasser klar ist?
> Vermagst du unbewegt zu bleiben,
> bis das rechte Handeln von allein entsteht?
>
> *Laozi*[10]

Wu Wei führt zur Nichteinmischung. Viele Lehren Laozis richten sich an die Herrscher, die Gesellschaft zu führen, ohne in den natürlichen Verlauf einzugreifen. Nichts ist an sich böse, doch es kann ein Ungleichgewicht bestehen. Die Welt befindet sich von Natur aus in Harmonie, und das Dao ist unsere Urnatur. Nach der Überlieferung erlebte das goldene Zeitalter des Dao jedoch einen Niedergang, als der Mensch vom Weg abwich. »Zivilisation« mit ihren intellektuellen Versuchen, Dinge zu verbessern, und mit ihren starren Moralvorstellungen führe, so die Warnung der Daoisten, zu weltweitem Chaos.

Um wie vieles besser sei es, so der Rat Laozis, Nichtwissen zu akzeptieren und mit dem veränderlichen Universum frei im Augenblick sich zu bewegen, anstatt es kontrollieren zu wollen. Bei der Beschreibung dieses Zustands deutet Laozi die verborgene Kraft des Wu Wei an:

> Mein Geist ist der eines Toren,
> nebelhaft und trüb.
> Gewöhnliche Menschen sind klar.
> Ich allein bin schläfrig.
> Gewöhnliche Menschen sind rege.
> Ich allein bin verwirrt.
> Ruhig wie das Meer;
> umhergetrieben wie der Wind, scheinbar ziellos.
> Die Menschen der Welt haben allesamt ein Ziel.

Ich allein bin töricht und unbeholfen.
Ich allein bin anders als die anderen
und erhalte meinen Wert durch die Mutter eingeflößt.[11]

Zudem befürwortet der Daoismus den Rückzug in ein kontemplatives Leben in der Natur. Sei es in einer friedlichen oder chaotischen Umgebung, der Daoist ist bestrebt, die ruhige Mitte zu finden, Energie für den Zeitpunkt notwendigen Handelns zu sparen und dem Leben mit ruhiger Bescheidenheit zu begegnen. Dingen, die den Weltverhafteten wichtig sind, wird nur geringer Wert beigemessen.

Eines der Ziele der esoterischen daoistischen Praxis besteht darin, den Geist vom Körper zu scheiden, so daß der Geist vor und auch nach dem Tod unabhängig handeln kann.

> *Süße Musik und stark gewürzte Speisen*
> *halten einige Zeit vor,*
> *doch das klare, geschmackfreie Wasser aus dem Brunnen*
> *spendet unerschöpflich Leben und Energie.*   *Laozi*[12]

SPIRITUELLE ALCHIMIE   Mit dem Dao zu fließen ist leicht und natürlich, doch es basiert paradoxerweise auf meisterhafter spiritueller Disziplin. Laozi beschreibt die Merkmale der Meisterschaft:

Die alten Meister besaßen tiefste Kenntnis und Einsicht.
Unergründlich war ihre Weisheit …
Vorsichtig waren sie
wie jemand, der einen zugefrorenen Strom überquert.
Wachsam wie ein Krieger im Feindesland.
Höflich wie ein Gast.
Flüssig wie schmelzendes Eis.
Formbar wie ein Stück Holz.
Aufnahmefähig wie ein Tal.
Klar wie ein Glas Wasser.[13]

Bei der von den daoistischen Autoren erwähnten Meisterschaft mag es sich um das Resultat unbekannter, wirkungsvoller Askesepraktiken handeln, die insgeheim vom Lehrer an seinen Schüler weitervermittelt wurden. Diese Lehrer lebten in den Bergen, und angeblich halten sich in entlegenen Bergregionen Chinas und Koreas noch heute daoistische Lehrer verborgen.

Die Askeseübungen verfolgen das Ziel, die dem Körper verfügbare Energie für die intuitive Wahrnehmung der kosmischen Ordnung zu nutzen. Demnach beherbergt unser Körper das spirituelle Mikrouniversum der »drei Schätze«: Schöpfungskraft (*Ching*), Vitalität (*Chi/Qi*) und Geist (*Shen*). Der Atmung und subtiler Energiekanäle des Körpers sich bedienend, baut der Praktizierende in einem »Kessel«, der etwa eine Handbreit unterhalb des Nabels liegt, einen Vorrat an *Ching*-Energie auf; diese *Ching*-Energie steigt von dort aus als Dampf das Rückgrat hinauf und wird in *Chi*-Energie verwandelt. In einem oberen, im Kopf befindlichen Kessel (einer Region, die dem dritten Auge des indischen Yoga ähnelt) wird *Chi* wiederum in *Shen* verwandelt, das herabfällt, um das Herzzentrum zu erleuchten, und dann in einen inneren Bereich des unteren Kessels absteigt. Dort läßt es den sogenannten »unsterblichen Embryo« entstehen, den Könner angeblich aus der »Himmelspforte« am Scheitel austreten lassen können, um ihren physischen Körper zu verschiedenen Zwecken zu verlassen, so auch in Vorbereitung auf das Leben nach dem

Tod. Außerdem lernt der Praktizierende, das *Chi (Qi)* vom Makrouniversum aus Himmel und Erde in das Mikrouniversum des Körpers zu ziehen, dabei innen und außen, Himmel und Erde harmonisch vereinend. Es bedarf langjähriger Praxis, um diesen Prozeß – *Chi-kung (Qi gong)* – zu vollenden.

> *Das Geheimnis des Lebenswunders liegt darin, durch Handeln zum Nichthandeln zu gelangen.*
>
> *Das Geheimnis der goldenen Blüte*[14]

DIE VERLOCKUNG DER UNSTERBLICHKEIT   Unklar ist, ob die daoistischen Texte allegorisch oder wörtlich zu verstehen sind. Eine wörtliche Auslegung verlockte lange Zeit all jene, die Langlebigkeit oder spirituelle Unsterblichkeit anstrebten und hofften, möglichen Geheimnissen auf die Spur zu kommen. Zhuangzi jedoch hatte Gleichmut gegenüber Geburt und Tod angeraten: »Der Meister kam, weil es an der Zeit war. Er ging, weil er dem natürlichen Fluß folgte. Sei zufrieden mit dem Augenblick und gewillt, dem Fluß zu folgen.«[15] Laozi äußerte sich unklar über Unsterblichkeit oder Langlebigkeit, die er als spirituellen Tod des individuellen Selbst und Verwandlung von Körper und Geist in selbstlose Vehikel des Ewigen beschrieb. Menschen, die sich für daoistische Praktiken interessieren, vergessen jedoch nach Prof. Huai-Chin Han

> *meist die obersten Prinzipien oder die Basis der philosophischen Theorie hinter der Kultivierung des Dao und der Öffnung der Chi-Wege zur Langlebigkeit … Diese besteht darin, auf seine Gesundheit zu achten, den Alterungsprozeß zu verlangsamen, ohne Krankheit und Schmerzen zu leben und in Frieden zu sterben, ohne andere zu behelligen. Unsterblichkeit bedeutet keine unbegrenzte physische Langlebigkeit, sondern verweist auf das ewige spirituelle Leben.*[16]

Al Huang verkörpert das Fließen des Tai-chi chuan, das aus gesundheitlichen Gründen praktiziert wird und um den Geist anzuleiten, sich allem Wandel fließend anzupassen, so daß die Handlungen mühelos werden.

Langlebigkeit wird offenbar deutlich positiv beeinflußt durch ein ruhiges, kontemplatives Leben in natürlicher Umgebung, sexuelle Enthaltsamkeit, Gelassenheit, gesunderhaltende Kräuter, Übungen zur Kräftigung der inneren Organe und Öffnung der Meridiane (subtile Energiepfade in der chinesischen Medizin) sowie durch Qi-gong-Atemübungen zur Umwandlung der Lebensenergie in spirituelle Energie. Chinesische Literatur und Volkskunde enthalten zahlreiche Hinweise auf ehrwürdige Weise, die angeblich mehrere hundert Jahre alt sind, abseits der Menschen in den Bergen leben und angeblich halb durchsichtig sind. Ihr Alter läßt sich schwerlich nachprüfen. Der chinesische Weise Li Ching Yuen behauptete, 250 Jahre alt zu sein – kurz bevor er Anfang des 20. Jahrhunderts offenbar an den Auswirkungen des Kontakts mit der »Zivilisation« starb. Am berühmtesten unter den legendären Langlebigen sind die acht Unsterblichen – Menschen, die Unsterblichkeit erlangt und jeweils über besondere Zauberkräfte verfügt haben sollen.

Eine weitere Möglichkeit, mit dem Dao zu fließen und zugleich ein langes, erfülltes Leben zu führen, ist das körperbetonte *Tai-chi chuan*. Etwa im 10. Jahrhundert in China scheinbar aus dem Nichts als Kampfsport entstanden, wird es noch heute von vielen Chinesen täglich frühmorgens und spätabends aus gesundheitlichen Gründen praktiziert. Die kontinuierlichen, durch eine Reihe tanzähnlicher Haltungen führenden Bewegungen erinnern optisch an »Trockenschwimmen« und sollen das ungehinderte Fließen des Chi durch den Körper hindurch manifestieren. In einem Grundlagenwerk heißt es: »Bei jeder Bewegung soll der ganze Körper leicht und behende sein, all seine Teile sollen wie Perlen auf einer Schnur miteinander verbunden sein.«[17] Das Chi wird innerlich erspürt, jedoch nicht mit Kraft ausgeführt. Im Kampf soll der Praktizierende »dem geringsten Druck des Gegners nachgeben und sich beim geringsten Zurückweichen an ihn heften«[18], sich also geistiger Wachsamkeit für subtile Veränderungen und nicht der Muskelkraft bedienen, um einen Vorteil zu gewinnen.

Tai-chi ist außerdem eine physische Methode, mit dem ewigen Ineinandergreifen von Yin und Yang und von Ruhe und Bewegung eins zu werden. Hierzu der Tai-chi-Meister Al Chung-liang Huang:

> Denke dir, daß die kontrastierenden Energien sich gemeinsam und vereint bewegen, harmonisch und ineinandergreifend wie ein weißer und ein schwarzer Fisch bei der Paarung. Wenn du dich mit nur einer Seite dieser Zweiheit identifizierst, wirst du unausgeglichen … Bewegung und Ruhe werden eins. Man ist kein statischer Punkt, sondern ein sich bewegender, sich verändernder, man ist alles. Man ist auch diese aufgehobene, fließende, sich festigende, bewegte Ruhe.[19]

Neben diesen Techniken für die körperlich-geistige Harmonie mit dem Dao besteht seit uralten Zeiten der Wunsch gleichsam nach einer Abkürzung auf dem Weg zur Langlebigkeit.

Chinesische Aristokraten ebenso wie Bauern suchten ihr Leben durch den Rat und die Zaubertränke daoistischer Alchimisten zu verlängern. Einige erwiesen sich als handfeste Betrüger, andere nahmen die allegorischen Hinweise auf die spirituelle Alchimie wörtlich und versuchten, eine chemische Unsterblichkeitsformel zu finden. Heute ist dies nicht anders, und 1988 wurde ein »Daoistischer Laoshan-Trank« in Massenproduktion hergestellt. Seine lebensverlängernde Geheimformel wurde angeblich 1000 Jahre lang vom Hauptpriester von Laoshan gehütet.

Nach altchinesischer Tradition entsteht das Universum aus dem Wechselspiel von Yin und Yang. Diese Energiezustände werden üblicherweise als ineinandergreifende Formen dargestellt, wobei die Dominanz zwischen dem dunklen, nachgiebigen Yin und dem hellen, bestimmenden Yang ständig wechselt.

Daoismus der Unsterblichen

Der Oberbegriff »Daoismus« bezieht sich nicht allein auf den philosophischen Daoismus, sondern auch auf einige Sekten, die bisweilen zusammenfassend als Hsien (»Unsterbliche«) bezeichnet werden. Kennzeichnend ist ihr Glaube an zahlreiche Götter und Ahnengeister, Magie, Rituale und priesterlichen Beistand.

Praktiken wie Alchimie, Gesundbeten, Hexerei und Verwendung magischer Objekte existieren in China offenbar schon lange; das Entstehen institutionalisierter und unterscheidbarer Gruppen mit detaillierten Ritualen, Klerus und offenbarten Texten jedoch datiert aus dem 2. Jahrhundert. Damals erlebte die Han-Dynastie inmitten von Hunger und Krieg ihren Niedergang. Diverse Offenbarungen und Prophezeiungen sagten das Ende des Zeitalters voraus und führten schließlich zum Aufkommen religiös-politischer Organisationen. So hatte beispielsweise Yu Chi die Vision, daß Yin und Yang im Himmel oder auf Erden nicht mehr ausgeglichen seien, da die Herrscher vergessen hätten, den Wegen der Natur zu folgen, und daß im Jahre 184 der blaue Himmel der Han durch den gelben Himmel ersetzt werde. In jenem Jahr rebellierten Hunderttausende Gefolgsleute eines Anführers, der als Gesundbeter und Befürworter egalitärer Ideale bekannt war, in acht der zwölf chinesischen Provinzen; erst nach zehn Monaten gelang es, den Aufstand niederzuschlagen.

Zeitgleich hatte in Westchina Zhang Daoling eine Vision, in der ihm Laozi als himmlischer Gott Lao erschien. Er befürwortete ähnliche Praktiken des Gesundbetens und schuf eine quasimilitärische Organisation aus religiösen Amtsträgern, die jedoch 30 Jahre später die politischen Ziele zugunsten spiritueller Praktiken aufgab. Nachdem Zhang Daoling in den Himmel aufgestiegen war, nannte man ihn den ersten Himmelsmeister. In der älteren Han-Religion hatten Dämonen, Exorzismus, Jenseitsglaube und ein Schicksalsgott eine Rolle gespielt, der nach einem himmlischen Protokoll der guten und schlechten Taten über Glück oder Unglück entschied. Diese Funktionen wurden nunmehr einem Pantheon himmlischer Gottheiten übertragen, die wiederum durch das neue, von Zhangs Familie angeführte Priestertum der Himmelsmeister kontrolliert wurden. Dieser erbliche Klerus war für kaiserliche Investituren ebenso zuständig wie für Dorffeste; in den örtlichen Diözesen brachten Männer wie Frauen das Trankopfer dar.

Nachdem die nördlichen Hauptstädte Anfang des 4. Jahrhunderts geplündert worden waren, flohen die Himmelsmeister und andere Aristokraten in den Süden und ließen sich auf dem Drachentigerberg in Südostchina nieder. Der 64. Patriarch dieser Linie lebt heute in Taiwan, obwohl die alten Praktiken auf dem Drachentigerberg in China mittlerweile wiederaufleben.

Um 365 erhielt eine ebenfalls nach Südchina geflohene Aristokratenfamilie Offenbarungen von einer verstorbenen Angehörigen, Frau Wei. Diese Offenbarungen der Namen und der Macht neu entdeckter Gottheiten, von Meditationsmethoden, Alchimie und Ritualen wurden in feinster Kalligraphie aufgezeichnet und nur einigen wenigen fortgeschrittenen Schülern vermittelt. Die Elite aus Unverheirateten residierte auf dem Berg Mao und bezeichnete ihre Praktiken als *Daoismus der höchsten Reinheit*. Sie sahen auf die Tradition der Himmelsmeister und ihre ungeschlachten sexuellen Rituale herab und mieden dörfliche Rituale ebenso wie die einfachen Menschen. Im Mittelpunkt standen die persönliche Unsterblichkeit und das Bemühen, durch Meditation den Körpers zu läutern, um »am hellichten Tag in den Himmel aufzusteigen«. Obgleich der Daoismus der höchsten Reinheit die Massen nicht erreichte, werden seine Texte und Einflüsse weiterhin als Traditionselite des Daoismus verehrt.

Die Aufnahme des Buddhismus in die chinesische Kultur bereicherte die religiöse Praxis um ein buntes Gemisch von neuen Meditationsübungen, göttlichen Wesen, Ritualen, Schriften sowie Himmeln und Höllen, aus dem diverse daoistische Bewegungen sich ungehemmt bedienten. Die erfolgreichste Tradition der letzten 800 Jahre ist der *Daoismus der höchsten Vollendung*. Er vereint die innere Alchimie des Daoismus mit der Chan-Meditation des Buddhismus und der Gesellschaftsmoral des Konfuzianismus und harmonisiert die drei Religionen. Das aktive Klosterleben konzentriert sich auf Meditation und Loslösung von der Welt. Wichtigstes Zentrum und zugleich Zentrale der staatlich gebilligten Chinesischen Daoismus-Vereinigung ist heute das Kloster »Weiße Wolke« in Peking, aus dem gleichzeitig die meisten daoistischen Tempel und Kampfsportgruppen Hongkongs hervorgehen.

Die zahlreichen Offenbarungsschriften der daoistischen Bewegungen wurden am Kaiserhof eher beiläufig kompiliert und kanonisiert. Der heutige daoistische Kanon entstand 1445. Aus mehr als 1000 anspruchsvollen Schriften bestehend, wird er erst seit kurzem von nichtdaoistischen Gelehrten erforscht.

Volkstümlicher Daoismus heute

Neben den auf Gott Lao zurückgehenden daoistischen Wegen und dem obersten Dao sind verschiedene mit dem Daoismus verknüpfte Rituale und Glaubensvorstellungen im kommunistischen China ebenso gängige Praxis wie in chinesischen Gemeinschaften andern-

Links *Daoistischer Priester*
Rechts *Die daoistische Religion wird von nichtkommunistischen Chinesen weiterhin praktiziert. Die Anbetungspraxis der Göttin Matsu im Matsu Yen Tao-Tempel des taiwanischen Anping enthält daoistische Elemente.*

orts, etwa in Taiwan, Hongkong und Südostasien. Seit etwa 1000 werden von den chinesischen Völkern Rituale praktiziert, die mit einer Phase der Erprobung und Reinigung der Seele nach dem Tod verknüpft sind. Die einzelnen Familien ziehen daoistische oder buddhistische Priester hinzu, die sie bei ihren Ritualen für die Verstorbenen unterstützen sollen; ebenso geschieht es auch bei den gemeinschaftlichen rituellen Grabsäuberungen im April und der universellen Befreiung und Speisung hungriger Geister im August. Jeder Tempel besitzt einen Nebenschrein für Tu-ti Kung, den Herrn der Welt, der den Verstorbenen jederzeit Gaben zu überbringen vermag. Gebetszettel und Geldscheine werden verbrannt, um sie ins Jenseits zu senden.

In heutigen taiwanischen Tempeln entstehen auch immer wieder neue Offenbarungen und Schriften. Sie gelten als »kostbare Schriftrollen« und werden Gottheiten wie der Goldenen Mutter der Himmelssphäre zugeschrieben. Man glaubt, daß die heutige Weltkrise das unmittelbare Eingreifen der göttlichen Mutter, die ehedem Buddha und Laozi als Boten entsandt habe, erforderlich mache.

In der Volksreligion findet sich weiterhin die alte Praxis, bestimmte Menschen, die nach ihrem Tod zu himmlischen Dienern ernannt werden, als göttlich zu verehren. Eines der zahlreichen Beispiele ist der heldenhafte und loyale General Kuan-kung der späten Han-Dynastie, der überall in China als Hüter des Rechts verehrt wird. Eine tugendhafte Tochter aus der Lin-Familie rettete während der Sung-Dynastie einige Verwandte und andere Notleidende und wird heute vor allem in den Küstenregionen als Tien-hou, die Heilige Mutter im Himmel, verehrt. Auf dem chinesischen Festland wird seit kurzem der »Große Kaiser, der das Leben schützt«, wieder stärker verehrt, man führt ihn auf einen im 11. Jahrhundert lebenden inspirierten Arzt zurück. Auch die dem Befreier Chinas, dem 1976 gestorbenen Mao Tse-tung, weiterhin erwiesene Verehrung spiegelt den chinesischen Brauch wider, bestimmten Menschen die göttliche Macht zuzuschreiben, anderen zu helfen und sie zu retten.

Jede starke chinesische Zentralregierung im Lauf der Geschichte tendierte dazu, völlige Ergebenheit und Anerkennung als göttliche Autorität zu fordern und konkurrierende Religionsgruppen anzufechten oder zu unterdrücken. Die altchinesischen Kaiser beanspruchten für sich eine göttliche Herkunft oder bezeichneten sich gleich als von oben ernannte Söhne des Himmels. Die Ch'in-Dynastie (221–206 v. Chr.) verfolgte die konfuzianischen Gelehrten und verbrannte ihre Bücher, die Han-Dynastie untersagte das Schamanentum; während der T'ang-Dynastie wurden die Buddhisten verfolgt; der T'ai-p'ing-Aufstand im 19. Jahrhundert versuchte, Daoismus und Buddhismus in China auszumerzen; und während der Kulturrevolution 1966–76 wurden daoistische, buddhistische und konfuzianistische Tempel und Bücher von übereifrigen Rotgardisten zerstört. Während der ökonomischen Liberalisierung Ende des 20. Jahrhunderts und trotz der atheistischen Ideologie des Kommunismus wurden Tempel als historische Stätten unterhalten, Pilgerfahrten zu Tempeln an Naturstätten und religiöser Auslandstourismus wurden gefördert, und in manchen von der Hauptstadt weit entfernten Regionen vergrößerte sich die Anzahl der Tempel explosionsartig.

Zahlreiche religiöse Rituale sind weiterhin gängige Praxis in jedem Haushalt, wie die feierliche Verabschiedung des Küchengottes am Ende des Mondjahres (oftmals Ende Januar). In der Hoffnung, der Küchengott, der in der Ecke sitzt und die Familie bei ihrem Tun beobachtet, möge in seinem jährlichen Bericht an den Jadekaiser (den Gott der Gegenwart) Gutes über sie sagen, opfert die Familie Süßes, Räucherwerk und Papierpferde mit dem Gebet: »Wenn du zum Himmel gehst, sollst du nur Gutes berichten, und wenn du vom Himmel herabkommst, sollst du uns schützen und Frieden und Sicherheit bescheren.«[20]

Konfuzianismus – die Praxis der Tugend

Das 6. Jahrhundert v. Chr. bedeutete für zahlreiche Kulturen eine spirituelle und intellektuelle Blütezeit. In diesen Zeitraum fallen das Leben Buddhas und vielleicht auch Laozis, das Persische Reich, das Goldene Zeitalter von Athen, die großen hebräischen Propheten und – in China – das Leben eines weiteren herausragenden Menschen. Im Westen nennt man ihn Konfuzius und seine Lehre Konfuzianismus. Er trug den Familiennamen Kung, und die Chinesen verehrten in als Kung Fu-tzu (»Meister Kong«). Seine Lehre nannten sie *Rujia* (»Lehre der Gelehrten«). Sie gelangte in China zu höchstem Einfluß und ist trotz der politischen Veränderungen weiterhin verbreitet. Daoismus, Buddhismus und Konfuzianismus koexistierten in China 2000 Jahre lang und flossen in die Kultur ein. Daoismus und Buddhismus betonen die stets sich wandelnde Natur der Dinge im Kosmos, während der Konfuzianismus auf ein harmonisches Zusammenleben der Menschen und die Schaffung einer gerechten und geordneten Gesellschaft konzentriert ist.

Viele Menschen harmonisieren die scheinbaren Gegensätze von Daoismus und Konfuzianismus in ihrem eigenen Leben. So spricht beispielsweise der ältere Dao-Meister An davon, daß er und seine Gefährten den Tempel auskehrten, wenn ihnen danach sei (»Wir sind nicht in Routine gefangen«), aber auch davon, wie die von seinem Vater vermittelten konfuzianischen Maximen sein Leben geformt hätten:

> *Mein Vater war sehr gebildet und unerbittlich, uns das wahre Dao zu lehren. Er verstand sich meisterlich auf die klassischen Schriften und schrieb sich unablässig Zitate heraus. Drüben an der Wand hängt ein Zitat von Konfuzius:*
> *»Wenn ich nicht großzügig bin zu denen unter mir,*
> *wenn ich das Eigentum nicht achte*
> *oder wenn ich bei einem Begräbnis nicht geziemend trauere,*
> *wie kann ich dann Selbstachtung haben?«*
> *Er klebte solche Zitate an die Wand über unserem Bett. Ich brauchte mich nur umzudrehen, und da war es schon und drang in mein Gehirn … Konfuzius sagte auch:*
> *»Wer das Dao sucht, darf keine unzulänglichen Manieren haben.«*[21]

Wie Prof. Yu Yingshi erläutert, können Daoismus und Konfuzianismus koexistieren, da es in der chinesischen Tradition keine starke Trennung zwischen Geist und Materie oder utopischen Idealen und Alltagsleben gibt:

> *Für den Chinesen durchdringen die transzendentale Welt (die Welt des Geistes) und die Alltagswelt einander, wenngleich beide nicht als identisch gelten. Wenn wir das Dao zur Darstellung der transzendentalen Welt und das konfuzianische Ideal der menschlichen Beziehungen zur Darstellung der menschlichen Welt verwenden, können wir erkennen, wie sie ineinandergreifen. Das Dao prägt den Charakter dieser menschlichen Beziehungen. Um als solche existieren zu können, müssen diese Beziehungen dem Dao folgen und können sich nicht einen Augenblick von ihm lösen. Diese beiden Welten operieren auf dem Gipfel der wechselseitigen Durchdringung, wobei sie voneinander weder abhängig noch unabhängig sind. Weltliche zwischenmenschliche Beziehungen haben somit gleich von Beginn an einen transzendentalen Charakter.*[22]

Das Leben des Meisters Kong

Kong Qiu wurde um 551 v. Chr. (während der Chou-Dynastie) als Sproß einer Familie geboren, deren Vorfahren in der vorausgegangenen Dynastie Führungspositionen be-

Der Konfuzianismus idealisierte die edlen Gelehrten. Bis zur chinesischen Revolution im 20. Jahrhundert bildeten sie die höchste Gesellschaftsklasse.

kleidet hatten, deren sie allerdings durch politische Auseinandersetzungen verlustig gegangen waren. Beim Tod seines Vaters, eines Soldaten, war der Knabe erst drei Jahre alt. Der junge Qiu war entschlossen, ein Gelehrter zu werden, doch finanzielle Engpässe machten es erforderlich, daß er Verwaltungsämter annahm, um den Lebensunterhalt zu bestreiten. Seine Zuständigkeit erstreckte sich auf solch bescheidene Tätigkeiten wie die Beaufsichtigung der Kornspeicher und Viehherden. Er heiratete mit 19 Jahren und hatte mindestens zwei Kinder.

Seine Mutter starb, als er 23 war. Während seiner dreijährigen Trauer lebte er in Askese und befaßte sich mit den alten zeremoniellen Riten (Li) und kaiserlichen Institutionen. Wieder in die Gesellschaft zurückgekehrt, erlangte er einiges Ansehen als Lehrer des Li und der Kunst des Regierens.

Es war dies eine Zeit des politischen Chaos, und die Stabilität der frühen Chou-Dynastie war der Unordnung gewichen. Die Feudalherren waren mächtiger als der zentrale Hof, Minister ermordeten ihre Vorgesetzten, und Söhne töteten ihre Väter. Konfuzius sah in der Rückbesinnung auf die klassischen Tugenden den einzigen Ausweg aus dem Chaos und suchte ernsthaft, aber erfolglos nach Herrschern, die sich seiner Ideen angenommen hätten.

Konfuzius entschied sich daraufhin für ein anderes Vorgehen, indem er junge Männer zu weisen und selbstlosen Staatsdienern ausbildete. Er schulte sie in den »sechs Klassikern« des chinesischen Kulturerbes: I Ging, Poesie, Geschichte, Rituale, Musik und Tanz sowie den Frühjahrs- und Herbstannalen seines Staates Lu. Konfuzius selbst soll die traditionellen, auf diese sechs Bereiche sich beziehenden Texte in jener Form herausgegeben haben, die als kanonische Schriften bezeichnet werden. Heute gibt es nur noch fünf Schriften, denn die Abhandlungen über Musik wurden entweder zerstört oder haben nie existiert. Über seine Funktion äußerte Konfuzius sich bescheiden:

> *Nur Übermittler bin ich, und kein Schöpfer. An die Alten glaube ich mit Leidenschaft.*[23]

Obwohl man später in China großen Wert auf das Studium der kanonischen Schriften legte, galten Werk und Lehre des Konfuzius zu seinen Lebzeiten als relativ unbedeutend. Nach seinem Tod im Jahr 479 v. Chr. nahmen die kriegerischen Auseinandersetzungen zwischen den Staaten derart zu, daß das althergebrachte Vasallentum durch zunehmend größere, unpersönliche Armeen und die persönlichen Tugenden durch Gesetze und staatliche Kontrolle ersetzt wurden. Nach der brutalen Vereinigung Chinas durch die Ch'in- und die Han-Dynastie benötigte man eine jedoch kultiviertere Klasse von Bürokraten, die die von Konfuzius vertretenen Tugenden verkörpern sollte. Im 2. Jahrhundert v. Chr. wurden die kanonischen Schriften zur Grundlage der Beamtenexamina, und ein Leben als gelehrter Ehrenmann, der sich dem rechten Regieren verschrieb, galt als höchstes Ideal. Konfuzius selbst wurde in eigens errichteten Tempeln als Vorbild für selbstlosen Staatsdienst, Güte und Gelehrtheit verehrt. Kritisch betrachtet, könnte man den offiziellen staatlichen Rückgriff auf die kanonischen Schriften als politischen Schachzug ansehen, mit dem die Regierung sich den Anstrich des Zivilen gab und sich nach außen hin von dem Anschein der Brutalität befreite.

Die konfuzianischen Tugenden

Jen ist die vorrangigste jener Tugenden, von denen Konfuzius annahm, daß sie die Gesellschaft retten könnten. Dieser zentrale Begriff wird übersetzt als angeborene Güte, Liebe, Nächstenliebe, vollkommene Tugend, Menschlichkeit und Güte.

In Kapitel IV der *Analekten* beschreibt Konfuzius das Ideal des ganz dem Jen sich widmenden Menschen: jemand, den nicht persönlicher Gewinn, sondern das Moralische angetrieben, der mehr mit persönlicher Besserung als mit öffentlicher Anerkennung befaßt ist, stets seiner Eltern gedenkt, bedachtsam spricht, doch rasch handelt und die menschliche Natur als von Grund auf gut ansieht.

Wichtigstes Vorbild sollten die Herrscher sein. Ihnen wurde aufgetragen, nicht mit physischer Gewalt, sondern mit vorbildhafter persönlicher Tugend zu regieren:

Konfuzius sprach: »Ist ein Herrscher selber aufrecht, wird alles ohne Befehle gutgehen.
Ist er jedoch nicht aufrecht, wird man auch seine Befehle nicht befolgen … Wer mit
Tugend regiert, gleicht dem Polarstern, der an seinem Ort bleibt, während alle Sterne
sich im zuwenden.«[24]

Nach den Grundvoraussetzungen einer starken Regierung gefragt, nannte Konfuzius –
in aufsteigender Rangfolge – angemessene Truppen, angemessene Ernährung und das
Vertrauen der Menschen. Die einzig wahre Notwendigkeit, so Konfuzius, sei, daß die
Menschen ihren Herrschern vertrauten. Um dieses Vertrauen zu gewinnen, solle die herrschende Klasse »sich kultivieren«, indem sie ein tugendhaftes, schickliches Leben führe,
stets das Jen befolge, aufwärts strebe und das Richtige schätze, anstatt so niedrigen Zielen wie materiellem Gewinn zu folgen.

Das chinesische Zeichen für »Jen« ist eine Kombination aus »zwei« und »Person« und
vermittelt den Gedanken einer Beziehung. Zu den von Konfuzius beschriebenen Beziehungen gehören das Verhältnis zwischen Vater und Sohn, das Verhältnis zwischen älteren und jüngeren Geschwistern, Mann und Frau, älterem und jüngerem Freund sowie
Herrscher und Untertan, wobei der Erstgenannte stets übergeordnet ist. Dennoch basiert
jede dieser Beziehungen auf klaren, wechselseitigen Verpflichtungen und Verantwortungen. Diese Wechselseitigkeit ist entscheidend für dieses Geflecht zwischenmenschlicher Beziehungen, die das Individuum gleich einer Reihe konzentrischer Kreise unterstützt.

Der Herrscher an der Spitze hat den Himmel zum Vorbild; er dient den Menschen als
Vater und bindet sie durch rituelle Zeremonien in die umfassende kosmische Ordnung
ein. Wie Konfuzius sagt, sei dies die Quelle gewesen für die Größe des weisen Königs Yao
(um 2357 v. Chr.): »Groß ist der Himmel, und groß ist Yao, der ihn zum Vorbild nahm.«[25]

In der idealen Welt des Konfuzius gibt es eine Hierarchie, in der jeder seinen Ort kennt
und die Übergeordneten respektiert. Die soziale Ordnung basiert auf diesem System des
statusgemäßen Verhaltens. Wie es in der *Großen Unterweisung* heißt, beginne der Friede
mit der Förderung der Moral des Individuums und der moralischen Ordnung in der Familie. Wie kreisförmige Wellen auf einem Teich pflanze sich dies auf Gesellschaft, Regierung und Universum fort:

Die Alten, die das Ziel hatten, die hochgehaltenen Tugenden in alle Welt zu tragen,
würden zunächst eine gute Regierung in ihren Staaten einsetzen. Um ihre Staaten gut zu
regieren, würden sie zunächst ihre Familien ordnen. Um ihre Familien zu ordnen, würden
sie zunächst ihre Person entfalten. Um ihre Person zu entfalten, würden sie zunächst ihren
Geist berichtigen. Um ihren Geist zu berichtigen; würden sie zunächst Aufrichtigkeit in
ihren Gedanken anstreben. Um Aufrichtigkeit in ihren Gedanken zu erreichen, würden
sie zunächst ihr Wissen erweitern. Die Erweiterung des Wissens lag in der Erforschung der
Dinge.[26]

Herzstück der moralischen Besserung ist die praktizierte Elternliebe. Überdies befür-
tet Konfuzius den altchinesischen Brauch des Ahnenkults als erweiterte Elternliebe:

Elternliebe ist die Kraft, die diese Zielsetzungen fortführt und die Angelegenheiten unserer
Vorväter vollendet … Sich am gleichen Ort versammeln, wo sie sich einst versammelt; die
gleichen Zeremonien vollziehen, die sie einst vollzogen; die gleiche Musik spielen, die sie
einst gespielt; jenen Achtung erweisen, die sie verehrt; jene lieben, die ihnen einst lieb
gewesen; ja, den nun Toten dienen, als seien sie lebendig, und den nun Fortgegangenen,
als seien sie noch mit uns. Dies ist Elternliebe in höchster Vollendung.[27]

Konfuzius sagte vergleichsweise wenig über das Übernatürliche und zog es vor, sich auf das Hier und Jetzt zu konzentrieren: »Wenn du nicht vermagst, dem Menschen zu dienen, wie vermagst du dann den Geistern zu dienen?«[28] Er erhob das Li (die Riten zu Ehren der Vorfahren und Gottheiten) zur Tugend, jedoch mit der schwer zu deutenden Anweisung, die Opfer zu vollziehen, »als ob« die Geister anwesend seien. Manche interpretieren dies dahin gehend, daß er die Riten als Weg zur irdischen Harmonie durch ehrfurchtsvolles, ethisches Verhalten befürwortet habe. Die Riten sollten indes keine leeren Gesten, sondern nach außen schlicht und innerlich im Jen verwurzelt sein.

Obgleich Konfuzius sich nicht ausführlicher über eine unsichtbare Realität äußerte, sah er im Li den irdischen Ausdruck der natürlichen kosmischen Ordnung. Nicht nur förmliche Rituale, sondern auch alltägliches Handeln werde zum Li, sofern es dem Jen entspringe. Allem Tun solle ein feiner Sinn für Anstand zugrunde liegen. Stets den paradigmatischen Ehrenmann der altchinesischen Hochkultur als Vorbild für rechtes Verhalten preisend, gibt Konfuzius Beispiele wie etwa die Art der Totentrauer. Auch wenn der Trauernde ein enger Freund des Verstorbenen gewesen sei, solle er als Ehrenmann ein vornehmes Verhalten an den Tag legen und »sich mit den Händen nach vorne auf die Querstrebe seines Wagens lehnen, um Respekt zu bekunden; in ähnlicher Weise soll er sich gegenüber einem Träger offizieller Dokumente verhalten«[29]. Anstand sei auch in der anspruchslosesten Umgebung zu wahren:

Selbst wenn ein Mahl nur aus grobem Reis und Gemüsebrühe besteht, [der Ehrenmann] gibt davon durchweg ein Opfer und tut dies durchweg feierlich.[30]

Abweichende Gefolgsleute des Konfuzius

Die konfuzianische Tradition wurde von zahlreichen späteren Kommentatoren ausgebaut, vor allem von Mengzi und Xunzi, die allerdings einen unterschiedlichen Ansatz verfolgten.

Gut 100 Jahre nach Konfuzius' Tod wurde Mengzi (latinisiert zu Mencius), der »zweite Weise«, geboren. Während seiner Lebenszeit verschlimmerte sich das Chaos in der chinesischen Gesellschaft nochmals. Wie sein Vorgänger versuchte auch der zweite Weise vergeblich, seine Weisheit kampfbereiten Herrschern zu vermitteln. Auch er nahm eine Lehrtätigkeit auf, nachdem er sich mit den stabilisierenden Faktoren des alten Feudalsystems vertraut gemacht hatte.

Mengzis wichtigster Beitrag zur konfuzianischen Tradition waren sein Glaube an das Gute im Menschen und die Akzentuierung der Tugend des *Yi* (rechtes Verhalten). Mengzi unterstrich die moralische Pflicht der Herrscher, nach dem Prinzip der Menschlichkeit und des Guten im Menschen zu regieren. Wenn sich ein Herrscher vom Gewinnstreben leiten lasse, werde diese ichbezogene Motivation sich in allen Untertanen widerspiegeln und zum Chaos führen. Dagegen aber: »Wenn eine mitleidsvolle Regierung von einem mitleidsvollen Herzen gelenkt wird, kann man das gesamte Reich regieren, so als bewegte man es in der hohlen Hand.«[31] Dies, so Mengzi, sei ein natürlicher Weg, denn der Mensch sei von Natur aus gut: »Der Mensch neigt von Natur aus dazu, Gutes zu tun, wie Wasser dazu neigt, hinabzufließen.«[32] Überdies werde der Himmel den Rechtschaffenen beistehen und ihre gute Sache fördern.

Weniger einverstanden mit dieser Einschätzung zeigte sich Xunzi, der vermutlich geboren wurde, als Mengzi bereits ein alter Mann war, und ein ähnliches Leben als verhinderter Reformer führte wie seine Vorgänger. Für ihn war der Mensch von Natur aus böse, und der unpersönliche Himmel operierte nach den Naturgesetzen, anstatt auf seiten der guten Regierung zu intervenieren oder auf menschliche Wünsche zu reagieren (»Der Himmel hebt nicht den Winter auf, weil dem Menschen die Kälte mißfällt …«[33]). Der Mensch müsse seine Ziele selbst verfolgen, doch er neige von Natur aus zu Neid, Haß, persönlichem Gewinnstreben und Sinnengenuß. Diese Tendenzen könnten nur gezügelt werden, indem die Regeln des Li (Riten und Anstandsregeln) und des Yi (Anleitung zum rechten Verhalten) gelehrt und gesetzlich erzwungen würden. Trotz dieses natürlichen Makels könne der Mensch durch beharrliches Studium, Geduld und gute Werke allmählich Weisheit erlangen und so mit Himmel und Erde eine kooperative Dreiheit bilden.

Xunzis umsichtige Gedanken lieferten die Grundlagen für eine neue legalistische Struktur der chinesischen Regierung. Der Idealismus des Mengzi wurde erst viel später als chinesische Reaktion auf den Buddhismus wiederbelebt und vom 13. bis zum 20. Jahrhundert für die Beamtenexamina herangezogen. Beider Übereinstimmungen sind jedoch für den Konfuzianismus grundlegend: Die rechte Praxis der Tugend ist von großem Wert; der Mensch vermag dies durch Selbstschulung zu erreichen; Studium und Nacheifern der alten Weisen sind der Weg zur Harmonie in Individuum, Familie, Staat und der Welt.

Konfuzianismus als Staatskult

Während der Han-Dynastie (202 v. Chr.–220 n. Chr.) wurden die konfuzianischen Lehren schließlich staatlich anerkannt. Der Han-Gelehrte Dong Zhongshu schuf ein Erziehungssystem, das auf den kanonischen Schriften basierte und bis zum 20. Jahrhundert Bestand hatte. Er bediente sich konfuzianischer Ideale, um die Menschen hinter dem Herrscher zu vereinen, wobei dieser dem Himmel unterworfen sein sollte.

In jener Zeit wurden Beamtenexamina für alle im Staatsdienst Beschäftigten eingeführt. Die Prüfungen bezogen sich auf die kanonischen Schriften, die der neokonfuzianische Gelehrte Zhu Xi (1130–1200) später systematisch zu den Vier Büchern zusammenfaßte. Seine *Betrachtungen über zuhandene Dinge* gaben dem Konfuzianismus ein metaphysisches Fundament: Das Individuum ist mit allem im Kosmos innig verbunden, »einen Körper mit allen Dingen bildend«. In Zhang Zais *Westlicher Inschrift* heißt es:

> Der Himmel ist mein Vater, die Erde ist meine Mutter, und selbst eine so kleine Kreatur wie ich findet einen vertrauten Platz in ihrer Mitte. Was sich durch das Universum erstreckt, betrachte ich daher als meinen Körper, und was das Universum lenkt, betrachte ich als meine Natur. Alle Menschen sind meine Geschwister, und alle Dinge meine Gefährten.[34]

Die Aneignung von mehr Menschlichkeit kann dazu beitragen, nicht nur sich selbst, sondern auch die Gesellschaft und sogar den Kosmos zu transformieren. Daher betonten die Neokonfuzianer die spirituelle Praxis – Meditation und das Bemühen, eine »edle Person« zu werden.

Frauen wurden zu vollkommener Selbstaufopferung angehalten. Von den konfuzianischen Frauen hatte man vordem erwartet, daß sie in Familie und Gesellschaft eine untergeordnete Rolle einnähmen, zugleich aber stark, diszipliniert, klug und versierte Ehefrauen und Mütter (ihrer Söhne) seien. Der Neokonfuzianismus subsummierte solche Tugenden unter das – insbesondere für Witwen geltende – extreme Ideal der Selbstaufopferung.

Obgleich Konfuzius zu einer maßvollen Verwendung des Li geraten hatte, legte der Neokonfuzianismus einen verstärkten Akzent auf das Opfern, wie es seit Urzeiten praktiziert und im traditionsreichen *Buch der Riten* und im während der Han-Dynastie neu verfaßten *Etikette und Ritual* dargelegt worden war. Die Riten sollten die Harmonie zwischen Mensch, Himmel und Erde bewahren helfen. Die Opfer im Kreis der Familie dien-

ten dazu, die Ahnen versöhnlich zu stimmen. Regierungsbeamte waren verantwortlich für rituelle Opfer an Wesenheiten (Feuergötter, Literatur, Städte, Berge, Gewässer, Polarstern, Sonne, Mond, frühere Herrscher und Geister der Erde und des Himmels).

Die bedeutendsten Zeremonien vollzog der Kaiser selbst: Danksagungen und Fürbitten an Himmel, Erde, Götter des Bodens und des Ackerbaus und die dynastischen Vorfahren. Das höchste dieser Rituale war das umfangreiche alljährliche Opfer für Shang Ti auf dem Himmelsaltar aus weißem Marmor. Shang Ti galt als Sohn des Himmels und »Hoherpriester der Welt«. Dreitägiges Fasten und Wachen gemeinsam mit dem kaiserlichen Gefolge bildete die Vorbereitung. In höchst andachtsvoller Atmosphäre opferte der Kaiser dann einen Stier und kostbare Jade und sang Dankesgebete wie das folgende:

> *Mit Ehrfurcht breiten wir aus diese Kleinodien und Seiden, und gleich frohlockenden Schwalben im Frühling preisen wir Deine überquellende Liebe … In Deiner Liebe, o Ti, sind Menschen und Kreaturen im Paradies. Alles Lebendige steht in der Schuld Deiner Güte, doch wer weiß, woraus der Segen ihm widerfährt? Allein aus Dir, o Herr, der Du bist der wahre Vater aller Dinge.*[35]

Die Rituale waren sehr zeitaufwendig, bildeten jedoch einen wichtigen Teil des im Namen des Volkes ausgeübten Staatsdienstes. Während China sich in den letzten Jahrhunderten

Während der Herrschaft Mao Tse-tungs galt der »große Vorsitzende« als überlebensgroßer Held eines Dramas, das die Religion ersetzte, ihr jedoch durchaus auch glich.

allmählich dem Westen öffnete, gerieten die alten Praktiken in Verruf. Der letzte Kaiser dankte 1912 ab, und die sogenannte Vierter-Mai-Bewegung der Republik der 1920er Jahre glorifizierte Wissenschaft und sozialen Fortschritt. Ab 1949 ersetzte der Kommunismus die Religion und versuchte, die Gesellschaft mit säkularen Mitteln zu verändern. Der Parteivorsitzende Mao Tse-tung wurde fast wie ein Gott verehrt, und die »Maobibel« mit den Worten des Vorsitzenden Mao ersetzte die kanonischen Schriften.

Während der Kulturrevolution (1966–76) wurde der Konfuzianismus als einer der »vier Alten« attackiert – alte Ideen, Kultur, Sitten und Gewohnheiten. Man versuchte, die vom Konfuzianismus idealisierte hierarchische Struktur zu zerschlagen und die intellektuelle Elite zu entmachten. In völligem Kontrast zur konfuzianischen Elternliebe gingen junge Leute so weit, ihre Eltern in öffentlichen Verhören zu denunzieren; Gelehrte wurden zum Gegenstand des Spotts. Schätzungsweise eine Million Menschen wurden verfolgt – viele wurden umgebracht, andere begingen Selbstmord; Millionen litten.

Mao haßte – eigenem Bekunden nach – Konfuzius seit seiner Jugend, vor allem die intellektuelle Betonung des Schriftstudiums und der Rituale. In mancher Hinsicht jedoch bildete die konfuzianische Sittenlehre weiterhin die Grundlage der chinesischen Ethik. Besonderen Wert legte Mao auf die (konfuzianischen) Tugenden des selbstlosen Dienstes am Volk und der Besserung des einzelnen zum Wohle der Öffentlichkeit:

> *Unsere tätigen Kader ... sind allesamt nichts anderes als des Volkes Laufburschen;*
> *... sollten wir es da nicht über uns bringen, all das abzulegen, was wir Ungutes an uns haben?*[36]

Jahrzehntelang rühmte sich das kommunistische China, das gesetzestreueste Land überhaupt zu sein. Die Straßen waren sicher, und Touristen, die Probleme mit der chinesischen Währung hatten, vertrauten den Taxifahrern so weit, daß diese sich den exakten Betrag – und nicht mehr – aus den geöffneten Geldbörsen nehmen konnten. In jüngerer Vergangenheit allerdings nahmen Kriminalität und behördliche Korruption zu. Seitdem China 1978 seine Pforten dem Westen geöffnet hat, vollzieht sich ein abrupter Gesellschaftswandel, der die traditionellen konfuzianischen Tugenden unterminiert. Die Regierung sieht hierin den schädlichen Einfluß materialistischer Wertvorstellungen, ausgelöst durch die wahllose Übernahme auch der Schattenseiten der westlichen Kultur und den unvermittelten Übergang zur freien Marktwirtschaft. Anfang 1989 rief der damalige KP-Chef Tschao Tse-jang die Funktionäre auf, konfuzianische Disziplin (ohne sie so zu bezeichnen) zu wahren: »Die Partei kann es keinesfalls gestatten, daß ihre Mitglieder ihre Prinzipien gegen Geld und Macht eintauschen.«[37] Als die Menschen jedoch diese Mahnung aufgriffen, entschieden sich in die Jahre gekommene Politführer, den verbreiteten Ruf nach mehr Demokratie und Bekämpfung behördlicher Korruption brutal zu unterdrücken – dies im Namen eines weiteren konfuzianischen Wertes: der gesellschaftlichen Ordnung.

Innerhalb der Demokratiebewegung hatten sich die Intellektuellen um den rechten Weg bemüht, waren dabei jedoch einem bitteren chinesischen Dilemma erlegen: Die konfuzianische Ethik wies den Gelehrten die ständige Verantwortung zu, sich moralisch zu prüfen, ihren Herrschern angemessen Rückmeldung zu geben und die Funktion aufrechter Zensoren wahrzunehmen. Andererseits mußten sie gegenüber den Herrschern als deren Untertanen loyal bleiben, denn die Einhaltung ihres Untergebenenstatus sicherte die Existenz des Staates. Die Anführer der Demokratiebewegung versuchten, diesem potentiellen Konflikt mit ritualisiertem, respektvollem Handeln zu begegnen: Feierlich schritten sie die Stufen zur Großen Volkshalle am Tiananmen-Platz empor, um den Regierenden ihre Anliegen vorzutragen. Sie wurden jedoch ignoriert und brutal unterdrückt.

Lebendiger Konfuzianismus

Ann-ping Chin wuchs in Taiwan auf. Ihre Eltern stammen aus dem Norden Chinas. Sie ist Dozentin für Konfuzianismus und Daoismus an der Wesleyan University und unternahm fünf Reisen durch China, um den fortschreitenden gesellschaftlichen Wandel zu untersuchen. Mit Blick auf die traditionellen Werte sagt sie über die heutige Situation:

»Vieles in China verändert sich. Erst einmal hat der Wirtschaftsboom einen Einfluß darauf, wie die Frauen sich selbst und ihre Familien wahrnehmen. Wenn eine Frau etwa beschließt, berufstätig zu sein, bedeutet das auf diesem immensen chinesischen Markt, daß sie in ein Privatunternehmen geht oder selber eines gründet. In diesem Falle müßte sie die Kindererziehung als zweitrangig einstufen. Gewöhnlich sind diese Frauen von ihren Eltern oder Schwiegereltern abhängig, die die Kinder bei sich zu Hause aufziehen.

Scheidungen sind weit verbreitet. Der Familienverband zerbricht, und Kinder haben weniger Sicherheit – mit all den Problemen, die man im Westen mit Scheidung assoziiert. Die Frau sagt einfach: ›Wenn du nicht gehst, gehe ich.‹

Das wichtigsten für die Chinesen ist heute das Geldverdienen. Endlich gibt es einen freien Markt. Selbst ökonomische Freiheit ist eine Art Freiheit. ›Warum also‹, so die Meinung, ›nicht das Beste aus dieser Art Freiheit machen? Die politische Freiheit kann warten. Machen wir das Beste aus dem, was wir haben, und fragen wir nicht zuviel.‹

Der erste Eindruck ist vielleicht, daß die grundlegenden konfuzianischen Werte schwinden. In mehr als 2000 Jahren chinesischer Geschichte – und zwar in der traditionellen konfuzianischen wie auch der daoistischen Lehre – findet sich eine tiefe Geringschätzung des Gewinnstrebens, also von Vorteilnahme oder Profit – finanzieller oder zwischenmenschlicher Art. Heute indes wird man in China nur dann als echter Mann angesehen, wenn man entschlossen ist, zu Geld zu kommen.

Wenn man andererseits in das Privatleben eintaucht und zu verstehen sucht, was den Chinesen wirklich wichtig ist, so würde ich sagen, daß die fundamentalen Beziehungen zwischen Eltern und Kindern und zwischen Freunden immer noch sehr stark sind. Die Chinesen haben ihre einseitige Beziehung zum Herrscher aufgegeben. Die Beziehung zwischen Mann und Frau ist da schon weit komplizierter. Männer lieben die Vorstellung einer treu ergebenen Ehefrau. Sie wissen, daß dies vielleicht unmöglich ist, sehnen sich aber trotzdem danach. Sofern sie es von ihren Müttern vermittelt bekommen, schätzen sie weiterhin die traditionellen Eigenschaften, wie man ihnen in den Biographien tugendhafter Frauen begegnet.

Andere Werte wurden jedoch aufgegeben. Was derzeit mit den chinesischen Gelehrten geschieht, bestürzt und betrübt mich sehr. Als Gelehrte können sie nicht in die Privatwirtschaft gehen, und ihr äußerst dürftiges Monatsgehalt reicht vorne und hinten nicht. Von den einfachen Menschen wurden sie stets aufrichtig respektiert, auch wenn diese sie nicht verstanden. Jetzt aber gibt es nicht einmal mehr diesen Respekt, weil das Geldverdienen derart in den Mittelpunkt rückt.

Meine Eltern haben beide einen geistig sehr fundierten Hintergrund. Zu unserem großen Glück vermittelten sie uns die Traditionen ohne all die Förmlichkeit und Starrheit. Von meinem Vater haben wir wohl die zu den Schülern und zum Unterrichten empfundene Liebe übernommen – und die in der chinesischen Tradition sehr spezielle Lehrer-Schüler-Beziehung. Mit etwas Glück kann man sie noch zwischen einem älteren Lehrer und seinen Schülern erleben. Es ist nicht Gehorsam, sondern Anteilnahme, die der Schüler gegenüber seinem Lehrer bekundet.

Wenn ich überlege, was ich von meinen Eltern übernommen habe, fällt mir auch der Charakter ein. Der Charakter meines Vaters hat mich stark beeinflußt. Ich wußte einfach intuitiv, daß er stets versuchte, das Richtige zu tun, was ja bisweilen ungemein schwierig sein kann. Nur so konnte er leben: immerzu versuchen, das Richtige zu tun – sei es einem Freund, uns selbst, meiner Mutter, seinen eigenen Eltern oder Fremden gegenüber. Da gab es für ihn keine Kompromisse.«

1995 reichten 45 der angesehensten chinesischen Schriftgelehrten und Wissenschaftler bei der Regierung eine Petition ein, in der sie Gedankenfreiheit und Rechenschaftspflicht der Regierung gegenüber der Öffentlichkeit einforderten, um die sozial schädliche Korruption zu beenden. Manche Beobachter spekulieren, daß langsame Veränderungen eine neue Form der konfuzianischen Tradition hervorbringen werden, die als Fundament eines nichtkommunistischen China dienen kann.

Nach 2000jähriger Vorherrschaft stehen die konfuzianischen Lehren nicht mehr in den chinesischen Schulbüchern. Man begegnet ihnen allenfalls in Oberstufen-Materialien über chinesische Philosophie oder Literatur. Heute gibt es nur noch wenige konfuzianische Gelehrte alter Schule, doch die konfuzianischen Werte werden innerhalb der Familie weitervermittelt. Hierzu die chinesische Dozentin Ann-ping Chin:

> *Die Kinder leben nach den konfuzianischen Regeln und Riten, ohne sie anhand von Texten lernen zu müssen. In China ist der Konfuzianismus eine lebendige Tradition.*[38]

Die kommunistische Regierung Chinas ruft das Volk weiterhin auf, sich gemäß konfuzianischer Ideale zu verhalten. Ein Bürger, dessen Einstellung konfuzianische Tugenden widerspiegelt, wird als Vorbild hochgehalten. In chinesischen Zeitungen finden sich häufig aktuelle Berichte über selbstlose Staatsdiener wie Yuan Jingliang. Er arbeitet als Arzt in einer Zeit, da dieser Beruf für viele Stunden harter Arbeit nur wenig Geld einbringt. Die Zeitung *China Daily* beschreibt ihn und seine Arbeit auf eine Weise, in der immer noch die Idealisierung konfuzianischer Tugenden zum Ausdruck kommt:

> *Groß, schlank und mit strahlenden, gütigen Augen wirkt Yuan (50) wie ein Modell des chinesischen Intellektuellen seiner Generation …*
> *Yuan bedient sich nicht der administrativen Schlupflöcher – wie in vielen Hospitälern üblich –, um bei der Arbeit zu trödeln. Er absolviert seine Visiten gewissenhaft, stets auf die Bedürfnisse seiner Patienten achtend. Meist findet er Zeit für ein oder zwei aufmunternde Worte.*
> *»Seine Stimme ist immer so sanft, und sein Blick ist besorgt und mitfühlend«, sagte Wu Qihong [ein Patient].*[39]

Daß der Konfuzianismus erneut zum bewußten geistigen Eigentum der Intellektuellen wird, zeigen Fachkonferenzen, die kürzlich in China, Taiwan und Singapur stattfanden.

In Korea, wo sich heute nur sehr wenige Menschen als religiöse Anhänger des Konfuzianismus bezeichnen, gibt es 231 lokale konfuzianische Institute, die Vorträge und Veranstaltungen zur Förderung der konfuzianischen Lehre anbieten. Sie sind eher konservativ und stehen im Widerstreit mit Frauengruppen, die eine Revision des Familienrechts befürworten. Der Korean Overseas Information Service vertritt eine flexible, liberale Form der Tradition, die offen ist gegenüber anderen Kulturen und sämtlichen Religionen, jedoch der sozialen Ordnung zugleich ein festes Fundament bietet:

> *Der Konfuzianismus kann dem modernen Koreaner einige praktische Verhaltensstandards in Form von Ritualen und Umgangsformen anbieten. Die umfassende Einführung westlicher Verhaltensmodelle führte zu einer Lockerung und Verfälschung des angestammten koreanischen Verhaltensmusters. Höflichkeit und Anstand in Sprache und Betragen erhöhen die Würde des Menschen. Riten und Benimm, wie sie einem zivilisierten Volk geziemen, sind zu verfeinern und den Bedingungen der Zeit anzupassen …*
> *Der Konfuzianismus verstärkt den gesellschaftlichen Zusammenhalt … Der Familiensinn sollte zum Wohle der Gesellschaft betont und ausgebaut werden, denn er unterstützt die soziale Integration, ohne das rationelle Funktionieren der Gemeinschaft zu behindern …*

Sittenlehre und Charakter des Konfuzianismus können einen großen Beitrag zur Humanisierung der Industriegesellschaft leisten. Obsessive Effizienz und materielle Werte in einer Industriegesellschaft können die Menschlichkeit ersticken … Mittels seines konfuzianischen Erbes sollte Korea die Tradition aus Anstand und Bescheidenheit pflegen und die ureigene moralische Natur des Menschen vor einer Überflutung durch ökonomische und materialistische Belange bewahren.[40]

Auch in Japan spielte das konfuzianische Denken eine bedeutende Rolle. Es gelangte im 7. Jahrhundert dorthin, als politisches Denken und religiöse Vorstellungen Chinas einen beträchtlichen Einfluß gewannen, und hinterließ Spuren in der ersten Verfassung Japans, in der Struktur der Regierungsbürokratie und im Bildungssystem. Vom 12. bis 16. Jahrhundert studierte man den Konfuzianismus in zen-buddhistischen Klöstern, im 17. bis 19. Jahrhundert wurde er als Erziehungsphilosophie der öffentlichen und privaten Schulen im japanischen Volk stärker verbreitet. So wurde die konfuzianische Morallehre zur Grundlage für den Aufbau angemessener zwischenmenschlicher Beziehungen in Familie und Gesellschaft.

In der Vorkriegszeit wurden Konfuzianismus und Shinto durch das Militär manipuliert, um eine Ideologie des nationalistischen Expansionismus durchzusetzen. Eher mit den ursprünglichen Motiven des Konfuzianismus vereinbar ist dagegen die Beobachtung mancher Gelehrter, daß die bemerkenswert effiziente Modernisierung Japans in den letzten 100 Jahren zu einem nicht geringen Maße einigen vom Konfuzianismus abgeleiteten Werten zu verdanken ist, beispielsweise der Hochachtung für Fleiß, Konsens, Erziehung, moralische Selbstkultivierung, Genügsamkeit und Loyalität.

KAPITEL 7

SHINTO

Der Weg der Kami

Japan, das manche Fremdreligionen annahm und adaptierte, entwickelte mit dem Shinto auch eine ureigene Glaubensrichtung. Shinto ist die systematisierte Version der eng mit der Natur und der unsichtbaren Welt verbundenen Urreligion. Viele religiöse Japaner kombinieren heutzutage die unterschiedlichen Praktiken mehrerer Religionen: Der Konfuzianismus trägt Organisation und Ethik bei, Buddhismus und Christentum fördern das Verständnis des Leidens und des Lebens nach dem Tod, der traditionelle Ahnenkult verbindet die Lebenden mit der Familienchronik, und Shinto harmonisiert den Menschen mit der natürlichen Welt.

Die Ursprünge des Shinto

Shinto kennt keinen Stifter, keinen orthodoxen Kanon heiliger Literatur und keinen expliziten Verhaltenskodex. Er ist derart alt und tief verwurzelt, daß die symbolische Bedeutung vieler seiner komplexen Rituale in Vergessenheit geriet. Die zunächst offenbar lokale Religion agrarischer Gemeinschaften erhielt erst mit der Einführung des Buddhismus im 6. Jahrhundert den Namen »shin« (göttliches Wesen) »do« (Weg). Im 19. und 20. Jahrhundert war Shinto eine Zeitlang zur Förderung des Nationalismus Staatsreligion, kehrte dann aber nach der erzwungenen Trennung von Kirche und Staat nach dem Zweiten Weltkrieg in aller Stille zu seinen Wurzeln zurück; diese lassen sich anhand von drei zentralen Aspekten beschreiben: Affinität zur Naturschönheit, Harmonie mit den Geistern und rituelle Reinigung.

VERWANDTSCHAFT MIT DER NATUR   Bevor Urbanisierung und Umweltverschmutzung einsetzten, war Japan ein ungemein schönes Land – und ist es in gewissem Maße noch heute. Die Inseln verbinden Berge und Meere, und das Binnenland ist von Strömen, Wasserfällen und üppigen Wäldern belebt. Mit ihren blühenden Obstbäumen und den terrassierten Feldern bieten sogar die Agrarregionen einen prächtigen Anblick. Die Menschen lebten in einer solchen Harmonie mit dieser Umwelt, daß sie kein besonderes Wort für »Natur« kannten, bis Ende des 19. Jahrhunderts moderne westliche Vorstellungen allmählich Einfluß gewannen.

Das Leben war für die naturnah lebenden Menschen ein fortwährender Prozeß der Veränderung und Erneuerung. Sie orientierten sich am Wechsel der Jahreszeiten und ließen beim Reisanbau Sonne, Mond und Blitz angemessenen Respekt angedeihen. Der Berg Fuji als größter der Vulkangipfel, aus denen die Inseln hervorgegangen waren, wurde als heilige Verkörperung jener göttlichen Schöpfungskraft verehrt, die das Land aus dem

*Den Japanern, die immer
schon die natürliche
Schönheit ihres Landes
verehrten, gilt der Berg
Fuji als heiligster Gipfel.
Pilger nehmen seit langem
den beschwerlichen
Aufstieg in Kauf, um
Reinigung und Glück zu
finden.*

Meer emporgeschleudert hatte. Die Japaner nennen diesen Berg Fuji-san, was auf ein
inniges, freundschaftliches Verhältnis hinweist. Den glitzernden Ozean und die aufge-
hende Sonne, die an zahlreichen Küsten den Blick einnehmen, liebte man als den irdischen Ausdruck der heiligen Reinheit, Helligkeit und der ehrfurchtgebietenden Kraft im
Herzen des Lebens.

> *Ganz lebendig sein bedeutet, eine ästhetische Lebenswahrnehmung zu haben, denn die
> Güte der Welt liegt zum großen Teil in ihrer oftmals unaussprechlichen Schönheit.*
> Yukitaka Yamamoto, Shinto-Priester[1]

Obgleich Industrialisierung und Urbanisierung einen Teil der Naturlandschaften zerstört
haben, hat die Empfindsamkeit für die Schönheit der Natur in einigen kleinen Kunst-
formen überlebt, etwa in den Steingärten, in Blumenarrangements, Teezeremonie und
Poesie. Das Einfache und das Natürliche besitzen in der japanischen Kunst weiterhin
einen hohen Stellenwert. In einem Garten genau an der richtigen Stelle plaziert, wirkt
ein Felsblock lebendig, indem er seine natürliche Essenz ausstrahlt. Bei der Teezeremonie erfährt der natürliche Sinnengenuß hohe Aufmerksamkeit, beginnend bei der
Reinheit des aus einer hölzernen Kelle geschöpften Wassers bis hin zur Unverfälscht-
heit der tönernen Gefäße. Zwar sind diese Künste oftmals mit dem Zen-Buddhismus verknüpft, doch die Empfindsamkeit entstammt offenbar den altjapanischen Glaubensvorstellungen.

VEREHRUNG DER KAMI   Die Japaner fanden das Göttliche in all der Schönheit und Kraft, die die umgebende Natur für sie bereithielt. Im Shinto ist das Heilige sowohl immanent als auch transzendent, und in der japanischen Mythologie entstand das Göttliche als ein Wesen:

In uralten Zeiten, noch bevor die Erde geformt war, trieb gestaltloser Stoff frei umher gleich Öl auf dem Wasser, bis sich aus seiner Mitte ein Ding erhob wie ein sprießendes Schilfrohr, und aus ihm kam eine Gottheit selbst.[2]

Diese Gottheit gebar zahlreiche *Kami* (Geister). Zwei von ihnen, die Amatsu Kami, wurden angewiesen, die materielle Welt zu organisieren. Auf der schwebenden Himmelsbrücke stehend, durchmaßen sie den Ozean mit einer juwelenbesetzten Lanze. Als sie diese aus dem Wasser zogen, fielen einige Tropfen in den Ozean zurück und verbanden sich zu acht Inseln mit Bergen, Flüssen, Pflanzen und Bäumen (deutbar als Japan oder als ganze Welt).

Als Herrscherin über dieses irdische Königreich schufen sie Kami Amaterasu, die Göttin der Sonne. Durch ihre Vereinigung gebaren die Amatsu Kami die Ahnen der Japaner. Die natürliche Welt – Land, Bäume, Berge, Wasser, Tiere, Menschen – bildet somit als spirituelle Schöpfung der Kami ein zusammengehöriges Ganzes.

Die gängigen Übersetzungen für das Wort »Kami« (zugleich eine Art, das Schriftzeichen »shin« auszusprechen), nämlich »Gott« oder »Geist«, sind nicht exakt. »Kami« kann als Singular oder Plural aufgefaßt werden, denn es bezeichnet eine Wesenheit, die

Shinto-Schreine werden durch ein Torii abgegrenzt, ein allseits offenes Eingangsportal. Dieses schwimmende Torii ist das symbolische Portal zum Itsukushima-Jjinja-Schrein (Miyajima).

sich an vielen Orten manifestiert. Anstatt wie die Götzenbilder des Hinduismus oder Mahayana-Buddhismus eine bildhafte Vorstellung hervorzurufen, bezieht sich Kami auf die
Qualität, Verwunderung und Ehrfurcht im Menschen. Die Kami harmonisieren Himmel
und Erde und lenken das Sonnensystem und den Kosmos. Sie (oder es) bewohnen schöne
oder kraftvolle Stätten wie Berge, bestimmte Bäume, ungewöhnliche Felsen, Wasserfälle,
Strudel oder Tiere und manifestieren sich als Wind, Regen, Blitz oder Donner – oder, in
abstrakter Form, beispielsweise als Fruchtbarkeit und Wachstum. Generell, so Sakamiki
Shunzo, umfaßt Kami

*… alle erdenklichen Dinge, die es verdienen, wegen der außergewöhnlichen und vorzüg-
lichen Kräfte, die sie besitzen, gefürchtet und verehrt zu werden … [Kami] muß sich nicht
unbedingt allein durch unübertreffliche Würde, Güte oder Dienstbarkeit auszeichnen.
Auch böswillige und unheimliche Wesen nennt man Kami, sofern sie nur Gegenstand
allgemeiner Furcht sind.*[3]

SCHREINE   Die Präsenz der Kami anerkennend, schufen die Menschen Schreine, um
sie zu verehren. Noch heute gibt es in Japan schätzungsweise 80 000 Shinto-Schreine –
von der Größe eines Bienenstocks bis hin zu gediegenen Tempelkomplexen. Manche von
ihnen sind den Kami gewidmet, die das Gebiet schützen, andere wiederum den Kami mit
besonderen Zuständigkeiten wie dem Schutz der Ernte vor Insekten. Die Standorte der
Schreine wurden, wie man glaubt, von den Kami wegen ihrer heiligen Atmosphäre gewählt. Ursprünglich hatte jede Gemeinschaft ihr eigenes Schutz-Kami.

Die frühesten Andachtsstätten des Shinto waren offenbar heilige Bäume oder Haine,
die womöglich umfriedet waren, um den heiligen Bereich abzugrenzen. Bei den späteren Schreinkomplexen kennzeichnen große Eingangsportale (*Torii*), Mauern oder
Flußbrücken, die man passieren muß, den abgetrennten heiligen Bereich des Schreins.
Wasser besitzt eine reinigende Wirkung, daher werden Wasserbecken zur rituellen Wa-
schung von Mund und Händen bereitgestellt. Löwenstatuen und mit Papierstreifen ge-
schmückte Taue sollen die Kami vor üblen Einflüssen schützen.

In einem Tempelkomplex gelangt man zunächst zu einer öffentlichen Andachtshalle,
hinter der sich eine Opferhalle für die priesterlichen Riten befindet. Dahinter wiederum
liegt das nur dem Hohenpriester zugängliche Allerheiligste der Kami, das ein bestimmtes Emblem beherbergt, wo der Geist der Kami wohnen soll.

Dabei kann es sich um ein natürliches Objekt handeln oder auch um einen Spiegel,
der das verehrte Licht der Klarheit und Reinheit reflektiert – als Sinnbild für die natürliche Ordnung des Universums. Der Geist der Kami kann auch in einer bereits vorhandenen, spirituell kraftvollen Stätte wohnen – ein Wasserfall, ein Felsspalt oder eine heiße
Quelle. Die Halle mancher Schreine ist völlig leer. In jedem Fall aber enthält sie keine
bildliche Darstellung des Allerheiligsten, denn die Andacht der Shinto-Anhänger ist bild-
los. Hierzu Kishimoto Hideo:

*Der Strenggläubige betritt die schlichte Halle eines Shinto-Heiligtums in einem Hain mit
stiller, heiliger Atmosphäre. Er steht eine Zeitlang vor dem Heiligtum, klatscht in die
Hände, verbeugt sich tief und versucht, die Gottheit in seinem Herzen zu erspüren – nicht
aber, einen rationalen Beweis für die Existenz einer unsichtbaren Gottheit zu konstruieren.
Für ihn hängt der Beweis der göttlichen Existenz davon ab, ob er die Gottheit unmittelbar
in seinem Herzen zu spüren vermag oder nicht. Da Shinto eine polytheistische Religion ist,
hat jedes Heiligtum eine besondere Gottheit. Nur selten jedoch kennen die Gläubigen den
Namen der Gottheit, die sie gerade verehren. Das kümmert sie nicht … Wichtiger ist für sie,
ob sie die Existenz der Gottheit unmittelbar in ihren Herzen spüren oder nicht.*[4]

Moderne Japaner besuchen einen Schrein aus zahlreichen Anlässen, um den Segen der Kami zu erbitten. Die meisten Shinto-Schreine zeugen von einer Wertschätzung für schlichte, natürliche Materialien, und die größeren werden regelmäßig mit großem Zeremoniell neu errichtet.

Die Kami eines Ortes sind als Energien erfahrbar. Sie bedürfen keiner gestalthaften Abbildung, bisweilen aber gab es eine wahre Bilderflut. So schrieb ein berühmter Shinto-Gelehrter im 18. Jahrhundert:

Niemals mache ein Bildnis, um die Gottheit darzustellen.
Die Verehrung einer Gottheit dient unmittelbar dazu, eine erspürte Beziehung unseres Herzens mit der lebendigen Göttlichkeit durch Aufrichtigkeit oder Wahrhaftigkeit unsererseits zu schaffen.
Falls wir jedoch versuchen, indirekt vermittels eines Bildnisses eine Beziehung zwischen Gottheit und Mensch zu schaffen, so wird dieses Bildnis im Weg stehen und verhindern, daß wir unserer religiösen Absicht gewahr werden, mit der Gottheit unmittelbar zu kommunizieren.
Ein Bildnis, das von sterblichen Händen geschaffen wurde, hat somit in der Shinto-Andacht keinen Nutzen.[5]

Zeremonien

Es bedarf langwieriger, komplexer Zeremonien, um den Geist der Kami erfolgreich dazu zu bewegen, sich im Allerheiligsten niederzulassen. In manchen Tempeln benötigen die Priester zehn Jahre, um sie zu erlernen.

Das Priestertum wurde traditionell weitervererbt, und es gibt einen Tempel, dessen Priester seit über 100 Generationen denselben vier Familien entstammen. Weibliche Priester sind nicht ungewöhnlich. Weder Priester noch Priesterinnen leben in Enthaltsamkeit. Üblicherweise sind sie verheiratet. Die Tradition erwartet von ihnen nicht, daß sie meditieren, sondern betrachtet sie als Spezialisten in der Kunst, die Verbindung zwischen den Kami und den Menschen zu bewahren.

Alles hat eine symbolische Bedeutung, selbst dann, wenn sie den Menschen nicht mehr genau im Gedächtnis ist; daher werden die Riten mit großer Sorgfalt durchgeführt. Die Ausstattung des Tempels mit dem richtigen Holz, Stoff und Ton, die neun zeremoniellen Gegenstände der Priester (darunter Zweig, Flaschenkürbis, Schwert und Bogen), das Verbeugen, das markante Händeklatschen und Trommeln, das Schwenken eines Stocks mit Papierstreifen – all dies folgt genau den überlieferten Riten.

Die Shinto-Tradition kennt keine persönlichen, konkreten Fürbitten, es geht vielmehr um die ehrerbietige Anerkennung der engen Beziehung zwischen Kami, Ahnen, Lebenden und Natur. Von einem Pilgergang zu einem speziellen Schrein nehmen die Menschen oftmals ein Andenken mit nach Hause, etwa ein Tempelsymbol aus Papier in einer Brokattasche.

Auch tägliche häusliche Opfergaben an die Kami sind üblich. In vielen japanischen Haushalten gibt es eine Andachtsstätte, meist ein Hochregal mit Miniaturschrein, der lediglich einen Spiegel enthält. Das tägliche Heimritual beginnt vielleicht mit händeklatschendem Grüßen der Sonne im Osten und einem Gebet für den Schutz des Haushalts. Dann werden Opfergaben vor den Schrein gelegt: Reis für Gesundheit, Wasser für Reinigung und Erhalt des Lebens und Salz für ein harmonisches Leben. Beim Bau eines Hauses bitte man die Kami mit einer entsprechenden Zeremonie um ihren Segen.

Sich nach den Kami zu richten bedeutet für die Anhänger des Shinto, das eigene Leben mit der Natur in Einklang zu bringen. Das hierfür verwendete Wort *Kannagara* bezeichnet auch die Bewegungen von Sonne, Mond, Sternen und Planeten.

Hierzu Yukitaka Yamamoto, 96. Hauptpriester des Tsubaki-Großschreins, der Kannagara auch mit »natürliche Religion« übersetzt:

Das Leben des Menschen vollzieht sich in Daishizen, der großen Natur, dem immensen kosmischen Schauplatz, in den wir hineingeboren werden, in dem wir leben und innerhalb dessen unser Leben überhaupt Bedeutung findet.
Natürliche Religion ist das spontane Bewußtwerden des Göttlichen, das es in jeder Kultur gibt …
Der Geist der großen Natur mag eine Blume sein, die Schönheit der Berge, der reine Schnee, milder Regen oder eine sanfte Brise.
Kannagara bedeutet, mit diesen Formen der Schönheit und daher mit der höchsten Erlebnisebene des Lebens in Verbindung zu treten.
Wenn die Menschen auf die stille, aufreizende Schönheit der natürlichen Ordnung reagieren, sind sie sich des Kannagara bewußt.
Wenn sie im Leben ähnlich reagieren, indem sie sich »gemäß den Kami« verhalten, geben sie dem Kannagara in ihrem Leben Ausdruck. Sie leben nach dem natürlichen Fluß des Universums und werden daraus Nutzen ziehen und sich weiterentwickeln.[6]

Reinigender Wasserfall

Um sich die reinigende Kraft der in japanischen Naturlandschaften reichlich vorhandenen Gewässer zunutze zu machen, nimmt man ein rituelles Bad im Ozean, der Quelle des Lebens, oder man vollzieht das langwierige *Misogi*-Ritual, indem man sich unter einen Wasserfall stellt und Unreinheiten und Anspannungen kraftvoll von den Schultern abspült. Zuvor jedoch bedarf es einer Reinigung, da der Wasserfall selbst als Kami gilt. Die Frauen legen weiße Kimonos an, die Männer weiße Lendentücher; hinzu kommt ein Stirnband.

Nächster Schritt des Misogi-Rituals ist das Erschüttern der Seele, indem man die Hände vor dem Bauch nach oben und unten schnellen läßt, um sich der Seele bewußt zu werden. Dem folgt eine Art Aufwärmübung (»Vogel-Rudern«). Nun werden die von einem Anführer vorgesprochenen Beschwörungsformeln wiederholt, die die Seele aktivieren, die Fähigkeit stärken, das Unendliche in der eigenen Seele zu erkennen, und die Menschen mit den Kami von Erde, Beistand, Wasser, Leben und der *Ki*-Energie (chinesisch: Chi) zu vereinen.

Vor Betreten des Wasserfalls nehmen die Teilnehmer durch intensives Atmen möglichst viel Ki in sich auf. Sie werden mit reinigendem Salz bestreut und bekommen Sake, den sie dreimal in das Wasser speien. Der Anführer zählt von eins bis neun als Symbol für die Unreinheit der profanen Welt und durchschneidet die Luft mit dem Ruf »Yei!«, um das Unreine zu verbannen. Mit rituellem Klatschen und Rufen betreten die Teilnehmer nun den Wasserfall, unentwegt »*Harae-tamae-Kiyome-tamae-ro-kon-sho-jo!*« singend. Auf diese Weise bitten sie die Kami, alles Tsumi von den sechs Elementen des Menschen, von den Sinnen und vom Geist fortzuwaschen. Dieser Teil des Rituals führt nachweislich zu einer Senkung des Blutdrucks.

Nach diesem kraftvollen Ritual trocknet man sich ab, meditiert etwas, um die Seele zu beruhigen, und nimmt gemeinsam einen zeremoniellen Trank ein. Die gesamte Misogi-Zeremonie soll die natürliche Reinheit und das Gefühl für den Sinn des Lebens wiederherstellen. Hierzu der Shinto-Priester Yamamoto:

Als unvollkommene Wesen erkennen wir unsere Mission oftmals nicht, weil wir etwas von unserer natürlichen Reinheit verloren haben. Daher ist Reinigung oder Misogi so zentral für den Shinto. Sie befähigt den Menschen, Spiritualität zu kultivieren und seine natürliche Größe wiederherzustellen.[7]

Reinigung

Der traditionelle Shinto-Glaube kennt keine Sünden. Die Welt ist schön und voller hilfreicher Geister. Sexualität an sich ist nicht sündig, denn schließlich entstand die Welt aus der Vereinigung von Gottheiten, und Gemeinschaftsbäder haben in Japan Tradition. Dennoch gibt es das große Problem der rituellen Unreinheit, das die Kami beleidigen und Unheil in Form von Dürrezeiten, Hungersnöten oder Kriegen heraufbeschwören kann.

Unreinheit oder Unglück – *Tsumi* – kann entstehen aufgrund von Verunreinigung durch Leichen oder durch die Menstruation, durch lieblosen Umgang miteinander oder mit der Natur oder durch Naturkatastrophen. Während in Religionen, die den Begriffe der Sünde betonen, Bußfertigkeit verlangt ist, erfordert Tsumi die Reinigung. Eine der Möglichkeiten, Tsumi abzuwenden, besteht darin, aufkommende Probleme sogleich als solche zu beachten:

Um frei von hinderlichem Schleier zu leben, sollst du Probleme des Morgens am Morgen und Probleme des Abends am Abend lösen. Wie mit der Schärfe einer Axt sollst du der blindmachenden Wirkung der Schleier der Hemmnis mit Weisheit und Wissen begegnen. Dann vermag Kami, die Welt zu reinigen und vom Tsumi zu befreien.[8]

Misogi ist eine Form der rituellen Reinigung, die sich unter einem Wasserfall vollzieht.

Die Kami der Stromschnellen in den hohen Bergen befördern Tsumi ins Meer, wo es von den Kami der Strudel verschlungen, von den Kami der Winde in die Unterwelt geblasen und von den dortigen Kami aufgenommen und beseitigt wird.

Nachdem dies geschehen ist, können die himmlischen, die irdischen und die Myriaden von Kami den Menschen als gereinigt anerkennen, und alles vermag zu seiner ursprünglichen Helligkeit, Schönheit und Reinheit zurückzukehren, da alles Tsumi vollständig aus der Welt verschwunden ist.[9]

Überdies kann der Mensch – oftmals in der Natur – spontan durch eine Art der Gnade gereinigt werden, die ihn das Einssein mit dem Universum erkennen läßt. Hierzu Hitoshi Iwasaki, ein junger Shinto-Priester, der nachts in der klaren Bergluft gern den Sternenhimmel beobachtet:

Wenn ich das zutiefst klare Sternenlicht betrachte, bekomme ich ein Gefühl der Reinheit, als würde mein Geist gewaschen. Mich erfreut der Gedanke, daß dies ein spirituelles Misogi [Reinigungsritual] ist … Wie es heißt, brach Meister Mirihei Ueshiba, der Begründer des Aikido, eines Nachts, als er die Sterne betrachtete und er plötzlich feststellte, daß er mit dem Universum vereint war, in Tränen aus und schlug sich die Hände vors Gesicht. Wir

*Menschen, und nicht nur Menschen, sondern alles in dieser Welt Existierende, sind eine
der Zellen, aus denen sich dieses große Universum zusammensetzt.*[10]

Neben diesen eher persönlichen gibt es auch rituelle Formen der Reinigung, so etwa das
Oharai, eine üblicherweise von Shinto-Priestern vollzogene Zeremonie, bei der man ein
von einem heiligen Baum stammendes Stück Holz schwenkt, an dem weiße Bänder befestigt sind (die japanische Version des schamanischen Federbuschs oder der hinduistischen Jakschwanz-Peitsche, die ebenfalls geschwenkt werden, um die Umgebung zu reinigen).

Diese Zeremonie wird heutzutage auch für Autos und neue Gebäude durchgeführt.
1978 wurde ein durch Unreinheit aufgebrachtes Kami beschwichtigt, nachdem einige
Bewohnern eines Tokioter Gebäudekomplexes sich in den Tod gestürzt hatten.

Festbräuche

Neben den komplexen regulären Zeremonien gibt es im Shinto zahlreiche jahres- und
lebenszeitliche Festtage, beginnend mit dem Tag vier Monate vor der Geburt, an dem die
Seele in das Ungeborene eintritt.

Am 32. oder 33. Tag nach der Geburt bringen die Eltern den Säugling zur Initiation
durch die Gottheit zum Familientempel. In traditionsbewußten Familien werden zahlreiche Lebensstationen mit bestimmten Ritualen begangen – das Erreichen des 13. Lebensjahres, das erstmalige Tragen weiblicher Haartracht mit 16, die Heirat, das Erreichen
des 61., 77. oder 88. Lebensjahres.

Die saisonalen Feste sollen die Menschen an ihre Abstammung von den Kami erinnern, daran also, in Dankbarkeit für alles Empfangene zu leben. Es herrscht Feststim-
mung und Fröhlichkeit, wenn die Menschen zusammenkommen, um mit den Kami das
Leben zu feiern.

Einige der Feste haben einen agrarischen Ursprung und sind verbunden mit Bitten
um eine gute Ernte oder mit dem Dank für eine solche. Oftmals wird das lokale Kami in
einem Schrein durch die Straßen getragen.

Unter den vielen lokalen und nationalen japanischen Festen mit Shinto-Wurzeln ist
das Neujahrsfest eines der größten. Es beginnt im Dezember mit einem zeremoniellen
Hausputz, dem Anbringen von Bambus- und Kiefern«bäumen» an sämtlichen Haus-,
Büro- und selbst Bar-Eingängen zur Begrüßung der Kami und mit dem Anlegen traditioneller Kimonos. Der 31. Dezember ist der nationale Tag der Reinigung. Am Neujahrs-
tag wohnen die Menschen dem ersten Sonnenaufgang bei und nutzen den Tag, um einen
Schrein sowie Freunde und Verwandte zu besuchen.

Viele Zeremonien ehren jene, die ein bestimmtes Alter erreicht haben. Am 15. Januar
werden die 20jährigen als vollwertige Erwachsene anerkannt, und am 15. November
sucht man mit Kindern im (als heikel geltenden) Alter von drei, fünf oder sieben Jahren
einen Schrein auf, um die Kami um Schutz zu bitten.

Am 3. Februar, dem Winterende, wirft man Bohnen, um Unglück zu vertreiben und
Glück anzuziehen, und Priester verschießen Pfeile, um die Macht des Unheils zu brechen.
Das von März bis April dauernde einmonatige Frühlingsfest umfaßt Reinigungsriten und
Gebete für eine gute Saat. Der Juni ist Riten vorbehalten, die dem Schutz der Feldfrüchte
vor Insekten, Mehltau und Unwettern dienen. Während der Erntedank-Riten im Herbst
werden den Kami die ersten Früchte geopfert, gefolgt von ausgelassenen Feiern in den
Straßen.

Buddhistische und konfuzianische Einflüsse

Im Laufe der Zeit hat die Shinto-Religion Elemente anderer Religionen aufgenommen, die nach Japan gelangten – vornehmlich aus dem Buddhismus, der ab dem 6. Jahrhundert Einfluß gewann, und aus dem Konfuzianismus, der seit dem ersten Kontakt mit China fester Bestandteil der japanischen Kultur war.

Viele Japaner sind Anhänger nicht nur einer Religion. So werden Buddhismus und Shinto häufig Seite an Seite praktiziert. Die Tatsache, daß beide Religionen sich erheblich voneinander unterscheiden, wird von den Menschen so ausgelegt, daß sie verschiedene Situationen abdecken. Einen Shinto-Schrein sucht man in Japan oftmals anläßlich eines lebensbejahenden Ereignisses auf (Empfängnis, Geburt, Hochzeit), einen buddhistischen Tempel indes für Todesriten.

Buddhistische Shingon-Mönche versuchten die Japaner bereits vor langer Zeit davon zu überzeugen, daß ihre Kami eigentlich buddhistische Gottheiten seien. Beide Religionen waren daher in der Vorstellung mancher Menschen eng miteinander verwoben, bis die Meiji-Regierung im 19. Jahrhundert mit ihrer Version des Shinto als Staatskult (bis 1945) eine strike Trennung zum Buddhismus vollzog.

Dessen ungeachtet wurde die parallele Verehrung beider Religionen bis heute fortge-

Links Am 15. November oder am darauffolgenden Sonntag besuchen Jungen von fünf und Mädchen von drei und sieben Jahren in traditioneller Kleidung einen Shinto-Schrein, um im Rahmen des Shichi-go-san (Sieben-fünf-drei-Fest) Gesundheit und Glück zu erbitten.
Rechts *Zeitgenössische Japaner verehren häufig sowohl die Shinto-Kami wie auch die verstorbenen Verwandten vor ihren Hausschreinen.*

führt, und in manchen Dörfern stehen steinerne Kami-Monumente und Nichiren-Statuen in unmittelbarer Nachbarschaft.

Im 17. Jahrhundert versuchten konfuzianische Gelehrte in Japan, sich vom Buddhismus zu befreien und die neuen chinesischen Glaubensvorstellungen mit den alten japanischen Wegen zu verknüpfen. Einer von ihnen verglich das *Li* mit dem Weg der Kami als Mittel des sozialen Zusammenhalts. Ein anderer betonte die Ehrerbietung als gemeinsamen Nenner beider Richtungen und wurde selber als lebendes Kami verehrt. Das Bündnis von Neokonfuzianismus und Shinto mit dem Ziel, das Joch des Buddhismus abzuwerfen, führte zu einer Wiederbelebung des Shinto und erhöhte das Selbstbewußtsein der alten, recht vielgestaltigen Tradition. Neben der konfuzianischen Betonung der Hierarchie war es die Shinto-Hingabe, die der mächtigen Meiji-Monarchie 1868 den Weg ebnete.

Staats-Shinto (Shintoismus)

Das Meiji-Regime trennte Shinto und Buddhismus und propagierte den Shinto als spirituelles Fundament der Regierung. Im Shinto, das die japanischen Traditionen des Ahnenkults pflegte und erweiterte, galt der Kaiser seit langem als Nachfahre der Sonnengöttin Amaterasu. Dieses Ideal kommt wie folgt im *Naobi no Mitma* (»Göttlicher Geist der Berichtigung«) aus dem 18. Jahrhundert zum Ausdruck:

> *Japan, dieses große kaiserliche Land, ist jenes hehre Land, wo die himmlische Ahnengöttin Amaterasu Omikami geboren, ein treffliches Land …*
> *Amaterasu betraute das Land mit den Worten:* »*Solange die Zeit fortdauert, für zehntausend Herbste, soll dieses Land von meinen Nachkommen regiert werden.*«
> *Gemäß ihrem göttlichen Belieben wurde verfügt, daß dies das Land der kaiserlichen Abkömmlinge sei, ohne Störung durch schroffe Götter, ohne jede widerspenstige Person. Es ist ein Land, wo – zehntausend Herbste lang, bis zum Ende der Zeiten – die Kaiser als Abkömmlinge von Amaterasu Omikami sich den Geist der himmlischen Götter zu eigen machen, so daß selbst jetzt, ohne vom göttlichen Zeitalter abzuweichen, das Land in Ruhe und nach dem Willen der Kami fortdauern kann, ein in Frieden regiertes Land.*[11]

Die kaiserliche Familie pflegte den der Sonnengöttin in Ise geweihten Schrein zu besuchen, um die obersten Kami hinsichtlich wichtiger Belange zu konsultieren. Kaiser Meiji indes ging noch viel weiter, indem er verfügte, daß der Weg der Kami die Nation regieren sollte. Dieser Weg, wie er damals interpretiert wurde, erhielt den Namen *Staats-Shinto*.

Vollzogen wurde er von Staatsbeamten und nicht etwa von redlichen Shinto-Priestern, deren Einwände – und zugleich auch zahlreiche alte spirituelle Rituale – man unterdrückte. Staats-Shinto wurde zum Werkzeug militaristischer Nationalisten, um das Volk für Thronerhalt und Expansion zu gewinnen.

Zum Zeitpunkt der Niederlage Japans im Zweiten Weltkrieg war Kaiser Hirohito, der Enkel Meijis, kaum mehr als eine zeremonielle Repräsentationsfigur. Indessen hatte man ihn zum Gott erhöht, der von Normalsterblichen nicht gesehen oder berührt werden durfte.

Nach Kriegsende erklärte er sich offiziell für menschlich. Die traditionelle spirituelle Shinto-Religion blieb mit dem Stigma des Staats-Shinto behaftet und wurde zudem mit neuen religiösen Sekten verwechselt, die oftmals nur wenig mit den Shinto-Traditionen zu tun hatten, aber dennoch vom Meiji-Regime als *Sekten-Shinto* bezeichnet worden waren. Eine dieser neuen Sekten, Tenri-kyo, wird im 13. Kapitel näher behandelt.

Lebendiger Shinto

Hitoshi Iwasaki ist ein junger Priester, der sich nach Kräften darum bemüht, die unterdrückten alten Glaubensvorstellungen seines Volkes kennenzulernen. Er war sowohl am neuen Shinto-Schrein in Stockton (Kalifornien) als auch an seinem angestammten japanischen Schrein tätig, dem Tsubaki-Großschrein in der Präfektur Mie, dessen prächtiger Wasserfall für das Misogi-Ritual genutzt wird.

»Wir Japaner haben viel Glück. Wir sind dankbar für jedes Naturphänomen und verehren den Berg, den Fluß, das Meer, wir verehren große Felsen, Wasserlöcher und Winde.

Unglücklicherweise verbot man uns nach dem Zweiten Weltkrieg, die Shinto-Religion in den Schulen zu lehren. In der Schule haben wir nie etwas darüber erfahren. Viele junge Japaner kennen die Geschichte von Jesus Christus, wissen jedoch nichts über Shinto. Die Regierung ist nicht gegen Shinto. [Das Schweigen kommt von] den Zeitungen, Medien, dem Lehrerverband, da sie kurz nach dem Zweiten Weltkrieg entstanden. Sie stehen sehr weit links [und assoziieren Shinto mit Staats-Shinto]. Gewöhnliche Japaner verbinden Shinto heute nicht mit Politik, doch Lehrerverband und Zeitungen lassen sich niemals auf Religion, Shinto oder alte japanische Bräuche ein.

In dieser Atmosphäre lernten wir in der Schule, daß alles in Japan schlecht sei. Shinto und japanische Bräuche seien schlecht. Vielen jungen Menschen gehen sie heute verloren. Ich aber ging zur Ise-Schrein-Universität, wo ich lernte, daß Shinto mehr sei als nur Staats-Shinto. Manche junge Leute wie ich befassen sich mit japanischen Gegebenheiten und werden zu Superpatrioten. Da liegt das Problem,

denn es gibt keine Mitte, nur extrem links oder extrem rechts.

Shinto habe ich teilweise durch Aikido gelernt. Begründet wurde es von einem sehr spirituellen Menschen, der in einer der Shinto-Kirchen studierte. Im Shinto kennen wir keinen Gottesdienst und keine Predigt und tun auch nichts für die Menschen, die gerettet werden möchten. Ich möchte jedoch die Menschen in den USA und die japanische Jugend mit dem Shinto bekannt machen, und dabei hilft mir das Aikido, das mir wohl den Weg der Natur vermittelt hat. Wir werden als Kinder der Kami geboren und sind somit wie ein Baum Teil des Universums. Man betreibt Aikido nicht, um zu kämpfen, sondern um mit allem gut Freund zu sein, um zueinanderzufinden.

In Japan haben manche Menschen vom sehr schwierigen Zen zum Shinto gewechselt. Bei der Reinigung unter dem Wasserfall bedarf es keiner Wahl, man stellt sich einfach hin.

Mein Freund, ein Shinto-Priester, ging in den Mittleren Osten, mitten in die Wüste. Shinto ist den Menschen dort schwer zu vermitteln; sie betrachten die Natur als Feind, den es zu bekämpfen gilt.

In Japan haben wir überall Wasser. Inzwischen sind die großen Flüsse und Ströme verseucht. Doch die Menschen versammeln sich in den Schreinen, denn sie sind von alters her eine heilige Stätte des Gebets. Andere wiederum werden von diesen Ansammlungen angezogen, so daß einige Schreine zu Freizeitstätten mit Souvenirläden wurden. Viele kommen auch zu Shinto-Schreinen, um buddhistische Gebete zu sprechen. Warum auch nicht? Buddha ist eines der Kami. Alles besitzt Kami.«

Shinto heute

Im allgemeinen ist Shinto eine ureigene japanische Glaubensrichtung. Außerhalb Japans ist er nur auf Hawaii und in Brasilien unter den zahlreichen japanischen Einwanderern stärker verbreitet. Missionarische Bestrebungen gibt es nicht.

Innerhalb Japans drohte dem Shinto-Glauben angesichts der Schrecknisse des Krieges und des Wunsches nach Modernisierung ein Schattendasein. Wie Hitoshi Iwasaki (siehe vorangegangene Seite) anmerkt, war es für junge Leute eine Zeitlang schwierig, etwas über Shinto zu erfahren.

Die Schreine aber bleiben und werden zu Neujahr von mehr als 80 Millionen Japanern besucht, die sich oftmals eher als Touristen verstehen denn als Gläubige, nach eigenem Bekunden beim Besuch eines Schreins häufig aber eine Erfahrung der spirituellen Erneuerung machen. Viele traditionelle Haushalte haben immer noch ihr Kami-Regal, oftmals unmittelbar neben dem buddhistischen Hausaltar, auf dem Totengedenktafeln neben Statuen des Buddha zu finden sind. In Japan bildet Shinto zudem immer noch die Grundlage für die jahreszeitlichen Ferien.

Unbeschadet der Tatsache, daß Japan heute eines der technologisch fortschrittlichsten Länder überhaupt ist und der Wirtschaft das Hauptaugenmerk gilt, gibt es offenbar weiterhin einen Platz für Rituale und – bisweilen innigen – Umgang mit den unfaßlichen Kami, die alles Leben durchdringen.

Die rasante und massive Urbanisierung und Industrialisierung Japans im 20. Jahrhundert zog extreme Umweltverschmutzung und Gesundheitsschädigungen nach sich. So verursachte beispielsweise die durch den Genuß kontaminierter Meerestiere ausgelöste Minamata-Krankheit im Gebiet der südjapanischen Stadt gleichen Namens seit Mitte des Jahrhunderts zahlreiche Fälle von Lähmungen und Schmerzzuständen – eine Chemiefabrik hatte Quecksilber ungeklärt in die Bucht abfließen lassen. In einer anderen südjapanischen Region hatten Abgase aus Hochöfen die Luft derart verschmutzt, daß Kinder schwere Atemwegsschäden erlitten.

Es gibt jedoch Bürgerinitiativen (viele werden von besorgten Müttern angeführt), die gegen den Raubbau an der Umwelt und der menschlichen Gesundheit kämpfen und auf eine neue Wertschätzung für die natürliche Schönheit der Inseln drängen. Derartige Aktionen könnte man durchaus als praktische Anwendung von Shinto-Empfindungen ansehen.

Einige zeitgenössische Anhänger des Shinto betrachten ihren Glauben nicht als ausschließlich japanisches Phänomen, sondern als universale Naturreligion und versuchen, interessierten Nichtjapanern den harmonischen Weg der Kami zu erläutern, ohne jedoch zu missionieren. In Kalifornien wurde ein Shinto-Schrein errichtet, der rituelle Wege anbietet, die eigene Verbindung mit der Natur zu erfahren und das Göttliche im Alltagsleben zu erkennen.

Innerhalb Japans gibt sich die Association of Shinto Shrines davon überzeugt, daß sie den Menschen helfen könne, zur Natur zurückzufinden. In einer jüngeren Mitteilung heißt es:

[Traditionsgemäß] galt die Natur den Japanern nicht als zu bezwingender Gegner, sondern als heiliger Raum, übervoll mit den Segnungen der Kami, denen gegenüber sie zu zurückhaltendem Handeln angehalten waren …
Obwohl man in Japan die Umweltzerstörung verabscheute, brachten der um Wissenschaft und Technologie kreisende Fortschritt der Zivilisation und der Drang zu ökonomischem Wachstum einen Modernisierungsschub, der oftmals zum Verlust dieser von den Vorfahren

tradierten Einstellung führte. Dies wiederum brachte das unglückselige Spektakel der profit-orientierten und hastig verabschiedeten Entwicklungspläne hervor, in denen die Bewah-rung der natürlichen Umwelt keine Rolle spielte.

Wir Shintoisten empfinden eine große Mitverantwortung für diese Situation und setzen uns sehr für Programme zur Bewahrung der heiligen Haine und Naturwälder der Shinto-Schreine ein. Indem wir die Bedeutung der heiligen Haine, die zu den annähernd 80 000 japanischen Schreinen gehören, neu überdenken, hoffen wir, das japanische Bewußtsein zu schärfen und die aktive Mitwirkung am Umweltschutz auszubauen.[12]

KAPITEL 8

ZOROASTRISMUS

*»Mögen wir die Vollender der Welt sein,
o Herr Mazda!«*

Im Mittleren Osten begegnen wir mit dem Judentum, dem Christentum und dem Islam drei großen lebendigen Religionen – und einer weiteren Religion, die heute nur noch wenige Anhänger hat, jedoch von erheblicher historischer Bedeutung ist: Der Zoroastrismus war mehr als 1000 Jahre lang die offizielle Religion des altiranischen Großreichs, das vom Irak (Türkei) bis nach Indien reichte und in mancher Hinsicht eine Brücke zwischen den östlichen und westlichen Religionen schlägt. Man nimmt an, daß der zeitgleich mit dem Hinduismus entstandene, ihm zugleich ähnelnde Zoroastrismus den Buddhismus beeinflußt hat. Einige seiner Glaubensvorstellungen – Himmel und Hölle, das Böse, persönliche Verantwortung und Weiterleben nach dem Tod sowie ein apokalyptisches Ende der Welt mit Wiederauferstehung der Toten – fanden später Eingang in die jüdische, christliche und moslemische Religion.

Die Theologie des alten Zoroastrismus wird kontrovers diskutiert, da im Lauf der Jahrhunderte ein Großteil seiner heiligen Schriften zerstört wurde und in Vergessenheit geriet. Auch die Bedeutung der alten Sprache ging verloren. Dennoch ist der Zoroastrismus für Religionshistoriker wie für die verbliebenen Anhänger dieser alten Glaubensrichtung von großem Interesse.

Ursprünge im antiken Iran

Im Iran trägt dieser Glaube den Namen *Mazdayasna* – »Verehrung des Ahura Mazda« oder des Weisen Herrn. Im Westen bezeichnet man ihn nach dem bedeutenden Propheten Zarathustra, den die Griechen Zoroaster nannten, als Zoroastrismus. Zarathustra soll zwischen 1100 und 550 v. Chr. gelebt haben, nach manchen historischen Hinweisen jedoch weitaus früher. Jedenfalls steht fest, daß einige Glaubenselemente aus der Zeit vor Zarathustra datieren. Er galt als letzter und größter der zahlreichen Reformer, die auftauchten, wann immer die Religion im Niedergang begriffen war, und als erster, der die Vervollkommnungsfähigkeit des Menschen lehrte.

Aufgegriffen wurden Elemente aus dem Glauben der Indoiraner, eines Zweigs jener arischen Stämme, die von den südrussischen Steppen aus den indischen Subkontinent besiedelten. Als halbnomadische Hirten aus einer kalten Klimazone verehrten sie offenbar das Feuer, das nie erlöschen durfte. Wie die indischen Arier opferten sie den Naturgottheiten im Rahmen täglicher Priesterrituale (*Yasna;* in Indien als *Yagya* bezeichnet). Teil dieser Rituale, die wie die frühen brahmanischen Rituale unter freiem Himmel stattfanden, war ein heiliger Trank (*Haoma*), vergleichbar mit dem geheimnisvollen vedischen *Soma.*

Trankopfer wurden dem Feuergott und den Göttinnen des Wassers dargebracht, den beiden kostbarsten lebenserhaltenden Kräften. Die Leichen der Toten wurden den Vögeln geopfert, um die Erde nicht mit verfaulendem Fleisch zu verunreinigen. Die blanken Knochen wurden bestattet, und die nachfolgende Generation widmete dem Andenken besondere Aufmerksamkeit, da man an eine körperliche Auferstehung glaubte.

Die Indoiraner verehrten zahlreiche Götter, die für die Elemente, bestimmte Aspekte der Natur, aber auch abstrakte Prinzipien wie Gerechtigkeit und Gehorsam standen – mit zahlreichen Entsprechungen zu den Gottheiten der vedischen Inder. Bezeichnet wurden sie mit dem Sammelbegriff *Daevas* (Sanskrit: *Devas*), »Leuchtende«; die höchsten Götter waren die *Ahuras* (»Herren«). Die priesterlichen Riten verfolgten wie in Indien den Zweck, natürliche Ordnung, Wahrheit und Gerechtigkeit zu bewahren durch Nachvollziehen des Uropfers, das zur Schöpfung des Universums geführt hatte.

Leben und Mission Zarathustras

Das Leben Zarathustras läßt sich nicht leicht rekonstruieren. Man nimmt an, daß er in indoiranischer Tradition zum Priester ausgebildet wurde. Offenbar war er auch auf der Suche nach dem Mystischen und verbrachte viele Jahre in spiritueller Zurückgezogenheit, um Offenbarungen der spirituellen Wahrheit zu erlangen. Im Alter von 30 Jahren hatte er eine bedeutende Vision: Nachdem er bis zum Hals in einen Fluß gestiegen war, wurde er symbolisch von allen niederen Aspekten seines Seins gereinigt. Strahlend kehrte er ans Ufer zurück, wo er der Legende nach ein großes, leuchtendes Wesen erblickte, Vohu Manah, die Verkörperung des guten oder liebenden Geistes. Vohu Manah führte ihn zum Schöpfergott Ahura Mazda, der von engelhaften Erscheinungen (Manifestationen von sechs Attributen des Göttlichen) umgeben war.

Man vermutet, daß diese Attribute für frühere indoiranische Gottheiten stehen, die Zarathustra mit Blick auf die monotheistische Ausrichtung seines Glauben zu Engeln machte, die aber weiterhin mit den Naturelementen – Erde, Himmelsbogen, Wasser, Pflanzen, Vieh und Feuer – verbunden sind.

Nach eigenem Bekunden erfuhr Zarathustra bei zahlreichen Gelegenheiten eine innige Verbindung mit Ahura Mazda und dessen Attributen. Aus diesen unmittelbaren Kontakten mit dem Göttlichen ergab sich für ihn, daß – im Gegensatz zu der Vielheit der von den Indoiranern verehrten Göttern – Ahura Mazda der oberste Herr sei, aus dem alles Gute hervorgehe. Einige gewalttätige Aspekte der alten Religion hatten dem Propheten mißfallen, möglicherweise das Verhalten der Nomaden, die dem Kampfgott Indra huldigten und die Hirtensiedlungen plünderten. Auch soll er die furchtsame, mit Bitten um persönlichen Vorteil einhergehende Verehrung der Naturgeister mißbilligt haben. Zarathustra wandte sich gegen jede Form von Grausamkeit, Selbstsucht, Entstellung und Heuchelei im Namen der Religion. Er betonte, daß Ahura Mazda ausschließlich Güte erschaffe und durch gute Gedanken, Worte und Taten verehrt werden solle.

Zarathustra verlieh seiner Anbetung des Erhabenen in göttlichen Gesängen (*Gathas*) Ausdruck. Diese Hymnen sind die einzigen Worte des Propheten, die die wechselvollen Jahrhunderte überdauert haben. »Sprich zu mir wie ein Freund zum Freunde«, fleht er Ahura Mazda an. »Gewähre uns deine Hilfe, wie ein Freund sie dem Freunde gäbe.«[1] Die Gathas sind unsere wichtigste Quelle für das Leben und die Lehre Zarathustras. Probleme bereitet indes das Verständnis der alten Sprache, in der sie verfaßt sind. Forscher erkennen eine enge linguistische und thematische Verwandtschaft der Gathas mit den frühsten Liedern des Rigveda.

In der religiösen Kunst wird der Prophet Zarathustra häufig in inniger Verbindung mit dem Göttlichen porträtiert, mit seinem »Herrn des Lebens und der Weisheit« (Ahura Mazda).

Trotz seiner ekstatischen Visionen gelang es Zarathustra lange Zeit nicht, Anhänger für die Verehrung von Ahura Mazda als höchstem Wesen zu gewinnen. Er versuchte nicht, die Menschen von der älteren Religion abzubringen, sondern appellierte an sie, sich ihres guten Geistes zu bedienen und selbst nachzudenken, anstatt blind anderen zu folgen. Priester der alten Religion schimpften ihn einen Häretiker. Nach zehn Jahren hatte er nur seinen Vetter als Anhänger gewinnen können. Einige Gathas beziehen sich anscheinend auf seine Verzweiflung angesichts seiner Unfähigkeit, den göttlichen Auftrag zu erfüllen:

In welches Land soll ich meine Schritte lenken? Wohin soll ich mich wenden zur Huldigung? Sie trennten mich von dem Starken im Geist und dem Freunde. Der Arbeiter an meiner Seite ist geneigt, mich zu erfreuen, noch weniger die grausamen Despoten des Landes, Gefolgsleute des Druj [der Lüge]. Wie kann ich dann Dich erfreuen, o Mazda Ahura?[2]

Zarathustra begab sich schließlich in ein anderes Königreich, dessen genaue Lage heute unbekannt ist, und überzeugte dessen König Vishtaspa von der Wahrheit seiner Einsichten.

Eine lange nach Zarathustras Tod entstandene Legende berichtet, daß die höfischen Priester den Neuling als Hexer zu verleumden versuchten. Er aber legte den Betrug offen und heilte sogar das kränkelnde Pferd des Königs auf wundersame Weise, um die Wahrheit seines Glaubens zu demonstrieren. König Vishtaspa nahm den Glauben Zarathustras an und rief ihn zur Staatsreligion aus. Zarathustra soll fast 50 Jahre lang als Prediger gewirkt haben, bis er mit 77 Jahren bei einem Feuertempel ermordet wurde.

Die Zeit nach Zarathustra

Die spätere Verbreitung der Lehren Zarathustras nachzuzeichnen ist schwer. Die Magier – ein Stamm priesterlicher Spezialisten im westlichen Iran – waren einige Zeit nach dem Tod Zarathustras offenbar in die Vermittlung des Zoroastrismus involviert, den sie jedoch beträchtlich verfälschten. Ahura Mazda wurde offenbar von den achaimenidischen Königen des Persischen Reichs verehrt. Dieses größte Reich der damaligen Ära wurde Mitte des 6. Jahrhunderts v. Chr. von König Kyros dem Großen geschaffen, offenbar einem Anhänger des Ahura Mazda. Von ihm und den nachfolgenden achaimenidischen Königen sind allerdings keine Schriften überliefert, die den Propheten Zarathustra erwähnen. Es gibt jedoch Reste von Feuerbehältern zoroastrischer Prägung und mit Inschriften, die auf Ahura Mazda verweisen. Dareios I., ein Nachfolger von Kyros, behauptete, Ahura Mazda habe Erde, Himmel und Menschen erschaffen und ihn zum König ernannt, um die Welt vor Missetaten zu bewahren. Die Herrschaft von Kyros war für Macht und Wohlstand, aber auch religiöse Toleranz bekannt. Der Prophet Jesaja bezeichnete Kyros als von Gott gesalbt (Isaias 45,1), denn er entließ die Juden aus ihrem babylonischen Exil, erlaubte ihnen die Rückkehr nach Judäa und gab ihnen sogar Geld für den Neuaufbau ihres Tempels.

Das von Kyros durch weitreichende Feldzüge geschaffene Reich erstreckte sich vom Industal bis ins heutige Griechenland. Die auf seinem Territorium lebenden Juden genossen Religionsfreiheit, scheinen jedoch bestimmte zoroastrische Elemente aufgegriffen zu haben wie etwa den Glauben an den Aspekt des Bösen im Leben, die unsterbliche Seele, jenseitige Belohnung oder Bestrafung und die Auferstehung des Körpers am Jüngsten Tag. Diese Elemente gingen womöglich mittelbar vom Judentum auf das Christentum und den Islam über.

Die spirituelle Tradition der Verehrung von Ahura Mazda war 331 v. Chr. ernstlich bedroht durch die Invasion Alexanders, der im Westen als »der Große« bekannt ist, im Iran jedoch als »der Verfluchte«. Nach zoroastrischer Überlieferung ließ er die prächtige Hauptstadt Persepolis plündern, die Feuertempel zerstören, die Bibliothek mit den heiligen Schriften Zarathustras anzünden und so viele zoroastrische Priester ermorden, daß die mündliche Überlieferung zahlreicher Schriften zum Erliegen kam. Man nimmt an, daß die Gathas des Zarathustra nur fortbestehen konnten, weil viele sie auswendig wußten.

Zwei Jahrhunderte später verhalfen die Parther (ihre fast 400jährige Herrschaft dauerte bis 224 n. Chr.) in einem verkleinerten iranischen Reich dem Zoroastrismus zu neuem Aufschwung, indem sie die noch vorhandenen Offenbarungslehren als *Avesta* (»heilige Texte«) neu zusammenstellten.

Unter den Sassaniden (3. bis Mitte 7. Jahrhundert) wurde der Zoroastrismus Staatsreligion im Dienste der iranischen Aristokratie und damit zu einer der bedeutendsten Religionen in der Alten Welt.

Eine größere Gefahr erwuchs dem Zoroastrismus aus der Verbreitung des Islam. Arabische Moslems besiegten die zoroastrischen Streitkräfte des Iran, und auch die ab dem 13. Jahrhundert von Osten her eindringenden Mongolen konvertierten zum Islam, der offenbar als neuer, lebendiger Glaube galt.

Einige persische Zoroastrier vermieden den Übertritt zum Islam, indem sie in das westliche Indien zogen, das ähnliche spirituelle Wurzeln hatte. Dort wurden sie *Parsen* (Menschen aus der iranischen Provinz Parsa) genannt. Das heilige Feuer, das sie anläßlich ihrer Ankunft in Indien einsegneten, soll seither nie erloschen sein. Eine wichtige Pilgerstätte der Parsen ist der Tempel in Udwada bei Bombay. Einige Parsen zogen auch in das heutige Pakistan.

Während der jahrhundertelangen moslemischen Vorherrschaft schrumpfte die Zahl der im Iran verbliebenen Zoroastrier. Doch selbst innerhalb dieser Minderheit blieben detaillierte Anleitungen zu den einschlägigen Ritualen und Gebräuchen in Form einer umfassenden neuen Literatur erhalten – den ab etwa dem 9. Jahrhundert in Mittelpersisch verfaßten (oder übersetzten) *Pehlewi*-Texten. Noch heute gibt es eine kleine Glaubensgemeinschaft im Iran.

Die meisten Zoroastrier leben derzeit in Indien, vornehmlich im Gebiet um Bombay. Strittig ist jedoch, ob sie die zoroastrischen Lehren in Reinform pflegen. Vom 15. bis zum 17. Jahrhundert schickten die Parsen Abgesandte mit zahlreichen Fragen zu ihren persischen Glaubensbrüdern, da man sich in Indien über viele Aspekte der religiösen Tradition im Zweifel war. Der indische Zoroastrismus wurde offenbar durch benachbarte religiöse Traditionen wie Hinduismus, Buddhismus und Christentum beeinflußt, seit dem 19. Jahrhundert auch durch moderne spirituelle Bewegungen wie beispielsweise die Theosophie. In welchem Maß die Parsen und die heutigen Zoroastrier anderenorts die ursprünglichen Lehren des Zarathustra weiterführen, ist Gegenstand weitreichender Diskussionen.

Die Lehren des Zarathustra

Nach dem Tod Zarathustras verschmolzen seine Lehren anscheinend mit früheren polytheistischen Richtungen. Heute besteht Ungewißheit über einzelne Details seiner Lehren, doch man weiß genügend, um seine Theologie und die späteren Umgestaltungen skizzieren zu können.

Der Vorrang des Ahura Mazda

Zarathustra gilt als erster Monotheist westlicher Tradition in dem Sinn, daß er einen Gott über die anderen, von seinen iranischen Vorgängern verehrten Götter erhob. Seine mystischen Visionen überzeugten ihn davon, daß es nur ein göttliches Wesen gebe, das das Universum erschaffen habe und ordne.

Dieser Gott, Ahura Mazda, gilt als männlich. Er ist es, der alle guten Dinge schafft, Leben spendet, »seine heilige Weisheit über alles, was lebt, ausgießt«, ewig, mächtig und gütig ist und »überaus würdig, geliebt zu werden, strahlend im Tun, Herr des Lebens und der Wahrheit«[3].

In den Gathas richtet Zarathustra leidenschaftliche Bitten an Ahura Mazda, ihn zu einem geeigneteren spirituellen Vermittler zu machen, damit er »Mazda den Lebensodem seines ganzen Seins widmen«[4] könne.

Er erbittet den Beistand Ahura Mazdas bei seiner Mission, die selbstlosen, freiwillig armen Gläubigen zu schützen, »die Armen im Geiste, die Sanftmütigen und die einfachen Herzens, die Dein sind«. Besonders betont er, daß seine Botschaft klares Denken voraussetze:

O Herr des Lebens, wir sehnen uns nach Deinem mächtigen Feuer des Denkens,
dieser stets lodernden Flamme, die dem wahren Gläubigen festen Halt und Freude
gibt, doch bei dem, der die Zerstörung liebt, überwindet diese belebende Flamme
unversehens das Übel.[5]

O Herr des Lebens und der Weisheit, für immer werde ich Dein göttliches Gesetz und
Dein gutes Denken hochhalten. Lehre Du mich durch Dein gesprochenes Wort, das dem
Geist entspringt, und aus Deinem eigenen Mund, woraus das Leben entstand.

Gatha Ahunavaiti, Yasna 28,11

Obwohl Zarathustra den Gott Ahura Mazda als das einzige ewige Wesen ansah, beschrieb er auch sechs von diesem ausstrahlende göttliche Mächte: Vohu Manah (das gute Denken), Asha Vahishta (Ordnung, ewige Wahrheit, Redlichkeit), Khshathra Vairya (absolute Macht), Armaiti (Hingabe), Haurvatat (Vollkommenheit) und Ameretat (Unsterblichkeit).

Nach dem Tod des Propheten wurden diese sechs Attribute als prachtvolle Lichtwesen personifiziert. Das bloße Nennen ihrer Namen sollte große Macht bescheren. Diese *Amesha Spenta* (heilige Unsterbliche) sind die obersten *Yazatas* (Engel). Sie bringen das Licht zur Erde und werden daher von einigen Gelehrten als Erzengel bezeichnet. Die Amesha Spenta bestimmen über konkrete Aspekte der von Ahura Mazda geschaffenen und beherrschten Welt – über Menschen, Tiere, Feuer, Metalle, Erde, Wasser und Pflanzen.

Um Ahura Mazda und den strahlenden Amesha Spenta näher zu sein, ist der Mensch aufgefordert, seine wahllose Konsumgier im Zaum zu halten, sich maßvoll zu verhalten, selbstlos zu sein und als »Stützen und Helfer der Welt« eine gütige Einstellung allem gegenüber zu entwickeln.[6]

Zu den Yazatas zählen auch zahlreiche ältere iranische Gottheiten. Eine herausragende Stellung hat Sraosha, Schutzgeist der Menschheit, Überbringer der menschlichen Gebete an Ahura Mazda und Vorbild für gehorsames Zuhören und Dienen gegenüber dem Göttlichen. Dieser göttliche Gehorsam wird von Zarathustra in den Gathas als höchste Eigenschaft angesprochen. Ein ebenfalls häufig erwähnter Yazata ist der populäre Mithras, Wächter über das Licht, Hüter der Wahrheit und Wohltäter.

Die Wahl zwischen Gut und Böse

Zarathustra verehrte nicht nur den guten Schöpfer, sondern setzte sich auch mit dem Problem des Bösen auseinander. Heutige Interpreten der Gathas sind sich nicht einig, woher genau das Böse stamme und ob es ein Wesen sei wie etwa Satan. Viele westliche Gelehrte bezeichnen die Theologie Zarathustras als kosmischen Dualismus, mit einem finsteren, ebenso mächtigen Widersacher des Ahura Mazda.

Andere wiederum meinen, dies sei eine spätere Entwicklung des Zoroastrismus, und nach der ursprünglichen Lehre sei alles Leben von Natur aus der Schöpfung und Zerstörung unterworfen. Beide Pole würden von Ahura Mazda kontrolliert; einer sei das lebenserhaltende Spenta Mainyu, der andere das zerstörerische Angra Mainyu. Nach dieser Deutung wurde Ahura Mazda während der sassanidischen Ära (226–631) vollkommen mit der erhaltenden, verstärkenden, lebenspendenden Macht identifiziert, und die zerstörende, Chaos erzeugende Macht blieb als eigenständige Größe zurück.

Doch auch aus dieser Sicht besitzt Angra Mainyu nur begrenzte Zerstörungsgewalt, die allein bis zur Auferstehung der Menschheit und Erneuerung der Welt andauert. Dann wird alles Böse vernichtet werden.

Zarathustra ging davon aus, daß Ahura Mazda ihm Wahres offenbart habe, um die Menschen zu befähigen, auf den endgültigen Triumph des Guten hinzuarbeiten. In diesem letzten Gefecht, so heißt es in den Gathas, werde ein überaus guter Mensch kommen, um Rechtschaffenheit zu verkörpern und das Böse aus der Welt zu vertreiben. Das Böse ist nach Zarathustra weder allmächtig noch ewig, doch die Menschen müssen sich als spirituelle Krieger auf die Seite des Spenta Mainyu stellen, um den Sieg des Guten über das Böse zu gewährleisten.

In Yasna 30 predigt Zarathustra über den Ursprung des Bösen. Es heißt dort:

Fürwahr, zwei grundlegende Geister gibt es: Zwillinge, namhaft für ihren Widerstreit. Im Denken und im Wort, im Handeln zwei sind es: das Gute und das Böse. Und zwischen diesen beiden richtig gewählt haben die Wohlwollenden, nicht die Übelwollenden. Ferner, als diese beiden Geister zum erstenmal zusammentrafen, schufen sie Leben und Tod und bestimmten, daß am Ende die schlimmste Existenz für die Betrügerischen da sein wird, doch das beste Denken für die Wahrheitliebenden …
Die Götter entschieden keineswegs richtig zwischen diesen beiden, denn der Betrügerische näherte sich ihnen, während sie sich berieten. Weil sie den schlimmsten Gedanken wählten, gerieten sie darob in Zorn, mit dem sie die Welt und die Menschheit heimsuchten.[7]

Aus theosophischer Sicht steht das zwillingshafte Mainyu nicht für tatsächliche Wesenheiten, sondern für die beiden Aspekte des menschlichen Geistes. In beiden Fällen ist der Mensch mit Willensfreiheit und geistigem Vermögen ausgestattet, zwischen den beiden Mächten zu wählen. Mit Gedanken, Worten und Taten vermag er in Liebe, Hingabe und Dienstbarkeit zu wachsen – oder zum Bösen beizutragen.

Zarathustra empfand, daß liebloses Handeln im Namen der Religion dem Bösen zuträglich sei. Er wandte sich strikt gegen die Verehrung des Daevas, das alte Wort für die »leuchtenden Götter« verwendend, die er jedoch als dunkle Mächte, Magie und egoistischen Ritualismus wertete.

Unklar bleibt, auf welche Götter und Praktiken er sich bezog, doch man weiß bei-

Ahura Mazda wird dargestellt als eine menschenartige Gestalt mit großen Schwingen. In der einen Hand hält sie einen Ring (Autorität), mit der anderen erteilt sie den Segen. Das gleiche Bild wird oftmals auch als Symbol für die spirituelle Natur des Menschen verwendet.

spielsweise um den oftmals blutigen, gewalttätigen Indra-Kult. In den Gathas finden sich Verse wie dieser, in denen er seine Anhänger vor der Lüge (*Druj*) warnte:

> *Niemand von euch soll daher den gottlosen Beschwörungen und bösen Lehren der Jünger des Druj Gehör schenken, denn in Wahrheit wird er Heim, Stadt, Provinz und Land opfern der Zerstörung und dem Tod.*[8]

Himmel und Hölle

Die Zoroastrier glauben, daß beim Tod jedes Menschen eine Bilanz der guten und bösen Gedanken, Worte und Taten gezogen werde. Je stärker das Gute, desto breiter die Brücke zum Himmel – dem Haus des himmlischen Gesangs, dem Königreich des Lichts, in dem die Seelen der Rechtschaffenen wohnen. Je größer das angehäufte Böse, desto schmaler die Brücke. Derjenige, dessen Brücke so schmal ist, daß die Seele sie nicht überqueren kann, fällt in die Hölle – das Haus der Lüge, einen düsteren, erbärmlichen Ort.

Manche Zoroastrier deuten dieses Szenario als Allegorie, die auch für dieses Leben gilt. Hierzu Tehmurasp Rustamji Sethna:

> *Wenn ein Mensch Gutes tut, besitzt er Selbstvertrauen, und meist sagen die Leute, daß er nichts zu befürchten habe und daß sein Weg frei sei. Wenn ein Mensch jedoch Schlechtes tut, heißt es meist, daß er einen bedenklichen Weg nehme und jederzeit stürzen könne.*[9]

Wer die Brücke überquert hat, wird an den Himmelspforten vom Licht und der Wahrheit des Ahura Mazda empfangen, die als Engel symbolisiert sind. Nach Abwägen der bösen gegen die guten Taten wird die Seele von einer jungen Frau, deren Schönheit dem Maß der eigenen Güte gleichkommt, zur entsprechenden Himmelsebene geleitet. Beurteilung und Vergabe von Lohn oder Strafe erfolgen mithin nicht durch Ahura Mazda. Per Naturgesetz (*Asha*) führen die guten Taten zur Belohnung und die schlechten Taten zur gerechten Strafe.

Diese Lehrmeinung ähnelt dem Karma des Hinduismus, Jainismus und Buddhismus, doch anstatt die Auswirkungen des eigenen Tuns auf die nächste Reinkarnation zu übertragen, gehen die Zoroastrier davon aus, daß diese bereits im jetzigen Leben spürbar würden.

Wiederauferstehung

Der Zoroastrismus kennt keine ewige Hölle, da das Gute letztlich obsiegt. Durch jeden einzelnen, der sich für das Gute entscheidet, wird die Welt allmählich einen Zustand der Vollkommenheit erreichen, in dem alle – lebenden wie toten – Seelen für immer vom Bösen erlöst werden. Dies ist das *Frasho-kereti*, die »Erneuerung« der Welt, in der die gesamte Schöpfung in Vollkommenheit und Unsterblichkeit aufersteht.

> *[Fortan wird die Welt] nie mehr altern und nie mehr sterben, nie verfallen und nie untergehen, auf immer leben und wachsen und wird ihr Wollen meistern, wenn die Toten auferstehen, wenn Leben und Unsterblichkeit kommen und die Welt erneuert wird.*[10]

Diese Erneuerung der Welt ist nicht das Werk eines Erlösers, sondern erfordert das Mitwirken unzähliger Menschen. Der Zoroastrismus mißt deshalb der moralischen Verantwortung des Individuums zum Wohle des Ganzen große Bedeutung bei.

Umweltethik

Der Zoroastrismus lehrt von alters her den Respekt vor der Schöpfung, der angesichts der Umweltzerstörung heutzutage höchst relevant ist. Dr. Homi Dhalla:

> *Der gläubige Zoroastrier begegnet den Naturelementen mit tiefster Verehrung. Die Avesta-Texte spiegeln diese Ehrfurcht vor Erde, Luft, Wasser und sogar den Pflanzen ganz deutlich wider. In seinen täglichen Gebeten wird er an die Schönheit und Erhabenheit der Natur erinnert, und von der Natur aus wendet er sich an deren Gott. Das zur Verehrung der Natur erzogene zoroastrische Kind ist sich jeder Handlung bewußt, die die Elemente entweihen könnte.*[11]

Die Harmonie mit allen Menschen und der gesamten Schöpfung ist eine grundlegende Tugend und zugleich Kraftquelle. Eines der täglichen Gebete gilt den vier Himmelsrichtungen, um die Allgegenwart Ahura Mazdas anzuerkennen. Ein anderes tägliches Gebet

---

EINE LEHRGESCHICHTE

Das Schicksal der Seele nach dem Tod

Nach dem Tod schwebt die Seele drei Tage und drei Nächte über dem Kopf des Toten. Die Dämonen, die sich seiner bemächtigen wollen, werden durch die von dem Betreffenden zu Lebzeiten vollzogenen Reinigungsrituale ferngehalten. Wenn dieser jedoch unrein und unredlich war, so ruft seine Seele im Todeskampf: »Wohin soll ich nur fliehen?« Für die verderbte Seele gibt es kein Entrinnen. Ein elender Gestank fährt in ihre Nüstern. Am vierten Tag legen die Dämonen der verderbten Seele grobe Fesseln an und zerren sie zur Chinvat-Brücke, der Brücke der Trennung. Dort werden ihre Taten von einem Göttertribunal bewertet. Die Brücke ist wie ein Schwert, breit auf der einen, scharf auf der anderen Seite. Falls die bösen gegenüber den guten Taten überwiegen, dreht sich die Brücke mit der scharfen Kante nach oben, und die Seele fällt in den Abgrund der Hölle, um dort auf das Jüngste Gericht zu warten.

Eine häßliche Alte nähert sich der Seele des bösen Menschen und spricht: »O du Verderbter, ich bin das Abbild deiner schlechten Gedanken, Worte und Taten – dein eigenes böses inneres Wesen. In deinem Leben dientest du bösen Göttern. Du warst nicht gastlich zu den guten Menschen, die anderen halfen; statt dessen haßtest du sie und versuchtest sie zu demütigen. Du sahst, wie andere Frommes sprachen, wahres

Zeugnis ablegten und sich nicht bestechen ließen, und dennoch tatest du das Gegenteil. Diese Fäulnis ist dein Schicksal: Deine Speisen werden verdorben sein, und du wirst diesem faulen Geruch nicht entkommen.«

Was aber geschieht mit der guten und reinen Seele? Während sie drei Tage lang über dem Kopf des Toten schwebt, erlebt sie große Freuden und atmet die süßesten Düfte wie von blühenden Wiesen. Auch sie wird zur furchtbaren Chinvat-Brücke geleitet, doch Sraosha, die Gottheit des Gehorsams, ist bei ihr und schützt sie vor den Dämonen. Nun zeigt die Brücke ihre breite Seite, ja, sie wird so breit, daß die Seele leicht hinübergelangt. Das holdeste aller Mädchen erwartet sie auf der anderen Seite. Auf die Frage, wer sie sei, erwidert sie: »Ich bin dein gutes inneres Selbst – die Schönheit deiner Gedanken, Worte und Taten. Du sahst, wie andere die Wahrheit verhöhnten, böse Götter anbeteten und andere unterdrückten, aber du hast die Gathas gesungen, Ahura Mazda verehrt und warst gastlich zu den Redlichen. So machtest du mich erhabener und noch schöner.« Nun schreitet die Seele in das große Glück des Endlosen Lichts.

(Nach Schilderungen in zahlreichen zoroastrischen Schriften)

Zoroastrischer Priester in einem Feuertempel bei Riten über einem von alters her als heilig verehrten Feuer. Die Gesichtsmaske soll eine Verunreinigung des Feuers durch den eigenen Atem verhindern.

preist die der Erde innewohnende Energie und lehrt, welche Dinge der Erde Freude bereiten und welche Leid. Wasser gilt als sakrosankt und unverzichtbar für alles Leben; einzelne Vorschriften für die Bewahrung seiner Reinheit finden sich in einigen heiligen Texten.

Ein weiterer Text ruft zur Ehrfurcht vor der Mensch und Tier innewohnenden Energie auf und erklärt das Füttern und Versorgen von landwirtschaftlichen Nutztieren und Schlachtvieh zu heiligen Handlungen. Häufig erwähnt wird die Dankbarkeit für die Existenz der Heilpflanzen, und in einem Gebet werden diese Pflanzen von den Gläubigen um Vergebung für jedes Leid gebeten, das ihnen zugefügt wird. Wertschätzung für die Reinheit der Lüfte und Winde findet ebenfalls Ausdruck.

Das gesamte Avesta mahnt die Zoroastrier, als fürsorgliche Sachwalter der Natur zu handeln. Die heiligen Rezitationen selbst sollen bereits eine starke, erdreinigende Energie besitzen.

Spirituelle Praktiken

Zoroastrier können auf keine asketische Tradition zurückblicken, sondern sind aufgerufen, durch tätiges Werk zum Guten beizutragen und das Kommen des Frasho-kereti zu beschleunigen. Selber gut zu sein reicht nicht aus. Der Zoroastrier muß dem Bösen aktiv widerstehen und - wie Zarathustra - versuchen, andere zu guten Gedanken, Worten und Taten zu führen, ohne sie notwendigerweise zu bekehren. In einer Schrift heißt es: »Die drei höchsten Pflichten des Menschen sind: einen Feind zum Freund machen, aus einem verderbten einen rechtschaffenen Menschen machen und einen Unwissenden weise machen.«[12]

Rituale bilden ein Hauptelement der zoroastrischen Praxis. Von besonderer Bedeutung ist das üblicherweise mindestens fünfmal täglich erfolgende Binden des heiligen Bandes (*Kusti*) um die Hüfte. Damit rüsten sich die Gläubigen symbolisch als Soldaten Ahura Mazdas und bekräftigen ihre Entschlossenheit, dem spirituellen Pfad zu folgen. Im Rahmen einer vor der Pubertät stattfindenden Zeremonie der »Neuen Geburt« erhalten alle Kinder Kusti und *Sudreh* (heiliges Gewand), um ihre Aufnahme in die zoroastrische Gemeinschaft zu bekräftigen.

Das Mitwirken beider Geschlechter in diesem Ritual kontrastiert mit der ausschließlich männlichen Hindu-Tradition des heiligen Fadens. Männer und Frauen werden im Zoroastrismus weitgehend gleich behandelt.

Vor dem Anlegen wird das Kusti geschüttelt, um alle negativen Gedanken und Erfahrungen zu entfernen. Beim Knüpfen des Kusti spricht der Gläubige ein Gebet zur Abwehr des Bösen und singt eines der ältesten, stärksten Mazdayasna-Gebete, das *Ahuna-Vairya*.

Der Legende nach soll Zarathustra dieses Gebet, das bereits vor seiner Zeit entstanden ist, rezitiert haben, um sich vor den Versuchungen des Angra Mainyu zu schützen:

Wie der Meister, so soll auch der Richter in Einklang mit der Wahrheit gewählt werden.
Laß die Macht der Taten walten, entstanden aus einem Leben mit rechtem Glauben, für
Mazda und für den Herrn, den sie zum Hirten der Armen machten.[13]

Neben der Hingabe an das Gute und den Schutz vor dem Bösen verkörpert die Reinigung einen wichtigen Aspekt der zoroastrischen Rituale. Menstruierende gelten als unrein und werden ausgeschlossen. Wasser wird als Mittel oder Symbol der Reinigung verehrt, und oft tauchen die Gläubigen ihre Finger ins Wasser, benetzen sich Augen und Stirn und

Über dem heiligen Gewand (Sudreh) angelegt, dient das heilige Band (Kusti) dem Schutz vor innerem wie äußerem Übel.

heben die Hände zur Anbetung von Ahura Mazda. Parsen in Bombay vollziehen dies am Strand mit Meerwasser. Im Inland verehrt man statt dessen Quellen oder auch Brunnen. Wasser (durch Totes) zu verunreinigen gilt als schwere Sünde.

Das zweite Hauptelement der zoroastrischen Rituale ist das Feuer, dessen reinigende Wandlungskraft eine lange indoiranische Tradition hat. Physisches Feuer wird als Symbol des göttlichen Lichts Ahura Mazdas verehrt, denn, wie es in den Avesta heißt, Ahura Mazda ist das Licht. Hierzu Dastur (Hohepriester) Framroze A. Bode:

Lebendiger Zoroastrismus

Tina Mehta, Mutter zweier erwachsener Kinder, wuchs in einer zoroastrischen Familie in Kalkutta auf, entwickelte jedoch erst in fortgeschrittenem Alter ein tieferes Verständnis für ihre Religion. In London arbeitete sie als Dozentin für Zoroastrismus und in der AIDS- und Drogenberatung. Gemeinsam mit ihrem Mann konnte sie am Tag vor der Besetzung durch den Irak aus Kuwait fliehen. Beide leben heute wieder in Kalkutta.

»Uns Kinder nahm man einmal im Jahr mit zum Fluß, um die Gewässer zu verehren. Es gibt einen Engel für die Gewässer und einen für die Pflanzen. Alle sieben Schöpfungen Gottes – Himmel, Gewässer, Erde, Pflanzen, Tiere, Menschen und Feuer – besitzen Fravashi (ewigen Geist). Und auch spezielle engelhafte spirituelle Aspekte. Alle zusammen ergeben sie das Reich von Ahura Mazda. Wir erkennen sie durch die Schöpfungen Gottes.

Wir wurden zur Ehrfurcht vor diesen einzelnen Schöpfungen erzogen; eine Verunreinigung würde die Besudelung der Engel und damit Gottes bedeuten. Einmal ging ich mit Freunden, die nicht Zoroastrier waren, schwimmen. Als alle ins Wasser urinieren wollten, konnte ich nicht mitmachen, denn dies verstieß gegen meinen Glauben. Für sie war es nur ein Spaß: ›Wie soll dein Wasser den ganzen Fluß zerstören können?‹ Ich aber war dazu erzogen worden, das Wasser zu ehren, und ich wußte irgendwie, daß es nicht richtig sei.

Früher mißfiel es mir, wenn man mich zur Ehrung zum Fluß mitnahm. ›Das ist doch lächerlich‹, dachte ich. Nun aber bin ich sehr dankbar dafür, denn heute verstehe ich, wenn von Umweltproblemen die Rede ist, wie wichtig der Respekt vor dem Fluß tatsächlich ist; wenn mehr Menschen ihn hätten, würde man den Fluß wahrscheinlich nicht verschmutzen. Das gleiche gilt für die Luft und die Pflanzen. Es gibt Gebete, in denen wir uns bei den Tieren und Pflanzen entschuldigen, wenn wir sie als Nahrung oder für Rituale verwenden. Auch wir müssen essen, doch wir tun dies mit Respekt vor den Tieren und Pflanzen, die für uns ihr Leben lassen.

Wie früher schon erkennen wir auch heute an, daß draußen viele Kreaturen sind, die einem schaden können. Noch immer bringen wir in der Nähe der Türschwelle kleine Muster aus Kalk an, um uns daran zu erinnern, daß alles, was für Körper, Geist oder Seele schädlich ist, draußen bleibt, und alles, was hereinkommt, dies mit guten Gedanken tun soll. Wenn wir nach einem schlechten Tag – vielleicht von der Arbeit – heimkommen, erinnert uns die Markierung daran, schlechte Gedanken und Gefühle draußen zu lassen.

Auch Klänge bedeuten uns sehr viel. Deshalb werden Gebete in zoroastrischer Tradition laut aufgesagt. Schlechte Klänge besiegen wir mit guten. Der Aura häuslichen Streits begegnen wir mit guten Gedanken und guten Worten. Die mantrischen Worte wirken abschreckend auf die bösen Klänge, die laut geworden sind.

Ich denke, daß die derzeitigen Arbeiten (Untersuchung der historischen Verbindungen zwischen Zoroastrismus, Judentum, Christentum und Islam) die Menschen vereinen werden. Wir müssen erkennen, daß wir alle dieselben Grundlagen haben. Irgendwie ist das noch nicht durchgedrungen, immer noch halten wir jeden für anders und besonders. Wie drei Brüder, die aneinander vorbeischauen. Für den Vater muß das sehr schmerzlich sein.«

*Die Anhänger Zarathustras sind gewöhnlich als Feueranbeter bekannt, wobei sie aller-
dings nicht das brennende Holz verehren, sondern das Athra-Feuer als universale
ätherische Energie, als Atem, Leben, Wärme und Ausstrahlung. Es ist die Flamme des
Bewußtseins, die in jedem Herzen lodert, das Licht der Vernunft in jedem Geist, das Glühen
des reinen Gefühls der Liebe. Feuer symbolisiert die Ehrfurcht vor allem Lebendigen.
Das äußerliche Symbol des Feuers erinnert an den inneren göttlichen Funken im wahren
Tempel Gottes im Herzen des Menschen.*[14]

Dem Aufenthalt in der Nähe des Feuers wird eine starke meditative und reinigende Wirkung zugeschrieben.

Ervard Godrej Dinshawji Sidhwa, ein in Pakistan ansässiger Dozent für zoroastrische
Theologie und Geschichte, erläutert dies aus theosophischer Sicht:

*Bei der Darbringung unserer täglichen Gebete zügeln wir unsere schweifenden Gedanken
und konzentrieren uns auf das Feuer. Wir betrachten das Feuer als reines Sinnbild
seines ruhmreich strahlenden Glanzes. Das in einem Feuertempel brennende heilige
Feuer ist für den Zoroastrier, der davor steht, eine stete Mahnung, Frömmigkeit, Reinheit,
Wahrhaftigkeit, Demut und Brüderlichkeit zu wahren. Es reinigt alles. In seinen Strahlen
badend, können wir Körper, Geist und Seele reinigen.*[15]

Nur Zoroastrier dürfen einen Feuertempel betreten. Bestimmte Bereiche sind Priestern
vorbehalten, die bereits einen hohen Zustand der Reinheit erreicht haben. Diese Be-
schränkung wird als notwendig erachtet, um die Reinheit der spirituellen Schwingungen zu bewahren und den Unvorbereiteten vor ihrer Kraft zu schützen.

Der Leichnam eines Verstorbenen wird einem »Turm des Schweigens« überantwortet, einem runden Bauwerk, das oben offen ist; so können die Geier eindringen und die
Knochen in nur ein bis zwei Stunden blankputzen. Auf diese Weise wird vermieden, daß
die Erde mit verwesendem Fleisch verunreinigt wird.

Die sonnengebleichten Knochen kommen in eine zentrale Grube – ohne Monumente
und ohne Unterschied zwischen Arm und Reich –, wo sie zu Staub zerfallen. Die Hin-

*Die Türme des Schweigens
(hier auf einem Hügel im
Iran) sind zum Himmel
hin offen. Aasfressende
Vögel sollen die Gebeine
der Toten blankputzen,
damit die Erde nicht
durch verwesendes Fleisch
verunreinigt wird.*

terbliebenen beten jedoch für die Verstorbenen und rufen an den Todestagen das *Fravashi* der Toten an – »die transzendentale göttliche Essenz in einem Menschen«[16] oder »das höchste und das ewige ›Prinzip‹ in einem Menschen«[17], von dem man glaubt, daß es sich stetig zur Vollkommenheit hin entwickle. Die Fravashis der Rechtschaffenen helfen den Lebenden bei ihren guten Taten.

Im Rahmen jahreszeitlicher Feste werden die Fravashis aller großen Zoroastrier der Vergangenheit von der Gemeinschaft verehrt, wobei das beständige Angedenken seitens der Lebenden als eine Form der Unsterblichkeit betrachtet wird.

Einer der beliebtesten Gedenktage ist das Allerseelenfest, zu dessen Anlaß für den Besuch der Fravashis Hausputz gehalten und die Geburt und die Offenbarung Zarathustras gefeiert wird.

Zoroastrismus heute

Die traditionsreiche Glaubensrichtung, die Böses durch Gutes zu bekämpfen sucht, hat heute nur noch wenige Anhänger, schätzungsweise 130 000. Besondere missionarische Bestrebungen gibt es nicht, teils wegen des Wunsches, die Lehren und die Identität nicht zu verwässern.

In dieser oft diskutierten Frage hat man sich weitgehend darauf geeinigt, daß Außenstehende den zoroastrischen Glauben »annehmen« oder gar zu ihm übertreten können. Im heutigen Iran besteht hierzu jedoch kaum Anreiz, denn wie die Juden und Christen werden die Zoroastrier – also alle »Menschen des Buches« (Offenbarungsschriften) – zwar toleriert, genießen jedoch unter moslemischer Herrschaft keine volle Autonomie. In den letzten Jahren der Pahlewi-Dynastie sind aber zahlreiche Moslems zum Zoroastrismus übergetreten.

Der International Mazdayasnan Order mit Sitz in Eugene (Oregon) akzeptiert zwar Konvertiten, ist aber selbst nur eine eklektische, von einem moslemischen Sufi gegründete Gruppierung. Manche Zoroastrier in Nordamerika befürworten eine aktive Missionsarbeit; andere sprechen sich dagegen aus uns ziehen es vor, die durch persönliche religiöse Erfahrung wahrhaft Motivierten nach Gemeinschaftsentscheid bei sich aufzunehmen.

Im 20. Jahrhundert wanderten zahlreiche Zoroastrier aus Indien und dem Iran aus und ließen sich in Großstädten wie London, New York, Chicago, Boston, Los Angeles und Vancouver nieder. Sozial und beruflich völlig integriert, finden Eheschließungen jedoch meist innerhalb der eigenen Glaubensgemeinschaft statt.

Eine Ausbildung zum zoroastrischen Priester ist für die Angehörigen bestimmter Erblinien im Iran und in Indien weiterhin möglich. Besonderes Interesse gilt dem Bewahren und Begreifen der Tradition.

Der Einfluß der Westens und der protestantischen Missionierung führte bei den Parsen zu einer gewissen Verwirrung hinsichtlich der mystischen Aspekte ihres Glaubens. Manche begannen ihre Gebete auf Englisch zu sprechen anstatt in der alten Avesta-Sprache und deuteten ihr Tun als Reden mit Gott, anstatt daß sie die wirkkräftigen heiligen Mantras aufsagten.

Geringeres Gewicht erhielten Rituale, der Glaube an einen Geist des Bösen und an das Ende der irdischen Welt zugunsten der eher abstrakten Philosophie und ethischen Normen der Gathas.

Das Pendel scheint nunmehr jedoch in die andere Richtung auszuschlagen. Im 20. Jahrhundert haben Religionshistoriker, Metaphysiker und Linguisten versucht, die alte

Sprache zu übersetzen, die tiefere Bedeutung der Rituale zu entschlüsseln und die Ursprünge der Tradition von den über Jahrtausende hinweg erfolgten Hinzufügungen zu scheiden.

Derartige Bemühungen stärkten das Selbstwertgefühl der Zoroastrier. Somit erscheint es heute eher unwahrscheinlich, daß die zoroastrische Religion bald aus dieser Welt, der sie seit so langer Zeit zu dienen sucht, verschwinden wird.

KAPITEL 9

DAS JUDENTUM

Ein Bündnis mit Gott

Das Judentum, das keinen Begründer, keinen religiösen Führer und keine Körperschaft besitzt, die verbindliche theologische Entscheidungen treffen, ist die Gesamtheit der mit dem jüdischen Volk verbundenen religiösen Traditionen. Das jüdische Volk kann sowohl als religiöse Gemeinschaft wie auch als Nation verstanden werden.

In religiöser Hinsicht verstehen die Juden ihre lange und oft leidvolle Geschichte als einen unausgesetzten Dialog mit Gott. Nach einer Überlieferung bot Gott einst sein Gesetz siebzig Völkern an, doch einzig die halbnomadischen Stämme Israels gingen auf Gottes Aufforderung ein, ein Bündnis mit ihm zu schließen. Der Aufruf Gottes hat nach Ansicht der Juden auch heute noch für alle Völker Gültigkeit. In religiösem Verständnis bezieht sich »Israel« auf alle, die auf den Ruf Gottes hören, dem einen Gott gehorchen wollen, indem sie sich nach der *Thora* oder »Lehre« richten, die den Patriarchen, Mose und den Propheten von Gott gegeben wurde.

Als Nation betrachtet, ist »Israel« ein Volk, das wiederholt vertrieben und unterdrückt worden ist. Nach den Greuel des Holocaust gründete ein Teil der Juden in Israel, dem Land, aus dem sie ursprünglich stammen, einen eigenen Staat. Der andere Teil des jüdischen Volkes lebt verstreut in vielen Ländern der Erde. Viele Juden sind zwar durch Geburt Angehörige des jüdischen Volkes, empfinden aber keine starke Zugehörigkeit zu dessen religiösen Traditionen.

In diesem Kapitel beschäftigen wir uns mit dem Judentum als einer »sich entwickelnden religiösen Zivilisation« (Mordechai Kaplan): Zunächst geben wir eine Übersicht über die Geschichte des jüdischen Volkes, anschließend stellen wir die Konzepte und Riten vor, die für die heutigen Anhänger der Thora bestimmend sind.

Die Geschichte des jüdischen Volkes

Die Geschichte beginnt nach jüdischer Vorstellung mit den in der hebräischen Bibel oder dem *Tanach* (dem christlichen »Alten Testament) überlieferten Geschichten. Am Anfang steht die Erschaffung der Welt durch ein höchstes Wesen, Gott. Es folgen die Lebensgeschichten der Patriarchen und Matriarchen und schließlich die des Moscheh (Mose), der mit Gott sprach und das Volk nach Gottes Geboten führte. Dann folgen die Propheten, die davor warnten, sich von Gottes Wegen abzuwenden. Der Tanach beendet seinen Bericht ungefähr im 2. Jahrhundert v. Chr. (entsprechend unserer Zeitrechnung), die jüdische Geschichte aber ging weiter.

Nachdem Jerusalem von den Römern im Jahr 70 n. Chr. erobert und das religiöse Zentrum, der Tempel, zerstört worden war, lebten die Juden in der Zerstreuung und fanden ihre Einheit nur mehr in der Ausgestaltung der Lehre und der rituellen Praktiken, die

Thora	Die fünf Bücher Mose	Nebiim	Die Propheten
בראשית	Genesis	יהושע	Jehoschua (Josua)
שמות	Exodus	שופטים	Richter
ויקרא	Leviticus	שמואל א	1. Schmuel (Samuel)
במדבר	Numeri	שמואל ב	2. Schmuel (Samuel)
דברים	Deuteronomium	מלכים א	1. Könige
		מלכים ב	2. Könige
		ישעיה	Jeschajahu (Jesaja)
		ירמיה	Jirmejahu (Jeremia)
		יחזקאל	Jecheskel (Ezechiel)

Ketubim	Die Schriften		Die zwölf kleinen Propheten
תהילים	Psalmen		
משלי	Die Sprüche (Sprüche Salomos)	הושע	Hoschea (Hosea)
איוב	Ijob (Hiob)	יואל	Joel
שיר השירים	Hohelied (Hohelied Salomos)	עמוס	Amos
רות	Rut	עבדיה	Obadja
איכה	Wehe (Klagelieder Jeremias)	יונה	Jona
קהלת	Qohelet (Prediger)	מיכה	Micha
אסתר	Ester	נחום	Nachum (Nahum)
דניאל	Daniel	חבקוק	Chabakkuk (Habakuk)
עזרא	Esra	צפניה	Zefanja
נחמיה	Nechemja (Nehemias)	חגי	Chaggai (Haggai)
דברי הימים א	1. Chronik	זכריה	Secharja (Sacharja)
דברי הימים ב	2. Chronik	מלאכי	Malachi (Maleachi)

Die jüdische Heilige Schrift besteht aus der Thora (oder dem Pentateuch), den Propheten und den Schriften. Diese Bücher entstanden ungefähr zwischen dem 12. und 2. Jahrhundert v. Chr. Der größte Teil ist in hebräischer, das übrige in aramäischer Sprache verfaßt. Dieser Schriftenkanon wird häufig auch als Tanach bezeichnet, ein Anagramm aus den Anfangsbuchstaben der hebräischen Bezeichnungen der einzelnen Teile: Thora, Nebiim und Chetubim.

schließlich in dem großen Kompendium des jüdischen Gesetzes und des jüdischen Brauchtums, dem Talmud, kodifiziert wurden.

Die Geschichten der Bibel

Die Frühgeschichte der Kinder Israel kennen wir hauptsächlich aus den Erzählungen des Tanach; die Gelehrten zweifeln, ob diese als historisch getreu zu betrachten sind. Manche der Personen, Ereignisse und Genealogien, die hier verzeichnet sind, lassen sich aus anderen Quellen – archäologischen Beweisen oder Erwähnungen des Volkes Israel in den Schriften benachbarter Völker – nicht verifizieren. Vielleicht waren die Israeliten ein zu kleines und zu locker organisiertes Volk, um von den Geschichtsschreibern anderer Nationen zur Kenntnis genommen zu werden. In ausländischen Quellen wird Israel nicht vor dem Jahr 1230 v. Chr. erwähnt; nach Auskunft der Erzählungen und Genealogien der Bibel lebte Abraham, der erste Patriarch der Israeliten, ungefähr zwischen den Jahren 1900 und 1700 v. Chr.

Die Juden halten den Pentateuch, die »Fünf Bücher Mose«, mit dem der Tanach beginnt, für den heiligsten Teil der Schrift. Orthodoxe Juden glauben, daß Moscheh seine Offenbarungen von Gott empfing und sie als ein geschlossenes Buch niederschrieb. Heutige Bibelphilologen teilen diese Meinung nicht, sondern schließen aus Hinweisen wie dem Vorkommen unterschiedlicher Gottesnamen, daß es sich um mündliche Überlieferungen handelt, die später aus verschiedenen Quellen zusammengefügt wurden, um die

JUDENTUM

2000 V. CHR.	Abraham, der erste Patriarch, etwa 1900/1700
1800	
1600	
1400	
Moscheh führt die Israeliten aus der ägyptischen Knechtschaft, 12. Jh. **1200**	
1000	David, König von Juda und Israel, 1010–970(?) König Schelomo (Salomo) erbaut den ersten Tempel, 961–931
800	
600	Zerstörung des ersten Tempels, Babylonische Gefangenschaft, 586 Zweiter Tempel errichtet, 515
400	Thorakanon fertiggestellt, 430: Esra der Schreiber
200	
	Hillel der Ältere, 30 v. Chr.–10 n. Chr.
Entfaltung der rabbinischen Tradition, 1.–4. Jh. **N. CHR.**	Jerusalem von den Römern erobert, 70 Festsetzung des jüdischen Kanons, ca. 90 Zusammenstellung der Mischna, um 200
200	
400	
600	Fertigstellung des Babylonischen Talmuds, Mitte 6. Jh.
800	
1000	
1200	Maimonides, 1135–1204
Einführung der Inquisition, 1480 Massenvertreibung der Juden aus Spanien, 1492 **1400**	Errichtung von Ghettos in Italien und Deutschland, ab 1555
1600	
Baal Schem Tow, 1700–60 Europäische Aufklärung 18. Jh. **1800**	Nürnberger Gesetze, 1935
Holocaust, nach 1938–45 Sechstagekrieg 1967 **2000**	Todeslager, ab 1942 Israel unabhängiger Staat, 1948

Herausbildung Israels unter einem religiösen Gesichtspunkt darzustellen: als Ergebnis göttlichen Handelns innerhalb der Geschichte der Menschen. Seine endgültige Fassung erhielt der Pentateuch wahrscheinlich zur Zeit des Schriftgelehrten Esra (5. Jahrhundert v. Chr.)

Manche Geschichten des Petanteuch, so die von der Erschaffung der Welt, dem Garten Eden, der großen Flut und dem Turmbau zu Babel, haben Parallelen in früheren Legenden aus dem mesopotamischen Raum. Von den Berichten der späteren Geschichte des Volkes Israel scheinen nur die letzten vier Bücher (die beiden Bücher Samuel und die beiden Bücher der Könige) direkt auf zeitgenössischen Quellen zu beruhen. Obwohl die historische Gegebenheit vieler Geschichten des Pentateuch bis heute nicht aus unabhängigen Zeugnissen nachgewiesen werden konnte, sind sie von großer spiritueller Bedeutung nicht nur für das Judentum, sondern auch für das Christentum und den Islam. Auch politisch war ihr Einfluß groß, weil sie allein (in Verbindung mit dem Talmud) dem in der Zerstreuung lebenden jüdischen Volk eine spezifische Gruppenidentität gaben.

VON DER ERSCHAFFUNG DER WELT BIS ZUM GOTT ABRAHAMS   Die hebräische Heilige Schrift beginnt mit einer mitreißend poetischen Schilderung von der Erschaffung der Welt, die Gott in sechs Tagen vollbrachte. Am Anfang war die Erde »öd' und wüst, und Finsternis auf der Fläche des Abgrundes, und der Geist Gottes schwebend über der Fläche der Wasser«[1]. Nach der Erschaffung des materiellen Universums erschuf Gott Mann und Frau »in unserm Bilde nach unserer Ähnlichkeit; und sie sollen bewältigen die Fische des Meeres und das Gevögel des Himmels und das Vieh und die ganze Erde, und all das Gewürm, das sich regt auf Erden«[2]. In diesem Bericht wird Gott als ein transzendenter Schöpfer vorgestellt, ohne Ursprung, Geschlecht oder Form, ein Wesen, das grundsätzlich verschieden ist von der von ihm erschaffenen Welt. Da das Hebräische kein Neutrum kennt, wird Gott in der Regel – aber nicht immer – als Maskulinum behandelt. Diese Schöpfungsgeschichte (Genesis 1; 2,1–4) wird von den Gelehrten der »Priesterquelle« zugeordnet, Herausgebern, die ihre Arbeit nach der Rückkehr des jüdischen Volks aus der Babylonischen Gefangenschaft (586 v. Chr.) aufnahmen.

Ein zweiter, wahrscheinlich älterer Schöpfungsbericht beginnt in Genesis 2,4. Er wird dem »Jahwisten« zugeschrieben, der den Gottesnamen »Jahwe« für die höchste, männliche Gottheit benutzte. Dieser Bericht zeigt die Frau nicht als dem Mann gleichgestellt, sondern als aus einer Rippe Adams, des ersten Menschen, entstanden und ihm zur Gehilfin erschaffen.

Diese Geschichte wird im allgemeinen herangezogen, um den Frauen die Schuld an der Menschheitsgeschichte zu geben, obwohl die Schrift dies nicht stützt. Nach dem Bericht siedelte Gott Adam und sein Weib Chawah (Eva; die »Mutter alles Lebenden«) zunächst im Paradiesgarten an. Doch Chawah wurde von einer Schlange (später oft als Symbol des Satans interpretiert) Weisheit versprochen, wenn sie gegen Gottes Geheiß eine Frucht vom Baum der Erkenntnis des Guten und Bösen äße. Sie nahm die Frucht und gab auch Adam einen Teil. Nach dem Bericht endete damit die Unschuld der ersten Menschen. Gott verfluchte die Schlange und das Land und vertrieb die Menschen aus dem Paradies; fortan mußten sie sich mühen und waren sterblich, da ihnen der »Baum des Lebens« verwehrt war.

Das Thema des Exils kehrt mehrmals in der hebräischen Bibel wieder; auch in der späteren Geschichte gerät das jüdische Volk immer wieder in Situationen der Vertreibung und der Heimatlosigkeit. Die biblischen Erzählungen betonen, daß das Volk immer Gefahr lief, Gottes Zorn heraufzubeschwören, wenn es von seinem Weg abwich. Immer wieder verloren die Juden ihre sprituelle Heimat, und immer wieder strebten sie zu ihr zurück.

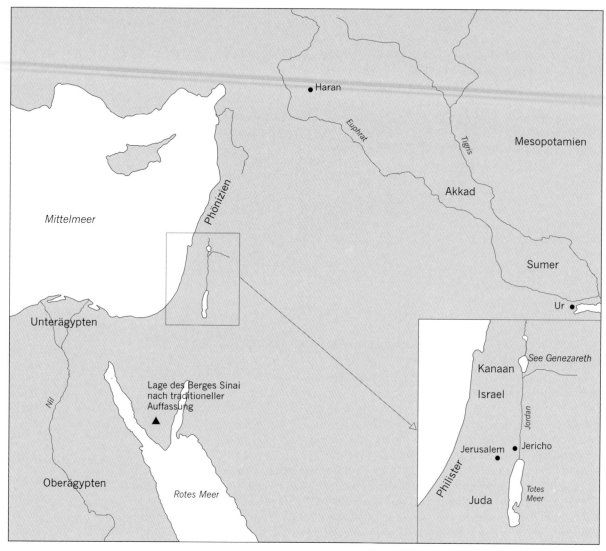

The map contains the following labels:
Haran, Euphrat, Tigris, Mesopotamien, Akkad, Mittelmeer, Phönizien, Sumer, Ur, Unterägypten, Kanaan, See Genezareth, Israel, Jordan, Nil, Lage des Berges Sinai nach traditioneller Auffassung, Jerusalem, Jericho, Philister, Juda, Totes Meer, Oberägypten, Rotes Meer

Die Israeliten betrachten sich als Nachkommen Abrahams und Saras, die aus Ur und Charan in Mesopotamien nach Kanaan zogen. Abrahams Enkel Jaakob, genannt »Jisrael«, siedelte mit seiner Sippe in Ägypten, wo die Israeliten schließlich versklavt wurden.

Später freilich kam auch eine optimistischere Deutung der Geschehnisse auf: Gottes Wille habe die Juden über die Welt verstreut, damit sie in allen Ländern als gute Bürger lebten und dazu beitrügen, die unvollkommene Welt wieder jenem Zustand der Vollkommenheit anzunähern, in dem Gott sie ursprünglich erschaffen hatte. Israel würde erst dann nach Hause zurückkehren können, wenn die gesamte Schöpfung wieder erhoben werde. Die rabbinische Tradition, die etwa um die Zeitenwende begann und die jüdische Theologie bis in die Moderne geprägt hat, betonte, der Weg aus dem Exil verlange Weisheit und die richtige Lebensweise. Die moralischen Gebote hätten ihren Ursprung in Gott; wenn man sie befolge, werde die Menschheit wieder in Harmonie mit Gott leben können.

Immer wieder jedoch, berichtet die Bibel, widersetzten sich die Menschen Gottes Willen. Eine der aufgezeichneten Legenden handelt von Noach, dem einzigen rechtschaffenen Mann seiner Generation. Nach Angabe des Erzählers, der Gott Gedanken und Gefühle zuschreibt, verzweifelte Gott an der Bosheit des Menschengeschlechts, und es reute ihn, die Menschheit erschaffen zu haben, weshalb er eine große Flut sandte, »zu verderben alles Fleisch, in welchem ein Hauch des Lebens, hinweg von unter dem Himmel«[3]. Mit Noach aber schloß Gott einen Bund und gab ihm Anweisungen, eine Arche für seine

Familie und ein Pärchen jeder Tierart zu bauen. Gott versprach, niemals mehr die erschaffene Welt zu zerstören oder in die bestehende Ordnung der Natur einzugreifen; der Regenbogen ist das göttliche Zeichen für jenen Bund »zwischen mir und allem Fleische auf Erden«[4].

Gott bleibt nach Aussage der Bibel allerdings weiterhin in der Geschichte wirksam. Viele Generationen nach Noach waren die Menschen so stark und ehrgeizig geworden, daß sie in Babel einen Turm errichten wollten, der bis in den Himmel reichen sollte. Gott aber begrenzte ihre Macht, indem er ihre Sprache verwirrte und sie über die Erde verstreute.

Auf Noach folgen die Geschichten der Patriarchen Abraham, Jizchak (Isaak) und Jaakob sowie ihrer Frauen, der »Matriarchen« Sarah, Rebekah, Leah und Rachel. Bei ihnen handelt es sich möglicherweise um historische Personen, die ein halbnomadisches Hirtenleben in einem relativ kleinen Gebiet des Nahen Ostens führten.

Nach Angaben der Bibel wurde Abraham von Gott geboten, seine Heimat in Ur und dann in Charan aufzugeben – zwei Handelszentren in Mesopotamien – und mit seiner Frau Sarah nach Kanaan zu ziehen. Abraham verließ das Land seines Vaters und (nach einer mündlichen Überlieferung) auch dessen Religion, denn Abrahams Vater hatte nicht nur den alten Landesgöttern gedient, sondern angeblich sogar Kultbilder von ihnen hergestellt.

Abraham gilt als Vorbild für den strikten Gehorsam gegenüber Gottes Befehlen. Ohne zu zögern, unterzog er sich der *Beschneidung* (Entfernung der Penis-Vorhaut), ein Opfer und Zeichen für den Bund, den Gott mit ihm und allen seinen Nachkommen schloß; alle männlichen Nachkommen müssen seither am achten Tage nach der Geburt beschnitten werden.

Nachdem Abraham einen Sohn, den Jischmael (Ismael), mit der ägyptischen Sklavin Hagar gezeugt hatte, verhieß Gott dem hundertjährigen Patriarchen Nachwuchs von seiner neunzigjährigen Frau Sarah: »Und ich werde sie segnen, und gebe dir auch von ihr einen Sohn, und ich will sie segnen, daß sie zu Völkern werden, Könige der Völker sollen vor ihr sein« (Genesis 17,16). Nach der Erzählung der Bibel gebar Sarah danach den Jizchak und forderte, daß Hagar und Jischmael in die Wüste verbannt würden. Gott unterstützte diese Forderung, versicherte aber zugleich Abraham, er werde der Vater zweier Völker werden, durch Jizchak (Stammvater der späteren Juden) und durch Jischmael (nach muslimischer Ansicht der Stammvater des arabischen Volkes).

Gott prüfte Abraham, indem er von ihm verlangte, seinen Sohn Jizchak zu opfern. Als der Patriarch die Opferung vollziehen will, hält Gott ihn auf, »denn nun weiß ich, daß du gottesfürchtig bist«[5]. Das hebräische Wort *Jirah*, das üblicherweise mit »Furcht« Gottes übersetzt wird, kann auch »Ehrfurcht vor Gottes Größe« bedeuten; Rabbiner Lawrence Kushner spricht von einem »Erschauern angesichts der Präsenz des Allerheiligsten«[6].

Die Gelehrten sind sich nicht einig, ob die frühen Patriarchen – im Hebräischen heißen sie einfach »Väter« – reine Monotheisten waren, nur den einen Gott des Universums und keinerlei andere göttliche Wesenheiten anerkannten. In den frühen Büchern der Bibel werden viele Namen für die Gottheit genannt, die nach Ansicht mancher Theologen ursprünglich die Namen einzelner Götter waren. Man weiß, daß die kanaanitische Religion einen gewissen Einfluß auf die israelitische hatte; die Kanaaniter waren Polytheisten mit einer reich entfalteten, im wesentlichen auf Fruchtbarkeitskulten beruhenden Mythologie.

Wie bei der Entstehung einer neuen Religion allgemein üblich, gingen Elemente älterer regionaler Glaubensvorstellungen in die neue mit ein oder wurden an sie angepaßt. Letztlich aber lehnte das Judentum die Götter der umliegenden Völker entschieden ab. Die Israeliten empfanden sich als von dem einen göttlichen Schutzherrn auserwählt. In

Die ortsansässigen, Ackerbau treibenden Völker Kanaans verehrten einen männlichen Gott El und eine ältere Muttergottheit (die als seine Gattin ausgegebene Ischtar). Die abgebildete Vegetations-, Ackerbau- und Fruchtbarkeitsgöttin wurde an Bäume symbolisierenden Altarstangen, sogenannten Ascheras, verehrt, die die Israeliten zerstörten.

ihrer patriarchalisch bestimmten Kultur erschien Gott als ein Herrscher in enger Beziehung zu seinem Volk, vergleichbar einem Vater im Verhältnis zu seinen Kindern oder einem König gegenüber seinen Vasallen. Vielleicht war Israels Gott zunächst ein exklusiver Stammesgott, später aber wurde er zur höchsten und einzigen Gottheit innerhalb des Universums.

ISRAELS ENTSTEHUNG IM KAMPF   Es ist nicht klar, wer eigentlich das Volk der biblischen Erzählungen ist. Manche Forscher glauben, das Wort »Hebräer« stamme von *habiru*, wie landlose Menschen niederer Herkunft bezeichnet wurden, die als Gesetzlose lebten und häufig als Söldner angeworben wurden. Andere verweisen auf das biblische Wort *ibri*, »Söhne des Eber«, für Hebräer, also einen Stammesnamen. Aufgrund ihrer Wanderzüge und ihrer Mischehen waren die Israeliten ethnisch gemischt. Hebräische, aramäische und kanaanitische Bestandteile gingen in das Volk ein. Der Begriff *semitisch* ist ein moderner sprachwissenschaftlicher Begriff für einige untereinander verwandte Sprachen (unter anderem Hebräisch und Arabisch) des östlichen Mittelmeerraums; eine rassistische Verwendung des Begriffs ist falsch.

Nach Auskunft der im Pentateuch aufgeführten Stammbäume waren die späteren Israeliten die Nachkommen Jisraels (der zuvor Jaakob hieß), des Enkels Abrahams. Jaakob erhielt seinen neuen Namen, nachdem er eine ganze Nacht lang mit einem Wesen gerungen hatte, das, wie sich herausstellte, ein Engel Gottes war. Jisrael bedeutet »Gottesstreiter«.

Diese Geschichte, in der ein Mensch ringt (und verliert) und schließlich auf einem höheren spirituellen Niveau wiedergeboren wird, ist als Metapher für die spirituelle Entwicklung des Volkes Israel verstanden worden.

Nach dem Kampf erhielt der Patriarch Jisrael nicht nur einen neuen Namen, sondern auch das Versprechen, daß viele Nationen aus ihm hervorgehen sollten. Das Volk Israel gilt, obwohl seine Menschen »die Wenigsten von allen Völkern«[7] sind, als der geistliche Mittelpunkt der Welt auf dem Weg zu Gott. Darin besteht sein Schicksal, von dem die Juden glauben, daß es sich noch nicht erfüllt hat.

ÄGYPTEN: KNECHTSCHAFT UND AUSZUG   Jaakob soll mit seinen zwei Frauen und ihren beiden Sklavinnen eine Tochter und zwölf Söhne gezeugt haben, die die Führer der zwölf Stämme Israel wurden. Während einer Hungersnot wanderte die gesamte Sippe aus Kanaan nach Goschen in Ägypten. Zunächst wurden die Israeliten dort gut behandelt, aber als sich ihre Zahl – wie verheißen – vervielfacht hatte, empfanden die ägyptischen Pharaonen sie als eine innenpolitische Bedrohung. Damit sie nicht zu mächtig würden, versklavte sie der herrschende Pharao und setzte sie bei seinen großen Bauvorhaben als Arbeiter ein. Um das Bevölkerungswachstum weiter zu hemmen, befahl der Herrscher den Hebammen, alle männlichen Neugeborenen der Israeliten zu töten.

Einer, der diesem Schicksal entkam, war Moscheh (Mose), der im Palast von der Tochter des Pharao aufgezogen wurde. Später soll Moscheh wegen des Totschlags an einem ägyptischen Aufseher, der einen israelitischen Arbeiter verprügelt hatte, aus dem Land geflohen sein. Während Moscheh im Exil in Midjan lebte, nahm die Behandlung der Israeliten in Ägypten immer bedrückendere Züge an.

Nach dem Buch Exodus wurde Moscheh von Gott auserwählt, dem Pharao entgegenzutreten und sein Volk aus der Knechtschaft in Ägypten herauszuführen. Als er die Herden seines Schwiegervaters auf dem Berg Choreb hütete, erschien ihm ein Engel Gottes in einem brennenden Dornbusch, der aber von den Flammen nicht verzehrt wurde. Gott rief Moscheh aus dem Dornbusch heraus an und mahnte ihn zur Vorsicht: »Nahe nicht hieher! Ziehe deine Schuhe von deinen Füßen, denn der Ort, auf dem du stehest, ist ein heiliger Boden.«[8]

Nach der im Buch Exodus erzählten Legende erhielt Moscheh von Gott die Macht, die Fluten des Roten Meeres zu teilen, so daß die Kinder Israel hindurchziehen konnten, während die sie verfolgenden Ägypter in den zurückkehrenden Fluten umkamen (Hebräische Haggada-Handschrift).

Als Gott Moscheh aufforderte: »Führe mein Volk, die Kinder Jisrael, aus Mizrajim [hebr. für Ägypten]«[9], zauderte Moscheh, doch Gott versicherte ihm, »… denn ich werde mit dir sein«[10]. Als Moscheh nun fragte, wie er den Kindern Jisrael erklären könnte, wer ihn gesandt habe, erwiderte Gott:

> *So sollst du zu den Kindern Jisraels sprechen:*
> *ICH BIN DA schickt mich zu euch …*
> *ER,*
> *der Gott eurer Väter,*
> *der Gott Abrahams, der Gott Jizchaks, der Gott Jaakobs,*
> *schickt mich zu euch.*[11]

Der in der Buber-Rosenzweig-Übersetzung als ER, von Zunz als »der Ewige« wiedergegebene Gottesname gilt als zu heilig, um ausgesprochen zu werden. In der hebräischen Bibel finden sich für die Konsonanten JHWH nur zwei Auslassungszeichen. Nach Angabe der Schrift wurde Moscheh als erstem dieser Name offenbart.

Moscheh kehrte daraufhin nach Ägypten zurück; sein Bruder Aharon (Aaron) vertrat als Sprecher die Forderungen der Israeliten. Das Buch Exodus erzählt in vielen Kapiteln von Wundern, die den starrsinnigen Pharao dazu bewegen sollten, das Volk in die Wüste ziehen zu lassen, um seinen Gott zu verehren. Dazu gehörten die Verwandlung eines Stabs in eine Schlange, Frosch-, Fliegen- und Heuschreckenplagen, das Ausbrechen von

Viehseuchen, ein schreckliches Unwetter, eine andauernde Finsternis und schließlich die Tötung aller ägyptischen erstgeborenen Söhne.

Den Kindern Jisrael blieb dieses Geschick erspart; sie besprengten ihre Türen mit dem Blut eines Lammes, und Gott schritt an ihren Häusern vorbei. Nach dieser Plage ließ der Pharao das israelitische Volk schließlich ziehen. Die Erlösung aus der Knechtschaft durch den besonderen Schutz Gottes ist seither ein zentrales Thema der jüdischen Religion.

Die Merneptah-Stele, die gegen 1300–1250 v. Chr. von dem gleichnamigen ägyptischen Pharao errichtet wurde, verzeichnet auf einer Inschrift die Israeliten als in Kanaan oder in der Wüste zwischen Kanaan und Ägypten ansässig. In der Bibel heißt es, Gott selber habe als eine Wolkensäule am Tag und als eine Feuersäule bei Nacht sein Volk geführt. Der wortbrüchige Pharao schickte ihnen seine Truppen nach. Am Roten Meer streckte Moscheh seinen Stab aus, dann ließ Gott die ganze Nacht hindurch einen Ostwind wehen, die Wasser teilten sich, und die Kinder Jisrael konnten sicher durch das trockene Meer ziehen. Als die Ägypter auf ihrer Verfolgungsjagd das Meer erreichten, gebot Gott Moscheh, seinen Stab erneut über das Meer auszustrecken; die Fluten kehrten sogleich zurück, und alle Ägypter ertranken.

DIE ZEHN GEBOTE

Ich bin der Ewige, dein Gott, der ich dich geführt aus dem Lande Mizrajim [Ägypten], aus dem Knechthause.

Du sollst keine fremde Götter haben vor mir;

Du sollst dir kein Bild machen, kein Abbild deß, was im Himmel droben und was auf Erden hierunten und was im Wasser unter der Erde;

Du sollst dich nicht niederwerfen vor ihnen und ihnen nicht dienen; denn Ich, der Ewige, dein Gott (bin) ein eifervoller Gott, der die Schuld der Väter ahndet an Kindern, am dritten und am vierten Gliede, die mich hassen;

Der aber Gnade übet am tausendsten Gliede denen, welche mich lieben und meine Gebote halten.

Du sollst nicht aussprechen den Namen des Ewigen deines Gottes zum Falschen; denn nicht ungestraft lassen wird der Ewige den, der seinen Namen ausspricht zum Falschen.

Gedenke des Schabbat-Tages, ihn zu heiligen;

Sechs Tage kannst du arbeiten und all deine Werke verrichten;

Aber der siebente Tag ist Feiertag dem Ewigen deinem Gott; da sollst du keinerlei Werk verrichten, du und dein Sohn und deine Tochter, dein Knecht und deine Magd und dein Vieh, und dein Fremder, der in deinen Toren.

Denn sechs Tage hat der Ewige gemacht, den Himmel und die Erde, das Meer und alles, was darin ist, und geruhet am siebenten Tage; deswegen hat gesegnet der Ewige den Schabbat-Tag, und ihn geheiligt.

Ehre deinen Vater und deine Mutter, damit deine Tage lang werden in dem Lande, das der Ewige dein Gott dir gibt.

Du sollst nicht morden.

Du sollst nicht ehebrechen.

Du sollst nicht stehlen.

Du sollst nicht zeugen wider deinen Nächsten als falscher Zeuge.

Du sollst nicht Gelüste tragen nach dem Hause deines Nächsten. Du sollst nicht Gelüste tragen nach dem Weibe deines Nächsten, nach seinem Knecht und nach seiner Magd und seinem Ochsen und seinem Esel und allem, was deines Nächsten ist.

(Exodus 20,2–14)

Gott weilte bei den Israeliten in der tragbaren
Bundeslade, in der
sich die Gesetzestafeln
Moschehs befanden. Das
Gemälde aus der Synagoge
in Dura Europos
(3. Jh.) zeigt die Rückkehr
der Lade aus dem Lande
der Philister. Diese hatten
die Lade geraubt, gaben
sie aber zurück, als Gott
sie mit der Beulenpest
heimsuchte.

AUS DER WÜSTE NACH KANAAN   Der Pentateuch berichtet, Gott habe Moscheh gesagt, er wolle das Volk nach Kanaan zurückführen. Zunächst allerdings war es notwendig, zum heiligen Berg Sinai zu ziehen, um das Bündnis zwischen Gott und seinem Volk
zu erneuern. Unter Donner, Blitz, Feuer, Rauch und Trompetenschall stieg Gott auf die
Spitze des Berges herab. Dort gab er Moscheh Regeln für das richtige Verhalten, die er
dem Volk bekanntgeben sollte. Sie erhielten später den Namen *Thora*. Zu ihr gehören die
Zehn Gebote, Regelungen für das gesellschaftliche Leben, Vorschriften für religiöse Feste
und detaillierte Anweisungen für den Bau eines tragbaren Zeltes mit einer heiligen Lade,
der *Bundeslade,* in der die Steintafeln verwahrt wurden, auf denen Gott seine Gebote verzeichnet hatte.

Während der 40 Tage, die Moscheh auf dem Berg verbrachte, um die Gebote zu empfangen, wurde das Volk, das kurz zuvor erst einem heiligen Bund mit Gott zugestimmt
hatte, unruhig und ungeduldig. Die Bibel berichtet, daß die Menschen mit der nachläs-
sigen Duldung Aharons ihr Geschmeide einschmolzen und daraus ein goldenes Kalb an-
fertigten, das sie anbeteten – in den Augen des Erzählers ein Götzendienst, wie Gott ihn
gerade ausdrücklich verboten hatte.

Moscheh war über diese Bilderverehrung so erzürnt, daß er die Gesetzestafeln zerbrach und das Kultbild zerstörte. Er befahl den Leviten, den einzigen, die noch zu JHWH
hielten, die Götzendiener zu töten; rund dreitausend Menschen fielen an diesem Tag
unter den Leviten.

Nach einer weiteren vierzigtägigen Unterredung mit Gott auf dem Gipfel des Sinai
kehrte Moscheh mit neuen Gesetzestafeln zurück. Sein Gesicht soll von seinem Zusammentreffen mit Gott so gestrahlt haben, daß er es verschleiern mußte. Aharon und seine
Söhne wurden als Priester eingesetzt, das Zelt wurde nach der Vorschrift errichtet, dann

Aus der hebräischen Bibel: Dawid und Goljat

Dawid, der jüngste Sohn des Jischai (Jesse) aus Bet Lechem (Bethlehem), war ein gewöhnlicher junger Schafhirte mit roten Wangen und strahlenden Augen, doch seit dem Tag, als ihn der Prophet Schemuel (Samuel) heimlich zum zukünftigen König über Jisrael geweiht hatte, war die Macht des lebendigen Gottes mit ihm. Sein Vater war schwach geworden, deshalb hütete Dawid die Herden, während seine drei älteren Brüder in der israelitischen Armee unter der Führung König Schauls (Sauls) gegen die Pelischtim (Philister) kämpften.

Eines Tages schickte Jischai Dawid ins Lager, um seinen Brüdern und deren Hauptleuten Nahrung zu bringen und zu erfahren, wie der Kampf stünde. Auf der Kampfstätte erfuhr Dawid, daß ein Pelischti namens Goljat (Goliath) die Israeliten täglich zum Zweikampf forderte. Falls es einem israelitischen Kämpfer gelänge, den Goljat in einem fairen Zweikampf zu töten, würden die Pelischtim sich ergeben und Sklaven der Kinder Jisrael werden. Kein Israelit hatte es gewagt, die Herausforderung anzunehmen, denn Goljat war ein Riese von mehr als 2,70 Metern Höhe, trug eine Rüstung von Erz und einen mächtigen Speer. Dawid aber blieb unerschrocken.

»Und Dawid sprach zu Schaul: Es sinke keines Menschen Herz um ihn! Dein Knecht wird gehen und mit diesem Pelischti streiten.

Und Schaul sprach zu Dawid: Du vermagst nicht zu gehen gegen diesen Pelischti mit ihm zu streiten, weil du ein Knabe bist, er aber ein Kriegsmann von Jugend auf.

Da sprach Dawid zu Schaul: Dein Knecht weidete die Schafe seines Vaters; kam dann ein Leu oder ein Bär und trug ein Schaf von der Herde:

So zog ich aus ihm nach und schlug ihn und entriß es seinem Rachen; und wenn er sich erhob gegen mich, ergriff ich ihn beim Barte, erschlug ihn und tötete ihn.

So den Löwen, so den Bären hat dein Knecht geschlagen, so wird es diesem unbeschnittenen Pelischti ergehen wie einem von jenen, weil er die Schlachtreihen des lebendigen Gottes gehöhnt.

Und Dawid sprach weiter: Der Ewige, der mich gerettet aus der Hand des Löwen und aus der Hand des Bären, er wird mich retten aus der Hand dieses Pelischti. Und Schaul sprach zu Dawid: Gehe und der Ewige sei mit dir.

Und Schaul ließ Dawid seinen Rock anlegen, und setzte einen Helm von Kupfer ihm auf das Haupt und ließ ihm einen Panzer anlegen.

Und es gürtete Dawid sein Schwert oberhalb seines Rockes und fing an zu gehen, denn er hatte es noch nicht versucht. Da sprach Dawid zu Schaul: Ich vermag nicht mit diesen (Sachen) zu gehen, denn ich hab' es nie versucht. Und Dawid legte sie von sich ab, Und nahm seinen Stab in die Hand, und suchte sich fünf glatte Steine aus dem Bache und tat sie in das Hirtengerät, das er hatte, und in die Tasche, seine Schleuder aber hatte er in der Hand; so trat er an den Pelischti heran.

Und der Pelischti ging immer näher kommend dem Dawid, und der Mann, der seinen Schild trug, vor ihm.

Und der Pelischti blickte auf und sah den Dawid und verachtete ihn; denn er war ein Knabe, und rot und dazu schön von Ansehen.

Da sprach der Pelischti zu Dawid: Bin ich ein Hund, daß du an mich kommst mit Stöcken? und der Pelischti fluchte dem Dawid bei seinem Gotte.

Und der Pelischti sprach zu Dawid: Komme zu mir, daß ich dein Fleisch gebe den Vögeln des Himmels, und dem Vieh des Feldes.

Da sprach Dawid zu dem Pelischti: Du kommst an mich mit Schwert und Lanze und Wurfspieß; und ich komme an dich im Namen des Ewigen der Heerscharen, des Gottes der Schlachtreihen Jisraels, die du gehöhnt.

Diesen Tag wird der Ewige dich liefern in meine Hände, und ich werde dich schlagen und deinen Kopf abnehmen von dir, und ich werde geben die Leiche des Lagers der Pelischtim diesen Tag den Vögeln des Himmels, und dem Getier der Erde, und erkennen soll die ganze Erde, daß es einen Gott gibt für Jisrael.

Und erkennen sollen all' diese Versammelten, daß nicht durch Schwert und Lanze der Ewige rettet; denn des Ewigen ist der Krieg und er gibt euch in unsere Hand.

Und es geschah, als der Pelischti sich erhob und ging und sich näherte dem Dawid entgegen, da eilte Dawid und lief in die Schlachtreihe dem Pelischti entgegen.

Und Dawid streckte seine Hand in das Gerät und nahm von da einen Stein und schleuderte, und traf den Pelischti an seine Stirn, und der Stein drang in seine Stirn, und er fiel auf sein Angesicht zur Erde.

Und Dawid überwältigte den Pelischti durch die Schleuder und durch den Stein, und schlug den Pelischti und tötete ihn; ein Schwert aber war nicht in der Hand Dawid's.

Und Dawid lief und trat neben den Pelischti und nahm dessen Schwert, zog es aus der Scheide und tötete ihn und schnitt ihm damit den Kopf ab. Als die Pelischtim sahen, daß ihr Held tot war, da flohen sie [wurden aber von den Israeliten verfolgt und getötet]. Und Dawid nahm den Kopf des Pelischti und brachte ihn nach Jeruschalajim [Jerusalem].«[12]

machte sich das Volk auf den Weg nach Kanaan, begleitet von Gott, der sich in dem Zelt befand.

Trotz der machtvollen Bundeslade, die sie mit sich führten, mußten die Israeliten 40 Jahre lang die Wüste durchziehen, bevor sie das verheißene Land, das fruchtbare Kanaan, erreichten, das zu jener Zeit von anderen Völkern bewohnt wurde. Der lange Aufenthalt in der Wüste ist eine vertraute Metapher für die spirituelle Suche. Der Glaube wird beständig an den auftretenden Schwierigkeiten geprüft. Aber auch in der Wüste verließ Gott die Seinen nicht. An jedem Morgen fanden sie ihr Brot auf dem Wüstenboden in Form eines ihnen unbekannten Nahrungsmittels, das sie Man *(Manna)* nannten.

Durch die wundersame Hilfe Gottes gelang es ihnen schließlich, die befestigte Stadt Jericho einzunehmen. Sie kämpften in vielen Schlachten gegen die kanaanitischen Könige und Stämme.

Archäologische Erkenntnis ist, daß alle Städte in Kanaan zwischen dem 13. und 11. Jahrhundert v. Chr. ein- bis viermal zerstört wurden, wenngleich über die Identität der Angreifer nichts bekannt ist. Am Sinai hatte Gott den Kindern Jisrael geschworen, die Einwohner des Landes, in das sie vorrückten, zu vertreiben, und sie vor den dort herrschenden religiösen Bräuchen gewarnt: »Ihre Altäre sollt ihr niederreißen und ihre Standbilder zertrümmern und ihre Haine umhauen.«[13] Die Verfasser der Schrift bewerteten die »heidnische« Religion anderer Völker eindeutig als geistlich untauglich und als ihrer eigenen in moralischer Hinsicht unterlegen. Doch die Israeliten bewahrten ihrem Gott nicht immer ungeteilte Treue.

Der Schrift zufolge fielen sie immer dann, wenn sie sich von JHWH abwandten, ihn vergaßen oder anderen Göttern dienten, benachbarten Völkern als leichte Beute in die Hände.

DER ERSTE TEMPEL IN JERUSALEM David gilt als der größte König Israels. Er brachte die Bundeslade nach Jerusalem (dem früheren Sitz des alten Obergottes). Als unbekannter Schafhirte wurde er von dem Propheten Schemuel (Samuel) zum zukünftigen König erwählt, indem er ihm Haupt und Bart mit Öl salbte, ein Huldigungsritus jener Zeit. David war ein bedeutender Verfasser von Psalmen; er wurde an den Hof des regierenden Königs Schaul (Saul) berufen, um dessen Waffen zu tragen und besänftigende Musik zu spielen, wenn ein böser Geist diesen ergriff. Als Schaul und sein Sohn in der Schlacht fielen, wurde David als König eingesetzt. Indem er die umliegenden Völker besiegte oder mit ihnen Bündnisse schloß, legte er den Grundstein zu einem gefestigten und wohlhabenden israelitischen Reich und machte die eroberte Stadt Jerusalem zu seiner Hauptstadt.

Unter der Herrschaft seines Sohnes, des Königs Schelomo (Salomo), wurde ein großer Tempel in Jerusalem errichtet. Er sollte der ständige Sitz der Bundeslade sein, die in seinem innersten Heiligtum untergebracht wurde. In diesem Tempel wurden außerdem Tiere, Getreide und Öl als Brandopfer dargebracht. Bei den Ureinwohnern des Landes war es bereits Brauch, Opferungen an erhöhten Orten zu vorzunehmen. Auf einem Felsvorsprung direkt nördlich von Jerusalem gab es eine derartige Kultstätte für den alten kanaanitischen Gott El.

Als David starb, hinterließ er seinem Sohn den Auftrag, dort einen monumentalen Tempel für JHWH zu errichten. Nach dem Bericht im Ersten Buch der Könige waren 183 300 Männer mit dem Bau beschäftigt. Der Tempel war 27,50 Meter lang, 9 Meter breit und 13,70 Meter hoch; stilistisch folgte er dem Vorbild der nahe gelegenen kanaanitischen Schreine. Nachdem die Israeliten jahrhundertelang ihren Gott immer mit sich geführt hatten, gab es von da an einen festen, zentralen Ort, wo seine Präsenz am spürbarsten wurde.

Modell des zweiten Tempels mit den Erweiterungsbauten des Königs Herodes in den Jahren vor der Zerstörung. Nachdem der Tempel zerstört war, symbolisierten Darstellungen seiner Fassade die messianische Hoffnung auf die Rückgewinnung des verheißenen Landes.

Nach dem Bericht der Schrift weihte Schelomo den Tempel ein, indem er betete, Gott möge alle ernsthaften Bitten (nationale Gebete für die Vergebung der Sünden; Fürbitten um die Erlösung von Hungersnöten, selbst die Gebete von Fremden) erfüllen, die in einer aufrichtigen Zuwendung zu Gott in dem Tempel gesprochen würden, auch die Gebete von im Ausland gefangenen Israeliten, die sich im Gebet in die Richtung des Tempels wendeten. Dem biblischen Bericht zufolge betete Schelomo:

> *Gebaut habe ich ein Haus zur Wohnung dir, eine Stätte zu deinem Sitz für Ewigkeiten …*
> *Denn, mag wohl in Wahrheit Gott wohnen auf der Erde? Siehe die Himmel, und der Himmel Himmel können dich nicht fassen; gar nun dieses Haus, das ich gebaut!*
> *Doch wende dich zu dem Gebete deines Knechtes und zu seinem Flehen, Ewiger, mein Gott, zu hören auf den Ruf und das Gebet, welches dein Knecht heute vor dir betet.*
> *Daß deine Augen offen seien über diesem Hause Tag und Nacht, über dem Orte, wovon du gesprochen: Mein Name soll dort sein.*[14]

Nach der vierzehntägigen Einweihungszeremonie soll Gott dem Schelomo erschienen sein und gesprochen haben: »Ich heilige dieses Haus, das du gebaut, um meinen Namen daselbst einzusetzen auf ewig, und meine Augen und mein Herz werden dort sein alle Tage.«[15]

Angesichts des Eindrucks der besonderen Präsenz Gottes entwickelte sich der Tempel zum eigentlichen Mittelpunkt des Judentums. Doch sein Erbauer Schelomo häufte zugleich große persönliche Reichtümer an auf Kosten des Volkes und ließ Göttern, die seine ausländischen Frauen anbeteten, Kultstätten errichten. Die Bibel berichtet, daß Gott darüber so erzürnte, daß er nach Schelomos Tod das Reich in das nördliche Israel ohne ständige Hauptstadt und das südliche Juda mit der Hauptstadt Jerusalem teilte. Diese Teilung war für beide Staaten überaus nachteilig; Krieg wurde zum Alltagszustand.

Besonders prekär wurden die Verhältnisse nach Ansicht der Bibel, als Achab König über Israel wurde und Schomron (Samaria) zu seiner Hauptstadt machte. Achab heiratete die phönizische Prinzessin Isebel, eine eifrige Verehrerin des kanaanitischen Gottes Baal, und errichtete diesem und anderen kanaanitischen Göttern überall im Land Altäre.

Es heißt, daß Isebel selbst Altäre des Gottes Israels zerstört und versucht hätte, alle Gott treuen Israeliten zu töten.

Zu dieser Zeit trat der Prophet Elijahu (Elias) auf, um an die Oberherrschaft Gottes zu erinnern und die Menschen vor der Verehrung anderer Götter zu warnen. Die göttliche Botschaft, daß die Menschen den Herrn verehren und von ihren bösen Wegen ablassen sollten, wurde von vielen Propheten im Verlauf der Jahrhunderte verkündet. Diese Männer und Frauen hatten Prüfungen erlebt, die sie zu Instrumenten des göttlichen Wortes gewandelt hatten. Die »frühen Propheten« wie Elijahu konzentrierten sich auf die Sünde der Götzenanbetung; die »späteren Propheten« warnten, daß soziale Ungerechtigkeit und moralischer Verfall dem Staat Juda den Untergang bereiten würden.

Als Hoschea König über Israel war, befand sich das Land – so die Bibel – in einem solchen Zustand der Korruption und des Götzendienstes, daß Gott dem mächtigen Reich der Assyrer erlaubte, den Rest des kleinen Staates zu vernichten. Um den Menschenbedarf für seine imperialen Pläne zu decken und einen erneuten Aufstieg Israels als Nation zu verhindern, führten die Assyrer viele Bewohner Israels in das Exil unter den Nichtjuden (bzw. Heiden). Die meisten der exilierten Israeliten zerstreuten sich in Assyrien; diese Menschen, die ihre bestimmte ethnische Identität verloren, werden als die »zehn verlorenen Stämme Israels« bezeichnet.

Juda behielt seine Unabhängigkeit. Warnend erhoben die Propheten ihre Stimmen gegen den Niedergang, doch schließlich eroberte König Nebukadnezar von Babylon (das zu dieser Zeit die Nachfolge des Assyrischen Reiches angetreten hatte) im Jahre 586 v. Chr. die judäische Hauptstadt Jerusalem. Die Stadt wurde in Brand gesteckt, ihre Mauern wurden geschleift. Die heiligen Schätze wurden aus dem Tempel geraubt, der Altar wurde abgebaut, das Gebäude zerstört. Viele Judäer wurden nach Babylon in die Gefangenschaft geführt, wo sie seit dieser Zeit als »Juden« bezeichnet wurden, da sie aus Juda stammten.

Die Propheten deuteten diese Ereignisse als eine gerechte Strafe Gottes für Judas Verfehlungen. Dennoch weissagten Jesaja und ein späterer anonymer Prophet, der »Deuterojesaja«, daß Gott von seinem heiligen Tempel in Jerusalem bald eine neue Ära des Friedens und der Gerechtigkeit unter allen Völkern beginnen lassen würde.

… so will ich nicht dein vergessen.
Siehe, auf den Händen hab' ich dich eingegraben.   *Jesaja 49,15–16*

Die Rückkehr nach Jerusalem

Nach 50 Jahren in Babylonischer Gefangenschaft kehrte eine kleine Gruppe frommer Juden, wahrscheinlich weniger als 50 000 Menschen, in ihre heilige Stadt zurück. Der persische König Kyros, den der Deuterojesaja als Messias, »den Verheißenen«, bezeichnete, hatte ihnen die Rückkehr und den Wiederaufbau des Tempels gestattet, der 515 v. Chr. fertiggestellt wurde. Kyros gab auch Tausende von Silber- und Goldgefäßen zurück, die Nebukadnezar aus dem ersten Tempel geraubt hatte; diese heiligen Schätze schmückten nun den zweiten Tempel.

Er wurde zum zentralen Symbol für die verstreute jüdische Nation, deren größter Teil in der neuen Heimat Babylonien geblieben war; diese Juden lebten damit in der Diaspora (griech.;»Verstreuung«). Die Tempelriten erfuhren eine neue Belebung; eine erbliche Priesterschaft wurde eingesetzt, die ihre Herkunft auf Aharon zurückführte.

Diese Priesterschaft unternahm unter der Leitung des Priesters und Schreibers Esra eine Revision beziehungsweise Redaktion der schriftlichen Überlieferung: Der Pentateuch wurde zusammengestellt, um das Wirken Gottes in der Geschichte aufzuzeigen. Manche Forscher glauben, daß diese Priester-Redaktoren das Buch Genesis geschrieben haben, das die Größe und Allmacht ihres Gottes als Schöpfers des Universums verherrlicht.

Die Thora war nunmehr als geistliches und weltliches Fundament für die zerstreute Nation geschaffen. Gegen 430 v. Chr. führte der Schreiber Esra die stundenlangen Lesungen der Thorarollen auf einem öffentlichen Platz ein. Diese »Fünf Bücher Mose« wurden als heiliges Bundesdokument akzeptiert.

Während die Juden unter ausländischer Oberherrschaft lebten – der Perser, der Griechen, der Syrer, schließlich der Römer –, wurde ihre Religion ein wenig offener für Entlehnungen aus religiösen Traditionen anderer Völker. Manche Gelehrte meinen, daß Vorstellungen über Satan, die Hierarchie der Engel, die körperliche Auferstehung und den Tag des Jüngsten Gerichts aus dem Zoroastrismus in den jüdischen Glauben eindrangen, dort aber nicht allgemein akzeptiert wurden.

Alexander der Große brachte im 4. Jahrhundert v. Chr. die griechische Lebensart und Gedankenwelt in den Nahen Osten. Der makedonische König begegnete den Juden in seinem Machtbereich mit Wohlwollen; viele wohlhabende intellektuelle Juden, auch die Priester in Jerusalem, entwickelten unter dem rationalistisch-humanistischen Einfluß des griechischen Denkens eine hellenistisch-skeptizistische Haltung anstelle des alten, nie hinterfragenden Glaubens.

Die Spannungen zwischen den Traditionalisten und den griechisch geprägten Kreisen erreichten ihren Höhepunkt, als König Antiochos von Syrien die Oberherrschaft über Israel ausübte. Antiochos strebte offenbar eine politische Einheit an, indem er allen seinen Untertanen eine uniforme hellenistische Kultur verordnete; alle sollten den griechischen Gott Zeus verehren, als dessen irdische Verkörperung der König galt. Auch in Judäa versuchte er griechische Sitten durchzusetzen. Er schaffte die Thora als jüdische Verfassungsurkunde ab, ließ Exemplare der Thorarollen verbrennen, tötete Familien, die ihre Söhne beschneiden ließen, errichtete im Jerusalemer Tempel einen Altar des Zeus und opferte dort einen Eber (in bewußter Verletzung des mosaischen Gesetzes, das den Verzehr oder die Berührung von toten Schweinen als unrein verbietet). Der Makkabäeraufstand, eine Revolte, die von der Priesterfamilie der Hasmonäer angeführt wurde, führte 140 v. Chr. zu einer Autonomie Judäas; die Errichtung des Königreiches Gottes auf Erden aber blieb ein unerreichter Traum.

Unter der Herrschaft der Könige aus dem Haus der Hasmonäer entwickelten sich drei wichtige Gruppen innerhalb der Bevölkerung. Die *Sadduzäer,* hauptsächlich Priester und reiche Handelsleute, waren konservativ darauf bedacht, den Buchstaben des Gesetzes zu befolgen. Die *Pharisäer* waren liberalere Bürger aus allen Schichten, die sich darum bemühten, die Thora auf das Alltagsleben anzuwenden. Eine dritte Gruppe war kompromißlos in ihrer frommen Hingabe und in der Verachtung der in ihren Augen korrupten Priesterschaft. Einige dieser Gruppe zogen sich in die Einöde am Toten Meer zurück, wo sie die Brüderschaft der *Essener* gründeten. Ihr Führer war der »Lehrer der Rechtschaffenheit«, ein Priester, Reformator und Mystiker, dessen Name nicht ausgesprochen wurde. Schriftrollen, die 1947 am nordwestlichen Rand des Toten Meers bei Qumran entdeckt wurden, lassen den Schluß zu, daß die Essener Wert legten auf mönchische Disziplin, gemeinschaftliches Leben, Gehorsam, Studium und spirituelle Vorbereitung auf den ihrer Meinung nach bevorstehenden Tag des Gerichts, mit dem ein neues Zeitalter anbrechen würde, an dem die »Söhne des Lichts« endgültig über die »Söhne der Finsternis« triumphieren sollten.

Schließlich führten die Streitigkeiten zwischen Sadduzäern und Pharisäern zu einem

*Die Essener lebten aske-
tisch und abgesondert
in Gemeinschaftssiedlun-
gen wie jener, die bei
Qumran ausgegraben
wurde. Dabei entdeckten
Archäologen wichtige
Bibelhandschriften und
andere Manuskripte.*

offenen Bürgerkrieg. Der römische General Pompejus wurde 63 v. Chr. aus Syrien nach Judäa gerufen, um die Auseinandersetzung zu schlichten; er nutzte die Gelegenheit, um das Land zu annektieren. Es folgte eine Zeit der Unterdrückung, in der die Römer das Volk hart besteuerten.

Unter der römischen Herrschaft wuchs der Glaube im Volk, daß schließlich ein Messias kommen werde, um die Juden von ihren Leiden zu erlösen. So soll schon Daniel in der Babylonischen Gefangenschaft eine Vision gehabt haben (aufgezeichnet wurde sie erst 167–164 v. Chr. unter der Zwangsherrschaft des Antiochos), in der er einen »Menschensohn« auf himmlischen Wolken kommen sah, dem ein weißhaariger »Alter an Jahren«, der auf einem feurigen Thron saß, die »ewige Herrschaft« über alle Völker, ein Reich, das »nicht zerstört« werden soll, übergab.[16] Im ersten Jahrhundert unserer Zeitrechnung hatten sich die Erwartungen zu der Vorstellung weiterentwickelt, daß Gott durch den Messias die erwählten Menschen sammeln und die politische Souveränität der Juden in Israel wiederherstellen würde. Dann würden alle Völker erkennen, daß der Gott Israels der Gott der gesamten Welt sei. Dem messianischen Zeitalter des Weltendes würde eine Zeit großer Unterdrückungen und großer Bosheit vorausgehen. Viele Menschen hatten den Eindruck, daß diese Zeit unmittelbar bevorstehe. Sie waren überzeugt davon, daß Jesus der verheißene Messias sei.

Das Leiden unter der unerträglichen römischen Unterdrückung führte schließlich zum bewaffneten Aufstand der Juden. Nach heftigem Widerstand wurden die jüdischen Patrioten im Jahre 70 in den Mauern der heiligen Stadt Jerusalem niedergemacht. Ein zweiter vergeblicher Aufstand fand in den Jahren 132–136 statt. Am Ende lagen Jerusalem, der zweite Tempel und alle jüdischen Städte in Trümmern.

Den überlebenden Juden, die der Hinrichtung entgangen waren, wurde verboten, die

Thora zu lesen, den Schabbat zu halten und ihre Söhne beschneiden zu lassen. Ihnen wurde untersagt, Jerusalem zu betreten, das als römische Stadt unter dem Namen Aelia Capitolina wiederaufgebaut wurde. Nur am Jahrestag der Zerstörung des Tempels durften sie gegen Eintrittsgeld an der stehengebliebenen Westwand des Tempels den Verlust ihrer geheiligten Heimstatt betrauern. Judäa wurde nach dem alten Volk der Pelischtim (Philister) in Palästina umbenannt. Das Judentum verfügte von da an über kein geographisches Zentrum, kein reales Kernland mehr.

Das Christentum trennt sich vom Judentum

Es hätte das Ende des Judentums bedeuten können, als sich die Juden über den gesamten Mittelmeerraum und das westliche Asien zerstreuten. Eine der Gruppen, die die Zerstörung Judäas überlebt hatten, waren die Rabbinen, die Erben der pharisäischen Tradition. Sie wurden zu den Begründern des rabbinischen oder nachbiblischen Judentums, das alle Formen des jüdischen Lebens der letzten zwei Jahrtausende prägte. Eine weitere Gruppe, die sich um Jesus von Nazareth herausgebildet hatte, war die messianische Bewegung, später als Christen bekannt. In beiden Gruppen wurden die Lehren des Tanach weitergegeben. Sowohl das rabbinische Judentum als auch das Christentum verwendeten die hebräische Bibel als Stiftungsurkunde, entwickelten sich aber von dort aus auf verschiedenen Wegen eigenständig weiter.

Man weiß wenig darüber, wie die Juden auf Jesu Leben und Lehren zu seinen Lebzeiten reagierten. Er war Jude und bezog sich häufig auf biblische Erzählungen und Standpunkte. Die christlichen Evangelien zeigen ihn als Anhänger des jüdischen Gesetzes, der in den Synagogen und im Tempel von Jerusalem lehrte. Seine Anhänger nannten ihn den Messias (den »Gesalbten«, darum auch »König«).

Die Juden verwendeten diesen Begriff für den ersehnten charismatischen Führer, der das Joch der ausländischen Unterdrückung abwerfen und das Königreich Israel wiederherstellen und zu solcher Macht führen würde, wie sie das Land unter König David besessen hatte.

Die Person, die am häufigsten als ein potentieller Kandidat für diese Rolle angesehen wurde, war Bar Kochba, der nach der Zerstörung des zweiten Tempels einen tapferen, aber letztlich zum Scheitern verurteilten Versuch unternahm, das Land zu befreien. Anders als die Christen, für die Jesus ein leidender Diener des kommenden geistlichen Königreiches Gottes war, ersehnten die Juden nicht einen solchen Heiland. Sie erwarteten vielmehr einen menschlichen Abkömmling Davids, der im wörtlichen Sinn die politische Souveränität Israels wiederherstellen und ein Zeitalter des allgemeinen Friedens und der Brüderlichkeit einleiten würde.

Allmählich entfernte sich das Christentum immer stärker von seiner ebenfalls selbständig sich weiterentwickelnden Mutterreligion, ähnlich wie sich auch der Buddhismus vom Hinduismus trennte. Im Verlauf der Jahrhunderte waren die Beziehungen zwischen Christen und Juden wegen des christlichen Verständnisses der Rolle Jesu und auch wegen antijüdischer Äußerungen im Neuen Testament belastet.

Viele Theologen glauben heute, daß diese antijüdischen Äußerungen spätere Einschübe sind, mit denen die Anhänger des Christentums ihren Glauben vom jüdischen absetzen wollten (wir kommen auf diese Frage im nächsten Kapitel zurück). Christen, die sich heute um bessere christlich-jüdischen Beziehungen bemühen, finden es unangemessen, den Juden als »Schuld« vorzuwerfen, daß sie Jesus nicht als den Messias anerkannten, zumal er selbst diese Rolle vielleicht überhaupt nicht für sich beansprucht hat. Manche christliche Theologen berücksichtigen inzwischen den jüdischen Standpunkt, daß eine zu starke Betonung der Person Jesu die Aufmerksamkeit von seiner Botschaft und von Gott ablenke. Jesu Lehren entsprachen in vielem jüdischen Vorstellungen; auch lassen sich Verbindungen zu den Reformen der Pharisäer aufzeigen. So waren beispielsweise auch die Pharisäer der Meinung, daß Gott nicht exklusiv zu Israel gehöre, sondern mehr wie ein Vater sei, der jeden Menschen ansehe und für jeden sorge. Sie bezeichneten Gott mit neuen Namen, beispielsweise als *Abinu Sche-Baschamajim* (»Unser Vater im Himmel«); mit diesem Namen hatte Jesus seine Anhänger gelehrt, Gott im Gebet anzureden (Matthäus 6,9). Der große jüdische Religionsphilosoph Martin Buber (1878–1965) erinnerte in einer Rede vor Christen daran, daß diese den gleichen Gott verehren, der im Tanach verherrlicht wird:

> *Für Sie ist das Buch ein Vorhof; für uns ist es das Heiligtum. Doch an diesem Ort können wir zusammen wohnen und gemeinsam auf die Stimme hören, die dort spricht.*[17]

Die rabbinische Tradition

Die überlebende Gruppe der *Rabbinen* wirkte als Lehrer, fällte Entscheidungen in Fragen der Glaubenspraxis und schuf die liturgischen Gebete. Es gab jetzt keine Priester mehr, die im Tempel Opfer darbringen konnten. Das liturgische Gebet und die moralische Lebensführung wurden zum Ersatz für die Tieropfer. Weil der Tempel in Jerusalem nicht mehr existierte, gewann die Gemeinschaft selbst an Bedeutung. Die Menschen trafen sich in den *Synagogen,* »Versammlungsorten«, um die Thora zu lesen und gemeinsam, ohne große Zeremonien, direkt zu Gott zu beten. Für einen solchen Gottesdienst mußten wenigstens zehn erwachsene jüdische Männer zusammenkommen; sie bildeten ein *Minjan.*

Jeder Jude wurde in den Grundlagen der Thora unterrichtet, viele Männer aber befaßten sich schon ab dem Alter von fünf oder sechs Jahren intensiv mit dem Studium der Heiligen Schrift. Frauen waren aufgrund der Auffassung über die unterschiedlichen Rollen von Frauen und Männern in der Gemeinschaft von dem gelehrten Thorastudium ausgeschlossen.

Für die Frauen standen die Aufgaben innerhalb ihrer Familie im Vordergrund; ansonsten waren sie den Männern untergeordnet. Für die Männer war es wichtig, lesen und schreiben zu können; daran hielten die Juden auch inmitten weitgehend analphabetischer Gesellschaften fest. Es heißt, im Leben nach dem Tode würden die jüdischen Weisen immer noch die Thora studieren – dies sei für sie das Paradies.

Die Offenbarungsschriften waren abgeschlossen; es blieb die Aufgabe, sie als Hinweise auf Gottes Worte und seinen Willen in der Geschichte zu deuten. Dieser Prozeß setzt sich noch heute fort, weshalb das Judentum einerseits fest auf den Tanach fixiert bleibt, andererseits aber sich ständig weiterentwickelt. Da die Religion auf Bücher und Lehren konzentriert war und nicht auf einen spezifischen Ort oder eine politisch verwundbare Priesterschaft, konnten die verstreut lebenden Juden über Zeit und Raum hinweg ein Gefühl ihrer Einheit und ein gemeinsames Erbe in Form des Gesetzes, der Sprache und der religiösen Bräuche bewahren.

Die Rabbinen machten es sich zur Aufgabe, die hebräische Bibel gründlich zu interpretieren. Dieses Studium, *Midrasch* genannt, umfaßte zwei Typen von Interpretationen: die *Halacha* (»der zu beschreitende Weg«), das sind Entscheidungen in rechtlichen Fragen, und die *Haggada,* die sich mit Brauchtum, soziologischem und historischem Wissen, theologischen Erörterungen, Ritualtraditionen, Predigten und mystischen Lehren befaßt.

Die Rabbinen schöpften aber nicht nur den Sinn der schriftlichen Thora aus, sie versuchten auch, die biblischen Lehren auf ihr Leben anzuwenden, dessen kulturelle Bedingungen sich tiefgreifend gewandelt hatten, und die Schrift in einer Weise zu interpretieren, die mit den zeitgenössischen Werten ihrer Gemeinschaft vereinbar war. Vorbildhaft für diese schwierige Aufgabe einer lebendigen Interpretation wurde das Wirken Hillels des Älteren, der von etwa 30 v. Chr. bis 10 n. Chr. lebte, also ein älterer Zeitgenosse Jesu war. Hillel war als ein frommer und demütiger Gelehrter bekannt, der den Wert liebevollen Verhaltens, guter Taten und der Mildtätigkeit gegenüber den Ärmeren betonte. Er entwickelte wertvolle Regeln für eine flexible Anwendung der Thora.

> *Was für dich hassenswert ist, tue deinem Nachbarn nicht an:*
> *das ist die gesamte Thora;*
> *das Übrige ist Auslegung;*
> *geh und lerne es.*
>
>

Hillel der Ältere[18]

Der Midrasch brachte einen umfangreichen Korpus an juristischer und geistlicher Literatur hervor, der in der jüdischen Tradition als die »mündliche Thora« bezeichnet wird. Nach rabbinischer Lehre erhielt Moscheh von Gott am Berg Sinai zwei Fassungen der Thora: die schriftliche Thora in Gestalt des Pentateuch und die mündliche Thora, eine Reihe von Regeln, die im Gedächtnis bewahrt und über die Generationen hinweg bis zu den frühen Rabbinen überliefert wurden.

Nach der Festlegung des Kanons der Heiligen Schrift – etwa um das Jahr 90 war entschieden, welche Bücher in den Tanach eingingen und welche ausgeschlossen blieben – machten sich die Rabbinen daran, die Kommentare und die mündlichen Überlieferungen zu systematisieren und auf der Grundlage eines sich erweiternden und erneuernden Verständnisses der ursprünglichen mündlichen Thora auszubauen. Im 2. Jahrhundert stellte Jehuda Hannabi eine knappe Ausgabe der Rechtslehren der mündlichen Thora zusammen, die in der Folge als Mischna bezeichnet wurde. Mehrere Jahrhunderte später wurde die Mischna mit den Kommentaren der Rabbinen zum Korpus des Talmud (»Studium«) zusammengefügt.

Der Midrasch ist auch heute noch nicht abgeschlossen; bedeutende Kommentare und Kommentare zu Kommentaren sind im Verlauf der Jahrhunderte entstanden. Eine einzelne bestimmende Autorität hat sich bei diesem unausgesetzten Studium der Thora und ihrer Auslegungen nicht durchgesetzt. Die Rabbinen vertraten häufig unterschiedliche Meinungen, die stets gemeinsam textlich wiedergegeben werden, auch wenn sie von Rabbinen aus ganz verschiedenen Jahrhunderten stammen. Das ständige Ineinanderverweben der Kommentare, das den Eindruck vermittelt, die gesamte Judenheit nähme an einem endlosen Marathonlauf des Thorastudiums teil, war ein wichtiger einheitsstiftender Faktor für die weit verstreut lebenden und häufig verfolgten Juden in aller Welt.

Bei ihrer intensiven Exegese führten die Rabbinen neue Ideen in das Judentum ein, die sie als Aufdeckungen von in der Heiligen Schrift bereits vorhandenen Sinnelementen begriffen. Auf den Begriff der Seele beispielsweise gibt es im Tanach keinen Hinweis, wohl aber in Talmud und Midrasch. Auch die Weise, in der Gott wahrgenommen wird und in der man sich auf ihn bezieht, ist Veränderungen unterworfen. In den frühen biblischen Erzählungen erschien Gott den Patriarchen und Moscheh in dramatischer Weise, im brennenden Dornbusch oder im Rauch des Berges. Später wurden die Propheten von Botenengeln besucht, manchmal hörten sie auch eine göttliche Stimme in ihrem Innern, die zu ihnen sprach. In der rabbinischen Überlieferung erscheint Gott noch transzendenter, noch weniger anthropomorph (menschenähnlich).

Gottes Anwesenheit in der Welt, sein Verhältnis zu dem Volk, wird als die *Schechina* bezeichnet, die Offenbarung seiner Herrlichkeit in der Welt. Nach Angabe des Midrasch kam die Schechina bei der Schöpfung auf die Erde, zog sich aber aufgrund der menschlichen Verderbtheit in den Himmel zurück. Durch menschliche Akte des Glaubens, der Mildtätigkeit und Liebe läßt sie sich wieder in die irdische Welt bringen. Gott sprach zu Moscheh aus einem brennenden Dornbusch, statt aus einem erhabeneren Gegenstand, um zu zeigen, daß es keinen noch so geringen Ort gebe, der die Schechina nicht innewohnen könne. Gelegentlich wurde der liebende Schutz der Schechina in Form eines glänzenden, geflügelten Wesens dargestellt.

Das Judentum im Mittelalter

In den ersten Jahrhunderten unserer Zeitrechnung ging die Bevölkerungszahl im Land Israel zurück. Während einige Juden in andere Gebiete des Römischen Reiches (nach Nordafrika, Ägypten, Italien, Spanien und Deutschland) auswanderten, siedelten größere Teile des Volkes jenseits der Reichsgrenze im persischen Mesopotamien, wo die Religion Zoroasters vorherrschte. Babylonien, in dem es schon seit der Zeit der Babylonischen Gefangenschaft eine beträchtliche jüdische Population gab, wurde zum wichtigsten Zentrum der jüdischen Gelehrsamkeit und blieb es bis ins 10. Jahrhundert. Während der Exilarch (der erbliche »Herrscher der Exilierten«), ein Nachkomme König Davids, als politischer Sprecher der Gemeinde gegenüber den nichtjüdischen Behörden fungierte, lag die religiöse Leitung in den Händen der Geonim, der ernannten Führer der beiden großen jüdisch-babylonischen Gelehrtenschulen.

Unter der Leitung der Geonim erhielt der maßgebliche babylonische Talmud Mitte des 6. Jahrhunderts seine endgültige Gestalt. Ein zweiter, der Jerusalemer Talmud war etwas früher zusammengestellt worden; da er aber unvollständig und vergleichsweise kurz war, wird diese Schrift im allgemeinen nicht so hoch bewertet wie der babylonische Talmud.

Auch nach Fertigstellung des Talmud setzten die Rabbinen ihre Arbeit fort. Da die Geonim als die höchsten Autoritäten auf dem Gebiet des Rechts galten, wandten sich jüdische Gemeinden aus aller Welt mit komplizierten Rechtsfragen an sie. Ihre Antworten, die für alle Juden als verbindlich galten, wurden zusammen mit den Fragen veröffentlicht und begründeten einen neuen, bis heute fortgesetzten Zweig der Rechtsliteratur, die *Responsen*. Unter der Führung der Geonim nahm auch das jüdische Gebetbuch seine erste Form an. Die jüdische Gelehrsamkeit wurde dadurch demokratisiert, daß alle halbe Jahre öffentliche Versammlungen in den Gelehrtenschulen stattfanden.

Die jüdische Gemeinde in Babylonien gedieh auch nach der moslemischen Eroberung, Mitte des 7. Jahrhunderts. Als Bagdad Hauptstadt des großen Abbasidenreichs wurde, konzentrierte sich das jüdische Leben auf diese Stadt und ihre Umgebung. Die Juden wurden unter der muslimischen Herrschaft vergleichsweise gut behandelt, da sie als »Schriftbesitzer« wie die Christen ihre religiösen Gebräuche beibehalten und ihre Gemeinden autonom verwalten durften, solange sie die hohe Kopfsteuer für ihren untergeordneten, aber geschützten Status bezahlten. In Bagdad gab es, wie überall im moslemischen Nahen Osten, wohlhabende Kaufleute, Gelehrte und Künstler jüdischen Glaubens. Im frühen Mittelalter beherrschten die Juden nahezu allein den internationalen Handel zwischen moslemischen und christlichen Ländern, da sie mit Fremdsprachen vertraut waren und in fast allen Ländern auf hilfreiche Glaubensgenossen trafen.

Auch in intellektueller Hinsicht war das Leben für die Juden unter moslemischer Herrschaft reizvoll. Schnell übernahmen sie das Arabische als ihre Umgangssprache. In den ersten Jahrhunderten ihrer Existenz war die islamische Gesellschaft den christlichen Ländern Europas in Wissenschaft, Medizin, Philosophie, Dichtung und Kunst weit überlegen. Die Juden der moslemischen Welt profitierten von dieser Atmosphäre kultureller Kreativität und Toleranz. Sie entwickelten ihrerseits eine jüdische Religionsphilosophie und eine weltliche Poesie in hebräischer Sprache. Unter den Juden gab es viele bedeutende Ärzte.

Vor allem im moslemischen Spanien, wo einige Juden zu hohen politischen Stellungen am Hof gelangten, lebten bedeutende hebräische Dichter, Naturwissenschaftler und Philosophen. Von Zeit zu Zeit jedoch bedrohten intolerante moslemische Herrscher die Juden und zwangen sie, in andere Länder zu fliehen. Der große Gelehrte und Arzt Mosche ben Maimon (Maimonides) beispielsweise mußte Mitte des 12. Jahrhunderts aus Cordoba fliehen; er übersiedelte schließlich mit seiner Familie nach Ägypten. Maimonides, einer der bedeutendsten jüdischen Philosophen, ist vor allem für seine Synthese von Vernunft und Glauben berühmt geworden. In Schriften wie dem *More Nebuchin*, dem »Führer der Schwankenden«, sprach er sich für die Rationalität aus, die das Judentum seit dem Beginn des rabbinischen Zeitalters bestimmt habe:

> [Das] aber ist die wahre menschliche Vollkommenheit, … wenn der Mensch die geistigen Vorzüge erlangt, d. h. die Vorstellung der abstrakten Dinge, um daraus inbetreff der wirklichen Dinge wahre Glaubensmeinungen abzuleiten … [Die] Vollkommenheit, deren man sich rühmen und nach der man trachten soll, [ist] die Erkenntnis Gottes, in der die wahre Wissenschaft besteht.[19]

Die Juden in den christlichen Ländern standen nicht unter dem Einfluß einer solch vibrierenden intellektuellen Energie, wie sie in der moslemischen Welt zwischen dem 7. und dem 12. Jahrhundert herrschte. Das christliche Europa bestand zu jener Zeit hauptsächlich aus feudalen Agrargesellschaften, in denen Lesen und Schreiben fast ausschließlich auf den Bereich der Kirche beschränkt waren. Die Juden waren überwiegend Kaufleute und lebten in den wenigen Städten, meist mit einem erkauften Schutzbrief des jeweiligen Herrschers. Auch in Frankreich und Deutschland erblühte das intellektuelle Leben der Juden, aber Christen übernahmen verstärkt die Finanzgeschäfte. Die Juden wurden zunehmend entbehrlich; während des gesamten späten Mittelalters gab es Vertreibungen aus zuvor von ihnen bewohnten Gebieten.

Nach Ansicht der spanischen Inquisitoren war die Ermordung von Hunderttausenden – viele davon Marranen *oder »heimliche Juden« – ein* Autodafé, *ein »Akt des Glaubens«, mit dem man die Kirche von Häretikern reinigte.*

Das letzte Ereignis dieser Art war die Vertreibung der Juden aus Spanien im Jahre 1492, wo sie mehr als 1000 Jahre ansässig gewesen waren. Zehntausende Juden flohen, manche nach Portugal oder Italien, andere in den osmanischen Herrschaftsbereich, nach Nordafrika oder in die Türkei. Andere zogen es vor, zum Christentum zu konvertieren, obwohl diese *Conversos* oder *Marranen* (»Schweine«) von den altgläubigen Christen mit Argwohn betrachtet und von der 1482 in Spanien eingeführten, gefürchteten Inquisition besonders mißtrauisch überwacht wurden. Die Aufgabe der Inquisition bestand darin, Häretiker in den Gemeinden der römisch-katholischen Kirche aufzuspüren. Über die Juden hatte sie keine Gewalt, wohl aber über die große Zahl der freiwillig oder zwangsweise zum Christentum Konvertierten, die vielleicht insgeheim noch ihre alten Bräuche praktizierten. Die Inquisition, die befugt war, Beschuldigte zu foltern und Verurteilte hinzurichten, existierte in Spanien und den überseeischen Kolonialbesitzungen Spaniens in der Neuen Welt bis in das 19. Jahrhundert hinein.

Im 16. und 17. Jahrhundert erfuhr das Leben der Juden in Westeuropa weitere Einschränkungen. Nach 1555 wurden die Juden, die in einigen Städten Italiens und Deutschlands verblieben waren, gezwungen, in *Ghettos* zu leben, abgesonderten, meist ummauerten Stadtvierteln, die bei Nacht und während der christlichen Feiertage verschlossen blieben, um die Vermischung von Juden und Christen möglichst einzuschränken. Trotz dieser Beschränkungen und der Enge in diesen viel zu kleinen jüdischen Wohnvierteln leiteten jüdische Führer die Ghettos nach dem talmudischen Gesetz, sorgten für die Armen und förderten die jüdische Gelehrsamkeit.

Im späteren Mittelalter war die große polnisch-litauische Adelsrepublik ein Zufluchtsort für die vertriebenen Juden aus Westeuropa geworden. Die polnischen Feudalherren, die eine Mittelschicht brauchten, um die ökonomische Entwicklung ihres Agrarlands voranzubringen, nahmen die Juden gerne auf. Diese erhielten das Recht, ihren Wohnsitz und ihre Beschäftigung frei zu wählen. Ihre Zahl wuchs schnell an, da sie in Polen eine Enklave des Friedens und Wohlstands gefunden hatten. Im 16. und frühen 17. Jahrhundert lag das wichtigste Zentrum jüdischen Lebens und jüdischer Gelehrsamkeit in Osteuropa. Die Juden lebten nach ihren Gesetzen in Dörfern und Städten, die fast geschlossen jüdisch waren; ihre Umgangssprache war das Jiddische, eine besondere Sprache, die sich aus dem mittelalterlichen Deutsch, das die Juden in Westeuropa vor ihrer Vertreibung gesprochen hatten, unter Einbeziehung hebräischer und aramäischer Bestandteile entwickelte. Diese Sprache wird in hebräischer Quadratschrift geschrieben. 1648 veränderte sich die Lage drastisch, als die kosakischen Bauern der Ukraine gegen die polnische Herrschaft revoltierten. Weil sie das Judentum mit ihren römisch-katholischen polnischen Unterdrückern gleichsetzten, verübten die russisch-orthodoxen Kosaken schreckliche Massaker an der jüdischen Bevölkerung, die sich häufig wiederholten, als Polen im Verlauf des 18. Jahrhunderts zusammenbrach und das Land von einem Herrscher an den nächsten überging.

In dieser in West- und Osteuropa gleich schlechten Zeit litten die Juden zumal unter harter Besteuerung und schlechter Behandlung. Die Sehnsucht, der Gefahr, der Armut und Unterdrückung zu entgehen, entfachte erneut den alten messianischen Traum. Der berühmteste falsche Messias, der sich damals erhob, war Sabbatai Zwi (1626–76) aus der türkischen Hafenstadt Smyrna.

Der mental instabile Mann gelangte zu der Überzeugung, zum Messias berufen zu sein. Ein junger Mann namens Nathan von Gaza, der zu seinem begeisterten Propheten geworden war, schickte Sendschreiben an die Juden in ganz Europa, Afrika und Asien, in denen es hieß, der Messias sei in der Gestalt von Sabbatai Zwi endlich erschienen. Viele glaubten ihm und trafen Vorkehrungen für ihre Rückkehr ins Heilige Land. Doch als Zwi in das Osmanische Reich kam, wurde er verhaftet und ins Gefängnis geworfen. Vor die

Wahl gestellt, sich hinrichten zu lassen oder zum Islam überzutreten, wählte er das letztere und erhielt einen Regierungsposten. Das Ereignis erschütterte die gesamte jüdische Welt tief.

Die Aufklärung

Die Bewegung der Aufklärung, die das Leben in Westeuropa im 18. Jahrhundert bestimmte, brachte den Juden bessere Lebensbedingungen. Traditionen und Autoritäten wurden in Frage gestellt, Toleranz, Vernunft und materieller Fortschritt hingegen besonders betont. In einer derart vernunftgeleiteten Atmosphäre wurden die Einschränkungen für die Juden nach und nach zurückgenommen. Die Französische Revolution gewährte allen Bürgern gleiche Rechte, auch den Juden, und diese Tendenz setzte sich während des folgenden Jahrhunderts auch in anderen europäischen Ländern durch. Die Ghettos wurden niedergerissen, und einige Juden gelangten sogar zu bedeutenden Stellungen in der Gesellschaft Westeuropas. Die Rothschilds beispielsweise wurden zu wichtigen internationalen Bankiers; sie taten sich auch als Wohltäter und als Förderer der Künste hervor.

Der jüdische Philosoph Moses Mendelssohn (1729–86) begründete die Jüdische Aufklärung, deren Ziel es war, die Juden stärker in die europäische Kultur zu integrieren. In seinem Buch »Jerusalem« forderte er seine Glaubensgenossen auf, Deutsch zu lernen und sich in der Kleidung nicht von ihren christlichen Landsleuten zu unterscheiden. Gleichzeitig verlangte er von den Regierungen die Trennung von Kirche und Staat und die Tolerierung von Religionsunterschieden unter den Bürgern des Landes. Mendelssohn glaubte, man könnte in seinem Heim als Jude und in der Öffentlichkeit als Deutscher leben, ohne daß damit die Loyalität gegenüber der jüdischen Tradition verlorenginge.

Inmitten dieser Modernisierungsströmungen machten sich einige Juden daran, ihre religiöse Praxis von dem zu reinigen, was sie als veraltete oder »orientalische« Bräuche ansahen. Hymnen und Predigten in der Volkssprache ersetzten die hebräischen Texte, Hinweise auf die Rückkehr nach Eretz Israel und auf den Wiederaufbau des Tempels wurden aus der Liturgie entfernt. Die Führer dieses neuen Reformjudentums sahen ihre Religion in kontinuierlicher Entwicklung und Anpassung an die jeweiligen Zeitumstände; sie meinten, die Juden könnten »Israels Auftrag« am besten erfüllen, wenn sie als loyale Bürger in ihren jeweiligen Heimatländern lebten.

Die Kabbala und der Chassidismus

Die mystische Sehnsucht war stets ein Teil des traditionellen Judentums. Die begeisterte Erfahrung der Liebe Gottes durchströmt zahlreiche Schriften der Propheten und findet sich auch im Talmud. Einige mystische Schriften befinden sich außerhalb des biblischen Kanons, in Textsammlungen, die als Apokryphen und Pseudepigraphen bezeichnet werden. Das apokryphe Henochbuch beschreibt den Aufstieg zu Gott als eine Reise durch sieben Himmelssphären bis hin zu einer Audienz bei dem König des himmlischen Hofes. Das Herzstück des mystischen Zusammentreffens mit der unbeschreiblichen Heiligkeit basiert auf der Vision des Propheten Jesaja (Jesaja 6) und enthält den Gesang des himmlischen Hofes, das »Kadosch, Kadosch, Kadaosch« (»Heilig, heilig, heilig«), das Bestandteil aller jüdischen Gemeindegebete ist.

Im Mittelalter wurden die mystischen Überlieferungen des Judentums, die *Kabbala*, zuerst schriftlich aufgezeichnet. Das bedeutendste dieser Bücher ist der *Sohar* (»der Weg des Glanzes«), eine große und komplexe Sammlung von Geschichten und Interpretationen der esoterischen Ebenen der Thora, die visionäre Praktiken und Erfahrungen be-

Das entscheidende kabbalistische Sinnbild ist der Gottesbaum, eine Darstellung der Emanation der Eigenschaften des unendlichen Ein Sof *in seine sichtbaren Aspekte, die* Sefirot.

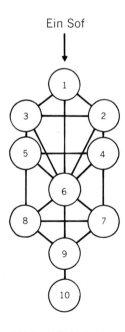

1 Kether (die höchste Krone)
2 Chochma (Weisheit)
3 Bina (Verstand)
4 Chessed (Liebe)
5 Gebura (Macht)
6 Tifereth (Schönheit)
7 Nezach (Ewigkeit)
8 Hod (Majestät)
9 Jessod (Grund)
10 Malkuth (Reich)

In einer chassidischen Schule. Das Festhalten an der traditionellen Lebensweise zeigt sich in der dunklen Tracht des Lehrers, dem Bart und den Schläfenlocken.

schreibt. Die Welt, die wir mit unseren Sinnen wahrnehmen, ist hier nur die schwache Widerspiegelung einer glänzenden höheren. Die Mystiker hielten den Tanach in hohen Ehren, meinten aber, er solle nicht wörtlich interpretiert werden. Der einflußreichste Kabbalist des 16. Jahrhunderts war Isaak Luria. Er erklärte die Schöpfung als die Ausstrahlung des göttlichen Lichts in zehn besondere Gefäße, von denen einige, die niedere Kräfte enthielten, die Intensität des Lichtes nicht haben ertragen können und zerbrochen seien. Durch das Zerbrechen der Gefäße seien Partikel des Lichtes, aber auch Partikel des Bösen in die Welt gelangt.

Nach der Lehre Lurias bringe erst das Kommen des Messias den *Tikkun* (»Wiederherstellung« des alten Zustandes) und beseitige das Chaos und das Böse in der Welt. Obwohl nur Gott entscheide, wann der Messias komme, hätten die Menschen die verantwortungsvolle Aufgabe, durch das Einsammeln von »Funken der Heiligkeit« in der unreinen Welt die Wiederherstellung der Gefäße vorzubereiten. Zu diesem Zweck forderte Luria von seinen Anhängern die Befolgung strenger asketischer Reinigungsrituale, das

Gebet, die strikte Einhaltung der Mitzwot (»Gebote«) der Thora und das Absingen heiliger Formeln.

Die lurianische Kabbala erlebte im 18. Jahrhundert eine Renaissance in ganz anderer Form: als *Chassidismus*, als Weg der ekstatischen Frömmigkeit. Er entwickelte sich in Polen und der Ukraine, wo die Juden unter rechtlichen Einschränkungen, dürftigsten Verhältnissen und stets in der Furcht lebten, Aufständen und Pogromen zum Opfer zu fallen. Die Rabbinen konnten diesen Menschen wenig bieten; sie zogen sich auf akademische Debatten über rechtliche Aspekte der Thora zurück.

In dieser bedrückenden Umgebung erschien der Baal Schem Tov (1700–60), der hochgeehrte chassidische Lehrer und Wunderheiler, der eine freudvolle Form jüdischer Heiligkeit verkörperte. In seinen Augen waren das Thorastudium und der Gehorsam gegenüber dem Buchstaben des Gesetzes nicht besser als ein tiefempfundenes Gebet aus reinem Herzen; der höchsten Erleuchtung sei jeder fähig. Er versicherte, daß sich das Göttliche überall in der Gegenwart finden lasse, und gab daher dem ewigen Warten auf den kommenden Messias weniger Gewicht. »Laßt Sorgen und Trauer fahren«, rief er aus, »der Mensch soll in Vergnügen und Zufriedenheit leben und sich stets seines Schicksals freuen.«[20] Die Anhänger des Baal Schem Tov verehrten Gott bei ihren Gebeten mit fröhlichen Liedern und ekstatischen Schaukelbewegungen; sie konnten Gott auch innerhalb des Ghettos finden.

Gott, so betonte der Baal Schem Tov, lasse sich zwar überall finden, könne aber nur von denen gesehen werden, die sich nicht von oberflächlichen Erscheinungen blenden ließen und ihn wirklich suchten. Gott sei anwesend auch bei den kleinsten Dingen des Alltags; auch das Essen, Trinken und Arbeiten werde zum Gottesdienst, wenn diese Tätigkeiten im Gedenken an Gott ausgeführt würden. Nur durch die Höhen und Tiefen des Alltagslebens gehe die Seele auf Gott zu. Das höchste Ziel heiße *Devekut*, Hingabe an Gott, frei von Egoismus und Eitelkeit, die die Menschen von dem Ewigen trennten.

> *Wie die vor das Auge gehaltene Hand den größten Berg verdeckt, so verbirgt das kleine irdische Leben die riesigen Lichter und Wunder, von denen die Welt voll ist, vor dem Blick. Wer jenes wegzuziehen vermag, wie einer seine Hand von den Augen nimmt, erblickt das große Leuchten der inneren Welten.*
>
> Rabbi Nachman von Brazlaw zugeschrieben

Bald waren etwa die Hälfte der osteuropäischen Juden Anhänger des chassidischen Weges. Die Ausbreitung der Lehren gilt als Werk des Dow Bär, der die Bedeutung eines *Zaddik*, eines erleuchteten heiligen Lehrers, herausstellte, der *Rebbe* genannt wurde, wenn er zu einem geistlichen Führer der Chassidim berufen wurde. Bär ermutigte die Chassidim, geistliche Zuflucht bei einem Zaddik zu suchen, weil dessen Weisheit und Gebete aufgrund dessen vertrauten persönlichen Umgangs mit Gott mächtiger seien als ihre eigenen.

Dieser Gedanke wurde von nichtchassidischen Führern heftig abgelehnt, weil nach deren Ansicht jeder Jude und jede Jüdin sein/ihr eigener Zaddik sein sollte. Obwohl die Position des Zaddik erblich wurde und manchmal auch alles andere als heilige Nachkommen ihre Vorteile daraus zogen, ist die charismatische Führerschaft ein zentrales Element und wohl auch eines der anziehungskräftigsten des modernen Chassidismus geblieben. Der religiöse Eifer der Chassidim hat immer noch Einfluß auf das Judentum.

Das Judentum in Amerika

Die erste jüdische Gemeinde in Amerika wurde von den Nachkommen jüdisch-spanischer Exilanten 1654 in der holländischen Kolonie Neu-Amsterdam gegründet. Zur Einwanderung größerer Zahlen von Juden kam es aber erst Mitte des 19. Jahrhunderts, als ein massiver Zustrom von Emigranten aus den deutschsprachigen Ländern in die USA einsetzte. 1880 lebten in den Vereinigten Staaten über den Kontinent verteilt 250 000 Juden meist deutscher Herkunft. Ihren Berufen nach gehörten sie zur Mittelschicht; in religiöser Hinsicht sammelten sie sich überwiegend um Reformsynagogen.

Zwischen 1881 und den frühen 20er Jahren wanderten insgesamt zwei Millionen Juden nach den USA aus, hauptsächlich aus Osteuropa. Ursache dieser Massenauswanderung waren der bedrohliche Einfluß des Antisemtismus im zaristischen Rußland, der vor allem nach der Ermordung Zar Alexanders II. (1881) zu gewalttätigem Ausbruch kam, und die große Armut der Juden in Rußland und den österreichisch-ungarischen Ostprovinzen. Diese neue Einwanderungswelle war in politischer, sozialer und religiöser Hinsicht wesentlich uneinheitlicher als die vorhergehende der deutschen Juden. Waren die neuen Immigranten religiös, dann in extrem orthodoxer Form; waren sie politisch engagiert, dann auf seiten der extremen Linken. In sozialer Hinsicht stellten Handwerker und Landarbeiter den größten Anteil.

Heute leben fast sechs Millionen Juden in den USA, die stärkste jüdische Bevölkerungsgruppe in einem Land der Erde. Diese Gruppe ist sehr vielschichtig; eine Hälfte fühlt sich an eine Synagoge gebunden, die andere nicht. Von der ersten Hälfte sind 10 Prozent orthodox; der Rest teilt sich gleichmäßig in Anhänger des konservativen und des Reformjudentums.

Der Holocaust

Der Holocaust ist eines der Ereignisse, die das 20. Jahrhundert entscheidend geprägt haben. Fast sechs Millionen Juden wurden während des Zweiten Weltkriegs von den deutschen Nazis umgebracht. Das waren mehr als ein Drittel aller Juden und ungefähr die Hälfte der Juden Europas. Der Holocaust ist das tragischste Ereignis in der jüdischen Geschichte und für alle Zeiten ein unauslöschliches Menetekel für die tiefe Unmenschlichkeit und Bösartigkeit, die im 20. Jahrhundert zum Ausbruch kam.

Obwohl der Antisemitismus schon Teil der griechisch-römischen Kultur war und in Europa bereits herrschte, seitdem das Römische Reich unter Konstantin dem Großen im 4. Jahrhundert das Christentum zur Staatsreligion erhoben hatte, kamen gegen Ende des 19. Jahrhunderts in Westeuropa gefährliche neue Entwicklungen dieser Tendenz auf. Es ging die Behauptung, die Juden unterschieden sich von der übrigen Menschheit nicht nur in religiöser, sondern auch in ethnischer und »rassischer« Hinsicht. In rassistischen Theorien wurde die Ansicht vertreten , das »nordische Blut« sei genetisch ideal, während die Juden eine »Bastardrasse« seien.

Reaktionäre antijüdische Einstellungen machten sich zur selben Zeit auch in Rußland und anderen Ländern Osteuropas bemerkbar, wo es eine beträchtliche jüdische Minderheit gab, die zunehmend wohlhabender wurde und auch Zugang zu höher gebildeten Kreisen fand. Außerdem brachte man die Juden verstärkt mit linksgerichteten, soziale Veränderungen einfordernden Bewegungen in Verbindung, wenngleich viele jüdische Sozialisten ihre Religion abgelegt hatten. Leo Trotzki beispielsweise war Atheist, aber von jüdischer Herkunft. Weil er eine führende Rolle bei der Oktoberrevolution und als Führer der Roten Armee spielte, veranstalteten die konterrevolutionären Truppen im russischen Bürgerkrieg schreckliche Pogrome unter den jüdischen Gemeinden. Bei ungefähr

Ein junger Mann mit der Armbinde, die ihn in Nazideutschland als Jude kenntlich machte.

1000 einzelnen Verbrechen dieser Art wurden bis zu 70 000 Juden von dem entfesselten Mob ermordet. Und noch nach dem Sieg der Bolschewiki führte das fortgesetzte soziale Chaos in Rußland zu Massakern, denen etwa eine Viertelmillion Juden zum Opfer fiel.

Im Gefolge der deutschen Niederlage im Ersten Weltkrieg und der sich anschließenden katastrophalen Wirtschaftslage fanden Hitlers Parolen, die den Juden alle Schuld an Deutschlands Problemen gaben, großen Zulauf. Deutschland, so behauptete er, könne nicht gesunden, solange nicht alle Juden ihre Stellungen in Deutschland verlören und aus dem Land gejagt würden. Die Forderung, die Juden aus Gründen der »Rassenhygiene« umzubringen, machte unverhohlen die Runde.

1933 kam Hitler an die Macht und erließ zunächst einmal antijüdische Gesetze. Viele Juden, die die Zeichen der Zeit erkannten, verließen ihre Heimat, ihre Stellungen und den größten Teil ihrer Besitztümer. Zahlreiche Prominente waren unter ihnen. Andere blieben, weil sie hofften, die schreckliche Zeit werde nicht lange dauern.

Ab 1935 wurden die deutschen Juden durch die Nürnberger Gesetze ihrer legalen und ökonomischen Rechte beraubt; 1938, nach der Annektion Österreichs, erlitten die österreichischen Juden das gleiche Schicksal. Jüdische Geschäfte wurden enteignet und »arisiert«. Polnische Juden, die in Deutschland lebten, wurden auf Lastwagen verladen und zur polnischen Grenze geschafft, wo die polnischen Behörden sich weigerten, sie aufzunehmen. Am 9. November 1938 kam es zu dem von der Regierung angeordneten Pogrom, das euphemistisch als »Reichskristallnacht« bezeichnet wurde. In ganz Deutschland wurden Synagogen und jüdische Geschäfte in Brand gesteckt und zerstört. Viele Grundstücke und Geschäfte wurden anschließend von der Regierung enteignet. Es kam zu Morden und Massenverhaftungen.

1939 waren 300 000 der ursprünglich 500 000 deutschen Juden geflohen, außerdem waren 150 000 Juden aus Österreich auf der Flucht. Doch nur wenige Länder erlaubten den Flüchtlingen die Einreise. Die Bemühungen der US-Regierung, eine geregelte Auswanderung zu erreichen, wurden eingestellt, als Deutschland Polen überfiel. In rascher Folge fielen danach Dänemark, Norwegen, Belgien, die Niederlande und schließlich Frankreich in die Hände der Nazis. Mehrere Millionen Juden befanden sich damit in ihrem Machtbereich.

Nach dem deutschen Überfall auf Polen, der den Zweiten Weltkrieg auslöste, begann augenblicklich die systematische Unterdrückung der dortigen Juden. Sie wurden gezwungen, in Städte zu ziehen, und dort in ummauerte Ghettos gesperrt. Sie mußten eine gelbe oder weiße Armbinde mit dem Davidsstern tragen, weil die Nazis sie stigmatisieren wollten. Da ihnen alle Möglichkeiten zur Berufsausübung verschlossen waren, mußten sie ihren Lebensunterhalt durch niedrigste Dienste bestreiten.

Nachdem der Krieg gegen die Sowjetunion begonnen hatte, wurden besondere *Einsatzgruppen* an der russischen Front stationiert, die Juden, Zigeuner und Politkommissare liquidieren und die örtlichen Milizen anhalten sollten, ebenso vorzugehen. Die Einsatzgruppen trieben die örtlichen Rabbiner und die jüdische Intelligenz der besetzten Städte zusammen, befahlen ihnen, ihre Leute zur Umsiedlung in eine »jüdische Region« zu versammeln, und führten alle aus der Stadt, wo sie mit Maschinengewehren umgebracht und in Massengräbern verscharrt wurden.

Andere Vernichtungsmethoden waren das Ertränken oder die Vergasung in dafür präparierten Lastwagen.

Die Juden waren weitgehend arglos, da es verboten war, über diese Aktionen zu berichten. Wie viele Männer, Frauen und Kinder bei diesen Massakern umkamen, ist schwer zu schätzen, wahrscheinlich Hunderttausende: In Babi Yar waren es 34 000, in Odessa 26 000, in Wilna 32 000 Menschen.

In den osteuropäischen Ghettos wurden sogenannte »Judenräte« als Verbindungsglieder zwischen der jüdischen Bevölkerung und den Nazis eingerichtet. Ab 1942 standen große Todeslager bereit, um die »Endlösung« – die Vernichtung der europäischen Juden, die die Nazis auf insgesamt elf Millionen Menschen schätzten – bewerkstelligen zu können.

Der Judenrat in Warschau, dem größten Ghetto, wurde angewiesen, täglich 6000 Menschen für die »Umsiedlung«, das heißt Vernichtung, zu selektieren. Nach zwei Tagen beging der Älteste des Judenrates Selbstmord, aber die Massendeportationen gingen weiter. 1943 kam es zu einem heroischen Aufstand im Warschauer Ghetto. Fünf Wochen lang verteidigten sich die Kämpfer des Ghettos gegen eine überwältigende Übermacht der Nazitruppen, bis schließlich praktisch alle kampffähigen Menschen gefallen waren.

Aus den Ghettos wurden die Juden in überfüllten Viehwaggons (in denen viele erstickten) überall aus Europa in die Konzentrationslager gebracht. Dort verhungerten sie, wurden als Sklaven zugrunde gerichtet, gefoltert, sie wurden Opfer sogenannter »medizinischer Experimente« oder gleich in die Vernichtungslager gebracht. Die industriell hergestellten Gaskammern erwiesen sich als die effizientesten Vernichtungseinrichtungen.

Hitler war der Architekt und die treibende Kraft dieses Völkermords, aber er war keineswegs der allein Verantwortliche. Um ein solches Verbrechen in die Tat umzusetzen, war die aktive oder passive Beteiligung unzähliger Menschen in West- und Osteuropa erforderlich.

Die Regierungen einiger Länder versuchten mehr oder weniger intensiv, die in ihrem Gebiet lebenden Juden zu schützen; in allen Teilen Europas gab es einige wenige Menschen, die unter großem persönlichem Risiko für ihr eigenes Leben Juden versteckten

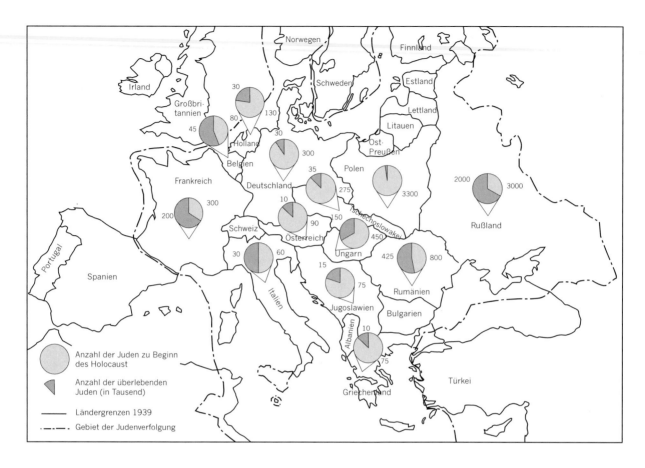

Anzahl der Juden zu Beginn des Holocaust

Anzahl der überlebenden Juden (in Tausend)

Ländergrenzen 1939

Gebiet der Judenverfolgung

Hitlers »Endlösung« sah vor, die Juden überall in Europa in Konzentrationslager zu pferchen und sie schließlich nach Polen in die Todeslager zu schaffen. Auf der obigen Karte zeigen die dunkel eingefärbten den Prozentsatz der Juden an, die den Massenmord überlebten.

oder versuchten, ihnen zur Flucht zu verhelfen. Doch die übrige Welt schaute weitgehend tatenlos zu. Der Vatikan schwieg, obwohl er 477 Juden aufnahm und mehreren Tausend Zuflucht in Klöstern und Abteien gewährte. Die Alliierten unternahmen während des Krieges keinerlei besondere Anstrengungen, um die Juden zu retten. Ein Bombardenment der Gaskammern war militärisch durchaus machbar und von Winston Churchill, der die Morde das »wahrscheinlich größte und schrecklichste Verbrechen in der gesamten Menschheitsgeschichte« nannte, auch gefordert worden. Doch er fand Unterstützung weder bei seiner eigenen Regierung noch bei der der Vereinigten Staaten. Die Regierung der Vereinigten Staaten verlangte von den jüdischen Organisationen sogar, nicht über die Massenvernichtungen zu berichten, um die Kriegsanstrengungen nicht zu gefährden – d. h. um zu verhindern, daß das Land von jüdischen Flüchtlingen überschwemmt würde.

Als die Regierung 1943 angesichts politischen Drucks und finanzieller Beihilfen amerikanischer Juden ihre Haltung änderte, konnten 200 000 Juden gerettet werden. In der nachträglichen Bewertung sind viele Historiker zu der Überzeugung gelangt, daß die Durchführung von Hitlers Mordpolitik durch den entschiedenen Widerstand der freien alliierten Länder hätte verzögert werden können.

Kein moderner jüdischer Denker kann die Herausforderung verleugnen, die der Holocaust für den traditionellen jüdischen Glauben an einen allmächtigen und mitleidigen Gott bedeutet. Manche, wie Eliezer Berkovits, erklären, daß Gott nicht für die von Menschen begangenen Verbrechen verantwortlich sei. Er blickt

auf eine Dimension jenseits der Geschichte, wo alles Leiden seine Erlösung durch Gott
findet … Der Jude zweifelt nicht an Gottes Anwesenheit, auch wenn er der Dauer und
Intensität seiner Abwesenheit keine Grenze zu setzen vermag. Das ist keine Rechtfertigung
der Wege der Vorsehung, aber ihre Akzeptanz. Es bedeutet nicht, die ungehörten Schreie
von Millionen vergeben zu wollen, aber ein Vertrauen, daß in Gott die Tragödie des
Menschen eine Verwandlung erfahren könnte.[21]

Nach mehr als einem halben Jahrhundert ist der Holocaust immer noch eine offene Wunde
im Herzen der Überlebenden. Elie Wiesel, ein Überlebender von Auschwitz, meint, daß
die schmerzvollen Ereignisse der Vergangenheit immer wieder erinnert werden müßten.
Wir dürften uns nicht von der Frage abwenden, wie der Holocaust möglich gewesen sei,
wie es die Welt erlauben konnte, daß ein solcher Genozid stattgefunden habe, denn Genozide fänden auch in unserer Zeit an Minderheiten statt. Elie Wiesel führt aus:

Nach jüdischer Tradition trübt der Tod eines unschuldigen Menschen den Kosmos.
Die Tragödien anderer Menschen sind unsere Tragödien. Wir müssen die Vergangenheit
studieren, die Schrecken der Vergangenheit und die Melancholie der Vergangenheit,
wenn wir der Gegenwart gegenüber sensibel sein wollen [In dieser] gibt es Ewigkeiten
der Qual – die schreckliche Macht des Bösen über die Unschuld –, aber auch einige Kraft
aus der Entschlossenheit des Opfers, niemals zu einem Täter zu werden.[22]

Der Philosoph Emil Fackenheim besteht darauf, daß die »Stimme von Auschwitz« jüdisches Engagement verlange:

Den Juden ist verboten, Hitler nachträgliche Siege zu verleihen. Ihnen ist aufgetragen,
als Juden zu überleben, damit das jüdische Volk nicht vergeht. Ihnen ist aufgetragen,
der Opfer von Auschwitz zu gedenken, damit ihre Erinnerung nicht vergeht. Ihnen ist
verboten, an dem Menschen und seiner Welt zu verzweifeln, sich in den Zynismus oder
das Jenseits zu flüchten, damit sie nicht daran mitwirken, die Welt an die Mächte von
Auschwitz auszuliefern. Endlich ist es ihnen verboten, am Gott Israels zu verzweifeln,
damit nicht das Judentum vergeht.[23]

Ein großer Teil des verheißenen Landes, in das die Juden zurückkehren wollten, war Wüste. Tel Aviv, heute eine moderne Großstadt, wurde 1909 auf einer Sanddüne gegründet.

Mitglieder eines Kibbutz bei Kifar Rupin, Israel, warten mit Soldaten des nahe gelegenen Militärlagers in einem Schutzbunker, während über ihren Köpfen eine vierstündige Artillerieschlacht zwischen israelischen und jordanischen Streitkräften tobt (26. April 1969).

Was all diese verschiedenen Antworten auf den geschichtlichen Alptraum eint, ist die religiöse Suche nach einer letztgültigen Bedeutung innerhalb der jüdischen Erfahrung, die den Augenblick transzendiert und doch von jenen Zeugnis ablegt, deren Leben so erbarmungslos vernichtet wurde.

Erhaltet diesen Ort in alle Ewigkeit als einen Schrei der Verzweiflung und eine Aufforderung zur Menschlichkeit. Rund eineinhalb Millionen Männer, Frauen und Kinder, überwiegend Juden aus verschiedenen europäischen Ländern, wurden hier ermordet. Die Welt schwieg dazu.

Inschrift bei Auschwitz-Birkenau, Polen

Der Zionismus

Der Zionismus strebte einen eigenen politischen, international anerkannten jüdischen Staat im biblischen Land Israel an. Der politische Zionismus war einerseits eine Reaktion auf den in West- und Osteuropa anwachsenden Antisemitismus im späten 19. Jahrhundert, in einer Zeit, als die Juden sich gerade emanzipiert und kulturelle Akzeptanz erreicht hatten, ist andererseits aber ebenso tief im Judentum und in der jüdischen Kultur verwurzelt. Die Sehnsucht nach Beendigung des jahrhundertelangen Exils von Zion (der Stätte des Jerusalemer Tempels) war ein zentrales Thema aller jüdischen Gebete und vieler religiösen Gebräuche. Der jüdische Messianismus hofft auf einen Abkömmling König Davids, der ein vereintes Volk in das Land Israel zurückführt. Er soll die jüdische Souveränität innerhalb einer universalen Friedensordnung auf ewig wiederherstellen.

In Osteuropa bildeten sich schon ab 1880 Gruppen junger Leute, die sich dem Aufbau landwirtschaftlicher Siedlungen in Palästina widmeten. Zu einer organisierten politischen Bewegung wurde der Zionismus aber erst durch den Wiener Journalisten Theodor Herzl. Er glaubte, daß die Juden niemals »normale« Bürger werden könnten, solange sie nicht ihren eigenen Staat hätten.

Herzl bemühte sich, politische Garantien für jüdische Siedlungen zu erhalten und durch den Aufbau verschiedener zionistischer Organisationen institutionelle Hilfe dabei zu leisten. Zur selben Zeit ließen sich Pioniere, überwiegend säkulare Juden aus Osteuropa, in Palästina nieder. Die Balfour Declaration von 1917 erklärte Großbritanniens Unterstützung für eine begrenzte jüdische Zuwanderung nach Palästina. Nach dem Ersten Weltkrieg und dem Zerfall der osmanischen Türkei hoffte England, sich die Herrschaft über dieses Gebiet sichern zu können. Die Mehrheit der Juden weltweit begrüßte diesen zionistischen Sieg.

Die meisten Reformjuden waren jedoch der Überzeugung, die Zukunft der Juden liege im friedlichen Zusammenleben mit anderen Völkern, weil die Aufklärung Hoffnungen auf ein freieres Leben und auf eine Existenz als gleichberechtigte Bürger innerhalb ihrer jeweiligen Heimatländer geweckt habe. Unterstützung fand der Zionismus bei traditionell orthodoxen Juden; viele von ihnen waren jedoch überzeugt, nur Gott dürfe das Exil beenden, weil er das Volk für seine Treulosigkeit durch die Vertreibung aus ihrem verheißenen Land bestraft habe.

Durch eine Entscheidung der Vereinten Nationen wurde Palästina 1947 in ein jüdisches und ein arabisches Territorium aufgeteilt. Immer wieder hatte es gewalttätige politische Auseinandersetzungen zwischen den beiden Bevölkerungsgruppen gegeben. Israel verabschiedete das Gesetz zur Rückkehr, das alle Juden willkommen hieß, die sich in dem angestammten Heimatland ansiedeln wollten; eine Politik, die sich bis zum heutigen Tag fortsetzt. Israel ist ein unabhängiger Staat des Nahen Ostens geworden, doch viele arabische Nachbarstaaten stehen ihm immer noch feindselig gegenüber. Auch die starke palästinensische Bevölkerung in den 1967 besetzten Gebieten hat Israel vor militärische Probleme gestellt und in moralische Schwierigkeiten gebracht.

Viele Juden sind unglücklich über den bitteren Haß zwischen zwei Völkern, die doch so vieles gemeinsam haben. Manche meinen, Israels Juden sollten wegen der eigenen Geschichte der Unterdrückung Mitleid mit dem unterdrückten Volk haben, das unter ihnen lebt.

Über den Druck der Nachbarstaaten hinaus gibt es auch Spannungen innerhalb Israels selbst, weil einige jüdische Gruppierungen glauben, das gesamte Land sei ihnen von Gott verheißen und kein Teil davon dürfte jemals wieder in arabische Hände übergehen. Ende 1995, als Verhandlungen über eine begrenzte palästinensische Autonomie in einem Teil der besetzten Gebiete stattfanden, wurde Ministerpräsident Jizhak Rabin während einer Friedenskundgebung in Tel Aviv von einem rechtsgerichteten jüdischen Extremisten ermordet. Rabin hatte gerade zu den versammelten hunderttausend Menschen gesagt: »Ich möchte jedem einzelnen von Ihnen danken, daß er hierher gekommen ist, um für den Frieden und gegen Gewalt zu demonstrieren.«[24] Die Reaktionen auf seinen Tod haben den zerbrechlichen Friedensprozeß gestärkt.

Die Thora

Es ist nicht einfach, die Grundsätze des jüdischen Glaubens zu umreißen. Wie wir sahen, haben sich die spirituellen Einstellungen in der Geschichte des jüdischen Volkes wiederholt gewandelt. Oft lagen Rationalisten und Mystiker im Streit miteinander. Seit dem 19. Jahrhundert bestehen Uneinigkeit zwischen liberalen und orthodoxen Juden, auf die am Schluß dieses Kapitels noch eingegangen wird.

Nichtsdestoweniger gibt es bestimmte Hauptthemen, die sich aus der langen Geschichte und der umfangreichen Literatur des Judentums herauskristallisieren. Die jüdischen Lehren werden als *Thora* bezeichnet, was wörtlich »Führung« oder »Lehren« bedeutet. Im engsten Verständnis bezieht sich Thora auf die Fünf Bücher Mose. Auf der nächsten Ebene umfaßt Thora die gesamte hebräische Bibel und den Talmud, das geschriebene und das mündlich überlieferte Gesetz. Für manche bedeutet Thora die gesamte heilige Literatur der Juden. Im höchsten Verständnis ist Thora Gottes Wille, Gottes Weisheit.

Der eine Gott

Der zentrale jüdische Glaubenssatz ist der Monotheismus. Er wurde auf verschiedene Weise als Reaktion auf unterschiedliche kulturelle Umgebungen zum Ausdruck gebracht (die Einheit Gottes wurde gegenüber den Christen betont, als diese das Konzept der Heiligen Dreifaltigkeit entwickelten; die Gestaltlosigkeit Gottes und seine Heiligkeit wurden gegenüber den irdischen Lokalgöttern von Polytheisten ins Feld geführt; der Aspekt des willfährigen Erlösers von allen Leiden wurde nach dem Holocaust problematisch und nicht länger in den Mittelpunkt gestellt). Der zentrale Glaubenssatz aber ist, daß es einen Schöpfergott gibt, die »Ursache aller existierenden Dinge«[25].

Gott ist überall, selbst in der Dunkelheit, wie David in seinen Psalmen singt:

Wohin soll ich gehen vor deinem Geiste, und wohin entfliehen vor deinem Antlitze?
Wenn ich in den Himmel steige, dort bist du, und mach' ich die Unterwelt
zum Lager, bist du da.
Schwänge ich des Morgenrotes Flügel, ruhete im Äußersten des Meeres;
Auch dort würde deine Hand mich führen, und mich fassen deine Rechte.

Psalm 139,7–10

Das metaphysische Verständnis von der Einheit Gottes ist schwer in eine Sprache zu fassen, die sich auf die einzelnen, von den Sinnen wahrgenommenen Dinge bezieht. Der jüdische Dichter und mystische Philosoph Ibn Gabirol, der im 11. Jahrhundert in Spanien lebte, schrieb: »Niemand kann durchdringen … das Wunder deiner unergründlichen Einheit.«[26]

Einer der elegantesten Versuche des 20. Jahrhunderts, Gottes Einheit zu »erklären«, stammt von dem bedeutenden Denker Abraham Joshua Heschel: Einheit ist in einer Hinsicht ein anderes Wort für »Ewigkeit«. »Der Eine« bezieht sich auch auf den Zustand der Vollkommenheit, der die einzige Realität ist und auf den alle Existenz zustrebt. »Der Eine« bedeutet auch »derselbe«, die Einheit aller Eigenschaften, die auf der Erde als Gegensätze erscheinen. Gott ist sowohl immanent als auch transzendent, liebend und machtvoll, offenbar und verborgen, persönlicher Vater und unpersönlicher Ewiger. Gott ist in der Natur offenbar – Himmel und Erde rühmen Gott (leider sei »das Bewußtsein der Größe und Erhabenheit fast vollständig aus dem modernen Bewußtsein geschwunden«[27], stellt Heschel fest). Doch Gott ist nicht dasselbe wie die Natur, sondern ihr Schöpfer: »Die Erde ist unsere Schwester, nicht unsere Mutter.«[28]

> *Pluralität ist unvereinbar mit dem Sinn des Erhabenen. Es ist unmöglich, in bezug auf das Göttliche zu fragen: welches? Es gibt nur ein Synonym für Gott: Einer.*
>
> Abraham Joshua Heschel[29]

Im traditionellen Judentum wird Gott häufig als ein liebender Vater wahrgenommen, der gleichwohl unendlich majestätisch ist und manchmal seine göttliche Macht zeigt, wenn die Kinder der Züchtigung bedürfen.

Zu allen Zeiten wurde die jüdische Theologie von großen Denkern ihrer Epoche bestimmt. Im 20. Jahrhundert beschrieb Martin Buber das Zusammentreffen von Gott und Mensch als eine Ich-Du-Beziehung, in der das Selbst seine Ganzheit erfährt.

Die Liebe zu Gott

Das wesentliche Gebot für die Menschen ist, Gott zu lieben. Das zentrale Gebet jedes jüdischen Gottesdienstes und die Inschrift auf der *Mezuza* am Türpfosten der Wohnung von traditionellen Juden ist das *Schma Jisrael:*

> *Höre Jisrael, der Ewige unser Gott ist ein einiges ewiges Wesen.*
> *Und du sollst lieben den Ewigen deinen Gott mit deinem ganzen Herzen, und mit deiner ganzen Seele, und mit deinem ganzen Vermögen.*
> *Und es sollen diese Worte, die ich dir heute gebiete, in deinem Herzen sein,*
> *Und du sollst sie einschärfen deinen Kindern und davon reden, wenn du sitzest in deinem Hause und wenn du gehest auf dem Wege, und wenn du dich hinlegst,*
> *und wenn du aufstehst,*
> *Und du sollst sie binden zum Wahrzeichen an deine Hand, und sie sollen sein zum Denkbande zwischen deinen Augen,*
> *Und du sollst sie schreiben auf die Pfosten deines Hauses, und an deine Tore.*
>
> Deuteronomium 6,4–9

Selbst Maimonides, der große Vorkämpfer der Vernunft und des Lernens, bestätigte den obersten Rang der Liebe zu Gott. Er erklärt, man solle Gott nicht aus Motiven des Egoismus oder der Furcht lieben, etwa aus der Hoffnung auf irdische Segnungen oder zur Vermeidung von Strafe im Jenseits. Man soll die Thora lernen und die Gebote erfüllen aus reiner Liebe zu Gott.

Die Heiligkeit des menschlichen Lebens

Der Mensch ist die Krone der Schöpfung, geschaffen im »Bild« Gottes, heißt es im Schöpfungsbericht in Genesis 1. Der jüdische Glaube versteht darunter nicht, daß Gott tatsächlich wie ein Mensch aussieht.
Häufig wird die Stelle ethisch interpretiert: Die Menschen sind so wundervoll begabt worden, daß sie Gottes Eigenschaften widerzuspiegeln vermögen, seine Gerechtigkeit, Weisheit, Rechtschaffenheit und Liebe.

Alle Menschen sind potentiell gleich, die Abkömmlinge des ersten Menschenpaares. Doch sie sind zugleich zur Vervollkommnung fähig, und indem sie sich vervollkommnen, erhöhen sie die Welt. Gott begrenzte seine Macht, indem er den Menschen den freien Willen gab, ihnen die Verantwortlichkeit für den eigenen und den Zustand der Welt anvertraute. Wenn wir leiden, sollten wir dem Talmud zufolge unsere Taten untersuchen.

Martin Buber beschreibt das wechselseitige Verhältnis zwischen Gott und Mensch:

> *Daß du Gott brauchst, mehr als alles, weißt du allzeit in deinem Herzen; aber nicht auch, daß Gott dich braucht, in der Fülle seiner Ewigkeit dich? Wie gäbe es den Menschen, wenn Gott ihn nicht brauchte, und wie gäbe es dich? Du brauchst Gott, um zu sein, und Gott braucht dich – zu eben dem, was der Sinn deines Lebens ist … Daß es die Welt, daß es den Menschen, daß es die menschliche Person, dich und mich gibt, hat göttlichen Sinn. Schöpfung – … wir nehmen an ihr teil, wir begegnen dem Schaffenden, reichen uns ihm hin, Helfer und Gefährten.* [30]

Das menschliche Leben ist heilig, nicht niedrig und verachtenswert. Das Judentum verherrlicht den Körper. Die Sexualität innerhalb der Ehe ist heilig; der Körper wird als das Instrument geehrt, durch das sich die Seele auf Erden manifestiert. Nach Ansicht mancher jüdischer Denker sind Körper und Seele eine untrennbare Gesamtheit.

> *Ich preise dich, daß ich so wundervoll ausgezeichnet bin.*   *Psalm 139,14*

Das Gesetz

Da die Menschheit eine so große Verantwortung trägt, danken die traditionellen Juden Gott dafür, daß er in der schriftlichen und mündlichen Thora die Gesetze offenbart hat, nach denen sie dem göttlichen Willen treu bleiben und die Absicht der Schöpfung erfüllen können, ein Königreich Gottes auf Erden zu errichten, in dem alle Kreaturen in Frieden und Gemeinschaft leben. Bei Jesaja spricht Gott:

> *Wolf und Lamm weiden zusammen, und der Leu wie ein Rind frisset Stroh, und die Schlange – Staub ist ihre Speise. Sie schaden nicht und verderben nicht auf meinem ganzen heiligen Berge …* [31]

Insoweit die traditionellen Juden nach der Thora handeln, halten sie ihrer Überzeugung nach ihren Teil des Bundes mit Gott ein. Das hebräische Wort für Sünde bedeutet wörtlich »Verfehlung«; das Wort für Rechtschaffenheit »Geradheit«, nicht von Sorge oder Verlangen getrieben vom rechten Weg abweichen.

Die Thora, lehrt die rabbinische Literatur, enthält 613 Gebote oder *Mitzwot* (Singular: Mitzwa). Das Judentum macht keinen Unterschied zwischen Geist und Materie, geistlichem und säkularem Leben. Deswegen enthalten diese Gebote allgemeine ethische Richtlinien wie die Zehn Gebote oder den berühmten Satz Leviticus 19,18 – »Du sollst dich nicht rächen und nichts nachtragen den Kindern deines Volkes, sondern deinen Nächsten lieben, wie dich selbst« –, daneben aber detaillierte Vorschriften zu allen Fragen des Lebens, zu Landbesitz, Zivil- und Strafrecht, Familienrecht, zu religiösen Praktiken, Speisegebote sowie Gebote über das rituelle Schlachten.

Ein Schabbatgebet »Ahavat Olam« dankt dem Ewigen für diese Leitung, ein Zeichen der göttlichen Liebe:

> *Mit ewiger Liebe hast du dein Volk Israel geliebt. Du hast uns die Thora und die Mitzwot gelehrt. Du hast uns in ihren Gesetzen und Urteilen unterrichtet. Deshalb, o Ewiger unser Gott, sollen wir, wenn wir uns niederlegen und wenn wir*

aufstehen, von deinen Geboten sprechen und uns deiner Thora und Mitzwot erfreuen.
Denn sie sind unser Leben und die Länge unserer Tage; über sie wollen wir nachdenken
bei Tag und bei Nacht.[32]

Das biblische Buch Genesis enthält auch die *Noachitischen Gebote* von sieben universal gültigen Vorschriften für ein moralisches und spirituelles Leben: Götzendienst (die Anbetung mehrerer Götter oder von Abbildern Gottes), die Lästerung Gottes, Mord, Diebstahl, Geschlechtsverkehr außerhalb der Ehe und Grausamkeit gegenüber Tieren sind verboten, die Herrschaft des Gesetzes und der Gerechtigkeit innerhalb der Gesellschaft wird als ein positiver Wert herausgestellt.

Seit seiner Entstehung in Babylonien in der Mitte des 6. Jahrhunderts ist der Talmud, mitsamt seinen späteren Kommentaren, zur Folie für das soziale, gesellschaftliche und religiöse Leben der Judenheit geworden. Durch die rabbinische Tradition wurde das Gesetz zur Hauptkategorie der orthodoxen jüdischen Gedankenwelt und Lebenspraxis und das Studium der Gebote Gottes zu einer der wesentlichen Formen, seinen Glauben zu bekunden.

Das Leiden und der Glaube

In der hebräischen Bibel wird betont, daß Menschen, die nach Gottes Geboten leben, seinen Schutz erhalten. Tun sie das aber nicht, verdienen sie zu leiden. Die jüdische Überlieferung stellt das Universum dar als von einem allmächtigen, persönlichen Gott regiert, der in die Geschichte eingreift, um die Gerechten zu belohnen und die Ungerechten zu bestrafen. In dieser Vorstellungswelt hatten die Juden beträchtliche Schwierigkeiten, die ewige Frage zu beantworten, warum der Unschuldige leiden müsse. Nach dem Holocaust ist diese Frage besonders quälend geworden.

Die Bibel selbst stellt diese Frage in der herausfordernden Parabel von Ijob (Hiob). Ijob war ein makelloser, gottesfürchtiger und wohlhabender Mann. In dieser Erzählung tritt Satan als ein Gott – dem Schöpfer der Dunkelheit und des Lichts – unterstehender Engel auf. In einer Unterredung mit Gott trifft Satan die Voraussage, daß Ijob sicherlich seinen Glauben aufgeben und Gott lästern würde, wenn ihn der Ewige all seiner Besitztümer beraubte. Mit Gottes Zustimmung macht Satan die Probe aufs Exempel und vernichtet alles, einschließlich der Kinder Ijobs. Ijob erhält die schreckliche Nachricht:

Da erhob sich Ijob, und zerriß sein Oberkleid und schor sich das Haupt, und fiel zur
Erde und betete an.
Und sprach: Nackt ging ich aus dem Leibe meiner Mutter, und nackt werde ich
dorthin zurückkehren! Der Ewige gab, der Ewige nahm; es sei der Name des Ewigen
gepriesen![33]

Als ihn ein Aussatz am ganzen Körper befällt, beginnt Ijob sein Leben zu verfluchen und Gottes Gerechtigkeit in Frage zu stellen. Am Schluß aber anerkennt Ijob nicht nur Gottes Macht, die Welt zu beherrschen, sondern auch seine unergründliche Weisheit, die über das menschliche Verständnis hinausgeht. Gott belohnt ihn daraufhin mit einem langen Leben und mit größeren Reichtümern, als er sie zuvor besaß.

Die Diskussion über die Bedeutung dieser Geschichte, die der esoterischen Weisheitstradition entstammt, hat sich über die Jahrhunderte fortgesetzt. Eine rabbinische Tradition besagt, daß Satan mit Gott zusammenarbeitete, um Ijob von der Gottesfurcht zur Gottesliebe zu bringen.

Eine andere Interpretation lautet, daß der Glaube an Gott schließlich in diesem Leben belohnt werde, wie schwer die zeitweiligen Prüfungen auch seien. Eine dritte erklärt, wer

Lebendiges Judentum

Herman Taube ist Dichter und emeritierter Professor für Judaistik und Jiddische Literatur. Als ehrenamtlicher Helfer besucht er Patienten im Krankenhaus. 1947 emigrierte er gemeinsam mit seiner Frau, die in ein Konzentrationslager deportiert worden war – dort starben ihre Mutter und ihre jüngere Schwester –, aus Polen in die USA. Während des Zweiten Weltkriegs arbeitete Taube Seite an Seite mit russisch-orthodoxen und moslemischen Kollegen als Mediziner in einem Flüchtlingslager in Usbekistan. Taube erklärt:

»Karitative Arbeit – im Krankenhaus, für benachteiligte Kinder oder für Strafgefangene im Gefängnis – ist Gottesdienst. Es ist nicht nur die Verantwortung der Reichen, den Armen zu helfen. Selbst der Ärmste kann karitative Hilfe leisten. Das ist das Gesetz in der jüdischen Religion.

Maimonides sagt – und die Juden wiederholen es jeden Morgen in ihren Gebeten –, daß ein Mensch jeden Tag an die Ankunft des Messias glauben muß. Der Messias kommt nicht mit einem langen Bart auf einem Esel sitzend. Der Messias kann ein Mensch auf der Straße sein, der einem Mitmenschen hilft. In der hebräischen Bibel und im Talmud gibt es Zitate, die darauf hindeuten, daß der Messias in einer Generation erscheinen werde, die entweder voller Unschuld oder voller Schuld sei. Und er werde das Volk vom Bösen fortführen. Ich glaube, wir werden ein messianisches Zeitalter erleben.

In unserer Lebenszeit sind der Faschismus und der Kommunismus zusammengebrochen. Man muß nicht weit gehen – es reicht, nach Washington zu schauen. Gute Menschen leben auf der Straße ohne ein Dach über dem Kopf. Sie können sich keine Mahlzeit leisten. Andererseits gibt es diese großen Parties, wo die Menschen Millionen verpulvern. Wir brauchen ein messianisches Zeitalter, wir brauchen eine bessere Welt.

Ein Reporter hat mich einmal gefragt, ob ich nach dem Holocaust an Gott glauben könnte. Der Glaube ist nichts Statisches. Meine Frau und ich, wir fragen uns manchmal, wo Gott damals war. Anderthalb Millionen jüdische Kinder wurden umgebracht. Kleine Jungen und Mädchen, die gerade lernen, ›Mama‹ zu sagen, und die Oma sagt: ›Wie groß ist das Baby?‹, und versucht, die kleine Hand zu fassen. Und solche Kinder wurden gepackt und an Laternenpfählen zerschmettert. Ja, es gibt Fragen. Wir haben keine Antworten.

Warum haben Polen – Nonnen und einfache Bauern – ihr Leben riskiert, um Juden zu retten? Sie wußten doch, daß für die Rettung des Lebens eines Juden ihr Haus niedergebrannt, ihre Kinder zur Zwangsarbeit verschleppt werden würden. Warum retteten die Menschen von Assisi 60 jüdische Menschen direkt unter den Augen der Nazis? Der Vatikan war nicht sehr hilfreich, er sprach nicht laut und deutlich, aber sie, die einfachen Leute, riskierten ihr Leben. Ja, es gibt auch das Gute in der Welt. Es gibt das Gute, und es gab Güte in den Herzen jener Menschen. Der Talmud erklärt, Gott sagt: ›Du glaubst nicht an mich? Dann glaube eben nicht an mich. Aber halte meine Gebote, sorge für die Armen, für die Witwen.‹ Das genau ist es, was viele dieser Messiasse tun.

Zur Erwähltheit: Mein Großvater war ein wirklich orthodoxer Jude. Er betete dreimal am Tag, studierte die Bibel, immer betete er, rezitierte Psalmen, ein wirklich edelmütiger Mensch. Er fand Zeit für karitative Arbeit. Er tat dasselbe wie ich jetzt, besuchte die Menschen im Krankenhaus. Die Kranken, die es sich nicht leisten konnten und zu Hause im Bett lagen, besuchte er in ihren Wohnungen im fünften Stock in Häusern ohne Fahrstuhl. Dort saß er manchmal die ganze Nacht. Auf dem Nachhauseweg ging er in den Gottesdienst. Zu Hause dann aß er – ein Stück trockenes Brot, ein Stück Hering, eine Tasse Zichorienkaffee. So lebte er. Und dieser Mann, dieser Erwählte, war einer der ersten aus dem Ghetto von Lodz, die ins Konzentrationslager deportiert wurden. Die Nazis brachten die Menschen mit Gas um und verbrannten die Leichen. Wenn das die Erwähltheit ist, für die Gott uns vorsieht, dann soll er sich ein anderes Volk suchen, vielen Dank.

Meine Frau spricht nicht gern darüber. Es ist für sie, wie wenn man einen Verband von einer offenen Wunde reißt. Noch jetzt, nach 44 Jahren, vermißt sie, wenn die Feiertage kommen, ihre Mutter und ihre Schwester. Dieses unglaubliche Schuldgefühl: Warum haben wir überlebt, warum mußten sie sterben?

Ich glaube an Gott. Es gibt eine Macht über uns, die unser Leben leitet. Wir sehen sie nicht, wir können sie nicht begreifen. Aber es gibt da etwas. Ich verleugne ihn oder sie nicht; vielleicht ist Gott ja weiblich. Und ich verleugne meine Wurzeln nicht.«

wahrhaftig zu Gott gelangen wolle, werde größerem Leiden ausgesetzt, damit seine Sünden schon in diesem Leben getilgt seien und er im kommenden Leben die vollkommene Glückseligkeit erlange. Derartige Interpretationen gehen von einem persönlichen, allmächtigen, liebenden Gott aus, der das Beste für die Menschen tut, auch wenn diese Gottes Wege nicht verstehen könnten. In dieser Glaubensüberzeugung ist Gott immer da, wie ein Hirte, der für seine Herde sorgt, wie düster auch die äußeren Umstände sein mögen.

> *Auch wenn ich gehe im Tale des Todesschattens,*
> *fürcht' ich kein Leid, denn du bist mit mir.*
> *Dein Stab und deine Krücke – sie trösten mich.*
>
> *Psalm 23,4*

Andererseits haben die Unterdrückungen und schließlich der Holocaust manche Juden dazu veranlaßt, in Qual zu Gott aufzuschreien. Auch sie fühlen sich Gott nahe, aber so, daß sie auch zu ihm wehklagen dürfen. Indem sie die Gerechtigkeit der Geschichte in Frage stellen, geben sie Gott die Verantwortung für das unausdenklich Schreckliche. Doch selbst während des Holocaust hielten sie zugleich an der Hoffnung auf bessere Zeiten fest.

Auf dem Weg in die Gaskammern rezitierten manche den Hymnus Ani maamin: »Ich glaube mit vollkommenem Glauben an das Kommen des Messias, und auch wenn er sich verspätet, sehe ich an jeglichem Tag voraus, daß er kommen wird.«[34]

Vor dem Beten binden orthodoxe jüdische Männer die Tefillin an Arm und Stirn zum Zeichen des Bündnisses mit Gott.

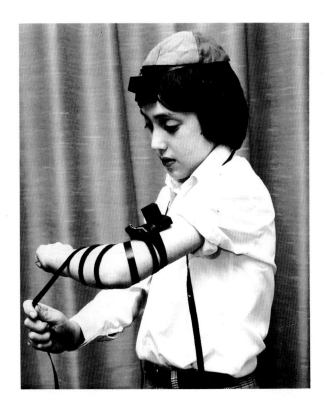

Sakrale Praktiken

Das Ideal des geistlichen Lebens besteht darin, im Gebet und in der Einhaltung der Gebote bei allen Tätigkeiten Gottes zu gedenken. Diese Gebote sind nicht jenseitig. Viele beziehen sich auf den Körper; viele Riten fordern, Gottes mit all seinen Sinnen wahrzunehmen.

Knaben werden im Alter von acht Tagen beschnitten, um Gottes Bund mit Abraham anzunehmen und zu ehren. Orthodoxe Juden betrachten Frauen während der Menstruation und an den sieben darauffolgenden Tagen als rituell unrein. In dieser Zeit sollen sie keinen Geschlechtsverkehr mit ihren Männern haben. Am Ende dieser Zeit steht als Symbol ihres veränderten Zustands das rituelle Untertauchen in einer *Mikwa,* einem sehr tiefen Tauchbad. Der eheliche Verkehr gilt als heilig, ganz besonders in der Nacht des Schabbat. Ehebruch hingegen gilt als eine der schlimmsten Versündigungen an Gott, da der makellosen Geschlechterfolge in der jüdischen Tradition hoher Wert zugemessen wird.

Auch die Nahrung unterliegt einer strikten Ritualgesetzgebung, denn manche Nahrungsmittel sind nach Aussage der Thora unrein. Zum Beispiel gelten unter den Säugetieren nur Wiederkäuer mit gespaltenen Hufen (Kühe, Ziegen, Schafe) als rein; ihr Fleisch ist *koscher* und darf verzehrt werden, wenn die Tiere in der traditionellen jüdischen Weise von einem befugten Schlachter mit dem vorgeschriebenen scharfen, glatten Messer geschlachtet (»geschächtet«) wurden. Geflügel ist rein, Raubvögel sind es nicht, ebensowenig Schalentiere. Besondere Vorkehrungen werden getroffen, um den Verzehr von Blut zu vermeiden: Vor dem Kochen muß das Fleisch in Wasser gelegt und anschließend auf einem mit Salz bestreuten Bord getrocknet werden. Verboten ist der gleichzeitige Verzehr von Fleisch und Milch, für deren Zubereitung und Servierung separates Geschirr verwendet werden muß.

Diese Speisevorschriften finden sich im Buch Leviticus, wo Gott zu Moscheh und Aharon sagt: »Denn ich bin der Ewige, der euch heraufgebracht aus dem Lande Mizrajim, um euch ein Gott zu sein: so seid heilig, denn ich bin heilig.«[35] Die strikte Befolgung der Speisegesetze gibt den Juden das Gefühl einer besonderen geheiligten Identität und verbindet sie mit der ewigen Autorität der Thora.

Einige zeitgenössische Juden übertragen die Frage nach der Reinheit der Speisen sogar auf Fragen nach der Umwelt aus. Der Kunststoffbehälter, in dem ein Cheeseburger an einer Imbißbude angeboten wird, ist genauso problematisch wie die Vermischung von Milch und Fleisch. Auch der Atomstrom, mit dem man sein Essen kocht, könnte nicht koscher sein, wenn es keine sichere Entsorgung von Atommüll gibt.

Für traditionelle Juden beginnt der Tag noch vor dem Augenöffnen mit einem Gebet an Gott um die Wiederherstellung der Seele. Nach dem Händewaschen werden Segnungen rezitiert. Alle traditionell lebenden Männer legen ein besonderes, gefranstes rechteckiges Stoffstück um den Nacken. Es wird üblicherweise unter der Kleidung getragen als Erinnerung an das Privileg, daß man die göttlichen Gebote empfangen hat. An Arbeitstagen legen die Männer zu den Morgengebeten die *Tefillin* oder Gebetsriemen an, kleine Lederschachteln, die Bibelverse über das Bündnis mit Gott, darunter auch das »Schma Israel«, enthalten. Die eine Schachtel wird an der Stirn, die andere am Oberarm befestigt und gegen das Herz gedrückt in wörtlicher Erfüllung des biblischen Gebotes der Liebe für den einen Gott: »Und du sollst sie binden zum Wahrzeichen an deine Hand, und sie sollen sein zum Denkbande zwischen deinen Augen« (Deuteronomium 6,8). Traditionelle jüdische Männer legen zusätzlich noch einen gefransten Gebetsschal *(Talit)* an, dessen Fransen an Gottes Gebote gemahnen; wenn möglich, bedecken sie stets ihren Kopf.

Traditionell werden Gebete beim Aufwachen und vor dem Schlafengehen rezitiert.

Außerdem veranstalten die Männer dreimal täglich einen Gebetsgottesdienst in der Synagoge, wenn sie ein Minjan bilden, also zehn Männer beieinander sind. Auch die Frauen dürfen die Gebete aufsagen, sie sind aber nicht an strikte Zeitvorgaben gebunden, weil ihre Pflichten im Haushalt zu wichtig sind.

Die Juden sind gehalten, ständig Dankgebete zu sprechen. Jeden Tag sollten 100 Danksagungen rezitiert werden; so jedesmal, wenn man einen Schluck Wasser trinkt, und sogar nach der Benutzung der Toilette:

Gesegnet seist du, unser Gott, Herrscher des Universums, der du die (menschlichen) Wesen in Weisheit erschaffen hast und in ihnen ein System von Leitungen und Röhren anlegtest. Es ist vor deinem glorwürdigen Thron wohl bekannt, daß, wenn nur eine davon geöffnet oder eine davon geschlossen wird, es unmöglich wäre, in deiner Gegenwart zu existieren. Gesegnet seist du, o Gott, der du alle Wesen heilst und Wunder vollbringst.[36]

Der jüdische *Schabbat* dauert vom Sonnenuntergang am Freitagabend bis zum Sonnenuntergang am Samstag, da der jüdische »Tag« mit dem Einbruch der Nacht beginnt. Der Gottesdienst am Freitagabend heißt den Schabbat als eine Braut willkommen; man betrachtet ihn als Gelegenheit, sich von den Alltagssorgen der vergangenen Woche zu lösen, um Frieden zu empfinden für den kommenden Ruhetag. Da Gott die Welt in sechs Tagen schuf und am siebten ruhte, muß alle Arbeit aufhören, wenn der Schabbat beginnt. Ruth Gan Kagan beschreibt dieses Erlebnis:

Das wunderbarste und erstaunlichste am Schabbat ist, daß plötzlich einfach Frieden da ist. Von dem Augenblick an, da der Schabbat als Braut eintritt (40 Minuten vor Sonnenuntergang am Freitagabend), ist ihre Präsenz unmittelbar fühlbar – in mir, in meiner Stadt, Jerusalem, in allen jüdischen Menschen, die sie willkommen heißen. Ich merke, wie eine Welle von Frieden mein Herz überflutet und durchsichtige Schleier der Ruhe die Welt um mich herum bedecken. Einen Moment zuvor noch war ich rastlos bemüht, alle Vorbereitungen abzuschließen, zog mich eilig um, rief den Kindern zu, sie sollten ihre vorschabbatlichen Beschäftigungen abschließen, stellte die Kerzen bereit, deckte den Tisch, sorgte für das Essen, setzte die Lichter auf den Tisch … doch all diese Spannung, all diese Hast verschwindet, sobald der festgesetzte Moment da ist, keinen Augenblick früher und keinen Augenblick später. In dem Moment, wenn ich die Schabbatlichter entzünde und den Geist des Schabbat willkommen heiße, erfährt alles eine wunderbare Verwandlung.
Die Königin ist da. In ihrer Gegenwart gibt es keine Gespräche über Alltagsangelegenheiten. Der Geist wird ruhig; während man schweigend zum Gottesdienst in die Synagoge geht, bleiben alle Geschäfte, Pläne und Sorgen zurück. Der Himmel leuchtet in den Farben des Sonnenuntergangs, das Vogelgezwitscher wird intensiver. Die Menschen der Gemeinde versammeln sich, um den Schabbat mit Gesang, Gebet und Stille zu empfangen.
Beim Nachhausekommen funkeln schon in die Sterne. In einem religiösen Viertel stört kein Auto den Frieden des Schabbat. Kinder gehen an der Hand ihrer Eltern mitten auf der Straße, ohne um ihr Leben fürchten zu müssen.[37]

Der Gottesdienst am Samstagmorgen umfaßt Einzel- und Gemeindegebete, Gesänge und die Lektüre von Abschnitten aus dem Pentateuch und den prophetischen Büchern des Tanach. Die Thorarollen sind in einem vorhangverschlossenen Schrein an der Wand der Synagoge untergebracht, die in die Richtung des Jerusalemer Tempels geht. Sie sind von Hand mit hebräischen Buchstaben geschrieben und werden mit großer Ehrfurcht behandelt.

Es ist eine besondere Ehre, zum Vorlesen aus der Thora aufgerufen zu werden. In liberaleren Gemeinden wird auch über den gelesenen Abschnitt diskutiert und gepredigt.

Zu Rosch Haschana wird der Schofar folgendermaßen geblasen: ein Alarmruf, drei langgezogene Klagetöne und neun schluchzende Töne zum Zeichen der Zerknirschung.

Die Bibelabschnitte werden dabei nicht nur aus abstrakt-philosophischer Perspektive interpretiert, sondern auch hinsichtlich ihres Bezugs auf politische Ereignisse und den Versuch, im Alltag ein gerechtes und humanes Leben zu führen. Das Thorastudium wie das Studium der religiösen Literatur des Judentums überhaupt wird selbst schon als eine Form des Gebets hoch geschätzt. Üblicherweise besitzen die Synagogen zu diesem Zweck eine Bibliothek, die sich manchmal in dem Raum befindet, wo auch der Gottesdienst stattfindet.

In chassidischen Gemeinden wird auf die Intensität des Betens (ostjiddisch: *dawenen*) besonderer Wert gelegt, selbst beim Nachsprechen der festgelegten Gebete aus dem Gebetbuch. In manchen Gemeinden ist es üblich, dabei mit dem Körper zu schwingen, um jenen selbstvergessenen Zustand der ekstatischen Gemeinschaft mit dem geliebten, einen Gott zu erreichen. Andere Gläubige wenden in der Stille ihre Aufmerksamkeit von irdischen Dingen ab, um »an Gott festzuhalten«. Ein rabbinischer Satz sagt über das ideale Gebet: »Der Mensch soll sich dabei stets verhalten, als stünde er direkt der Schechina gegenüber.«[38]

Über den Besuch des Gottesdienstes hinaus oder an dessen Stelle beginnen fromme Familien den Schabbatabend mit einem besonderen Abendessen, um den Schabbat willkommen zu heißen. Die Mutter steckt Kerzen an, um das Licht des Schabbat hereinzubringen; der Vater spricht einen Segen über den Wein. Gesegnetes Brot, die *Chala,* wird gebrochen als Symbol für die doppelten Portionen Manna, die Gott den Israeliten in der Wüste gab. Diese rituellen Gebräuche helfen bei der Einstimmung in den Ruhetag. Dasselbe gilt auch für die Verbote, am Schabbat zu arbeiten, Geld anzufassen, Verkehrsmittel irgendwelcher Art zu benutzen, ein Feuer anzuzünden und zu kochen. Der Schabbattag gilt dem öffentlichen Gebet, dem Studium, dem Nachdenken, den Freunden und der Familie, in der Hoffnung, daß diese Erneuerung des spirituellen Lebens die Gläubigen die kommende Woche hindurch tragen wird. Am Samstagabend gibt es einen Segen, die *Havdala* (»Scheidung«), der die Rückkehr zum Alltag markiert.

Die religiöse Mündigkeit der jüdischen Knaben tritt im Alter von 13 Jahren ein; sie wird mit einem Fest, der *Bar Mitzwa* (»Sohn des Gebots«), gefeiert. In der Vorbereitung darauf hat der Junge einige religiöse Unterweisungen erhalten, wozu gehört, das Hebräische zumindest aussprechen, wenn auch nicht unbedingt verstehen zu können. Der Junge muß einen Abschnitt aus der Thorarolle vorlesen, eine Passage aus einem Buch der Propheten auf hebräisch rezitieren und anschließend eine kurze Auslegung des vorgetragenen Textes liefern.

Danach gibt es wenigstens einen *Kiddusch*, einen Segen für den Wein und das süße Brot oder den Kuchen, in den meisten Fällen jedoch ein großes Fest. In nichtorthodoxen Gemeinden ist die Begehung der religiösen Mündigkeit auch auf die Mädchen ausgedehnt worden; sie feiern ihre *Bat Mitzwa* (»Tochter des Gebots«).

Die Feiertage

Wie viele andere Völker ehren auch die Juden den Kreislauf der Jahreszeiten mit besonderen Festen, die bei ihnen zum Teil auch mit Ereignissen aus ihrer Geschichte verknüpft sind. Das Judentum besitzt einen Mondkalender mit 354 Tagen und 12 Monaten. Siebenmal innerhalb von 19 Jahren wird ein zusätzlicher Monat eingefügt, um den Kalender in Übereinstimmung mit den Jahreszeiten und dem Sonnenkalender von 365 Tagen zu bringen. Aus diesem Grund verschieben sich die jüdischen Festtage innerhalb des Sonnenkalenders von Jahr zu Jahr um bis zu vier Wochen.

Das geistliche Jahr beginnt mit den hohen Festtagen *Rosch-Haschana* und *Jom Kippur*. Rosch-Haschana, ein Tag der spirituellen Erneuerung, beginnt am 1. oder 2. Tischri (ungefähr zur Zeit der Herbst-Tagundnachtgleiche). Die letzten 30 Tage vor Rosch-Haschana

Simchat Thora ist ein ausgelassenes Freudenfest für die Gabe der Thora. Diese Menschen singen und lachen an der Westmauer des zerstörten Tempels, der »Klagemauer«, zu der Juden aus aller Welt seit fast 2000 Jahren zum Gebet pilgern.

Für Kinder jeden Alters ist das Entzünden der Kerzen des Chanuka-Leuchters ein ganz besonderes Ereignis in der Dunkelheit des Winters.

wird im Morgengottesdienst in der Synagoge der *Schofar* geblasen (ein Widderhorn, das einen unheimlichen, unirdisch wirkenden Klang besitzt), um die Menschen daran zu gemahnen, daß sie vor Gott stehen. Beim Gottesdienst am Abend des Rosch-Haschana wird ein Gebet rezitiert, das die gesamte Menschheit auffordert zu gedenken, was Gott getan habe; die Gottesfürchtigen würden Freude und Ehre haben, die Rechtschaffenheit werde triumphieren, während »alles Böse wie Rauch vergehe«[39].

Zehn Tage später folgt Jom Kippur. In einer Haltung der Buße dient dieses Fest dem Gedenken und der Erneuerung des Bundes des jüdischen Volkes mit Gott. Als der Tempel von Jerusalem noch stand, war dies der einzige Tag, an dem der Hohepriester das Allerheiligste betrat und den Gottesnamen JHWH aussprach, um Gott um Vergebung für die Sünden der Menschen zu bitten.

Heute streben die Gläubigen eine innere Reinigung an; jeder einzelne muß jeden um Vergebung bitten, dem er im vergangenen Jahr Unrecht getan hat. Falls erforderlich, soll Schadenersatz geleistet werden. In der Gemeinde gibt es ein öffentliches Sündenbekenntnis; die Gläubigen beten um Vergebung ihrer Nachlässigkeiten und um die Versöhnung mit Gott in einem neuen Jahr, das von Gottes Verzeihung und Gnade geprägt sein soll.

Sukkot, das Laubhüttenfest, ist ein Erntefest. Im Freien wird eine primitive Hütte errichtet, die für die kommenden 7 Tage als Aufenthaltsort dient. Diese vergängliche Hütte erinnert die Gläubigen daran, daß ihre wahre Heimat bei Gott liegt, der ihren Vorfahren beim Auszug aus Ägypten in das verheißene Land Kanaan Nahrung, Schutz und Unterkunft gewährte. Einige Gemeinden beten heute bei dieser Gelegenheit angesichts unse-

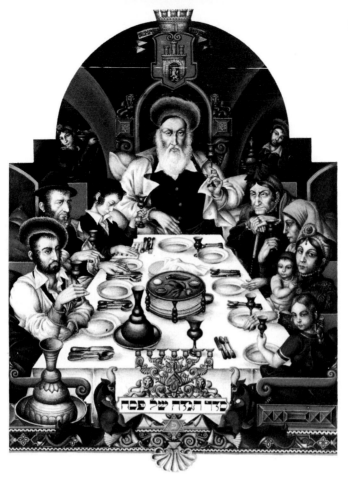

Zum Pessach-Seder, hier von einer polnischen Familie gefeiert, gehört das viermalige Trinken von Wein in Erinnerung an die vier Freiheitsver-sprechen, die Gott dem Volk während des Auszugs aus Ägypten gab.

rer Schutzlosigkeit vor einem Atomkrieg um Frieden. Die Feiernden halten den *Lulav* (ein Bündel aus einem Palmzweig, Myrten- und Weidenzweigen) in der einen, die *Etrog* (eine Zitrusfrucht) in der anderen Hand. Damit wird in alle vier Himmelsrichtungen, zum Himmel und zur Erde gedeutet, Gott gelobt und als das feststehende Zentrum der Schöpfung gepriesen. Wasser, das in der Wüstenlandschaft, der Heimat der Patriarchen, so kostbar war, wird geopfert; es herrscht eine fröhliche Ausgelassenheit. Zu Zeiten des zweiten Tempels wurden bei dieser fröhlichen Feier sogar die alten Unterkleider der Priester verbrannt. Der letzte Tag dieses einwöchigen Festes heißt *Simchat Thora* (»Freude an der Thora«). Hier endet der Jahreszyklus der Thoralesungen, von der Erschaffung der Welt bis zum Tod des Moscheh.

Zur Zeit der Wintersonnenwende, in der dunkelsten Zeit des Jahres, wird *Chanukka* gefeiert, das Fest der Weihe. Acht Nächte hintereinander wird auf einem achtarmigen Leuchter jeweils eine zusätzliche Kerze entzündet. Das Licht nimmt zu, wie auch die Sonne wieder länger scheint. Chanukka war ursprünglich eine Feier des Sieges der Makkabäer über den syrischen König Antiochos, der den Juden heidnische Gebräuche hatte aufzwingen wollen.

Einer Legende zufolge fanden die Juden, als sie wieder in den Tempel gelangen konnten, nur ein einziges geweihtes, noch vom Hohenpriester gesiegeltes Ölgefäß, gerade genug, um eine Nacht lang den Tempel zu erleuchten. Doch durch ein Wunder brannte das Öl 8 Tage lang. In vielen Familien werden am Abend die Kinder für fleißiges Thorastudium beschenkt. Chanukka ist ein zweitrangiges Fest, deshalb dürfen die Kinder spielen. Dafür gibt es ein besonderes Spielzeug, den *Dreidel*, einen Kreisel, dessen Seiten vier

Buchstaben tragen, die Initialen des hebräischen Satzes: »Ein großes Wunder ist hier/dort geschehen.« Gespielt wird um Nüsse oder dergleichen.

Mit dem Nachlassen der Winterregen in Israel wird mit dem *Tu Beschwat* das Wiedererwachen der Natur gefeiert. Dieses Fest gilt Früchten und Pflanzen, der neuen Aussaat. In Israel werden heute bei dieser Gelegenheit zur Kultivierung der Wüste Bäume gepflanzt.

Bei Vollmond des dem Frühling vorausgehenden Monats wird das *Purimfest* gefeiert. Es erinnert an Ester, die Jüdin auf dem perischen Königsthron, und ihren Pflegevater Mordechai, denen es gelungen war, die gegen die Juden gerichteten Vernichtungspläne des Statthalters Haman zu durchkreuzen. Dieses Fest hat seine Wurzeln in dem mesopotamischen Mythos von der Göttin Ischtar, deren Wiederkehr Fruchtbarkeit und Lust zurückbrachte. Zu Purim kostümieren sich die Menschen und machen sich über den Ernst des Lebens lustig; sehr oft gelten die Scherze den sakralen Gebräuchen. Während die Geschichte der Ester aus der Schriftrolle verlesen wird, stampfen die Gläubigen auf, blasen auf Pfeifen und dergleichen, sobald der Name Hamans fällt.

Das nächste größere Fest ist das *Pessach* oder *Passah*, das die Befreiung der Kinder Israel aus der ägyptischen Knechtschaft feiert und den Beginn des Frühlings. Nachdem die zehnte Plage, die Tötung aller Erstgeborenen, die Ägypter heimgesucht hatte, lenkte der Pharao ein. Die Israeliten waren gewarnt. Jede Familie schlachtete ein Lamm und besprengte den Türpfosten mit dem Blut des Tieres, damit der Engel des Todes an ihrem Haus vorüberging. Sie sollten das Lamm rösten und mit ungesäuertem Brot und bitteren Kräutern verzehren. Die Israeliten mußten so schnell fliehen, daß sie nicht einmal Zeit hatten, das Brot zu backen; es wurde dann von der Sonne ausgebacken, während sie es auf dem Kopf mit sich trugen.

Der Beginn des Pessach wird immer noch nach dem *Seder* gefeiert. Bei diesem Abendessen wird ungesäuertes Brot *(Matza)* gegessen, um an die Hast des Aufbruchs zu erinnern. Bittere Kräuter stehen auf dem Tisch zum Gedenken an die Sklaverei, die die Juden in Ägypten erleiden mußten, und als Mahnung, niemals andere Menschen zu versklaven.

Ebenfalls auf dem Tisch stehen *Charoset,* eine Paste aus süßen Früchten und Nüssen (ein Symbol für den Mörtel, aus dem die versklavten Israeliten Backsteine formten) und Salzwasser (ein Symbol für die Tränen der Sklaven), in das Petersilie oder andere Kräuter getaucht und anschließend gegessen werden. Die Kinder stellen rituelle Fragen nach der Bedeutung der einzelnen Handlungen des Festes und erhalten so eine Unterweisung in den Grundlehren der jüdischen Religion. Die Bewegung zur Modernisierung der Liturgie hat dem Seder viele neue Texte hinzugefügt; so gibt es heute besondere Liturgien für Feministinnen, säkulare Zionisten und für eine gemeinsame Pessachfeier von Juden und Moslems.

In die Zeit nach dem Pessach fallen einige neu eingeführte Feiertage, so der Holocaustgedenktag *Jom Haschoah* im April oder Mai (27. Nissan). Viele Juden singen dabei ein jiddisches Lied der jüdischen Widerstandsbewegung, von dem ein Teil folgendermaßen lautet:

> *Sage niemals, daß du*
> *den letzten Weg gehst.*
> *Auch wenn der bleifarbene Himmel*
> *den blauen Tag verdeckt.,*
> *Es wird unsere ersehnte Stunde noch kommen,*
> *Dröhnen wie ein Paukenton*
> *wird unser Schritt: wir sind da!*[40]

Ein weiterer neuer Feiertag ist der *Jom Ha-Atzmaut,* der israelische Unabhängigkeitstag, da an diesem Tag, dem 5. Ijar (14. Mai) 1948, Israel als souveräner Staat anerkannt wurde. (Wenn der 5. Ijar auf einen Schabbat fällt, wird der Feiertag auf den vorausgehenden Donnerstag verlegt.)

Im Frühsommer folgt *Schawuot*, das traditionell mit der Übergabe der Thora an Moscheh auf dem Sinai verbunden ist, als das Volk Gottes Stimme hörte. Vielleicht war Schawuot ursprünglich ein Erntefest, das später zur Offenbarung der Thora in Beziehung gesetzt wurde. In den israelischen Kibbutzim ist der Brauch, Gott die ersten Früchte darzubringen, wiederbelebt worden. Anderswo liegt der Schwerpunkt auf der Verlesung des Dekalogs und der Preisung der Thora als eines Hochzeitskontrakts zwischen Gott und dem Volk Israel. In manchen Gemeinden wird zu Schawuot der Abschluß des Religionsunterrichts der Kinder gefeiert.

Darauf folgen drei Trauerwochen, in denen des Tempels gedacht wird. Höhepunkt ist der *Tischa Be-Aw*, der 9. Aw (Juli/August), an dem der erste und der zweite Jerusalemer Tempel zerstört wurden. Der Tischa Be-Aw ist ein Fasten- und Trauertag. Manche sind der Ansicht, es gebe heute keinen Grund mehr zum Trauern, da zwar der Tempel nicht wiederaufgebaut, die ungeteilte Stadt Jerusalem aber wieder im Besitz der Juden sei.

Die Rabbinerin Pauline Bebe mit der Thorarolle.

Das Judentum heute

Die Familie des Judentums umfaßt viele verschiedene Gruppen, die unterschiedliche Schwerpunkte setzen und in vielen Bereichen miteinander uneins sind. Umstritten sind der Umfang der Gültigkeit von Thora und Talmud, die Frage der Konversion zum Judentum, das Ausmaß der Verwendung des Hebräischen im Gottesdienst und die Beteiligung der Frauen am religiösen Leben und am Synagogalgottesdienst.

Unter den Juden (den Reformjuden der USA), die sich für eine gleichberechtigte Beteiligung der Frauen an Gebet und Ritual einsetzen, gibt es Bestrebungen, die liturgische Sprache geschlechtsneutral zu halten, sowohl hinsichtlich der Gemeinde als auch hinsichtlich Gottes. Die Schrift beschreibt Gott durchaus als männlich und weiblich; neue englische Übersetzungen versuchen dem Rechnung zu tragen. (In Deutschland, dessen Gemeinden fast ausschließlich orthodox sind, spielen derartige Versuche keine Rolle.)

Wie alle modernen Religionen mußte sich auch das Judentum mit der Säkularisierung, mit Naturwissenschaften, Rationalismus, Industrialismus und Materialismus auseinandersetzen. Die Reaktion der *Orthodoxie* besteht darin, an der Bibel als offenbartem Wort Gottes und an dem Talmud als verbindlicher mündlicher Thora festzuhalten. Die orthodoxen Juden fühlen sich an die traditionelle rabbinische Halacha als an einen Weg gebunden, der sie Gott näherbringt.

Doch auch innerhalb dieser Grundüberzeugung gibt es große Unterschiede, da es keine Einzelperson oder Körperschaft gibt, die die höchste Autorität für sich beanspruchen kann. Zur Orthodoxie gehören Mystiker und Rationalisten, Zionisten und Antizionisten. Auch sind die Orthdoxen in ihrer Haltung zu den übrigen Juden und in ihrem Verhältnis zu ihrer säkularen Umwelt verschieden. Manche chassidische Gruppen praktizieren einen vollständigen Rückzug aus der säkularen Welt und eine Abschottung gegenüber anderen Juden, während andere chassidische Juden, namentlich die Anhänger des (ursprünglich aus Litauen stammenden, heute in New York beheimateten) Lubawitscher Rebbe, die viele Gemeinden in aller Welt haben, daran interessiert sind, möglichst viele Juden für ihre Richtung zu gewinnen, und dazu alle Mittel des modernen Medienzeitalters einsetzen.

Die Lubawitscher Chassidim, deren Gemeinden stark hierarchisch aufgebaut sind, mit einer klaren Rollentrennung von Männern und Frauen, und deren Frömmigkeit und Hingabe mit dem Gehorsam gegenüber einem charismatischen Führer verknüpft sind, waren bei der Gewinnung junger Menschen für ihren Glaubensweg sehr erfolgreich. Sie gelten als starke Vorbilder und stellen sich auch selbst als die wahren Juden dar. Die Rückkehr vieler zu einer dermaßen stark geregelten Lebenspraxis hat viele Beobachter erstaunt. Als der siebte Lubawitscher Rebbe in die USA kam, rieten ihm andere Rabbiner ab, in einem Land, wo viele Juden ihre Traditionen aufgegeben hatten und ein säkulares Leben führten, Menschen für die Thora zu interessieren. Doch gerade der Nachdruck auf die Thora erwies sich für viele als Anreiz, wieder auf den Weg der Mitzwot zurückzukehren.

Am anderen Ende des Spektrums steht das *Reformjudentum*. Es hat seine Wurzeln in Deutschland, wo ab dem 18. Jahrhundert versucht wurde, dem jüdischen Glauben eine zeitgemäße Form zu geben und ihn von veralteten, bedeutungslosen und von manchen sogar als abstoßend empfundenen Gebräuchen zu reinigen. In Anlehnung an den christlichen Gottesdienst verwandelten sich die Synagogen in Orte geistlicher Erbauung. Orgel und Chöre wurden eingefügt, der Schabbatgottesdienst wurde gekürzt und in die Landessprache übertragen.

Auch die Liturgie wurde verändert; Hinweise auf die Hoffnung, nach Zion zurückzukehren, und auf die Tieropfer im Tempel wurden beseitigt. Die Halacha wurde gemäß den Erfordernissen des modernen Lebens überarbeitet; man verstand das Judentum als eine sich entwickelnde Religion, die nicht auf ewig durch die offenbarte Thora festgelegt war. In den USA gibt es heute zahlreiche Reformgemeinden; sie sehen sich in einer »kreativen Auseinandersetzung mit der Moderne«. Die Reformrabbiner betonen den universalen Charakter der jüdischen Werte. Sie glauben, daß das Judentum nur überleben kann, wenn es für die modernen Sitten und das moderne Denken Bedeutsamkeit entfaltet.

Es ist daher nicht überraschend, daß das Reformjudentum, vor allem in den USA, bei der Knüpfung interkonfessioneller Dialoge und in der Zusammenarbeit mit nichtjüdischen Gruppen führend ist. In Israel hingegen ist das Reformjudentum nicht voll anerkannt, weil das israelische Rabbinat, das beträchtlichen öffentlichen und politischen Einfluß besitzt, die Autorität nichtorthodoxer Rabbiner leugnet. Jeder Jude hat zum Beispiel das verfassungsmäßige Recht, israelischer Staatsbürger zu werden, doch Konvertiten reformjüdischer Gemeinden wird dieses Recht versagt.

Doch trotz der Orthodoxie sind im Zuge der Liberalisierung weitere Gruppen entstanden, die eine mittlere Position einnehmen. Die *Konservativen* stellen den Hauptanteil der Juden in den USA (dem Land, in dem die Mehrzahl der Juden lebt). Obwohl sich die konservativen Juden vollständig an die rabbinische Tradition gebunden fühlen, versuchen sie, diese so zu formulieren und umzugestalten, daß das Judentum nicht zu einer toten Religion wird. Um intelligente Glaubensinteressierte zu gewinnen, hat das konservative Judentum kritische Untersuchungen an Texten aus allen Zeiten der jüdischen Geschichte gefördert. Sie sind davon überzeugt, daß die Juden ihre Gesetze, die Liturgie, den Midrasch und die Glaubenslehren stets überprüft und ergänzt haben, um deren Bedeutung innerhalb sich ändernder Zeitläufte zu erhalten. So ist in letzter Zeit erlaubt, mit dem Auto zum Schabbatgottesdienst zu fahren und Frauen in die Rabbinerausbildung aufzunehmen. Diese Änderungen werden aber den Gemeinden nicht aufgezwungen; sie haben das Recht, selbständig darüber zu entscheiden.

Der 1983 gestorbene Rabbiner Mordechai Kaplan spaltete sich von den Konservativen ab (die seinen Standpunkt als zu radikal verwarfen) und begründete die in den USA sehr einflußreiche Bewegung des *Rekonstruktionismus.* Kaplan glaubte, die Aufklärung habe alles verändert, und es seien tiefgreifende Umgestaltungen notwendig, um das Judentum angesichts des verbreiteten Rationalismus zu erhalten. Kaplan sagte: »Solange die Juden an der traditionellen Konzeption der von Gott offenbarten Thora festhielten, waren sie nicht geneigt, die konstruktiven Anpassungen vorzunehmen, die erforderlich waren, um das Judentum in einer nichtjüdischen Umwelt am Leben zu halten.«[41]

Kaplan definierte das Judentum als eine »sich entwickelnde religiöse Zivilisation« in kultureller und spiritueller Hinsicht; das Zentrum des Judentums sei das jüdische Volk. Die Traditionen existierten für das Volk, nicht umgekehrt, sagte er. Kaplan verwarf die Ansicht einer besonderen Erwählung des jüdischen Volkes durch Gott. Es habe sich vielmehr entschieden, ein Volk Gottes zu werden. Kaplan schuf ein neues Gebetbuch ohne solche traditionelle Abschnitte, die er und andere anstößig fanden, etwa herabsetzende Anspielungen auf Frauen und Nichtjuden, Hinweise auf eine körperliche Auferstehung und Texte, in denen berichtet wird, daß Gott Israel bestraft oder belohnt habe, indem er in natürliche Vorgänge eingegriffen habe. Frauen werden in den Synagogen als gleichberechtigt akzeptiert.

Darüber hinaus gibt es zahlreiche kleine Gemeinschaften von Juden, sogenannte Hawurot, die mit keiner organisierten Gruppe zusammenhängen, sondern sich regelmäßig zum Gebet und zur Ausübung der traditionellen Bräuche treffen. Sie sind demokratisch organisiert und legen Wert auf die persönliche Erfahrung. Oft erforschen sie gemeinsam, welche Teile der Tradition sich in welcher Weise anwenden lassen. Zu manchen gehören Studiengruppen, die an die alte Tradition anschließen, die ethische, philosophische und spirituelle Bedeutung der Texte zu erschließen. Solche Gruppen sind ein Zeichen für eine spirituelle Erneuerung des Judentums bei vielen jungen jüdischen Menschen, die durch die intellektuelle und spirituelle Erforschung ihrer Tradition versuchen, ihr religiöses Leben zu bereichern.

Neben diesen religiös gebundenen Juden gibt es aber viele, die sich als säkulare Juden betrachten und nicht am religiösen Leben teilnehmen, auch wenn sie zu ihrer jüdischen Herkunft stehen und bestimmte kulturelle Traditionen beibehalten. Bei vielen Menschen jüdischer Herkunft, insbesondere in den USA und Westeuropa, sind aber kaum noch Spuren einer jüdischen Identität vorhanden.

Die Möglichkeit einer vollständigen Assimilation an die westliche Kultur wird statistisch nachvollziehbar, wenn man bedenkt, daß mehr als 50 Prozent der westlichen Juden Nichtjuden heiraten. In den meisten Fällen schließt sich keiner der Partner der Religion des anderen an. Forschungsergebnisse belegen, daß die Kinder solcher Paare in aller Regel nicht als Juden aufwachsen. Die Freiheit, die die demokratisch-säkularen Gesellschaften dem Judentum brachten, schließt auch die Freiheit ein, sich vom Judentum zu lösen.

Obwohl der Antisemitismus immer wieder einmal aufflammt, entwickeln heute doch viele Nichtjuden eine sensible Haltung gegenüber einem negativen Judenstereotyp. Die Evangelical Lutheran Church in America hat eine historische öffentliche Entschuldigung für die antijüdischen Schriften Martin Luthers, des Begründers des Protestantismus, vorgelegt. Dort heißt es:

Wie viele von Luthers Weggefährten schon im 16. Jahrhundert weisen wir diese gewalttätige Beleidigung zurück und erklären unser tiefes und anhaltendes Bedauern über die tragischen Auswirkungen bei späteren Generationen. In Übereinstimmung mit dem Lutherischen Weltbund beklagen wir insbesondere die Aneignung der Worte Luthers durch moderne Antisemiten, die heute damit Haß gegen das Judentum oder das jüdische Volk predigen … Wir erkennen den Antisemitismus als einen Widerspruch zum Evangelium und als eine Beleidigung des Evangeliums, als eine Verletzung unserer Hoffnung und unseres Auftrags, und wir fordern von dieser Kirche, der tödlichen Wirkung derartiger Bigotterie entgegenzutreten.[42]

In der Sowjetunion waren die Juden unter Stalin so hart verfolgt worden, daß nur einige wenige Rabbiner übrigblieben. Heute gibt es in Rußland wieder jüdische Seminare und Universitäten, Schulen und Kindergärten. Rabbiner David Karpow, dessen Moskauer Gemeinde täglich 150 warme Mahlzeiten an Bedürftige austeilt, erklärt, nach Jahren des Untergrunds und der Gefahr blühe das Judentum heute in seinem Land wieder auf:

Jetzt können wir unsere Feste, etwa Chanuka, wieder öffentlich feiern. Das Judentum ist noch keine Massenbewegung, aber es kommen mehr Menschen, als man an den Fingern abzählen kann. Wir haben das Gefühl, bald die Früchte unserer Arbeit ernten zu können. Das Judentum überlebt trotz aller Verfolgungen. Die neue Welt kommt schnell, und sie wird ganz anders sein. Der Messias kommt. Bald werden wir den Frieden haben, nach dem sich alle sehnen. Das wird schneller geschehen, als man sich vorstellen kann.[43]

Für viele Juden birgt die Zukunft weiterhin messianische Versprechungen. Manche hoffen auf ein messianisches Zeitalter der sozialen Gerechtigkeit, so wie vor langer Zeit Amos prophezeite:

Aber es wälze sich wie ein Strom das Recht einher, und die Gerechtigkeit wie ein gewaltiger Bach.[44]

KAPITEL 10

DAS CHRISTENTUM

»Jesus Christus ist der Herr«

Der Glaube des Christentums beruht auf dem Leben, den Lehren, dem Tod und der Auferstehung Jesu. Jesus wurde vor ungefähr 2000 Jahren als Jude in Palästina geboren, einem Land, das damals dem Römischen Reich unterworfen war. Er wirkte weniger als drei Jahre in der Öffentlichkeit und wurde dann unter Anklage der Volksaufwiegelung zum Tode verurteilt und hingerichtet. Während seiner Lebenszeit wurde nichts Schriftliches über ihn aufgezeichnet; erst einige Jahre nach seinem Tod versuchte man, seine Lehren und seine Taten festzuhalten. Überall in der Welt wird heute sein Geburtstag gefeiert, der seit dem 6. Jahrhundert in Europa zugleich der verbindliche Bezugspunkt für die Zeitrechnung ist. Der Religion, die seine Person zum Inhalt hat, sind mehr Menschen zugehörig als jeder anderen auf der Welt.

Wir untersuchen zunächst, was sich aus den Berichten der Bibel und zeitgenössischer Historiker über das Leben und die Lehren Jesu feststellen läßt, um anschließend der Ausbreitung dieser Religion über die Kontinente zu folgen, die dabei an theologischer und liturgischer Komplexität zunahm. Dieser Prozeß setzt sich bis in die Gegenwart fort; so gibt es nicht nur ein, sondern viele christliche Bekenntnisse.

Die Bibel der Christen

Das heilige Buch des Christentums besteht aus der jüdischen Bibel (von den Christen als »Altes Testament« bezeichnet) sowie den 27 Büchern des »Neuen Testaments«, die nach der irdischen Existenz Jesu verfaßt wurden. Unsere Kenntnisse über Jesu Leben und Lehren stammen im wesentlichen aus den vier ersten Büchern des Neuen Testaments, den sogenannten *Evangelien* (»guten Nachrichten«). In ursprünglicher Form scheinen diese Bücher etwa 40 bis 50 Jahre nach dem Tod Jesu entstanden zu sein. Sie beruhen auf der mündlichen Überlieferung der Geschichten und Gespräche, bei deren Formulierung die wachsende Spaltung zwischen Christen und Juden eine Rolle gespielt haben mag. Heute ist man davon überzeugt, daß die Evangelien nicht bestimmten, persönlich faßbaren Autoren eindeutig zuordbar sind; in der christlichen Bibel werden vier Jünger Jesu, Matthäus, Markus, Lukas und Johannes, als Verfasser genannt. Diese Bücher wurden in griechischer, zuvor vielleicht auch schon in aramäischer Sprache, der damaligen Umgangssprache jener Region, aufgezeichnet und im Verlauf der Jahrhunderte immer wieder abgeschrieben und in viele Sprachen übersetzt. Die Evangelien bieten ein komplexes Bild der Person Jesu, wie die christlichen Gemeinden sie sahen.

Wie gehen die Christen mit den Evangelien um? Traditionell werden sie als das Wort Gottes verehrt und auf göttliche Inspiration zurückgeführt. In der orthodoxen Ostkirche ist darüber hinaus »das Evangelium nicht bloß Heilige Schrift, sondern auch ein Symbol der göttlichen Weisheit und ein Bild Christi«[1]. Dennoch haben einige Christen zu klären versucht, was Jesus gelehrt und wie er gelebt hat, um den Menschen die wahrhaftige Nachfolge Christi zu ermöglichen. Im allgemeinen werden die Geschichten um die Person und die Worte Jesu wörtlich, allegorisch, mystisch oder moralisch ausgelegt. Im 19. Jahrhundert begann in Westeuropa die kritische Bibelforschung, ausgehend von einem rationalistischen Ansatz, der heute von vielen Katholiken und Protestanten akzeptiert wird. Er beruht auf dem hermeneutischen Verfahren, antike Texte in ihrem historischen Kontext und unter Berücksichtigung der Wirkung auf das angesprochene Publikum zu interpretieren. Somit gibt es viele Versuche, die Evangelien im Vergleich miteinander und in bezug auf nichtbiblische Schriften aus der Entstehungszeit zu analysieren.

Das Matthäus-, das Markus- und das Lukas-Evangelium sind einander so ähnlich, daß man sie direkt miteinander vergleichen kann und daher unter dem Begriff der *synoptischen* Evangelien zusammenfaßt; sie zeigen eine ziemlich ähnliche Sichtweise auf den Lebenslauf Jesu, wenngleich sie etwas unterschiedlich aufgebaut sind. Die meisten Historiker glauben, daß ihnen eine gemeinsame Quelle zugrunde liegt, am wahrscheinlichsten eine frühe Fassung des Markus-Evangeliums, des kürzesten der drei Bücher. Diese vermutete Quelle war wahrscheinlich eine Zusammenstellung mündlicher Überlieferungen und zirkulierte zunächst anonym. Sie war vielleicht für Christen gedacht, die nicht aus Palästina stammten und vor ihrer Bekehrung polytheistischen Glaubensvorstellungen anhingen.

Die beiden anderen synoptischen Evangelien folgen dem des Markus oft ganz getreu, fügen aber weiteres Material hinzu. Das nach Matthäus (einem ehemaligen Zöllner und Jünger Jesu) benannte Evangelium wird zuweilen als judenchristlich bezeichnet. Jesus erscheint hier als ein zweiter Moses und als der Messias, der das Königreich Gottes herbeiführt; die Rückbezüge auf das Alte Testament sind hier besonders zahlreich. Die Geschichten, die Matthäus berichtet, betonen, daß die Heiden Jesus akzeptieren, während die Juden ihn als Heiland ablehnen.

Das dritte Evangelium wird Lukas zugeschrieben wird. Es scheint im Hinblick auf ein heidenchristliches (d. h. nicht ursprünglich jüdisches) Publikum verfaßt worden zu sein. Lukas stellt die Aufgabe Jesu in allgemeingültigen, nicht ausschließlich jüdischen Begriffen dar und hebt die Bedeutung seiner Sendung für die unterprivilegierten, niederen Klassen hervor.

Das Johannes-Evangelium, das von dem Jünger stammte, »den Jesus liebte«, ist von ganz anderem Charakter als die drei synoptischen Bücher. Es schildert weniger den Lebenslauf als vielmehr Jesu Person als Gottes ewigen Sohn, die Inkarnation Gottes auf Erden.

In der frühchristlichen Kirche kursierten noch weitere Evangelien, doch wurden diese nicht in den offiziellen Kanon der Bibel aufgenommen. Dazu gehörten Wundergeschichten aus der Kindheit Jesu. Von besonderem Interesse ist das Thomas-Evangelium, das zu einem Schatz lange verborgener Manuskripte gehörte, den ein Bauer 1945 in einer Höhle bei der ägyptischen Ortschaft Nag Hammadi entdeckte. Manche Gelehrte meinen, dieses Evangelium sei zur gleichen Zeit oder womöglich noch etwas früher entstanden als die kanonischen. Das Thomas-Evangelium stimmt in vielen Aussprüchen mit den anderen Evangelien überein, legt den Akzent aber auf eine mystische Konzeption des Jesus:

Jesus sagte: Ich bin das Licht, das über allen ist. Ich bin das All: das All ist aus mir hervorgegangen, und das All ist zu mir gelangt. Spaltet das Holz, ich bin da. Hebt einen Stein auf, und ihr werdet mich dort finden.[2]

Das Leben und die Lehren Jesu

Es ist unmöglich, aus den Evangelien eine geschlossene Chronologie des Lebens Jesu zu rekonstruieren oder genügend Hinweise auf die Zeit vor seinem öffentlichen Wirken zu finden. Nichtsdestoweniger sind die Geschichten des Neuen Testaments für den Glauben der Christen grundlegend. Nach der Analyse sprachlicher Merkmale und regionalhistorischer Hinweise vertreten manche Forscher die Ansicht, daß viele der in den Evangelien Jesus zugeschriebenen Aussprüche in der Tat authentische Zeugnisse sein können.

Niemand weiß, wie Jesus, der Begründer der mitgliederstärksten Weltreligion, ausgesehen hat. Rembrandt wählte einen jungen Amsterdamer Juden als Vorbild für sein einfühlsames »Porträt« des Jesus.

Die Geburt

Die Historiker glauben, daß Jesus wahrscheinlich nicht genau zu dem als Zeitenwende angesetzten Datum, sondern einige Jahre früher oder später geboren wurde. Die christlichen Mönche des 6. Jahrhunderts, die als erste versuchten, Jesu Leben mit der allgemeinen Chronologie in Übereinstimmung zu bringen, können sich durchaus um ein paar Jahre geirrt haben. Nach traditioneller Ansicht der Christen wurde Jesus in Bethlehem geboren. Das entspricht der rabbinischen Interpretation alttestamentlicher Prophezeiungen, nach denen der Messias in der Heimatstadt des bedeutenden Königs David und aus dessen Stamm geboren werden sollte. Das Matthäus- und das Lukas-Evangelium enthalten Stammbäume, die Jesus auf David zurückführen, doch die in diesen beiden Genealogien genannten Personen sind verschieden. Einige Gelehrte meinen, daß Jesus tatsächlich in oder nahe bei seinem späteren Wohnort Nazareth in Galiläa geboren wurde. Diese Region, deren Name »Kreis der Völker« (d. h. Nichtjuden) bedeutete, war nicht ausschließlich von Juden bewohnt; auch sah die rabbinische Orthodoxie in Judäa auf die Menschen dieses Gebiets ein wenig herab. Sowohl Judäa als auch Galiläa standen zu jener Zeit unter römischer Herrschaft.

Nach Aussage der Evangelien hieß Jesu Mutter Maria; sie hatte ihren Sohn als Jungfrau vom Heiligen Geist empfangen; sein nomineller Vater war Joseph, ein Zimmermann aus Bethlehem. Dem Lukas-Evangelium zufolge mußte das Ehepaar aufgrund einer römischen Verordnung nach Bethlehem reisen, um sich wie alle Einwohner in der Herkunftsstadt des Mannes steuerlich veranlagen zu lassen. Nachdem sie die schwere Reise hinter sich gebracht hatten, fanden sie keine Unterkunft, weshalb Maria ihren Sohn in einem Stall gebären mußte. Der Sohn erhielt den Namen Jesus, das heißt »Gott errettet«. Diese allseits beliebte Geburtslegende veranschaulicht die Demut, die Jesus lehrte. Lukas zufolge kamen arme Hirten herbei und erwiesen dem Kind ihre Verehrung. Den Hirten waren Engel mit der guten Botschaft erschienen, daß dem Volk ein Heiland geboren sei. Matthäus hingegen erwähnt zoroastrische Magier »aus dem Osten«, die dem Kind Gold, Weihrauch und Myrrhe als symbolische Gaben zur Bestätigung seines Königtums und als Zeichen der Verehrung durch die heidnischen Völker gebracht haben sollen.

Die Vorbereitungszeit

Weitere Geschichten aus der Kindheit Jesu in Nazareth sind nicht überliefert, bis er im Alter von zwölf Jahren mündig wurde und seine Eltern auf der jährlichen Reise nach Jerusalem zum Passahfest begleitete. Für die Rückreise mußten sie ihn suchen und entdeckten ihn im Tempel, wo er mit Rabbinern die Thora diskutierte: »Alle, die ihn hörten, waren erstaunt über sein Verständnis und über seine Antworten.« Als seine Eltern ihm vorhielten, sie hätten sich gesorgt, soll Jesus geantwortet haben: »Wußtet ihr nicht, daß ich in dem sein muß, was meinem Vater gehört?«[3] Diese Geschichte soll das Sendungsbewußtsein schon des Knaben Jesus, seine Kenntnis der jüdischen Tradition sowie

Jesus wird häufig als ein göttliches Kind dargestellt, das in einem Stall geboren wurde und mit seinen Eltern auf einem Esel reitend fliehen mußte. (Die Flucht nach Ägypten. Benediktinerkloster Keur Moussa, Senegal).

ein enges Verhältnis zwischen ihm und Gott belegen. In später berichteten Gebeten soll er Gott als »Abba« angesprochen haben, ein sehr vertrauliches Wort für »Vater«, das in jüdischen Gebeten nie verwendet wurde.

Auch über die ersten Jahre seines Erwachsenenlebens erzählt das Neue Testament nichts. Berichtet wird hingegen von der Verkündigung Johannes' des Täufers, eines Propheten, der die Weissagungen des Jesaja von dem kommenden Königreich Gottes wiederholte. Zur Vorbereitung auf dieses Königreich taufte er die Menschen nach jüdischer Praxis im Jordan. Apokalyptische Strömungen waren seinerzeit unter dem Eindruck der römischen Herrschaft und einer enormen Steuerlast in Israel stark ausgeprägt.

Alle vier Evangelien erzählen, daß Jesus im Alter von etwa 30 Jahren zu Johannes kam, um sich taufen zu lassen. Johannes forderte die Menschen auf, ihre Sünden zu bereuen. Anschließend reinigte und heiligte er sie, indem er sie in dem Wasser des Flusses untertauchte. Er hielt es für unangemessen, diese Zeremonie an Jesus (den die Christen für sündenlos halten) zu vollziehen, doch Jesus bestand auf der Taufe.

Wie läßt sich diese Geschichte verstehen? Eine Interpretation wäre, daß Jesus sich mit dieser Zeremonie als von Gott gesandter Messias weihen lassen wollte. Im Markus-Evangelium heißt es:

*Und als er aus dem Wasser stieg, sah er, daß der Himmel sich öffnete und der
Geist wie eine Taube auf ihn herabkam. Und eine Stimme aus dem Himmel sprach:
Du bist mein geliebter Sohn, an dir habe ich Gefallen gefunden.*[4]

Eine andere Erklärung wäre, daß die Taufe Jesu Johannes Gelegenheit bot, das Erscheinen des Messias und den Beginn seines Wirkens zu verkünden. Eine dritte Interpretation lautet, daß Jesus sich mit der sündigen Menschheit identifizierte, indem er die Taufe in Anspruch nahm. Obwohl selbst rein und sündenlos und daher der Buße und Reinigung nicht bedürfend, nahm er für alle Menschen die Taufe an. Eines Tages soll Jesus sich

Johannes der Täufer soll Jesus nur widerwillig getauft haben, denn, so sagte er, er sei unwürdig, Jesus auch nur die Schuhe aufzuschnüren. Als er Jesus schließlich taufte, kam der Heilige Geist in Gestalt einer Taube auf Jesus herab (Gemälde von Esperanza Guevara aus Solentiname, Nicaragua).

für 40 Tage zum Fasten in die Einsamkeit der Wüste zurückgezogen haben. Während dieser Zeit, berichten die Evangelisten, habe ihn der Satan versucht, seine geistliche Macht für weltliche Zwecke zu mißbrauchen, doch Jesus habe der Versuchung widerstanden.

Die Verkündigung

Im Johannes-Evangelium folgt auf die Taufe im Jordan die Anwerbung der ersten Jünger: Simon, der Fischer (genannt Petrus), sein Bruder Andreas, Jakobus und sein Bruder Johannes. Diese Jünger erkannten Jesus als den Messias an. Als erstes mahnte Jesus seine Anhänger, daß sie alle ihre Besitztümer und ihre familiären und freundschaftlichen Verbindungen aufzugeben und das geistliche Leben physischem Wohlbefinden und Reichtum vorzuziehen hätten. Gott, der Beschützer, sorge für alle physischen Bedürfnisse, die ohnehin vergleichsweise unwichtig seien:

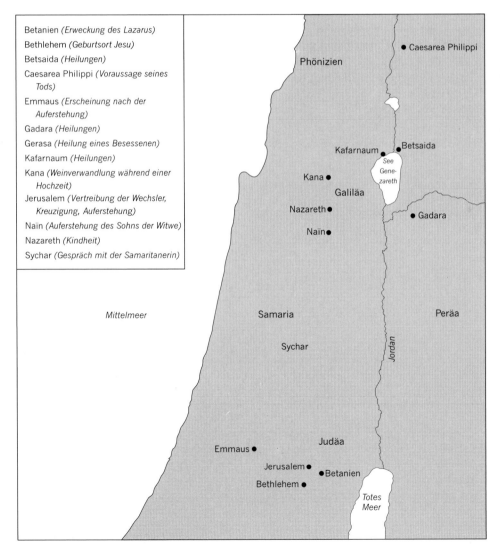

Betanien *(Erweckung des Lazarus)*
Bethlehem *(Geburtsort Jesu)*
Betsaida *(Heilungen)*
Caesarea Philippi *(Voraussage seines Tods)*
Emmaus *(Erscheinung nach der Auferstehung)*
Gadara *(Heilungen)*
Gerasa *(Heilung eines Besessenen)*
Kafarnaum *(Heilungen)*
Kana *(Weinverwandlung während einer Hochzeit)*
Jerusalem *(Vertreibung der Wechsler, Kreuzigung, Auferstehung)*
Naïn *(Auferstehung des Sohns der Witwe)*
Nazareth *(Kindheit)*
Sychar *(Gespräch mit der Samariterin)*

Das Gebiet, das Jesus während seiner Lehrtätigkeit bereiste, umfaßt von Norden nach Süden gerade einmal 161 Kilometer. Heute aber ist seine Religion in aller Welt verbreitet und die mitgliederstärkste Religion überhaupt.

CHRISTENTUM

	0 — Jesus, ca. 4 v. Chr.–30 n. Chr.
	Paulus: erste Gemeindestrukturen, ca. 50–60
	100 — Niederschrift der Evangelien, ca.70–95
	200
Konstantin I., Kaiser des Römischen Reiches, 306–337	**300**
	Kanon des Neuen Testaments festgelegt, 367
	400 — Augustinus, 354–430
	Benedikt von Nursia (ca. 480–542); Aufstellung
	500 — seiner Mönchsregel
	600
	700
Europäisches Mittelalter; Zentralisierung der päpstlichen Herrschaft, 800–1300	**800**
	900
	1000 — Trennung (»Schisma«) zwischen West- und Ostkirche, 1054
	1100
Kreuzzüge, 1095–1350	Franz von Assisi, 1182–1226
	1200
Ausbreitung der Bettelorden, 14. Jahrhundert	**1300**
	1400
	95 Thesen von Martin Luther, 1517
	1500
Kirche von England trennt sich von Rom, 1534	Konzil von Trient (1545–63): römisch-katholische Reformation
	1600
	1700
Europäische Aufklärung, 18.–19. Jahrhundert	**1800**
	1900 — Entdeckung der Manuskripte in Nag Hammadi, 1945
Gründung des Weltkirchenrates, 1948	
Religionsfreiheit in der UdSSR, 1980er Jahre	**2000** — Zweites Vatikanisches Konzil, 1962

Ist nicht das Leben wichtiger als die Nahrung und der Leib wichtiger als die Kleidung?
Seht euch die Vögel des Himmels an: Sie säen nicht, sie ernten nicht und sammeln keine
Vorräte in Scheunen; euer himmlischer Vater ernährt sie. Seid ihr nicht viel mehr wert
als sie? Wer von euch kann mit all seiner Sorge sein Leben auch nur um eine kleine
Zeitspanne verlängern?[5]

Jesus lehrte seine Anhänger, sie sollten sich auf das Sammeln von geistlichen Schätzen im Himmel konzentrieren und nicht nach materiellen Schätzen auf Erden trachten, die nicht lange währen. Da Gott ein großzügiger Vater sei, sollten alle, die ihn lieben und dem Pfad der Rechtschaffenheit folgen wollten, im Privaten um seine Hilfe bitten: »Bittet, dann wird euch gegeben; sucht, dann werdet ihr finden; klopft an, dann wird euch geöffnet.«[6]

Bei seinem Reisen und Lehren soll Jesus viele Wunder vollbracht haben. Er verwandelte Wasser in Wein, heilte die Kranken, erweckte Tote, ging auf dem Wasser, trieb Dämonen aus Besessenen aus, verwandelte ein paar Brote und Fische in reichlich Nahrung für mehrere tausend Menschen. Jesus soll diese Wunder still und aus Mitleid vollbracht haben; für die Evangelien waren sie Zeichen der kommenden Gottesherrschaft.

Die Geschichten der von Jesus vollbrachten Wunder haben eine aus der jüdischen und frühchristlichen Tradition stammende symbolische Bedeutung. Bei der Verteilung der Brote und Fische beispielsweise hatte Lukas vermutlich mehr im Auge als das Nahrungsmittel Brot, wenn er schrieb: »Und alle aßen und wurden satt.«[7] Die Menschen kamen zu Jesus aus spirituellem Hunger, und er nährte sie verschwenderisch mit seiner Liebe. Brot ist häufig ein Symbol für die Kraft der Lebenserhaltung. Jesus bot sich später selbst als das »Brot des Lebens«[8] dar.

Auf einer anderen Interpretationsebene stellt die Speisung des Volkes vorausdeutend das letzte Abendmahl dar, das Jesus mit seinen Jüngern hielt. Beide Ereignisse spielen dabei auf das Große Fest an, das himmlische Fest Gottes als Symbol des messianischen Zeitalters. Für die frühen Christen war der Fisch ein Symbol für Christus; seine Nahrung war die vorbehaltlose Hingabe seiner selbst.

Theologische Interpretationen der biblischen Geschichten beruhen auf dem Zeugnis der Schrift, doch die Gläubigen bringen auch ihre eigenen Lebenserfahrungen in sie ein. Für William, einen Bauern unseres Jahrhunderts aus Nicaragua, bestand das Wunder nicht in der Vermehrung der Brote, sondern darin, daß sie geteilt wurden: »Das Wunder bestand darin, die Besitzer der Brote zum Teilen zu veranlassen, sie davon zu überzeugen, daß ihr Besitz absurd sei, wenn sie nicht den Bedürftigen zur Nahrung dienten.«[9]

Jesus predigte eine wahrhaft radikale Ethik, die den Geltungsbereich der jüdischen Gesetze ausweitete. So heißt es bei Matthäus: »Ihr habt gehört, daß zu den Alten gesagt worden ist: Du sollst nicht töten; wer aber jemand tötet, soll dem Gericht verfallen sein. Ich aber sage euch: Jeder, der seinem Bruder auch nur zürnt, soll dem Gericht verfallen sein …«[10] Ein Mann soll nicht nur keinen Ehebruch begehen; schon eine Frau nur begehrlich zu betrachten ist Sünde. Man soll nicht Vergeltung üben, Auge um Auge, Zahn um Zahn, sondern dem Unrecht mit Liebe begehen. Wenn dich jemand auf eine Wange schlägt, halte ihm auch die andere hin. Und wenn dir jemand das Hemd wegnehmen will, laß ihm auch den Mantel. Das Liebesgebot gilt nicht nur für den Nächsten:

Liebt eure Feinde und betet für die, die euch verfolgen, damit ihr Söhne eures Vaters
im Himmel werdet; denn er läßt seine Sonne aufgehen über Bösen und Guten, und er läßt
regnen über Gerechte und Ungerechte.[11]

Die extrem hohen ethischen Anforderungen der Bergpredigt (Matthäus 5–7) scheinen unerfüllbar. Wer vermag sie ganz zu erfüllen? Immerhin sprach Jesus zu Menschen, die

Viele Wundergeschichten sind mit Jesus verknüpft, so die der Heilung des Lahmen, zu dem Jesus sagte: »Nimm dein Bett und gehe.«

gelernt hatten, daß schon die unvollkommene Erfüllung nur eines göttlichen Gebots eine Verletzung des Gesetzes bedeutete. Erkennen die Menschen jedoch ihre Ohnmacht, solche Gebote zu erfüllen, sind sie bereit, sich um Hilfe an Gott zu wenden. Jesus betonte: »Für Menschen ist das unmöglich, aber nicht für Gott; denn für Gott ist alles möglich« (Markus 10,27).

Die entscheidende Lehre Jesu war Liebe. Er erklärte, daß Gott zu lieben und »deinen Nächsten zu lieben wie dich selbst«[12] die beiden großen Gebote des Judentums seien, auf denen alle anderen beruhten. Gott zu lieben bedeutet, ihm statt weltlicher Dinge den ersten Platz in der persönlichen Lebensführung einzuräumen. Den Nächsten zu lieben heißt, jedem Menschen selbstlos zu dienen, auch denen, die von den übrigen Menschen in einer Gesellschaft verachtet werden.

Jesus entsetzte häufig die religiösen Autoritäten, wenn er mit Prostituierten und Zöllnern, mit den ärmsten und niedrigsten Menschen sprach. Er gab ein Beispiel für den Dienst aus Nächstenliebe, indem er seinen Jüngern die Füße wusch. Diese Liebe, erklärte Jesus, solle das Kennzeichen seiner Anhänger sein; beim Jüngsten Gericht, wenn der Menschensohn über Lebende und Tote richte, sei den demütigen »Schafen«, die ihn lieben und ihm in allen Stücken gedient haben, das ewige Leben im Himmelreich beschieden:

Dann werden ihm die Gerechten antworten: Herr, wann haben wir dich hungrig gesehen und dir zu essen gegeben, oder durstig und dir zu trinken gegeben? Und wann haben wir dich fremd und obdachlos gesehen und aufgenommen, oder nackt und dir Kleidung gegeben? Und wann haben wir dich krank oder im Gefängnis gesehen und sind zu dir gekommen? Darauf wird der König ihnen antworten: Amen, ich sage euch: Was ihr für einen meiner geringsten Brüder getan habt, das habt ihr mir getan.[13]

Jesus predigte, daß Gott denen vergebe, die ihre Sünden bereuen. Er erzählte eine Geschichte, in der Gott einem Vater verglichen wird, der mit Geschenken und einem Fest seinen »verlorenen Sohn« ehrt, der sein Erbe verschleudert hat und danach reuig heimkehrt. Er erzählte immer wieder Geschichten, die den Schluß nahelegen, daß diejenigen, die sich als höhergestellt betrachten, von Gott weniger geliebt werden als jene, die die Gesellschaft zurückstößt. Die verhaßten Steuereinnehmer, die Prostituierten, die unwissenden einfachen Leute haben größere Chancen, durch Reue die gnadenvolle Vergebung Gottes zu erlangen, als die gelehrten und heuchlerischen Selbstgerechten. In einer berühmten Folge von Aussagen über die höchste Glückseligkeit, den Seligpreisungen, wird Jesus zitiert, er habe denen, »die arm sind vor Gott«[14], den Trauernden, den Gewaltlosen, den nach Gerechtigkeit Dürstenden, den Menschen reinen Herzens, den Barmherzigen, den Friedensstiftern und jenen, die um der Gerechtigkeit willen oder wegen der Ausbreitung der göttlichen Botschaft verfolgt werden, die Seligkeit versprochen.

Jesus kleidete seine Aussagen typischerweise in *Parabeln*, ging von vertrauten Situationen seiner Zeit aus bei der Verkündigung seiner geistlichen Lehre. Er sprach von Eltern und Kindern, von Herren und Knechten, von der Aussaat, vom Fischen.

Ein Beispiel:

Weiter ist es mit dem Himmelreich wie mit einem Netz, das man ins Meer warf, um Fische aller Art zu fangen. Als es voll war, zogen es die Fischer ans Ufer; sie setzten sich, lasen die guten Fische aus und legten sie in Körbe, die schlechten aber warfen sie weg. So wird es

EINE LEHRGESCHICHTE

Der barmherzige Samariter

Da stand ein Gesetzeslehrer auf, und um Jesus auf die Probe zu stellen, fragte er ihn: Meister, was muß ich tun, um das ewige Leben zu gewinnen? Jesus sagte zu ihm: Was steht im Gesetz? Was liest du dort? Er antwortete: Du sollst den Herrn, deinen Gott, lieben mit ganzem Herzen und ganzer Seele, mit all deiner Kraft und all deinen Gedanken und: Deinen Nächsten sollst du lieben wie dich selbst. Jesus sagte zu ihm: Du hast richtig geantwortet. Handle danach, und du wirst leben. Der Gesetzeslehrer wollte seine Frage rechtfertigen und sagte zu Jesus: Und wer ist mein Nächster? Darauf antwortete ihm Jesus: Ein Mann ging von Jerusalem nach Jericho hinab und wurde von Räubern überfallen. Sie plünderten ihn aus und schlugen ihn nieder; dann gingen sie weg und ließen ihn halbtot liegen. Zufällig kam ein Priester denselben Weg herab; er sah ihn und ging weiter. Auch ein Levit kam zu der Stelle; er sah ihn und ging weiter. Dann kam ein Mann aus Samarien, der auf der Reise war. [Die Samaritaner, eine jüdische Religionsgemeinschaft, die die Zentralisierung des Kultes in Jerusalem ablehnte, wurde von den Juden als götzendienerisch verachtet.] Als er ihn sah, hatte er Mitleid, ging zu ihm hin, goß Öl und Wein auf seine Wunden und verband sie. Dann hob er ihn auf sein Reittier, brachte ihn zu einer Herberge und sorgte für ihn. Am andern Morgen holte er zwei Denare hervor, gab sie dem Wirt und sagte: Sorge für ihn, und wenn du mehr für ihn brauchst, werde ich es dir bezahlen, wenn ich wiederkomme.

Was meinst du: Wer von diesen dreien hat sich als der Nächste dessen erwiesen, der von den Räubern überfallen wurde? Der Gesetzeslehrer antwortete: Der, der barmherzig an ihm gehandelt hat. Da sagte Jesus zu ihm: Dann geh und handle genauso![15]

auch am Ende der Welt sein: Die Engel werden kommen und die Bösen von den Gerechten trennen und in den Ofen werfen, in dem das Feuer brennt. Dort werden sie heulen und mit den Zähnen knirschen.[16]

Wie schon erwähnt, war die messianische Erwartung bei den Juden angesichts ihrer Unterdrückung durch die Römer auf ihrem Höhepunkt. Sie hielten Ausschau nach einer Zeit, in der das Volk Israel befreit und die Herrschaft des Gottes Israels in aller Welt anerkannt wäre. Jesus sprach angeblich immer wieder von der Erfüllung dieser Erwartung: »Die Zeit ist erfüllt, das Reich Gottes ist nahe. Kehrt um, und glaubt an das Evangelium!«[17]; »Ich muß – das Evangelium vom Reich Gottes verkünden, denn dazu bin ich gesandt worden«.[18] Er lehrte die Menschen, für die Ankunft des Königreichs zu beten: »dein Reich komme, dein Wille geschehe wie im Himmel so auf der Erde«[19]. Jesus scheint aber dieses Reich nicht als eine weltliche Befreiung vom römischen Joch, sondern als eine Manifestation des göttlichen Glanzes, als Vollendung der Welt begriffen zu haben.

> *Wer von diesem Wasser trinkt, wird wieder Durst bekommen; wer aber von dem Wasser trinkt, das ich ihm geben werde, wird niemals mehr Durst haben; vielmehr wird das Wasser, das ich ihm gebe, in ihm zur sprudelnden Quelle werden, deren Wasser ewiges Leben schenkt.*
>
> *(Ein Ausspruch Jesu; Johannes 4,13–14)*

Getreu dem jüdischen apokalyptischen Schrifttum der Zeit erklärte Jesus, die Zustände würden vor dem Ende noch viel schlimmer werden. Er schien die Zerstörung Jerusalems durch die Römer im Jahr 70 vorherzusagen, aber:

Danach wird das Zeichen des Menschensohns am Himmel erscheinen; dann werden alle Völker der Erde jammern und klagen, und sie werden den Menschensohn mit großer Macht und Herrlichkeit auf den Wolken des Himmels kommen sehen. Er wird seine Engel unter lautem Posaunenschall aussenden, und sie werden die von ihm Auserwählten aus allen vier Windrichtungen zusammenführen, von einem Ende des Himmels bis zum andern.[20]

Jesus betrachtete es als seine Aufgabe, die zu sammeln, die gerettet werden konnten.

Die Herausforderung der Autoritäten

Als Jesus durch Galiläa reiste, kamen viele Menschen zu ihm, um sich heilen zu lassen. Herodes Antipas, ein von den Römern als Herrscher über Galiläa eingesetzter Jude, hatte bereits den Täufer Johannes hinrichten lassen. Er mag den Argwohn gehegt haben, daß Jesus ein Unruhestifter sei, vielleicht einer jener galiläischen Eiferer, die zu einem Aufstand gegen die Römer aufriefen. Jesus verließ deshalb für einige Zeit den Herrschaftsbereich des Herodes Antipas, um sein Werk in Tyros und Sidon fortzuführen.

Den Evangelien zufolge wurde Jesus auch von den wichtigsten jüdischen Parteien seiner Zeit beargwöhnt: den im Aufstieg befindlichen Pharisäern (den Schöpfern des rabbinischen Judentums, das sie aus der schriftlichen und mündlichen Tradition entwickelten), den Sadduzäern (Priestern und Angehörigen der Oberschicht) und Schriftgelehrten (besonders ausgebildeten Laien, die das geschriebene Gesetz kopierten und die mündliche Thora des Judentums formulierten).

Jesus scheint das mosaische Gesetz nicht angetastet zu haben, wohl aber die Inter-

Beim letzten Abendmahl sagte Jesus seinen bevorstehenden Tod voraus und lehrte seine Jünger, durch einen Ritus mit Brot und Wein eine mystische Vereinigung mit ihm herzustellen.

pretationen, die es in der sich entwickelnden rabbinischen Tradition erfuhr, und die Heuchelei derjenigen, die für sich in Anspruch nahmen, nach dem Gesetz zu leben. Im Matthäus-Evangelium heißt es, daß die Pharisäer und Schriftgelehrten Jesus herausforderten:

Warum mißachten deine Jünger die Überlieferung der Alten? Denn sie waschen sich nicht die Hände vor dem Essen.
Er entgegnete ihnen: Warum mißachtet denn ihr Gottes Gebot um eurer Überlieferung willen? Gott hat gesagt: Ehre Vater und Mutter!, und: Wer Vater oder Mutter verflucht, soll mit dem Tod bestraft werden.[21] Ihr aber lehrt: Wer zu Vater oder Mutter sagt: Was ich dir

*schulde, erkläre ich zur Opfergabe!, der braucht seinen Vater oder seine Mutter nicht
mehr zu ehren. Damit habt ihr Gottes Wort um eurer Überlieferung willen außer Kraft
gesetzt. Ihr Heuchler! Der Prophet Jesaja hatte recht, als er über euch sagte:
Dieses Volk ehrt mich mit den Lippen, / sein Herz aber ist weit weg von mir. /
Es ist sinnlos, wie sie mich verehren; / was sie lehren, sind Satzungen von Menschen.*[22]
*Und er rief die Leute zu sich und sagte: Hört und begreift: Nicht das, was durch den
Mund in den Menschen hineinkommt, macht ihn unrein, sondern was aus dem Mund
des Menschen herauskommt, das macht ihn unrein … Was aber aus dem Mund herauskommt, das kommt aus dem Herzen, und das macht den Menschen unrein. Denn aus dem
Herzen kommen böse Gedanken … aber mit ungewaschenen Händen essen macht ihn
nicht unrein.*[23]
*Darauf wandte sich Jesus an das Volk und an seine Jünger und sagte: Die Schriftgelehrten
und die Pharisäer haben sich auf den Stuhl des Mose gesetzt. Tut und befolgt also alles,
was sie euch sagen, aber richtet euch nicht nach dem, was sie tun; denn sie reden nur, tun
selbst aber nicht, was sie sagen …*
*Weh euch, ihr Schriftgelehrten und Pharisäer, ihr Heuchler! Ihr seid wie die Gräber, die
außen weiß angestrichen sind und schön aussehen; innen aber sind sie voll Knochen,
Schmutz und Verwesung. So erscheint auch ihr von außen den Menschen gerecht, innen
aber seid ihr voll Heuchelei und Ungehorsam gegen Gottes Gesetz.*[24]

Viele scheinbar judenfeindliche Aussagen des Neuen Testaments werden von einigen modernen Wissenschaftlern für Zusätze oder Interpretationen aus der Zeit nach dem Tod
Jesu gehalten, als das rabbinische Juden- und das frühe Christentum um Anhänger kon-
kurrierten. Doch in solchen Jesus zugeschriebenen Aussagen und Parabeln liegen uni-
versellere Lehren verborgen; zu allen Zeiten und in allen Religionen hat es Menschen gegeben, die selber nicht taten, was sie mit geistlicher Autorität predigten.

Jesus trat auch dem Kommerz im Jerusalemer Tempel entgegen, wo Geldwechsler das
Geld in tempelgültige Münze eintauschten und Händler Opfertiere verkauften:

*Dann kamen sie nach Jerusalem. Jesus ging in den Tempel und begann, die Händler
und Käufer aus dem Tempel hinauszutreiben; er stieß die Tische der Geldwechsler und die
Stände der Taubenhändler um und ließ nicht zu, daß jemand irgend etwas durch den
Tempelbezirk trug. Er belehrte sie und sagte: Heißt es nicht in der Schrift: Mein Haus soll
ein Haus des Gebotes für alle Völker sein?*[25] *Ihr aber habt daraus eine Räuberhöhle
gemacht.*[26] *Die Hohenpriester und die Schriftgelehrten hörten davon und suchten nach
einer Möglichkeit, ihn umzubringen. Denn sie fürchteten ihn, weil alle Leute von seiner
Lehre sehr beeindruckt waren.*[27]

In der Bibel heißt es, Jesus habe die messianischen Prophezeiungen des Deuterojesaja
auf die eigene Person bezogen. Im vertrauten Gespräch habe er seine Jünger gefragt, für
wen sie ihn hielten: »Simon Petrus antwortete ihm: Du bist der Messias!«[28] Das griechische Wort *Christos,* das im Originaltext steht, bedeutet »der Gesalbte«, das ihm zugrun-
deliegende aramäische Wort *M'schecha* oder *Messias* zugleich auch »der Vollkommene«
oder »der Erleuchtete«.

Zeitgenössische Interpreten schließen aus dieser Stelle, daß Jesus den Messiastitel
zurückwies, da er mißverstanden werden konnte. Seine Jünger bezeichneten ihn erst
nach der Kreuzigung und der Auferstehung öffentlich als Messias, waren aber auch schon
während seines Erdenwandels von seiner Göttlichkeit überzeugt. Seine Anhängerin Marta,
die Schwester des Lazarus, den Jesus von den Toten auferweckt haben soll, wird folgendermaßen zitiert: »Ja, Herr, ich glaube, daß du der Messias bist, der Sohn Gottes, der in
die Welt kommen soll.«[29]

Drei Zeugen bekundeten ein spektakuläres Ereignis, die »Verklärung«. Jesus hatte einen Berg bestiegen, um zu beten, als folgendes geschah:

Und er wurde vor ihren Augen verwandelt; sein Gesicht leuchtete wie die Sonne, und seine Kleider wurden blendend weiß wie das Licht. Da erschienen plötzlich vor ihren Augen Mose und Elija und redeten mit Jesus … Da warf eine leuchtende Wolke ihren Schatten auf sie, und aus der Wolke rief eine Stimme: Das ist mein geliebter Sohn, an dem ich Gefallen gefunden habe; auf ihn sollt ihr hören.[30]

Die Anwesenheit des Mose und des Elija, die nach jüdisch-apokalyptischer Tradition am Ende der Zeiten zurückkehren sollten, bekräftigte den Anspruch Jesu, der Christus zu sein, mit der Autorität des jüdischen Gesetzes und der Propheten. Mose und Elija waren Repräsentanten des Alten Bundes, während Jesus neue Gnade spendete.

Jesus behauptete, daß der Täufer Johannes der zurückgekehrte Elija gewesen sei. Die Behörden hatten Johannes getötet, und Jesus prophezeite, sie würden auch ihn töten und nicht erkennen, wer er sei. Die Christuseigenschaft Jesu wird insbesondere im Johannes-Evangelium herausgestellt. In diesem Buch werden Jesus unter anderem folgende Aussagen zugeschrieben: »Meine Lehre stammt nicht von mir, sondern von dem, der mich gesandt hat«; »Ich bin das Licht der Welt«; »Ihr stammt von unten, ich stamme von oben; ihr seid aus dieser Welt, ich bin nicht aus dieser Welt« und »Noch ehe Abraham wurde, bin ich«[31].

Jesus beschrieb sich selbst als einen guten Hirten, der bereit sei, sein Leben für seine Schafe zu lassen. In Vorahnung seiner Kreuzigung erklärte er, er werde sein Fleisch und Blut für die Menschheit opfern. Sein Tod werde einen neuen Bund begründen, in dem sein Blut vergossen werde »zur Vergebung der Sünden«.[32]

Vielleicht sind solche Passagen, die Jesu Rolle definierten, in jenen Jahrzehnten, als sich das Neue Testament herausbildete, später von frühen Christen eingefügt worden, um die Bedeutung des Lebens und Sterbens ihres Herrn in neuen Begriffen zu erfassen.

Die Kreuzigung

Der antiinstitutionelle Tenor seiner Lehren machte Jesus den Machthabern verhaßt. Jesus wußte, daß es politisch gefährlich war, nach Jerusalem zurückzukehren. Doch zum Passahfest reiste er dennoch zurück. Er ritt auf einem Esel in die Stadt ein, begleitet von einer Menschenmenge, die rief:

Hosanna!/ Gesegnet sei er, der kommt im Namen des Herrn!
Gesegnet sei das Reich unseres Vaters David, / das nun kommt. / Hosanna in der Höhe![33]

Gleichwohl wies Jesus seine Jünger darauf hin, daß sein Ende nahe sei. Beim »letzten Abendmahl«, einer abendlichen Passahfeier, soll er sie eine Zeremonie mit Brot und Wein gelehrt haben, die künftig begangen werden sollte, um eine mystische Gemeinschaft mit ihm herzustellen. Einer der Jünger, so sagte er dabei, werde ihn verraten. Der Betreffende, Judas, hatte das bereits getan, indem er für 30 Silberstücke Informationen verkauft hatte, die zu Jesu Festnahme beitrugen. Jesus ging danach mit drei seiner Jüngern in den Garten Getsemani am Fuße des Ölbergs, wo er eindringlich zu Gott betete, daß der Kelch des Leidens an ihm vorübergehen möge, wenn das Gottes Wille sei, »aber nicht, was ich will, sondern was du willst (soll geschehen)«[34].

Die Evangelien erzählen immer wieder, daß Jesus lange Zeit in spontanem Gebet mit Gott verbrachte, den er sehr persönlich als »Abba« ansprach. Man kann Jesu Gebet im Garten Getsemani als Bestätigung seines großen Glaubens an Gottes Barmherzigkeit und Macht verstehen. Der neutestamentliche Theologe Joachim Jeremias meint:

Viele spätere Christen interpretierten Jesu Kreuzestod als das Opfer eines unschuldigen Lamms für die Sünden der Menschheit. Eine andere Interpretation besagte, Gott habe sich »in Liebe« hingegeben, um die Welt in eine liebende Beziehung zum Göttlichen zu bringen (Rembrandt van Rijn, Die drei Kreuze, Radierung, 1631).

> *Jesus rechnet also damit, daß Gott den eigenen heiligen Willen aufhebt ... Jesu Vater ist nicht der unbewegliche, unveränderliche, letztlich nur in Negationen beschreibbare Gott, zu dem zu beten sinnlos ist, sondern ein gnädiger Gott, der Gebete und Fürbitten ... erhört und der in seiner Barmherzigkeit zur Selbstaufhebung des heiligen Willens fähig ist.[35]*

Nach seinem Gebet aber erklärte Jesus dem Markus-Evangelium zufolge: »Es ist genug. Die Stunde ist gekommen.«[36] Eine von Judas geführte, mit Keulen und Schwertern bewaffnete Schar kam herbei; sie nahmen Jesus gefangen und führten ihn zum Verhör vor den Hohenpriester, die Ältesten und Schriftgelehrten. Es folgten mehrere Befragungen. Der Hohepriester Kajaphas stellte mehrere Fragen, um zu beweisen, daß Jesus ein Gotteslästerer sei. Eine betraf den Anspruch, Gottes Sohn zu sein. Jesus antwortete:

> *Du hast es gesagt. Doch ich erkläre euch: Von nun an werdet ihr den Menschensohn zur Rechten der Macht sitzen und auf den Wolken des Himmels kommen sehen.[37]*

Kajaphas sprach ihn aufgrund dieser Aussage der Blasphemie schuldig und ließ ihn zu dem römischen Statthalter Pilatus bringen, damit dieser ihn verurteilte. Auf dessen Frage: »Bist du der König der Juden?«, soll Jesus geantwortet haben: »Du sagst es.«[38]

Wegen dieser angeblich aufrührerischen Aussage wurde Jesus zum Tode verurteilt, auf den Hügel Golgota gebracht und dort an ein Kreuz geschlagen, ein damals übliches Hinrichtungsverfahren. Der Spruch »Das ist Jesus, der König der Juden« wurde auf ein Brett über seinem Kopf angebracht; mit ihm wurden zwei gewöhnliche Verbrecher hingerichtet. Die Amtspersonen, das Volk und sogar einer der Verbrecher spotteten über den, der behauptete, andere retten zu können, und sich selbst nicht helfen konnte.

Jesus hing mehrere Stunden am Kreuz, ehe er, wie die Evangelien berichten, ausrief: »Mein Gott, mein Gott, warum hast du mich verlassen?«[39] Dabei handelt es sich um den ersten Vers des 22. Psalms, in dem ein Verfolgter sein unbedingtes Vertrauen auf Gott ausspricht. Dann starb Jesus. Ein wohlhabender jüdischer Anhänger namens Josef aus Arimathäa bat Pilatus um die Freigabe des Leichnams. Er wickelte ihn in ein Leinentuch und legte ihn in sein eigenes Grab. Ein großer Stein wurde vor die Tür gewälzt, und eine Wache wurde aufgestellt, damit nicht seine Jünger den Leichnam entfernen und behaupten könnten, Jesus sei von den Toten auferstanden.

Die Auferstehung

Das schien das Ende zu sein. Die Jünger waren in Angst und Schrecken versetzt. Einige verbargen sich niedergeschlagen und trauerten. Die gesamte christliche Bewegung hätte

Der auferstandene Christus weist seine Wunden vor als symbolisches Zeichen, daß Gott weiterhin durch die Taten der Menschen Verwundungen erleidet. Während Gott so die Menschen mit ihren Sünden konfrontiert, bietet er ihnen nach Ansicht mancher christlicher Theologen zugleich die vollständige Vergebung an (Matthias Grünewald, Flügel vom Isenheimer Altar, um 1513–15).

ersterben können, so wie es im 17. Jahrhundert mit der jüdisch-messianischen Bewegung des Sabbatai Zwi geschah. Doch nach den folgenden Ereignissen, von denen die Evangelien unterschiedlich berichten, änderte sich die Lage erneut. Einige Frauen, Anhängerinnen Jesu, besuchten am Sonntag das Grab, um den Leichnam für die eigentliche Beerdigung vorzubereiten. Dieser Ritus hatte wegen des Sabbat aufgeschoben werden müssen. Doch die Frauen fanden das Grab leer und den Stein nicht mehr an seiner Stelle. Dann erschienen Engel und sagten, Jesus sei auferstanden. Die Frauen liefen davon und holten zwei Jünger, die dann das leere Grab und das leere Leichentuch vorfanden.

Es folgen mehrere Berichte darüber, daß der auferstandene Jesus verschiedenen Jüngern erschienen sei. Er zerstreute ihre Zweifel, indem er sie seine Wundmale anfassen ließ und ein Fischgericht mit ihnen aß. Er erklärte ihnen nach Aussage des Matthäus-Evangeliums:

Mir ist alle Macht gegeben im Himmel und auf der Erde. Darum geht zu allen Völkern,
und macht alle Menschen zu meinen Jüngern; tauft sie auf den Namen des Vaters,
des Sohnes und des Heiligen Geistes, und lehrt sie, alles zu befolgen, was ich euch geboten
habe. Seid gewiß: Ich bin bei euch alle Tage bis zum Ende der Welt.[40]

Die Berichte über Erscheinungen des auferstandenen Jesus weichen in den einzelnen Evangelien beträchtlich voneinander ab. Manche Wissenschaftler erblicken in der Tatsache, daß ausgerechnet Frauen als erste Zeugen für das leere Grab angeführt werden, einen Hinweis darauf, daß der Bericht objektive Wahrheit enthält, weil niemand bei dem Versuch, falsche Behauptungen aufzustellen, in der patriarchalischen Gesellschaft jener Zeit ausgerechnet auf das Zeugnis von Frauen zurückgegriffen hätte.

Durch die Auferstehung wandelte sich die Niederlage in einen Sieg, und die Jünger schöpften neuen Mut zu tatkräftigem Handeln. Als sie die Vorgänge zu begreifen begannen, kamen sie zu der Überzeugung, daß Gott selbst in menschlicher Gestalt unter ihnen geweilt hatte.

Die frühe Kirche

Zunächst wurden Jesu Anhänger überall verfolgt. Doch schon nach 300 Jahren war das Christentum gegen starke Widerstände zur Staatsreligion des Römischen Reiches geworden. Ab dem 1. Jahrhundert hatte sich aus einem winzigen Häuflein nichtorganisierter jüdischer Häretiker das gesellschaftliche christliche Establishment entwickelt.

Von der Verfolgung zur Herrschaft

Die ersten Jahre des frühen Christentums sind in den neutestamentlichen Büchern beschrieben, die unmittelbar auf die Evangelien folgen. Der Verfasser der »Apostelgeschichte« und der des Lukas-Evangeliums ist offenbar ein und derselbe: die Sprache in beiden Werken zeigt deutliche Übereinstimmungen; das Buch ist wie das Lukas-Evangelium einem Theophilus gewidmet und bezieht sich auf ebendieses Evangelium als Teil derselben Geschichte von der Entstehung des Christentums. Auf die Apostelgeschichte folgt ein Korpus von Briefen an einige frühe christliche Gemeinden, deren Autor überwiegend der große Organisator und Apostel (Missionar) Paulus war; diese Briefe sind etwa um 50 bis 60 entstanden. Viele zeitgenössische Interpreten halten diese Bücher gleich den Evangelien nicht für Tatsachenberichte, sondern für idealisierte, romantisierte Dokumente, deren Aufgabe es war, Menschen zu bekehren, den Glauben zu verbreiten, die Lehren zu vertiefen und eine christliche Theologie zu begründen.

Der Apostelgeschichte zufolge brachte das *Pfingstwunder* die frühen Christen zum Handeln. Bei einem Treffen der Jünger kam plötzlich ein starker Wind auf, und feurige Zungen schwebten über ihren Häuptern. Daraufhin begannen die Jünger in Sprachen zu reden, die sie nie gelernt hatten. Manche Menschen machten sich über sie lustig und erklärten sie für betrunken, doch Petrus behauptete, der Geist Gottes habe sie erfaßt, wie dies nach der alttestamentlichen Prophezeiung Joels in den letzten Tagen vor dem Anbruch des Königreichs Gottes geschehen sollte. Er bezeugte, daß Jesus, der von den Menschen Gekreuzigte, durch Gott auferstanden und von ihm zum »Herrn und Messias«[41] eingesetzt worden sei. Die Erzählung berichtet, 3000 Menschen seien an diesem Tag bekehrt worden und hätten sich taufen lassen.

Einer der Christenverfolger war der pharisäische Zeltmacher Saul, der Jesus selbst nie kennengelernt hatte. Nach Jesu Tod half er mit, viele seiner Anhänger ins Gefängnis zu werfen und zum Tode zu verurteilen. Auf dem Weg nach Damaskus, wo er weitere Häretiker aufspüren wollte, sah er, so berichtet die Apostelgeschichte, plötzlich ein hell strahlendes Licht, und die Stimme Jesu fragte, warum er ihn verfolge. Sauls Widerstand sei sinnlos, erklärte die Stimme und befahl ihm, nunmehr das genaue Gegenteil zu tun: zu den Juden und den Heiden zu gehen,

> *um ihnen die Augen zu öffnen. Denn sie sollen sich von der Finsternis zum Licht und*
> *von der Macht des Satans zu Gott bekehren, und sollen durch den Glauben an mich die*
> *Vergebung der Sünden empfangen und mit den Geheiligten am Erbe teilhaben.*[42]

Saul ließ sich taufen und begann unverzüglich, unter seinem neuen Namen Paulus die christliche Botschaft zu verbreiten. Seine unermüdliche Missionstätigkeit, die ihn durch den gesamten Mittelmeerraum führte, war für die Herausbildung und Entfaltung der frühchristlichen Kirche von großer Bedeutung. Er erlitt Schiffbruch, wurde mit Steinen beworfen, gefangengesetzt und verprügelt, doch nichts konnte ihn von seiner neuen Aufgabe abbringen. Wahrscheinlich starb er in Rom den Märtyrertod.

Paulus versuchte die Juden davon zu überzeugen, daß Jesu Geburt, Tod und Auferstehung von den alttestamentlichen Propheten vorhergesagt worden seien. Jesus sei der Messias gewesen, auf den sie warteten; nach seiner Auferstehung herrsche er als der kosmische Christus und biete denen Gottes Gnade und seine Vergebung, die Gott und nicht sich selber vertrauten. Einige Juden schlossen sich dem neuen Glauben an, die jüdischen Autoritäten aber warfen Paulus immer wieder vor, das Volk dem jüdischen Gesetz und der Tradition abspenstig zu machen. Das Judentum kannte zwar viele Varianten, aber allen war gemeinsam, daß das jüdische Volk von Gott besonders auserwählt worden sei; nun sah man sich mit einer universalistischen Interpretation konfrontiert, derzufolge Christus gelebt und gelehrt habe, um allen Völkern das Heil zu bringen. Diese Interpretation trennte die neue Sekte von allen auf Exklusivität des jüdischen Glaubenswegs beruhenden Varianten des Judentums; die Kluft zwischen beiden Religionen wurde tief und bitter. In den Schriften des Neuen Testaments kommt die Kritik der frühen Christen an jenen Juden zum Ausdruck, die Jesus nicht als den Messias akzeptierten. Die daraus resultierende Polemik übertreibt den Gegensatz zwischen Christen und Juden und trug zu dem jahrhundertelangen Antisemitismus bei.

Paulus war bemüht, auch die Heiden zu bekehren, die Anhänger der alten Götter, deren Religion im Niedergang begriffen war; die Unterstützer des Kaiserkults; die Verehrer ekstatischer Mysterienkulte sowie die Schüler dualistischer hellenistischer Philosophen, die die Materie als böse betrachteten und versuchten, die Seele von deren korrumpierendem Einfluß zu befreien. Paulus lehrte sie, daß Gott nicht in irgendeinem Götzenbild hause und dennoch den Menschen niemals fern sei. »Denn in ihm leben wir, bewegen wir uns und sind wir.«[43]

Paulus und andere erklärten, daß für Heiden, die sich zum Christentum bekehrten, die jüdische Tradition der Beschneidung nicht bindend sei. Nach Paulus' Interpretation des Evangeliums erfolgte die Erlösung durch den bußfertigen Glauben an die Gnade Christi, nicht durch die Einhaltung eines traditionellen Gesetzes. Im Römerbrief, einem Schreiben an die Gemeinde in Rom, lehrte er, Abraham selbst sei von Gott nur wegen seines großen Glaubens an ihn und nicht wegen der Beschneidung *gerechtfertigt,* das heißt von der Sünde erlöst worden.

Das Christentum verbreitete sich sehr schnell. Bald verlor es den Status einer der vielen häretischen Sekten des Judentums, weil die meisten seiner Anhänger nun Nichtjuden waren. Bis gegen das Jahr 200 hatte es sich trotz gelegentlich gewalttätigen Widerstands im gesamten Römischen Reich und bis nach Mesopotamien hin ausgebreitet. Aufgrund ihrer Feindschaft gegen polytheistische Glaubensvorstellungen, die im Römischen Reich herrschten, wurden die Christen zuweilen eingekerkert, gefoltert oder ihrer Besitztümer beraubt. Wegen ihrer Verkündigung des Messias und ihrer im geheimen praktizierten Riten, bei denen sie symbolisch Fleisch und Blut ihres Gottes verzehrten, galten die Christen als aufrührerische Elemente. Die Verfolgungen erschütterten nicht die glühendsten Anhänger des christlichen Glaubens, weil sie sich dadurch um so enger dem Leiden und Tod ihres Heilands verbunden fühlten.

Unter der Herrschaft Konstantins zu Beginn des 4. Jahrhunderts stoppten die Verfolgungen, und das Christentum wurde zu einer offiziell anerkannten Religion, später zur Staatsreligion. Konstantin behauptete, Gott habe ihm in einer Vision das Kreuz als Banner in der Schlacht offenbart. Nachdem er es als Feldzeichen benutzt und die Schlacht gegen seinen heidnischen Widersacher Maxentius gewonnen hatte, ließ er das Christentum offiziell zu (313), neben dem Staatskult, dessen Oberpriester er war. Auf dem Sterbebett empfing Konstantin die Taufe.

Gegen Ende des 4. Jahrhunderts wurden die Angehörigen anderer Religionen aller Rechte beraubt beziehungsweise zwangsweise bekehrt. Manche nahmen zwar äußerlich das Christentum an, blieben aber innerlich ihren alten Traditionen treu. Andere ließen sich aus rein weltlichen Motiven taufen, als das Christentum zur herrschenden Religion geworden war.

Am Ende des 5. Jahrhunderts war die Mehrheit der Menschen im Römischen Reich christlich. Das Christentum breitete sich in alle Himmelsrichtungen aus: im Westen bis nach Irland, im Süden bis nach Äthiopien, im Osten bis nach Indien und Ceylon. Eine besonders starke Minderheit bildeten die Christen zweitweilig im persisch-zoroastrisch beherrschten Mesopotamien.

Die Entwicklung der kirchlichen Organisation und der Theologie

Mit dem Aufstieg von einer verfolgten Sekte zur Staatsreligion des mächtigsten Reiches der antiken Welt entwickelte das Christentum sich auch in organisatorischer und theologischer Hinsicht. Schon am Ende des 1. Jahrhunderts hatte sich eine Hierarchie herausgebildet, welche die Sakramente verwaltete und definierte, was das wahre Christentum sei.

Als häretisch wurde eine Bewegung betrachtet, die im 2. Jahrhundert aufkam. *Gnosis* bedeutet eine mystische Wahrheitserkenntnis. In der Bibliothek, die im ägyptischen Nag Hammadi entdeckt wurde, erscheint Jesus als bedeutender gnostischer Lehrer. Die Gnostiker interpretieren seine Worte als Geheimlehren, die nur den Eingeweihten verständlich wären. »Wer mir nahe ist, der ist dem Feuer nahe«[44], heißt es im Thomas-Evangelium.

Die im ägyptischen Nag Hammadi gefundenen Manuskripte wurden zu Beginn des 5. Jahrhunderts versteckt. Sie enthalten Abschriften und Übersetzungen frühchristlicher Texte, die von der Kirche als häretisch verdammt wurden.

Nach Ansicht der Gnostiker konnten nur spirituell reife Menschen Jesu wahre Lehre fassen: daß das Königreich des Himmels eine gegenwärtige Realität sei, nur durch die persönliche Wahrnehmung des Lichts erfahrbar.

Als im 4. Jahrhundert der neutestamentliche Kanon von 27 Schriften aufgestellt und ins Lateinische übersetzt wurde, blieben die gnostischen Evangelien ausgeschlossen. Die Kirche betrachtete den Besitz gnostischer Schriften als ein Verbrechen gegen das Kirchengesetz, weil ihrer Ansicht nach die gnostischen Lehren grundsätzlich im Widerspruch zu Jesu Botschaft standen. Die christliche Glaubensgemeinschaft war überzeugt, daß Jesus keinen elitären Heilsweg gelehrt und sich niemals gegen die materielle Seite der Schöpfung ausgesprochen hatte.

Die Hauptströmung des Christentums basiert nicht nur auf dem Leben und den Lehren Jesu, wie sie in den neutestamentlichen Evangelien aufgezeichnet sind, sondern auch auf den Interpretationen, die im Verlauf der Jahrhunderte entstanden sind. Einer der ersten und wichtigsten Interpreten der christlichen Botschaft war Paulus. Sein entscheidender Beitrag – der für die Ausformung des Christentums so wichtig wurde wie die Evangelien – war seine Auslegung von Tod und Auferstehung Jesu, die ihm nach eigener Aussage vom auferstandenen Christus persönlich offenbart worden sei.

Als Zentrum des christlichen Ideals sah Paulus die *Agape,* die altruistische, selbstaufopfernde Liebe. In Abweichung zum rabbinischen Judentum stellte er sie noch über die Befolgung des Gesetzes, auch über spirituelles Wissen, Askese, Glauben und die übernatürlichen »Gaben des Geistes«, wie etwa die Fähigkeit, Krankheiten zu heilen, zu prophezeien oder »in fremden Zungen« zu reden.

Alles, was ihr tut, geschehe in Liebe.

(1 Korinther 16,14)

Die Liebe galt nicht nur im Verhältnis zum Nächsten, sondern auch zu Gott. Liebe und Gnosis, eine von Liebe getränkte Gotteserkenntnis, wurde zur Grundlage des kontemplativen Christentums, wie es die Kirchenväter der 1. Jahrhunderte formulierten.

Zum zentralen Symbol der Christenheit wurde das Kreuz mit oder ohne ein Abbild von Jesus. Es bezeichnete das leidende Dienen, weniger die politische Herrschaft als den Weg zum Triumph über das Böse und zur Erfahrung der Einheit mit dem barmherzigen Gott. Um an Jesu Opfer teilzuhaben, mußten die Menschen ihre Sünden bereuen, sich taufen lassen und in Christus zu einem neuen Leben wiedergeboren werden.

Im frühen 5. Jahrhundert beschrieb Aurelius Augustinus, einer der einflußreichsten Theologen in der Geschichte der Christenheit, diese spirituelle Wiedergeburt folgendermaßen:

> Ja dort, wo mich der Zorn auf mich gefaßt hatte, drinnen »im innersten Gemach«, wo ich »zerknirscht« war, wo ich meinen alten Menschen »Dir zum Opfer« geschlachtet hatte und auf Dich hoffend schon das neue Werden in mir übersann – ja dort war Deine Süße mir aufgegangen, »und Du hattest Freude in mein Herz gegossen.«[45]

Rowan Williams, ein Theologe des 20. Jahrhunderts, erklärt diese Reue und die darauf folgende geistliche Auferstehung als

> die Weigerung anzuerkennen, daß Verlorenheit die endgültige Wahrheit für den Menschen ist. Wie jemand, der unter der Erde herangewachsen ist, protestieren wir gegen die Dunkelheit und drängen blind nach oben auf der Suche nach Licht, Wahrheit, Heimat – nach dem Ort, der Beziehung, wo wir nicht verloren sind, wo wir aus festgegründeten Wurzeln sicher leben können. »Weil ich lebe, wirst auch du leben.«[46]

Die Heilige Dreifaltigkeit – hier in der orthodoxen Darstellung als die drei Engel, die Lot erschienen – ist eine dem Christentum eigene Gotteskonzeption. Gott ist einer in einer gemeinschaftlichen Dreiheit, ein endloser Kreis, der an der der Gottheit eigenen Liebe teilhat; alle sind eingeladen, sich von dieser Liebe heilen und erretten zu lassen (Ikone von Andrej Rubljow, 14. Jahrhundert).

Das zu Jesu Lebezeiten so starke Gefühl der Naherwartung des Gottesreiches verblaßte im Laufe der Zeit. Der Begriff des Gottesreiches begann sich in eine ungewisse Zukunft zu verlagern, betont wurde nun das persönliche Gericht, das über den einzelnen bei seinem Tod gehalten würde. Dennoch bestand weiterhin die Erwartung, daß Christus in der Glorie zurückkehren werde, um die Lebendigen und die Toten zu richten und die »neue Schöpfung« zu erfüllen. Der Glaube an die Wiederkunft Christi ist auch heute noch ein Artikel des Glaubensbekenntnisses.

Das Dogma von der *Trinität,* der Heiligen Dreifaltigkeit, entstand ebenfalls sehr früh. Die Christen glaubten, daß der transzendente, unsichtbare Gott – der Vater – in der Person Jesu immanent geworden sei und menschliche Gestalt angenommen habe. Darüber hinaus hatte Jesus nach der Auferstehung seinen Jüngern versprochen, ihnen den Heiligen Geist zu senden. Damit gab es drei Aspekte, drei »Personen« Gottes innerhalb des einen göttlichen Wesens: den Vater, den Sohn und den Heiligen Geist. Die christlichen Theologen glaubten, das Wunder Gottes habe darin bestanden, daß er in drei Formen zum Ausdruck gekommen und doch nur einer gewesen sei. Der Vater gilt als der allmächtige, transzendente Schöpfer des Himmels und der Erde. Der Sohn ist die Inkarnation des Vaters, Gott in Menschengestalt, der bei der Himmelfahrt zurückkehrte, um mit dem Vater in der Glorie zu leben, dennoch weiterhin in der und für die Kirche, seinen »mystischen Körper« auf Erden, die Gemeinschaft der Gläubigen, vollständig gegenwärtig ist. Der Heilige Geist ist die Macht und Gegenwart Gottes, welche die Gläubigen leitet und erhält.

Hatte Jesus noch in Parabeln mit mehreren Bedeutungsebenen gesprochen, hielt die Kirche es für nötig, einige Glaubenssätze klar und systematisch auszuformulieren. Für den Gebrauch im Religionsunterricht und bei der Taufe, um Jesu Wesen und sein Verhältnis zum Vater zu definieren, und zur Abgrenzung von verschiedenen Häresien stellte sie eine Anzahl von Glaubensbekenntnissen *(Credos)* auf. Als Beispiel sei das frühe, sogenannte Römische Glaubensbekenntnis zitiert:

> *Ich glaube an Gott, den Vater, den Allmächtigen, und an Jesus Christus, seinen*
> *eingeborenen Sohn, unsern Herrn, empfangen durch den Heiligen Geist, geboren von*
> *der Jungfrau Maria, gelitten unter Pontius Pilatus, gekreuzigt und begraben,*
> *am dritten Tage auferstanden von den Toten, aufgefahren in den Himmel; er sitzt zur*
> *Rechten Gottes, des allmächtigen Vaters; von dort wird er kommen zu richten die*
> *Lebenden und die Toten. Ich glaube an den Heiligen Geist, die heilige christliche Kirche,*
> *Vergebung der Sünden, Auferstehung der Toten.*

Die ausufernden theologischen Debatten machten weitere Zusätze notwendig, um den kirchlichen Standpunkt gegenüber widersprechenden anderen, als häretisch verworfenen Lehren zu verdeutlichen. Beispielsweise wurde gegen die gnostische Auffassung, Gott könne die häufig als schlecht erscheinende physische Welt nicht geschaffen haben, der Zusatz »den Schöpfer des Himmels und der Erde« hinter »Gott, den Vater, den Allmächtigen« eingefügt. Diese frühen Glaubensbekenntnisse wurden auf Konzilen festgelegt, bei denen die Gemeinden aller Länder vertreten waren. Das erste dieser weltweiten Konzile zur Beratung kirchlicher Angelegenheiten fand 325 im kleinasiatischen Nikäa statt, zu einer Zeit also, als das Christentum die Herrschaft zu übernehmen begann.

Das frühe Mönchtum

Neben der Ausarbeitung der Lehre und der Konsolidierung der kirchlichen Organisation entwickelte sich eine bestimmte Haltung: Manche Christen wandten sich von der Welt ab, um als Asketen in einsamer Gemeinschaft mit Gott zu leben. Ein asketisches Element findet sich schon in den Schriften des Paulus. Er selbst lebte zölibatär, da er glaubte, der Verzicht auf Familienbande ließe eine bessere Konzentration auf Gott zu.

Im 4. Jahrhundert lebten in der ägyptischen Wüste christliche Asketen in bloßen Erd-höhlen; sie scherten sich wenig um die Angelegenheiten der Welt. Sie hatten untereinander keine feste Organisation, pflegten aber von dem Beispiel erprobter Mönche zu lernen. Sie erzählten Geschichten, in denen die von ihnen geschätzten Tugenden Thema waren, etwa Demut, Unterwerfung und das brüderliche Teilen der Nahrung. So heißt es in einer Geschichte, ein junger Mann habe einen der Wüstenväter besucht und ihn gefragt, wie es ihm gehe. Der Alte habe geseufzt und geantwortet: »Sehr schlecht, mein Sohn«. Auf die Frage, warum, habe er erklärt: »Seit vierzig Jahren habe ich nichts anderes getan, als mich Tag für Tag zu verfluchen, da ich in meinen Gebeten zu Gott bitte: ›Verflucht seien jene, die von Deinen Geboten weichen.‹«[47] Der junge Gottsucher sei von solcher Demut tief bewegt gewesen und habe sie sich zum Vorbild genommen.

> *Der sorglose Mensch, der erfahren hat, wie süß es ist, keinen persönlichen Besitz zu haben, empfindet selbst die Kutte, die er trägt, und den Wassereimer in seiner Zelle als nutzlose Last, weil auch diese Dinge manchmal seinen Geist ablenken.*
>
> *Ein Wüstenvater*[48]

Die Wüstenmönche blieben zunächst sich selbst überlassen. In christlicher Demut vermieden sie es, über andere zu urteilen oder ihnen Vorschriften zu machen; sie versuchten, ein harmlos-gottgefälliges Leben zu führen. Im 5. Jahrhundert allerdings verwandelte sich das mönchische Leben: An die Stelle einer ungeleiteten Praxis einsamer Asketen trat das geistlich geregelte und überwachte Leben einer Mönchsgemeinschaft. Klöster wurden gegründet, die von einem Abt oder einer Äbtissin geleitet wurden; Regeln wurden aufgestellt, die den Mönchen zu einem Leben getreu ihrem Gelübde behilflich waren. Im Westen wurde die Regel des heiligen Benedikt Vorbild aller späteren Mönchsorden. Sie betonte Armut, Keuschheit, Gehorsam gegenüber dem Abt und die wirtschaftliche Selbständigkeit der einzelnen Klöster, die durch die Arbeit der Mönche erlangt werden sollte. Die Benediktiner genießen seit vielen Jahrhunderten den Ruf der Gastfreundschaft gegenüber Pilgern und Reisenden; heute sind sie aktiv am Dialog zwischen den Mönchsorden verschiedener Religionen beteiligt.

Die orthodoxe Ostkirche

Die Geschichte des Christentums ist von inneren Streitigkeiten und Abspaltungen geprägt. Das größte Schisma wurde 1054 vollzogen, als sich die katholische Kirche des Westens und die orthodoxe Kirche des Ostens voneinander trennten.

Die Geschichte der orthodoxen Kirche

Gegen Ende des 3. Jahrhunderts wurde das Römische Reich in eine westliche und eine östliche Verwaltungseinheit aufgeteilt. Im 4. Jahrhundert gründete Konstantin mit Konstantinopel, dem heutigen Istanbul, eine neue Hauptstadt für den Osten, die als »zweites Rom« galt, insbesondere nachdem 410 die Westgoten Rom geplündert hatten. Die beiden Reichsteile entwickelten sich in verschiedenen Richtungen, da sie sich in Sprache (Latein im Westen, Griechisch im Osten), Kultur und Religion unterschieden.

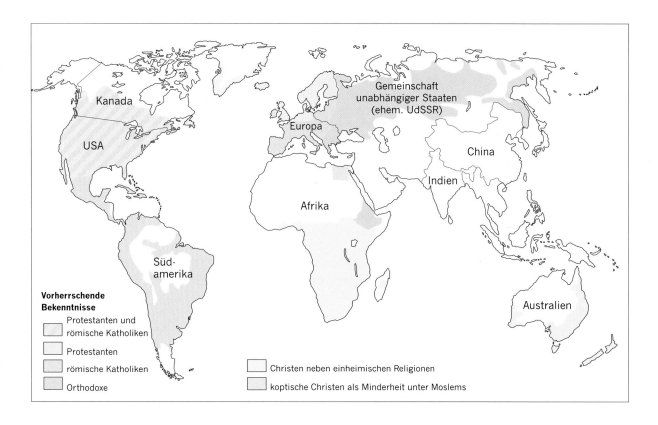

In der westlichen Hälfte konzentrierte sich die religiöse Macht mehr und mehr in der Person des Bischofs von Rom, des Papstes, und anderer hoher Kirchenfürsten; nach den Heimsuchungen durch die Barbaren waren die Mitglieder des Klerus oft die einzigen gebildeten Personen. Die Kirche des byzantinischen Ostens war demokratischer organisiert und unterschied weniger zwischen Klerikern und Laien. Ihr höchster Würdenträger, der Patriarch von Konstantinopel, war eher ein nominelles Oberhaupt, ein Symbol für die christliche Einheit.

Der Osten erkannte den Anspruch des Papstes auf universelle Autorität innerhalb der Kirche nicht an. Im frühen Mittelalter bildeten sich schließlich auch dogmatische Unterschiede heraus. In ihrer Version des Glaubensbekenntnisses von Nikäa verkündete die Westkirche, der Heilige Geist gehe vom Vater und dem Sohn aus, während die Ostkirche an der ihrer Ansicht nach ursprünglichen Fassung festhielt, daß der Heilige Geist nur vom Vater ausgehe. Im Jahre 1054 exkommunizierten sich die Führer der beiden Parteien gegenseitig. Neben der genannten dogmatischen Frage waren der päpstliche Herrschaftsanspruch, der (in der Ostkirche nicht geforderte) Priesterzölibat und die Frage, ob das Brot für die Abendmahlsfeier gesäuert oder ungesäuert sein sollte, ausschlaggebend für diese Kirchenspaltung. Sie wurde noch vertieft durch das Verhalten der westlichen Kreuzfahrer gegenüber der Ostkirche.

Zwischen 950 und 1350 zogen lose organisierte christliche Heere aus Westeuropa aus, um in »heiligen Kreuzzügen« Palästina aus moslemischer Hand zu befreien, das Byzantinische Reich gegen die moslemischen Türken zu verteidigen und überhaupt die Feinde der Christenheit auszumerzen. In diesen blutigen Zeitläuften verschlechterte sich das bereits angespannte Verhältnis zwischen beiden Kirchen weiter. Als die Kreuzfahrer des

Die Karte zeigt annähernd die Verteilung der heutigen Christenheit.

Vierten Kreuzzugs 1204 nach Konstantinopel kamen, mischten sie sich in die byzantinische Innenpolitik ein. Als sie auf Widerstand stießen, plünderten sie die Stadt. Sie zerstörten den Altar und die heiligen Ikonen in der Hagia Sophia, der verehrungswürdigen Kathedrale der göttlichen Weisheit (die später in eine Moschee umgewandelt wurde) und setzten Prostituierte auf den Thron des Patriarchen. Entsetzt über diese Profanierung, brach die orthodoxe Kirche ihren Dialog mit Rom gänzlich ab und behauptete hinfort, der einzig wahre Abkömmling der apostolischen Kirche zu sein. Trotz immer wiederkehrender Versuche zu einer Versöhnung der Ost- und der Westkirche existieren beide noch heute getrennt voneinander.

Die russisch-orthodoxe Kirche

Als die osmanischen Türken 1453 Konstantinopel eroberten, erlangte das Großfürstentum Moskau, das »dritte Rom«, den Vorrang innerhalb der orthodoxen Welt. Die orthodoxe Kirche hatte sich über den östlichen Mittelmeerraum in das von slawischen Völkern bewohnte Osteuropa ausgebreitet. Die russisch-orthodoxe Kirche war eng mit der politischen Geschichte Rußlands verknüpft, seit sich im 10. Jahrhundert die Großfürsten von Kiew hatten taufen lassen.

Im 20. Jahrhundert allerdings wurde sie vom Sowjetregime verfolgt und unterdrückt. Lenin betrachtete die institutionalisierte Religion als eine trennende, reaktionäre Kraft in der Gesellschaft, als eine Bemäntelung der Unterdrückung durch die herrschende Klasse, die im Sowjetstaat verschwinden sollte. Nach der bolschewistischen Oktoberrevolution wurde kirchenfeindliche Propaganda verbreitet, und viele Intellektuelle, die aufrichtig gesellschaftlichen Fortschritt wollten, verließen die Kirche. Lenin ließ den Kirchenbesitz beschlagnahmen. Tausende von Klöstern und Kirchen wurden während der Revolution und zu Beginn der 20er Jahre säkularisiert, und Tausende von Priestern, Nonnen und christlichen Laien wurden ermordet. In den 30er Jahren wurden weitere Klöster aufgelöst, die meisten Kirchen geschlossen, viele Geistliche verhaftet. Bischöfe, die sich weigerten, die Kontrolle des Sowjetregimes in Kirchenangelegenheiten anzuerkennen, verfaßten das sogenannte Solowky-Memorandum, in dem es hieß:

Die Kirche anerkennt geistliche Prinzipien der Existenz, der Kommunismus leugnet sie ab. Die Kirche glaubt an den lebendigen Gott, den Schöpfer der Welt, der sie am Leben erhält und ihre Geschicke lenkt; der Kommunismus verleugnet seine Existenz. Ein derartig tiefer Widerspruch in der Grundlage ihrer Weltanschauungen schließt jede innere Annäherung oder Versöhnung zwischen Kirche und Staat aus ..., weil der Kommunismus die eigentliche Seele der Kirche, die Bedingung ihrer Existenz und den Sinn ihres Daseins kategorisch ablehnt.[49]

Die Bischöfe wurden in das Arbeitslager Solowky verbannt, wo viele von ihnen umkamen. Man schätzt, daß zwischen 1918 und 1940 etwa 40 000 Priester ermordet wurden. Von den fast 80 000 Kirchen und Kapellen, die es 1914 im Russischen Reich gegeben hatte, existierten zu Beginn des Zweiten Weltkriegs höchstens noch 1000. Unter Chruschtschow startete eine weitere kirchenfeindliche Kampagne, und etwa zwei Drittel der noch bestehenden Kirchen wurden geschlossen.

Trotz dieser Verfolgungen ging die russisch-orthodoxe Kirche nicht unter, da sie tief in den Seelen und im Denken des Volkes verwurzelt war und einen bedeutenden Bestandteil der nationalen Identität darstellte. In der Mitte der 80er Jahre waren etwa fünfzig Millionen Menschen Mitglied der Kirche, allerdings wagten meist nur die Babuschkas, die alten Mütterchen, die der Staat für politisch ungefährlich hielt, sich öffentlich zu ihrem Glauben zu bekennen.

Nach Jahrzehnten härtester Unterdrückung änderte sich 1988 die Haltung des Staates gegenüber der russisch-orthodoxen Kirche, rechtzeitig zur Tausendjahrfeier der Christianisierung Rußlands und der Ukraine. Die Regierung Michail Gorbatschows trat an die Kirchenführer heran, erbat ihre Hilfe für die Perestroika und gab einige Kirchengebäude, die in Museen oder Lagerhäuser umgewandelt worden waren, für gottesdienstliche Zwecke zurück. Insgesamt etwa 1700 Kirchen wurden zwischen 1988 und 1989 zurückgegeben und füllten sich sofort wieder mit Gläubigen. Ein verstärkter Zulauf zu Priesterseminaren setzte ein. Ende 1989 zog Präsident Gorbatschow einen Schlußstrich unter 70 Jahre staatlicher Religionsunterdrückung und erklärte es zum Recht aller gläubigen Sowjetbürger, »ihre spirituellen Bedürfnisse zu befriedigen«[50].

Viele Menschen allerdings hegen keine Illusionen bezüglich der heutigen russisch-orthodoxen Kirche, die – wie alle Institutionen in der ehemaligen Sowjetunion – auf allen Ebenen mit KGB-Spitzeln durchsetzt war. Manche Kirchenfürsten hatten mit der Regierung kollaboriert, um ein geringes Maß an Religion zu ermöglichen. Doch schon seit den ersten Tagen der Sowjetunion hatte es auch orthodoxe Christen gegeben, die jede Zusammenarbeit mit dem Regime verweigerten. Unter Gefahr für Leib und Leben feierten Priester und Laien geheime Gottesdienste in Katakombenkirchen – wie die ersten Christen, die in unterirdischen Gewölben das Abendmahl gefeiert hatten, stets bedroht von staatlicher Verfolgung. Vater Alexej Wlassow, ein Priester der Katakombenkirche, erklärt:

Die Mitglieder der Katakombenkirche riskierten um Gottes willen ihr Leben. Sie versuchten, in der Gesellschaft den Zehn Geboten und dem Liebesgebot getreu zu leben. Es lag nicht in ihrer Absicht, sich von der orthodoxen Kirche abzuwenden, sondern sie wollten Christi Liebe in die Gesellschaft einbringen.[51]

Noch heute ziehen es manche orthodoxe Christen vor, geheime Versammlungen abzuhalten und ihre Gemeinden nicht den staatlichen Registrierungsvorschriften und der möglichen Mißbilligung durch die russisch-orthodoxe Kirche zu unterwerfen. Bischof Feodor, der Bischof der Untergrundkirche für Moskau, Riga und den Fernen Osten, erklärt, die russisch-orthodoxen Kirchen seien getrennt durch

Haß, der aus der Sünde des Hochmuts hervorgeht. Wenn die Kirche hochmütig ist, hat sie keine Kraft der Heiligkeit. Wir sind alle Brüder in Adam und Christus. Wir sind alle auf Gott getauft. Das gilt für jeden Christen. Wenn jemand seinen Bruder, seinen Nächsten, nicht zu lieben vermag, wie sollte er einen lieben können, den er nicht sehen kann, wie sollte er Christus lieben können, der seit 2000 Jahren nicht mehr unter uns wandelt?[52]

Die Orthodoxie heute

Heute existieren 15 selbständige orthodoxe Kirchen weltweit, die jeweils unter der Leitung eines Patriarchen, Metropoliten oder Erzbischofs stehen. Die Mehrheit der orthodoxen Christen lebt in Rußland, Weißrußland und der Ukraine, im übrigen Osteuropa und auf dem Balkan, also im Bereich früherer atheistischer Staaten, in denen die Lehre und die Verbreitung des Glaubens stark eingeschränkt waren. Zu den autokephalen Kirchen dieser Region gehören die große Kirche Rußlands, die unter Leitung des Moskauer Patriarchats steht, die Kirchen Serbiens, Bulgariens, Mazedoniens, Rumäniens, Albaniens, der Slowakei sowie die kleine Minderheitskirche der Orthodoxen in Polen. (Die meisten Gläubigen der Ukraine folgen zwar dem orthodoxen Ritus im Gottesdienst, erkennen aber die Autorität des Papstes an; man nennt solche Kirchen – wie etwa auch die Maroniten des Libanon – uniert.)

Das alte Patriarchat von Kontantinopel hat nach wie vor eine zentrale Stellung in der

Gottesdienst in einer russisch-orthodoxen Kirche vor einer prächtigen Ikonostase. Die Kirche steht in Sagorsk, wo der heilige Sergej von Radonesch einst mitten im Wald eine kleine, der Heiligen Dreifaltigkeit geweihte Kapelle errichtet hatte.

orthodoxen Welt inne. Sein Oberhaupt, der Ökumenische Patriarch, residiert auch heute noch in Istanbul. Neben der Türkei, in der die orthodoxe Kirche eine verschwindend kleine Minderheit innerhalb eines moslemischen Volkes ist, umfaßt sein Amtsbereich einige Inseln in der Ägäis sowie die Klöster auf dem Berg Athos. Diese Klöster waren früher bedeutende Zentren des orthodoxen Mönchtums; im 20. Jahrhundert ging die Zahl der Mönche beträchtlich zurück, da keine neuen Brüder aus dem kommunistischen Machtbereich zuwandern konnten.

Das orthodoxe Patriarchat von Alexandria in Ägypten ist für Afrika zuständig. (Diese sogenannten Melkiten sind nicht mit der monophysitischen Nationalkirche Ägyptens, den sogenannten Kopten, zu verwechseln, zu der auch noch die Nationalkirche Äthiopiens gehört.) Die Orthodoxie hat innerhalb Afrikas vor allem in Uganda Fuß fassen können. Das Patriarchat von Antiochia (Syrien) betreut die orthodoxen Gläubigen in Syrien und dem Libanon. Der Schutz der heiligen Stätten der Christenheit ist dem Patriarchen von Jerusalem anvertraut. Tausende russisch-orthodoxe Pilger kamen zu jedem Osterfest in einer anstrengenden und gefährlichen Reise zu Fuß und per Schiff nach Jerusalem, bevor das kommunistische Regime solchen Pilgerreisen ein Ende setzte.

Die griechisch-orthodoxe Kirche ist die Nationalkirche Griechenlands. Sie hat sich besonders für eine Renaissance der klassischen Literatur und Kunst der orthodoxen Kirche eingesetzt. In der zypriotischen Kirche war der Erzbischof von Nikosia früher zugleich der politische Führer der griechischen Bevölkerungsmehrheit. Die Kirche des Sinai umfaßt lediglich das berühmte Katharinenkloster.

Durch große Auswanderungswellen, insbesondere aus Rußland in den ersten Jahren der kommunistischen Herrschaft, sind viele orthodoxe Menschen in den Westen gelangt. Manche von ihnen unterhalten weiterhin direkte Verbindungen zu ihren heimischen Pa-

Christen entzünden Kerzen um einen Weihnachtsbaum. Bukarest, 25. Dezember 1989.

triarchaten, so etwa die in New York beheimatete Erzdiözese der griechisch-orthodoxen Kirche für Nord- und Südamerika. Daneben existiert die Orthodoxe Kirche Amerikas, die 1970 autokephal wurde und in einem Land, dessen christliche Bevölkerung überwiegend protestantisch und römisch-katholisch ist, heute über vier Millionen Mitglieder zählt. Durch die Missionstätigkeit der russisch-orthodoxen Kirche kam es auch zu Kirchengründungen in China, Korea und Japan, deren Glaubensausübung im kommunistischen China allerdings unterdrückt wird.

Unterscheidende Charakteristika der orthodoxen Spiritualität

Im Verlauf der Jahrhunderte haben sich die einzelnen orthodoxen Gliedkirchen weniger verändert als die vielen Abkömmlinge der frühen Westkirche. In ihnen herrscht ein ausgeprägter Konservatismus, der Versuch, das Muster der frühen Christenheit zu wahren. Obwohl die Würdenträger auf lokaler Ebene Anpassungen an lokale Gegebenheiten vornehmen dürfen, sind alle Kirchen in Dogma und sakramentaler Ordnung gleich. Veränderungen, die alle Kirchen beträfen, müssen auf einer *Synode* beschlossen werden, einer Versammlung der kirchlichen Würdenträger, die, wie in der frühen Kirche, aufgrund eines gemeinsamen Beschlusses entscheidet. Frauen haben zwar in den Gemeinden eine wichtige Rolle, können allerdings nicht Priester werden oder die Sakramente spenden.

Neben der Bibel verehren die orthodoxen Christen die Schriften der Kirchenväter. Besonders wichtig ist eine *Philokalia* genannte Textsammlung. Sie umfaßt Schriften orthodoxer Kirchenväter, die zwischen dem 4. und 15. Jahrhundert entstanden. »Philokalia« heißt »Liebe zum Erhabenen«, Herausragenden und Schönen, mit anderen Worten, die Liebe zur transzendenten göttlichen Quelle von Leben und Wahrheit.

Die Philokalia ist vorwiegend ein christlicher Leitfaden für das kontemplative Leben der Mönche, wird aber auch von den Laien beherzigt. Eine zentrale Glaubensübung ist das »unaufhörliche Gebet«, ein beständiges Gedenken an Jesus oder Gott, meist in Form ständiger Wiederholung bestimmter Formeln, die sich nach und nach ins Herz der Gläubigen eingraben.

Die meisten Ikonenmaler, wie dieser Mönch vom Berg Athos, halten sich bei der Schaffung von Ikonen, die biblische Personen und Geschichten darstellen, an die alten byzantinischen Vorlagen. Ihre Bilder wollen Fenster zum Göttlichen sein.

Der am weitesten verbreitete Satz ist das »Jesusgebet«: »Herr Jesus Christ, Sohn Gottes, sei mir Sünder gnädig.« Die Wiederholung des Namens Jesu führt zu einer Reinigung des Herzens und zur Konzentration des Wunsches. Jesus anzurufen bedeutet, seine Gegenwart in sich selbst und in allen Dingen zu empfinden.

Die orthodoxe Kirche lehrt, daß die Menschen Gott direkt ansprechen können. Manche sehen sogar das göttliche Licht und werden dadurch grundlegend verwandelt:

Wer an der göttlichen Energie Anteil hat … wird gleichsam selbst zum Licht; er ist mit dem Lichte geeint und schaut zugleich mit diesem Lichte in voller Bewußtheit all das, was jenen verborgen bleibt, die diese Gnade nicht besitzen; er übersteigt so nicht nur die körperlichen Sinne, sondern auch alles, was (durch den Verstand) erkannt werden kann … denn jene, die reinen Herzens sind, schauen Gott … der, da Er Licht ist, in ihnen wohnt und sich jenen, die Ihn lieben, seinen Freunden offenbart.[53]

Ein anderes unterscheidendes Merkmal der orthodoxen Christenheit ist die Verehrung von *Ikonen*. Dabei handelt es sich um stilisierte Abbilder von Jesus, der Jungfrau Maria und der Heiligen. Geschaffen werden diese Bilder von Künstlern, die sich auf ihre Arbeit durch Gebet und asketische Übungen vorbereiten. Ikonen sind nicht realistisch, sie sollen vielmehr eine Repräsentation der Wirklichkeit der göttlichen Welt sein. Man verehrt sie als Fenster zur Ewigkeit. Neben ihrer sakralen und belehrenden Funktion werden manchen dieser Bilder besondere spirituelle Kräfte zugeschrieben, die Fähigkeit, Krankheiten zu heilen und die Präsenz des Heiligen zu vermitteln. Indem die Gläubigen die Bilder andächtig küssen und vor ihnen beten, glauben sie, an deren wundertätigen Kraft teilzuhaben.

Einige der wichtigsten Ikonen einer Kirche werden gemeinsam auf eine *Ikonostase* montiertm – eine Zwischenwand, die den Gemeindebereich vom Allerheiligsten trennt, das dem Klerus vorbehalten ist. Auf beiden Seiten der Öffnung zum Altar hin befinden sich

Der russisch-orthodoxe Kenotizismus

Eine große mystisch-spirituelle Tradition entwickelte sich auf russischem Boden. Das kenotische Muster eines liebenden, der Welt zugewandten Mönchtums wurde von Feodosij, einem Heiligen des 11. Jahrhunderts, begründet; er versuchte, Jesu Armut und selbstverleugnende Demut nachzuahmen. Er aß nur trockenes Brot und Gräser, verbrachte seine Nächte im Gebet und seine Tage mit Arbeit. Er trug die einfache Kleidung eines Bauern, ertrug geduldig alle Schmähungen, arbeitete mit eigenen Händen – er schlug Holz, spann, backte Brot, pflegte Kranke – und weigerte sich, als Autorität aufzutreten, obwohl er der verehrte Führer seiner Mönchsgemeinschaft wurde.

Es heißt, Feodosij habe einmal einen entfernt lebenden Fürsten besucht. Der Fürst stellte ihm seine eigene Kutsche zur Verfügung, damit er bequem nach Hause reisen konnte. Der Kutscher, der die zerlumpten Kleider des Heiligen sah, dachte, er sei ein Bettler, und forderte ihn auf, das Pferd zu besteigen, damit er selbst in der Kutsche schlafen könne. Der demütige Heilige tat, wie ihm geheißen, und führte die ganze Nacht die Kutsche, während der Kutscher schlief. Als der heilige Feodosij vom Reiten müde wurde, stieg er ab und ging zu Fuß; wenn er vom Laufen ermüdete, stieg er wieder auf das Pferd. Als der Morgen kam, wurde er von den Adligen seines Gebietes erkannt; sie stiegen von ihren Pferden und verneigten sich vor ihm. Der Heilige sprach nun freundlich zu dem ausgeschlafenen Kutscher: »Mein Sohn, die Sonne scheint. Steig auf dein Pferd.« Der Kutscher war verwundert und erschreckt, als er sah, welch große Verehrung der Heilige genoß. Feodosij aber tadelte ihn nicht, sondern führte ihn in das Refektorium, ordnete an, ihn mit Speisen und Getränken zu versorgen, und bezahlte ihn für die Fahrt.

Im 13. Jahrhundert litt Rußland unter den Einfällen der Mongolen. Obwohl die Mongolenkhane, als sie selbst zum Islam übertraten, sich offiziell dazu verpflichteten, den Christen freie Religionsausübung zu gestatten, war das geistliche und gesellschaftliche Leben Rußlands zerrüttet. Die Mönche verließ die städtischen Siedlungen und gingen in die großen Wälder Nordrußlands. Dort lebten Eremiten in Stille und einsamem Gebet, bis sich schließlich so viele Gläubige versammelten, daß sich blühende Gemeinwesen entwickelten.

Einer der berühmtesten dieser Eremiten war der heilige Sergej. Schon als Knabe hatte er sich in den Wald zurückgezogen und eine kleine Kapelle für seine Andachtsübungen errichtet. Trotz adliger Abkunft kleidete er sich wie ein Bauer und verrichtete körperliche Arbeit. Selbst als er schon Abt einer um ihn herum herangewachsenen Gemeinschaft geworden war, forderte ihn einer der Mönche auf, eine Zelle zu errichten, und gab ihm dafür ein Stück schimmeliges Brot. Während seiner Meditationen sollen dem Heiligen die Gottesmutter, Engel und feurige Lichter erschienen sein. Sergej unterstützte aber auch die Bemühungen seiner Landsleute, die fremde Herrschaft abzuschütteln. Sein Segen über das erste Heer der Russen, das einen Sieg über die Tataren davontrug, war Vorbild für die späteren engen Beziehungen zwischen Kirche und Staat in Rußland. Die Reliquien seines Körpers liegen heute noch unverwest in dem großen Kloster der Heiligen Dreifaltigkeit bei Moskau, wo er einst seine Kapelle errichtet hatte. Von seinen Schülern waren 70 berühmte russische Heilige.

Ikonen von Jesus und der Jungfrau Maria (der »Gottesmutter«, die in Rußland zusätzlich als Schutzpatronin des Landes verehrt wird).

Orthodoxe Chöre tragen die göttliche Liturgie in einer mehrstimmigen Harmonie vor: Ein ätherischer, herzerhebender Eindruck entsteht, wenn sich die Töne im Raum brechen und die Echos aufnehmen. Alles strebt nach jener Schönheit, von der die Philokalia kündet. Archimandrit Nathaniel aus dem russisch-orthodoxen Kloster Pskowa-Petschorsky, das seit fast 600 Jahren ein Ort unaufhörlicher Gebete ist, obwohl es 800mal belagert und berannt wurde, sagt über das Schönheitsideal der orthodoxen Christenheit:

Das Verstehen Gottes und das Verstehen der Schönheit sind eins. Schönheit ist das Zentrum unseres Mönchslebens. Das dem Gebet gewidmete Leben ist ein beständiger Quell der Schönheit. Unsere heilige Liturgie bietet die Schönheit der Musik. Die große Schönheit der Mönchsexistenz ist das gemeinsame Leben in Christus. In Liebe zusammenlebend, ohne Feindschaft, friedlich wie ein toter Leib gegenüber einem anderen toten Leib, sind wir der Feindschaft abgestorben.[54]

Der römische Katholizismus des Mittelalters

Der Westteil des Römischen Reiches fiel im Verlauf des 5. Jahrhunderts in die Hände barbarischer Völker, im 7. Jahrhundert eroberten die moslemischen Araber weite Teile des zuvor christlichen Orients; sie überrannten Palästina, Syrien, Mesopotamien, Ägpten, Nordafrika und den größten Teil Spaniens. Die Völker, die sich im Westreich niederließen, waren überwiegend bereits Christen; die anderen, insbesondere die Franken in Mitteleuropa und die Angeln und Sachsen in England, traten bald nach der Landnahme, dem Beispiel ihrer Häuptlinge folgend, kollektiv zum Christentum über. Am Ende des Mittelalters war fast ganz Europa christlich geworden; Missionare breiteten den christlichen Glauben auch bis nach Asien aus.

Um das Jahr 1000 bestand Westeuropa aus einer Reihe dezentralisierter feudaler Königreiche, deren wichtigstes einigendes Band dank ihrer zentralisierten Organisationsstruktur die christliche Kirche war. Immer wieder wurden durch das Mönchtum und die Mystik die geistlichen Grundlagen der Christenheit erneuert.

Die Macht des Papsttums

Während im späten 1. und frühen 2. Jahrhundert einige Christen versuchten, ein Leben in der Nachfolge Jesu zu führen, und ihre Heimat verließen, um zu predigen, zu taufen, zu prophezeien und vielleicht als Märtyrer zu sterben, arbeiteten andere an einer hierarchischen Kirchenstruktur, die nach dem Vorbild einer patriarchalischen Familie organisiert war. Schon zu Beginn des 2. Jahrhunderts begann die Konsolidierung der geistlichen Gewalt innerhalb der Kirche. Bestimmte Personen wurden als Geistliche oder Bischöfe eingesetzt, um die kirchlichen Angelegenheiten in jeder Stadt und jeder Region zu verwalten. Zwar dienten einige Frauen als Diakone in Frauengemeinden, aber die Arbeit eines Geistlichen oder Bischofs blieb Männern vorbehalten, die auch nicht ehelos sein mußten. Die größte Verfügungsgewalt und Autorität lag in den Händen der Bischöfe der wichtigsten Städte, wobei der Bischof von Rom, der Papst, das höchste Prestige genoß. Im 5. Jahrhundert erklärte Papst Leo I., daß die Päpste apostolische Nachfolger des Apostels Petrus seien, jenes »Felsens«, auf den Jesus dem Evangelium zufolge seine Kirche gründen wollte. Der römische Kaiser erließ ein Edikt zugunsten Leos, wonach alle Christen sich den Anordnungen des Bischofs von Rom, des Nachfolgers Petri, zu unterwerfen hatten.

Der bedeutendste Papst der ersten Jahrhunderte war Gregor I., »der Große«, der im Jahr 604 starb. Von wohlhabender Herkunft, aber asketischer Einstellung, widmete er sein persönliches Vermögen der Gründung von Klöstern und der Versorgung der Armen. Seine Gesundheit war schwach, er sehnte sich nach dem ruhigen Leben eines Mönchs und ließ sich nur zögernd davon überzeugen, in einer von Seuchen, Überflutungen und Kriegen geprägten Zeit das Amt des Papstes anzutreten. Trotz aller Widerstände kümmerte er sich um die physischen Bedürfnisse der Armen, förderte die Disziplin innerhalb der Geistlichkeit (unter anderem durch Einsetzung des Zölibats), reformierte die Liturgie (die gregorianischen Gesänge sind nach ihm benannt) und machte die Kirche wieder zu einer bescheidenen, auf Gerechtigkeit abzielenden Institution, die hohe geistliche Werte verkörperte.

Danach begann das Papsttum unermeßliche politische Macht zu erlangen. Ab dem 8. Jahrhundert strebten feudale Könige nach dem Segen des Papstes, um ihre Herrschaft göttlich sanktionieren zu lassen. Im 9. Jahrhundert legte der Vatikan ältere und neuere Dokumente vor, die belegen sollten, daß dem Papst die Herrschaft über die Kirche und der Kirche die Herrschaft über die Gesellschaft gebühre: Das sei die rechte Ordnung für eine gottergebene Menschheit. Wer sich dieser Ansicht nicht beugte, war von der *Exkommunikation* bedroht. Der Ausschluß von den Sakramenten war ein gefürchteter Bannspruch, der den Betroffenen von der Erlösung (der Einkehr in das Himmelreich nach dem Tode) ausschloß, aber auch von den Vorteilen, die die weltliche kirchliche Macht bot. Die Kirche überrnahm die Schirmherrschaft über die Kreuzzüge, jene Kriege, die angeblich zur Verteidigung des Glaubens geführt wurden und bei denen die »Ungläubigen« keinerlei Mitleid zu erwarten hatten.

Gegen Ende des 11. Jahrhunderts trieb Papst Gregor VII. den Machtanspruch der Kirche in bis dahin unbekannte Höhen. Er dekretierte, der Papst sei von Gott eingesetzt und daher keinem Menschen untertan. Er habe das Recht, Kaiser und Könige abzusetzen; die Fürsten dieser Welt müßten seine Füße küssen.

Obwohl der römisch-katholische Papst über enorme Macht verfügt, unterzieht er sich traditionellerweise einem Demütigungsritus, der spätestens aus dem 7. Jahrhundert stammt: So wie Jesus seinen Jüngern die Füße wusch, wäscht hier Papst Johannes Paul II. Armen und Alten die Füße.

Die Zentralisierung der kirchlichen Macht bildete ein einigendes Band, als zwischen 800 und 1100 das Fränkische Reich und seine Nachfolgestaaten unter den Invasionen der Wikinger und Magyaren auseinanderbrachen. Militärischen Schutz ihrer unmittelbaren Landesherren erhielten die Bauern nur um den Preis ihrer Freiheit: Sie wurden zu Hörigen. Die Feudalherren wiederum bekriegten sich auch untereinander. Inmitten dieser chaotischen Verhältnisse sahen die Menschen allein im Papst den Garanten einer machtvollen Ordnung.

Zwischen der Kirche und den weltlichen Staaten kam es zeitweilig zu heftigen Auseinandersetzungen um die Vorherrschaft: Manchmal hatten die Päpste die Oberhand, ein anderes Mal unterstützten sie die weltlichen Herrscher oder wurden sogar von ihnen abgesetzt. Eine gewisse Machtbeschränkung war, daß der Papst von einem Kardinalskollegium gewählt werden mußte. Und obwohl das Papstamt nicht vererbt werden konnte, entspannen sich gleichwohl Intrigen, Skandale und Machtspiele darum.

Im 13. Jahrhundert wurde das Schreckensinstrument der *Inquisition* eingeführt. Es beruhte auf der Auffassung von Augustinus, daß Häretiker um ihrer ewigen Rettung, ihres Seelenheils willen zu bekämpfen seien. Während Augustinus dabei aber Geld- und Haftstrafen als geeignete Zwangsmittel für eine Sinnesänderung im Auge hatte, benutzten die mittelalterlichen Inquisitoren meist Folter und Scheiterhaufen. In ganz Europa entstand im 12. Jahrhundert eine Sekte, »Katharer« (die »Reinen«) genannt, deren Mitglieder asketisch lebten, Armut und gegenseitige Hilfe schätzten. Obwohl diese Sekte in organisatorischer und liturgischer Hinsicht dem Christentum ähnelte, unterschied sie sich von ihm darin, daß sie Jesus nicht als Inkarnation Gottes sah, den Geist für gut und die Materie für böse hielt. Solche Glaubenslehren wurden von der Kirche als häretisch verdammt; blutige Kreuzzüge und die Inquisition eleminierten die Sekte, von der kleine Reste sich vor allem in Südfrankreich bis zum frühen 14. Jahrhundert gehalten hatten.

Doch schließlich konnte sich das Papsttum seiner innenpolitischen Gegner nicht mehr erwehren. Im 14. Jahrhundert verließen die Päpste das von Bürgerkriegen zerrissene Rom und zogen sich in das friedlichere Avignon zurück. Dort bauten sie eine komplizierte Verwaltungshierarchie auf, die sich immer mehr nur um weltliche Angelegenheiten kümmerte.

Nachdem der Sitz des Papstes wieder nach Rom zurückverlegt worden war, versuchte Papst Urban seine Reformen gewaltsam durchzusetzen. Einmal ließ er fünf Kardinäle gefangennehmen, foltern und töten. Viele Gläubige weigerten sich, diesem Papst zu gehorchen. Sie wählten Klemens VII. zum Gegenpapst in Avignon. Damit begann das große abendländische Schisma.

Intellektuelle Erneuerung und das Mönchtum

Obwohl es im Papsttum und in geringerem Maße auch im gesamten Klerus zu Mißbräuchen kam, zeigte sich in anderen Bereichen der mittelalterlichen Gesellschaft eine Wiederbelebung der christlichen Spiritualität. Im 12. und 13. Jahrhundert wurden in Europa neue, große Universitäten gegründet. Die Theologie galt als die Krone der Wissenschaften, aber christliche Ideale beherrschten auch alle übrigen Studienfächer. Hoch aufragende gotische Kathedralen wurden errichtet, die die Seelen der Menschen erheben sollten. Man glaubte, Gott throne hoch oben im Himmel, fern der Alltagswelt.

Das Sehnen nach geistlicher Reinheit kam insbesondere im Mönchtum zum Ausdruck. Vor allem durch Mönche und Nonnen lebte die christliche Spiritualität weiter und breitete sich aus. Die Klöster waren zugleich Bollwerke der westlichen Kultur. Insbesondere in Irland wurden sie zum Mittelpunkt größerer Laiengemeinschaften und zu Orten der Gelehrsamkeit inmitten einer analphabetischen Gesellschaft.

Im 12. Jahrhundert führte eine starke Erneuerungsbewegung spiritueller Aktivitäten zur Gründung zahlreicher neuer Orden. Den wichtigsten Einfluß übte eine in Cluny (Burgund) neuentstandene Mönchsgemeinschaft aus. Ihre Mönche widmeten sich dem Gebet und reformierten die Liturgie, während sie Hörigen die landwirtschaftliche Arbeit überließen. Eine andere Richtung schlugen Zisterzienser, Gregorianer und Karthäuser ein. Sie kehrten zu der alten Regel des heiligen Benedikt zurück und verbanden körperliche Arbeit und Gebet: »Arbeiten heißt beten«, erklärten sie. Die Karthäuser lebten abgeschlossen wie Eremiten und trafen einander nur zum gemeinsamen Gebet und zur Besprechung geschäftlicher Angelegenheiten. Trotz dieser strengen Reglementierung des Lebens zog es Menschen aller Schichten in die Klöster, die als eine fromme Zuflucht vor der verderbten Gesellschaft empfunden wurden.

> *Nicht nur das Gebet rühmt Gott, sondern auch die Arbeit … Er ist so groß, daß alle Dinge ihn rühmen, wenn du glaubst, daß sie es tun sollten.* Gerard Manley Hopkins[55]

Im Gegensatz zu diesen klosteransässigen Mönchen und Nonnen wirkten die Bettelmönche inmitten der Menschen. Die Aufgabe des Dominikanerordens bestand hauptsächlich in der Predigt und der Bekämpfung von Häresie. Thomas von Aquin, der berühmteste Gelehrte des Mittelalters, gehörte diesem Orden an. Sein monumentales Hauptwerk, die *Summa Theologiae,* versuchte rationale Wissenschaft und geistliche Offenbarung in ein schlüssiges, umfassendes theologisches System einzubinden.

Die Franziskanermönche folgten dem Vorbild ihres Stifters, des heiligen Franziskus von Assisi. Sie besaßen anfangs keine festen Gebäude und keinerlei persönliche Habe, sondern wanderten umher, erzählten den Menschen von der Liebe Gottes und nahmen Spendengaben für ihre geringen körperlichen Bedürfnisse. Die Bettelorden der Dominikaner und Franziskaner waren ein wichtiges Element des mittelalterlichen Christentums.

Neben den Nonnenklöstern bildete sich im 13. Jahrhundert in Flandern und Westdeutschland eine Laienbewegung von Frauen, die privat Keuschheit und die Führung eines einfachen Lebens gelobten. Diese sogenannten *Beginen* lebten kärglich von ihrer Hände Arbeit. Sie bildeten keine feste Ordensgemeinschaft; ihr Lebensstil war daher frei gewählt und sollte vor allem die Bedürfnisse eines »religiösen« Lebens erfüllen. Obwohl diese Bewegung, die in kein traditionell sanktioniertes Schema paßte, zeitweilig verfolgt wurde, dauerte sie fort und zog Zehntausende von Frauen an. Gelegentlich bauten sie kleine Konvente für ihre Gemeinschaften: Am Ende des 14. Jahrhunderts gab es allein in Köln, dem Zentrum dieser Bewegung, 169 dieser Beginenhöfe.

Die mittelalterliche Mystik

Im Mittelalter blühte die Mystik und sorgte für eine kontinuierliche Erneuerung der christlichen Spiritualität. Vor allem die Mönche und Nonnen in den Klöstern verbrachten ihre Tage damit, kontemplativ die Bedeutung der heiligen Schriften für ihre Seelen zu ergründen. So wurden beispielsweise die biblischen Erzählungen von den Schlachten zwischen den Glaubenshelden und ihren Feinden zu Kämpfen zwischen der Seele und den niederen Trieben umgedeutet. Neben solchen eher rationalistischen Betrachtungen gaben andere Gläubige sich völlig dem Gebet hin und ruhten in der bloßen Anschauung Gottes.

In Italien erschien der liebenswürdige heilige Franz von Assisi (1182–1226). Der sorglose und prachtliebende Kaufmannssohn erfuhr eine tiefgreifende geistliche Wandlung.

Statuen zeigen den heiligen Franz von Assisi häufig zusammen mit Vögeln – ein Symbol seines vertrauten, liebenden Umgangs mit der Kreatur.

Die junge Katharina von Siena, die »Mutter Tausender Seelen«, hatte eine Vision, in der Jesus, begleitet von der Jungfrau Maria und Heiligen, ihr einen Ehering gab, das Zeichen der mystischen Hochzeit.

Er tauschte seine kostbaren Gewänder gegen ein härenes Kleid und »verließ die Welt«[56], um ein Leben in Armut zu führen, für Aussätzige zu sorgen und verfallene Kirchen neu zu errichten – hatte ihn doch der Gekreuzigte in einer Vision aufgefordert: »Baue meine Kirche wieder auf.« Franziskus begriff, daß mit diesem Auftrag vor allem die Predigt des Evangeliums und seiner Gebote der Liebe und der Armut gemeint war. Etliche Brüder und später auch Schwestern unter Leitung der heiligen Klara sammelten sich um ihn. Die Brüder predigten, arbeiteten, bettelten, kümmerten sich um Leprakranke und setzten verfallene Kirchen instand, während sie von Stadt zu Stadt zogen. Neben der Askese stand mystische Freude. Es heißt, daß Franziskus mit wilden Tieren sprechen konnte. Häufig wird er mit Vögeln dargestellt, die vertrauensvoll auf seinen Schultern sitzen.

Zwei Jahre vor seinem Tod empfing Franziskus die *Stigmata,* die Wundmale Christi, an seinem Leib. Dieses Wunder wurde als Zeichen seiner Einheit mit Jesus in Leiden, Gebet, Heiligkeit und Liebe angesehen.

Überall in Westeuropa blühte im 14. Jahrhundert die Mystik. Juliana von Norwich hatte als Kind gebetet, daß sie im Alter von 30 Jahren (dem Alter, in dem Jesus öffentlich zu wirken begonnen hatte) eine Krankheit bekommen möge, die sie der *Passion* (der Leidensgeschichte) des Heilands näherbringe. Tatsächlich erkrankte sie mit 30 Jahren so schwer, daß sie fast gestorben wäre. Auf dem Höhepunkt des Fiebers hatte sie Visionen, in denen Christus ihr die endlose Liebe offenbarte, mit der er sich der Menschheit unablässig darbietet. Julianas Schriften behandelten das ewige Problem, wie sich die Existenz des Bösen mit der Erfahrung eines liebenden Gottes verbinden läßt, von dem sie übrigens zuweilen als »Gott, unsere Mutter« spricht.

Im 14. Jahrhundert entstand in England eine anonyme Schrift unter dem Titel *The Cloud of Unknowing* (»Die Wolke des Nichtwissens«). Das Christentum folgte seinerzeit und auch heute noch überwiegend einem *affirmativen* (bejahenden) Glaubensweg, bei dem Kunst, Liturgie, heilige Schriften und Bilder herangezogen werden, um die Hingabe an Gott zu fördern. Der Autor dieses Buches aber propagierte wie in Deutschland Meister Eckart oder Johannes Tauler den *negierenden* Weg einer reinen, gedankenfreien Gottesliebe. Gott könne seiner Meinung nach nicht durch Ideen oder physische Bilder erkannt werden: »die bloße Ausrichtung auf Gott, ein Verlangen nach ihm, ist ausreichend«[57]. Im Schweigen des wortlosen Gebets vermag das Licht Gottes die Wolke des menschlichen Nichtwissens zu durchdringen, die dem Gottsucher sein Ziel verhüllt.

Der Klerus in Italien war im 14. Jahrhundert völlig heruntergekommen, während die Päpste im fernen Avignon sich nur um Verwaltungsangelegenheiten kümmerten. In die-

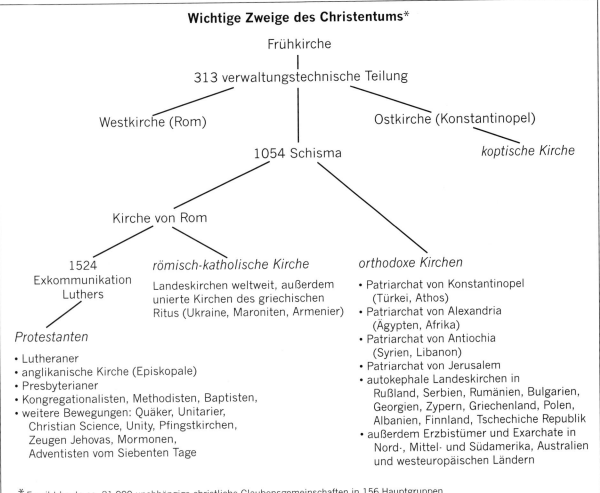

Wichtige Zweige des Christentums*

Frühkirche

313 verwaltungstechnische Teilung

Westkirche (Rom) Ostkirche (Konstantinopel)

koptische Kirche

1054 Schisma

Kirche von Rom

1524 Exkommunikation Luthers

römisch-katholische Kirche
Landeskirchen weltweit, außerdem unierte Kirchen des griechischen Ritus (Ukraine, Maroniten, Armenier)

orthodoxe Kirchen
• Patriarchat von Konstantinopel (Türkei, Athos)
• Patriarchat von Alexandria (Ägypten, Afrika)
• Patriarchat von Antiochia (Syrien, Libanon)
• Patriarchat von Jerusalem
• autokephale Landeskirchen in Rußland, Serbien, Rumänien, Bulgarien, Georgien, Zypern, Griechenland, Polen, Albanien, Finnland, Tschechiche Republik
• außerdem Erzbistümer und Exarchate in Nord-, Mittel- und Südamerika, Australien und westeuropäischen Ländern

Protestanten
• Lutheraner
• anglikanische Kirche (Episkopale)
• Presbyterianer
• Kongregationalisten, Methodisten, Baptisten,
• weitere Bewegungen: Quäker, Unitarier, Christian Science, Unity, Pfingstkirchen, Zeugen Jehovas, Mormonen, Adventisten vom Siebenten Tage

* Es gibt heute ca. 21 000 unabhängige christliche Glaubensgemeinschaften in 156 Hauptgruppen

Martin Luthers politischer Einfluß und seine vielen Schriften führten zu einem tiefen Bruch in der Westkirche: Die Protestanten trennten sich von der römisch-katholischen Kirche (Lucas Cranach d. Ä., Martin Luther, 1533).

sem geistlichen Vakuum sammelten sich die Laien um heilige Persönlichkeiten, die eine Aura echter Frömmigkeit ausstrahlten. Eine der berühmtesten jener Personen war die heilige Katharina von Siena. Ihre unermüdlichen Bemühungen, die geistliche Reinheit und religiöse Disziplin innerhalb der Kirche wiederherzustellen, verschafften ihr bei Papst Gregor XI. Gehör; sie brachte ihn dazu, nach Rom zurückzukehren. »Mutter Tausender Seelen« wurde sie genannt; bei ihrem bloßen Anblick sollen Menschen bekehrt worden sein.

Die Reformation

Trotz der aufrichtigen Frömmigkeit einzelner Mitglieder der katholischen Kirche meinten manche, die mit ihrer Autorität in Konflikt gerieten, daß die Mächtigen dieser Kirche den Kontakt zu der spiritueller Tradition verloren hätten. Mit der Erfindung des Buchdrucks und der zunehmenden Bildung (Lese- und Schreibfähigkeit) der Laien im späten 15. Jahrhundert entdeckten viele Christen das frühe Christentum wieder und bemerkten die Diskrepanz zu dem, was die römisch-katholische Kirche aus der Religion gemacht hatte. Insbesondere das Geldsammlungsgebaren der Kirche traf auf scharfe Kritik. Die für Kreuzzüge und andere Zwecke gesammelten Gelder flossen überwiegend in den Verwaltungsapparat und in den Bau prächtiger Kirchen. Zu den Sammlungsformen gehörten der Ablaßhandel (gegen Bezahlung sprach die Kirche Menschen von ihren Sünden los), der Verkauf von Reliquien und Seelenmessen für die Toten, geistliche Pilgerfahrten sowie die Behauptung, der Gläubige erwerbe geistliche »Verdienste«, wenn er sein Vermögen der Kirche spende.

Als Führer der Reformationsbewegung ging der Priester, Mönch und Universitätslehrer Martin Luther in Wittenberg hervor. Ihn quälte die Frage, wie der Mensch durch sein eigenes Handeln die vollständige Vergebung seiner Sünden erlangen könne. Der Standpunkt der römisch-katholischen Kirche war, daß die Menschen zur Vergebung der Sünden, deren sie nach der Taufe schuldig wurden, bereuen und einem Priester beichten müßten, der sie von ihren Sünden lossreche. Der zeitlichen Bestrafung für die Sünden könne man entgehen, indem man sich den vorgeschriebenen Bußen unterwerfe oder einen Ablaß erwirke. Die Ablässe sollten sogar die Macht haben, den Seelen bußfertiger Verstorbener das *Fegefeuer* zu ersparen, jener erst im Mittelalter erfundenen Station zwischen Hölle und Himmel, wohin gelangte, wer zwar in Buße und Gnade gestorben, aber noch nicht rein genug war, um unmittelbar ins Himmelreich einzugehen. Die Schloßkirche in Wittenberg besaß einen umfangreichen Reliquienschatz, darunter Haare der Jungfrau Maria und einen Dorn der »Dornenkrone«, die Jesus vor der Kreuzigung aufgesetzt worden war. Diese Reliquien sollten so gnadenvoll sein, daß alle, die sie am rechten Tag betrachteten und ausreichend spendeten, päpstliche Ablässe erhielten, die ihnen selbst oder den begünstigten Personen fast zwei Millionen Jahre Fegefeuer ersparen sollten.

Durch intensives Studium in den Schriften der Kirchenväter kam Luther hinsichtlich der Sündenvergebung zu einem ganz anderen Schluß. Paulus und Augustinus erklärten seiner Ansicht nach, daß Gott den Sündern trotz ihrer Sünden das Seelenheil durch Jesus anbiete. Diese Erlösung biete die »ungeschaffene Gnade« Gottes, die man durch die Überzeugung von der eigenen Sündhaftigkeit und durch den unbedingten Glauben an die Erlösung, nicht aber durch die »erschaffenen Gnadenmittel« der Kirche erlangen könne. Die »guten Werke«, welche die Katholiken den Christen als Mittel anpriesen, um Verdienste im Himmel zu erwerben, seien nicht der wirkliche christliche Heilsweg, meinte Luther. Die Erlösung von der Sünde komme durch den Glauben an Gott, der sich seinerseits Gottes Gnade verdanke. Diese Gabe des Glaubens bringe die *Rechtfertigung*, das heißt einen Zustand, in dem der Mensch vor Gottes Augen als gerecht erscheine. Aus dem Glauben erst flössen die selbstlosen guten Werke, die einen wahren Christen auszeichneten:

> *Sih also fleusset auß dem glauben die lieb vnd lust zu gott/ vnd auß der lieb / ein frey / willig / frolich lebenn dem nehsten zu dienen vmbsonst … Darumb wie vns gott hatt durch Christum vmbsonst geholffen / alßo sollen wir / durch den leyp / vnd seine werck / nit anders den dem nehsten helffen.*[58]

Im Jahr 1517 lud Luther die Mitglieder der Universität ein, mit ihm über diese Frage zu disputieren, indem er entsprechend dem Brauch seine Thesen an der Tür der Schloßkirche anschlug. Er hatte damals noch nicht die Absicht, mit der Kirche zu brechen. Die katholische Kirche aber exkommunizierte ihn 1521 wegen seiner Ansichten.

Vom Rom verworfen, suchte Luther die Unterstützung der weltlichen Fürsten Deutschlands. Viele schlossen sich ihm an und halfen bei der Verbreitung seiner Ideen, wobei sie freilich häufig mehr von weltlichen Interessen geleitet waren. Trotz einiger Vermittlungsversuche von beiden Seiten kam es zu keiner Einigung zwischen Rom und den Anhängern Luthers.

Luthers theologisches Denken entfernte sich immer mehr von den Institutionen der römisch-katholischen Kirche. Er bezweifelte, daß die Bibel die katholische Lehrmeinung stützte, daß dem Papst, den Bischöfen, den Priestern und Mönchen geistliche Autorität über die Laien zustehe, vielmehr lehrte er, daß jedermann Priester sei. Die Sakramente der Kirche sollten den Glauben unterstützen. Er erkannte nur die von Jesus selbst eingesetzten an, die Taufe und das Abendmahl.

Ein weiterer Reformator, der schließlich mit Rom brach, war der Schweizer Priester Huldrych (Ulrich) Zwingli (1484–1531). Er verwarf die religiösen Praktiken, die nicht in der Bibel erwähnt waren: das Fasten, die Reliquien- und Heiligenverehrung, die religiösen Pilgerfahrten und den Zölibat für Mönche und Priester. Zwingli erklärte (im Gegensatz zu Luther), das Abendmahl sei als ein bloßes Gedächtnismahl in Erinnerung an Jesu Opfertod zu feiern; er glaube nicht an die Realpräsenz von Jesu Fleisch und Blut in dem geweihten Brot und Wein, ebensowenig an die geistliche Wirksamkeit der Seelenmessen und der Ohrenbeichte:

> *Die Heilige Schrift weiß von keiner anderen Beichte als von derjenigen, wo der Mensch sich selbst erkennt und sich an die Barmherzigkeit Gottes ausliefert … Es ist also Gott allein, der die Sünden vergibt und den Geist ruhig macht. Darum müssen wir auch ihm allein die Heilung unserer Wunden zuschreiben und sie ihm zur Heilung darbieten.*[59]

Viele Christen schlossen sich den Ansichten dieser Reformatoren an. Die Freiheit der Interpretation der biblischen Schriften, die sie eröffneten, erwies sich allerdings als Büchse der Pandora. Der *Protestantismus*, wie dieser neue Zweig des Christentums genannt wurde, war niemals einheitlich-geschlossen wie die römisch-katholische Kirche. Sofort bildeten sich unterschiedliche protestantische Glaubensrichtungen.

Zu einem wichtigen reformatorischen Zentrum wurde Genf durch das Wirken Johannes Calvins (1509–64). Er stimmte mit den übrigen Reformatoren darin überein, daß allein der Glaube selig mache, daß einzig der Bibel Autorität zukomme und daß alle Christen Priester seien. Doch Calvin kam bei dem Lehrsatz der Rechtfertigung durch den Glauben zu einem neuen Schluß. Die angemessene Reaktion auf Gott war seiner Ansicht nach eine eifernde Frömmigkeit und eine ehrfürchtige Verehrung, die »Gott zu beleidigen mehr fürchtet als den Tod«[60]. Die Handlungen der Menschen haben keine Bedeutung vor der Ewigkeit, da Gott bereits über das Schicksal jedes einzelnen entschieden habe. Manche seien Gottes Gnade aus seinem unerfindlichen Ratschluß teilhaftig geworden; andere

In den Gottesdiensten der Baptisten findet die tiefe emotionale Beziehung der Gläubigen zu Jesus Ausdruck. Gottesdienst in der Mount Vernon Baptist Church, Indianapolis.

aber zur ewigen Verdammnis prädestiniert. Obwohl die Menschen an ihrem Geschick nichts ändern könnten, offenbare sich an ihrem Verhalten jedoch das ihnen beschiedene Schicksal.

Obwohl letztlich allein Gott wissen könne, wer zum Heil berufen sei, gebe es doch drei Zeichen für eine Gnadenwahl, welche die Menschen erkennen könnten: die Ausübung des Glaubens, ein ehrliches Leben und die Teilnahme an den Sakramenten. Calvin war überzeugt, daß die Kirche das Recht habe, Strafen auszusprechen und in extremen Situationen sogar jene, die die Heiligkeit der Kirche verletzten, zu exkommunizieren. Calvins Ideal war eine Gemeinschaft der Heiligen, in der Kirche, Regierung und Bürger mit dem Ziel zusammenarbeiten sollten, eine dem Ruhm und dem Auftrag Gottes geweihte Gesellschaft zu errichten.

Calvins Interpretation des Christentums machte seine Anhänger davon überzeugt, daß sie niemanden außer Gott zu fürchten hätten. In der Überzeugung, daß sie vorherbestimmt seien, Gottes Willen zu erfüllen, setzten sie sich über alle weltlichen Hindernisse gegen die Ausbreitung ihrer Lehre hartnäckig hinweg. Der *Calvinismus* wurde zur Staatsreligion in Schottland und fand rasch viele Anhänger in den Niederlanden, aber auch in England, dessen anglikanische Staatskirche sich unter König Heinrich VIII. von Rom losgesagt hatte, weil der Papst sich geweigert hatte, eine kinderlose Ehe des Königs zu scheiden.

Die Ausbreitung der protestantischen Reformation führte dazu, daß die einzelnen Territorialstaaten die in ihrem Land zu praktizierende Religionsform wählten. Spanien, Frankreich und die italienischen Fürstentümer hielten am Katholizismus fest. In Deutschland, das überwiegend lutherisch war, bestimmte jeder Reichsfürst selbst die Religion seines Territoriums. Die süddeutschen Fürstentümer und das Rheinland blieben katholisch; in

West- und Südwestdeutschland gewannen später auch die Reformierten mit ihrer überwiegend an Calvin ausgerichteten Lehre an Gewicht. Irland wurde zwischen Katholiken und Protestanten geteil, was bis heute immer wieder zu religiösen Bürgerkriegen führte. Die calvinistische Kirche in Schottland nannte sich aufgrund ihrer Gemeindeverfassung *presbyterianisch*. In Ländern wie der polnischen Republik, in Ungarn und dem Fürstentum Siebenbürgen, wo wegen besonderer politischer Umstände Toleranz in Glaubensfragen herrschte, später auch in den Niederlanden, kam es zur Gründung *unitarischer* Gemeinden. Die Unitarier verwarfen die Lehren der Erbsünde, der Dreifaltigkeit und der Göttlichkeit Christi zugunsten eines einfachen Theismus und einer Nachfolge Jesu.

All diese Sekten fanden später eine Heimstatt in Amerika, weil viele ihrer Anhänger, als ihre Glaubensgemeinschaften von der anglikanischen Kirche und dem britischen Staat verfolgt wurden, in die nordamerikanischen Kolonien auswanderten. Zu den Abkömmlingen dieser Sekten gehören heute die Konfessionen (Glaubensgemeinschaften) der Baptisten, Independenten, Quäker und Methodisten. Zu den mitgliederstärksten dieser Kirchen gehören die *Baptisten,* deren besonderes Merkmal die Erwachsenentaufe ist. Die Independenten oder *Kongregationalisten* betonen die Unabhängigkeit der einzelnen Gemeinde und die Priesterschaft aller Gläubigen. Die *Quäker* (offiziell »Gesellschaft der Freunde«) verzichten auf Liturgie und Prediger. Sie sitzen im Gottesdienst still beieinander und hoffen, daß Gott durch eines der Gemeindemitglieder sprechen werde. Die *Methodisten* gehen auf den im 18. Jahrhundert lebenden Evangelisten John Wesley zurück, der jedes Jahr einen Reiseweg von 13 000 Kilometern zu Pferde zurücklegte, um »eine lebendige, praktische Religion« zu fördern und »durch die Gnade des lebendigen Gottes ein gottgefälliges Leben in den Seelen der Menschen zu erzeugen, zu bewahren und zu entwickeln«[61].

Die Mitglieder der anglikanischen Kirche werden seit dem Unabhängigkeitskrieg in den USA als *Episkopalisten* bezeichnet. Im 19. Jahrhundert entstanden in Amerika weitere Sekten. Nur bedingt als Christen anzusehen sind die *Mormonen* (»Kirche Jesu Christi der Heiligen der letzten Tage«), die glauben, daß Christus nach der Auferstehung auch in Amerika gepredigt habe. Neben der Bibel erkennen sie das Buch Mormon, eine angeblich alte Textsammlung, die ihrem Propheten Joseph Smith (1805–44) offenbart worden sein soll, als heilige Schrift an. In Nordamerika verbreiteten sich vor allem *evangelikale* Kirchen, die die Erlösung durch den ausdrücklichen, persönlichen Glauben an Jesus, die »innere Wiedergeburt«, die Bedeutung der Bibel und den Vorrang der Predigt vor dem Sakrament betonen. Die *Adventisten des Siebenten Tages* glauben an die baldige Rückkehr Jesu Christi und betrachten die Bibel bis zu seiner Wiederkunft als absolut gültigen Wegweiser des Glaubens und der geistlichen Praxis. Die *Zeugen Jehovas* werfen den anderen christlichen Glaubensgemeinschaften vor, ab dem 2. Jahrhundert falsche Lehrsätze aufgestellt zu haben, und sind bemüht, die Anhänger anderer Konfessionen zur

Die Jungfrau von Guadalupe, die angeblich im 16. Jahrhundert einem konvertierten Azteken erschien und ihn in der Landessprache Nahuatl ansprach, ist zur Schutzheiligen beider amerikanischen Kontinente erhoben worden.

Abkehr von ihrer »falschen Religion« zu bekehren, da der Tag komme, an dem nur die wahren Gläubigen bestehen würden.

In neuester Zeit gewinnen evangelikale fundamentalistische Sekten auch in den seit der Kolonialzeit überwiegend katholischen Ländern Mittel- und Südamerikas Zulauf. Auch in Asien, Afrika und Osteuropa waren protestantische Missionare tätig. Trotz der großen Unterschiede zwischen den verschiedenen protestantischen Konfessionen haben sie mehrere Eigenschaften gemeinsam, die sie stärker von der Orthodoxie und dem römischen Katholizismus abgrenzen, wenngleich letzterer sich aufgrund der tiefgreifenden Veränderungen des Zweiten Vatikanischen Konzils (1962) dem Protestantismus angenähert hat. Für die Protestanten steht das (in den einzelnen Konfessionen verschieden interpretierte) Zeugnis der Bibel im Mittelpunkt, nicht die Autorität der Kirche. Das persönliche Verhältnis zu Jesus und zu Gott ist wichtiger als die Gnadenvermittlung der Kirche. Die meisten protestantischen Kirchen haben keine Priester, die Sakramente verwalten, sondern Pfarrer oder Prediger, die predigen und die Gemeinschaft der Gläubigen aufbauen sollen. Die Quäker sind bei der Zurückweisung einer geistlichen Autorität von Menschen noch weiter gegangen. Sie folgen dem Beispiel ihres Gründers George Fox (1624–91), der in einer inneren Erleuchtung die Gewißheit Gottes erfuhr; diese »Kinder des Lichts« verwerfen jede Form von Liturgie und verehren Gott in hingebungsvollem Schweigen.

Die Reformation der katholischen Kirche (Gegenreformation)

Während die Protestanten ihre Positionen genauer definierten, fand auch bei den Katholiken ein Klärungsprozeß statt. Da es schon vor Luther innerhalb der Kirche Reformbestrebungen gab, sprechen die Katholiken bei der von den Protestanten als »Gegenreformation« bezeichneten Bewegung lieber von der »Katholischen Reformation«. Zweifellos trug der Protestantismus entscheidend dazu bei, daß nun auch der Katholizismus seine Positionen überprüfte. Das geschah vor allem auf dem Konzil von Trient (1545–63). Es hatte eine moralische Reform des Klerus durchzusetzen und die Kirchenverwaltung zu straffen versucht. Die absolute Autorität des Papstes als der Stellvertreter Gottes und Jesu Christi auf Erden wurde offizielles Dogma. Zu etlichen Streitfragen wurden dogmatische Entscheidungen gefällt. Ein grundlegendes Dogma nicht nur der katholischen Kirche ist das der Erbsünde: Alle Menschen sind moralisch verderbt, da sie von den Stammeltern der Menschheit eine sündige Natur geerbt haben. Nur die Gnade Gottes, durch den Tod und die Auferstehung Jesu vermittelt, kann die Menschen aus diesem Zustand erlösen.

In der Frage der Rechtfertigung entschied das Konzil von Trient, daß zur Erlösung sowohl der Glaube als auch »gute Werke« erforderlich seien. Zu diesen Werken gehören Spenden an die Armen, die Verehrung der Heiligen, Reliquien und heiligen Bilder sowie die Teilnahme an den Sakramenten. Im Abendmahlsstreit bekräftigte das Konzil das Dogma von der *Transsubstantiation,* der leibhaften Verwandlung von Brot und Wein in Fleisch und Blut Christi während der Eucharistiefeier.

Außerdem wählte die katholische Kirche von da an in der Regel würdigere Päpste, und mehrere neue Orden wurden aufgrund des herrschenden Reformverlangens gegründet. Die Jesuiten (»Gesellschaft Jesu«) betrachteten sich als eine Armee von Gottesstreitern, die dem Papst uneingeschränkt zur Verfügung stand. Der Ordensgründer Ignatius von Loyola schrieb die *Geistlichen Übungen,* ein Buch, das noch heute als ausgezeichnete Meditationsanleitung voll geistlichen Scharfblicks gilt. Besonders aber in der Glaubensverbreitung (Propaganda fidei) und Erziehung innerhalb der Alltagswelt taten sich die Jesuiten hervor; sie brachten den Katholizismus nach China.

Die spanischen Konquistadoren trugen ihren Glauben nach Amerika und den Philippinen. Spanien verfügte im 16. und 17. Jahrhundert über eine Anzahl bedeutender Mystiker. Die heilige Teresa von Avila (1515–82) wurde eine einflußreiche Erneuerin der Spiritualität in ihrem Orden, den Reformierten (oder Unbeschuhten) Karmelitern. Dieser Orden widmete sich vor allem dem Gebet; die Mönche und Nonnen lebten asketisch. Wenn sich die heilige Teresa auch intensiv mit der Verwaltung ihres Nonnenordens befaßte, behielt sie doch das ruhige Gefühl einer tiefen inneren Gemeinschaft mit Gott. In ihrem Meisterwerk *Die Innere Burg* beschrieb sie den Zustand der »geistlichen Hochzeit«:

> *Bei der mystischen Vermählung aber ist es, wie wenn Wasser vom Himmel in einen Fluß*
> *oder in einen Brunnen fällt, wo die beiden Wasser so eins werden, daß sie nicht mehr*
> *voneinander geschieden werden können; oder wie wenn ein kleines Bächlein sich ins Meer*
> *ergießt, wobei eine Ausscheidung seines Wassers nicht mehr möglich ist.*[62]

Die heilige Teresa übte großen Einfluß auf einen jungen Freund aus, den wir heute als den heiligen Johannes vom Kreuz kennen. Er trat in ein Mönchskloster der Karmeliter ein; als Mitglieder dieser Gemeinschaft ihn gefangensetzten, weil sie seine Reformvorschläge ablehnten, hatte er Visionen und schrieb tiefgründige geistliche Dichtungen. Der wichtigste Schritt für die Seele, die sich Gott hingeben will, ist nach Ansicht des Johannes die Aufgabe aller Spuren des Selbst. Diesen Zustand nennt er die »dunkle Nacht der Seele«. Alle menschliche Vernunft erlösche in einem Nichtwissen, in das das reine Licht Gottes widerstandslos eindringen könne. Der heilige Johannes vom Kreuz gilt auch heute noch als großer Lehrer eines der geistlicher Meditation gewidmeten Lebens.

Die Aufklärung

Die europäische Aufklärung des 18. Jahrhunderts stellte für das Christentum eine potentielle Bedrohung dar. Die Intellektuellen jener Zeit vertrauten ganz der menschlichen Vernunft und lehnten aufgrund dessen den Glauben an die Offenbarung und an die in der Bibel berichteten Wunder ab. Im 19. Jahrhundert waren viele Menschen der Ansicht, die Erkenntnisse der Naturwissenschaften widerlegten den biblischen Schöpfungsbericht. Doch die meisten großen Naturwissenschaftler des 19. Jahrhunderts waren als gläubige Christen davon überzeugt, daß ihre Erkenntnisse dem Glauben nicht widersprachen, sondern diesen vielmehr noch untermauerten.

Diese Sichtweise verbreitete sich schnell. Viele protestantische Theologen versuchten, die Glaubenslehren »rational« zu fassen. Sie betonten die »Vernünftigkeit« und Nützlichkeit und lehnten ein dogmatisches Beharren auf einem orthodoxen Konformismus in Glaubensfragen ab. Die Gläubigen wurden ermutigt, die religiösen Lehren vor dem Hintergrund ihrer eigenen Erfahrung zu beurteilen.

Von solchen Herausforderungen an den traditionellen Glauben unbeeindruckt, eher noch angespornt, entwickelte sich ein starker missionarischer Eifer innerhalb des Protestantismus, der die Verkündigungstätigkeit nicht allein den Katholiken überlassen wollte und im Gefolge des Kolonialismus den christlichen Glauben in alle Länder trug. John Wesley, der Begründer der Methodisten, erklärte:

> *Ich betrachte die gesamte Welt als meinen Kirchsprengel … Ich halte es für angemessen,*
> *gerecht und meine auferlegte Pflicht, in allen Teilen der Welt, wo ich gerade bin,*
> *allen Menschen, die hören wollen, die gute Nachricht von der Erlösung zu bringen.*[63]

Mit der Bewegung des »sozialen Evangeliums« traten die protestantischen Kirchen in die erste Reihe jener, die soziale und moralische Reformen anstrebten. Frauen, die lange Zeit

Das große und prunkvolle Zweite Vatikanische Konzil, das Papst Johannes XXIII. 1962 zusammenrief, kam zu historisch bedeutsamen Entscheidungen, die dem Katholizismus eine neue Richtung gaben. Der Klerus trat den Laien von da an partnerschaftlicher gegenüber.

von allen wichtigen kirchlichen Stellungen ausgeschlossen waren, spielten in den Missions- und Reformanstrengungen der Kirche eine wichtige Rolle. So machten sie sich stark für die Abschaffung der Sklaverei, verwiesen auf bestimmte Bibelstellen, die die Gleichheit der Geschlechter verkündigten. Als die Kongregationalistische Kirche Sarah Grimke und andere Frauen dafür kritisierte, daß sie öffentlich gegen die Sklaverei agitiert hatten, sagte Grimke: »Ich verlange von meinen Brüdern nichts weiter, als daß sie ihre Füße von unseren Nacken nehmen, damit wir aufrecht auf jenem Grund stehen können, den Gott uns angewiesen hat.«[64]

Die liberale Theologie des Protestantismus widmete sich der Bibelkritik – dem Versuch, die Bibel als Literatur zu lesen und zu interpretieren. Welche Texte waren die frühesten? Wer hatte sie verfaßt? Wie hingen sie untereinander zusammen? Solche Fragen waren für frühere Generationen, denen die Bibel als Gottes offenbartes Wort galt, undenkbar gewesen.

Das Erste und das Zweite Vatikanische Konzil

Zu dieser Zeit verteidigten die römisch-katholische Kirche und die Ostkirchen weiterhin die Traditionen gegen alle Veränderungen des modernen Lebens. 1868 berief die römisch-katholische Kirche ein allgemeines Konzil. Die wichtigste zu entscheidende Streitfrage war die päpstliche Unfehlbarkeit. Der Papst, so beschlossen die auf dem Konzil versammelten Bischöfe, könne niemals irren, wenn er sich ex cathedra, von seinem Thronsitz aus, zu Fragen des Glaubens und der Moral äußere.

Im Jahr 1962 berief Papst Johannes XXIII., ein Mann, der für seine Freundlichkeit und seinen heiligen Lebenswandel berühmt war, das Zweite Vatikanische Konzil ein, dessen Aufgabe es sein sollte, die Kirche zu modernisieren und mit neuem Leben zu erfüllen, damit sie den Menschen als eine lebendige Kraft in der modernen Welt diene und nicht länger einer alten, belagerten Festung gliche. Nach seinen Absichten befragt, öffnete der Papst ein Fenster, um anzudeuten, daß er frischen Wind in seine Institution bringen wolle. Progressive und traditionalistische Kräfte stritten auf diesem Konzil miteinander, doch schließlich stimmte die Mehrheit tiefgreifenden Änderungen zu.

Viele davon betrafen die Liturgie der Messe oder Eucharistiefeier. Bisher war sie in lateinischer Sprache abgehalten worden – für die meisten Gläubigen unverständlich. Nun war der Gebrauch der jeweiligen Landessprache zugelassen. Die Riten wurden vereinfacht, ein häufigerer Einsatz von Kirchenmusik, die sich nicht länger auf die Orgel und den Chorgesang beschränken sollte, wurde befürwortet. Zum erstenmal wurden die Laien zu aktiver Beteiligung aufgefordert. Auf diese Weise entfachte das Zweite Vatikanum eine neue Kreativität im Gottesdienst. Ganz neue Formen entstanden, beispielsweise schlichte Messen, bei denen die Gläubigen geistliche Volkslieder zu Gitarrenbegleitung sangen.

Eine weitere wichtige Änderung betraf das Verhalten des Katholizismus innerhalb der *Ökumene*, der Annäherung der getrennten christlichen Konfessionen. Die römisch-katholische Kirche erkannte an, daß der Heilige Geist in allen Kirchen, auch im Protestantismus und der östlichen Orthodoxie, wirksam sei. Das Konzil setzte sich für die Wiederherstellung der Einheit aller Christen ein und erklärte, jede Kirche dürfe ihre Traditionen bewahren. Es erweiterte ferner den Begriff der Offenbarung und hoffte auf einen Dialog mit den Juden, mit denen das Christentum ein »geistliches Erbe«[65] teile, und mit den Moslems, denen die Kirche »mit Achtung« begegne, da sie »den einen Gott anbeteten« und Jesus als Propheten ehrten.

Auch die übrigen Weltreligionen wurden als Wege der Annäherung an den Einen, den die Christen Gott nennen, gewürdigt. Besonders galt dies für den Hinduismus (»durch den die Menschen das göttliche Mysterium kontemplativ betrachten«) und den Buddhismus (»der die radikale Unzulänglichkeit dieser veränderlichen Welt zur Kenntnis nimmt«).[66]

Das Zweite Vatikanum bezeichnete eine ganz neue Richtung innerhalb des Katholizismus. Seine vergleichsweise liberale und friedfertige Haltung trifft auch heute noch auf Widerstand in einigen Teilen der Kirche, zumal am Ende des 20. Jahrhunderts konservative Kräfte innerhalb des Vatikans offenkundig – gegen den Widerstand liberalerer Katholiken – eine Revision mancher Entscheidungen dieses Konzils anstreben. Im letzten Abschnitt dieses Kapitels, das sich mit den gegenwärtigen Entwicklungen des Christentums befaßt, werden wir auf bestimmte Auswirkungen dieses neuen Konservativismus der katholischen Kirche hinweisen.

Zentrale Glaubensinhalte des heutigen Christentums

Die Geschichte der Christenheit ist stärker von den Unterschieden als von den Übereinstimmungen zwischen den verschiedenen Konfessionen geprägt. Die Kirche ist sehr groß und kulturell verschieden; die christliche Theologie ist umfangreich und kompliziert. Dennoch gibt es eine Reihe von Glaubensinhalten, in denen die meisten derjenigen, die sich zum Christentum bekennen, heute übereinstimmen.

Ein zentraler Glaubensinhalt ist die göttliche Sohnschaft Jesu – die Überzeugung, daß Jesus die Inkarnation Gottes sei. Dem Johannes-Evangelium zufolge erklärte Jesus vor seinem Tod seinen Jüngern, er gehe ein in seines Vaters Haus, »um einen Platz für euch vorzubereiten«. Als sie fragten, wie sie den Weg dahin finden könnten, sagte Jesus:

> *Ich bin der Weg und die Wahrheit und das Leben; niemand kommt zum Vater außer durch mich … Wer mich gesehen hat, hat den Vater gesehen … Der Vater, der in mir bleibt, vollbringt seine Werke.*[67]

In der Geschichte des Christentums herrschte fast durchgängig die Ansicht, daß Jesus die einzige Inkarnation Gottes sei. Paul Knitter gehört zu den Theologen der Gegenwart, die sich für einen weniger exklusiven Ansatz aussprechen; gleichwohl würdigt er den einzigartigen Beitrag Jesu:

> *Christen wissen aufgrund ihrer Praxis der Nachfolge Jesu, daß seine Botschaft ein sicheres Mittel zur Befreiung von Ungerechtigkeit und Unterdrückung, ein wirksamer, hoffnungsreicher und universell gültiger Weg zur Erlangung der Soteria (der menschlichen Wohlfahrt und der Befreiung der Armen und Unterdrückten) sowie zur Förderung des Reiches Gottes ist … »Nicht jeder, der zu mir sagt: Herr! Herr!, wird in das Himmelreich kommen, sondern nur, wer den Willen meines Vaters im Himmel erfüllt« (Matthäus 7,21–23).*[68]

Für die Christen ist Jesus der Heiland der Welt, den Gott in die Welt sandte, um die Menschen von ihren Sünden zu erlösen und sie mit Gott zu versöhnen. Bei Matthäus heißt es: »Denn auch der Menschensohn ist nicht gekommen, um sich dienen zu lassen, sondern um zu dienen und sein Leben hinzugeben als Lösegeld für viele.«[69] Sein Leiden und sein Tod gelten als stellvertretendes Opfer für alle, die ihm folgen und an ihn glauben.

> *Denn Gott hat die Welt so sehr geliebt, daß er seinen einzigen Sohn hingab, damit jeder, der an ihn glaubt, nicht zugrunde geht, sondern das ewige Leben hat. Denn Gott hat seinen Sohn nicht in die Welt gesandt, damit er die Welt richtet, sondern damit die Welt durch ihn gerettet wird.*[70]

Nach christlicher Überzeugung haben alle Menschen einen sündhaften Charakter, auf den das Alte Testament metaphorisch in der Geschichte vom Fall des ersten Menschenpaars anspielt. Die Menschheit hat ihre ursprüngliche Reinheit verloren. Gott gab den Menschen einen freien Willen, und sie wählten den Ungehorsam, statt sich Gottes Willen zu unterwerfen. Die Menschheit kann sich nicht selbst aus ihrem gefallenen Zustand erretten, Vergebung ist nur durch das Mitleid eines liebenden Gottes möglich.

Durch den uneingeschränkt hingebungsvollen Glauben an Jesus hoffen die Christen, von ihrer egoistischen Sündigkeit gereinigt, erneuert, gerechtfertigt, von Gott angenommen, geheiligt und im künftigen Leben verherrlicht zu werden. Dies sind die Segnungen der Erlösung, die Jesus den Menschen durch seinen Opfertod zukommen läßt.

Obwohl die Christen Jesus als den Heiland, die Inkarnation des barmherzigen Gottes, verehren, erblicken sie in ihm zugleich auch einen Menschen, der anderen Menschen den Weg zu Gott zeigt. Sein eigenes Leben liefert ein vollkommenes Modell für richtiges menschliches Verhalten. Erzbischof Desmond Tutu unterstreicht Jesu Identifikation mit den Bedingungen menschlichen Daseins:

> *Gott wohnt nicht in olympischer Höhe fern von uns. Er ist mit uns zutiefst solidarisch. Gott wurde Mensch, ein kleines Kind. Gott empfand Hunger, Müdigkeit. Gott litt und starb. Gott ist mit uns.*[71]

Dies ist das zentrale Mysterium des Christentums: daß Gott Mensch wurde, um die Menschen zu Gott zurückzuführen.

Die Missionaries of Charity der Mutter Theresa

Die Liebe, von der Christus sprach, ist keine intellektuelle Abstraktion. Nach Ansicht der kleinen Nonne, die in der ganzen Welt als Mutter Theresa verehrt wurde, muß diese Liebe praktisch ausgeübt werden.

Mutter Theresa war 1910 in Albanien geboren worden. Ihre Familie war wohlhabend, verlor aber beim Tod des Vaters allen Besitz. Mit 18 Jahren trat sie einem Konvent der Loretoschwestern bei; ihre Mutter und ihre Schwestern sah sie niemals wieder. Theresa fühlte sich nach Indien berufen, wo sie anfangs in einer Mädchenschule in Kalkutta unterrichtete. Dann folgte die noch schwerer zu erfüllende innere Verpflichtung, »Gottes Liebe gegenüber den Ärmsten der Armen auszuüben«. Zur Zeit der Unruhen nach Gandhis Ermordung und der Teilung Indiens in einen Hindu- und einen moslemischen Staat war Kalkutta von Flüchtlingen überschwemmt. Mutter Theresa durchstreifte die Straßen und versuchte ohne jedes Hilfsmittel, den von der Gesellschaft Ausgestoßenen, den Bettlern, den Aussätzigen und Sterbenden, karitativ zu helfen. Sie wollte wie Jesus leben und den Armen dienen. Für sich selbst beanspruchte sie

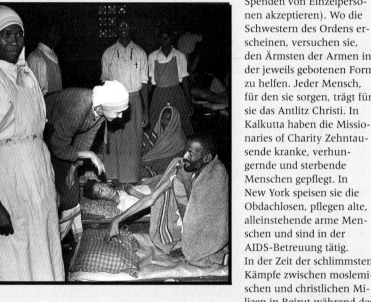

nichts, nicht einmal die Sicherheit einer ständig verfügbaren Unterkunft. Mutter Theresa erklärte: »In den Armen sehen wir nur eine Person – Jesus. Um ihn mit ungeteilter Liebe lieben zu können, legen wir das Gelübde der Armut ab, das uns von allen materiellen Besitztümern befreit. Wir verpflichten uns, einer von den Armen zu sein, und stellen uns ganz der Vorsehung Gottes anheim. Wir verpflichten uns, nichts zu besitzen, und doch besitzen wir alles, weil wir Christus haben.«[72]

Zur Unterstützung ihrer Arbeit erhielt sie schließlich die Erlaubnis, einen neuen Orden zu gründen, die Missionaries of Charity. Zu den ersten Schwestern, die dem Orden beitraten, gehörten einige ihrer ehemaligen Schülerinnen. Die Nonnen trugen einfache weiße Saris mit blauen Streifen, die Farben der Jungfrau Maria und die übliche Kleidung indischer Frauen. Sie lebten in Armut, ohne Besitztümer oder den Rückhalt großer Institutionen, um die Armen besser zu verstehen. In der Vorbereitung der Schwestern auf die Arbeit ohne finanziellen Rückhalt und ohne Sicherheit für Leib und Leben betonte Mutter Theresa, das allerwichtigste sei das ständige Gebet; die Vorsehung Gottes werde stets für das Nötige sorgen.

Als sich die Arbeit des Ordens mit 230 Häusern über den ganzen Erdball ausbreitete, zeigten sich die Früchte dieses Glaubens immer wieder. Es gibt keinen Haushaltsplan und keine organisierte Sammeltätigkeit (wenngleich die Missionaries of Charity Spenden von Einzelpersonen akzeptieren). Wo die Schwestern des Ordens erscheinen, versuchen sie, den Ärmsten der Armen in der jeweils gebotenen Form zu helfen. Jeder Mensch, für den sie sorgen, trägt für sie das Antlitz Christi. In Kalkutta haben die Missionaries of Charity Zehntausende kranke, verhungernde und sterbende Menschen gepflegt. In New York speisen sie die Obdachlosen, pflegen alte, alleinstehende arme Menschen und sind in der AIDS-Betreuung tätig. In der Zeit der schlimmsten Kämpfe zwischen moslemischen und christlichen Milizen in Beirut während des libanesischen Bürgerkriegs erfuhr Mutter Theresa, daß ein Heim für 60 spastische Kinder, vom Pflegepersonal verlassen, hinter die Kampflinien auf moslemisches Gebiet geraten war. Als Mutter Theresa darauf bestand, die Linien zu überschreiten, um für die hilflosen Kinder zu sorgen, meinte die örtliche Geistlichkeit, das sei ganz unmöglich. Doch sie erklärte, sie habe die Jungfrau Maria im Gebet um eine Feuerpause gebeten. Am nächsten Tag kam es dann tatsächlich zu einer Einstellung der Kämpfe, und Mutter Theresa hatte genügend Zeit, die verängstigten behinderten Kinder zu retten. Am nächsten Tag konnten sie schon wieder lächeln. Mutter Theresa sagte: »Die Missionaries of Charity tun kleine Dinge mit großer Liebe. Es geht nicht darum, wieviel wir zu tun vermögen, sondern wieviel Liebe wir für unsere Tätigkeit einsetzen. Für Gott gibt es nichts Geringes. Das Geringste, was wir tun, wird bei Gott unermeßlich groß.«

Mutter Theresa starb 1997.

Die menschliche Tugend, die vor allen anderen Jesus zugeschrieben wird, ist die Liebe. Viele Christen empfinden Jesu Liebe, obwohl er schon lange nicht mehr in Menschengestalt auf Erden weilt, und empfinden ihrerseits tiefe Liebe für ihn. Wer in seinem Leben Probleme hat, fühlt sich getröstet, weil Jesus eine lebendige Gegenwart in seinem Leben ist, die ihm geistlichen Beistand leistet, ihn unterstützt und auch unter den schlimmsten Bedingungen liebt. Reverend Larry Howard, der afroamerikanische Pfarrer der Hopps Memorial Christian Methodist Episcopal Church in Syracuse, New York, erklärt:

> *Wir haben einen Jesus gefunden. Einen Jesus, der zu mitternächtlicher Stunde kam. Einen Jesus, der Babies in den Schlaf wiegen konnte. Einen Jesus, der in unserer Mitte stand und die Kilometer mit uns zog, als unser Freiheitszug durch den Süden und durch Syracuse führte. Jesus führte uns durch die Leiden und die Verhöre der Mächtigen. Warum tat Jesus das? Jesus liebte uns, und dank und wegen dieser Liebe stehen wir heute hier. Nicht deswegen, weil die Welt gut zu uns gewesen wäre. Nicht weil wir gerecht behandelt worden wären. Nicht weil wir in der Lage waren, den Traum zu verwirklichen, den Gott jedem Mann, jeder Frau, jedem Kind gegeben hat. Sondern wir stehen hier, weil wir Jesus lieben. Wir lieben ihn jeden Tag immer mehr.*[73]

Der grundlegende Impuls von Jesu Botschaft ist, daß er uns zur Vereinigung mit Gott einlädt. Sie allein bietet das Heilmittel für die mißliche Lage der Menschheit.

Pater Thomas Keating[74]

Jesus gilt nicht nur als Modell der Liebe, sondern auch der Sündlosigkeit. Um Gott gleich zu werden, müssen sich die Menschen ständig von ihren niederen Trieben reinigen. Diese Ansicht hat manche Christen zu extremen Bußübungen verleitet, beispielsweise jene Mönche, die sich geißelten und härene Gewänder trugen, die sie allezeit an die Stacheln des Gewissens erinnern sollten. In milderer Form ist das Bekenntnis der eigenen Sündhaftigkeit ein bezeichnendes Merkmal der christlichen Tradition. Man legt Wert auf selbstdisziplinierte Wachsamkeit gegenüber Versuchungen, auf eine Erforschung der eigenen Fehler und auf ein Ritual wie die Taufe, das helfen soll, die den Menschen angeborenen Makel zu beseitigen. Zwar sind diese Anstrengungen zur Reinigung unverzichtbar, trotzdem glauben die meisten Christen, daß einzig Gottes Gnade – durch den Erlösungstod Jesu Christi vermittelt – die Erlösung von der Sünde und die Erhebung der gewöhnlichen menschlichen Natur in den göttlichen Zustand der Sündlosigkeit bewirken könne.

Die Glaubenspraxis

Die wichtigste Glaubensübung der Christen ist das Nachleben des von Jesus vorgelebten Beispiels. Ein beliebtes Andachtsbuch des 14. Jahrhunderts, das den Gläubigen Jesus und seine Lehren als Vorbild darstellte, waren die *Vier Bücher von der Nachfolge Christi* des Thomas a Kempis:

> *O, wie viel vermag die lautere Liebe Jesu, die mit keinerlei Eigennutz oder Eigenliebe vermischt ist! ... Wo findet sich ein solcher, der Gott umsonst dienen will?*[75]

Neben dem Versuch, sich in der eigenen Lebensführung an Jesus zu orientieren, haben die Christen eine Vielzahl von Riten entwickelt, die allerdings bei den verschiedenen christlichen Kirchen erheblich voneinander abweichen können. Zu ihnen gehören öffent-

Das Sakrament der Eucharistie, das hier von einem katholischen Priester auf den Philippinen gespendet wird, bringt die Gläubigen in einen mystischen Kontakt mit der Anwesenheit Jesu Christi.

liche Predigt- und Abendmahlsgottesdienste, die Feier des liturgischen Jahres, private Andachtsübungen und Gebete sowie die Verehrung der Jungfrau Maria und der Heiligen.

Gottesdienst und Sakramente

Der christliche Gottesdienst wird in der Regel in einem Kirchengebäude abgehalten, das einer besonderen Weihe bedarf. Der russisch-orthodoxe Heilige Iwan Kronstadtsky (gest. 1908) erklärt:

Beim Betreten der Kirche tritt man in einen besonderen Bereich ein, der nicht wie die sichtbare Welt ist. In der Welt vernimmt und erblickt der Mensch nur das Irdische, Vergängliche, Zerbrechliche, dem Verderben Unterliegende, Sündhafte. In der Kirche erblickt und vernimmt man das Himmlische, Unvergängliche, Ewige, Heilige. Eine Kirche ist die Schwelle des Himmels. Sie ist wie der Himmel selbst, weil hier Gottes Thron ist, die Anbetung der Engel, die häufige Herabkunft des Heiligen Geistes ... Hier stimmt uns alles, die Ikonen, der Weihrauch, die Gewänder der Priester, zu Andacht und Gebet:

alles kündet davon, daß der Mensch in Gottes Tempel steht, Gott von Angesicht zu Ange-
sicht gegenüber.[76]

Das Wort *Sakrament* bedeutet »Mysterium«. Im Christentum sind damit die heiligen Handlungen gemeint, mit deren Hilfe den Gläubigen das Mysterium Christi vermittelt wird. Die römisch-katholische und die orthodoxe Kirche haben sieben Sakramente: die Taufe (die Aufnahme in die Kirche mit einer symbolischen Reinigung von der Sünde mittels des Wassers), die Kommunion (Bestätigung der Zugehörigkeit zur Kirche), die Eucharistie oder das Abendmahl, die Buße (Sündenbeichte und Absolution), die Letzte Ölung (Schwerkranker beziehungsweise Sterbender), die Weihe (von Diakonen, Priestern und Bischöfen) sowie die Ehe. Die protestantischen Kirchen erkennen in der Regel nur die Taufe und das Abendmahl als Sakramente an.

Das Ritual des Gottesdienstes, die *Liturgie,* folgt üblicherweise einem festgelegten Schema. In manchen Kirchen allerdings sind spontane Glaubenskundgebungen als Ausdruck der Inspiration durch den Heiligen Geist möglich.

In den meisten christlichen Kirchen bildet das *heilige Abendmahl* (die *heilige Kommunion*) das zentrale Sakrament. In diesem Sakrament gewährt der unsichtbare Christus der Kirche seine Gemeinschaft. Die Gläubigen erhalten ein Stück Brot und (außer bei den Katholiken) einen Schluck Wein (oder Traubensaft), die der Priester oder Pfarrer zuvor gesegnet hat, als Fleisch und Blut Christi. Die römisch-katholische und die orthodoxe Kirche lehren, daß Brot und Wein im Meßopfer auf wunderbare Weise real verwandelt werden. Die geweihten Gaben werden mit tiefer Ehrfurcht behandelt. Im gemeinsamen »Abendmahl« erfahren die Gläubigen die Gemeinschaft miteinander und mit Christus. Traditionell sollte das Abendmahl möglichst täglich, auf alle Fälle aber an jedem Sonntag (dem zum Sabbat bestimmten Wochentag) empfangen werden.

Jesus selbst soll dem biblischen Bericht zufolge am Abend vor seiner Gefangennahme bei dem gemeinsamen Abendmahl mit seinen Jüngern dieses Sakrament eingesetzt haben. Fleisch und Blut Christi gelten als geistliche Nahrung der Gläubigen, die damit inmitten ihrer irdischen Existenz das ewige Leben empfangen. Die anglikanische Priesterin Julia Gatta beschreibt die sakrale Erfahrung des Abendmahls:

Die Eucharistie zu zelebrieren ist meines Erachtens die wundervollste Erfahrung, die man
auf Erden haben kann. Man erfährt gewissermaßen, wie die Energie aus- und zurück-
strömt … Man erfährt den Heiligen Geist in denen, die ihr Gebet über Christus an den
Vater richten. Und zugleich empfindet man, wie Gottes Liebe in die Gemeinde zurück-
strömt. Wenn ich meiner Gemeinde die Kommunion austeile, fühle ich mich in diesem
Kreislauf der Liebe.[77]

Das Meßopfer ist der Höhepunkt einer umfangreichen Abendmahlsliturgie. Der Abendmahlsgottesdienst, im Katholizismus als *Messe* bezeichnet, beginnt mit liturgischen Gebeten, einem Gotteslob und dem Bekenntnis der menschlichen Sündhaftigkeit. Ein Gruppenbekenntnis, das in manchen lutherischen Gemeinden verwendet wird, zählt die einzelnen Sünden auf:

Barmherziger Gott, wir haben gegen dich gesündigt in Gedanken, Worten und Taten,
durch das, was wir getan und unterlassen haben. Wir haben dich nicht von ganzem
Herzen geliebt, wir haben unseren Nächsten nicht geliebt wie uns selbst.[78]

Die Katholiken sollen vor dem Empfang der Kommunion ihre Sünden einem Priester in geheimer Beichte offenbaren; das ist das Sakrament der *Buße* oder der Versöhnung. Nach dem Anhören der Beichte erteilt der Priester die Vergebung (Absolution) und segnet den Beichtenden oder schreibt eine Bußübung vor. Von orthodoxen Christen erwartet der

Brauch, vor dem Gang zur Kommunion mehrere Tage in Zerknirschung und Fasten zuzubringen. Der Grund für diese erwünschte Reinigung ist, daß während des Abendmahlsgottesdienstes die Kirche gleichsam zum Königreich Gottes wird, in dem alles heilig ist. Im orthodoxen Gottesdienst gehen die Geistlichen durch den Kirchenraum und schwenken Weihrauchgefäße, um den Sakralbereich abzugrenzen und die Gebete der Versammelten zu Gott zu leiten.

In allen christlichen Kirchen werden im Gottesdienst Abschnitte aus dem Alten und dem Neuen Testament verlesen. Die Gemeinde singt verschiedene Lieder des *Gotteslobs* und der Danksagung. Die Gemeinde kann aufgefordert werden, das Glaubensbekenntnis zu sprechen und Geldspenden zu leisten. Der Priester oder Pfarrer hält eine Ansprache über den an diesem Tag zu verlesenden Bibeltext, die Predigt oder Auslegung. Die genannten Teile der Liturgie bilden die sogenannte Wortliturgie, in der Christus als das lebendige Wort die Menschen durch Lesung und Predigt anspricht. In protestantischen Kirchen gibt es häufig Wortgottesdienste ohne Austeilung des Abendmahls.

Protestanten und Katholiken sind neuerdings bemüht, die Liturgie zu reformieren, um sie für die Christen des 20. Jahrhunderts bedeutungsvoller und persönlicher zu gestalten. Sehr verbreitet ist der »Friedensgruß«: Während des Gottesdienstes wenden sich die Gläubigen an ihre Nachbarn, umarmen sie oder schütteln ihnen die Hände und sprechen: »Der Frieden Christi sei mit dir.«

Neben den regelmäßigen Gottesdiensten und dem Abendmahlssakrament gibt es heilige Handlungen für spezielle Anlässe. Das erste Sakrament, das ein Christ empfängt, ist die *Taufe*. Entweder wird der Täufling dabei ganz in Wasser untergetaucht, oder, wie meist, der Geistliche berührt den Kopf des Täuflings mit geweihtem Wasser (als Symbol der Reinigung), wobei er die Heilige Dreifaltigkeit anruft. In einem neueren ökumenischen Dokument umreißt der Weltkirchenrat die allgemeine Bedeutung dieses Ritus:

> *Durch die Taufe werden die Christen in den befreienden Tod Christi eingetaucht, durch den*
> *ihre Sünden begraben werden und der »alte Adam« mit Christus gekreuzigt und die*
> *Macht der Sünde gebrochen wird … In der Macht der Auferstehung Jesu Christi stehen die*
> *Gläubigen hier und jetzt zu einem neuen Leben auf.*[79]

Sofern es sich nicht um erwachsene Konvertiten, wird die Taufe in den meisten Kirchen an Kleinkindern vollzogen, wobei die Eltern anstelle des Kindes die Gelübde ablegen. Manche Theologen meinen, daß die Kindstaufe nur eine schwache Basis in der Bibel habe und daß ein Kleinkind keine bewußte Buße leisten und keine »Verwandlung des Herzens« erfahren könne, die in dieser Zeremonie erfolgen sollen. Deshalb behalten die Baptisten und einige andere protestantische Kirchen die Taufe den Erwachsenen vor.

Bei Katholiken und Protestanten gibt es für die Jugendlichen eine zweite Zeremonie, die *Konfirmation* oder *Firmung*. Nach Absolvierung eines Konfirmationsunterrichts legt eine Gruppe von Jugendlichen ein bewußtes und persönliches Bekenntnis zum Christentum ab.

Manche Christen halten besondere Fastentage ein. Vater Apollinari, ein Priester der russisch-orthodoxen Altgläubigen, erklärt das Fasten zu einem Weg der *Sopritschiastna*, der Einswerdung mit der Ausstrahlung des Herrn:

> *Immer mehr normale Menschen streben nach einem bequemen Leben. Immer mehr*
> *verzichten wir auf das Geistliche und versuchen, dieses Vakuum mit materiellen Dingen*
> *auszufüllen. Ich sagte meinen Studenten, daß eine Fastenzeit angesetzt sei. Sie murrten:*
> *»Warum?« Ich erklärte ihnen, wir fasteten aus geistlichen Gründen. Die Regel heißt, daß*
> *man nicht mit leidender Haltung fasten soll, sondern mit einer solch hochgemuten*
> *Stimmung, als wollte die Seele singen.*

Wenn wir unserem Körper Grenzen setzen, etwa bei der Nahrungsaufnahme, wachsen wir an Spiritualität. Ich rate meinen Studenten, darauf zu achten, ob sie besser mit vollem oder mit fast leerem Magen studieren können. Die Mönche verweigern physische Dinge um geistlicher Vorteile willen. Uns erscheint ihr Leben düster, für sie ist es licht.[80]

Das liturgische Jahr

Während die Christen im Abendmahl die Gemeinschaft mit Christus wiederherstellen, hält die Kirche zugleich einen jährlichen Festzyklus ein, der die Gläubigen durch das Leben und Sterben Jesu bis hin zur Herabkunft des Heiligen Geistes führt. Indem die Gläubigen Jahr für Jahr diesen Zyklus wiederholen, hoffen sie, das Wunder Gottes in Christus tiefer zu erfahren; die gesamte Kirche wächst so theoretisch dem Reich Gottes entgegen.

WEIHNACHTEN UND EPIPHANIAS   Es gibt drei große Festereignisse im Kirchenkalender, zu denen jeweils eine Reihe vorbereitender Festtage gehören. Den Anfang machen die Lichtfeste: Weihnachten und Epiphanias. Zu Weihnachten wird die Geburt Jesu auf Erden gefeiert. Epiphanias (Dreikönigsfest) bedeutet »Manifestation« oder »Erscheinung«. Die Westkirche feiert am Dreikönigsfest die Anerkennung des geistlichen Königtums Jesu durch die drei Magier aus dem Morgenland, seine Anerkennung als Messias und geliebter Sohn Gottes während der Taufe durch den Täufer Johannes sowie seine erste Wundertat: die Verwandlung von Wasser in Wein bei der Hochzeit zu Kana.

Dem Frühchristentum war Epiphanias wichtiger als die Feier der Geburt Jesu. Sein tatsächliches Geburtsdatum ist nicht bekannt. Durch Verlegung seines Geburtsdatums in die Nähe der Wintersonnenwende konnten die Christen ältere heidnische Riten übernehmen, bei denen die Rückkehr des Lichts nach dem kürzesten Tag des Jahres gefeiert wurde. Im Johannesevangelium wird Jesus als das »wahre Licht, das jeden Menschen erleuchtet«[81] bezeichnet, das Licht des Göttlichen, das inmitten der Dunkelheit der menschlichen Unwissenheit sich offenbart.

Der Monat vor dem Weihnachtsfest, der *Advent,* ist eine Zeit der Vorfreude. In den Industrieländern ist daraus mittlerweile eine Zeit des Kommerzes geworden, des Einkaufens von Geschenken, die die Gabe Gottes an die Welt, seinen eingeborenen Sohn, symbolisieren sollen. Es gibt allerdings Tendenzen gegen die extreme Kommerzialisierung, hin zu einfacheren, der Geburt des Christuskindes angemesseneren Formen.

In manchen Ländern werden Weihnachtsspiele aufgeführt: Verschiedene Personen übernehmen die Rollen von Maria und Josef, des Herbergsbesitzers, der keinen freien Raum hat, der Hirten und der drei Weisen aus dem Morgenland. Ein vermutlich aus heidnischer Tradition übernommener Brauch ist das Aufstellen eines geschmückten Weihnachtsbaumes in der Wohnung: Er gilt als Symbol des ewigen Lebens. Manche Christen versammeln sich in der Weihnachtsnacht zu einem Mitternachtsgottesdienst bei Kerzenschein, um den neuen Tag zu begrüßen, an dem Jesus in der Welt erschien. In einigen Ländern erzählt man den Kindern am Weihnachtsmorgen, der heilige Nikolaus habe ihnen Geschenke gebracht. Nikolaus war vermutlich in der ersten Hälfte des 4. Jahrhunderts Bischof von Myra in Kleinasien; er war für seine Großzügigkeit bekannt. Auf die Verteilung der Geschenke folgt ein großes Fest.

OSTERN   Der zweite Höhepunkt des liturgischen Jahres ist das Osterfest. Es erinnert an die Kreuzigung und den Tod (am »Karfreitag«) und die Auferstehung Jesu (am Ostersonntag). Der Ostersonntag fällt in das Frühjahr, doch Ost- und Westkirche feiern ihn an verschiedenen Tagen. Wie das Weihnachtsfest knüpft auch Ostern an vorchristliche Riten an, die Feier der Frühjahrs-Tagundnachtgleiche, des Wiederauflebens der Vegetation und der Rückkehr der warmen Jahreszeit nach der Kälte des Winters. Außerdem gibt es Beziehungen zum Passahfest, dem jüdischen Frühlingsfest der Befreiung aus der ägyptischen Knechtschaft.

Liturgisch geht dem Osterfest eine vierzigtägige Fastenzeit voraus. Viele Christen üben in dieser Zeit Askese, beten und spenden milde Gaben, um ihre Verbundenheit mit der Opfertat Jesu zu bekunden. In der orthodoxen Kirche gilt der letzte Tag vor der Fastenzeit der Bitte um Vergebung. Die Menschen verneigen sich tief voreinander und bitten einander um Verzeihung. Im Westen beginnt die Fastenzeit mit dem Aschermittwoch. Mancherorts zeichnet der Priester ein Aschenkreuz auf die Stirn der Gläubigen, wobei er sie ermahnt: »Gedenke, daß du vom Staub geboren bist und zum Staub zurückkehren wirst.« Am Sonntag vor Ostern, dem »Palmsonntag«, wird Jesu triumphaler Einzug in Jerusalem in einigen Ländern durch das Schwingen von Palm- oder Weidenbüscheln in der Kirche gefeiert, wobei die Gläubigen in Hosanna-Rufe ausbrechen. In tiefer Trauer wird der Karfreitag zugebracht. Die Trauer endet am Ostersonntag mit dem jubelnden Ausruf: »Christ ist erstanden!«

In Rußland dauert die Große Vigilie zur Begrüßung des Ostermorgens von Mitternacht bis zur Morgendämmerung, wobei die Gläubigen während dieser Stunden durchgehend stehen bleiben. Jim Forest beschreibt einen solchen Gottesdienst in einer Kiewer Kirche, wo 2000 Menschen in die Kirche geströmt waren und viele weitere draußen warteten:

> *Der Dekan trat aus der Königstür zur Versammlung hinaus und sang »Christos Woskressje« [Christus ist auferstanden]. Die versammelten Gläubigen antworteten: »Wejastino woskressje« [Wahrlich ist er auferstanden]. Es ist unmöglich, zu schildern, welche Wirkung das nach der stillen Nacht in einer von den vielen Menschen und Hunderten von Kerzen überheizten Kirche hervorbringt. Es ist wie ein Erdbeben, das Aufbrechen eines Grabes. Und dann beginnen alle Glocken zu läuten.*[82]

Der christliche Mönch Thomas Merton und der tibetische Dalai Lama, zwei bedeutende Vertreter der religiösen Ökumene des 20. Jahrhunderts, trafen sich kurz vor Mertons Tod während seiner Reise zu den Mönchen des Orients.

Zwei Szenen aus der Leidensgeschichte Christi: Jesus fällt unter der Last des Kreuzes auf dem Weg zur Hinrichtungsstätte; Maria beklagt den Tod ihres Sohnes. Die erste dieser beiden Kreuzweg-stationen ist in der Bibel nicht belegt.

PFINGSTEN Fünfzig Tage nach dem Passahfest (an dem Jesus das letzte Abendmahl mit seinen Jüngern gefeiert haben soll) feiern die Juden Schawuot, das Fest der ersten Feld-früchte und der Übergabe der Thora an Mose. Die Juden gaben diesem Festtag den Namen »der fünfzigste«, griechisch »Pentekoste«, wovon sich unser »Pfingsten« ableitet. Der Festtag wurde von den Christen übernommen, allerdings mit einer anderen Bedeutung.

Sie feiern an diesem Tag die in der Apostelgeschichte beschriebene Herabkunft des Heiligen Geistes auf die Jünger nach Jesu Tod und Auferstehung. Der Geist ergriff sie mit seinem Leben und seiner Macht und ließ sie in Sprachen reden, die sie nicht gelernt hat-ten. Zur Zeit der Frühkirche wurden zu Pfingsten diejenigen getauft, die sich zuvor auf ihre Aufnahme in die Glaubensgemeinschaft vorbereitet hatten.

VERKLÄRUNG CHRISTI UND HIMMELFAHRT MARIÄ Einige christliche Kirchen fei-ern noch zwei weitere wichtige Ereignisse. Am 6. August ist der Tag der Verklärung Chri-sti – auf einem Berg war seine übernatürliche Ausstrahlung offenbart worden. Am 15. August folgt die Himmelfahrt Mariä oder »das Entschlafen der Gottesmutter«. Diese Feste sind in der orthodoxen Kirche von großer Bedeutung, die generell die Fähigkeit der Menschheit, die irdischen Bande zu zerbrechen und ins Licht aufzusteigen, stärker be-tont als die Schwere und Düsternis der Sünde.

Das kontemplative Gebet

In letzter Zeit tritt auch die kontemplative Richtung des Christentums wieder stärker her-vor. Die Hektik und die raschen Veränderungen des modernen Lebens machen Perioden

der Ruhe erforderlich, und sei es auch nur zum Streßabbau. Viele Christen, denen nicht bewußt ist, daß auch ihre Kirche einen kontemplativen Weg kennt, haben sich zu Meditationszwecken östlichen Religionen zugewandt.

Einer der einflußreichsten kontemplativen Christen dieses Jahrhunderts war Thomas Merton (1915–68). Der Trappistenmönch lebte als Eremit in den Wäldern in der Nähe seines Klosters in Kentucky. Er lebte ein einfaches, naturverbundenes Leben, hörte intensiv auf die Stille, erforschte und praktizierte die Traditionen der früheren christlichen Kontemplation und stellte sie seinen Zeitgenossen in seinen Büchern vor:

> *Wir suchen zuallererst nach dem tiefsten Grund unserer Identität mit Gott. Wir vernünfteln nicht über die Dogmen des Glaubens oder über »die Mysterien«. Wir streben vielmehr nach einem direkten existentiellen Zugriff, nach einer persönlichen Erfahrung der tiefsten Wahrheiten des Lebens und des Glaubens, danach, uns in Gottes Wahrheiten wiederzufinden ... Das Gebet bedeutet also die Sehnsucht nach der einfachen Gegenwart Gottes, nach einem persönlichen Verständnis seines Wortes, nach Einsicht in seinen Willen und nach der Fähigkeit, ihn zu hören und ihm zu gehorchen.*[83]

Bevor Merton christlicher Mönch wurde, hatte er die östliche Mystik studiert, da ihm nicht bewußt war, daß auch das Christentum eine mystische Tradition besaß. Er schloß Freundschaft mit einem hinduistischen Mönch, der ihm die Lektüre der *Bekenntnisse* des heiligen Augustinus und des Buches *Über die Nachfolge Christi* von Thomas a Kempis riet. Diese beiden klassischen Werke offenbaren Merton die Möglichkeiten eines christlichen kontemplativen Lebens; er blieb aber auch weiterhin offen für die Lehren der asiatischen Mönche. Merton starb bei einen Unfall auf einer Asienreise.

Die geistliche Erneuerung durch die innere Stille ist für einige Christen zu einem wichtigen Bestandteil ihrer Glaubenspraxis geworden. Paulos Mar Gregorios, Bischof der syrisch-orthodoxen Kirche Indiens und früherer Präsident des Weltkirchenrats, schließt aus der Bibel, daß Jesus selbst die Kontemplation praktizierte:

> *Christus verbrachte siebzig Prozent seines Lebens in Meditation. Er schlief kaum. Den ganzen Tag über widmete er sich der Heilung der Kranken. Zur Nacht betete er, manchmal bis zum Morgengrauen. Er strebte nicht nach Selbstverwirklichung. Seine Meditation und sein Gebet galten nicht ihm selbst, sondern der Welt – jedem einzelnen Menschen. Durch das Gebet hielt er die Welt in seinem Bewußtsein, aber nicht in sehnsüchtigem Verlangen, sondern in Liebe. Er stöhnte und litt mit der Menschheit. Jesus auf dem Weg des Kreuzes zu folgen heißt: »Ich lege all meinen persönlichen Ehrgeiz ab und weihe mich dir: Hier bin ich, mein Gott. Ich gehöre dir. Ich weiß nicht, wohin ich mich wenden soll. Es ist gleichgültig, was ich bin, solange du mich führst.«*[84]

Eine Form der christlichen Meditation, die von den Franziskanern eingeführt wurde und heute noch in vielen katholischen und anglikanischen Kirchen praktiziert wird, ist die Meditation über die Kreuzwegstationen. Dabei handelt es sich um 14 Plaketten oder Gemälde mit Szenen aus der Leidensgeschichte. Der Gläubige betrachtet, wie Jesus das Kreuz aufnimmt, dreimal unter dessen Gewicht zusammenbricht, seiner Kleider beraubt und ans Kreuz geschlagen wird. Dabei wird der Gläubige sich in Schmerz und Demut des Leidens bewußt, das Gottes Sohn auf sich nahm, um die Menschheit zu erlösen.

Die Betrachtung der Menschlichkeit Jesu soll dem Gläubigen bei der Identifikation mit ihm helfen und damit auch bei dem Versuch, dem göttlichen Vorbild nachzufolgen. Die Theologieprofessorin Kathleen Dugan, die auch geistliche Übungen leitet, erzählt, daß ihre Studenten Schwierigkeiten haben, die tiefe Menschlichkeit Jesu zu erfahren:

> *Sie fragen: »Sie meinen also, er fühlte Trauer wie ich?« »Ja.« »Er weinte?« »Ja.«*
> *»Er freute sich?« »Ja.« Das Evangelium erzählt, daß Jesus an Lazarus' Grab weinte.*
> *Er weinte über die Trauer Martas und Marias über ihren toten Bruder. Er freute sich mit dem Paar, das in Kana getraut wurde. Er fühlte schreckliche Einsamkeit, wie wir aus vielen Anzeichen des biblischen Berichts erfahren. Er sprach am Kreuz: »Mein Gott, mein Gott, warum hast du mich verlassen?« Es gibt keinen menschlichen Zustand, den er nicht kennengelernt hätte. Er litt. Die Kreuzigung war ein langer, äußerst schmerzhafter Tod. Jesus ist unser Bruder, unser Gatte, unser Sohn. Wenn die Studenten sich diese Dinge bewußt machen, erfahren sie häufig eine Verwandlung.*
> *Hier ist ein lebendiges, atmendes Bild dessen, was es heißt, Gott zu sein. Wir sind aufgerufen, den Heiligen nachzufolgen, in erster Linie aber, Jesus nachzufolgen.*[85]

In den orthodoxen Kirchen ist die wichtigste kontemplative Übung die Wiederholung des Jesusgebets. Seine Bedeutung soll sich tief in das Herz des Gläubigen eingraben, der in einem Zustand des unaufhörlichen Gebets lebt.

Die Marienverehrung

Bisher wurde hier wenig über Maria gesagt, weil sie bei den theologischen Auseinandersetzungen der Vergangenheit nicht im Mittelpunkt stand. Die Marienverehrung ging mehr von der Basis der Kirche aus. Schon in den Katakomben der frühen Christen finden sich Mariendarstellungen; einen ausgiebigen Marienkult gibt es bereits im 3. oder 4. Jahrhundert. Trotz mangelnder historischer Informationen über Maria ist ihre Person ein mächtiges und geliebtes geistliches Symbol. Besondere Verehrung erfährt Maria in der katholischen und anglikanischen Kirche sowie im orthodoxen Christentum.

Manche Wissenschaftler meinen, die Marienverehrung leite sich von vorchristlichen Kulten um Muttergottheiten her, Maria verkörpere den weiblichen Aspekt der Gottheit. Maria wird mit dem aufgehenden Mond assoziiert, sie symbolisiert die Aufnahmebereitschaft gegenüber dem Heiligen Geist. In der Geschichte der *Verkündigung* wird erzählt, daß ein Engel erschienen sei und der Maria gesagt habe, sie werde ein Kind vom Heiligen Geist empfangen. Sie habe geantwortet: »Ich bin die Magd des Herrn; mir geschehe, wie du es gesagt hast.«[86] Diese Bereitschaft darf aber nicht als Machtlosigkeit verstanden werden; wie Christus verkörpert auch Maria das grundlegende christliche Paradox, daß die Macht in der »Schwäche« liegt.

Gleichgültig, ob die Marienverehrung mit älteren Kulten um Muttergottheiten zusammenhängt oder nicht – die mündliche christliche Tradition jedenfalls hat ihr neue symbolische Rollen zugedacht. Eine davon stellt eine Verbindung zwischen Maria und Israel her, insofern in einigen Abschnitten des Alten Testaments von Israel als der Tochter Zion oder Tochter Jerusalems gesprochen wird. Gott kommt über sie als der Heilige Geist; aus dieser Liebe zwischen JHWH und Israel wird Jesus als der Retter des Volkes Israel geboren.

Maria wird auch als neue Eva bezeichnet. Die erste Eva widersetzte sich Gott und wurde aus dem Garten Eden vertrieben; Marias freiwillige Unterwerfung unter Gott ermöglicht die Entstehung einer neuen Schöpfung, in der Christus in allen anwesend ist.

Im Katholizismus und in der Orthodoxie wird die Mutter Jesu auch als Gottesmutter bezeichnet. In Rußland wird sie als Schutzheilige aller Menschen und insbesondere des russischen Volkes verehrt. Vor seinem Tod an Kreuz sagte Jesus seinem geliebten Jünger Johannes, er möge hinfort Maria als seine Mutter betrachten. Dies wurde so interpretiert, daß Maria damit symbolisch die gesamte Menschheit adoptiert habe.

Eine weitere symbolische Rolle ist die der unbefleckten Jungfrau. Nach den Berichten des Matthäus- und Lukas-Evangeliums empfing sie Jesus durch ein himmlisches Wunder, nicht auf biologischem Weg. Der römische Katholizismus lehrt, daß sie im Augenblick der Unbefleckten Empfängnis von der »Erbsünde«, die auf den Ungehorsam Adams und Evas zurückgehe, befreit worden sei. Auch bei der Geburt Jesu sei sie Jungfrau geblieben. Die Orthodoxie besteht nicht auf dieser Lehre, auch nicht auf dem Dogma der Katholiken, daß Maria nach ihrem Tod körperlich in den Himmel aufgestiegen sei. Jungfräulichkeit bedeutet hier ein geistliches Zeichen dafür, allein Gott und nicht vorübergehenden Bindungen anzugehören.

Für die Gläubigen ist Maria nicht nur ein Symbol, sondern wie ihr Sohn lebendige Präsenz. Sie wird im Gebet angerufen und in zahllosen Gemälden, Statuen und ihr geweihten Altären verehrt. Die Katholiken sollen stets das »Ave Maria« beten:

Gegrüßet seist du Maria, du Gnadenreiche, der Herr ist mit dir. Gesegnet bist du unter den Weibern und gebenedeit ist die Frucht deines Leibes, Jesus. Heilige Maria, Mutter Gottes, bete für uns Sünder, jetzt und in der Stunde unseres Todes.

Die Theologen legen aber großen Wert darauf, daß die Marienverehrung letztlich Gott gilt. Sie wird nicht um ihrer selbst willen, sondern nur als Mutter Christi angebetet, die seine Glorie widerstrahlt. Diese Unterscheidung ist wichtig, weil man andernfalls die katholischen Christen des Götzendienstes verdächtigen könnte.

Wie dem auch sei: Überall auf der Welt sind Marienerscheinungen bekannt. Im französischen Lourdes soll die Madonna im 19. Jahrhundert wiederholt einem jungen Bauernmädchen namens Bernadette erschienen sein. Eine Quelle, auf die Maria wies, ist seither zum Ort Hunderter medizinisch beglaubigter Wunderheilungen geworden. 1531 erschien die Gottesmutter in Guadalupe (heute innerhalb von Mexiko-Stadt) Juan Diego, einem bekehrten Azteken. Sie bat ihn, den Bischof an jener Stelle zum Bau einer Kirche zu veranlassen. Um den skeptischen Bischof zu überzeugen, brachte Juan Diego Rosen mit, die außerhalb der Jahreszeit an der Stelle gewachsen waren, die von der Madonna bezeichnet worden war. Als er seinen Mantel öffnete, in dem er die Blumen mitgebracht hatte, fielen die Blütenblätter ab und enthüllten ein großes, lebensechtes Bildnis der Madonna mit indianischen Zügen. Es wird heute in einer großen neuen Kirche aufbewahrt. Die Jungfrau von Guadalupe ist zur Schutzheiligen der Neuen Welt erklärt worden.

Die Verehrung von Heiligen und Engeln

Die Katholiken und Orthodoxen verehren ihre Glaubenshelden als Heilige. Das sind Männer und Frauen, deren Lebenswandel als so rein empfunden wurde, daß das göttliche Leben Christi an ihnen besonders hervorzutreten scheint. Nach ihrem Tod wird ihr Lebensweg von der Kirche ausführlich nach Zeichen überragender christlicher Tugend untersucht, etwa Ausharren unter schweren Drangsalen, Zeichen wundertätiger Macht. Diejenigen, die in diesem Prozeß kanonisiert werden, werden dann als Heilige verehrt.

> *Jeder Heilige ist ein einmaliges Ereignis, ein Sieg über die Kräfte des Bösen. Durch ein einziges Leben kann Gott viel Segen in die Welt bringen.*
>
> *Vater Germann, Wladimir (Rußland)*[87]

Die orthodoxen Christen werden bei der Taufe auf den Namen eines Heiligen getauft. Jeder Gläubige besitzt in seiner Wohnung eine Ikone seines Namenspatrons und betet täglich zu diesem Heiligen. In orthodoxen Kirchen finden sich die Ikonen vieler Heiliger, damit sie nicht nur Namen im Geschichtsbuch bleiben, sondern ihre lebendige Gegenwart fühlbar wird. Den Heiligen sind häufig bestimmte »Zuständigkeitsbereiche« und besondere Kräfte zugeteilt. So ruft man beispielsweise den heiligen Antonius von Padua an, wenn man verlorene Dinge wiederfinden will. Es heißt, Reliquien, meist Körperteile oder Kleidungsstücke von Heiligen, strahlten die Heiligkeit ihrer Gemeinschaft mit Gott aus. In katholischen und orthodoxen Kirchen werden sie als Schätze verwahrt und den Gläubigen zur Verehrung präsentiert. Es wird behauptet, die Körper der Heiligen seien durch das göttliche Licht dergestalt verwandelt worden, daß sie nach dem Tode nicht verwesten und immer noch einen lieblichen Geruch ausströmten.

Katholiken und Orthodoxe beten auch zu den *Engeln* um Schutz. Engel sind Geistwesen, die als Boten und anbetende Diener Gottes fungieren. Üblicherweise werden sie als Menschen mit Flügeln dargestellt. In der Volksfrömmigkeit ist jedem Menschen ein Schutzengel zugeschrieben, der geistliche Hilfe und Unterstützung gewährt.

Zeitgenössische Entwicklungen

Das Christentum gewinnt heute in einigen Teilen der Welt neue Mitglieder und findet begeisterten Zuspruch, während es anderswo an Boden verliert. Die koptischen Christen Ägyptens, die das Erbe der Wüstenväter weiterführen, wurden unter der moslemischen Herrschaft nahezu bedeutungslos, doch in diesem Jahrhundert haben ihre Klöster eine erneute Blüte erlebt. Die 16 Millionen Anhänger dieser Religion haben eine eigene Liturgie und einen eigenen Papst. Der ägyptische und der römische Papst erkennen einander an.

Im Katholizismus streiten Konservative und Liberale miteinander. Nach den liberalen

Reformen des Zweiten Vatikanums bezog Papst Johannes Paul II. in manchen Punkten wieder traditionelle Standpunkte und stärkte den konservativen Flügel der Kirche. In einer Enzyklika aus dem Jahr 1995 betonte er beispielsweise entschieden das Lebensrecht gegenüber einer »Kultur des Todes«, verdammte die Abtreibung und die Euthanasie als »Verbrechen, die kein menschliches Gesetz rechtfertigen kann«, sowie auch die in vielen Ländern praktizierte Todesstrafe.[88] Obwohl der Papst als Person große Aufmerksamkeit genießt, schwindet in vielen Ländern die Priesterschaft. In den USA beispielsweise wird im Jahr 2000 die Anzahl der aktiven katholischen Priester gegenüber dem Jahr 1966 schätzungsweise auf die Hälfte zurückgegangen sein, wofür unter anderem der Zölibat verantwortlich ist. Viele Gläubige fordern eine stärkere Beteiligung von Frauen, denen der Vatikan nach wie vor das Recht der Priesterschaft verweigert. Immer weniger Beachtung finden die päpstlichen Verbote einer wirksamen Geburtenkontrolle, der Abtreibung, der Retortenzeugung, der Leihmutterschaft, von Genexperimenten, Scheidung und Homosexualität. Obwohl 1995 vier Millionen Filippinos zusammenströmten, um den Papst bei seinem Besuch zu begrüßen, ergaben Umfragen, daß 61 Prozent des Volks Familienplanung als eine Privatangelegenheit betrachteten.

Barbara Harris war die erste Bischöfin in der anglikanischen Kirche. Am 11. Februar 1988 wurde sie in Boston geweiht.

Pater Sean McDonagh wehrt sich zwar gegen eine Neubewertung der Sexualität, betont aber zugleich, daß die ökologischen und sozialen Konsequenzen eines unbegrenzten Bevölkerungswachstums eine Überprüfung des traditionellen katholischen Standpunkts in der Frage der Geburtenkontrolle erforderlich machen:

> *Das Argument vom Schutz des Lebens muß in den größeren Zusammenhang der Zerbrechlichkeit der gesamten lebendigen Welt gestellt werden. Ist es wirklich ein Schutz für das Leben, wenn man die Argumente der Demographen und Ökologen ignoriert, daß ein unkontrollierter Zuwachs der Bevölkerung zu schweren Belastungen und einer Zunahme der Kindersterblichkeit in den nächsten Generationen führen wird? Ist es wirklich ein Schutz des Lebens, wenn man die Auslöschung Hunderttausender Lebensformen geschehen läßt, was letztlich auch das Wohlbefinden aller zukünftigen Generationen auf diesem Planeten beeinträchtigen wird?*[89]

Der Vatikan hat angesichts solcher Forderungen den Wert der Tradition und die Bedeutung der Autorität betont. Viele amerikanische Kirchenführer aber sind besorgt, daß, wie Pater Frank McNulty aus Newark, New Jersey, erklärt, »die Menschen die Kirche häufig nicht als Verkörperung der reinen Wahrheit und der göttlichen Barmherzigkeit erleben, sondern nur als streng und fordernd«[90]. Die katholische Bischofskonferenz der USA hat Lehrschriften veröffentlicht, die den Sexismus als »Sünde« verurteilen und empfehlen, Frauen den Zugang zu geistlichen Positionen zu eröffnen, die mit Kompetenzen und Autorität ausgestattet sind, sowie eine geschlechtsneutrale Sprache im Gottesdienst zu gebrauchen. Außerdem hat sie sich für eine ökonomisch gerechte Gesellschaft eingesetzt.

Die traditionellen protestantischen Kirchen Europas und der USA beklagen einen Mitgliederschwund. Nach einer Gallup-Umfrage ist nur eine Minderheit der »Kirchenlosen« in den USA mit den Lehrmeinungen ihres ursprünglichen Bekenntnisses unzufrieden. Die meisten bleiben aus Gleichgültigkeit, wegen fehlender Gottesdienste oder mangelnden Engagements der Pfarrer ihrer Kirche fern. Die Anzahl der Frauen im Pfarramt nimmt dafür stetig zu; der National Council of Churches schätzt, daß im Jahr 2000 mehr als 20 Prozent aller protestantischen Pfarrer in den USA Frauen sein werden. Eine geschlechtsneutrale Sprache im Gottesdienst ist immer stärker verbreitet.

Während viele traditionelle christliche Kirchen Mitglieder verlieren, finden andere Kirchen, Sekten und Strömungen zunehmend Resonanz. Das gilt für verschiedene evangelikale und charismatische Gruppen, für nichtwestliche christliche Kirchen, die Befreiungstheologie, das schöpfungsorientierte Christentum und die ökumenische Bewegung.

Fernsehgottesdienst am Memorial Day, dem US-Heldengedenktag, aus der Crystal Cathedral in Kalifornien.

Der Evangelikalismus

Evangelisieren heißt die christliche Botschaft verbreiten und die Menschen bekehren. Der Evangelikalismus mit seiner Betonung der persönlichen Gnadenerfahrung war in der Geschichte des amerikanischen Protestantismus stets von großer Bedeutung. Die heutige evangelikale Bewegung hat ihre Wurzeln in dem Streit zwischen Fundamentalisten und Modernisten zu Beginn des 20. Jahrhunderts.

Der Fundamentalismus wandte sich gegen die liberale Theologie, die Naturwissenschaft und Religion miteinander zu versöhnen trachtete und historische und archäologische Erkenntnisse zum besseren Verständnis der Bibel heranzog. Diese sah die menschliche Natur voller Optimismus und betonte die Vernunft, den freien Willen und die Selbstbestimmung. Dagegen forderte eine Gruppe von Christen die Rückkehr zu den »Fundamenten«: 1. den Offenbarungscharakter der Heiligen Schrift (zum Teil auch ihre Unfehlbarkeit); 2. die jungfräuliche Geburt Jesu und andere Wunder; 3. die Göttlichkeit Christi und seine wirkliche körperliche Auferstehung; 4. Jesu stellvertretenden Sühnetod für die Sünden der Menschheit sowie 5. die tatsächliche, unmittelbar bevorstehende Wiederkunft Christi. Der Streit zwischen diesen beiden Gruppen erreichte seinen Höhepunkt in dem berühmten öffentlichen Prozeß, den John Thomas Scopes, ein Oberschullehrer, 1925 gegen den Staat Tennessee anstrengte, in dem ein Gesetz die Lehre der Evolutionstheorie im Schulunterricht verbot.

In den 30er Jahren und dann vor allem in den 50er und ab den 80er Jahren fanden Erben der fundamentalistischen Bewegung, die man grob gesprochen evangelikal nen-

nen kann, begeisterten Zulauf. Sie sind heute in vielen protestantischen Kirchen der USA eine starke Kraft. Die Evangelikalen studieren gemeinsam die Bibel und legen großen Wert auf die von ihnen propagierte »Wiedergeburt« in Christus. In anderen theologischen und moralischen Fragen (die wörtliche Interpretation der Bibel, die Beteiligung beispielsweise an der Friedensbewegung und dem Kampf gegen die Armut) variieren ihre Standpunkte. Es gibt Konservative, aber auch Liberalere unter ihnen.

Die Botschaft mancher dieser Evangelikalen fand teilweise Verbreitung durch eigene Läden zum Vertrieb ihrer Traktate und durch eigene Fernsehsender. Der TV-Evangelismus, bei dem beständig um Spenden für die »gute Sache« geworben wird, sah sich in den letzten Jahren mit etlichen Skandalen konfrontiert, als führenden Fernsehpredigern sexuelle und finanzielle Verfehlungen nachgewiesen werden konnten. Der Theologieprofessor Howard Cleinbell meint zu diesen Verfehlungen:

Der Prediger muß seine dunkle Seite verleugnen. Er wird von seinen Anhängern auf einen Sockel gestellt. Da er seine gierige, iridsche und sinnliche Seite leugnet oder versteckt, baut sich ein Druck auf unterbewußter Ebene auf, der sich häufig insgeheim verbotene Auswege sucht.[91]

Obwohl in Nordamerika zur Zeit eine Desillusionierung verschiedener Formen des evangelikalen Christentums stattfindet, bleibt es ein wichtiger Bestandteil des Protestantismus. Auch in Südamerika, einem Kontinent, der seit der Konquistadorenzeit fast flächendeckend katholisch war, macht der Evangelikalismus beträchtliche Fortschritte. Zu Beginn der 90er Jahre wurden in Rio de Janeiro durchschnittlich fünf neue evangelikale

Kinder spielen die Weihnachtsgeschichte und beten das Christuskind an.

Verzückte Erfahrung des Heiligen Geistes in einer Baptistenkirche.

Kirchen pro Woche gegründet, die meisten in den Slums. Die Kirchen bieten Nahrungsmittel, Ausbildungsmöglichkeiten oder Kindertagesstätten und hoffen auf diese Weise neue Anhänger zu gewinnen.

Die Charismatiker

Neben der evangelikalen Bewegung – teilweise bestehen auch Überschneidungen – gibt es eine stärkere Wertschätzung charismatischer Erfahrungen – von Gott inspirierter Kräfte – unter den Christen aller Klassen und Nationen. Während die christlichen Fundamentalisten den historischen Jesus betonen, fühlen sich die Charismatiker zusätzlich von der »dritten Person« der Trinität, dem Heiligen Geist, angerührt. Zu ihnen gehören die Mitglieder protestantischer Pfingstkirchen, aber auch katholische Gläubige und Mitglieder der protestantischen Hauptkirchen. Die Charismatiker sprechen unter dem Einfluß des Heiligen Geistes »in Zungen«, brechen spontan in Lobpreisungen aus, heilen durch Handauflegen und Gebet und werden Zeugen geistlicher Wunder. Dogmen und religiöse Autorität werden in solchen Gruppen in der Regel für weniger wichtig gehalten als die persönliche spirituelle Erfahrung.

Die großen christlichen Kirchen, die einen zu emotionalen Ausdruck von geistlichen Erfahrungen häufig zugunsten geordneter Formen der Frömmigkeitspraxis abgelehnt haben, tolerieren diese Bewegung immer mehr. In der katholischen Kirche spricht man von einer »charismatischen Erneuerung«, deren Anspruch es ist, das wahre Leben des Geistes in die Christenheit zurückzubringen.

Pfingstkirchen waren seit den 20er Jahren in der früheren Sowjetunion aktiv. Roman Bilas, der Moskauer Leiter der Union der Pfingstchristen evangelikalen Glaubens, erklärt zur Herabkunft des Heiligen Geistes mit leidenschaftlicher Überzeugung:

Dieser Augenblick, wenn man Gottes Macht in sich spürt, bringt großen Frieden und innere Freude. Er verwandelt den einzelnen und die Gesellschaft. Das Gefühl der vollständigen Sündenvergebung stellt sich ein, man entwickelt die Fähigkeit, auch seinerseits anderen zu vergeben. In diesem Moment beginnt man in Zungen zu reden, vielleicht auch in Sprachen, die niemand kennt.

Es kann außerdem geschehen, daß wir die Gabe der Prophezeiung empfangen. Als wir in den Jahren der Sowjetherrschaft verfolgt wurden, erhielten wir innere geistliche Botschaften, daß wir unsere Treffpunkte ändern sollten, um der Verhaftung durch den KGB zu entgehen. Wir haben solche Botschaften immer sorgfältig geprüft, weil es sein konnte, daß sie von dem betreffenden Menschen selbst und nicht von Gott kamen. Wir prüfen nach, ob die Botschaft mit der Bibel übereinstimmt. Wenn es so ist, hören wir zu. Wenn nicht, wird die betreffende Person ermahnt, nicht öffentlich zu reden, weil das Verwirrung in der Gemeinde stiften könnte.

Das wichtigste ist, daß der Mensch von Gottes Macht erfüllt wird. Ein schönes Auto fährt nicht, wenn kein Benzin im Tank ist. Gottes Macht erfüllt nur die Reinen. Darum sind zur Zeit der frühen Christen die Menschen in die Wildnis gegangen, um zu fasten und zu bereuen. Danach konnte Gottes Macht in sie kommen. Jede Predigt sollte diese Macht von Gott in sich tragen, dann würden die Menschen wirklich auf sie hören und ihre Sünden bereuen.[92]

Die kulturelle Ausweitung des Christentums

Obwohl das Christentum in seiner heutigen Gestalt im wesentlichen in Europa und den nordamerikanischen Kolonien ausgeformt wurde, befinden sich sehr viele christliche Kir-

Für Befreiungstheologen umfaßt die Botschaft des Evangeliums auch ganz praktische Hilfeleistungen für die Armen. Norma Jejia, Julia Mamani und Delia Gamboa, Laienschwestern der Missionsgesellschaft Maryknoll, helfen hier Familien in ihrem Barrio in Peru.

chen außerhalb dieses kulturellen Einflußgebietes: in Afrika, Lateinamerika und einigen Ländern Asiens.

Die Missionare, die das Christentum in jene Gegenden brachten, hegten häufig die Überzeugung, daß die europäische der Lebensweise Eingeborener kulturell überlegen sei. Doch einige dieser neuen Christen sind zu anderen Schlußfolgerungen gekommen. Theologen der African Independent Churches lehnen beispielsweise die früheren Missionsbemühungen ab, da sie die Menschen von der Tradition der Ahnenverehrung abzubringen beabsichtigten. Diese habe ihrer Meinung nach die gesellschaftliche Struktur zerstört, ohne daß es dafür eine Rechtfertigung in der Schrift gebe:

> *Als wir die Bibel genauer kennenlernten, erkannten wir, daß in ihr nichts über die europäischen Sitten und Traditionen stand, die man uns gelehrt hatte. Was also war dann so heilig oder sakral an dieser Kultur und ihrer sogenannten Zivilisation, die man uns aufgezwungen hatte und die uns jetzt zerstörte? Warum sollten wir nicht unsere afrikanischen Sitten beibehalten und trotzdem gute Christen sein? ...*
> *Wir haben gelernt, einen deutlichen Unterschied zwischen Kultur und Religion zu machen ... [Beispielsweise] dürfen die natürlichen Sitten eines bestimmten Volkes oder einer bestimmten Rasse nicht mit der Gnade unseres Heilands, Erlösers und Befreiers Jesus Christus verwechselt werden.*[93]

Das zeitgenössische Jesusbild wurde bereichert von den Einwohnern armer Drittweltländer, die ein persönliches Verständnis für Jesu Dienst an den Ausgestoßenen und Entrechteten mit einbrachten. In Asien, wo die Christen in den meisten Ländern eine Minderheit sind, liegt der Kern des Glaubens in einem im ganzen Kosmos anwesenden Christus, der alle Menschen an einen Tisch lädt, um sie an seiner Liebe teilhaben zu lassen.

In Lateinamerika wird Christus als der Befreier des Volkes von politischer und sozialer Unterdrückung, von Entmenschlichung und von der Sünde verstanden. Im Gottesdienst der unabhängigen Kirchen Afrikas sind alte Traditionen des Tanzens, Trommelns und Singens integriert. Jesus übernimmt die Funktion des größten der Ahnen – eines Vermittlers, der die Gebete und Gaben von den Menschen zu Gott und von Gott zu den Menschen bringt und aufmerksam für die Menschen sorgt.

Die Befreiungstheologie

Obwohl viele Christen zwischen geistlichen und weltlichen Dingen unterscheiden, sind einige bemüht, ihren Glauben durch direktes soziales Engagement zum Ausdruck zu bringen. So wurde der verstorbene Baptistenprediger Martin Luther King jr. zu einem großen Führer der amerikanischen Bürgerrechtsbewegung. Er erklärte: »Jesus von Nazareth rief die Neger auf, mit der schöpferischen Waffe der Liebe gegen ihre Behandlung zu protestieren.«[94] Dieses engagierte Christentum wurde »Befreiungstheologie« genannt. Es ist von der Notwendigkeit politischen Handelns zugunsten der Armen und Unterdrückten überzeugt. Seit dem Zweiten Vatikanischen Konzil und der Konferenz lateinamerikanischer Bischöfe 1968 in Kolumbien unternahmen katholische Priester und Nonnen, die in Lateinamerika arbeiteten, bewußte, freiwillige Anstrengungen, den Kampf der Armen für soziale Gerechtigkeit zu verstehen und für sie Partei zu ergreifen. Die biblische Grundlage für dieses Engagement findet sich in der Apostelgeschichte:

> *Die Gemeinde der Gläubigen war ein Herz und eine Seele. Keiner nannte etwas von dem, was er hatte, sein Eigentum, sondern sie hatten alles gemeinsam ... Es gab auch keinen unter ihnen, der Not litt. Denn alle, die Grundstücke oder Häuser besaßen, verkauften*

ihren Besitz, brachten den Erlös und legten ihn den Aposteln zu Füßen. Jedem wurde
davon so viel zugeteilt, wie er nötig hatte. (Apostelgeschichte 4,32–35)

Der peruanische Theologe Gustavo Gutierrez, der den Begriff »Befreiungstheologie«
prägte, versteht unter der Wahl freiwilliger Armut ein

solidarisches Engagement für die Armen, die unter Not und Ungerechtigkeit leiden …
Es geht nicht darum, die Armut zu idealisieren, sondern sie als das zu erkennen,
was sie ist – ein Übel –, und gegen sie zu protestieren und dafür zu kämpfen, daß sie
beseitigt wird.[95]

Für ihre Solidarität mit den Unterdrückten sind katholische Geistliche in Ländern wie
Guatemala von den politischen Machthabern ermordet worden. Heftige Kritik erfuhren
sie von konservativen Kräften innerhalb des Vatikans. Kardinal Ratzinger, der Vorsitzende
der Glaubenskongregation, hat die Befreiungstheologie verurteilt. Er erklärt, sie stelle die
Befreiung von materieller Armut in unangemessener Weise gegenüber der Befreiung von
der Sünde in den Mittelpunkt. Trotzdem hat sich diese Bewegung überall dort verbreitet, wo große soziale Ungerechtigkeit herrscht. Bakole Wa Ilunga, Erzbischof von Kananga (Republik Kongo), erinnert die Christen daran, daß Jesus die Reichen und Mächtigen
warnte, es sei sehr schwer für sie, ins Himmelreich zu gelangen. Im Gegensatz dazu,
schreibt Kananga,

befreit Jesus die Armen von dem Gefühl, sie seien eigentlich keine richtigen Menschen;
er macht sie ihrer Würde bewußt und gibt ihnen Gründe, gegen ihr Schicksal zu kämpfen
und ihr eigenes Leben in die Hand zu nehmen.[96]

Das schöpfungsorientierte Christentum

Eine weitere zeitgenössische Strömung innerhalb des Christentums ist um ein vertieftes
Verständnis für die Natur bemüht. Nach jüdisch-christlicher Tradition ist der Mensch zum
Herrscher über die Erde berufen. Zuweilen wurde diese »Herrschaft« als Recht der Ausbeutung statt als Pflicht zur Sorge interpretiert. Die Glaubenslehre von der Herrschaft über
die Natur steht in deutlichem Gegensatz zum Glauben der Naturvölker, daß das Göttliche überall wohne, alles heilig sei und die Menschen nur einen Teil des großen Lebenszyklus darstellen. Heute meinen manche Christen, daß der Begriff eines von Gott gegebenen Herrschaftsrechts die Menschen dazu verführt habe, den Planeten an den Rand
seiner Vernichtung zu bringen. Gelegentlich wenden sie sich an geistliche Führer von Naturvölkern, ihnen bei der Errettung der Erde vor der drohenden ökologischen Katastro-
phe zu helfen. Wir kommen darauf in Kapitel 13 zurück. Father Thomas Berry, Historiker und engagierter Anwalt der Erde, erklärt »Wir müssen die Bibel zwanzig Jahre lang
im Bücherregal lassen, bis wir es gelernt haben, die Heilige Schrift des Lebens zu lesen.«[97]

Ein Christentum, das der geschaffenen Welt größere Ehre erwiese, würde auch dem
Wunder der Schöpfung größere Beachtung schenken und damit zur Versöhnung von
Wissenschaft und Religion beitragen. Schöpfungsorientierte Christen wie der verstorbene
Jesuitenpater und Paläontologe Teilhard de Chardin sehen das Wirken des göttlichen Geistes in der vollkommenen, komplexen Ausgewogenheit, die auf chemischer, biologischer
und physikalischer Ebene herrscht und das Leben in seiner uns bekannten Form einzig
möglich macht. Der Dominikaner Matthew Fox setzte sich dafür ein, alles Lebendige als
göttlich zu preisen. Fox sprach sich auch dafür aus, den weiblichen Aspekt des Göttlichen
anzuerkennen und den menschlichen Körper als gesegnet zu betrachten.

Lebendiges Christentum

Im Gegensatz zu ihrem früheren kulturellen Chauvinismus erkennen Missionare aus westlichen christlichen Kirchen heute häufig an, daß sie durch ihre Erfahrungen mit anderen Kulturen selber lernen und sich weiterentwickeln. Maryknoll, eine Missionsanstalt der römisch-katholischen Kirche, hat eine Form der Befreiungstheologie entwickelt, die darauf beruht, das eigenverantwortliche Handeln der Armen zu stärken. Bruder John Blazo diente ein Jahr in Nicaragua und fünf in Guatemala, manchmal unter Lebensgefahr, weil sich die örtlichen Militärs der kirchlichen Hilfe für die Armen widersetzten.

»In beiden Ländern haben wir uns darauf konzentriert, die Menschen zu eigenverantwortlichem Handeln zu bringen. Wir ermutigten sie, die dafür erforderlichen Fähigkeiten auszubilden, zu lernen, sich gegenseitig zu helfen und Entscheidungen unabhängig von uns zu treffen. Als ich das erstemal nach Nicaragua kam, sagten die Menschen zu mir: ›Sag uns, was wir tun sollen.‹ Doch ich antwortete: ›Ich bin nicht hier, um euch zu sagen, was ihr tun sollt. Ich spreche nicht besonders gut Spanisch. Das ist eure Kirche, das ist euer Dorf. Ich komme gerade aus der Sprachschule, und ich kenne die hiesigen Sitten nicht. Ihr kennt sie; ihr wißt, was in der Vergangenheit hier geschehen ist. Ihr wißt, was ihr tun wollt. Ich stelle euch nur Fragen, um das herauszufinden.‹ Das war ein sehr langwieriger Prozeß.

Die Absicht ist, daß sich die Gruppe selbst klarwerden soll, was ihre Lebensbedingungen sind, wie ihre Realität aussieht, und sich dann die Fragen stellt: Was sagt Gott dazu? Was sagt unsere katholische Kirche dazu? Dann können sie die nötigen Schritte tun, um die Situation zu verändern. Aber es brauchte Zeit, um all das zu vollbringen. Gott ist mit den Leidenden, die arbeiten und ihr Leben zu verbessern versuchen, denn das ist Gottes Wille. Manche politischen Strukturen sind geschaffen worden, um die Menschen zu unterdrücken – um mit billigen Arbeitskräften Ressourcen billig auszubeuten und Herrschaft auszuüben. Es sind Menschen, die dies tun; Gottes Wille ist das ganz gewiß nicht.

Es gibt einen zweiten Aspekt unserer Arbeit: die Verbreitung des Evangeliums. Wir suchen Menschen, die nicht getauft sind, nicht katholisch sind. Als Maryknoll 1911 gegründet wurde, war man der Meinung, es sei wichtig, solche Menschen der Kirche einzuverleiben. Auch noch in der veränderten Kirche leben diese Elemente weiter. Ich sähe es gern, wenn mehr Menschen in der katholischen Kirche wären, aber ich will die Menschen nicht unterwerfen und ihnen erzählen, in der katholischen Kirche wäre alles vollkommen und wir wüßten den einzig richtigen Weg. So gehen wir nicht vor. Die Arbeit hat mir geholfen, eine umfassendere Persönlichkeit zu werden und meine eigene Religion tiefer zu verstehen. Ständig frage ich mich: Was ist christlicher Grundsatz, was ist kulturelle Ausdrucksform? Die kulturellen Ausdrucksformen sind in ständigem Wandel begriffen, die christlichen Grundlagen theoretisch nicht. Da ist der Glaube an den einen Gott. Und außerdem glaube ich, daß wir die Idee der Versöhnung unter den Menschen voranbringen müssen. Dies sind zweifellos nicht ausschließlich christliche Grundsätze. Dann gibt es den Glauben an das Leben nach dem Tode, den Glauben an Himmel und Hölle, den Glauben an den göttlichen Jesus. Jesus ist für uns gestorben, Jesus zeigte uns einen Weg für unsere Arbeit, einen Weg zur Vergebung unserer Sünden. Also laßt uns das Positive betonen, laßt uns darum kämpfen, es besser zu machen. Man sieht Menschen, die darum kämpfen, es gut zu machen, vor allem sehr arme Menschen. Da sagst du dir: Auf keinen Fall will mich auf das konzentrieren, was sie möglicherweise falsch machen und in Wirklichkeit vielleicht gar nicht falsch ist. Es ist vielleicht nur eine kulturell andere Art, mit einer Sache umzugehen. Darum sollte man sich bemühen, ich weiß das aus persönlicher Erfahrung.«

Das Gewissen und der Fall des Kommunismus

Zwar erlebt der Kommunismus gegenwärtig bereits wieder eine Renaissance, der erstaunlich schnelle Zusammenbruch des mächtigen Sowjetblocks ist aber zum Teil auch den mutigen Entscheidungen einzelner Christen zu verdanken. Sie waren entschlossen, um ihrem Glauben getreu zu leben, gegen die Ungerechtigkeit aufzutreten und ihr berufliches Fortkommen und gegebenenfalls auch ihr Leben in gewaltlosem Widerstand gegen die Unterdrückung einzusetzen. Für Polen, wo der Widerstand begann, sprach der Theologe Jozef Tischner von einem »riesigen Wald der erwachten Gewissen«[98].

In ganz Osteuropa hatten die kommunistisch-atheistischen Regime die Ausübung des Christentums stark eingeschränkt. In der Sowjetunion waren alle Glaubensgemeinschaften, auch die russisch-orthodoxe Kirche, zu staatlicher Registrierung verpflichtet, was bedeutete, daß die Glaubensgemeinschaft sich den Anordnungen des Regimes zu unterwerfen hatte. Die Kirchen durften lediglich Gottesdienste abhalten, alle anderen Aktivitäten – das öffentliche Reden über den Glauben, karitative Tätigkeiten oder Religionsunterricht – waren ihnen untersagt.

Wer sich diesen Bestimmungen widersetzte, lief Gefahr, seinen Arbeitsplatz zu verlieren, von der Schule verwiesen, mit hohen Geldstrafen belegt oder ins Gefängnis geworfen zu werden. Alexander Ogorodnikow erklärt: »Im Rahmen der sowjetischen Ideologie konnten wir unseren Glauben nicht leben.«[99]

Land für Land begannen zuerst wenige, dann immer mehr Christen, ihren Regimen Widerstand zu leisten. In der DDR, wo Grenzsoldaten auf Republikflüchtige Jagd machten, nahmen Tausende von Menschen an den »Friedensgebeten« in den Kirchen Leipzigs teil. Diese Bewegung griff in einer Kettenreaktion auf andere Städte des Landes über, als die Menschen sahen, daß andere öffentlich zu reden wagten, und nun ihrerseits Mut faßten, es ihnen gleichzutun. Die Versammelten beteten für ihr Land, für Gerechtigkeit und gewaltlose Veränderungen. Gabriele Anger, die seinerzeit regelmäßig an den Leipziger Friedensgebeten teilnahm, erinnert sich:

> In der Kirche hatten wir ein unglaubliches Gefühl von Geborgenheit und Wärme. Die Leute waren irgendwie verändert. Man merkte das an einem Händedruck oder wenn einem jemand plötzlich auf die Schulter klopfte und sagte: »Wir müssen zusammenhalten.« Man sah sich eine Sekunde länger in die Augen als üblich. Das hatte auf uns alle eine faszinierende Wirkung. Wir gingen nach draußen durch die Reihen der Polizisten, die die Kirche umstellt hatten. Wir konnten nicht denken »Ihr Schweine«, ich dachte vielmehr: »Wenn ihr wüßtet, wie reich wir sind.« Und wir lächelten und schritten durch den engen Pfad zwischen den Polizeikordons links und rechts und sahen ihnen in die Augen.[100]

Der Widerstand der Volksmassen war oft in den christlichen Kirchen konzentriert; viele fühlten sich von ihr anzogen, auch wenn sie bisher nicht am religiösen Leben teilgenommen hatten. Sie waren wohl weniger von der historischen christlichen Kirche als vielmehr von der Macht der Wahrheit bewegt, für die schließlich auch Jesus gelebt hatte und gestorben war. Der tschechische Präsident Vaclav Havel bemerkt, »daß eine einzige angeblich machtlose Person, die es wagt, das Wort der Wahrheit hinauszuschreien und mit ihrem ganzen Sein und Leben verteidigt, überraschenderweise mächtiger ist als Tausende anonymer Wähler, obwohl ihr formell alle Freiheiten entzogen waren«[101].

Der Mut von wenigen, dann von Hunderttausenden, die es wagten, furchtlos und gewaltfrei für die Wahrheit einzustehen, stürzte die scheinbar allmächtigen Regime, wobei es bemerkenswerterweise zu relativ wenig Blutvergießen kam. Pastor Christian Führer aus Leipzig glaubt, daß bei diesem wunderbaren Phänomen der Geist Jesu am Werke war:

Gewaltlosigkeit ist eindeutig die Aussage Jesu. Angesichts dieser Menschen, die mit dem Bild vom Klassenfeind aufgewachsen waren und deren Eltern mit den Nazis, der Gewalt und dem Rassenhaß aufgewachsen waren, kann man es als erwiesen ansehen, daß dieser Geist nicht von hier kam. Der hat nichts mit der Erziehung zu tun, die man genossen hat. Und die wenigen Christen, die es in diesem nichtchristlichen Land gibt – sie vermögen es auch nicht, ihn zu erwecken. Hier war der Geist Gottes am Werk: Wir wenigen Leute hätten es nicht vermocht. Gott ehrte uns, indem er uns in seinem Plan eine Rolle spielen ließ.[102]

Die ökumenische Bewegung

Die Wiedergewinnung der Religionsfreiheit in den Staaten des früheren Ostblocks macht die Zahl der offen praktizierten Religionen noch größer. Den gegenteiligen Zweck verfolgt die ökumenische Bewegung, deren Ziel es ist, die christlichen Kirchen zu einen oder wenigstens zu einem freundschaftlichen Umgang miteinander zu bewegen.

Das Zweite Vatikanische Konzil bekräftigte zwar den Anspruch der katholischen Kirche, die eine Kirche Christi zu sein, eröffnete aber durch das Zugeständnis, daß der Heilige Geist auch in anderen Kirchen wirksam sei, den Weg zu einem Dialog mit anderen christlichen Konfessionen. Auch die orthodoxe Kirche erhebt den Anspruch, die »eine, heilige, katholische und apostolische Kirche« zu sein. Obwohl sie die Wiedervereinigung der Christen wünscht und nicht nach weiterer organisatorischer Macht strebt, besteht sie auf einer Gleichheit in Bekenntnisfragen. Die katholischen und orthodoxen Kirchen unterhalten deshalb keine Abendmahlsgemeinschaft mit Christen anderer Bekenntnisse. Auch einige protestantische Kirchen verweigern einander die Anerkennung.

Trotzdem gibt es Versuche, einige Bande zwischen allen christlichen Kirchen neu zu knüpfen. So finden zahlreiche offizielle ökumenische Dialoge statt. 1948 wurde in Genf der Weltkirchenrat gegründet, eine Körperschaft, die es den christlichen Kirchen ermöglichen sollte, unbeschadet sonstiger theologischer Differenzen in Hilfsprojekten zusammenzuarbeiten. In ihrer Komission für Fragen des Glaubens und der Kirchenordnung arbeiten 300 in Sprache, Kultur, politischer und theologischer Einstellung verschiedene Kirchen miteinander an Fragen der christlichen Einheit.

1995 veröffentlichte Papst Johannes Paul II. eine Enzyklika, worin er Katholiken, Protestanten, Anglikaner und Orthodoxe zur gegenseitigen Vergebung der in der Vergangenheit begangenen Fehler aufrief, damit die Anhänger Jesu wiedervereint werden könnten.

Im Juni 1994 kam es zu einem historischen Treffen von Repräsentanten vieler christlichen Kirchen im Moskauer Danilow-Kloster, auf dem über das Thema »Christlicher Glaube und menschliche Feindschaft« beraten wurde. Man kam zu zu dem gemeinsamen Schluß:

Wir rufen die Diener aller christlichen Kirchen und Konfessionen auf, ihre Handlungen sehr sorgfältig zu bedenken und allen Formen des Chauvinismus und der kulturellen und nationalen Intoleranz stets Widerstand zu leisten. Das Ideal der christlichen Liebe erfordert, daß wir besondere Sorgfalt gegenüber nationalen und kulturellen Minderheiten walten und niemals das Gebot der Nächstenliebe außer acht lassen.[103]

KAPITEL 11

DER ISLAM

»Es ist kein Gott außer Gott«

Um das Jahr 570 wurde ein neuer Prophet geboren. Dieser Mann, Muhammad, gilt unter den Moslems als der letzte in einer Reihe von Propheten, die gesandt wurden, um die wahre Religion wiederherzustellen. Den ihm offenbarten Islam betrachten sie als die letzte Stufe in der Entwicklung der jüdisch-christlich-islamischen monotheistischen Tradition.

Nachdem der Islam Westeuropa, das in tiefste Barbarei versunken war, zivilisiert hatte, erlebt er im 20. Jahrhundert einen Wiederaufstieg. Ungefähr ein Fünftel der Weltbevölkerung sind Anhänger des Islam. Das monotheistische Glaubensbekenntnis dieser Religion ist denkbar einfach: »Es ist kein Gott außer Gott, und Muhammad ist sein Prophet.« Die Anforderungen an die Gläubigen sind deutlich umrissen und anspruchsvoll. Aber unter der Einfachheit äußerer Beachtung der islamischen Gebote – und ihrer mancherorts aggressiven Auslegung – liegen Tiefen und Subtilitäten, deren sich Nichtmoslems meist nicht bewußt sind. Erst langsam verbreitet sich außerhalb dieses Glaubens eine gewisse Wertschätzung des Islams, zum Teil deshalb, weil einige Moslems aufrichtig bemüht sind, dem negativen Medienimage des Islam und seiner Anhänger entgegenzutreten.

Der Prophet Muhammad

Der Islam führt, wie das Judentum und das Christentum, seine Ahnenreihe auf den Patriarchen Abraham zurück. Ismael soll der Sohn Abrahams und der ägyptischen Sklavin Hagar gewesen sein. Als Abrahams Ehefrau Sara ihm ebenfalls einen Sohn, den Isaak, gebar, brachte Abraham Ismael und dessen Mutter in das arabische Wüstental Bekka (Mekka), um sie vor Saras Eifersucht zu schützen.

Das heilige Buch des Islam, der Heilige Koran, den Muhammad als eine Reihe von Offenbarungen von Gott empfangen haben soll, berichtet, Abraham und Ismael hätten zusammen das höchste Heiligtum des Islam errichtet, die *Kaaba*. Sie soll der Ort gewesen sein, den Abraham zuerst als Kultstätte weihte. In den Sockel dieses kubischen Steingebäudes ist ein besonders verehrter schwarzer Meteorit eingelassen. Nach Angabe des Korans sagte Gott zu Abraham, die Kaaba solle ein Wallfahrtsziel werden. Die arabischen Stämme betrachteten sie als einen heiligen Ort.

Nach moslemischer Überlieferung versank diese Region in historische Vergessenheit, »ein Zeitalter der Unwissenheit«, als sich die Bewohner von Abrahams Monotheismus abwandten. Viele Jahrhunderte lang berührten sie die Ereignisse in der übrigen Welt nicht, zu der sie nur durch Handelskarawanen Beziehungen aufrechterhielten. Dann wurde in einem armen Clan des mächtigsten Stammes der Gegend ein Kind namens Muhammad (»der Gepriesene«) geboren. Sein Vater starb noch vor seiner Geburt; die Mut-

ISLAM

	N. CHR.	
		Geburt Muhammads, um 570
Rapide Ausbreitung des Islam, ab 633	600	Offenbarung des Korans an Muhammad, ab ca. 610
Umayyadendynastie, 661–750		Die Hidschra (»Loslösung«) aus Mekka, 622 Muhammads triumphale Rückkehr nach Mekka, 630
Massaker von Karbala, 680	700	Tod Muhammads, Wahl des Abu Bakr zum ersten Kalifen, 632
Schlacht von Tours setzt dem islamischen Vorstoß nach Westeuropa ein Ende, 732		Schriftliche Fixierung des Korans, 650
	800	
Der Islam erreicht seinen kulturellen Höhepunkt unter den Abbasidischen Kalifen, 750–1258	900	
		Tötung des al-Halladsch, 922
	1000	
	1100	al-Ghazzali, 1058–1111
	1200	Salah ad-Din erobert Jerusalem für den Islam zurück, 1187
Fortschreiten der christlichen Rückeroberung Spaniens, Beginn der Inquisition, 14. Jh.	1300	
	1400	
	1500	Die Türken erobern Konstantinopel (Istanbul), 1453
	1600	Akbar wird Kaiser des indischen Mogulreichs, 1556
	1700	
Moslemische Gebiete geraten unter europäische Kolonialherrschaft, 18.–19. Jh.	1800	
	1900	
Kartellpolitik der OPEC; Aufschwung des Islam nach 1970	2000	Abtrennung des moslemischen Pakistan vom hinduistischen Indien, 1947

ter verschied, als Muhammad noch ein Säugling war. Eine Frau aus einem anderen Stamm, bei dem er dann als Schafhirte aufwuchs, nährte ihn.

Allah (Gott) ist der Mittelpunkt des Islam, die einzige Autorität, nicht Muhammad. Trotzdem ist Muhammads Lebensgeschichte für die Moslems bedeutsam, da sein Charakter als ein Vorbild für die Lehren des Korans gilt. Die Geschichten seines Lebens und seiner Aussprüche sind in einem umfänglichen, nicht völlig authentischen Schrifttum gesammelt, dem *Hadith*, das von des Propheten *Sunna* (Aussprüchen und Handlungen) berichtet. Sie erzählen, daß der zukünftige Prophet als Heranwachsender zu seinem Onkel zurückkehrte, um bei ihm zu leben und mit ihm umherzuziehen. Bei einer Reise nach Syrien wurde ein christlicher Mönch auf ihn aufmerksam; er erkannte seine tiefe Spiritualität. Auch die schöne, intelligente und wohlhabende Khadidscha, seine Arbeitgeberin, schätzte die herausragenden Eigenschaften Muhammads. Als sie 40 und Muhammad 25 Jahre alt war, bot sie ihm die Hand zur Ehe. Khadidscha wurde zu seiner bedeutendsten Unterstützerin in den schweren, entmutigenden Jahren zu Beginn seines Lebens als Relgionsstifter.

Khadidscha gestattete Muhammad, dessen spirituelle Bedürfnisse sie erkannte, längere Zeit in einsamem Rückzug zu verbringen. Diese Rückzüge aus der Welt waren in seinem Geschlecht nichts Ungewöhnliches; sie dienten der Kontemplation.

Als Muhammad 40 Jahre alt war, zog er sich im Monat Ramadan wieder einmal zur Meditation zurück. Da besuchte ihn der Engel Gabriel in Menschengestalt und verlangte, er solle rezitieren. Dreimal wandte Muhammad ein, er könnte das nicht, weil er Analphabet sei, und dreimal gab ihm Gabriel diesen Befehl. Nach dem dritten Mal konnte Muhammad die ersten Worte des künftigen Korans zitieren. Er wiederholte sie, wie der Engel sie diktierte:

> *Lies! Im Namen deines Herrn, der erschuf,*
> *Erschuf den Menschen aus geronnenem Blut,*
> *Lies, denn dein Herr ist allgütig,*
> *Der die Feder gelehrt,*
> *Gelehrt den Menschen, was er nicht gewußt.*[1]

Muhammad kehrte völlig verwandelt nach Hause zurück. Khadidscha tröstete und ermutigte ihn, seine Furcht vor der Verantwortung seines Prophetentums und vor der Verachtung seiner Mitmenschen zu überwinden. Die Offenbarungen geschahen mit Unterbrechungen. Sie bestätigten, daß es der eine Gott sei, der spreche und die Menschen zum Islam (der völligen vertrauensvollen Hingabe an Gott) aufrufe. Der Überlieferung zufolge beschrieb Muhammad die Form dieser Offenbarungen so:

> *Die Offenbarung kommt manchmal wie das Klingeln einer Schelle, das ist die schmerzhafteste Art. Wenn es aufhört, habe ich behalten, was gesagt worden ist. Manchmal ist es ein Engel, der wie ein Mensch zu mir spricht, und ich behalte, was er sagt.*[2]

Der Prophet teilte diese Offenbarungen nur wenigen nahestehenden Menschen mit, die ihm glaubten: seiner Frau Khadidscha, seinem jungen Vetter Ali, seinem Freund, dem Handelsmann Abu Bakr, und dem Freigelassenen Zaid.

Nach drei Jahren verlangten die Offenbarungen, daß Muhammad öffentlich predigen sollte. Von den Quraischiten, den Aristokraten seines Stammes, die die Kaaba als Pilgerzentrum verwalteten und profitable Handelskarawanen nach Mekka führten, wurde er verspottet und mit Steinen beworfen. Einigen Berichten zufolge wurden Muhammad und seine Anhänger schließlich für drei Jahre an einen wüsten Ort verbannt, wo sie sich kümmerlich von Baumblättern und ähnlichem ernähren mußten.

Schließlich wurde die Gruppe der Moslems aufgefordert, nach Mekka zurückzukeh-

Die Kaaba in Mekka ist das höchste Heiligtum des Islam.

Muhammad zog sich der Überlieferung zufolge zu Andachtsübungen auf den Berg Hira außerhalb Mekkas zurück. Hier empfing er die Offenbarungen des Korans.

ren, aber die Verfolgung durch die Quraischiten ging weiter. Muhammads 50. Lebensjahr, das »Jahr der Trauerfälle«, war das schlimmste: Er verlor seine geliebte Frau Khadidscha und seinen ihm stets Schutz gewährenden Onkel. Ohne diesen starken Rückhalt nahmen die Verfolgungen wieder zu. Der Überlieferung nach erlebte Muhammad auf dem Höhepunkt der Anfeindungen eine Himmelsreise. Er stieg durch die sieben Himmel bis an die Grenzen des Kosmos und weiter bis in die Nähe Gottes. Dort traf er frühere Propheten und Lehrer, von Adam bis zu Jesus Christus, sah Paradies und Hölle und empfing die Segnungen der Anwesenheit Gottes.

Pilger, die aus der nördlicheren Oase Yathrib nach Mekka gekommen waren, erkannten Muhammad als Propheten. Sie luden ihn in ihre Stadt ein, damit er ihnen beim Lösen ihrer sozialen und politischen Probleme helfe. Da sie in Mekka von den Quraischiten immer noch verachtet und als eine potentielle Bedrohung angesehen wurden, verließen der Prophet und seine Anhänger heimlich ihre Stadt. Der Weg nach Yathrib, das später in al-Medina (»die Stadt des Propheten«) umbenannt wurde, war beschwerlich. Der Prophet verließ Mekka als letzter, einigen Überlieferungen zufolge in Begleitung seines alten Freundes Abu Bakr. Auf der Flucht vor den Verfolgern sollen sie sich in einer Höhle versteckt haben, wo Muhammad seinen Freund in die geheime Praxis der stillen Gottesversenkung einweihte.

Die *Hidschra* (»Loslösung«) aus Mekka fand im Jahr 622 unserer Zeitrechnung statt. Die moslemische Zeitrechnung zählt von dem Beginn dieses Jahres an, weil sich zu diesem Zeitpunkt der Übergang von der Verfolgung zur Annahme der Botschaft des Propheten ereignete. In Medina entwickelte er zur Schlichtung der Spannungen innerhalb der Bevölkerung einen Plan, der später zum Vorbild der moslemischen Gesellschaftsverfassung wurde. In einer Schlacht zwischen der jungen Gemeinde und den Bewohnern Mekkas, die in Badr bei Medina stattfand, siegte die kleine Schar der Moslems gegen eine große Übermacht.

Im Koran heißt es, Gott habe tausend Engel gesandt, um Muhammad zu unterstüt-

Gläubige Moslems beten fünfmal täglich, wo immer sie sich auch befinden. Der Glaubensteppich bildet einen sakralen Bereich, der nach Mekka hin, dem Zentrum des Islam, ausgerichtet wird.

zen. Muhammad warf eine Handvoll Steine auf die Mekkaner – das entschied die Schlacht, denn sie waren von Gott geworfen: »Solches geschah, damit Allah die List der Ungläubigen schwächte.«[3] Die Mekkaner versuchten wiederholt, die Einwohner Medinas anzugreifen, doch diese behaupteten sich, weil Offenbarungen, die Muhammad empfangen hatte, sie zum Kampf gegen Unterdrückung inspirierten.

Der Koran betont die grundsätzliche religiöse Einheit von Juden, Christen und Moslems als Mitgenossen der einen monotheistischen Tradition Abrahams. Aber die Juden weigerten sich, den Islam zu akzeptieren, weil dieser Jesus anerkannte und die Tora vervollständigen wollte. Außerdem waren die Juden mit den Gegnern des Propheten politisch verbündet. Schließlich wurden ihre Landgüter von den wachsenden Scharen der Konvertiten in Besitz genommen; einige Juden wurden als politische Feinde umgebracht. Der Koran lehrte, Juden und Christen haben den reinen Monotheismus Abrahams verfälscht; Muhammad sei gesandt worden, um die Lehren der Apostel und Propheten wiederherzustellen und zu ergänzen. Die Menschen sollen sich beim Gebet nun gen Mekka und nicht mehr gen Jerusalem neigen.

Im Jahre 630 kehrte der Prophet triumphierend mit einer so großen Schar von Anhängern nach Mekka zurück, daß die Einwohner der Stadt keinen Widerstand mehr leisteten. Die Kaaba wurde von den Götzenbildern befreit; seit dieser Zeit ist sie das Zentrum der moslemischen Frömmigkeit. Viele Mekkaner beugten sich Muhammads politischer Macht, auch aus Furcht vor den Drohungen des Korans über das schlimme Schicksal derjenigen, die sich dem Propheten in den Weg zu stellen trauten; sie traten zum Islam über. Ehemalige Gegner soll Muhammad milde behandelt haben.

Danach kehrte der Prophet nach Medina zurück, das er zum geistlichen und politischen Zentrum des Islam machte. Von dort aus wurden Feldzüge unternommen, um den Glauben zu verbreiten. Teile Nordafrikas und die persisch beeinflußten Gebiete Arabiens am Persischen Golf und in Südarabien (Oman, Jemen, Bahrain) kamen unter moslemische Herrschaft. Als der Islam ein multikulturelles und multinationales Gepräge zu entwickeln begann, erklärte der Prophet, daß die Gemeinschaft der Gläubigen wichtiger sei als die älteren Stammesstrukturen, die das Volk geteilt hatten. Das neue Ideal war das einer unter Gott lebenden, weltweit verbreiteten Familie. In seiner »Abschiedspredigt« verkündete Muhammad: »Ihr müßt wissen, daß ein Moslem der Bruder eines Moslems ist und daß alle Moslems Brüder sind.«[4]

Im elften Jahr der moslemischen Zeitrechnung unternahm Muhammad eine letzte Pilgerreise zur Kaaba, um die Riten zu demonstrieren, die fortan befolgt werden sollten. Dann erkrankte er schwer. Als er erkannte, daß sein Ende nahe war, gab er seinen Anhängern letzte Instruktionen und versprach, sie am »Quell« des Paradieses wiederzutreffen. Er hinterließ aber keine klare Nachfolgeregelung. In den folgenden Wirren wurde sein standhafter Freund Abu Bakr zum ersten *Kalifen* (politischer Nachfolger des Propheten) gewählt. Ein anderer möglicher Kandidat wäre der vertrauenswürdige und mutige Ali gewesen, der Vetter des Propheten und Ehemann dessen Lieblingstochter Fatima. Angeblich soll der Prophet vor seinem Tod sein spirituelles Licht an Fatima weitergegeben haben, doch im Trubel der Beisetzungsfeierlichkeiten nahmen weder sie noch Ali an der Wahl des ersten Kalifen teil. Die Fraktion der Schiiten sollte später behaupten, Ali sei Muhammads legitimer Erbe gewesen. Abu Bakr und sein Nachfolger Umar, der zweite Kalif, überzogen Persien und das Byzantinische Reich mit Krieg. Innerhalb weniger Jahre waren Persien, Ägypten, Syrien und Palästina dem moslemischen Machtbereich unterworfen.

Muhammads Lebensgeschichte ist den Moslems heilig; ein guter Moslem versucht seinen Qualitäten nachzustreben. Muhammad leugnete stets den Besitz übermenschlicher Fähigkeiten; nach dem Koran war er »ein Mensch wie ihr«, nur ein »Diener der Offen-

Obwohl Muhammad bildliche Darstellungen von Menschen, auch seiner eigenen Person, verbot, weil er keinen Anlaß zu Götzendienst geben wollte, stellten persische Miniaturisten späterer Jahrhunderte auch Legenden aus dem moslemischen Erzählungsschatz dar, hier zum Beispiel die Miradsch, *die Himmelsreise des Propheten.*

barung«[5]. Das einzige Wunder, das er für sich beanspruchte, war, daß ihm, dem Ungelehrten, der Koran in einem so außerordentlich beredten und reinen Arabisch offenbart worden sei. Er erhob noch nicht einmal den Anspruch, ein Lehrer zu sein; die Offenbarung ließ ihn sagen: »Siehe, du kannst nicht leiten, wen du gerne möchtest; Allah aber leitet, wen er will.«[6]

Allen, die dem Propheten begegneten, fielen seine ausgeprägte körperliche Schönheit, sein edler Charakter, seine Ausstrahlung, seine Milde und Freundlichkeit auf. In seiner Hingabe an Gott ertrug er sehr große Entbehrungen; einmal band er sich einen Stein vor den Bauch, um den quälenden Hunger zu unterdrücken. Er bemerkte: »Ich esse wie ein Sklave, ich sitze wie ein Sklave, denn ich bin ein Sklave (Gottes).« Obwohl seine Anhänger ihn als das Vorbild eines vollkommenen Menschen betrachteten, als das reinste Gefäß der Botschaft Gottes, betete er selbst unablässig für die Vergebung seiner Sünden. Als man ihn fragte, wie der Islam am besten zu praktizieren sei, antwortete er: »Der beste Islam ist, die Hungernden zu speisen und Frieden unter den Menschen, bekannten und unbekannten, zu verbreiten.«[7]

EINE ISLAMISCHE LEGENDE

Die Demut des Propheten

Seine Anhänger verehrten den Propheten Muhammad so sehr, daß sie sogar das Wasser auffingen, das nach den Waschungen von seinen Armen tropfte, und sich selbst damit einrieben, damit es sie segnete. Muhammad selbst aber war so demütig, daß er Gott wenigstens siebzigmal am Tag um Vergebung anflehte.

Einst auf einer Reise bat der Prophet seine Gefährten, eine Ziege zum Essen zu bereiten. Der eine erklärte sich bereit, das Tier zu schlachten, ein anderer, es abzuhäuten, ein weiterer, es zu kochen. Der Prophet erklärte, er wolle das Holz für das Feuer zusammensuchen. Seine Gefährten protestierten sofort: »Du bist Gottes Bote. Wir werden alles verrichten.« »Ich weiß, daß ihr das tun wollt«, sagte der Prophet, »aber das wäre eine ungerechtfertigte Unterscheidung. Gott will nicht, daß sich seine Diener so verhalten, als ob sie ihren Gefährten übergeordnet wären.«

Als der Prophet das anerkannte Oberhaupt der Stadt Medina war, borgte er Geld von Zaid ibn Sanaa. Mehrere Tage vor der Fälligkeit der Schuld kam Zaid zum Propheten, ergriff ihn an seinem Gewand und forderte rauh sein Geld zurück. Er sprach: »Deine Verwandten sind stets säumig, wenn es um die Rückzahlung geht.« Umar, ein Helfer des Propheten, wurde darüber wütend und wollte dem Geldverleiher an den Kragen. Der Prophet aber sagte nur zu Zaid: »Drei Tage bleiben bis zur Fälligkeit meiner Schuld.« Die Worte des Ärgers sparte er sich für Umar: »Du hättest uns beide besser behandeln sollen. Du hättest mich auffordern sollen, meine Schuld besser zu begleichen. Und ihn hättest du auffordern sollen, seine Forderung anständiger vorzubringen. Zahle ihm die geforderte Summe, und gib ihm noch 40 Kilo Datteln als Entschädigung für die Angst, die du ihm gemacht hast.«

Der Koran

Herzstück des Islam ist nicht der Prophet, sondern die Offenbarung, die ihm zuteil wurde. Die Gesamtheit aller Offenbarungen werden als Koran (»Lesung« oder »Rezitation«) bezeichnet. Muhammad erhielt diese Botschaften über einen Zeitraum von 23 Jahren, wobei einige spätere Botschaften frühere ersetzten. Die ersten Offenbarungen betrafen die Einheit Gottes und das Leid derer, die Gottes Botschaft nicht beachten; die späteren betrafen auch organisatorische Fragen und das gesellschaftliche Zusammenleben in der moslemischen Gemeinschaft.

Die Offenbarungen diktierte Muhammad einem Schreiber, und viele seiner Gefährten lernten sie auswendig. Man wollte sie sorgfältig gegen Veränderungen und Auslassungen schützen. Vorgetragen besitzen die einzelnen Abschnitte eine lyrische Schönheit und mitreißende Kraft, die nach Ansicht der Moslems unübertroffen sind; diese Qualitäten lassen sich in keiner Übersetzung wiedergeben. Die Rezitation erfolgt in einem manchmal als traurig und gedämpft beschriebenen Ton, weil die Botschaften von Gottes Traurigkeit über die Widerspenstigkeit der Menschen handeln. Muhammad sprach: »Weint deshalb, wenn ihr rezitiert.«[8]

Die Rezitation des Korans soll eine heilende, besänftigende Wirkung besitzen und kann Schutz, Leitung und Wissen gewähren. Es ist unbedingt notwendig, daß man den Koran nur in geläutertem Zustand rezitiert, weil seine Worte so machtvoll sind, daß der Rezitierende eine große Verantwortung übernimmt. Im Idealfall lernt man den Koran als Kind, weil in diesem Alter das Gedächtnis besonders aufnahmefähig ist und die Kraft der Worte dazu beitragen kann, das ganze Leben zu bestimmen.

Zu seinen Lebzeiten versuchten die Anhänger des Propheten, die mündlichen Überlieferungen schriftlich festzuhalten, um sie gegen Verlust zu schützen. Die frühen Kalifen setzten diese Bemühungen fort, bis schließlich der dritte Kalif gegen 650 ein Konzil zusammenrief, um einen einheitlichen, gesicherten schriftlichen Text auszuarbeiten. Dieser ist auch heute noch in Gebrauch. Der Koran ist in 114 *Suren* (Kapitel) gegliedert. Die erste ist die *Fatiha* (»die Öffnende«), die einleitend das Wesen des Korans offenbart:

Im Namen Allahs, des Erbarmers, des Barmherzigen!
Lob sei Allah, dem Weltenherrn,
Dem Erbarmer, dem Barmherzigen,
Dem König am Tag des Gerichts!
Dir dienen wir und zu dir rufen um Hilfe wir;
Leite uns den rechten Pfad,
Den Pfad derer, denen du gnädig bist,
Nicht derer, denen du zürnst, und nicht der Irrenden.

Die Verse des Korans sind kurz und bündig, haben aber vielfache Bedeutungsebenen. Abdullah Yusuf Ali, der das Buch ins Englische übersetzte, notiert, daß es in den mystischen frühen Passagen häufig drei Schichten gebe: 1. einen Bezug auf eine bestimmte Person oder Situation; 2. eine spirituelle Lektion; 3. eine tiefere mystische Bedeutung. Nach diesen drei Ebenen interpretiert er die ersten beiden Verse der 74. Sure – »O du (mit deinem Mantel) Bedeckter, / Steh auf und warne …«:

Hinsichtlich der ersten Bedeutungsebene: Der Prophet war nun über das Stadium der persönlichen Meditation hinaus und lag oder saß in seinem Mantel; er sollte jetzt kühn fortschreiten, um seine Botschaft zu verkünden und öffentlich den Herrn zu proklamieren ... Hinsichtlich der zweiten: Ähnliche Stadien, wenn auch in geringerem Grad, gibt es im Leben jedes guten Menschen, für das der Lebenslauf des Propheten ein universal gültiges Muster ist. Hinsichtlich der dritten: Die Sufis verstehen unter dem Mantel und der äußerlichen Bekleidung die Umstände der Erscheinung unserer Existenz, die bis zu einer bestimmten Stufe für unser körperliches Wohlbefinden notwendig sind; wir wachsen aber bald aus ihnen heraus, und dann sollte unser inneres Wesen sich kühn verlautbaren ...[9]

Häufig erwähnt der Koran Figuren und Erzählungen aus der jüdischen und christlichen Heilsgeschichte, die von den Moslems als Teil des Islam betrachtet werden. Nach Aussage des Korans ist der Islam – die Ergebung in Gott – die ursprüngliche Religion. Diese Ergebung existierte so lange, wie Menschen bereit waren, sich Gott zu unterwerfen. Adam war der erste Prophet. Abraham war nicht ausschließlich Jude, sondern ein aufrechter Monotheist, der sich Gottes Willen unterwarf. Jesus war ein sehr großer Prophet, seiner Art nach aber von Muhammad unterschieden. Khalid Duran erklärt:

Für die Moslems ist Jesus ein extremes, herzverrückendes und herzerwärmendes Beispiel, das aber nur unter den außerordentlichsten Umständen nachzuahmen ist – anders als Muhammad, der für die Moslems das Vorbild rechten Verhaltens für alle Zeiten und Orte ist.[10]

Die jüdischen Propheten und Jesus hatten nach moslemischer Ansicht alle die gleiche Botschaft. Der Koran lehrt aber, daß Gottes ursprüngliche Offenbarungen von Menschen entstellt und ergänzt wurden. So weisen die Moslems die Ansicht zurück, die sich im Christentum entwickelte, daß Jesus die Autorität besitze, uns zu vergeben und für unsere Sünden zu büßen. Der Glaube, daß diese Macht bei irgendwem anders als bei Gott liege, wird als blasphemische menschliche Einfügung in die nach moslemischer Überzeugung grundlegenden und wahren Lehren aller Propheten der jüdisch-christlich-islamischen Tradition verstanden, deren Kern der Glaube an den einen Gott und an unsere

Angesichts des Verbots bildlicher Darstellungen verwendeten moslemische Künstler besondere Liebe auf die kalligraphische Ausschmückung des im Koran überlieferten Gottesworts. Die Illuminationen versinnbildlichen das leuchtende Ausströmen des heiligen Wortes.

persönliche moralische Verantwortung vor Gott am Tag des Gerichts ist. Nach moslemischer Ansicht wurde der Koran als eine letzte Richtigstellung der monotheistischen Tradition in die Welt gesandt. Die Moslems glauben, daß Jesus das Erscheinen Muhammads voraussagte, als er versprach, der *Paraklet* (»Helfer«) werde kommen, um der Menschheit in späterer Zeit zu helfen.

Der Muhammad offenbarte Koran gilt als letzte und vollständige Wiedergabe der prophetischen Lehren, die sich alle auf den gleichen Gott beziehen. So heißt es in der 42. Sure:

Sprich: »Ich glaube an das Buch [welches es sei], das Allah hinabgesandt hat, und geheißen ward mir, gerecht zwischen euch zu richten. Allah ist unser Herr und euer Herr; uns sind unsere Werke und euch eure Werke; kein Streit sei zwischen uns und euch. Allah wird uns versammeln, und zu ihm ist der Heimgang.«[11]

Lebendiger Islam

Der Ägypter Khaled aly Khaled, Doktor der Pharmazie, schätzte als Kind sein moslemisches Erbe gering. Sein Glaube wuchs langsam, als er die wissenschaftliche Exaktheit und die literarische Qualität des Korans zu erkennen begann.

»Lange Zeit glaubten wir Ägypter, es sei besser, nicht zu sehr an einer Religion zu hängen. Wenn man sich als religiös bekannte, blickten einen die Leute an, als wäre man verrückt geworden. Sie meinten, es gebe eine Korrelation zwischen dem Erfolg im Leben und der religiösen Einstellung. Wenn man wirklich Erfolg habe, sei es nicht nötig, sich mit der Religion abzugeben. Wenn man hingegen betete, fastete und über den Koran sprach, meinten die Leute sofort, man sei ein Versager.

Vor zehn Jahren konnte ich den Koran nicht einmal lesen. Ich stand also der Religion ganz fern, aber ich kehrte zu ihr zurück. Für mich ist dabei vielleicht die naturwissenschaftliche Interpretation des Korans am wichtigsten. Ich kann nur glauben, was ich sehen und fühlen kann, und versuche, die gesammelten Daten zu interpretieren. Ich las von den Planeten und ihren Bewegungen in wissenschaftlichen Büchern. Es ist kaum glaublich, daß diese Dinge durch das blinde Walten der Natur zustande gekommen sind. Aber ein großer Verstand hinter diesem System? Daran konnte ich auch nicht glauben. Das wäre gegen die Wissenschaft. Aber durch Zufall kann es sich auch nicht entwickelt haben. Wenn auch nur ein Bestandteil unter hundert Millionen verändert wäre, bräche das ganze Universum zusammen. Diese, Genauigkeit kann also nicht sein ohne einen großen überwachenden Geist.

Heute bin ich sicher, daß jemand hinter dem Universum steht, der es erschafft und erhält, der mich erschafft und erhält. Man kann das Wunder des Universums erst richtig erfassen, wenn man naturwissenschaftlich denkt. Der menschliche Körper kann nicht dadurch entstehen, daß ein Einzeller auf einen anderen reagiert und aus diesen zwei Zellen ein Wesen entsteht und den Körper aufbaut. Das ist gegen alle Wahrscheinlichkeit. Eine höchste Macht hat alles erschaffen. Manche Aussagen des Korans hatten damals, vor 1400 Jahren, überhaupt keine Bedeutung; heute haben sie Bedeutung. Beispielsweise: »Wir haben dieses Universum so erschaffen, daß es sich ausdehnt.« »Wir haben die Erde so geschaffen, daß sie aussieht wie ein Ei.«

Solche Aussagen können nicht von einem gewöhnlichen Menschen stammen, der vor 1400 Jahren lebte. Bei den alten Ägyptern und den alten Syrern waren diese Tatsachen nicht bekannt. Ich begann zu glauben, daß jemand Muhammad diese Informationen gegeben haben müsse. Ich bin kein besonders gläubiger Mensch – fordern Sie nicht, ich solle etwas glauben, bloß weil es im Buch stehe. Doch diese Informationen konnten nur von der einen Quelle kommen.

Hinsichtlich der Sprache des Korans haben Gelehrte, die Arabisch sprechen, den Versuch gemacht, auch nur einen einzigen Satz aufzuschreiben, der diesem Buch an Schönheit gleicht. Sie vermochten es nicht. Ein Computerexperte hat eine Computeranalyse des Korans gemacht. Er entdeckte, daß die Anzahl der Kapitel, die Anzahl der Sätze und die Anzahl der einzelnen Buchstaben jeweils das Vielfache von Neunzehn sind (die Anzahl der Engel im Höllenfeuer). Dann versuchte er, ob er ein Buch über irgendein Thema schreiben und dabei das Vielfache irgendeiner Zahl hervorbringen könnte. Niemand kann das. Die Schönheit des Korans ist rein, die allerhöchste.

Wenn man die Reden Muhammads mit der Sprache des Korans vergleicht, entdeckt man einen großen Unterschied hinsichtlich der Schönheit. Er konnte nicht einen einzigen vergleichbaren Satz sagen. Er konnte nicht schreiben, er besaß kein Wissen, er war bloß ein Schafhirte. Als ich das eingesehen hatte, begann ich an die Existenz Gottes zu glauben.«

Die zentralen Lehren

Oberflächlich betrachtet, ist der Islam eine sehr deutlich definierte Religion. Seine Lehren lassen sich einfach zusammenfassen, wie etwa in folgender Aussage der Islamic Society of North America:

> *Islam ist ein arabisches Wort, das Frieden, Reinheit, Akzeptanz und Engagement bedeutet. Als Religion fordert der Islam die vollständige Akzeptanz der Lehren und der Leitung Gottes.*
> *Ein Moslem ist ein Mensch, der freiwillig die höchste Herrschaft Gottes anerkennt und sich bemüht, sein Leben in völliger Übereinstimmung mit den Lehren Gottes einzurichten. Er bemüht sich außerdem, gesellschaftliche Institutionen aufzubauen, in denen sich die Leitung Gottes widerspiegelt.[12]*

Diese kurze Aussage läßt sich in eine Reihe von Glaubensartikeln aufgliedern.

Die Einheit Gottes, die Einheit der Menschheit

Der erste Satz, der einem traditionell aufwachsenden moslemischen Kind mitgeteilt wird, ist das *Schahada* – »La illaha illa Allah«. Wörtlich übersetzt heißt das: »Es ist kein Gott außer Gott.« Exoterisch (für Außenstehende) ist dieser Satz ein Bekenntnis zu einem absoluten Monotheismus. Wie der Koran enthüllt (Sure 2,158):

> *Und euer Gott ist ein einiger Gott;*
> *es gibt keinen Gott außer ihm,*
> *dem Erbarmer, dem Barmherzigen.*

Esoterisch (für Eingeweihte) besagt das Schahada, daß es letztlich nur eine absolute Realität gibt; das grundlegende Wesen des Lebens ist ewige Einheit, nicht die in der körperlichen Welt erscheinende Getrenntheit der Dinge. Die Moslems glauben, daß die Einheit Gottes die ursprüngliche Religion sei, die von den Propheten aller Bekenntnisse gelehrt wurde. Muhammads Aufgabe habe lediglich darin bestanden, die Menschen an diese Tatsache zu erinnern.

Die Moslems drücken ihren Glauben an die Einheit des Göttlichen dadurch aus, daß sie die Schahada sprechen (»Es ist kein Gott außer Gott«). Die hier gezeigte türkische Plakette ist mit diesem Satz geschmückt.

Man hat geschätzt, daß die moslemische Theologie sich zu 90 Prozent mit den Implikationen der Einheit auseinandersetzt. Obwohl Gott einer ist, wird er im Koran mit 99 Namen genannt. Sie alle werden als Attribute des einen Wesens betrachtet, beispielsweise *al-Ali* (»der Höchste«) und *ar-Raqib* (»Der Wachsame«). *Allah* ist der Name Gottes, der all diese Attribute einschließt. Jeder der Namen bezieht sich auf die Totalität, den einen Gott. Einheit betrifft aber nicht nur die Vorstellung von Allah (Gott), sondern jeden Aspekt des Lebens.

Jeder Gedanke und jede Tat im Leben des einzelnen sollte aus einem Herz und einem Verstand hervorgehen, die im Einklang mit dem Göttlichen stehen. Theoretisch verwirft der Islam jede Untergliederung in sich: Alle Muslime auf der Erde werden als Teile einer Familie verstanden. Alle Menschen bilden eigentlich eine weltweite Familie, es gibt kein »auserwähltes Volk«, denn alle sind zu einer direkten Beziehung zu Gott berufen. Wissenschaft, Kunst und Politik sind im Islam nicht von der Religion getrennt. Niemals sollte der einzelne Allah vergessen; die Einheit sollte alle seine Gedanken und Handlungen durchweben.

Abu Haschim Madani, ein indischer Sufi, soll gelehrt haben: »Es gibt nur eines im Leben zu gewinnen: Gottes eingedenk zu sein mit jedem Atemzug; und es gibt nur einen Verlust im Leben: ein Atemzug, bei dem man Gottes nicht eingedenk ist.«[13]

> *»Gottes zu gedenken ist, wie wenn man in der Einsamkeit hoher Berge tief Atem schöpft: die Morgenluft, erfüllt von der Reinheit des ewigen Schnees weitet die Brust; der Raum wird fühlbar, der Himmel zieht ins Herz ein.«*   *Frithjof Schuon*[14]

Der Prophetenstatus und die Reichweite des Islam

Fromme Moslems sind der Ansicht, daß der Islam alle Religionen umfasse. Der Islam ehrt alle Propheten als Boten des einen Gottes:

> *Sprecht: Wir glauben an Allah und was er zu uns niedersandte, und was er niedersandte zu Abraham und Ismael und Isaak und Jakob und den Stämmen, und was gegeben ward Moses und Jesus, und was gegeben ward den Propheten von ihrem Herrn. Keinen Unterschied machen wir zwischen einem von ihnen; und wahrlich, wir sind Muslime [ihm ergeben wir uns].*[15]

Die Moslems glauben, der Monotheismus sei die ursprüngliche Religion gewesen, doch Gott habe von Zeit zu Zeit, da die Religionen in Vielgötterei versanken, Propheten gesandt. Jeder Prophet, jede Prophetin seien gekommen, um die Botschaft in einer Weise zu erneuern, die spezifisch für die jeweilige Zeit und Kultur gewesen sei. Muhammad jedoch habe Botschaften für alle Menschen und alle Zeiten empfangen. Die koranischen Offenbarungen bezeichnen ihn als »Siegel der Propheten«, als letzte und höchste Autorität in der kontinuierlichen prophetischen Tradition. Die Propheten sind bloße Menschen, keiner von ihnen ist göttlich, da es nur einen Gott gibt.

Der Islam gilt als die Universalreligion in reiner Form. Alle heiligen Schriften aus allen Traditionen werden ebenfalls geehrt, doch nur der Koran gilt als vollständig authentisch, weil er das direkte, unveränderte, unübersetzte Wort Gottes ist. Alles, was in anderen Religionen mit dem Koran übereinstimmt, ist göttliche Wahrheit.

Das Verhältnis des Menschen zum Göttlichen

> *Wir sind ihm näher als die Halsader.*   *Der Koran, Sure 50,16*

Nach moslemischem Glauben ist Gott allwissend und hat alles einsichtsvoll für einen ihm bekannten Zweck geschaffen. Alles wird von festgelegten Gesetzen beherrscht, die das harmonische und wunderbare Zusammenwirken der gesamten Schöpfung garantieren. Nur in der Anerkennung und Befolgung dieser Gesetze, die von den Propheten offenbart wurden, können die Menschen Frieden finden. Doch die Menschen haben den Propheten oftmals nicht geglaubt. Glauben bedeutet eine vollständige Ergebung in Gott. Der Koran erklärt:

> *Diejenigen nur glauben an unsere Zeichen, die bei ihrer Erwähnung in Anbetung niederfallen und das Lob ihres Herrn verkünden und nicht hoffärtig sind. Erheben sie ihre Seite vom Lager, so rufen sie ihren Herrn in Furcht und Verlangen an und spenden von unsern Gaben. Keine Seele weiß, welcher Augentrost für sie verborgen ist als Belohnung für ihr Tun.*[16]

Der Koran deutet an, die menschliche Geschichte biete viele »Zeichen«, bei denen die Hand Gottes am Werk gewesen sei und den Gläubigen Barmherzigkeit und Schutz gewährt habe. Solche Zeichen, wie beispielsweise die große Flut, die zu Noahs Zeit geschehen sein soll, belegten, daß Ungläubigen und Übeltätern schließlich in diesem oder in dem Leben nach dem Tode großes Unheil beschieden sei. Keiner werde bestraft, ohne zuvor von einem Boten Gottes zur Umkehr ermahnt worden zu sein. Die Schöpfung selber sei ein Zeichen für Gottes Mitleid und seinen allmächtigen Willen.

Nach dem Islam betreffen die beiden größten Sünden das Verhältnis des Menschen zu Gott. Die eine heißt *Schirk* (die Vergötzung von irgend etwas, das nicht der eine Gott ist); die andere *Kufr* (Undankbarkeit gegenüber Gott, Atheismus). Darüber hinaus besteht ein weiteres Hauptproblem des Menschen darin, Gott zu vergessen. Professor Seyyed Hossein Nasr erklärt:

Nach moslemischem Glauben sind Engel überall; sie kommen uns bei allen Gedanken und Handlungen zu Hilfe. Eine Gruppe von Engeln umgibt hier Ibrahim ibn Adham, einen Sufiasketen des 8. Jahrhunderts.

*Doch ebendiese Nachlässigkeit (Gafla) prägt unser Verhalten. Sie ist ein sich Schlafenlegen,
ein Schaffen einer Traumwelt um uns herum, die uns vergessen läßt, wer wir wirklich
sind und was wir in dieser Welt tun sollten. Die Offenbarung hat nun die Aufgabe, den
Menschen aus diesem Traum zu wecken und ihn daran zu erinnern, was es eigentlich
bedeutet, Mensch zu sein.*[17]

Gott hat uns in seiner Gnade Offenbarungen zur Erinnerung gesandt. Die Schleier, die
uns von Gott trennen, kommen von uns, nicht von Gott. Die Moslems glauben, daß es
unsere Aufgabe sei, die Schleier dadurch zu entfernen, daß wir Gott suchen und die Om-
nipräsenz, Allwissenheit und Allmacht des Göttlichen anerkennen. Für den orthodoxen
Moslem ist die angemessene Haltung zu Gott eine Mischung aus Liebe und Furcht. Im
Bewußtsein, daß Gott allwissend und allmächtig sei, möchte der Gläubige aus Liebe und
Furcht alles tun, um Gott zu gefallen. Diesem Paradox gab der Kalif Umar ibn al-Khat-
tab dramatischen Ausdruck:

*Wenn Gott am Tag des Gerichtes erklärte, daß alle Menschen außer eines Unglücklichen
ins Paradies kämen, würde ich aus Furcht vor ihm glauben, ich wäre dieser eine.
Und wenn Gott erklärte, daß alle Menschen außer eines Glücklichen in die Hölle kämen,
würde ich aus Hoffnung auf seine Barmherzigkeit glauben, ich wäre dieser eine.*[18]

Die unsichtbare Realität

Die Moslems glauben, daß unsere Sinne nicht die ganze Realität enthüllen. Insbesondere
glauben sie an die Existenz von Engeln Gottes. Das sind körperlose Lichtwesen, die Gott
dienen und ihn Tag und Nacht preisen. Es gibt unzählige von ihnen, und jeder hat eine
besondere Zuständigkeit. Manche Engel beispielsweise sind ständig um uns und verzeichnen unsere guten und bösen Taten. Ferner erwähnt der Koran vier Erzengel, darunter Gabriel, den höchsten der Engel, dessen Hauptaufgabe es ist, den Propheten Botschaften von Gott zu bringen. Einem Engel gebührt aber keine Anbetung, da sie in der
strikt monotheistischen Sichtweise des Islam nichts anderes sind als unterwürfige Diener
Gottes.

Nach islamischem Glauben gibt es aber ein Wesen, das sich nicht unterwirft, den Satan.
Er war ursprünglich einer der Dschinn – immaterielle Feuerwesen, deren Natur zwischen
Menschen und Engeln liegt. In seinem Stolz weigerte er sich, sich vor Adam zu verneigen, und wurde deshalb verflucht, sein Leben damit zuzubringen, die Nachkommen
Adams – also die ganze Menschheit – zu versuchen, ihm statt Gott zu folgen. Nach Aussage des Korans werden alle, die sich von Satan verführen lassen, schließlich in die Hölle
kommen.

Die moslemische Volksfrömmigkeit entwickelte auch eine Heiligenverehrung. Die Gräber von Mystikern, die über besondere spirituelle Fähigkeiten verfügt haben sollen, wurden zu Pilgerstätten. Viele Menschen besuchen sie aus Ehrerbietung und aus dem Wunsch,
den Segen des Geistes zu erhalten, der noch in dieser Gegend wirken soll. Einige Reformer kritisieren diese Praxis, weil die islamische Tradition jede Verehrung eines anderen
Wesens als Gott klar verbietet.

Das Jüngste Gericht

In der polytheistischen Religion, die die Araber vor Muhammad praktizierten, war das
Leben nach dem Tode nur ein Schatten ohne Belohnungen oder Bestrafungen. Die Menschen hatten kaum einen religiösen Anreiz, moralisch zu handeln. Der Koran hingegen
betont, daß nach einer Zeit der Ruhe im Grab alle Menschen im Fleisch auferstehen und

zu einer letzten Bewertung ihrer Taten versammelt würden. An jenem unbekannten Zeitpunkt des Jüngsten Gerichts, »an dem Tag, da die Erde erbebt und die Berge ein loser Sandhaufen werden« (Sure 73,14), werde die Welt untergehen. Dann komme es zu der schrecklichen Konfrontation mit dem eigenen Leben:

Und jeden Menschen – befestigt haben wir ihm sein Los an seinem Hals, und heraus wollen wir für ihn holen am Tag der Auferstehung ein Buch, das ihm geöffnet vorgelegt werden soll, (und wir werden zu ihm sprechen:)
»Lies dein Buch; du selber sollst heute Rechenschaft wider dich ablegen.«[19]

Die Hölle ist das schwere Schicksal der nichtbußfertigen Ungläubigen – derer, die den Glauben an und den Gehorsam gegenüber Allah und seinem Gesandten zurückgewiesen haben, der Ungerechten und dem Bösen Zugeneigten. Die Hölle wird auch den Heuchlern zuteil, die, nachdem sie einen Bund mit Allah geschlossen haben, ihren Verpflichtungen zur Zahlung der Almosen und zu regelmäßigem Gebet nicht nachgekommen sind:

Siehe, die Glut,
Zerrend am Skalp,
Ruft jeden, der den Rücken gekehrt und sich gewendet
Und zusammengescharrt und aufgespeichert.[20]

Die moslemische Frömmigkeit ist von dem Glauben an Gottes unparteiisches Urteil über die Taten des einzelnen bestimmt und von der Verantwortung, andere an das Geschick zu erinnern, das ihrer harren kann.

Der Islam sagt, daß im Leben nach dem Tode die Tendenzen unseres irdischen Lebens offenbar würden. Unsere Gedanken, Handlungen und moralischen Eigenschaften verwandelten sich in unsere äußere Realität. Wir erwachten zu unserer wahren Natur, denn sie werde vor uns ausgebreitet. Die Gerechten und Barmherzigen erlebten nach dem Tode einen Garten der Freude: »Siehe, diejenigen, welche sprechen: ›Unser Herr ist Allah‹ …, auf die steigen Engel hernieder: ›Fürchtet euch nicht …, sondern vernehmt die Freudenbotschaft vom Paradies … euch wird sein in ihm, was eure Seelen begehren … Eine Aufnahme von einem Vergebenden, Barmherzigen!‹« (Sure 41,30–32). Die geläuterten Seelen wünschten eine Nähe zu Gott, und ihre Geister würden diese Nähe in unterschiedlichem Grad erleben. Für sie werde es Schlösser, Ruhebetten, Früchte, Süßigkeiten, Honig, Huris (wunderschöne Jungfrauen) und unsterbliche Jünglinge geben, die auf goldenen Schalen servierten und goldene Pokale reichten. Derartige vom Koran verheißene Freuden werden metaphorisch als Hinweis darauf interpretiert, daß die menschliche Natur im Leben nach dem Tode so verwandelt werde, daß die störenden Faktoren der körperlichen Existenz aufhören werden.

> *Die Menschen schlafen; wenn sie sterben, erwachen sie.*
>
> *Hadith des Propheten Muhammad*

Sünder und Ungläubige würden hingegen die Qualen der Hölle erleiden, von Menschen angefachtes Feuer, kochendes Wasser, Eiter, Ketten, versengende Winde, verstopfende Nahrung und dergleichen mehr. Sie selbst verdammten sich; ihre eigenen Körper wendeten sich gegen sie: »Eines Tages werden ihre Zungen und ihre Hände und Füße wider sie zeugen für ihr Tun« (Sure 24,24).

Der große mittelalterliche Mystiker al-Ghazzali spricht auch von spirituellen Qualen für die Seele: von heftigem Schmerz über die Trennung von den weltlichen Gütern, brennender Scham über die Erniedrigung des eigenen Lebens und furchtbarem Bedauern, die Anschauung Gottes entbehren zu müssen. Allerdings werde keinem Gläubigen die Hölle auf immer beschieden sein. Nur die Ungläubigen, meinen die Muslime, müßten dort auf immer bleiben, die anderen würden schließlich ins Paradies erhoben werden, denn Gottes Barmherzigkeit überwiege seinen Zorn.

Die Spaltung zwischen Sunniten und Schiiten

Die vorangegangenen Abschnitte beschrieben die allen Moslems gemeinsamen Glaubensvorstellungen; in anderen Fragen unterscheiden sich innerhalb des Islam bestimmte Gruppen. Nach Muhammads Tod führte das Nachfolgeproblem zu Parteibildungen in der moslemischen Gemeinschaft. Die beiden wichtigsten Gruppierungen werden heute als *Sunniten* und als *Schiiten* bezeichnet; ungefähr 80 Prozent der heutigen Moslems sind Sunniten.

Wie bereits erwähnt, wurde nach Muhammads Tod eine Reihe von Kalifen gewählt, die die moslemische Gemeinschaft führen sollten. Der vierte Kalif war Ali, der Vetter und Schwiegersohn des Propheten. Ali war den Berichten zufolge für seine Frömmigkeit und seine ritterlichen Eigenschaften berühmt, aber die gegnerische Partei, die Umayyaden, akzeptierten ihn nicht als Anführer. Schließlich wurde Ali von einem Fanatiker seiner eigenen Partei ermordet. Sein Sohn Hussein, der Enkel des Propheten, stellte die Autorität des nächsten umayyadischen Kalifen Muawiyya und dessen Sohnes und designierten Nachfolgers Yazid in Frage. Er wurde am Ende mit vielen seiner Verwandten, also Mitgliedern der Familie Muhammads, von Yazids Truppen in der Wüste bei Karbala umgebracht.

Dieses schreckliche Ereignis vereinte die schiitische Opposition gegen die gewählten Kalifen; sie sonderten sich ab und erkannten andere Nachfolger an, die direkten Nachkommen des Propheten, angefangen mit Ali. Fast 1400 Jahre später sind die beiden Gruppen immer noch getrennt.

Die Sunniten

Diejenigen, die die gewählten Kalifen anerkennen, sind die »Leute der Sunna«. Sie betrachten sich als Traditionalisten, die die Autorität des Korans, des Hadith und der Sunna (der Aussprüche und Handlungen des Propheten, wie sie unter den sunnitischen Kalifen aufgezeichnet wurden) besonders betonen. Sie glauben, daß Muhammad starb, ohne einen Nachfolger bestimmt zu haben, und die Nachfolgefrage der *Ummah* überließ, der Gemeinschaft der Moslems. Der Kalif ist kein Ersatz für den Propheten; er leitet den Gottesdienst und verwaltet die *Scharia*, das kanonische Gesetz des Islam.

Die Scharia enthält für alle Fragen des moslemischen Lebens Lehren und Beispiele, sie regelt die Kriegsführung, gibt aber auch Anleitungen zum korrekten Beten. Wie die Tora für die Juden stellt die Scharia für die Moslems ein Muster für alle Handlungen auf und verbindet die Gläubigen, zumindest der Theorie nach, zu einer kohärenten, von Gott geordneten, friedlichen Gemeinschaft.

Die Scharia basiert hauptsächlich auf dem Koran und auf der Sunna Muhammads, der als erster die Verallgemeinerungen des Korans auf spezifische Lebenssituationen anwandte. Die Offenbarungen des Korans betreffen nicht nur das Verhältnis zwischen den Menschen und Gott, sondern auch die Beziehungen der Menschen untereinander. Die Religion ist kein abgetrennter Lebensbereich; das gesamte Leben soll in die geistige Einheit integriert werden, die das Grundprinzip des Islam ist. Beispielsweise sind die Gläubigen aufgerufen, freundlich zu ihren Eltern und Verwandten, zu Kindern und Fremden zu sein; sie sollen Waisen und Frauen schützen, in ihren Beziehungen und Geschäften Gerechtigkeit und Ehrlichkeit üben, keine Neugeborenen töten, ihr Vermögen sorgfältig verwalten und Ehebruch und Hochmut meiden.

Im 2. Jahrhundert des Islam trat die Dynastie der Abbasiden an die Stelle der Umayyaden, die mehr Wert auf den Ausbau von Reich und Verwaltung als auf die Spiritualität gelegt hatten. Zu diesem Zeitpunkt gab es ein großes Verlangen nach einer Reinigung des Lebens: Die politische und soziale Wirklichkeit sollte nach der spirituellen Tradition des Islam ausgerichtet werden.

Die Scharia wurde integriert. Seit jener Zeit halten es die Sunniten für geboten, entsprechend den sich ändernden Lebensbedingungen, in allgemeiner Übereinstimmung und angeleitet von Gelehrten und Juristen die Gesetze des Korans, des Hadith und der Sunna auszulegen. So sehen sich beispielsweise im 20. Jahrhundert die Moslems mit neuen ethischen Fragen konfrontiert, die im Koran und im Hadith nicht direkt behandelt werden, etwa mit der Frage der Zulässigkeit künstlicher Befruchtung. (Manche meinen, künstliche Befruchtung sei zulässig, da Ei und Samenzelle von den beiden Elternteilen stammen.) Ehescheidung war stets ein Gegenstand der Scharia, doch in den letzten Jahren sind vor allem die Bedingungen erörtert worden, unter denen eine Ehefrau die Scheidung begehren könne.

Die Schiiten

Die Schiiten verehren das Andenken der nahen Verwandten Muhammads, das Andenken Alis, Fatimas (der Lieblingstochter des Propheten) und ihrer Söhne Hassan und Hussein. Der Märtyrertod Husseins, der wegen seines Widerstands gegen die angemaßte Tyrannei, Unterdrückung und Ungerechtigkeit der umayyadischen Kalifen bei Karbala starb, wird als Symbol des Kampfs gegen die Unterdrückung hoch geachtet. Das Andenken dieses Martyriums wird jährlich als *Muharran* gefeiert. Trauerprozessionen finden statt, bei denen die Teilnehmer wehklagen und sich die Brust mit Fäusten schlagen; in anderen Gegenden werden den Menschen zum Gedenken an Hussein kühle Getränke gereicht. In der schiitischen Frömmigkeit spielen die rührenden Erzählungen von Ali und Hussein eine große Rolle, deren Anhänglichkeit an Wahrheit und Integrität so weit ging, daß sie dafür auch persönliches Leiden in Kauf nahmen, anders als ihre Gegner, die als selbstsüchtige Machtpolitiker beschrieben werden. Eine Abfolge von fünf, sieben oder zwölf *Imamen* (»Führern«) führen die Schiiten. Die ersten drei Imame waren Ali, Hassan und Hussein.

Ein Ausspruch des Propheten, den sowohl Schiiten als auch Sunniten als wahr anerkennen, lautet:

> *Ich hinterlasse unter euch zwei große und kostbare Dinge: das Buch Allahs und meine Familie. Wenn ihr beide in Ehren haltet, werdet ihr nach meinem Tode nicht fehlgehen.*[21]

Die »Zwölfer«-Schiiten glauben, daß es insgesamt zwölf Imame, legitime, erbliche Nachfolger Muhammads, gegeben habe. Nach ihrer Meinung habe der zwölfte Imam im Jahre 940 unserer Zeitrechnung den Befehl von Gott erhalten, in einen okkulten, verborgenen Zustand einzugehen, um das Volk weiterhin zu leiten und am Tag der Auferstehung öffentlich als Mahdi zurückzukehren. Eine Minderheit der Schiiten, die Ismaeliten oder »Siebener«-Schiiten erkennen eine andere Person als siebten und letzten Imam an und glauben, daß dieser in der Verborgenheit noch lebe. Wie Muhammad Rida al-Muzaffar erklärt, muß es stets einen Imam geben:

Das Imamat muß ununterbrochen fortdauern, auch wenn der Imam verborgen unter den Menschen lebt und erst an dem bestimmten, nur Allah bekannten Tag zurückkehrt. Die Tatsache, daß er so lange lebt, ist ein ihm von Allah gewährtes Wunder ... Der Koran lehrt, daß Nuh [Noah] sehr alt wurde und daß Issa [Jesus] heute noch lebt. Wenn man den Islam akzeptiert, kann man keine Aussage des Korans leugnen.[22]

Anders als der sunnitische Kalif verbindet das Imamat eine politische Führungsrolle (wenn möglich) mit dem Anspruch göttlicher Leitung. Das esoterische religiöse Wissen empfing Muhammad von Gott; er gab es an Ali weiter und jeder Imam an den von ihm bestimmten Nachfolger aus dem Geschlecht Alis. Dieses Wissen umfaßt die äußere und die innere Bedeutung des Korans. Der Imam liefert in jeder Generation die gültige Interpretation der Scharia, da er dem göttlichen Wissen am nächsten steht. Wenn der Imam keine politisch herausgehobene Position besitzt, dann ist von den politischen Machthabern doch zu verlangen, seine Entscheidungen umzusetzen. Der Anspruch auf eine so weitreichende geistliche Autorität hat bei manchen an die Macht gelangten Ismaeliten zu extrem autokratischen und gewalttätigen Herrschaftsformen geführt.

Abgesehen von der Nachfolge sind sich Sunniten und Schiiten in den meisten Glaubensfragen einig. Die Schiiten befolgen die gleichen Verhaltensvorschriften wie die Sunniten, haben aber, wie später noch ausgeführt wird, weitere hinzugefügt, in denen ihr glühendes Verlangen zum Ausdruck kommt, dem von ihnen so gesehenen wahren Geist des Islam in einer korrupten und ungerechten Welt wieder Geltung zu verschaffen.

Der Sufismus

Neben diesen beiden Hauptgruppen des Islam gibt es auch eine esoterische Tradition, die bis in die Zeit des Propheten zurückreichen soll. Dieser selbst war zugleich ein politischer Anführer und ein Mensch, der viele Stunden in andächtiger Versenkung zubrachte. Er sagte, jeder Vers des Korans besäße eine Außen- und eine Innenseite. Ihn umgab eine Gruppe von etwa 70 Menschen, die in seiner Moschee in Medina in freiwilliger Armut lebten und fern aller Weltlichkeit Tag und Nacht beteten. Moslems von solch tiefem Glauben und solcher Frömmigkeit, gleichgültig ob Sunniten oder Schiiten, litten unter der zu-

Durch ständige Wiederholung der Schahada geraten die Sufiderwische in einen ekstatischen Zustand der Einheit mit Gott.

nehmend auf den Gewinn von Reichtum und dynastischer Macht orientierten Herrschaft, die die Umayyaden nach dem Tod der ersten vier Kalifen etablierten. Die mystische, nach innen gerichtete Tradition des Islam, der *Sufismus* (arabisch: *tasawwuf*), stand auch den an Vorschriften kleinlich festhaltenden und den intellektuellen Strömungen ablehnend gegenüber, die sich nach der Frühphase bildeten.

Die Sufis verstehen ihren spirituellen Weg als korrigierende Ergänzung des orthodoxen Islam. Ihr Weg zu Gott ist motiviert von der Sehnsucht nach der Einheit. Sie widmen sich dem Studium des Korans, erforschen aber auch ihr eigenes Herz und die Welt, die sie als ein Buch voller »Zeichen« verstehen – voll göttlicher Symbole und schöner Einzelmomente, die sich dem Verstehenden erschließen. Die intensiven Erfahrungen der Sufis, die Einsichten ihrer Wahrheitssuche haben dem Islam immer wieder neue Kraft aus seinem eigenen Inneren zugeführt. Ein Großteil der allegorischen Interpretationen des Korans und der moslemischen Frömmigkeitsliteratur entstammt dem Sufismus.

Die frühen Sufis wandten sich der Askese als einem Mittel zur Vertiefung ihrer Frömmigkeit zu. Dabei wurden sie möglicherweise von Asketen anderer, insbesondere christlicher Bekenntnisse beeinflußt, mit denen sie in Kontakt kamen. Die christlichen Asketen folgten Jesu Gebot, sich nicht um die materiellen Dinge zu kümmern, weil Gott für ihre körperlichen Bedürfnisse sorgen werde; etwas Ähnliches hatte auch der Prophet seinen Anhängern gesagt: »Wenn ihr Gott so vertrautet, wie ihr solltet, würde er euch ernähren, wie er die Vögel ernährt.«[23] Muhammad selbst hatte in Armut gelebt und sich darüber gefreut. Vollständiges Vertrauen, völlige Hingabe an Gott wurden eine wesentliche Stufe des Weges.

Derwische (bettelnde Asketen) ohne Habe und ohne Bindung an weltliche Dinge wurden von den Moslems wie die Sannyasin von den Hindus als heilige Männer verehrt. Allerdings beruht die Askese der Sufis mehr auf einer inneren Loslösung von der Welt als auf einem tatsächlichen Rückzug aus ihr. Das angestrebte Ideal heißt, mit den Füßen auf dem Boden, mit dem Haupt im Himmel zu leben.

Zu dieser frühen asketischen Richtung trat noch eine glühende, selbstlose Liebe hinzu. Ihre bedeutendste Vertreterin war Rabia, eine Heilige, die im 8. Jahrhundert im Irak lebte. Die berühmte Mystikerin verwarf den Heiratsantrag eines sehr reichen Mannes, weil sie sich keinen Augenblick lang von Gott ablenken lassen wollte. Ihre ganze Aufmerksamkeit galt nur ihrem »Geliebten«, dem von den Sufis bevorzugten Namen für Gott. Rabia betonte die Selbstlosigkeit dieser weder von Hoffnung auf das Paradies noch von Furcht vor der Hölle motivierten Liebe. »Ich diene ihm nur aus Liebe zu ihm und aus Sehnsucht nach ihm.«[24] Jedes andere Motiv wäre ein Schleier zwischen der Liebenden und dem Geliebten. Wenn der Schleier des Selbst zergeht, vereinigt sich der Mystiker mit der von ihm geliebten Einheit.

Zwei Wesen Lieb' zu einem Ding verwebt,
Tot ist, was liebt, nur das Geliebte lebt.   *Dschelal ad-Din Rumi*[25]

In absoluter Hingabe ersehnt der Liebende *Fana,* die vollständige Vernichtung in dem Geliebten. Das Sufi-Ideal wurde im 9. Jahrhundert von dem Perser Abu Yazid al-Bistami ausgesprochen. Er soll in Ohnmacht gefallen sein, während er den moslemischen Ruf zum Gebet ausgesprochen habe. Als er wieder erwacht sei, habe er gesagt, es sei ein Wunder, daß manche Menschen nicht stürben, während sie diese Formel sagen und beim Aussprechen des Gottesnamens von der Ehrfurcht überwältigt würden, die dem einen Gott gebühre. In seinem Verlangen, in Gott aufzugehen, soll sich al-Bistami so verloren haben, daß er Aussprüche tat wie »Unter meinem Gewand ist nur Gott«[26] oder »Ruhm sei mir! Wie groß ist meine Majestät!«

Die Autoritäten waren naturgemäß von solchen potentiell blasphemischen Äußerungen nicht erbaut. Die Sufis selber wußten um die Gefahren egoistischer Täuschungen. Deshalb mußte jeder Neuling von einem erfahrenen, erprobten und erleuchteten *Murschid* (»Lehrer«) oder *Scheich* erprobt und ausgebildet werden. Nur Fortgeschrittene wurden in die höheren Praktiken eingeweiht.

Die *Baraka* (»Segen«, geistliche Gewalt) wurde von Scheich zu Scheich weitergegeben, in einer Kette, die letztlich bis auf Muhammad zurückging, der die Baraka an Ali weitergegeben haben soll.

Es entstanden esoterische Orden (*Tariqas*), die ihre geistliche Abkunft zumeist auf al-Dschunaid von Bagdad (gest. 910) zurückführten. Al-Dschunaid lehrte die Notwendigkeit einer ständigen Reinigung, einer unausgesetzten ernsthaften Untersuchung der eigenen Beweggründe und Handlungen. Er kannte die Gefahr, seine mystischen Einsichten öffentlich zu verkünden, da die Außenstehenden sie für blasphemisch halten und die Nichteingeweihten sie wörtlich und damit falsch verstehen würden. Er empfahl den Gebrauch verschleiernder Rede; ein großer Teil der Sufi-Literatur, die nach seiner Zeit entstand, verwendet Metaphern, die nur Eingeweihten verständlich sind.

Trotz solcher Warnungen kümmerten sich die Gottbegeisterten wenig um ihre körperliche Sicherheit und setzten sich selbst und den Sufismus starker Gegnerschaft aus. Der berühmteste Fall ist der des Mansur al-Halladsch. Nach Absolvierung strenger asketischer Übungen besuchte er al-Dschunaid. Als der Meister fragte: »Wer ist da?«, antwortete sein Schüler: »*ana`l-Haqq*« (»Ich bin die absolute Wahrheit«, das heißt »Ich bin Gott«). Nachdem al-Dschunaid ihn kritisiert hatte, reiste al-Halladsch durch den gesamten vorderen Orient bis nach Indien und versuchte, die Herzen der Menschen Gott zu öffnen. Er schrieb von der Größe des Propheten Muhammad. Die geistliche Lyrik verdankt ihm das Gleichnis von der Motte, die ekstatisch in die Flamme fliegt und im Verbrennen die Realität erkennt.

Aufgrund politischer Umstände war eine mögliche spirituelle Erneuerung für die heimischen Behörden eine Bedrohung, weshalb sie al-Halladsch ins Gefängnis warfen und ihn schließlich 922 für seine Äußerung »Ich bin Gott« hinrichten ließen. Heute wird al-Halladsch von vielen Moslems als einer der größten Heiligen verehrt, denn er tat diese Äußerung nicht für seine Person. Wie der Prophet gesagt hat: »Stirb, bevor du stirbst«[27], war al-Halladsch sich selber bereits gestorben, so daß nichts übrigblieb als der Eine.

Was in deinem Kopf ist – stoß es weg! Was in deiner Hand ist – laß es los! Was immer geschieht, wende dich nicht davon ab … Des Sufis Herz steht bei Gott, nichts ist dazwischen.
Abu Said Abu al-Khayr[28]

In die sunnitische Orthodoxie kam durch Abu Hamid al-Ghazzali eine moderatere Form des Sufismus. Al-Ghazzali war ein angesehener Theologe, fühlte sich aber gedrängt, seine prestigeträchtige Position zugunsten eines Lebens der geistigen Hingabe zu verlassen. Indem er sich nach innen wandte, entdeckte er mystische Wahrheiten, die ihn vor einem wachsenden Skeptizismus hinsichtlich der Gültigkeit der Religion retteten. Seine überzeugungskräftigen Schriften verbanden die allgemein akzeptierte moslemische Theologie mit der Aussage, daß der Sufismus erforderlich sei, um den mystischen Kern der Tradition zu bewahren. Im 14. Jahrhundert akzeptierte die Orthodoxie drei religiöse Wissenschaften: die Jurisprudenz, die Theologie und die Mystik.

Die Pilgerfahrt zu den Gräbern der Sufiheiligen ist eine Form der Volksfrömmigkeit. Frauen dürfen dieses in Delhi befindliche Grab eines Chisti-Sufis nicht betreten. Deshalb befestigen sie Stoffetzen mit ihren Gebeten draußen an dem Gitterwerk.

Im Verlauf der Jahrhunderte sind weitere Elemente zum Sufismus hinzugekommen. Manche Sufis nahmen Lehren aus anderen Religionen auf. Schibabuddin Suhrawardi (1153–91) beispielsweise verband viele Strömungen des Islam mit spirituellen Vorstellungen des altpersischen Zoroastrismus und der hermetischen Tradition des alten Ägypten. Seine Schriften sind voller Hinweise auf das göttliche Licht und die Hierarchien der Engel. Wir Menschen seien von den Engeln und aus dem Bereich des Lichts herabgekommen, schrieb er. Hier auf Erden befänden wir uns in der Verbannung, sehnten uns nach unserer wahren Heimat und suchten in dieser dunklen materiellen Welt nach der strahlenden Reinheit, an die wir uns schwach erinnerten.

Obwohl die Lehren und Praktiken des Sufismus im Verlauf der Zeit etwas systematisiert wurden, widerstehen sie einer doktrinären, geradlinigen Darstellung. Sie entstammen dem Kern mystischer Erfahrungen, die jeder gewöhnlichen Logik spotten. Paradoxe, Metaphern, die Welt der schöpferischen Imagination, einer erweiterten Realitätswahrnehmung – diese Eigentümlichkeiten sufistischer Denkweise kommen besser in Poesie und Erzählungen zum Ausdruck. Eine beliebte Figur in den Lehrerzählungen der Sufis ist Mulla Nasrudin, der weise Narr. Ein Beispiel erzählt Idries Schah:

Eines Tages betrat Nasrudin ein Teehaus und rief: »Der Mond ist nützlicher als die Sonne.« Jemand fragte ihn, wieso. »Weil wir bei Nacht des Lichtes mehr bedürfen als am Tag.«[29]

Diese »Scherze« bringen den Alltagsverstand in Unordnung, dessen Begrenztheit sie aufzeigen, während sie zugleich Schlaglichter auf metaphysische Hintergründe für diejenigen bereithalten, die über ihre tiefere Bedeutung nachdenken wollen.

Die Tiefen und Paradoxien des Verhältnisses zum Göttlichen wurden von den Sufis mit Vorliebe poetisch dargestellt. Maulana Dschelal ad-Din Rumi, der im 13. Jahrhundert lebende Begründer des türkischen Derwischordens der Mevlevi (die für ihre »tanzenden Derwische« berühmt sind, deren wirbelnde Tänze sie zu mystischer Entrückung führen) war zugleich ein Meister geistlicher Dichtung. Er erzählt die Geschichte eines Gläubigen, dessen Schreie »O Allah!« am Ende von Gott erwidert wurden:

War ich es nicht, der dich zum Dienst berief?
Hab ich dir meinen Namen nicht aufgegeben?
Dein Schrei »Allah« war mein »Hier bin ich«,
dein sehnendes Verlangen war mein Bote an dich.
Für alle jene Tränen, Schreie, Wünsche
war ich der Zielpunkt, und ich gab ihnen Flügel.[30]

Ziel des Sufismus ist die Reinigung des Menschen von seinem Selbst, so daß er zu einem vollkommenen Spiegel der göttlichen Attribute wird. Die zentrale Übung heißt *Dhikr* oder »Erinnerung«. Durch Kopfbewegungen wird das Herz aufgerührt und der Solarplexus, der Sitz des Ich, aufgestört. Dabei wird beständig das *La illaha illa Alla* gesagt, das die Sufis esoterisch verstehen: Es gibt nichts außer Gott. Nichts in dieser ephemeren Welt ist wirklich außer dem Schöpfer; nichts sonst wird dauern. Während die 70 000 Schleier des Selbst – Illusion, Erwartung, Verhaftetsein, Ablehnung, Egozentrik, Unzufriedenheit, Hochmut – im Lauf der Jahre abfallen, wird dies zur einzigen Wahrheit, und nur Gott bleibt übrig, um sie zu erfahren.

Die Fünf Säulen und der Dschihad

Während der Sufismus die innerliche Praxis des Islam darstellt, ist die äußere Praxis in der Scharia geregelt, dem rechten Weg des göttlichen Gesetzes. Es legt bestimmte Muster der Andachtsübung (die Fünf Säulen des Islam) fest, schreibt detailliert soziale Verhaltensregeln vor, um das Gedenken an Gott in jeden Bereich des Alltagslebens und eine praktische Ethik in das Gefüge der Gesellschaft hineinzutragen. Zu diesen Vorschriften gehören die Verbote, Alkohol zu trinken, bestimmte Speisen zu essen (Schweinefleisch, Nagetiere, Raubtiere und Raubvögel), um Geld zu spielen und sich nichtigen Vergnügungen hinzugeben, außereheliche Sexualverkehr zu haben und sexuell anstößige Kleidung zu tragen oder Handlungen und Reden zu tätigen. Es gibt aber auch positive Gebote, die Gerechtigkeit, Freundlichkeit und Mildtätigkeit einfordern. Den Frauen stehen viele gesetzmäßige Rechte zu: das Recht auf Besitz, auf Scheidung (nach manchen Rechtstraditionen des Islam), das Erbrecht und das Recht eigener testamentarischer Verfügungen. Diese Rechte, die durch den Propheten als göttliche Gebote 1400 Jahre zuvor verkündet wurden, blieben in der westlichen Welt den Frauen bis ins 19. Jahrhundert hinein vorenthalten. Polygamie ist zulässig, sofern ein Mann mehrere Frauen ernähren kann, damit alle Frauen unter dem Schutz eines Mannes stehen. Die Frauen erhalten nur die Hälfte des Erbteils eines Mannes, weil der Mann verpflichtet ist, Frauen finanziell zu unterstützen.

Die Scharia hat die Gesellschaft, in der Muhammad lebte, tiefgreifend verändert. Zuvor hatte die höchste Loyalität der Menschen ihrem jeweiligen Stamm gegolten, und die Stämme bekriegten sich unablässig. Frauen galten wie Tiere als Besitz; Kinder wurden oftmals gleich nach der Geburt getötet, entweder aus Armut oder weil es sich um Mädchen handelte, die in dieser patriarchalischen Gesellschaft nichts wert waren. Die Unterschiede im Reichtum waren groß; Trunkenheit und Spiel waren weitverbreitete Laster. Innerhalb kurzer Zeit konnte der Islam diese Gewohnheiten beseitigen; aus den Stämmen entstand eine spirituelle und politische Einheit mit einem hohen Wertegefühl.

Ein Moslem muß sein Bestes tun, um die Fünf Säulen des Glaubens zu erfüllen, weil sie als göttliche Gebote gelten.

In einer moslemischen Moschee gibt es keine sozialen Unter-schiede; alle Gläubigen beten gemeinsam Schulter an Schulter.

Glaube und Zeugnis

Die erste Säule des Islam (*Schahada*) ist der Glaube und das Bekenntnis zur Einheit Gottes und zu dem Auftrag Muhammads: »Es ist kein Gott außer Gott, und Muhammad ist sein Prophet.« Der Koran fordert von dem Gläubigen, anderen vom Islam zu erzählen, damit sie sich entscheiden können, ob sie den Glauben annehmen wollen. Menschen durch Zwang zu bekehren ist ausdrücklich untersagt:

> *Es sei kein Zwang im Glauben. Klar ist nunmehr unterschieden das Rechte vom Irrtum; und wer den Taghut verleugnet und an Allah glaubt, der hält sich an der stärksten Hand-habe, in der kein Spalt ist; und Allah ist hörend und wissend.*[31]

Der Koran verlangt Respekt vor allen Propheten und offenbarten Schriften.

Die täglichen Gebete

Die zweite Säule ist die Erfüllung der täglichen Gebetspflichten. Fünfmal am Tag sollen die Gläubigen rituelle Waschungen mit Wasser (oder, wenn das nicht möglich ist, mit Sand oder Staub) vornehmen, sich gen Mekka wenden und kniend und sich niederwer-fend eine Reihe von Gebeten und Stellen aus dem Koran rezitieren. Diese allgemeine

Hinwendung nach Mekka schließt im Gebet alle Moslems der Erde zu einer einzigen Familie zusammen. Werden die Gebete in einer Versammlung zitiert, stehen die Gläubigen nebeneinander und verneigen sich gemeinsam. Soziale Unterschiede gibt es dabei nicht. In einer Moschee beten Männer und Frauen in getrennten Gruppen; die Frauen stehen hinter einem Vorhang, damit es keine sexuelle Ablenkung gibt. Es kann einen Imam oder Vorbeter geben, aber einen Priester als Vermittler zwischen dem Gläubigen und Gott gibt es nicht.

Am Freitagnachmittag findet normalerweise ein besonderer Gottesdienst in der Moschee statt, doch halten die Moslems keinen Sabbat. An Gott zu denken ist eine Pflicht an jedem Tag; das Aussprechen des Gottesnamens läutert stets das Herz.

Die Wiederholung der immer gleichen Gebete soll den Glauben an Gottes Existenz und Güte stärken und diesen Glauben in die Tiefe des eigenen Herzens und in alle Bereiche der äußeren Welt tragen. Das Gebet soll weiterhin das Herz reinigen, den Verstand und das Gewissen schärfen, die Seele trösten, das Gute im Menschen unterstützen, das Böse unterdrücken und im Gläubigen das angeborene Gefühl für höhere Moralität und höhere Strebungen erwecken. Die Worte der Lobpreisung und die Verbeugungen drücken die unablässige Dankbarkeit und Unterwerfung unter den einen Gott aus. Am Ende wendet man sich den beiden Schutzengeln zu beiden Seiten zu und spricht den traditionellen moslemischen Gruß *Assalamu alaikum* (»Friede sei mit euch«), dem sich die Worte »und die Barmherzigkeit Gottes« anschließen.

Während der Gläubige die Worte sagt und die vorgeschriebenen Verbeugungen macht, soll er sich auf das innere Gebet seines Herzens konzentrieren. Der Prophet sagte: »Ein Gebet, bei dem der Herr nicht im Herzen anwesend ist, ist kein Gebet.«[32] Das innere Gebet des Herzens soll ständig stattfinden, um den Menschen vor Negativität zu schützen, ihn zur Demut vor Gott zu bewegen und zum besseren Verständnis des Einen zu verhelfen.

Das Fasten

Die dritte Säule ist das Fasten. Häufiges Fasten ist den Moslems anempfohlen, verbindlich ist das Fasten aber nur während des Monats Ramadan zur Erinnerung an die ersten Offenbarungen des Korans an Muhammad. Alle Erwachsenen, sofern es sich nicht um Gebrechliche, Kranke oder um menstruierende Frauen oder stillende Mütter handelt, müssen sich in diesem Monat von Sonnenaufgang bis Sonnenuntergang aller Speisen und Getränke, des Rauchens und des Geschlechtsverkehrs enthalten.

Da die Moslems einem Mondkalender mit 354 Tagen folgen, liegt der Ramadan unterschiedlich im Jahreszyklus. Gerade an langen, heißen Sommertagen bedeutet der Verzicht selbst auf einen Schluck Wasser eine selbstlose Hingabe an Gottes Gebot und eine Bekundung der Herrschaft des einzelnen über seine niederen Instinkte. Das Wissen, daß die Moslems in aller Welt dieses Opfer vollbringen, bildet ein besonderes Band zwischen den Besitzlosen und den Besitzenden, die, indem sie auf Zeit die Lebensbedingungen der Armen teilen, verstehen, was es heißt, Hunger zu leiden. Den Besitzenden wird empfohlen, während des Ramadan besonders freigiebig Almosen zu spenden.

Das Fasten soll den Körper reinigen und eine »transparente Seele zum Überschreiten, einen klaren Verstand zum Denken und einen leichten Körper zum Handeln und Sichbewegen«[33] verleihen. Viele Menschen haben die Empfindung, während des Fastens im Ramadan geistlich durchlässiger und körperlich gesünder zu sein, und freuen sich jedes Jahr im voraus auf diese Zeit. In esoterischer Hinsicht soll das körperliche zu einem inneren Fasten beitragen: Die Herrschaft über die Gelüste des Körpers hilft zur Erlangung der Meisterschaft, deren es zur Kontrolle über die niederen Emotionen bedarf.

Die Zakat

Die vierte Säule ist die *Zakat*, das pflichtmäßige Almosen. Am Ende jedes Jahres müssen alle Moslems wenigsten zweieinhalb Prozent ihres Einkommens (wenn es die Grundbedürfnisse übersteigt) an bedürftige Glaubensgenossen abführen. Diese Einrichtung soll die Ungleichheit des Reichtums ausgleichen und persönliche Habsucht verhindern. Die wörtliche Bedeutung des Wortes heißt »Reinheit«, insofern für eine gesündere Verteilung und Zirkulation des Geldes gesorgt wird.

Saudi-Arabien gibt 15 Prozent seines Bruttosozialprodukts jährlich für humanitäre und Entwicklungsprojekte in aller Welt aus. Die Islamische Wohltätigkeitsorganisation, die das Königreich finanziert, hilft Menschen aller Religionen in Notfällen nach großen Katastrophen wie Erdbeben, Überschwemmungen oder Kriegen. Viele Geschichten über den Propheten Muhammad stellen heraus, daß man anderen helfen solle, ungeachtet dessen, ob sie Moslems sind. Beispielsweise hatte der Prophet einen jüdischen Nachbarn. Der Prophet gab ihm täglich ein Geschenk, obwohl der Nachbar jeden Tag seinen Abfall vor der Tür des Propheten deponierte. Als der Nachbar krank war, besuchte ihn Muhammad. Der Jude fragte: »Wer bist du, daß du mir hilfst?« Der Prophet antwortete: »Du bist mein Bruder, deswegen muß ich dir helfen.«

Neben der Zakat müssen die Schiiten ein Fünftel ihres verfügbaren Einkommens an den Imam abführen. Da der Imam jetzt verborgen ist, geht die Hälfte dieser Abgabe an

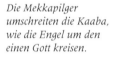
Die Mekkapilger umschreiten die Kaaba, wie die Engel um den einen Gott kreisen.

den Stellvertreter des Imam, der sie einsetzen kann, wie er es für gut befindet; die andere Hälfte erhalten Abkömmlinge des Propheten als ein Geschenk der Liebe und Verehrung, das sie vor dem erniedrigenden Zustand der Armut bewahren soll.

Der Hadsch

Die fünfte Säule ist der *Hadsch*, die Pilgerfahrt nach Mekka. Von allen Moslems, die dazu in der Lage sind, wird erwartet, daß sie diese Reise zumindest einmal in ihrem Leben machen. Zu ihr gehören eine Reihe symbolischer Rituale, die den Gläubigen so nahe wie möglich zu Gott führen sollen. Männliche Pilger legen ein besonderes Gewand aus ungenähten Stoffen an, so daß alle ungeachtet ihrer sonstigen sozialen Stellung die gleiche Kleidung tragen. Diese Kleidung gleicht einem Totenhemd, denn indem der Gläubige seinem irdischen Leben abstirbt, kann er all seine Hingabe Gott widmen. Alle sprechen das *Dhikr*, die unablässige Wiederholung der Schahada, die Mahnung, daß es keinen Gott gibt außer Gott.

Siebenmal umkreisen die Pilger die Kaaba, so wie die Engel und die gesamte Welt bis zum siebten Himmel ständig den Einen umkreisen. Dabei sollen die Gläubigen einzig an Allah denken.

Eine weitere Pilgerstätte ist das Feld Arafat, der Ort, wo Adam und Eva die Lehre empfingen, daß der Mensch einzig zur Verehrung Gottes erschaffen sei. Hier beten die Pilger vom Mittag bis zum Sonnenuntergang, daß ihnen alles verziehen werden möge, was sie von dem Einen, Geliebten trennte. Darüber hinaus vollziehen die Pilger weitere Riten: Sie opfern ein Tier und werfen Steine auf den (durch Säulen symbolisierten) Teufel. Das Tieropfer gemahnt die Hadschis an Abrahams Bereitwilligkeit, Gott das Liebste, den eigenen Sohn, zu opfern. Durch Gottes Gnade durfte er schließlich anstelle des Sohns einen Widder opfern. Der größte Teil des Opferfleischs wird an Bedürftige verteilt. Zu diesem Zweck mußte Saudi-Arabien große Kühlhäuser bauen und Einrichtungen zur Verteilung schaffen. Die Hadschis nehmen auch an dem heiligen Brunnen von Zamzam symbolische Handlungen vor, der Quelle, die Gott geschaffen haben soll, als Hagar und Ismael allein und verlassen in der Wüste waren.

Der Hadsch führt Moslems aus allen Teilen der Welt in einer einmaligen spirituellen Erfahrung zusammen. Da der Islam auf allen Kontinenten verbreitet ist, ergibt sich ein wahrlich internationales Zusammentreffen. Riesige Menschenmassen strömen zusammen. Im Pilgermonat Dhu'l-Hidscha kommen jedes Jahr etwa zwei Millionen Menschen nach Mekka. Um der Menge Herr zu werden, hat die saudische Regierung bei Dschidda den riesigen König-Abdul-Aziz-Flughafen errichtet, der einen besonderen Terminal nur für die Abfertigung der Pilger besitzt. Die Reise war früher so gefährlich, daß viele Menschen in Erfüllung ihrer heiligen Pflicht bei der Durchquerung der Wüste mit ihren Kamelen umkamen.

Während der gesamten moslemischen Geschichte hat der Hadsch Menschen aus allen Ländern zusammengeführt, das Zentrum des Islam gestärkt, einen kulturellen Austausch befördert und die Gläubigen mit neuer Inspiration für ihre Heimatgemeinden versehen.

Der Dschihad

Neben den Fünf Säulen des Islam gibt es eine weitere wichtige Verpflichtung: den Dschihad, der gewöhnlich falsch mit »Heiliger Krieg« übersetzt wird, während er »Kämpfen, Anstrengen« bedeutet; die Verpflichtung, dem Bösen als Individuum und als Gemeinschaft zu widerstehen.

Der größere Dschihad, erklärte Muhammad, sei der Kampf gegen das eigene, niedrige

Die Moschee des Propheten in Medina wurde so erweitert, daß sie mehr als eine Million betender Pilger aufnehmen kann.

Selbst. Das ist der Kampf zwischen falsch und richtig, Irrtum und Wahrheit, Selbstsucht und Selbstlosigkeit, Herzensverhärtung und allumfassender Liebe, den jeder Mensch in sich auskämpft. Nach Seyyed Hossein Nasr ist der innere Dschihad

> *ein innerer Kampf gegen das, wozu die Seele geworden ist, um sie in das zu verwandeln, was sie »ist« und niemals aufgehört hätte zu sein, wenn sie sich nur ihrer eigenen Natur bewußt würde … Durch den inneren Dschihad stirbt der geistliche Mensch für dieses Leben, um mit allen Träumereien aufzuhören und zu jener Realität zu erwachen, die das Urbild aller Realitäten ist, um jene Schönheit zu betrachten, von der jede irdische Schönheit nur ein blasses Abbild ist, um jenen Frieden zu erlangen, den alle Menschen erstreben, in Wahrheit aber nur durch diesen Kampf finden können.[34]*

> *Gewähr ist denen gegeben, die bekämpft wurden, dieweil ihnen Gewalt angetan ward; und siehe, wahrlich, Allah hat Macht, ihnen beizustehen:*
> *Jene, die schuldlos aus ihren Wohnungen vertrieben wurden, nur weil sie sprechen:*
> *»Unser Herr ist Allah!«[35]*

Exoterisch ist der geringere Dschihad das Bemühen, den Weg Gottes gegen die Kräfte des Bösen zu verteidigen. Dieser Dschihad besteht darin, sein eigenes Leben, seinen Glauben, seinen Lebensunterhalt, seine Ehre und die Integrität der moslemischen Gemeinschaft zu schützen. Dieser Dschihad darf nicht um persönlicher Vorteile willen geführt werden. Die Offenbarungen im Koran, die offenkundig in Medina entstanden, zu einer Zeit, als die Gläubigen von den Einwohnern Mekkas angegriffen wurden, betonen:

> *Was immer Gutes dir widerfährt, ist von Allah, und was immer Böses dir widerfährt, ist von dir selber.*
>   *Der Koran, Sure 4,79*

Der Koran gibt unter solchen Bedingungen die Erlaubnis zum Kämpfen, bestimmt aber auch, welche Formen der Kriegsführung zulässig und wie Gefangene zu behandeln sind.

Muhammad ist der Prototyp eines wahren *Mudschahid* oder Gotteskämpfers, der den Weg Gottes höher schätzt als sein eigenes Leben, seinen Reichtum oder seine Familie. Der Prophet hatte kein Verlangen nach weltlicher Macht, Reichtum oder Ansehen. Durch Fasten und Gebet versuchte er unablässig, sich im größeren Dschihad um Gott zu bemühen. Als er die Gemeinde der Gläubigen in Medina gegen die Angreifer aus Mekka verteidigte, handelte er aus edelsten Beweggründen. Es heißt, daß ein wahrer Mudschahid, der in Verteidigung des Glaubens falle, unmittelbar ins Paradies eingehe, da er den größeren Dschihad, die Bezwingung des eigenen Selbst, bereits gewonnen habe.

Die absolute Überzeugung, die den Dschihad charakterisiert, stammt aus der Erkenntnis der sowohl in einem selbst wie in der Gesellschaft gegebenen großen Verschiedenheit zwischen dem Bösen und dem spirituellen Ideal. Die unablässige Ausübung des Dschihad wird für notwendig erachtet, um ein friedliches Gleichgewicht inmitten veränderlicher Verhältnisse zu bewahren. Traditionalisten und Radikale sind sich dabei uneinig, wie diese Ausübung innerhalb der Gesellschaft stattfinden soll.

Hinsichtlich des geringeren Dschihad lassen sich im Koran Stellen finden, die sich sowohl für eine pazifistische Haltung gegenüber Ungläubigen, als auch für ihre aktive Bekämpfung aussprechen. Der Koran erklärt es zur ausdrücklichen Pflicht der Gläubigen, ihren Glauben zu verteidigen und Ungläubige an die Wahrheit Gottes zu erinnern und an die Notwendigkeit eines moralischen Verhaltens.

In manchen Passagen wird den Gläubigen einfach nur eingeschärft, fest gegen Angreifer zusammenzuhalten: »Und bekämpft in Allahs Pfad, wer euch bekämpft; doch übertretet nicht; siehe, Allah liebt nicht die Übertreter.«[36] In anderen Suren spricht sich der Koran für ein aktives Vorgehen gegen diejenigen aus, die nicht an die Oberherrschaft des einen Gottes glauben:

> Verführung ist schlimmer als Totschlag. Und sie werden nicht aufhören, euch zu bekämpfen, als bis sie euch von eurem Glauben abtrünnig machten, so sie dies vermögen …
> Und bekämpfet sie, bis die Verführung aufgehört hat, und der Glauben an Allah da ist.[37]

Das letzte Ziel und die eigentliche Bedeutung des Islam und des Dschihad ist der durch

Im Verlauf von nur 100 Jahren nach dem Tod des Propheten hatte sich der Islam im ganzen Mittelmeerraum ausgebreitet. Er verbreitete sich auch in den folgenden Jahrhunderten weiter. Die Zahl der Konvertiten nimmt heute noch zu; der Islam ist die am schnellsten wachsende Weltreligion. Von den Ländern, die zum Islam bekehrt wurden, blieben alle moslemisch mit Ausnahme von Spanien und Sizilien.

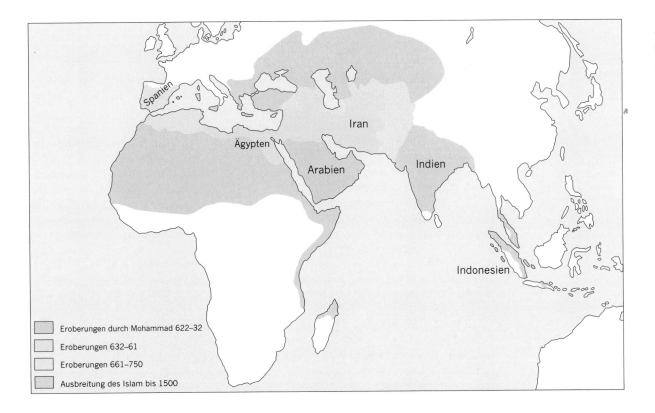

Spanien

Ägypten

Arabien

Iran

Indien

Indonesien

- ▢ Eroberungen durch Mohammad 622–32
- ▢ Eroberungen 632–61
- ▢ Eroberungen 661–750
- ▢ Ausbreitung des Islam bis 1500

fromme Hingabe an Gott erzielte Friede. Eine friedliche Gesellschaft ist dem Paradies vergleichbar. Der Sufischeich M. R. Bawa Muhaiyadeen aus Sri Lanka erklärt:

> *Wenn man die wahre Bedeutung von Islam verstünde, gäbe es keine Kriege. Nichts wäre zu hören außer Aufrufen zum Gebet und Friedensgrüßen. Nur das Wiederklingen Gottes wäre vernehmbar. Das ist der Ozean des Islam. Das ist Einheit. Das ist unser Reichtum und unsere wahre Waffe; nicht das Schwert in der Hand.*[38]

Die Ausbreitung des Islam

Unter Muhammad vereinigte der Islam geistliche und weltliche Macht unter einem Herrscher. Dieses Prinzip, das zur Einigung der einander bekriegenden Stämme Arabiens beitrug, galt auch unter seinen Nachfolgern. Der Islam verbreitete sich in den nächsten Jahrhunderten nach dem Tod des Propheten mit erstaunlicher Geschwindigkeit und trug zum Aufbau vieler bedeutender Zivilisationen bei. Die *Ummah* wurde zu einer Familie, die von Afrika bis nach Indonesien reicht. Nichtmoslems meinen, der Islam sei durch das Schwert verbreitet worden, aber das scheint nicht die Hauptursache gewesen zu sein. Der Koran verbietet zwangsweise Bekehrungen und empfiehlt vielmehr, daß die Moslems andere durch Weisheit, gute Lehre und persönliches Beispiel vom Weg des Islam überzeugen sollen.

Der Islam verbreitete sich in erster Linie durch persönliche Kontakte: durch Handel, die Anziehungskraft charismatischer Sufis, durch moslemische Hilfe für jene, die von römischer oder persischer Herrschaft unterdrückt wurden, durch freiwillige Bekehrungen. Im Verlauf der Jahrhunderte führten die Moslems Kriege, doch dabei ging es nicht notwendigerweise um die Ausbreitung des Islam; viele Moslems sind der Ansicht, daß Angriffskriege ein Verstoß gegen islamische Prinzipien seien. Nichtmoslemische Einwohner neu eroberter Gebiete wurden zur Zahlung einer Kopfsteuer herangezogen, womit sie das Recht erhielten, sich vom Militärdienst befreien und von den Moslems gegen Feinde verteidigen zu lassen.

Muhammads gewaltlose Einnahme Mekkas erfolgte erst zwei Jahre vor seinem Tod. Unter seinen Nachfolgern verbreitete sich der Islam schnell über den Nahen Osten. Ein Jahr nach dem Tod des Propheten begann ein bekehrter Quraischite, Khalid ibn al-Walid, mit einer Reihe von Feldzügen, die innerhalb von sieben Jahren ganz Arabien, Palästina und Syrien unter islamische Herrschaft brachte. Eine anderer Stoßtrupp von Neubekehrten machte dem hochzivilisierten Persischen Reich der Sassaniden, das über 400 Jahre bestanden hatte und seine Existenz auf das persische Großreich der Achaimeniden zurückführte, ein schnelles Ende.

Ebenfalls ab 640 eroberten ganze 4000 Reiter unter Führung des Amr ibn al-As die wichtigsten Städte Ägyptens und damit einen weiteren wichtigen Landesteil des Byzantinischen Reichs. Die Wellen der Islamisierung brandeten weiter durch Vorder- und Mittelasien. In Europa gelang die Eroberung Spaniens; erst in der Schlacht bei Tours (732) setzten die Franken dem weiteren Vordringen der Moslems nach Westeuropa ein Ende. Zu diesem Zeitpunkt, nur 100 Jahre nach dem Tod des Propheten, war unter den umayyadischen Kalifen die moslemische Ummah größer, als das Römische Reich je gewesen war.

Als Grund für diesen Erfolg berufen sich die Moslems auf die Macht des göttlichen Willens, ein friedliches, gottbewußtes Gemeinwesen zu schaffen. Anders als die von ihren Überzeugungen geleiteten Moslems waren die Einwohner der eroberten Gebiete häufig von Kriegen untereinander oder durch Unterdrückungen durch ihre eigenen Regierungen demoralisiert. Viele Einwohner hießen die Moslems ohne einen Schwertstreich willkommen. So erwarteten die Christen in Damaskus, daß die Herrschaft der Moslems erträglicher wäre als die der Byzantiner und öffneten den moslemischen Truppen freiwillig die Tore ihrer Stadt. Ähnlich verhielten sich die Christen in Jerusalem und Ägypten. Im syrischen Cäsarea (Schaizar), das von den Byzantinern beherrscht worden war, gingen die Christen hinaus, hießen den moslemischen Befehlshaber willkommen und leiteten ihn unter Gesang und Tamburinschlägen in ihre Stadt. Im westgotischen Spanien herrschten politisch und steuerlich bedrückende Zustände; besonders die verfolgten Juden halfen den Moslems gerne bei der Eroberung des Landes. Häufig traten Christen oder Juden zum Islam über.

Nach Ansicht mancher Historiker waren ökonomische Gründe dafür ausschlaggebend, daß die Araber über ihr ursprüngliches Gebiet hinausgriffen. Obwohl die islamische Zivilisation sehr anziehungskräftig wurde, unterstützte die zentrale Führung weiter reichende Abenteuer nicht sehr häufig. Die eroberten Völker wurden in der Regel nach den humanen Prinzipien behandelt, die der Koran vorsieht und die Muhammad in seinen Verhandlungen mit den Stämmen, die der moslemischen Herrschaft neu unterstellt waren, entwickelt hatte. Khalid beispielsweise bot den belagerten Einwohnern von Damaskus folgende Übergabebedingungen:

> *Im Namen Gottes, des Barmherzigen, des Mitleidigen. Dies will Khalid den Einwohnern*
> *von Damaskus gewähren, wenn er die Stadt betritt. Er bietet ihnen Sicherheit für*
> *ihr Leben, ihr Eigentum und ihre Kirchen. Die Mauern der Stadt sollen nicht geschleift*
> *werden, auch sollen keine Moslems als Besatzung in ihre Wohnungen gelegt werden.*
> *Darauf geben wir ihnen den Vertrag Gottes und den Schutz (*Dhimma*) seines Boten,*
> *auf dem Gottes Segen und Frieden ruhen mögen, der Kalifen und Gläubigen. Solange die*
> *Einwohner die Kopfsteuer zahlen, soll ihnen nur Gutes widerfahren.*[39]

Anhänger monotheistischer Offenbarungsreligionen, also Christen und Juden, die wie die Moslems »Schriftbesitzer« waren, wurden als *Dhimmis*, das heißt Schutzbefohlene, behandelt. Sie durften ihren eigenen Glauben beibehalten, allerdings keine Missionstätigkeit ausüben. An der Stelle des zerstörten jüdischen Tempels in Jerusalem wurde der Felsendom errichtet, der Abraham und Muhammad in der Stadt ehrt, die allen drei monotheistischen Religionen, Judentum, Christentum und Islam, heilig ist.

Die umayyadischen Kalifen waren vollauf mit der Verwaltung ihrer riesigen Ummah beschäftigt, die sie von Damaskus aus regierten. Sie legten das Hauptaugenmerk auf organisatorische, nicht auf geistliche Belange. Manche waren sehr weltlich gesinnt; von Walid II. heißt es, er habe ein Becken mit Wein füllen lassen, damit er gleichzeitig baden und trinken könne.

Im Jahre 750 lud nach einer Niederlage ein Mitbewerber um den Kalifenthron 80 Prinzen des Umayyadengeschlechts zu einem Bankett und brachte sie um. Vier Jahre nach dieser Bluttat kam ein neues Kalifengeschlecht an die Macht: die Abbasiden. Der letzte dieser Dynastie kam 1258 um, als die Mongolen Bagdad eroberten.

Die islamische Kultur

Unter den Abbasiden nahm die moslemische Herrschaft einen stärker persischen und kosmopolitischen Charakter an; die islamische Zivilisation erreichte ihren Gipfel. Die Hauptstadt wurde in die neugegründete Stadt Bagdad verlegt. Der Expansionsdrang erlahmte, Kaufleute, Gelehrte und Künstler wurden zu kulturellen Helden. Ein großes Haus des Wissens wurde errichtet. Es enthielt eine Sternwarte, eine berühmte Bibliothek und weitere Bildungseinrichtungen. Dort wurden griechische und syrische Manuskripte medizinischen, astronomischen, logischen, mathematischen und philosophischen Inhalts ins

Während Nichtmoslems beim Islam an eine Religion denken, die mit Feuer und Schwert verbreitet wurde, glauben die Moslems, daß sich ihr Glaube durch seine innere Wahrheit und durch den Ruf der Moslems als menschliche und gerechte Herrscher ausbreitete. Auf dieser Darstellung heißen die Einwohner einer belagerten Stadt die moslemischen Eroberer willkommen.

Arabische übersetzt. In Kairo errichteten die Moslems ab 972 die al-Azhar-Moschee, deren Universität heute noch das Zentrum der moslemischen Gelehrsamkeit ist.

In den großen Städten erfuhr die islamische Kultur eine Periode intensiver intellektueller und künstlerischer Aktivität. Sie übernahm dabei vieles von anderen Kulturen und paßte es sich an. Großen Einfluß übte die tausendjährige kunsthandwerkliche und dichterische Tradition Persiens aus, das zu einer Hochburg der Schiiten wurde. Zu diesen kulturellen Entlehnungen fügte die islamische Kultur ihre eigenen Erfindungen hinzu. Das neue System der neun arabischen Zahlen zuzüglich der aus Indien übernommenen Null revolutionierte die Mathematik, die nun nicht länger auf die umständliche römische Zahlenschreibweise angewiesen war. Moslemische Philosophen entwickelten ein großes Interesse an aristotelischen und neuplatonischen Gedankengängen, die sie mit der offenbarten Religion zu einer einzigartigen Synthese vereinten. Die Forschungen moslemischer Gelehrter auf dem Gebiet der Geographie, Astronomie, Literatur- und Geschichtswissenschaften sowie der Medizin führten diese Wissenszweige in bisher nicht erreichte Höhen.

Die bestimmende Institution der islamischen Gesellschaft war die *Ulama*, deren erstrangige Rolle nicht in Frage gestellt wurde. Die Ulama fungierte nicht nur als Wächterin des Glaubens, sondern durchdrang alle Lebensbereiche der islamischen Gesellschaft. Zu ihr gehörten die *Kadis* (Richter), *Muftis* (Rechtsbeistände), die Leiter der Handwerkergil-

den, die geistlichen Führer, die Imame der Moscheen, die Lehrer an zivilen und Militär-
schulen, die staatlichen Schreiber und Marktaufseher. Die wichtigste Quelle ihrer ökonomischen Macht und ihrer Unabhängigkeit vom Staat waren religiöse und private Stif-
tungen, die von der Ulama verwaltet und kontrolliert wurden.

Von Bagdad aus regierten die Abbasiden den größten Teil des islamischen Gebiets,
während in Spanien und Ägypten unabhängige Kalifate ausgerufen wurden. In Spanien
regierten Nachfolger der Dynastie der Umayyaden, unter deren Führung das Land eine
hohe kulturelle Blüte erlebte.

Die Hauptstadt Cordoba prunkte mit 700 Moscheen, 70 Bibliotheken, 300 öffentlichen Bädern und gepflasterten Straßen. Dergleichen gab es zu jener Zeit im frühmittel-
alterlichen Westeuropa nirgendwo; Paris und London, immerhin zwei der größten Städte
der damaligen Zeit, waren bloß ein Irrgarten enger, schlammiger Gassen.

Tunesien und Ägypten bildeten ein drittes Zentrum islamischer Macht: Die schiitischen
Imame der Fatimidendynastie führten ihre Abkunft auf Muhammads Tochter Fatima
zurück, nach der sie sich auch nannten. Der wahnsinnige fatimidische Kalif al-Hakim
brach mit der islamischen Tradition und verfolgte die Dhimmis. Die Fatimiden zerstörten
die Grabeskirche in Jerusalem, was mit dazu beitrug, daß christliche Kreuzfahrer zur
Rückeroberung des Heiligen Landes angestachelt wurden.

Während der moslemischen Herrschaft in Spanien genossen die Juden eine weitge-
hende Toleranz. Doch ab dem 13. Jahrhundert setzte verstärkt die christliche Rückeroberung des Landes ein; die Inquisition wurde eingeführt, um all jene zu verfolgen, die
sich nicht zum Christentum bekannten. Am Beginn des 16. Jahrhunderts waren ungefähr drei Millionen spanische Moslems getötet oder gezwungen worden, das Land zu verlassen.

Die christlichen Ritter des Ersten Kreuzzugs kämpften sich nach Jerusalem durch und
belagerten die Stadt im Jahre 1099 mehrere Monate lang. Als sich die kleine fatimidische
Garnison schließlich ergeben mußte, schlachteten die Kreuzfahrer die Einwohner der
Stadt ab. Überall sah man abgehauene, aufeinandergehäufte Gliedmaßen. Nach zunächst
vergeblichen Versuchen gelang es dem berühmten Sultan Salah ad-Din (in Europa als

*Die moslemische Moschee
umklammert die Erde,
denn der Islam versucht,
gerechte, gottgefällige
Gesellschaften in dieser
Welt aufzubauen, und
stellt sich Gott als überall
anwesend vor. Al-Azhar,
eine altehrwürdige, in
Kairo angesiedelte Institution der islamischen Welt,
vereint in sich Moschee
und Universität.*

Der Mogulherrscher Akbar, der im 16. Jahrhundert Indien beherrschte, regte interkonfessionelle Gespräche zwischen Geistlichen verschiedener Religionen an.

Saladin bekannt) im Jahre 1171, die Stadt zurückzuerobern. Er behandelte die christliche Bevölkerung mit der Milde, die das islamische Ideal der Kriegsführung vorschreibt. Insgesamt aber hatten die Kreuzzüge große Zerstörungen gebracht; zurück blieben Ressentiments gegen die Christen, die sich Jahrhunderte später verschärften, als die europäischen Kolonialmächte islamische Länder besetzten.

Die Expansion des Islam in den Orient

Während der Vormarsch des Islam nach Westen gestoppt wurde, setzte sich seine Expansion nach Norden, Süden und Osten fort. Obwohl immer wieder Invasionen der mongolischen Steppenvölker Innerasiens drohten, konnten die Mongolen und die Turkvölker zum Islam bekehrt werden. Bemerkenswert ist, daß Usbek Khan, der von 1313 bis 1340 regierende Mongolenherrscher, zwar den Islam in Rußland verbreitete, gleichwohl aber Toleranz gegenüber den in den eroberten Ländern lebenden Christen übte. Er schloß mit dem orthodoxen Metropoliten einen Vertrag, in dem es über die Behandlung der Christen hieß: »Ihre Gesetze, Kirchen, Klöster und Kapellen sollen respektiert werden; wer die christliche Religion verurteilt oder lästert, für den soll keine Entschuldigung gelten, sondern er soll mit dem Tod bestraft werden.«[40]

Eine ähnliche Toleranz gegenüber anderen Religionen praktizierten auch die moslemischen Türken, die 1453 Konstantinopel eroberten, die Hauptstadt des Byzantinischen Reiches, die sie in Istanbul umbenannten. Obwohl die Hagia Sophia nicht nach Mekka ausgerichtet ist, wurde sie in eine Moschee umgewandelt. Auf dem Höhepunkt seiner Macht beherrschte das Osmanische Reich den gesamten östlichen Mittelmeerraum und das Schwarzmeergebiet sowie den gesamten Balkan bis vor die Tore Wiens.

Im Osten erreichte der Islam Nordindien. Dort zerstörten die Moslems viele Tempel und Kultbilder der Hindus, gestanden aber der Mehrheit der Hindus den Status von Dhimmis zu. Durch ihre starke Gottesliebe bewegten die heiligen Chishti-Sufis viele Menschen zur Bekehrung zum Islam. »Das Herz des Mystikers ist ein brennender Ofen der Liebe, der alles verbrennt und zerstört, was in ihn kommt, denn kein Feuer ist stärker als das Feuer der Liebe«[41], erklärte Khwaja Muinuddin Chishti.

Unter den moslemischen Mogulkaisern blühten in Indien die Gelehrsamkeit und die Künste. Kaiser Akbar, der 1556 den Mogulthron bestieg, unternahm jedes Jahr eine Pilgerfahrt zum Schrein des Sufiheiligen Muinuddin Chishti. In seiner spirituellen Neugier errichtete Akbar ein Haus der Anbetung, in dem Vertreter vieler religiöser Traditionen – Hindus, Parsen, Jainas, Christen – Religionsgespräche führten. Schließlich verstieg er sich dazu, eine neue Religion zu stiften, die eine Synthese aus dem Islam und allen diesen Religionen sein sollte, mit ihm selbst als erleuchtetem geistlichem Führer an der Spitze. Dieser Versuch überlebte seinen Stifter nicht; der orthodoxe Islam kehrte zurück.

Unter der britischen Kolonialherrschaft flammten Spannungen zwischen den Hindus und den Moslems auf, die zum Teil absichtlich geschürt wurden, um die englische Herrschaft zu festigen. Mahatma Gandhi führte Indien schließlich in die Unabhängigkeit – die Spannungen zwischen den beiden Religionsgruppen beizulegen gelang ihm aber nicht. 1947 wurde das Land geteilt. Neben dem hinduistischen Land Indien entstand das islamische West- und Ostpakistan (das heute unter dem Namen Bangladesch vom Westteil unabhängig ist). Millionen Menschen starben bei dem Versuch, die Grenze zu überwinden, und heute noch halten in Indien die gewalttätigen Auseinandersetzungen zwischen Moslems und Hindus an. Im Dezember 1992 erreichten die Unruhen einen traurigen Höhepunkt, als militante Hindus eine Moschee im indischen Ayodhya zerstörten, weil sie glaubten, die Mogulherrscher hätten sie an der Stelle eines dem Rama geweihten Tempels errichtet.

Die zahlenmäßig stärkste Gruppe von Moslems lebt noch weiter östlich, in Indonesien. Moslemische Händler und Missionare hatte wohl schon im 10. Jahrhundert dieses Gebiet erreicht. Aber erst viele Jahrhunderte später bekehrten sich die meisten Einwohner Indonesiens zum Islam, wobei ein Beweggrund der Zusammenschluß gegen die europäischen Kolonialmächte war. Heute sind etwa 90 Prozent der Indonesier Moslems, Staatsreligion ist der Islam in Indonesien aber nicht. Der damalige Präsident Suharto erklärte 1989: »Wir wollen, daß alle Religionen in unserem Land gedeihen und sich entwickeln, damit es in einer Atmosphäre der Eintracht und des gegenseitigen Respekts zu Fortschritt kommt.«[42] In China und den innerasiatischen Staaten der früheren Sowjetunion leben ebenfalls viele Millionen Moslems.

In südliche Richtung expandierte der Islam entlang den Handelsrouten nach Schwarzafrika. Aus dem Norden wurde Salz eingeführt, der Süden lieferte Gold und Sklaven. Der Islam stand hier im Wettbewerb mit dem Christentum und setzte sich in vielen Gebieten durch.

Viele Afrikaner traten zum Islam über, andere kombinierten ihn mit einheimischen Glaubensvorstellungen. An der Spitze des prächtigen Kaiserreiches Mali stand ein Moslem, der im Jahr 1324 eine eindrucksvolle Pilgerfahrt nach Mekka veranstaltete – sein goldbeladenes Gefolge zählte 8000 Menschen. Als mit der Ausbreitung des Islam ganz unterschiedliche Kulturen sich zum moslemischen Glauben bekannten, wurde die Hadsch als Bekenntnis zur Einheit des Islam nicht nur für den einzelnen, sondern für die gesamte Ummah noch wichtiger. Inmitten der weltweiten Varianten bildete Mekka das spirituelle Zentrum des Islam.

Das Verhältnis zum Westen

Während der Islam seinerseits die Propheten aller Religionen ehrt, wurden die moslemische Religion und der Prophet Muhammad im christlichen Europa des Mittelalters scharf bekämpft. Das Christentum betrachtete sich selbst als die letzte Wahrheit und unternahm große Anstrengungen, alle Welt zu seinem Glauben zu bekehren. Der Islam sah sich der gleichen Aufgabe verpflichtet. Die Christen Europas waren entsetzt, als unter den Christen im Mittelmeerraum die islamische Missionstätigkeit begann. In dem Kampf um die Seelen stellte die Kirche Muhammad als Götzenverehrer, als Antichrist, als Fürsten der Finsternis dar.

Der Islam wurde falsch dargestellt als eine Religion mit mehreren Göttern, in der Muhammad selbst als ein Gott verehrt würde (daher die unzutreffende Bezeichnung »Mohammedanismus« für Islam). Die Christen sahen mit Verstörung, daß das Heilige Land moslemisch wurde und die »Ungläubigen« bis nach Spanien vordrangen. Obwohl insbesondere moslemische Gelehrte und Künstler das Erbe der klassischen Zivilisation bewahrten, überlieferten und weiterentwickelten, während in Europa noch das dunkle Frühmittelalter herrschte, wurde der Reichtum der arabischen Kultur in Europa nur negativ bewertet.

Im 19. Jahrhundert begannen westliche Gelehrte die arabischen Klassiker zu erforschen, aber die tiefverwurzelte Furcht und die Ablehnung Muhammads und der Moslems blieben erhalten. Unkenntnis über den Islam und sein unvermindert bestehendes negatives Stereotyp bestimmen auch heute noch überwiegend die Einstellung des Westens. Westliche Karikaturisten können es nicht lassen, Moslems als Radikale mit wild aufgerissenen Augen darzustellen, die in Wüstenkleidern herumlaufen und Krummsäbel schwingen. Annemarie Schimmel, ehemals Professorin für indoislamische Kultur an der Harvard University, erklärt:

Die Vorstellung, daß die Moslems alles mit Feuer und Schwert eroberten, hatte sich unglücklicherweise tief in das mittelalterliche Bewußtsein eingesenkt. All diese Mißverständnisse über den Islam als Religion und die Legenden und Lügen, die über ihn verbreitet wurden, sind wahrhaft unglaublich. Ich habe oft den Eindruck, daß dieses mittelalterliche Bild vom Islam noch in vielen Büchern weiterlebt; selbst wissenschaftliche Arbeit ist nicht frei von unserem Unterbewußten. Wenn man aufsteht und sagt: »Aber der wirkliche Islam ist etwas vollständig anderes«, glauben es die Menschen nicht, weil sie fast 1400 Jahre mit dem Bild eines grausamen und unmoralischen Islam indoktriniert wurden. Leider haben einige Ereignisse in unserem Jahrhundert diesem mittelalterlichen Konzept des Islam neue Nahrung geliefert.[43]

Borge des Geliebten Augen. Schau durch sie und allerwärts siehst du des Geliebten Antlitz …
Laß das geschehen, und Dinge, die du haßtest, werden hilfreich werden.

Dschelal ad-Din Rumi[44]

Nachdem die islamische Welt eine Blüte kultureller Entfaltung und politischer Macht erlebt hatte, begann schließlich der Niedergang. Dafür waren zumindest teilweise die Mongoleneinfälle verantwortlich, in deren Verlauf die Bewässerungssysteme ganzer Landstriche zerstört, Bibliotheken vernichtet und viele Gelehrte und Wissenschaftler getötet wurden. Ein großer Teil der in mehr als 500 Jahren aufgebauten Zivilisation wurde ausgelöscht. Heute meinen manche Moslems, der Hauptgrund dafür, daß aus früher bedeutenden Zivilisationen arme Drittweltstaaten wurden, sei die wachsende spirituelle Gleichgültigkeit gewesen. Nach einer anderen Theorie hatte die moslemische Kultur ihre einstige Dynamik eingebüßt. Indem sie erstarrt sei und stagniert habe, sei sie schließlich von weniger zivilisierten Kulturen (den Mongolen) und stärker zivilisierten überwältigt worden: den Europäern, die dank ihrer Industrien und ihrer kolonialen Seestreitkräfte zu Weltmächten aufgestiegen seien.

Im späten 18. und frühen 19. Jahrhundert gerieten viele moslemische Gebiete unter europäische Herrschaft. Ab der Mitte des 20. Jahrhunderts erlangten die meisten von ihnen ihre Unabhängigkeit als Staaten, in denen bestimmte Ideale und Verhaltensweisen des Westens übernommen wurden. Nicht selten wurden dabei einige Aspekte des islamischen Erbes aufgegeben, weil man sie als hinderliche Relikte auf dem Weg in eine erfolgreiche Zukunft innerhalb der modernen Welt angesehen hatte. Arabisch galt als eine unbedeutende Sprache; westliche Gesetzessysteme ersetzten die Scharia in dem Bereich gesellschaftlicher Organisation.

Dennoch waren diese Gesellschaften keineswegs vollständig verwestlicht und behielten eine lokale Führungsschicht, die kaum darauf vorbereitet war, ein Land zu regieren und an der Weltwirtschaft teilzunehmen, die von den westlichen Industriestaaten dominiert wurde.

Traditionell organisierte Gesellschaften zerfielen ab der zweiten Hälfte des 19. Jahrhunderts, als überall in der islamischen Welt weitreichende Reform- und Modernisierungsprogramme durchgeführt wurden. Die lokale Autonomie der traditionellen moslemischen Gesellschaft wurde durch von Europa übernommene zentralistische Mechanismen ersetzt. Die traditionellen Schulen, Märkte, Gilden und Gerichtshöfe, um die sich diese Gesellschaften gruppiert hatten, verloren überwiegend ihre Daseinsberechtigung.

Bevor sich die Kolonialmächte schließlich zurückzogen, wurde inmitten des Nahen Ostens mit Billigung der Vereinten Nationen ein jüdischer Staat geschaffen: Israel. Nach den langen und schrecklichen Verfolgungen, insbesondere nach dem Völkermord, den die Deutschen an den europäischen Juden begangen hatte, forderten jüdische Zionisten die Ansiedlung in ihrem angestammten Heimatland. Einige Historiker meinen, ein wichtiger Grund, daß sich viele europäische Länder dieser Forderung nicht verschlossen, sei der Schutz eigener Interessen gewesen. Schon Lord Palmerston hatte im 19. Jahrhundert gemeint, daß die Verpflanzung einer wohlhabenden jüdischen Bevölkerung nach Palästina, die stark motiviert sei, sich selbst zu schützen, das schwache Osmanische Reich stützen und zu einem Bollwerk gegen den vordringenden russischen Imperialismus machen könne; mit der Ansiedlung von Juden in Palästina werde zugleich ein Gegengewicht gegen die Versuche des ägyptischen Herrschers Mehmet Ali geschaffen, der einen panislamischen Staat aus Ägypten, Palästina, Syrien und der arabische Halbinsel zu errichten versuchte.

Der Islam in den Vereinigten Staaten

Während die Moslems in den meisten Ländern die Demütigung ausländischer Herrschaft erfuhren, wuchsen ihre Zahl und ihr Selbstbewußtsein in den Vereinigten Staaten. Der Islam ist die am schnellsten wachsende Religion in den USA und könnte schon bald die zweitstärkste Religion in diesem Land sein. Zwei Drittel der amerikanischen Moslems sind Einwanderer aus dem Nahen Osten, die seit dem Ende des 19. Jahrhunderts nach Amerika geströmt waren. Das letzte Drittel sind Konvertiten, die meisten von ihnen Afroamerikaner.

Die Bekehrung zum Islam diente zu Beginn des 20. Jahrhunderts den schwarzen Amerikanern als Mittel, um sich von der Schicht ihrer weißen Unterdrücker abzusetzen. Das Christentum der herrschenden weißen Oberschicht wurde als Teil des Unterdrückungsmechanismus angesehen. Unter der Führung von Elijah Muhammad, der sich selbst als Bote Allahs ausgab, schlossen sich Zehntausende Afroamerikaner den »Black Muslims« an. Allerdings wurde der Glaube an Elijah Muhammad erschüttert, als bekannt wurde, daß er Verhältnisse zu seinen Sekretärinnen unterhielt. Manche seiner Anhänger – vor allem Malcolm X und Warith Deen Muhammad, ein Sohn Elijahs, zwei einflußreiche Führer der Bewegung – nahmen Kontakte zu den führenden Moslems in anderen Ländern auf und kamen zu dem Schluß, daß sich Elijah Muhammad sehr weit von der moslemischen Orthodoxie entfernt hatte. Sie schwörten die Bekehrten ein auf das, was sie als die Traditionen der weltweiten islamischen Gemeinde empfanden, weshalb diese amerikanischen Konvertiten heute allgemein als »Muslims«, nicht mehr als »Black Muslims« bezeichnet werden.

Andere Moslems afroamerikanischer Herkunft, insbesondere Louis Farrakhan, behalten die Ausrichtung auf einen schwarzen Separatismus in ihrer Konzeption des Islam bei, obwohl sie einen ausgeprägten Antirassismus aufweist. Viele amerikanische Moslems verstehen ihren Glauben als ein Bollwerk der Ordnung und des Glaubens gegen einen herabwürdigenden Materialismus.

Der Wiederaufstieg der islamischen Welt

Die Welt der Moslems hatte ihre traditionelle Struktur eingebüßt und war den Einmischungen ausländischer Mächte weitgehend hilflos ausgeliefert, bis sie entdeckte, welche Macht sie durch ihre Ölvorkommen besaß. Zu Beginn der 1970er Jahre bildeten die ölproduzierenden Staaten ein Kartell, um den Preis und die Abgabemengen dieses Energieträgers festzulegen.

Die Verschleierung moslemischer Frauen ist ein komplexes Phänomen, das nur zum Teil mit der religiösen Mißbilligung aufreizender Kleidung zusammenhängt. Manche moderne Frauen wollen mit dem Kopftuch eine Rückkehr zu den traditionellen Werten bezeugen; für andere ist die Verschleierung Ausweis ihres hohen sozialen Status.

Die OPEC (Organisation erdölproduzierender Staaten) bescherte den zuvor wirtschaftlich ausgebluteten Staaten große Einkünfte, stärkte ihr Selbstbewußtsein und ihre Macht im Kräftespiel der Weltmächte. Die meisten der 13 OPEC-Staaten sind moslemisch (Algerien, Libyen, Saudi-Arabien, Kuwait, Katar, Vereinigte Arabischen Emirate, Irak, Iran, Indonesien, zur Hälfte Nigeria). Auch andere, nicht der OPEC angehörende ölproduzierende moslemische Staaten (Ägypten, Tunesien, Syrien, Malaysia, Oman, Bahrain und Brunei) haben von der Preispolitik der Organisation profitiert.

Mit dem plötzlich aufkommenden Reichtum wurden die etablierten Lebensmuster weiter zerrüttet. Manche Analytiker haben den Eindruck, daß viele Menschen zu einer fundamentalistischen Version des Islam zurückgekehrt seien, um inmitten des Chaos des sich verändernden modernen Lebens einen Sinn für Stabilität und vertraute Gebräuche zu bewahren; auch die steigende Alphabetisierung, die Verstädterung und die verbesserten Kommunikationsmittel haben das Interesse am Islam verstärkt. Viele Menschen haben zudem die Hoffnung, daß der Islam das Muster für eine aufgeklärte Herrschaft sei und sich seine spirituellen Werte so in die Gesellschaft und die Politik einführen ließen, wie Muhammad das in Medina getan hatte.

Die Rückkehr zur Scharia

Die Renaissance des Islam hat verschiedene Formen. Eine ist das Bestreben, die aus dem Westen übernommenen säkularen Gesetzessysteme wieder durch die Scharia zu ersetzen. Die Orthodoxen meinen, es sei besser, die Welt dem göttlichen Gesetz anzupassen, als das Gesetz so zu verwässern, daß es der materiellen Welt entspreche. So ist es beispielsweise in Ägypten allen moslemischen Bürgern verboten, Alkohol in der Öffentlichkeit zu trinken. In Saudi-Arabien erzwingen Moralwächter die Einhaltung der obligatorischen Gebete. Im Iran wurde nach der Islamischen Revolution der Versuch unternommen, alle Bereiche des Lebens nach den Vorschriften der Scharia umzugestalten. In

Saudi-Arabien und im Iran wird das Fastengebot während des Ramadan strikt durchgesetzt; in vielen moslemischen Ländern schließen die Restaurants während der Fastenstunden.

Auch das private Verhalten der Menschen orientiert sich wieder stärker an der Tradition. Viele moslemische Frauen halten sich wieder an die Empfehlung des Korans, bescheiden aufzutreten und keinen Anlaß für sexuelle Begierde zu geben, und verhüllen ihren Körper mit Ausnahme des Gesichts, der Hände und Füße.

Diese Art der Kleidung war jahrzehntelang außer Gebrauch geraten. Viele moslemische Frauen betonen, die traditionelle Kleidung vorzuziehen, weil die Männer sie dann als Personen und nicht als Sexualobjekte betrachteten. Andere haben den Eindruck, daß die Männer Frauen einfach als Sklavinnen behandelten. Noor Grant, die Herausgeberin der Zeitschrift *Islamic Canada Reflections*, erklärt, es sei »eine Travestie des Islam«, wenn man von allen moslemischen Frauen erwarte, sich zu kleiden »wie die unterdrückten Frauen in Saudi-Arabien«[45].

In manchen überwiegend moslemischen Staaten wie etwa Ägypten liegt ein Anreiz für die *Hidschab* (traditionelle Verschleierung aus Bescheidenheit) in der Möglichkeit, Arbeit zu finden, da Frauen nur beschäftigt werden, wenn sie den Schleier tragen.

Im Verlauf der Jahrhunderte ist die Scharia für den Einsatz in ganz unterschiedlichen Gesellschaften angepaßt worden; der Versuch, sie in der ursprünglichen Form wiederherzustellen, die zu Muhammads Zeit galt, oder in irgendeiner anderen Form, die irgendwann irgendwo einmal praktiziert wurde, verkennt die Nützlichkeit ihrer Flexibilität.

Viele Gebräuche, die für ursprünglich moslemisch gehalten werden, sind kulturelle Sitten, die mit dem Islam nichts zu tun haben, sondern durch die Assimilierung vorhandener Kulturen entstanden. Muhammad arbeitete Seite an Seite mit Frauen; der Koran ermutigt zu einer gleichberechtigten Beteiligung der Frauen an der Religion und der Gesellschaft. Die Sitte, Frauen zu verschleiern und einzuschließen, wurde aus der persischen und byzantinischen Kultur übernommen, und zwar aus deren Oberschicht; denn Bäuerinnen konnten ihre harte körperliche Arbeit naturgemäß nicht in den hinderlichen Gewändern oder den Blicken der Öffentlichkeit entzogen verrichten. Die Authentizität des Hadith, der Frauen einen untergeordneten Status zuweist, ist in jüngster Zeit von einigen Gelehrten in Frage gestellt worden, die kulturellen Festlegungen der Fraurolle bestehen jedoch fort und werden im allgemeinen auch als Teil des Islam betrachtet.

Ein weiteres Problem bei der Anwendung der Scharia als ein bürgerliches Gesetz besteht darin, daß manche heute bestehenden ethischen Fragen in dieser Form zur Zeit Muhammads noch nicht existierten oder nicht ausdrücklich im Koran oder im Hadith angesprochen sind. Beispielsweise gab es damals keine Mittel der Geburtenkontrolle. Erwähnt sind im Koran allerdings Kindesmord und Abtreibung: »Tötet eure Kinder nicht aus Furcht vor Armut. Wir werden für sie und für euch sorgen.« Bedeutet dies, daß der Islam alle Formen der Geburtenkontrolle ablehnen muß, oder ist auch die Übervölkerung der Erde in die Überlegungen einzubeziehen? Das islamische Rechtsdenken sieht vor, alle Aspekte einer Entscheidung in einer solchen nicht klar geregelten Streitfrage bis zu den Konsequenzen zu durchdenken und dann alle Entscheidungsvarianten abzulehnen, deren Nachteile die Vorteile überwiegen.

Viele moslemische Führer kritisierten gemeinsam mit der katholischen Kirche die Tagesordnung der UNO-Konferenz zur Bevölkerungs- und Entwicklungspolitik, die 1994 in Kairo stattfand. Sie hatten den Eindruck, daß sexuelle Promiskuität gefördert und traditionelle moslemische Familien- und Gemeinschaftswerte unterminiert würden, falls westliche Methoden der Familienplanung und der sexuellen Erziehung in ihren Ländern eingeführt würden.

Die Professorin Sajida Sultana Alvi erklärt, daß eine starre Anwendung der Scharia dem Geist des Islam widerspreche:

> *Veränderung ist tatsächlich das Wesen des Islam – ein bestimmender und zentraler Faktor. Wenn man den Islam jener Dynamik und der Fähigkeit zum Wandel beraubt, wird er statisch. Das ist der Grund, warum die Moslems in aller Welt so große Schwierigkeiten haben, wenn sie versuchen, die Anforderungen der Modernität mit Lösungen aus den heiligen Schriften zu bewältigen. Ich möchte damit nicht sagen, daß wir die heiligen Schriften nicht beachten sollten; wir sollten sie jedoch in einer Weise interpretieren, die eine Veränderung im Lauf der Zeit begünstigt und die moslemische Gemeinschaft zu den Veränderungen in Beziehungen setzt und integriert. Natürlich können wir die Grundlagen des Islam nicht außer acht lassen, deswegen aber sollten wir nicht bigott werden. Wir dürfen nicht jeder Veränderung gegenüber intolerant werden.*[46]

Die weltweite Familie des Islam ist keine politische Einheit; die zerbrach schon vor langer Zeit unter arabischer Herrschaft. Es gibt unter den moslemischen Staaten keinen Konsens darüber, wie sich eine friedliche, gerechte, moderne Gesellschaft auf den Grund-

In säkularen Gesellschaften, wo die Muslime als Minderheit leben, haben manche eigene Schulen für einen am Koran orientierten Unterricht aufgebaut, um sich vom Einfluß der Massenkultur abzusetzen. Koranstudiengruppe in Birmingham, England.

prinzipien des Islam aufbauen ließe. Gleichwohl besteht allgemein die Ansicht, daß die moderne westliche Zivilisation Probleme aufwerfe, die vermieden werden sollten, etwa Gewaltverbrechen, Drogenmißbrauch und instabile Familienverhältnisse.

> *Heute schreien alle Menschen nach Frieden, aber der Friede wird niemals erlangt, und zwar, weil es in metaphysischer Hinsicht absurd ist, von einer Zivilisation, die Gott verges-sen hat, Frieden zu erwarten.*   *Seyyed Hossein Nasr*[47]

Außenwirkung und Erziehung

Ein weiteres Zeichen für das Wiedererstarken des Islam ist seine gesteigerte Wirkung nach außen, weil die Moslems heute die Werte ihres Glaubens selbstbewußter vertreten. Der Islam ist die am schnellsten wachsende Weltreligion und besitzt eine Anhängerschaft von 1,2 Milliarden Menschen. Überall wurden neue Moscheen errichtet, darunter ein Islamisches Kulturzentrum in Manhattan, das 25 Millionen US-Dollar kostete, eine Summe, die überwiegend von Kuwait, Saudi-Arabien und Libyen aufgebracht wurde. Moslems, die in ihren Ländern eine Minderheit bilden, fordern entschiedener das Recht freier Religionsausübung. Sie meinen nicht mehr, verheimlichen zu müssen, daß sie fünfmal am Tag beten, oder Entschuldigungen dafür nötig zu haben, daß sie die Arbeit verlassen, um am Freitagsgottesdienst in der Moschee teilzunehmen.

Ein drittes Zeichen für das Wiedererstarken des Islam schließlich ist das zunehmende Interesse an Erziehungsmodellen, die auf dem islamischen Denken beruhen. Der Islam ist weder wissenschaftsfeindlich noch antiintellektuell. In früheren Zeiten hat er gerade Vernunft und Glauben miteinander verbunden, weil beide Bereiche entwickelt werden müssen, um die menschlichen Fähigkeiten voll zu entfalten.

Die westliche Erziehung läßt die religiösen Aspekte des Lebens unberücksichtigt, deshalb betrachten die Moslems sie als unvollständig und unausgewogen. Die erste Weltkonferenz zur moslemischen Erziehung (1977) definierte die Ziele der Erziehung folgendermaßen:

> *Die Erziehung sollte ein balanciertes Wachstum der gesamten Persönlichkeit des Menschen anstreben, indem sie seinen Geist, seinen Verstand, seine Vernunft, seine Gefühle und Sinneswahrnehmungen trainiert. Deshalb sollte die Erziehung für das Wachstum des Menschen in allen Bereichen sorgen – seiner Spiritualität, Intellektualität, Phantasie, seiner körperlichen, wissenschaftlichen, sprachlichen Fähigkeiten, und zwar in individueller und kollektiver Hinsicht. All diese Fähigkeiten sollen zum Guten und zum Streben nach Vollkommenheit eingesetzt werden. Das Ziel einer moslemischen Erziehung letztlich besteht in der Realisierung einer vollständigen Unterwerfung unter Allah auf der Ebene des Individuums, der Gemeinschaft und der gesamten Menschheit.*[48]

Der Islam in der Politik

Neben der Rückkehr zur Scharia, dem zahlenmäßigen Anwachsen der moslemischen Weltbevölkerung und dem Interesse an einer moslemisch ausgerichteten Erziehung ist auch eine zunehmende islamische Orientierung von Regierungen zu beobachten. Politische Führer nehmen in ihren Reden stärker als früher Bezug auf den Islam und auf Aussagen des Korans. Manche tun das, um den Status quo aufrechtzuerhalten und die islamische Vergangenheit zu glorifizieren. Andere bedienen sich in der arabischen Welt dieses Mittels, um mit Hilfe eines moslemischen Idealismus Opposition gegen herrschende Eliten mit starken Verbindungen zum Westen oder gegen als korrupt empfundene Regime zu schüren.

Die Pahlewi-Schahs des überwiegend schiitischen Iran hatten versucht, das Land schnell zu modernisieren und in eine militärische und industrielle Großmacht zu verwandeln. Dabei untergruben sie die Autorität der Ulama, der Geistlichen und der Ausleger der Scharia. Dieser entmachteten Gruppe entstammte der Revolutionsführer Ajatollah Khomeini; das Schahregime wurde 1979 aus dem Land gejagt. An die Macht gekommen, besaß die Ulama aber kein klares Programm, um die Gesellschaft nach islamischen Prinzipien umzugestalten. Die Scharia hat sich niemals für ein bestimmtes politisches oder ökonomisches System als das beste entschieden. Die Versuche, den Reichtum im revolutionären Iran umzuverteilen, waren halbherzig und konfus; außerdem nahm Khomeini einige drastische Uminterpretationen des Islam vor, um gewalttätige revolutionäre Aktionen zu rechtfertigen.

Der Ajatollah versuchte zudem, seine Revolution in andere moslemische Länder mit einem stärkeren schiitischen Bevölkerungsanteil, der seine Bemühungen weiterführen sollte, zu exportieren. Er führte Krieg gegen den »atheistischen« Irak (wo 50 Prozent der Einwohner Schiiten sind, die Herrschaft aber in den Händen von Sunniten liegt, die 40 Prozent der Bevölkerung stellen), griff das vorherrschend sunnitische Saudi-Arabien wegen dessen guten Verbindungen zum Westen an und hetzte libanesische Schiiten auf, ihren politischen Kampf gegen die Christen und gegen Israel als Teil einer weltweiten Schlacht zwischen dem Islam und den satanischen Kräften des westlichen Imperialismus und des Zionismus zu betrachten. Er verkündete ein Tötungsurteil gegen den in Indien geborenen britischen Schriftsteller Salman Rushdie, weil sein Roman *Die satanischen Verse* nach Khomeinis Ansicht eine Verhöhnung des Propheten und seiner Frauen darstellte. Bei gewalttätigen Auseinandersetzungen um dieses umstrittene Buch sind Hunderte von Menschen umgekommen.

Da Khomeinis Aufrufe zum Sturz bestehender Regierungen unbeachtet blieben, griffen Radikale auf Sabotage und Terrorismus als ihre mächtigsten Waffen zurück. Ihre Überfälle auf Zivilisten brachten die Weltmeinung gegen den Islam auf, statt daß seine Ideale Verbreitung fanden. Über diese im Untergrund agierenden radikalen Gruppen weiß man wenig, weil die Regierungen, die sie bekämpfen, die Medien kontrollieren und jene als törichte Fanatiker darstellen, womit sie westliche Ängste fördern und das westliche stereotype Bild des Islam unterstützen. Als der irakische Diktator Saddam Hussein versuchte, die kuwaitische Königsfamilie zu stürzen, woraus sich der Golfkrieg entwickelte, wurde der Islam wiederum von beiden Seiten zu politischen Zwecken mißbraucht. Der arabische Nationalist Saddam Hussein griff auf ihn zurück, um die Massen gegen die in seinen Augen vorliegende Einmischung des Westens zu mobilisieren.

Ein Nebeneffekt der negativen Publizität, die die moslemischen Extremisten erzielten, war der großangelegte Versuch gemäßigter Moslems, positive Informationen über ihren Glauben zu vermitteln. Das Interesse nahm schnell zu: Nichtmoslemische Gemeinschaften, die dem Islam Verständnis entgegenbringen, statt ihn ohne alle Kenntnis abzulehnen, sind an Kontakten mit moslemischen Sprechern interessiert. Juden entdecken mit Überraschung starke Parallelen zwischen dem Islam und ihren eigenen Glaubensüberzeugungen; Christen überwinden langsam jahrhundertealte, auf Falschinformation beruhende Ängste.

Trotz alledem waren bei den nationalistischen Kämpfen dieses Jahrhunderts die Opfer sehr häufig Moslems. Etwa 80 Prozent aller Flüchtlinge auf der Welt sind Moslems. In Tschetschenien, wo eine Unabhängigkeitsbewegung des überwiegend moslemischen Volkes die geballte Staatsmacht der russischen Zentralregierung bekriegte, besuchten gemeinsame Teams von Christen, Moslems und Buddhisten die Kampfgebiete und Krankenhäuser, um humanitäre Hilfe und Nahrungsmittel zu bringen. Mufti Magomed-Khadschi Albogatschiew, Vorsitzender des Religiösen Zentrums der Moslems der Republik Inguschetien (einer autonomen russischen Republik an der Grenze zu Tschetschenien), erklärte dazu:

Leider waren Katastrophen nötig, um uns zusammenzubringen. Wir haben viele Möglichkeiten zur Kooperation. Wir nutzen sie aber nicht alle. Allah hat uns gelehrt, daß wir einander in Ausübung guter Taten unterstützen sollen.[49]

Mufti Albogatschiew sprach weiter von der jüngsten Vergangenheit, in der die Moslems zusammen mit Menschen anderer Religionen von den kommunistischen Machthabern eingekerkert und ermordet wurden.

Wir sollten nie vergessen, daß es nichts Schrecklicheres, nichts Gefährlicheres gibt als ein Leben ohne Gott. Religiöse Menschen galten um ihres Glaubens willen als Kriminelle und wurden ins Gefängnis geworfen, nur weil sie religiöse Bücher besaßen. In einer Region Rußlands, in der es einmal 14 000 Moscheen gegeben hatte, existierten nur mehr 70. Zehntausende religiöse Führer wurden verhaftet und in Zwangsarbeitslager verschleppt, wo sie umkamen; Hunderte Tonnen religiöser Bücher wurden von den Sowjets verbrannt: Ich möchte Sie daran erinnern, daß es nichts Gefährlicheres gibt als den Atheismus und ein Leben ohne Gott. Gott aber erhörte unsere Gebete, und das Regime ging an sich selbst zugrunde, da nichts es hätte stürzen können, wenn dies nicht Gottes Wille gewesen wäre.[50]

Bis vor kurzem verwiesen die Moslems häufig auf die Vergangenheit als Beweis für den Wert ihrer Tradition. Doch in letzter Zeit geht der Blick nach vorn; man untersucht, was der Islam zur Schaffung einer besseren Welt beitragen kann. Mahmoon-al-Rasheed, der Gründer des Comprehensive Rural Educational, Social, Cultural and Economic Centre in Bangladesch, ist der Überzeugung, daß es nur darum Gewalt innerhalb und zwischen den Nationen gebe, weil die Menschen noch kein Gefühl der Verantwortung füreinander entwickelt und nicht erkannt hätten, wie untrennbar alle Völker der Welt miteinander verknüpft seien. Die islamischen Werte sollten nicht zur Errichtung eines politischen Staates, sondern einer harmonisch integrierten Weltgemeinschaft eingesetzt werden:

Wir können nicht beginnen, unser Potential voll auszuschöpfen, solange wir nicht eine Gemeinschaft entwickelt haben, die keine anderen Grenzen als die der menschlichen Gesellschaft kennt und in der die Beachtung des Rechts für alle verbindlich ist.[51]

Dr. Ahmad Kamal Abul Madschd, ehemaliger ägyptischer Kulturminister, blickt vertrauensvoll in die Zukunft:

Ich bin glücklich und stolz, Moslem zu sein. Ich trage auf meinen Schultern eine Reihe von Werten, einen ethischen Kodex, von dem ich fest überzeugt bin, daß er für alle gut ist … Manchmal gehe ich sogar so weit zu erklären, daß der Islam nicht für die frühen Jahre der islamischen Gemeinschaft berechnet war, als das Leben noch urtümlich war und die gesellschaftlichen Institutionen stabil funktionierten. Er sollte gewissermaßen in einen Kühlschrank gesteckt und herausgeholt werden, wenn man ihn wirklich brauchte. Und ich glaube, diese Zeit ist jetzt gekommen. Die Herausforderung ist allerdings groß, denn nicht alle Moslems erkennen, daß die Aufgabe des Islam nicht in der Vergangenheit, sondern in der Zukunft liegt.[52]

KAPITEL 12
SIKHISMUS

*»Durch des Gurus Gnade sollst
du Ihn verehren«*

Mit Guru Nanak trat in Nordindien im 15. Jahrhundert ein weiterer großer Lehrer in Erscheinung. Seine Gefolgsleute wurden *Sikhs* genannt – Jünger, Schüler, Wahrheitsuchende. Sie betrachteten ihren Glauben nicht als singuläre Konfession, sondern vielmehr als Feststellung der universalen Wahrheit innerhalb und jenseits aller Religionen. Viele ihrer Vorstellungen wurden als Synthese der hinduistischen und moslemischen Traditionen Nordindiens gedeutet, doch der Sikhismus besitzt eine eigene Qualität, mit einer unabhängigen Offenbarung und Geschichte.

Außenstehende wissen kaum etwas über die spirituelle Essenz des Sikhismus. Man tendiert dazu, das Wort »Sikh« mit den militärischen und politischen Aspekten des Unabhängigkeitskampfes der Pandschabis gleichzusetzen. Je stärker sich das Bewußtsein für die Sikh-Spiritualität verbreitet, desto mehr wird der Sikhismus zur globalen Religion, die jedoch keine aktive Missionierung betreibt, sondern die Universalität des Spirituellen betont.

Die Sant-Tradition

Hinduismus und Islam hatten in Nordindien bereits vor den Lebzeiten des Guru Nanak einander anzunähern begonnen. Eine maßgebliche Rolle kam dabei dem hinduistischen Heiligen Ramananda zu, der theologische Dispute mit Lehrern beider Religionen führte. Eine tiefer gehende Verbindung erfolgte jedoch in den Herzen der *Sants* (»heilige Menschen«), vornehmlich bei Sufi-Mystikern wie Scheich Farid oder Hindu-Bhaktas wie Sri Caitanya. Ihr gemeinsames Anliegen war, die Hingabe an den einen »Geliebten« zu betonen.

Das berühmteste Bindeglied zwischen Hindus und Moslems verkörpert ein Weber namens Kabir (1440–1518), Sohn moslemischer Eltern und Jünger des hinduistischen Gurus Ramananda. Anstatt die Askese zu wählen, verblieb er arbeitend an seinem Webstuhl und komponierte erdnahe und zugleich tiefgründige Lieder über die Vereinigung mit dem Göttlichen. Er vermochte sich leicht über theologische Unterschiede zwischen den Religionen hinwegzusetzen, denn er stellte die ekstatische, persönliche Innigkeit mit Gott über die äußere Form.

Für den Einen sprechend, schrieb er:

Suchst du mich? Ich sitze gleich neben dir.
Meine Schulter lehnt gegen deine.
Nicht in Stupas wirst du mich finden, auch nicht in indischen Schreinen,
Synagogen oder Kathedralen,

nicht in Messen, beim Kirtan, nicht in Beinen, die du um deinen eigenen Hals windest,
auch nicht, indem du nichts als Gemüse ißt.
Wenn du mich wirklich suchst, wirst du mich sogleich sehen -
finden wirst du mich im winzigsten Haus der Zeit.
Kabir spricht: Schüler, sag, was ist Gott?
Er ist der Odem innerhalb des Odems.[1]

Guru Nanak

Als Guru Nanak 1469 geboren wurde, war die als Pandschab bezeichnete nordindische Region je zur Hälfte moslemisch und hinduistisch und wurde von einer schwachen afghanischen Dynastie regiert. Das Pandschab war bereits seit Jahrhunderten das Einfallstor fremder Mächte nach Indien gewesen. Der mongolische Eroberer Tamerlan hatte 1398 auf seinem Weg nach Delhi und wieder zurück eine Spur der Verwüstung hinterlassen. Gegen Ende von Nanaks Leben drang der Großmogul Babur in das Pandschab ein und beanspruchte die Region für sich. Die Tatsache, daß das Pandschab zum ständigen Zankapfel wurde, entwickelte sich zu einem entscheidenden Aspekt des Sikhismus.

Dem Vernehmen nach kümmerte sich Nanak im allgemeinen wenig um irdische Belange. Bereits als Kind neigte er zu Beschaulichkeit und widerstand den Privilegien seiner hinduistischen Religion. Auch nach seiner Heirat streifte er offenbar lieber in der Natur umher, anstatt zu arbeiten, und gab alles Geld den Armen. Später nahm er eine Stelle als Buchhalter an, doch Gewinnstreben war ihm nicht wichtig.

Eine tiefgreifende Veränderung ereignete sich, als er mit 30 Jahren in einen Fluß tauchte, aus dem er der Legende nach nicht vor Ablauf von drei Tagen wieder hervorkam. Heute begegnet man auch der Deutung, er habe nur am gegenüberliegenden Ufer meditiert; jedenfalls blieb er einige Zeit lang verschwunden, und als er plötzlich in der Stadt wieder auftauchte, war er erleuchtet. Einer Überlieferung zufolge hatte Gott ihm eine Schale Milch zu trinken gegeben und gesagt, dies sei in Wahrheit Nektar (*Amrit*), der ihm »Kraft zum Gebet und Liebe zur Anbetung, Wahrheit und Genügsamkeit«[2] verleihe. Der Allmächtige hieß ihn in die verderbte Welt zurückzukehren und sie vom *Kali Yuga*, dem finstersten Zeitalter, zu erlösen.

Nach diesem Ereignis im Jahre 1499 reiste Nanak durch Indien, den Himalaja, Afghanistan, Sri Lanka und Arabien und lehrte seine eigenen, oft überraschenden Überzeugungen.

Auf die Frage, ob er dem hinduistischen oder dem moslemischen Pfad folge, erwiderte er: »Es gibt weder Hindus noch Muselmanen, wessen Pfad soll ich also folgen? Dem Pfad Gottes werde ich folgen. Gott ist weder Hindu noch Muselmane …«[3] Nanak mokierte sich über die hinduistische Tradition, zur Ahnenverehrung heiliges Flußwasser gen Osten in Richtung der aufgehenden Sonne zu spritzen – er spritzte es nach Westen. Wenn die Hindus das Wasser weit genug spritzen könnten, daß es ihre Ahnen Tausende von Kilometern entfernt im Himmel erreicht, dann könne er gewiß sein mehrere hundert Kilometer entferntes, ausgedorrtes Land in Lahore bewässern, indem er Wasser in diese Richtung spritze.

Als Pilger in Mekka nächtigend, soll er angeblich mit den Füßen in Richtung der Kaaba geschlafen haben. Zu diesem ungebührlichen Verhalten befragt, antwortete er: »Dann seid so freundlich und dreht meine Füße in eine Richtung, wo Gott nicht ist.« Er bevorzugte den inneren gegenüber dem äußeren Weg. In moslemischer Begrifflichkeit heißt dies:

Ein Bildnis des Guru Nanak und die Worte »Ik Onkar« (»ein Gott«) zieren diesen Gurdwara im englischen Coventry.

Gnade mache zu deiner Moschee, Glauben zu deinem Gebetsteppich,
Rechtschaffenheit zu deinem Koran;
Bescheidenheit zu deiner Beschneidung, Güte zu deinem Fasten,
denn so verleiht der wahre Moslem seinem Glauben Ausdruck.
Gute Taten mache zu deiner Kaaba, nimm Wahrheit als
deinen Meister, fromme Taten zu deinem Bekenntnis und Gebet.
Laß Gleichmut zu den Perlen werden, die du zählst,
und Gott wird dich zur Herrlichkeit erheben.[4]

Immer wieder betonte Guru Nanak drei zentrale Lehren als direkten Weg zu Gott: harte Arbeit innerhalb der Gesellschaft, um ein bescheidenes Auskommen zu finden (anstatt sich in Askese und Bettelei zurückzuziehen), Gaben an die Bedürftigen und stetes Denken an Gott als dem einzigen, der tut und gibt.

Durch sein Engagement für den praktischen Glauben im Gegensatz zum äußerlichen Befolgen religiöser Förmlichkeiten gewann Nanak Gefolgsleute aus dem Hinduismus und dem Islam. Vor seinem Tod stritten sie, wie sie ihn bestatten sollten. Angeblich soll er Moslems und Hindus angewiesen haben, jeweils links und rechts seines Leichnams Blumen zu streuen. Bestatten sollte ihn, wessen Blumen am nächsten Tage noch frisch seien. Als man am darauffolgenden Tag das Leichentuch entfernte, waren er verschwunden; nur noch die Blumen waren da – allesamt frisch und den Duft seiner Existenz zurücklassend.

O mein Geist, liebe Gott wie der Fisch das Wasser:
Je mehr Wasser, um so glücklicher der Fisch,
um so friedvoller sein Geist und Körper.
Nicht einen Augenblick vermag er ohne Wasser zu leben.
Gott weiß um die innere Pein jenes Wesens ohne Wasser.

Guru Nanak[5]

Die Abfolge der Gurus

Zum spirituellen Nachfolger ernannte Nanak seinen hingebungsvollen Jünger Angad Dev. Als zweiter Guru stärkte dieser die neu entstandene Sikh-Tradition und bemühte sich, die erinnerten Lehren, wie sie mündlich in der Umgangssprache überliefert wurden, schriftlich zu fixieren.

Insgesamt gab es zehn Sikh-Gurus. Der zweite Guru, der nach dem Tod seines geliebten Meisters Guru Nanak nur äußerst ungern eingewilligt hatte, die Rolle eines Gurus einzunehmen, war ein leuchtendes Beispiel für die zentralen Tugenden der Demut und Dienstbarkeit.

Der dritte und der vierte Guru verliehen der wachsenden Sikh-Gemeinschaft entsprechende Strukturen und zeigten eine beispielhafte Demut. Der vierte Guru gründete die heilige Stadt Amritsar, in der mit dem Goldenen Tempel das höchste Heiligtum der Sikhs errichtet wurde.

Der fünfte Guru stellte die heiligen Schriften der Sikhs zusammen, das *Adi Granth* (»erstes heiliges Buch«), ausgehend von Lobeshymnen, die Guru Nanak, die übrigen Gurus sowie hinduistische und moslemische Heilige verfaßt hatten, darunter auch Kabir und zahlreiche spirituelle Angehörige niederer Kasten. Der Großmogul Akbar, der eine Kopie angefordert hatte, zeigte sich über den dort vertretenen Universalismus derart erfreut,

Es gab zehn Sikh-Gurus, von Guru Nanak (oben Mitte) bis Guru Gobind Singh (unten Mitte). Der letzte Guru wies seine Jünger an, fortan die heilige Schrift – Guru Granth Sahib (Mitte) – als ihren Guru anzusehen.

daß er das Buch mit Gold entlohnte. Da man den fünften Guru jedoch offenbar verdächtigte, einen rivialisierenden Anwärter auf Akbars Thron zu unterstützen, ließ ihn dessen Sohn und Nachfolger Dschehangir 1606 foltern und hinrichten. Während der Hitzefolter soll der fünfte Guru, ungebrochen in Liebe und Glauben, schweigend über Gott meditiert haben.

Er schuf Lobeshymnen wie die folgende:

Gnadenvoll, gnadenvoll ist der Herr.
Gnadenvoll ist mein Meister.
Mit seinen Gaben segnet er alle Geschöpfe.
Warum zauderst du, o Sterblicher? Der Schöpfer selbst wird dich behüten.
Er, der dich geschaffen, nimmt sich deiner an ...
O Sterblicher, meditiere über den Herrn, solange Odem durch deinen Körper strömt.[6]

Von da an trafen die Sikhs Vorkehrungen, um sich zu schützen und die Schwachen sämtlicher Bekenntnisse gegenüber der Tyrannei zu verteidigen.

Der sechste Guru stellte eine Sikh-Armee auf; er trug selbst Schwerter (eines für die weltliche und eines für die spirituelle Macht) und lehrte die Menschen, ihre Religion zu verteidigen.

Der sanftmütige siebte Guru war Pazifist und setzte seine Truppen niemals gegen die Moguln ein. Er lehrte seine Glaubensbrüder, nicht nur jeden zu speisen, der an ihre Tür komme, sondern auch

in solcher Weise dienstbar zu sein, daß der arme Gast nicht das Gefühl hat, eines Almosens teilhaftig zu werden, sondern in des Gurus Haus gekommen zu sein, das allen in gleichem Maße gehört. Wer mehr besitzt, möge es als Gottes Lehen betrachten und es in diesem Geiste mit anderen teilen. Der Mensch ist allein ein Mittler der Dienstbarkeit, denn der Gebende ist Gott, unser aller Guru.[7]

Der achte Guru trat im Alter von nur fünf Jahren die Nachfolge Guru Nanaks an und starb bereits mit acht. Von Hindu-Pandits verspottet, berührte der »Kind-Guru« der Legende zufolge einen einfachen Sikh-Wasserträger mit dem Gehstock, worauf dieser brillant über die Urgründe der Bhagawadgita, der heiligen Schrift der Hindus, zu sprechen begann.

Der neunte Guru fand 1675 den Märtyrertod. Wie berichtet wird, waren Hindus an ihn herangetreten, denen die Zwangsislamisierung durch den Großmogul Aurangseb bevorstand. Diesem galt der Hinduismus als eine vollkommen korrupte, götzendienerische Religion, die den Menschen nicht zu Gott führte. Er hatte die Zerstörung der Hindu-Tempel und die landesweite Massenbekehrung der Hindus angeordnet, im Norden mit Kaschmir beginnend.

Ein dort lebender Hindu soll geträumt haben, daß allein der neunte Guru, der Erlöser im Kali Yuga, die Hindus retten könne. Nachhaltig von seinem jungen Sohn unterstützt, wies Guru Teg Bahadur die Hindus an, ihren Unterdrückern mitzuteilen, daß sie zum Islam überträten, falls sich der Sikh-Guru ebenfalls dazu bewegen ließe. Eingekerkert und gezwungen, Folterung und Ermordung seiner Gehilfen mit anzusehen, hielt der neunte Guru unerschütterlich am Recht aller auf religiöse Freiheit fest. Aurangseb enthauptete ihn vor einer vieltausendköpfigen Menge. Später schrieb sein Sohn: »Er gab sein Haupt, nicht aber seine Entschlossenheit.«[8]

Nachfolger des neunten Gurus war dessen junger Sohn, Guru Gobind Singh. Er machte aus den verängstigten Sikhs heilige Krieger im Dienste der Wahrheit.

Wie es heißt, teilte er auf einer 1699 eigens einberufenen Versammlung seinen Jüngern mit, die Zeiten seien derart gefahrvoll, daß er einen Plan entwickelt habe, um der Gemeinschaft Kraft und Zusammenhalt zu geben. Notwendig sei allerdings, daß man sich ihm vollkommen unterwerfe. Fünf Freiwillige meldeten sich auf seinen Aufruf hin, ihr Leben für die Sache zu opfern. Nacheinander wurden sie in das Zelt des Gurus geführt, und jedesmal trat dieser mit einem blutigen Schwert allein wieder hinaus. Anschließend jedoch führte er alle fünf wohlbehalten aus dem Zelt. Einige vermuten, daß Guru Gobind Singh das Blut einer Ziege benutzt habe, um die Loyalität der Männer zu testen; andere sind der Überzeugung, Guru Gobind Singh habe die Männer tatsächlich getötet und wiederauferweckt.

Wie dem auch sei – immerhin war dies ein nachdrücklicher Beweis der Dienst- und Opferbereitschaft der Männer, so daß die »fünf Geliebten« zum Vorbild für die Sikhs wurden.

Guru Gobind Singh führte eine spezielle Taufinitiation ein: In das Taufwasser wurde in doppelschneidiges Schwert getaucht, um seine Gefolgsleute in Helden zu verwandeln. Zucker, das dem Wasser beigefügt wurde, sollte als Symbol ihres Mitgefühls für den Gegner gelten.

Nachdem er die »fünf Geliebten« getauft hatte, begründete er die einzigartige Beziehung zwischen den Sikhs und ihrem Guru, indem er sie bat, auch ihn zu taufen. Damit untermauerte er das Prinzip der Gleichheit aller Sikhs. Die getauften Männer erhielten den Beinamen *Singh* (»Löwe«), und die als gleichwertig behandelten Frauen bekamen den Namen *Kaur* (»Prinzessin«). Gemeinsam bildeten sie die *Khalsa* (»Reine«), eine Gemeinschaft, die einem besonderen Kodex der persönlichen Disziplin verpflichtet war und auf fünf Erkennungsmerkmale eingeschworen wurde: langes, ungeschnittenes, unter Turban oder Schleier gestecktes Haar; Kamm; Stahlarmband zur persönlichen Erinnerung, Gott zu dienen; kurze Unterhosen als Zeichen der Mäßigung; ein Schwert als Zeichen der Würde und der Bereitschaft, für Gerechtigkeit und den Schutz der Armen zu kämpfen.

Die Sikhs unterschieden sich durch diese »Fünf K« (so genannt, da sie auf Pandschabi alle mit dem Buchstaben K beginnen) deutlich von Moslems und Hindus und bestärkten damit ihren Anspruch auf einen eigenständigen dritten Weg zur spirituellen Erhabenheit. All diese Neuerungen dienten dazu, aus den Gläubigen Krieger zu machen, die das Joch der Mogulherrschaft abwerfen und für die Religionsfreiheit eintreten. Die auffällige Kleidung machte es den Khalsa unmöglich, sich ihren Pflichten zu entziehen. In der Geschichte der Sikhs boten sich ihnen zahlreiche Gelegenheiten, ihre Tapferkeit unter Beweis zu stellen. So sollen die noch jugendlichen Söhne des zehnten Gurus den Tod gefunden haben, als sie, ganz auf sich gestellt, gegen mehrere tausend Mogulsoldaten kämpften.

Guru Gobind Singh, der die gläubigen Sikhs zu einer tapferen Gemeinschaft zusammenschmiedete, war zugleich der letzte der Gurus. Auf dem Totenbett übertrug er seine Autorität im Jahr 1708 an das Adi Granth und nicht an einen menschlichen Nachfolger. Aus dem Granth Sahib (ein anderer Name für Adi Granth, mit »Sahib« als Ausdruck der Verehrung) wurde somit *Guru Granth Sahib*. Die lebendige Gegenwart des Gurus wohnte fortan den heiligen Schriften inne, die die Khalsa beständig konsultieren, um spirituellen Beistand und Rat bei Entscheidungen zu finden.

Während das Mogulreich zu zerfallen begann und Afghanen in Indien eindrangen, fochten die Sikhs für eine eigene Identität und Souveränität. Unter Maharadscha Ranjit Singh entstand im 18. Jahrhundert ein eigenes Reich, dessen säkulare Regierung – trotz der früheren Unterdrückung durch moslemische Herrscher – sich durch großzügige Toleranz gegenüber den Moslems auszeichnete. Man unternahm den Versuch, eine pluralistische Gesellschaft mit sozialer Gleichheit und uneingeschränkter Religionsfreiheit zu errichten und besetzte den Khyberpaß zum Schutz vor Invasoren. Das Reich hatte jedoch nur ein halbes Jahrhundert Bestand – bis zur Unterwerfung durch die Briten im Jahre 1849.

Widerstand gegen Unterdrückung wurde zu einem Kennzeichen des Sikhismus, denn Indien durchlebte schwere Zeiten. Trotz hoher Verluste standen die zahlenmäßig unterlegenen Kämpfer von Guru Gobind Singh am Anfang der bis ins 20. Jahrhundert fortdauernden Bemühungen, das Land vor Fremdherrschaft zu bewahren. Dr. S. Radhakrishnan, der hochgeachtete ehemalige Staatspräsident, zollte den militärischen Leistungen des Gurus hohes Lob:

Nach der Niederlage von Raja Jaipal hatte Indien 1000 Jahre lang darniedergelegen. Angreifer und Invasoren fielen über Indien her und verkauften die Menschen als Sklaven. Die Männer schauten zu und hatten nicht den Mut, gegen das Weinen, Wehklagen, Schluchzen und Jammern ihrer Mütter, Schwestern und Töchter anzukämpfen. Das arme Indien durchlitt unvorstellbare Qualen. Guru Gobind Singh führte die Khalsa gegen religiöse Intoleranz und Verfolgung und politische Ungleichheit. Wie durch ein Wunder erhoben sich Helden aus Strohhalmen und gewöhnlichem Ton. Die eben noch am Boden krochen, wurden zu stolzen, wehrhaften und unbesiegbaren Khalsa. Heiter und unnachgiebig ertrugen sie alles Leiden und unaussprechliche Folter … Endlich ist Indien frei. Diese Freiheit ist Krönung, Höhepunkt und zugleich logische Folge der schrecklichen Opfer und heroischen Taten des Sikh-Gurus und der Khalsa.[9]

Die Geschichte der Sikhs ist von einer auffälligen Tapferkeit geprägt. Überdies berichtet man von zahlreichen Wundern, die sich in der Umgebung der Gurus zugetragen haben sollen, wie etwa das bereits erwähnte Vermögen des »Kind-Gurus«, der einen niederen Wasserträger zu einer tiefgründigen Erläuterung der Bhagawadgita befähigte. In der Spi-

Baba Siri Chand, der ältere Sohn von Guru Nanak, verband die Kraft aus intensiver Meditation mit der Kraft aus harter Arbeit.

EINE LEHRGESCHICHTE

Guru Arjan Dev und seine Hingabe

Guru Arjan Dev, der fünfte Sikh-Guru, reagierte sein Leben lang mit unerschütterlichem Gottesglauben auf die Machenschaften der Eifersüchtigen. Sein Märtyrertod war der letzte Beweis seiner Hingabe.

Großmogul Dschehangir behauptete, das Adi Granth – die von Guru Arjan Dev zusammengestellte heilige Schrift – vermittle eine negative Haltung gegenüber Hindus und Moslems, obgleich sich die Gefolgschaft des sanftmütigen Gurus aus beiden Gruppierungen rekrutierte. Dschehangir ordnete an, alle Hinweise auf den Hinduismus und Islam aus der heiligen Schrift zu entfernen und den Guru zur Zahlung von 200 000 Rupien zu verurteilen. Dem Vernehmen nach erwiderte der Guru, die Hymnen der Sikh-Gurus und der moslemischen und hinduistischen Heiligen seien inspirierte Lobpreisungen Gottes, die niemand verändern könne. Außerdem gehöre das Geld nicht ihm, sondern der Sikh-Gemeinde und diene der Versorgung der Bedürftigen. Die Sikhs begannen Geld zu sammeln, doch der Guru unterband dies mit der Begründung, er habe nichts Falsches getan, und Kompromisse mit dem Falschen seien unreligiös.

Scheinbar zur Bestrafung seiner Widerspenstigkeit, jedoch wohl eher, um seinen großen Einfluß zu beenden, unterwarf man den Guru in der ohnehin schrecklichen Sommerhitze einer grausamen Hitzefolter, indem man ihn auf ein heißes Blech setzte, heißen Sand über ihn schüttete und ihn in kochendes Wasser stellte.

Während dieser Folter wandte sich Mian Mir, ein anerkannter islamischer Heiliger, der den Grundstein des Heiligen Tempels von Amritsar gelegt hatte, flehend an den Guru, seine mystische Macht gegen die Peiniger richten zu dürfen. Guru Arjan Dev weigerte sich jedoch und hieß Mian Mir, geduldig zu akzeptieren, daß alles unter Gottes Kontrolle sei und daß jedes Blatt allein durch Gottes Willen bewegt werde.

Die Schwiegertochter von Chandu, des reichsten Mannes von Delhi, der den Mogul gegen den Guru aufgebracht hatte, bot dem Guru einen kühlen Linderungstrank an. Doch ebenso wie er Bemühungen, sie mit seinem Sohn zu vermählen, mit dem Argument begegnet war, die Tochter eines reichen Mannes könne im Heim eines Derwischs nicht glücklich werden, wies er alles von sich, segnete sie jedoch wegen ihrer Hingabe.

Während der fünftägigen Folterungen hielt Guru Arjan Dev schweigend an seinem Gottesglauben fest. Dann zwang man ihn, im Fluß neben der Mogulfestung zu baden. Seine Jünger weinten angesichts der Blasen, die seinen Körper bedeckten. Auf wunden Sohlen gehend, wiederholte er stets: »Süß ist dein Wille, o Gott; nur das Geschenk deines Namens suche ich.« Ruhig schritt er in das Wasser und tat seinen letzten Atemzug.

ritualität der Sikhs kommt weder dem Alter noch der Kastenzugehörigkeit eine Bedeutung zu.

Obgleich die Sikh-Gurus ihrer Gefolgschaft keinen Missionsauftrag erteilten, wurde ihre Botschaft, wenn auch in zurückhaltender Weise, von den Udasis verbreitet. Diese Entsagenden ziehen sich nicht aus der Welt zurück, sondern üben strenge Disziplin und Meditation und sind zugleich bemüht, der Menschheit zu dienen. Ihre Missionstätigkeit begann unter Baba Siri Chand, dem asketisch lebenden älteren Sohn von Guru Nanak. Mit den Sikh-Gurus in innigem Kontakt stehend, genoß er wegen seiner spirituellen Kraft, Weisheit und Prinzipien die Hochachtung der Menschen ungeachtet ihrer Kastenzugehörigkeit und Konfession. Eine während der Herrschaft des Großmoguls Schah Jahan durchgeführte Volkszählung ergab, daß Baba Siri Chand unter den indischen Heiligen die größte Gefolgschaft besaß. Dennoch lenkte er alle Aufmerksamkeit und Lobpreisungen auf seinen Vater und gab sich nie selbst als Guru aus. In zahlreichen Regionen des indischen Subkontinents begegnet man noch heute Gemeinschaften und Bildungseinrichtungen der Udasi. Darüber hinaus entdeckte man in Baku (Aserbaidschan) Udasi-Inschriften.

Zentrale Glaubensvorstellungen

Den Mittelpunkt des Sikhismus bildet die liebevolle Hingabe an den einen Gott, wie man ihn unter vielen verschiedenen Namen auf der ganzen Welt verehrt. Gott ist gestaltlos und jenseits von Raum und Zeit, die einzige Wahrheit und Wirklichkeit. Diese schrankenlose Vorstellung stammt aus Guru Nanaks *Mul-Mantra* (»elementarer heiliger Gesang«), das dem Guru Granth Sahib einleitend voransteht, und dem *Japji*, dem ersten Morgengebet der Sikhs:

> *Es gibt einen Gott.*
> *Sein Name ist Wahrheit.*
> *Der Schöpfer,*
> *ohne Furcht, ohne Hast,*
> *ewiges Wesen.*
> *Jenseits von Geburt und Tod,*
> *aus sich selbst bestehend,*
> *vergegenwärtigt durch des Gurus Gnade.*[10]

In Anlehnung an Guru Nanak bezeichnen die Sikhs Gott oftmals als *Sat* (»Wahrheit«) oder *Ik Onkar* (das »eine höchste Wesen«). Gott ist reines Wesen ohne Attribute.

Guru Gobind Singh, der zahlreiche Gelehrte und Poeten um sich versammelt hatte, verdanken wir eine Vielzahl von Lobpreisungen des einen, schranken- und gestaltlosen Gottes. Seine eingebungsvolle Komposition *Japji Sahib* besteht aus 199 Verszeilen wie den folgenden:

> *Unsterblich,*
> *allmächtig,*
> *jenseits von Zeit*
> *und Raum,*
> *unsichtbar,*
> *jenseits von Name, Kaste oder Bekenntnis,*
> *jenseits von Form und Gestalt,*
> *erbarmungsloser Vernichter*
> *allen Stolzes und Übels,*
> *die Erlösung aller Wesen …*
> *das ewige Licht,*
> *der süßeste Windhauch,*
> *die wunderbarste Gestalt,*
> *das Prächtigste.*[11]

Das Licht Gottes erstrahlt in vollem Glanz durch den Guru, den vollkommenen Propheten. Außerdem ist es im Guru Granth Sahib, dem Heiligen Wort (*Shabd*) Gottes gegenwärtig und in allem Geschaffenen, in dem der »heilige Name« (*Nam*) Gottes wohnt. Gott ist nicht von dieser Welt getrennt. Vielmehr durchdringt er den gesamten Kosmos und ist daher in allem anzutreffen.

Der neunte Guru schrieb:

Das Guru Granth Sahib wird von den Sikhs mit großer Ehrfurcht behandelt: auf Kissen gebettet, mit feinem Tuch bedeckt und in tiefem Respekt auf dem Kopf umhergetragen.

Der Goldene Tempel in Amritsar, das größte Heiligtum der Sikhs.

Warum gehst du in den Wald, um Gott zu finden? Er lebt in allem und bleibt doch besonders. Auch in dir wohnt er, wie Duft in einer Blume oder das Abbild in einem Spiegel. In allem verweilt Gott. Sieh ihn daher in deinem Herzen.[12]

Der Sikhismus beansprucht weder, den einzigen Zugang zu Gott zu besitzen, noch bemüht er sich, andere zu bekehren. Hierzu Ralph Singh, Gründer der mehrheitlich aus Sikhs bestehenden Gemeinschaft Gobind Sadan in den USA: »Wer Teil eines Leuchtfeuers ist, sieht keine Trennlinien.«[13]

Die Grundsteinlegung für den Goldenen Tempel in Amritsar wurde durch den geachteten moslemischen Mystiker Said Mian Mir vollzogen. Seine vier Tore sollen Menschen sämtlicher Traditionen zur Andacht einladen. Als Guru Gobind Singh seine Armee gegen die Tyrannenherrschaft aufstellte, ermahnte er die Sikhs, dem Islam oder Hinduismus, den Religionen der Gewaltherrscher, nicht mit Feindseligkeit zu begegnen. Der wahre Feind waren für ihn Unterdrückung und Korruption. Die heiligen Sikh-Kämpfer legen ein Gelöbnis ab, für die Freiheit aller Religionen einzutreten. Der Sikhismus wendet sich dabei gegen jedwede leere Rituale und bekräftigt statt dessen die Universalität aller Religionen.

Nach dem Sikh-Ideal besteht der Zweck des Lebens darin, sich Gottes in der Welt gegenwärtig zu werden – durch tagtägliches Arbeiten und Beten sowie durch Wohltätigkeit und aufopferungsvolle Liebe. Alle Menschen haben Anspruch auf Gleichbehandlung, denn Gottes Licht wohnt in ihnen allen, wobei das Ego ein Haupthindernis der Vergegenwärtigung Gottes darstellt. Seit den Anfängen mit Guru Nanak haben es die Sikhs abgelehnt, das traditionelle indische Kastensystem anzuerkennen.

Wie der Hinduismus nimmt auch der Sikhismus eine Abfolge mehrerer Leben an, wobei das Karma (die Auswirkungen früherer Handlungen auf das gegenwärtige Leben) den Übertritt der Seele in den neuen – menschlichen oder tierischen – Körper bestimmt. Höchstes Lebensziel ist *Sahaj* – die mystische Vereinigung mit dem Göttlichen, wie es sich in der eigenen Lebensweise widerspiegelt.

Von Gott getrennt war ich viele Geburten lang, trocken wie eine welke Pflanze. Doch durch des Gurus Gnade ergrünte ich.

Guru Arjun, der fünfte Guru[14]

Heilige Praktiken

Ein gläubiger Sikh führt ein sehr diszipliniertes Leben der Unterwerfung und Hingabe an Gott, mehrere Stunden täglich verbringt er im Gebet, im Inneren stetig den Namen Gottes wiederholend und losgelöst von negativen, weltlichen Geisteszuständen. Zugleich gehen Geist und Herz eine Verbindung mit Gott ein. Mit harter, ehrlicher Arbeit bestreitet er seinen Lebensunterhalt und hilft den Bedürftigen. Hierzu der dritte Sikh-Guru:

Einzigartig ist der Weg der Gläubigen; sie beschreiten einen beschwerlichen Pfad.
Bindungen, Gier, Ego und Verlangen lassen sie hinter sich und reden nicht viel.
Ihr Pfad ist schärfer als die Klinge eines Schwertes und schmaler als ein Haar.
Jene, die dank des Gurus Gnade ihr falsches Selbst abwerfen, sind mit dem Wohlgeruch Gottes erfüllt.[15]

Die hingebungsvollsten Sikhs sind jene, die als Khalsa (»Reine«) initiiert wurden. Die von Guru Gobind Singh für die Khalsa vorgegebenen Standards sind derart hoch, daß nur wenige sie wirklich erfüllen können. Neben äußerlicher Disziplin wie der Abstinenz von Drogen, Alkohol und Tabak wird ein Mitglied der Khalsa, so legte es der Guru fest, stets den Namen Gottes rezitieren:

Der Name Gottes ist Licht, das Licht, welches nie erlischt, weder tags nach nachts. Khalsa erkennt niemanden an, außer den Einen. Ich lebe in Khalsa; es ist mein Körper, meine Schatzkammer.[16]

Wer Khalsa ist, kritisiert niemanden. Er kämpft an vorderster Front gegen Ungerechtigkeit und unterwirft die fünf Übel [Wollust, Zorn, Gier, Bindung und Ego] in sich selbst. Er verbrennt seine Karmas und wird damit ichlos. Er nimmt nicht die Gemahlin eines anderen und wirft noch nicht einmal einen Blick auf fremden Besitz. Das Rezitieren des Nam ist seine Freude, und er verliebt sich in die Worte der Gurus. Problemen stellt er sich geradewegs, stets bekämpft er das Übel und hilft den Armen. Ständig rezitiert er Nam und tut sich mit Gleichgesinnten zusammen. Er ist nicht in der Feste der Kleingeistigkeit gefangen.[17]

Die Sikh-Gurus schufen mehrere Einrichtungen, um gegen die Kastenunterschiede anzugehen. Die Volksküche (Langar) steht allen offen, ungeachtet der Kastenzugehörigkeit. Meist befindet sie sich im Gurdwara – jenem Gebäude, in dem das Guru Granth Sahib aufbewahrt wird und die öffentliche Andacht stattfindet. Dort kommen alle Gesellschaftsschichten zusammen, wenngleich Männer und Frauen nach indischem Brauch womöglich getrennt sitzen. An den heiligen Stätten der Sikhs baden Menschen aller Volksgruppen, Ideologien und Kasten (einschließlich der Unberührbaren) im gleichen Wasser. Die Taufe zum Khalsa löscht die bisherige Kastenzugehörigkeit und macht den Geringsten zum Obersten. Viele Sikh-Beamte waren ursprünglich Shudras, also Angehörige der untersten indischen Kaste. Mindestens ein Zehntel des Einkommens ist für die Gemeindewohlfahrt aufzubringen. Die Sikh-Gurus ehrten überdies die niedersten Formen der manuellen Arbeit wie etwa das Fegen, Schuheputzen und Töpfeschrubben – vor allem, wenn sie als freiwilliger Gottesdienst verrichtet wurden.

Die täglichen Morgen- und Abendgebete dauern etwa zwei Stunden. Das erste Gebet am frühen Morgen ist das *Japji* von Guru Nanak. *Jap* (»Rezitation«) basiert auf der lauten Intonation vor allem des Namens Gottes (*Nam*) – als des besten Weges, sich dem Göttlichen zu nähern. Wie mit einem Kamm werden beim Hören des heiligen Wortes alle negativen Gedanken aus dem Geist entfernt. Ein Großteil des Japji gilt dem Segen Gottes. Beispielsweise:

Selig in alle Ewigkeit sind die Gläubigen, denn wenn sie das Nam hören, werden ihr Leid und die Sünden zerstört.
Auf das Nam zu lauschen verleiht Wahrheit, göttliche Weisheit und Zufriedenheit.
Indem sie das Nam vernehmen, finden die Blinden den Pfad der Wahrheit und werden des Unvorstellbaren gegenwärtig.[18]

Fest in meinem Herzen haftet der Herr und verläßt es nicht auch nur für einen Augenblick.

Guru Arjun: Jaitsri

Das zweite Morgengebet ist das universale *Jap Sahib* des Guru Nanak. Es nennt keinen Propheten, sondern ist reine Huldigung an Gott. Dieser besitzt für den Guru keine Ge-

Gemeinschaften von indischen Sikhs finden sich heute in zahlreichen Ländern. Das Foto entstand bei der Einweihung eines Tempels in Kenia. Die Mitglieder des Khalsa im Vordergrund repräsentieren die »fünf Geliebten«.

stalt, kein Land und keine Religion; vielmehr ist er für ihn die Saat aller Saaten, das Lied der Lieder, die Sonne aller Sonnen, die alles durchdringende, stets barmherzig gebende, unzerstörbare Lebenskraft. Das poetisch komplexe, tiefgründige *Jap Sahib* sieht Gott als Ursache der Konflikte wie des Friedens, der Zerstörung wie der Schöpfung; Gott durchdringt das Dunkel wie auch das Licht. Zeile auf Zeile erfahren die Gläubigen, daß es nichts außerhalb der Gegenwart und Kontrolle Gottes gibt.

Neben dem Aufsagen von Gebeten werden einzelne Passagen des Guru Granth Sahib intoniert oder melodisch gesungen, oftmals mit musikalischer Begleitung. Diese Andachtstradition des *Kirtan* wurde von Guru Nanak begründet. Jedoch bedarf es großer Disziplin, den frühmorgendlichen Liedern und Rezitationen täglich beizuwohnen, wobei sich die Gläubigen – im Gegensatz zu dem von Guru Gobindh Singh bei den Khalsa eingeführten Stolz – vor den heiligen Schriften demütig zeigen. Das Granth steht auf einer Plattform, und ein Andächtiger schwenkt einen Wedel über dem heiligen Buch, um die Atmosphäre zu reinigen. Die Gläubigen verbeugen sich, bringen Opfergaben dar und setzen sich unten auf den Boden. Jeden Morgen und Abend offenbart sich der Geist Gottes als Hirte der Menschen, wenn ein Geistlicher die Schrift intuitiv aufschlägt und eine Passage vorliest, die das spirituelle Leitthema dieses Tages sein soll.

In manchen Gurdwaras, so auch im Goldenen Tempel von Amritsar, durften bis vor kurzem nur Männer öffentlich aus dem Guru Granth Sahib vorlesen, predigen, Zeremonien abhalten und heilige Lieder singen. Dies aber war lediglich eine kulturelle Gepflogenheit, denn in den Sikh-Schriften findet sich kein Hinweis darauf, daß Frauen von diesen Privilegien ausgeschlossen seien. Ein oberstes Gremium entschied 1996, die Durchführung solcher gottesdienstlicher Handlungen auch den Frauen zu erlauben.

Neben dem kollektiven Singen und Anhören der Leitsätze des Guru Granth Sahib sind fromme Sikhs zudem gehalten, den Tag mit privaten Rezitationen des Namens Gottes einzuleiten. Wer in dieser Praxis fortschreitet und sich der ichlosen Liebe zu Gott hingibt,

Das Pandschab am Ende der Herrschaft des Großmoguls Akbar. Seit der Teilung Indiens im Jahr 1947 gehören zwei Drittel des Pandschab, so auch zahlreiche Sikh-Tempel, zum moslemischen Pakistan.

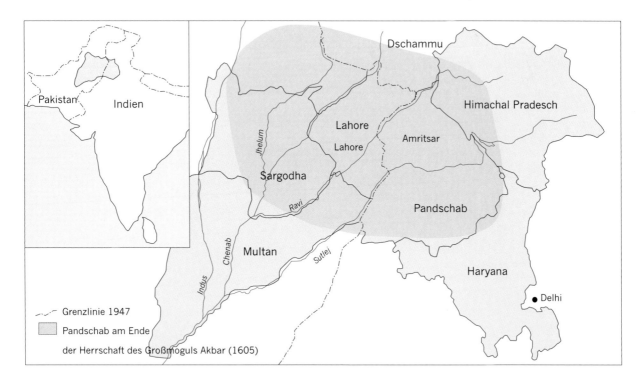

Pakistan
Indien

Dschammu
Himachal Pradesch
Lahore
Lahore
Amritsar
Jhelum
Sargodha
Ravi
Pandschab
Multan
Chenab
Sutlej
Indus
Haryana
Delhi

Grenzlinie 1947

Pandschab am Ende der Herrschaft des Großmoguls Akbar (1605)

Lebendiger Sikhismus

G.S. Jauhal ist ein Sikh aus dem Pandschab, Kommandeur einer indischen Milizeinheit und Schüler des zeitgenössischen Sikh-Gelehrten Baba Virsa Singh. Seine Ausführungen veranschaulichen die Demut, die den kennzeichnet, der ernsthaft nach den Lehren der Sikh-Gurus lebt:

»Ich bin keine Autorität, sondern nur ein Schüler in den ersten Anfängen. Ich möchte noch so viel lernen. Ich bin seit meiner Geburt Sikh und jetzt 47. Ich glaube aber, daß es vieler Geburten und der Gnade des Gurus bedarf, um den überaus tiefgründigen und umfassenden Sikhismus wirklich zu begreifen.

Um überhaupt etwas zu bekommen, muß die Gnade des Gurus da sein. Dann können wir uns aus tiefstem Herzen aufrichtig bemühen und ständig dazulernen. Immer und immer wieder lesen, das Guru Granth Sahib rezitieren und es zu begreifen suchen. Ich gehöre wohl auch zu denen, die versuchen, andere zu belehren, ohne sich selbst zu verstehen. Das ist schade. Was immer der Guru im Granth Sahib vorgibt, sollen wir praktizieren, so daß jeder weiß, daß wir auch tun, was wir sagen. Sonst würden wir nicht als wahrhaftig gelten. Dies ist die Lehre des Guru Granth Sahib: Was immer du nach außen hin tust, sollst du auch im Herzen tragen. Ich versuche wirklich, mich an die Vorschriften zu halten, doch ich bin noch weit entfernt von dem Ziel, das der Guru vorgegeben hat.

Fünf Dinge sollten wir nicht haben: Wollust, Zorn, Gier, Festhalten an weltlichen Dingen und Ego. Diese Dinge ziehen uns auf die weltliche Seite und fort von dem wahren Pfad. Die Gurus wählen den beschwerlichen Pfad. Sobald sich der Mensch aus seinem Innersten heraus bemüht, diesem Pfad zu folgen, und er seine Gurus um Hilfe bittet, gewähren sie diesem kleinen Wesen stets ihren Beistand, und es gibt keine weltlichen Probleme mehr.

Wie der Guru sagte, ist die Vervollkommnung ein sehr schmaler Pfad, den der Sikh beschreiten soll.

Als Kind lernte ich von meiner Mutter. Sie war völlig ungebildet, kannte aber einige Sabds aus dem Guru Granth Sahib, die sie von ihrem Bruder gelernt hatte. Sie nahm mich kleinen Jungen auf ihren Schoß und rezitierte sie. Noch heute erinnere ich mich an einige ihrer eindringlichen Worte.

Der Sikhismus ist für mich eine ganz besondere Religion, und die jüngste dazu. Alle guten Dinge aus sämtlichen Religionen wurden zu einer vereint, die in der ganzen Welt verbreitet werden soll. Auch andere Religionen sollten wir verstehen lernen, denn es gibt so viel Gutes in ihnen. Die Verbreitung unserer Religion in anderen Teilen der Welt könnte, wie ich finde, intensiviert werden, indem man die Botschaft der Gurus in allen Sprachen druckt und zu den Haustüren bringt. Die Menschen kommen ja nicht zu mir, um meine Religion in meiner Sprache kennenzulernen. Wir sind also verpflichtet, sie zugänglich zu machen, unser Guru Granth Sahib und die Lehren der Gurus in eine einfache Form der jeweiligen Fremdsprache zu übersetzen. Dies ist eine Weltreligion, und wir sollten sie nicht unter Verschluß halten.«

empfängt den Beistand des inneren Gurus, des lebendigen Gotteswortes, das jedem Menschen innewohnt.

Sikhismus heute

Trotz der prekären politischen Stellung innerhalb Indiens verkörpert der Sikhismus noch immer eine lebendige Religion und wird allmählich zu einer weltumspannenden Konfession. Zentrum des Sikhismus ist weiterhin das Pandschab. Dieses unter indischer Herrschaft stehende Territorium schrumpfte mit der Teilung Indiens im Jahr 1947 drastisch, denn zwei Drittel des Pandschab liegen im heutigen Pakistan. Die dort lebenden zwei Millionen Sikhs wurden unter äußerst entbehrungsreichen Bedingungen zur Auswanderung gezwungen. Einigen gelang die Auswanderung in westliche Länder oder in andere Teile Indiens. Durch anhaltende Auswanderung entstanden größere Sikh-Gemeinschaften in England, Westkanada und an der Westküste der USA.

In Indien lebten Sikhs und Hindus Seite an Seite in gegenseitiger Toleranz, bis vor wenigen Jahren gewalttätige Auseinandersetzungen begannen. Sikh-Separatisten wollen einen unabhängigen, stark religiös geprägten Staat (Khalistan) errichten, der sie überdies vor Unterdrückung und Ausbeutung durch die weit größere Hindu-Gemeinschaft schützen sollte.

Die damalige Premierministerin Indira Gandhi gab 1984 den Befehl zur Erstürmung des Goldenen Tempels, des größten Heiligtums der Sikhs, da man annahm, Sikh-Separatisten würden ihn als Waffenlager nutzen. Dieser Angriff wurde als frevelhafte Entweihung der heiligen Stätte angesehen und mit zunehmender Gewalt beantwortet. Als die Premierministerin noch im gleichen Jahr ermordet wurde, verdächtigte man ihre Leibwächter – Sikhs. Zur Vergeltung wurde unter den Sikhs ein furchtbares Gemetzel angerichtet, und wenigstens 8000 von ihnen fielen allein in Delhi dem Mob zum Opfer.

Viele Sikhs sind im Pandschab »verschwunden«, angeblich auf Betreiben von Separatisten und durch polizeilichen Terror. Guru Gobind Singh hatte betont, man solle erst dann zum Schwert greifen, wenn alle anderen Mittel, Veränderungen herbeizuführen, versagt hätten.

Auch historisch bedingte Spannungen kamen zum Ausdruck, als der Sikhismus institutionalisiert und von einigen Gruppierungen für eigene Zwecke benutzt wurde (wie etwa dem Erwerb der Ländereien der Gurdwaras). In das Pandschab kehrte nun jedoch wieder Frieden ein. Sri Surendra Nath, ein Arya-Samaj-Hindu und seinerzeit Gouverneur des Pandschab, schrieb die wachsende Harmonie dem Segen Gottes zu und der Tatsache, daß in seinem Amtssitz aus dem dort aufbewahrten Guru Granth Sahib vorgelesen und auf Empfehlung seines Lehrers, Baba Virsa Singh, ständig das *Jap Sahib* des Guru Gobind Singh rezitiert wurde. Der Gouverneur selbst hatte stets die von den Sikh-Gurus proklamierten, übergeordneten Prinzipien der selbstlosen Hingabe an Gott und an das Dharma als ethische Basis von Gesellschaft und Regierung bekräftigt.

1994 kamen zu einer großen Feier anläßlich des 500. Geburtstags von Baba Siri Chand die unterschiedlichsten Sikh-Gruppen zusammen (von Dorfbewohnern bis zu Gelehrten und Regierungschefs), ebenso Vertreter anderer Konfessionen, um die konfessionsübergreifende Botschaft der Sikh-Gurus zu bekräftigen.

Baba Virsa Singh, dessen Leben und Arbeit sich an dem von Baba Siri Chand gegebenen Vorbild der Meditation und Dienstbarkeit ausrichten, äußerte sich folgendermaßen:

Niemand, der zu Baba Siri Chand kam, hielt streng und ritualistisch an seinen religiösen Ansichten fest. Hindus, Moslems, Sikhs, Nawabs, Könige und Gemeine – alle kamen sie zu

Baba Virsa Singh veranschaulicht die praktischen Resultate der Vereinigung von intensiver Meditation, tiefem Glauben an Gott und hartem Arbeiten in der Welt zum Wohle anderer.

*An Langar, der kosten-
losen Volksküche, die täglich in einigen Gurdwaras
abgehalten wird, können
alle Besucher teilnehmen.
Arme und Reiche sitzen
ohne jeden Unterschied
beieinander.*

*ihm, und alle wurden sie von seiner Lehre beeinflußt, daß es zwischen den Menschen un-
terschiedlicher Konfession keine Schranken geben soll, denn alle
verehren sie denselben gestaltlosen Einen.*[19]

Die als Gobind Sadan (»Haus Gottes«) bezeichneten Gemeinschaften Baba Virsa Singhs
gelten den Heilsuchenden aus allen Gesellschaftsschichten, Religionen und vielen Ländern als spirituelle Oasen. Diese von »Babaji« in Indien und den USA gegründeten Gemeinschaften sind landwirtschaftlich geprägt und leben auf einstigem Ödland, das von
Freiwilligen zum Wohle der Armen kultiviert wurde. Sie werden allmählich weltweit
berühmt als heilige Stätten der ökumenischen Andacht, wo solch heilige Vorbilder wie
Jesus, Maria, Gott Krishna, Gott Shiva, Durga, Mata Ganga, die moslemischen Meister
und auch die Sikh-Gurus verehrt werden. Babaji lehrt, daß alle Propheten im Grunde die
gleiche Botschaft gebracht hätten und daß alle aus dem gleichen, alles durchdringenden
Licht gekommen seien, weshalb es keinen Grund für religiöse Konflikte gebe. Wer jedoch
keine Erleuchtung durch Meditation gefunden habe, könne die Botschaften der Propheten noch nicht voll begreifen und durch selbstsüchtige religiöse Gestalten, die »keine Verbindung zu Gott« hätten, irregeleitet werden. Über den Sikhismus sagt Baba Virsa Singh:

*Was wir Dharma nennen, was wir Sikhismus nennen, was wir die Religion des
Guru Nanak nennen, was wir das Gebot des Guru Gobind Singh nennen, ist dies:
Nicht für einen Atemzug sollen wir Gott vergessen.*

Guru Nanak schuf ein prächtiges Schiff, in dem all jene Platz finden sollen, die sowohl mit den Händen arbeiten als auch den Geist einüben.

Die Religion des Guru Gobind Singh und des Guru Nanak erhielten nicht jene aus einer Organisation, einem Dorf oder einem Land. Ihre erleuchtete Vision war für den gesamten Kosmos bestimmt. Guru Granth Sahib ist nicht für eine Handvoll Menschen, sondern für alle.[20]

Während der Jahre der Selbstbehauptung, als es darum ging, sich vom Hinduismus zu unterscheiden und abzugrenzen, stand die ökumenische Natur des Sikhismus zunächst nicht im Vordergrund. Heute indes sind die Sikh-Gelehrten zu dem Schluß gelangt, daß dies eine wichtige Botschaft der Sikh-Gurus an die ganze Welt sei.

Baba Virsa Singh erklärt dazu:

Die Worte der Propheten sind die andauernde Offenbarung Gottes, doch wir unterteilten sie in kleine Stücke und schufen abgegrenzte Sekten. Diese Abteilungen sind Menschenwerk und Spiegelbild ihrer eigenen Bestrebungen. Die Sikh-Gurus durchbrachen den Kreis der Religion niemals. Nie versuchten sie, Gott Schranken zu setzen.[21]

Oder mit den Worten von Guru Gobind Singh:

Gleich sind Tempel und Moschee,
und gleich sind die Formen der dortigen Andacht.
Scheinbar verschieden, sind doch alle Menschen gleich.
Sieh daher ein, die Menschheit ist Eines.[22]

KAPITEL 13

NEUE RELIGIÖSE STRÖMUNGEN

»Der menschliche Verstand gibt sich dem Göttlichen hin«

Die Geschichte der Religion ist durch konstanten Wandel geprägt. Nicht nur bestehende Religionen sind Veränderungen unterworfen; in Zeiten umwälzenden sozialen Wandels entwickeln sich häufig neue religiöse Strömungen, da die Menschen inmitten des weltlichen Chaos die Sicherheit des Spirituellen suchen.

Seit Ende des Zweiten Weltkriegs sind weltweit Tausende neuer religiöser Gruppen hinzugekommen. Südlich der Sahara existieren mittlerweile über 7000 Religionen; jede nigerianische Stadt mit einigen tausend Einwohnern zählt allein 50 bis 60 verschiedene Religionen.[1] In Japan schätzt man die Anhängerschaft neuer religiöser Strömungen auf bis zu 30 Prozent der Gesamtbevölkerung. »Importierte« neue Ausprägungen alter Traditionen wie Hinduismus und Buddhismus haben in den USA, Kanada und Rußland, wo sie als neue Religionen angesehen werden, Anhänger gefunden. Besonders die USA scheinen ein fruchtbarer Boden für die Entwicklung neuer religiöser Bewegungen zu sein, vermutlich nicht zuletzt darum, weil das Recht auf Religionsfreiheit in der Verfassung verankert ist und vor allem dort viele Menschen eine Alternative zu der spirituellen Leere ihres säkularen Lebens suchen.

Neue religiöse Bewegungen treffen immer auf den Widerstand bereits etablierter Religionen. Wenn Hare Krishna-Jünger oder meditierende Jainas dabei alte Kirchengebäude übernehmen, werden sie als »Kult« oder »Sekte« bezeichnet – Begriffe, die oft abwertend gemeint sind, statt dessen aber eine genaue und wertneutrale Bedeutung haben. Ein *Kult* ist eine Religion, die einer Einzelperson oder Gottheit gewidmet ist und dabei oft einen eindeutigen Bruch mit der vorherrschenden Tradition darstellt, während eine *Sekte* eine Splitter- oder Untergruppe einer größeren Tradition ist – beispielsweise der Theravada-Buddhismus. Das Wort »Sekte« wird oft zur Beschreibung von solchen Splittergruppen verwendet, die sich außerhalb der gängigen Religionen befinden. Beide Begriffe dienen häufig (sprachlich ungenau und inhaltlich abwertend) zur Unterscheidung neuerer Religionen von älteren, die jeweils für sich beanspruchen, der richtige oder einzige Weg zu sein. »Kult« wird häufig auch auf Gruppen angewendet, die sich nur zeitlich begrenzt um einen charismatischen Führer scharen.

Um negative Assoziationen zu vermeiden, werden solche Strömungen auch neutral als *neue religiöse Bewegung* bezeichnet. Das Wort »neu« ist allerdings bereits unpräzise, denn viele dieser Gruppen können auf eine lange Geschichte zurückblicken und überdauern oft nach dem Tod ihres Begründers.

Doch nicht nur die traditionellen Glaubensrichtungen stehen den neuen Bewegungen negativ gegenüber. Die Ablehnung entzweit bereits Familien mit »Abweichlern«. In den USA hat sich eine Anti-Kult-Bewegung formiert, die mit Hilfe von speziell ausgebildeten Agenten auf Ersuchen betroffener Eltern Entführungen und Deprogrammierungen vornimmt, und Experten für seelische Störungen warnen vor den psychischen Gefahren einiger dieser Bewegungen. Dr. Marc Galanter von der medizinischen Fakultät der New York University beispielsweise zog aus Tausenden von Interviews mit Anhängern von Gruppierungen mit charismatischem Führer den Schluß, daß vor allem einsame und nicht mehr in die Mainstream-Kultur einer Gesellschaft integrierte Menschen sind, die sich solchen Kulten am ehesten anschließen. Wer dort ein starkes Zugehörigkeitsgefühl verspüre, teile mit anderen Mitgliedern ein besonders starkes Mißtrauen gegenüber Außenseitern. Daraus kann sich eine von allen geteilte Paranoia entwickeln, die die Gruppe zusammenschweißt und sich in apokalyptisch ausgerichteten Gruppen noch verschlimmert.

> *Nach seinen Forschungsergebnissen wird das, was der Führer sagt, zur einzigen Informationsquelle. Jegliche äußere Realität muß negiert werden, da sie den Glauben untergrübe. Tauchen dann tatsächlich Außenstehende auf, die die Gruppe bedrohen, schweißt es diese noch stärker zusammen und dient nur als Bestätigung, daß es besser sei, gemeinsam zu sterben, als sich den »bösen Mächten der Außenwelt« zu ergeben.*[2]

Schon im ersten Kapitel dieses Buches wurde ausgeführt, daß es immer mit potentiellen Gefahren und potentiellen Vorteilen verbunden ist, sich der Macht einer Religion völlig zu überlassen, sei sie nun neu oder alt. Nachdem Anhänger der Aum Shrinrikyo-Bewegung der Verantwortung für den Gasanschlag in der Tokioter U-Bahn verdächtigt wurden, fragten sich ihre Landsleute, wie intelligente Menschen sich einer Bewegung anschließen konnten, die man vorher für eine geheime Meditationssekte gehalten hatte. Nach dem Anschlag wurde sie von den Medien als Untergangssekte und Chemiewaffen-Produzent gehandelt. Die moderne japanische Gesellschaft, so sehen es inländische Beobachter und Kenner des Landes, schafft ein Klima, wo blinder Gehorsam gedeiht. So sagt der Autor Reiko Hatsumi:

> *Ich glaube, daß die meisten meiner Landsleute ehrlich sind und hart arbeiten, aber auch leichtgläubig sind, von kindlicher Naivität und nicht daran interessiert, selbst zu denken. Unsere Erziehung hat das noch unterstützt. Den Schülern und Studenten bringt man bei, Wissen zu absorbieren, nicht aber, dieses zu bewerten oder sich damit auseinanderzusetzen …*
>
> *Die Kindlichkeit verlangt nach emotionaler Sicherheit und einer leitenden Hand. Leider existiert unser Familiensystem nicht mehr. Die Väter haben als Hausvorstand abgedankt. Sie sind zu sehr im Berufsleben engagiert und haben lange Anfahrtzeiten zur Arbeit. Die Mütter spornen ihre Kinder an, gute Schulen zu besuchen … Die Kinder haben nicht viel, worauf sie sich freuen können, außer darauf, in einer übervölkerten Wettbewerbsgesellschaft weiterzukommen.*
>
> *Dann braucht es nur jemanden wie Asahara [den Führer der Aum-Sekte], der sich Zeit nimmt und zuhört, Ratschläge erteilt, die Probleme scheinbar löst – und die jungen Menschen schenken ihm ihr Herz und folgen ihm.*[3]

Doch wie bei anderen lebenslangen Verpflichtungen, etwa der Ehe, liegen auch in der Religion die potentiellen Vorteile in Eigenschaften wie Hinwendung und Gehorsam. In vielen Religionen, darunter auch den größten Weltreligionen, werden Selbstverleugnung und Selbstaufgabe als besondere Tugenden gelehrt, durch die man das eigene Ego überwinden und den Weg zur absoluten Wahrheit beschreiten lernt. Jeder ernsthaft gläubige Mensch sollte sich fragen, woran er glauben solle.

Alle großen Religionen, die Thema dieses Buches sind, waren einst ebenfalls neue Religionen und erfuhren Widerstand durch bereits etablierte Religionen. Werden die neuen religiösen Strömungen länger als einige Generationen überdauern? Im Bereich der Religionssoziologie werden die säkularen Faktoren untersucht, die Gründe für die Verbreitung und Langlebigkeit von Religionen sind. Einen dieser Faktoren stellt das Gleichgewicht aus Ähnlichkeiten und Unterschieden zu bereits bestehenden Glaubensrichtungen dar, denn Ähnlichkeiten nehmen potentiellen Konvertiten die Angst vor dem Neuen, und Unterschiede machen sie ausreichend interessant, um eine Konvertierung überhaupt zu erwägen.

Ein zweiter Faktor sind die Organisation, das persönliche Engagement und die persönlichen Bindungen zwischen den Mitgliedern und ihr Fortbestand über den Tod ihres Propheten und der Gründungsmitglieder hinaus. Ein dritter Faktor ist das soziale Umfeld: Zeiten eines tiefgreifenden sozialen Wandels, Orte freier Religionsentfaltung, Gesellschaften mit gestörten oder zerbrochenen Beziehungen zwischen den Menschen. Ein weiterer Faktor ist der Status der vorherrschenden Religionen: Sind sie nur noch institutionalisierte Versionen ihrer ursprünglichen Idee ohne wirkliches spirituelles Leben, werden sie leicht von lebendigeren, neuen Glaubensrichtungen »geschluckt«. Ein fünfter Faktor liegt in den jüngeren Generationen begründet, denn Kinder müssen in einen Glauben hineingeboren sein oder für ihn gewonnen werden, seine Werte kennen und übernehmen und Verantwortung dafür tragen, den Glauben lebendig und am Leben zu erhalten.

Spirituelle Aspekte der neuen Religionen sind ein weiterer wichtiger Punkt, doch diese lassen sich nicht so leicht quantifizieren. Die echte Spiritualität eines Glaubensbegründers oder Glaubensverbreiters ist ein Aspekt; daß die Lehren die Menschen erreichen und berühren, ihr Leben verändern, sie ermuntern, als Kollektiv zu handeln, und ihnen den Mut verleihen, eine soziale Ablehnung durchzustehen, ein weiterer. Schließlich die göttliche Hilfe, um mit den theistischen Religionen zu sprechen, oder die Vereinigung mit der absoluten Wahrheit, wenn man es vom Standpunkt der nichttheistischen Religionen aus sieht.

Dieses Kapitel widmet sich einigen repräsentativen Beispielen neuer religiöser Bewegungen, die im 19. und 20. Jahrhundert entstanden sind. Alle haben Verbindungen zu älteren Traditionen, weisen aber genügend Unterschiede auf, um unabhängig von ihnen untersucht zu werden. Vorangegangene Kapitel widmeten sich bereits Gruppierungen, die moderne und teilweise »exportierte« Versionen älterer Religionen darstellen, mit denen sie noch identifiziert werden (beispielsweise die Hare Krishna-Bewegung, die eindeutig mit der aus dem 16. Jahrhundert stammenden Hindu-Bhakti-Tradition des Sri Caitanya in Verbindung steht). Im folgenden wird ein erster Eindruck dieser neu aufblühenden spirituellen Vitalität vermittelt. Dabei stellen die jeweiligen Überschriften keine separaten Kategorien dar, sondern sollen zum Verständnis besonderer Aspekte dieser neuen Bewegungen beitragen.

Erwartung der Apokalypse

Auf der Schwelle zum 21. Jahrhundert (zumindest nach dem christlichen Kalender) überschlagen sich die Spekulationen über ein zu erwartendes bedeutendes Ereignis: Für manche ist das ein planetares Desaster, für andere der Anbruch besserer Zeiten.

Die Erwartung einer solch tiefgreifenden Veränderung mit weltumspannenden Folgen wird von vielen Religionen geteilt, darunter dem Hinduismus, dem Zoroastrismus, dem Judentum, dem Christentum, dem Islam und einigen Naturreligionen. Das letzte Buch der Bibel, »Das prophetische Buch« mit der »Offenbarung an Johannes«, prophezeit beispielsweise einen Weltkrieg zwischen den Mächten Satans und Gottes, der große tausend, in dem Jesus Christus die Welt regiert. Die Hindus erwarten hingegen, daß nach Kali Yuga, dem schlimmsten Zeitalter, die Rückkehr Sat Yugas folgt, wenn Dharma wiederum über das Böse siegen wird. Wenn hingegen Mitglieder einer weniger etablierten religiösen Bewegung den Untergang oder eine neue Weltordnung prophezeien, werden sie vom Rest der Gesellschaft als Exzentriker abgetan. Um ihren Glauben zu bewahren, wenden sie sich möglicherweise von dieser Gesellschaft ab und bereiten sich in der Isolation auf die zu erwartenden Ereignisse vor. Diese Strategie verfolgten beispielsweise die im texanischen Waco ansässigen Davidianer, die von der Nationalgarde wegen Waffenbesitzes belagert wurden (obwohl jeder Einwohner des Bundesstaates Texas doppelt so viele Gewehre besitzt, wie es angeblich in dieser religiösen Kommune der Fall war); durch einen selbstgelegten Brand starben 80 Sektenmitglieder.

Wer den Untergang der Welt vorhersagt, kann allerdings auch Spott und gesellschaftliche Verachtung ernten, wenn er seine Prophezeiungen verkündet, um andere vor der drohenden Zerstörung, zu retten. Am Beispiel der Rastafarians und der Zeugen Jehovas soll aufgezeigt werden, wie religiöse Gruppen versuchen, andere in ihre Erwartungen einzubeziehen.

Rastafarianismus

1895 prophezeite Alexander Bedward von der Baptist Free Church auf Jamaica den kommenden Holocaust, dem alle Weißen zum Opfer fallen würden, während die Schwarzen, das »wahre Volk«, dann eine neue Welt feierten. Bekleidet mit besonderen Gewändern, erwartete Alexander Bedward den betreffenden Tag, der ohne ein besonderes Vorkommnis verging; schließlich brachte man Bedward ins Irrenhaus.

Eine etwas hoffnungsfroher stimmende Botschaft vertrat Marcus Garvey, der glaubte, daß ein bald eintretender fundamentaler gesellschaftlicher Wandel durch die Schwarzen hervorgerufen würde. Er sah eine Verbindung dieser Visionen mit der Rückkehr der Schwarzen nach Afrika, der Heimat ihrer versklavten Vorfahren. Dort würden sie eine

Rasta-Musiker verkünden in ihrer Musik ihren Anspruch auf Spirituals und soziale Rechte.

Schwarzen nach Afrika, der Heimat ihrer versklavten Vorfahren. Dort würden sie eine bedeutende Zivilisation aufbauen. Eine Prophezeiung, die Garvey zugeschrieben wird, »Schaut nach Afrika, wenn sie dort einen schwarzen König krönen, dann ist der Tag der Befreiung nahe«[4], hielt man für erfüllt, als Ras (Fürst) Tafari von Äthiopien als Kaiser Haile Selassie gekrönt wurde.

Äußerst kunstvolle Mythen wurden um Kaiser Haile Selassie gewoben, angeblich der lebende Gott (eine Ansicht, die übrigens weder Selassie noch Garvey teilten). Hoffnungsvolle Überlieferungen basierten auf Selassies Äußerungen und Bibelpassagen aus dem Alten Testament und der Offenbarung an Johannes aus dem Neuen Testament. Arme Jamaikaner, die ihr Schicksal mit dem der in Babylon gefangengehaltenen Juden gleichsetzten, versuchten immer wieder nach Afrika auszuwandern.

Haile Selassie hat während seiner Regentschaft (er starb 1974) zwar nichts für die Befreiung jamaikanischer Afrikaner getan, dennoch entwickelte sich aus den Ideen des Rastafarianismus eine neue Religion. Die jamaikanischen Schwarzen wollen die »Wege der Alten« und damit ihre Vorstellung von der verlorengegangenen Zivilisation des präkolonialen Afrika wiederaufleben lassen und die Menschen afrikanischen Ursprungs aus der Unterdrückung befreien. »Babylon«, der Unterdrücker – das sind die Vereinigten Staaten, Großbritannien (die frühere Kolonialmacht auf Jamaika), der jamaikanische Staat und die christliche Kirche. Aus Protest gegen Babylon tragen die Rastafaris ihr Haar in langen, nicht ausgekämmten »Dreadlocks«, Symbol des naturverbundenen Lebens im Gegensatz zur hochindustrialisierten Existenz. *Ganja* (Marihuana) als religiöses Sakrament wird konsumiert. Um den Rastafarianismus hat sich eine ganz typische und unverwechselbare Musik gebildet, der *Reggae,* ein Ausdruck des schwarzes Stolzes, des sozialen Protests und der endzeitlichen Vorstellung ihrer Religion.

Mittlerweile hat der Rastafarianismus von Jamaika aus unter den Schwarzen (und einigen Weißen) in der Karibik, Nordamerika, Europa, Südafrika, Australien und Neuseeland Anhänger gefunden.

Diese religiöse Bewegung ist stark lokalisiert und variabel, denn »Rastas« glauben, daß die Wahrheiten, die sie vertreten, nicht nur für Menschen afrikanischen Ursprungs gelten. Der Rastafarianismus hat sich in vielen Bereichen vorrangig durch Männer ent-

Die Taufe von Zeugen Jehovas in ihrem tragbaren Taufbecken anläßlich eines internationalen Treffens.

wickelt; Frauen werden für unfähig gehalten, ohne die Hilfe ihrer Ehemänner ein Bewußtsein für den Rastafarianismus zu entwickeln.

Zeugen Jehovas

Die Anhänger der Zeugen Jehovas glauben an eine neue Welt, in der Menschen aller Rassen (und viele von den Toten Auferstandenen) friedlich vereint miteinander leben. Allerdings wird dies erst geschehen, wenn der Großteil der Menschen vernichtet ist, weil er nicht mehr nach der Bibel lebt. Zeugen Jehovas glauben, daß Gott es niemandem erlauben werde, auch nicht den sogenannten falschen Christen, die Erde in den Ruin zu treiben. Nur wer der wahren Religion angehöre, werde von dieser Zerstörung verschont bleiben, geliebte wiederauferstandene Menschen wiedertreffen und mit ihnen in einem Paradies auf Erden leben (mit Ausnahme der 144 000 Menschen, die gemeinsam mit Gott im Himmel leben werden). Im Paradies auf Erden werde es keinen Schmerz, keinen Hunger, keine Krankheiten und keinen Tod mehr geben.

Charles Taze Russell, der im 19. Jahrhundert diese religiöse Gruppierung gegründet hatte, nannte in einer Prophezeiung das Jahr 1914 als Zeitpunkt dieser Apokalypse. Nach Ablauf des genannten Jahres wurde die Prophezeiung geändert: Im Jahr 1914 solle die Herrschaft von Jesus im Himmel beginnen, auf der Erde hingegen seine Herrschaft noch nicht sichtbar sein. Währenddessen gehen die Zeugen Jehovas von Tür zu Tür und versuchen, den Menschen ihre Bibelauslegung als Ankündigung des Tausendjährigen Reichs nahezubringen. Sie bestärken sie darin, sich politisch nicht zu betätigen und »falsche Religionen« zu verlassen. Dazu gehören auch die christlichen Kirchen, die ihrer Meinung nach von der Botschaft Jesu abgewichen seien und unwahre Doktrinen entwickelt hätten: daß Gott eine Dreieinigkeit sei, daß die Seele nach dem Tod wiederauferstehe und die uneinsichtigen Sünder ewige Strafe erleiden und nicht, wie die Zeugen Jehovas glauben, völlig ausgelöscht würden. Je länger das Jahr 1914 zurückliegt, desto seltener wird das bevorstehende Tausendjährige Reich hervorgehoben, obwohl die Statistiker der Zeu-

Satya Sai Baba aus Südindien gehört zu den Gurus, deren Gefolgschaft sich zu einer Art neuer religiöser Bewegung entwickelte.

In der Verschmelzung der Santeria-Religion wird die Yoruba-Göttin Oshun mit der christlichen Mutter Gottes von La Caridad del Cobre vermählt, der Schutzheiligen von Kuba.

gen Jehovas behaupten, daß es sich mit zunehmender Geschwindigkeit nähere. 1993 waren in 229 Ländern fast viereinhalb Millionen Zeugen Jehovas als Geistliche tätig.

Übernatürliche Mächte und Offenbarungen

Zahlreiche neue religiöse Bewegungen operieren im Bereich des Übernatürlichen, der jenseits der Erfahrungswelt der menschlichen Sinne liegt und daher den meisten Menschen geheimnisvoll und mystisch erscheint. Das Eindringen in die Geheimnisse geschieht häufig, um die eigenen, persönlichen Kräfte zu wecken, um im Kontakt mit unsichtbaren Realitäten Leidende zu heilen oder um Dinge zu verstehen, die man nicht sehen kann.

Viele Gründer solch neuer Religionen sind Frauen mit schamanischen Fähigkeiten. Miki Nakayama gründete im 19. Jahrhundert die Neureligion *Tenri-kyo*. Sie war Trancemedium für die Heilung ihres Sohnes, als den Berichten zufolge zehn *Kami* Besitz von ihr ergriffen, darunter auch der Elterngott. Die Kami ließen durch sie verlautbaren: »Mikis Verstand und Körper nehmen wir als göttlichen Schrein an, und wir wollen diese 3000 Jahre alte Welt durch diesen göttlichen Körper retten«[5]. Später soll sie ganz spontan unter göttlicher Eingebung 1711 Gedichte geschrieben haben, die zur heiligen Schrift einer neuen Religion wurden. Tenri-kyo ist auch nach dem Tode Miki Nakayamas eine populäre Religion, ihre Gründerin wird als die noch lebende Vertretung des göttlichen Willens verehrt.

Die *Mahikari*-Bewegung wurde 1959 in Japan von Sukui Nushi Sama ins Leben gerufen, der sich als Nachfolger von Buddha und Christus als Gottes Stellvertreter auf Erden sieht. In der Karibik ist sein Gedankentum populär geworden. Die Bewegung behauptet nicht, selbst eine Religion zu sein, sondern alle Religionen zusammenzuführen, und bedient sich bestimmter Praktiken, die sich auf spirituelles Licht konzentrieren. Die Anhänger werden gelehrt, zur Heilung von Menschen Licht aus ihren Händen strahlen zu lassen, Licht zu senden an Geister der Urzeit, die sich gestört fühlen und so wieder befriedet werden, und die göttliche Zivilisation auf der ganzen Welt durch die Ausstrahlung von Licht zu verbreiten. In Umkehrung der normalen Sichtweise lernen die Anhänger dieser Glaubensrichtung, daß die spirituelle Welt die einzige Realität sei, Wissenschaft und Medizin jedoch Ausdruck ignoranten Aberglaubens.

Im karibischen Raum und in Lateinamerika existieren viele Mischformen aus afrikanischen und christlich-katholischen Traditionen, wobei der Kontakt und die Zusammenarbeit mit Geistern im Vordergrund steht. *Santería* heißt wörtlich »der Weg der Heiligen«. In dieser Religion sind einige Yoruba-Götter, die mit den nigerianischen Sklaven nach Kuba kamen, mit Heiligen der katholischen Kirche verschmolzen. *Voodoo* oder »Geist« entwickelte sich auf Haiti als Mischung westafrikanischer und französisch-katholischer Lehren. Diese Traditionen verfügen über sogenannte Spezialisten, die über Techniken zur magischen Intervention in das Leben anderer Menschen verfügen, um ihnen bei der Lösung von Problemen zu helfen, die auf normalem Wege nicht angegangen werden können. Den Santeros beispielsweise sagt man nach, sie seien in der Lage, negative spirituelle Einflüsse auf Menschen zu »entstören«, den Menschen Arbeit zu besorgen, Krankheiten zu heilen, Partner zu finden, Feinde abzuhalten und wirtschaftlichen Erfolg zu verschaffen.

Wo Nachfahren früherer Sklaven sich mit der übrigen Bevölkerung vermischt haben, war die Wiederaufnahme afrikanischer Traditionen für die Menschen ein Bindeglied zu ihrem kulturellen Erbe, vermittelte ein Gefühl innerer Integrität und bildete zudem schlicht eine Überlebensmöglichkeit. Doch die dominante Gesellschaft sah solche Traditionen mit Skepsis und Mißtrauen, gehörten dazu doch als traditionelle Kommunikationsmethoden mit den Geistern die Wahrsagerei und das Schlachten von Tieren bei gemeinschaftlichen Mahlzeiten. In Haileah in Florida wurden solche Tieropfer für ungesetzlich erklärt, doch der Oberste Gerichtshof der Vereinigten Staaten betrachtete dies in einem bahnbrechenden Urteil als Einschränkung der Religionsfreiheit, die in der Verfassung garantiert ist.

Auch in christlichem Kontext existiert die Kommunikation mit den Geistern Verstorbener. Die National Spiritualist Association of Churches in den USA definiert den *Spiritismus* als »die Wissenschaft, Philosophie und Religion des ununterbrochenen Lebens« und verwendet in ihren Gottesdiensten, die denen der christlichen Kirche ähneln, Predigten und Hymnen, ist jedoch nicht auf die Person Jesu oder die Sünde konzentriert. Statt dessen werden spirituelle Sitzungen mit »Heilermedien« abgehalten, die die heilende Macht Gottes übertragen sollen, indem sie ihre Hände auf oder neben den Kopf oder die Schultern einer sitzenden Personen legen. Ebenso wichtig sind die Botschaften verstorbener Verwandte »aus dem Jenseits«, die Mitgliedern der Kirchengemeinde durch ein Medium überbracht werden. Das spirituelle Medium Sandra Pfortmiller erklärt ihre Aufgabe:

> *Die Fähigkeit und Begabung eines Mediums ist es, beweisen zu können, daß das Leben weitergeht, daß zwischen den Menschen, die wir liebten, und uns nur ein Gebet steht. Daß wir von einer anderen Existenzebene Hilfe, Führung, Kommunikation und Inspiration erhalten. Es bedeutet, daß wir den Tod nicht fürchten sollen, sondern viel eher begreifen lernen, daß die Persönlichkeit andauert und immer weiter wächst.*[6]

Die spiritistische Lehre beeinhaltet eine Version des Karma – »Wir erklären, daß der einzelne eine moralische Verantwortung hat und er selbst sein eigenes Glück oder Unglück gestaltet, indem er den physikalischen und spirituellen Gesetzen der Natur gehorcht oder widerstrebt« – mit unendlichen Möglichkeiten der Veränderung zum Positiven – »Wir

Bei einem frühen Treffen der Theosophischen Gesellschaft in Madras im Jahr 1884. In der hinteren Reihe sieht man Madame H. P. Blavatsky (vierte von links), die über das grenzenlose ewige Prinzip, unzählige Universen und die Identität der Seelen mit der universalen Über-Seele schrieb.

erklären, daß der Weg der Besserung einer menschlichen Seele im Diesseits oder im Jenseits niemals verschlossen ist«[7].

In der Menschheitsgeschichte hat es immer Personen gegeben, die durch unsichtbare spirituelle Mächte Offenbarungen zu erhalten meinten. Einige von ihnen, wie der Prophet Muhammad, haben später bedeutende Weltreligionen begründet, weil andere an die Wahrheit ihrer Offenbarungen glaubten. Auch heute noch sind immer wieder viele Menschen in der ganzen Welt davon überzeugt, daß sie »Kanäle« der göttlichen Weisheit seien.

Als Beispiel sei die seit über einem Jahrhundert bestehende *Theosophische Gesellschaft* aufgeführt. »Theosophie« ist das griechische Wort für »Gottesweisheit«, wie sie Madame Helena Blavatsky (1831–91) durch auf die Erde gekommene unsichtbare Meister vermittelt wurde. Blavatsky entstammte dem russischen Adel; sie war ein wahrhaft heiliger Schrecken in Person mit bemerkenswerten psychischen Kräften, reiste um die ganze Welt, um sich mit Meistern esoterischer Schulen auszutauschen und behauptete, sie sei von tibetanischen Meistern initiiert worden. Die Theosophische Gesellschaft stand unter dem Motto »Es gibt keine Religion, die höher ist als die Wahrheit«. Dieses Motto sei der Versuch der »Versöhnung aller Religionen, Sekten und Nationen unter einem gemeinsamem Ethiksystem, das auf ewigen Wahrheiten beruhte«[8].

Die theosophische Gesellschaft machte die suchenden Menschen des Westens mit alten Traditionen der orientalischen Religionen bekannt, vor allem mit Aspekten des Hinduismus, wie Karma, Wiedergeburt und subtile Energien. Madame Blavatsky interessierte sich besonders für die geheimen esoterischen Lehren von Religionen, die sie zusammenfassend »Weisheitsreligion« oder »Geheime Doktrin« nannte. Ihr Buch *Die Geheimlehre* beschreibt eine vielschichtige Kosmologie von Ebenen oder »Strahlen«, die Men-

schen mittels bewußtseinserweiternder Initiation durch spirituelle Meister zu durchdringen vermögen.

Anfang des 20. Jahrhunderts erklärte Annie Besant, damalige Präsidentin der Theosophischen Gesellschaft, der langerwartete Weltlehrer sei in der Person des indischen Mystikers Jiddu Krishnamurti (1885–1986) gekommen. Eine große internationale Gesellschaft mit dem Namen »Orden des Stern des Ostens« wurde mit Krishnamurti an der
Spitze ins Leben gerufen. Er praktizierte eine intensive Meditation und soll mit den unsichtbaren Meistern in der theosophischen Hierarchie kommuniziert haben. Zwanzig
Jahre nach Gründung des Ordens erkrankte sein geliebter Bruder schwer. Er flehte die
Meister an, das Leben seines Bruders zu retten – vergeblich. Völlig desillusioniert, löste
der Trauernde den Orden auf und begann seine eigene, unabhängige Suche nach der
Wahrheit, die keinen Bezug mehr auf frühere Schriften oder religiöse Traditionen nahm.
Die Menschen folgten ihm nach wie vor, doch er verweigerte die Rolle des Gurus und
bestand vielmehr darauf, daß die Entdeckung der Wahrheit »im Grunde ein individueller Prozeß«[9] sei.

Trotz dieses Verlustes setzte die Theosophische Gesellschaft ihre Arbeit fort und hat
heute Mitglieder in 70 Ländern. Die Bewegung selbst ist in mehrere Fraktionen zersplit-
tert, die alle den gleichen Namen tragen, hat aber auch andere Gruppen wie die Roerich-
Gesellschaft hervorgebracht. Nicholas Roerich war ein russischer Maler, Philosoph und
Humanist. Anfang des 20. Jahrhunderts bereiste er mit seiner Ehefrau Helena die Gebiete des Himalaya. Er malte das spirituelle Licht, das er dort entdeckte, und ließ in seine
Gemälde auch heilige Figuren aus verschiedenen religiösen Traditionen einfließen. Nach
seinem Tod ermunterte seine Frau Helena die Studenten, neben Jesus auch indische Meister zu verehren.

Eine andere zeitgenössische Weiterentwicklung von Madame Blavatskys Arbeit ist The
Church Universal and Triumphant. Sie gehört zu den Gruppen, die für sich beanspruchen, ihre Mitglieder mit einer unsichtbaren *Großen Weißen Bruderschaft* zu verbinden
(wobei sich »weiß« auf das Licht, das diese umgibt, bezieht, nicht auf die Hautfarbe ihrer
Mitglieder). Elizabeth Claire Prophet ist eine »Botschafterin« dieser auf die Erde gekom-
menen Meister. Sie erklärt, wer zu dieser Bruderschaft gehört:

> *Gautama Buddha, Konfuzius, Mose, Muhammad, Jesus Christus, Saint Germain [ein*
> *geheimnisumwobener europäischer Graf aus dem 18. Jahrhundert, von dem man glaubte,*
> *er sei der Meister des »siebten Strahls«], die heilige Mutter Maria – um nur einige zu*
> *nennen, die die äußeren Bedingungen zu beherrschen gelernt und sich das Recht erworben*
> *haben, in die Nähe Gottes aufzusteigen … Die Bruderschaft ist eine spirituelle Verbin-*
> *dung von Lichtträgern … Sie arbeiten in jedem Land Hand in Hand mit ihren Schülern,*
> *entstammen jeder Rasse und religiösen Überzeugung … Als unsterbliche, Gott-freie Wesen,*
> *die in der Herrlichkeit des Ewigen Jetzt leben, werden sie einen liebevoll, weise und*
> *sicher auf den Weg der seelischen Freiheit führen.*[10]

Prophets eigener Gruppe, der »Church Universal and Triumphant«, gehört nahe des Yel-
lowstone-Nationalparks in Montana ein großes Areal. Die Teilnehmer ihrer internationalen Konferenzen sind eingeladen, mit dem Wohnwagen oder dem Zelt dorthin zu reisen und sich mit Praktiken wie der Visualisierung der »violetten Flamme« zur Heilung
und Reinigung vertraut zu machen und »Initiationen durch herabgestiegene Meister«[11]
zu erlangen.

Doch die Schäden, die solche Zusammenkünfte für die Umwelt bedeuten, und ein an-
gebliches Waffenarsenal haben für nachhaltige Kritik gesorgt. Die CUT behauptet, daß
die Kirche selbst weder Waffen noch ein Waffenlager besitze, obwohl ihre Mitglieder, wie
viele andere Leute, die in dieser Gegend leben, Gewehre für die Jagd und zur Selbstver-

teidigung besitzen. Die 1930 gegründete religiöse Bewegung I AM von Guy Ballard betrachtet die Vereinigten Staaten als potentielle spirituelle Rettung des Planeten und lehrt ihre Mitglieder, die spirituelle Macht auf die Zerstörung der Macht der »Feinde Amerikas« zu konzentrieren.

Nebenzweige und Vermischungen mit älteren Religionen

Andere Kapitel dieses Buches widmeten sich auch den zeitgenössischen Ausprägungen alter Religionen, beispielsweise Hare Krishna aus dem Hinduismus und Soka Gakkai aus dem Buddhismus. Häufig findet man auch Mischformen mehrerer Religionen. Dieser Prozeß wird als *Synkretismus* bezeichnet. So mischen beispielsweise mehrere »neue« Religionen Westafrikas rituelle Elemente der Eingeborenenreligionen mit christlichen Traditionen. Dabei nehmen sie auftretende Probleme mit der Geisterwelt sehr ernst (beispielsweise als Vergeltung für mangelnden Respekt) und mischen christliche Gebete und Weihrauch mit Fetischen, Talismanen, Wahrsagerei, Gesängen und Trommeln. Dieser Synkretismus verleiht ein Gefühl der Macht über böse Geister, wird aber auch zur Lösung aktueller diesseitiger Probleme angewendet. So sind solche Gruppierungen in urbanen Gebieten besonders beliebt, denn sie fungieren als Fluchtpunkt vor den unangenehmen Aspekten des Großstadtlebens.

Die »Bruderschaft des Kreuzes und des Sterns« beispielsweise kümmert sich intensivst um die Bereiche, in denen die Regierung versagt hat. Sie unterhält eigene Schulen, Lebensmittelläden, Kleinindustrien, Gesundheitszentren und organisiert den Nahverkehr. Wer sich zuvor als anonym und entfremdet von einer modernen unpersönlichen Kultur empfand, sieht sich nun als Individuum, das einen Wert besitzt und Teil einer fürsorglichen und von Liebe gekennzeichneten Gruppe ist. Solche Bewegungen beleben den traditionellen afrikanischen Gemeinschaftsgeist neu und formen ihn zu einem stabilen Stützpfeiler und ebenso zu einem Netzwerk in einer sich verändernden Gesellschaft. Sie können einen neuen Stolz auf Afrika erwecken und eine spirituelle Bestimmung darstellen.

Reverend William Kingsley Opoku aus Ghana, der internationale Koordinator des »African Council of Spiritual Churches« und Mitglied der »Bruderschaft des Kreuzes und des Sterns«, betont, daß

> *afrikanische religiöse Schriften bestätigen, daß der Prozeß des Weltfriedens schließlich in Afrika begründet und in die ganze Welt kommen und den Frieden gemeinsam aufbauen wird, um die Einheit der Menschheit unter der Regierung Gottes auf Erden zu dokumentieren.*[12]

Einige dieser neuen Gruppen übernehmen Aspekte älterer Religionen und fügen eigene Elemente hinzu. Viele religiöse Bewegungen unterstützen heute die Entfaltung der eigenen Persönlichkeit; die Basis dafür findet sich allerdings schon im Christentum oder in den östlichen Meditationen.

Neues Denken

Die Entwicklung eines besseren Selbst durch positives Denken – dieser Gedanke ist in den Vereinigten Staaten in einigen neuen Religionen verbreitet, darunter die *United Church of Religious Science* und die *Unity School of Christianity,* die manchmal gemeinsam unter dem Stichwort *New Thought* – »neues Denken« – zusammengefaßt werden. Wenngleich sie in

Die »Mutterkirche« der Christian Science, die Mary Baker Eddy im 19. Jahrhundert in Boston gründete. Mrs. Eddy entdeckte den liebenden mütterlichen Teil Gottes als heiligen Tröster und bezog sich dabei auf die Mutterschaft und Vaterschaft des Göttlichen.

einigen Aspekten dem Christentum ähneln, sehen diese Gruppen Gott jedoch nicht als vom Menschen getrennt an und glauben auch nicht an die Erbsünde. Das reale innere Selbst des Menschen ist für sie etwas aus Gott Hervorgegangenes; der Mensch kann Zugang zum endlosen göttlichen Potential gewinnen, wenn er lernt, sich dieses Potentials zu bedienen. Indem er die Kräfte seines Verstands mit Umsicht einsetzt, kann der Mensch alles schaffen, was er will, und sich und andere heilen. Viele Mitglieder dieser Gruppen üben tägliche Affirmation (Bejahung, Zustimmung), um Denken und Bewußtsein so auszurichten, daß sie des göttlichen Zusammenhangs gewahr werden. Ein Beispiel einer solchen Bejahung von Ernest Holmes, dem Gründer der »United Church of Religious Science«, zeigt, wie diese Methode funktioniert:

Ich bin energiegeladen durch die Vitalität des lebendiges Geistes. Alle Macht, die es gibt, mit der ganzen Energie und Vitalität, die Er besitzt, sind mein, und ich verspüre einen Enthusiasmus für das Leben, freue mich auf das, was noch kommen wird, und bedanke mich für das, was gewesen und was jetzt ist. Jede Sorge oder Belastung durch Gedanken oder Gefühle fällt ab von mir, und ich werde in den Bereich dieser göttlichen Präsenz erhoben, die nur die Vitalität, die Freude und die Stärke seines eigenen Seins kennt. Ich bin eins mit allem diesen.[13]

Die meisten dieser »Neues Denken«-Gruppen sind Ableger der *Christian Science,* die im ausgehenden 19. Jahrhundert von Mary Baker Eddy gegründet wurde, unterscheiden sich aber in zwei wichtigen Punkten von ihr:

Die Christian Science bezieht sich auf die Bibel und Jesus (Mary Baker Eddy wollte wieder ein, in ihren Worten, »primitives Christentum« durchsetzen) und ist der Über-

Bei den Radhasvami gilt der lebende Meister als der verehrte und unerläßliche Zugang zum Göttlichen. Meister Sant Darshan Singh starb 1989; seine Position nahm Rajinder Singh (hier im Hintergrund) ein.

zeugung, daß die Sünden zwischen den Menschen und dem liebenden Gott stehen. Wenn Menschen moralische und spirituelle Sünden begehen und Haß, Angst, Selbstsucht und Neid verspüren, dann versperren diese Eigenschaften die wahre Realität. Wer einem solchen Ausdruck geistiger Dunkelheit tapfer ins Auge blicke und sich durch Gebete der Realität, Gott, überlasse, setze, so sagen die Christian Science, den Heilungsprozeß ganz natürlich in Gang und bringe das eigene echte Ich zum Vorschein. Nicht nur Gefühle wie Haß und Ängste sind »Fehler des sterblichen Bewußtseins«, auch organische Krankheiten und Mißbildungen. Nur Gott ist echt, der physische Körper mit seinen Krankheiten ist es nicht. So lehnt die Christian Science bei Krankheiten eine medizinische Behandlung meist ab und verläßt sich auf das Gebet. Tom Johnson, ein Mitglied, erklärt:

> Es ist kein positives Denken oder ein psychologisches Training, und es ist auch keine Beschwörung Gottes. Das Gebet ist so viel mehr. Es bedeutet, daß man sein Herz und sein Dasein Gott überläßt und der göttlichen Liebe. Es bestätigt die Wahrheit. Wenn sich das menschliche Bewußtsein dem Göttlichen übergibt, drückt der Körper ganz natürlich diese Realität aus, und eine Heilung findet statt, wie im Neuen Testament. Heilung ist nichts Magisches, stößt nicht nur vereinzelt wie ein Blitzschlag aus dem Himmel. Gesundheit ist das natürliche und sehr normale Resultat, wenn das eigene Ich seine Beziehung zu Gott begreift und von ihr ergriffen ist.[14]

Sprachrohr der Gruppe ist die allgemein geschätzte Zeitung *The Christian Science Monitor*. Dennoch hat ihr Ansehen in den vergangenen Jahren Schaden gelitten, weil Kinder in gerichtlichen Auseinandersetzungen von ihren Eltern Wiedergutmachung für verweigerte medizinische Hilfe eingeklagt hatten.

Radhasvami

Radhasvami ist eine Bewegung, die der Sikh-Religion Indiens entstammt. Anders als orthodoxe Sikhs, die an eine Folge von Meistern glauben, die mit dem zehnten Guru endete und der heiligen Schrift übertragen wurden, glauben die Meister der Radhasvami an eine ununterbrochene Folge lebender Meister. Der erste ihrer Gurus war Shivadayal Singh. Er bot sich 1861 als spiritueller Retter an und brachte seine Anhänger zur unsagbaren Gottheit Radhasoami. Bis zu 10 000 Gläubige wurden unter ihm initiiert. Nach seinem Tod splittete sich die Bewegung in mittlerweile über 30 Zweige auf. Jeder von ihnen hat seinen eigenen Meister, obwohl theoretisch nur ein Meister auf der Erde weilt. Die im Pandschab ansässigen Ableger werden unter dem Begriff *Sant Mat* (»Wege der Meister«) zusammengefaßt.

Radhasvami ist vorrangig eine esoterische Religion, die ohne exotische Zeremonien auskommt. Die bereits Initiierten lernen eine geheime Yogaübung, mit der man sich auf das dritte Auge, die innere Stimme und das innere Licht konzentriert, um mit der allumfassenden Macht von Gott, die als *Naam* oder »Wort« bezeichnet wird, in Kontakt zu treten. Dieser Kontakt, so werden die Gläubigen gelehrt, muß durch ein vorbildliches Wesen erfolgen. Sant Mat-Meister lehren Respekt gegenüber allen früheren Perfect Masters, denn sie glauben, daß sie alle der gleichen Linie entstammen, zu der auch Buddha, Mahavira, Jesus, Muhammad, Kabir und die Heiligen der Sikhs gehören.

Die Radhasvami-Religion schätzt ihre Anhängerschaft mittlerweile auf 1,7 Millionen. In den umliegenden Gebieten von Agra sind komplette »spirituelle Stadtteile« entstanden, in denen die Gläubigen zusammen leben, arbeiten und beten. Außerhalb Indiens versammeln sich die Gläubigen in *Satsangs* (spirituellen Versammlungen; sie sollen einander auf ihrem Weg unterstützen. Sie müssen vegetarisch leben, jeden Tag meditieren, Alkohol und, wenn möglich, Tabak vermeiden und einer Arbeit nachgehen.

Sant Rajinder Singh ist der heutige Meister einer Sant Mat-Abspaltung. Er setzt sich

Englische Brahma Kumaris begrüßen Dadi Prakashmani, der an der Verwaltungsspitze ihrer Organisation steht, nach der Rückkehr von einer Weltbereisung.

besonders für die universelle Harmonie zwischen Menschen unterschiedlicher Religionen und Nationen ein. Sein Ziel sei, so sagt er, »die Mystik weniger geheimnisvoll zu machen und den Menschen dabei zu helfen, die Mystik auch in ihrem eigenen Leben einzusetzen.Damit können sie sich selbst und den Menschen in ihrer Umgebung dazu verhelfen, Glückseligkeit und universale Liebe zu erfahren«[15].

Sant Rajinder Singh bereist viele andere Länder, um dort die Meditation des »Licht- und Tonstroms« zu lehren. Seine Variante des Radhasvami nennt sich »Wissenschaft der Spiritualität«.

Brahma Kumaris

Brahma Kumaris ist eine neuere Entwicklung des Hinduismus. Ihr Begründer, ein indischer Juwelier namens Brahma Baba, verspürte das Licht Shivas in sich und lehrte von seinem 60. Lebensjahr bis zu seinem Tod 1969 (im Alter von 93 Jahren) vereinfachte Formen alter indischer Meditationsübungen und einen Lebensstil, den er Raja Yoga nannte. Diese sollen dem Menschen dazu verhelfen, sich der Kraft, Reinheit und Weisheit der Seele bewußt und an Körper und Geist gesund zu werden. Studenten an der Brahma Kumaris World Spiritual University (die Mehrzahl von ihnen Frauen, die wiederum vorrangig von Frauen unterrichtet werden) kleiden sich in peinlich saubere, weiße Saris, geben Kurse in Meditation, vegetarischer Ernährung, der Verbesserung des Karma, der persönlichen Weiterentwicklung und im besseren Umgang mit anderen Menschen. Die im indischen Rajasthan ansässige Organisation verfügt mittlerweile über 3000 Zentren in insgesamt 62 Ländern. Sie arbeitet mit den Vereinten Nationen zusammen und hat mehrere globale Projekte ins Leben gerufen, darunter »Visions of a Better World«, wozu Tausende von Menschen aus 130 Ländern ihre Ideen und Vorstellungen beisteuerten. Wie sich ihr Leben aufgrund dieser tiefgehenden Beschäftigung mit dem Spirituellen verändert hat, beschreibt Lucy, eine Unternehmensberaterin von den Philippinen:

> Mein Leben hat sich tiefgreifend verändert. Anstelle des Gefühls, zu nichts nütze zu sein, verspüre ich Erfüllung. Aus einem sich immer wiederholenden Muster aus Freude und Depression bin ich zu einem beständigen Gefühl des Liebens und der Erfahrung, wirklich geliebt zu werden, gelangt. Aus einem durch Sprunghaftigkeit und Unbeständigkeit geprägten Verhältnis zu meiner Familie, meinen Freunden und Arbeitskollegen bin ich zu einer Art der Bindung gelangt, die wirklich von Glück erfüllt ist.[16]

Die Vereinigungskirche

Die Ausbreitung der Vereinigungskirche (»Mun-Sekte«), die trotz anhaltender Kritik an ihrem Begründer, Sun Myung Mun, zu verzeichnen ist, liest sich fast wie eine zeitgenössische Fallstudie zum Thema »Entwicklung und Verbreitung einer neuen Religion«. Die Anhänger des Reverend Mun werden allgemein »Munies« genannt, ziehen es aber vor, als »Vereinigte« (»Unificationists«) bezeichnet zu werden.

Die Vereinigungskirche etablierte sich in den 50er Jahren in Korea. 1905 wurde Korea von den Japanern besetzt; Christen, die sich weigerten, zum Shintoismus überzutreten, starben den Märtyrertod. Das Christentum wurde nur noch heimlich praktiziert; daraus entwickelte sich auch die Verbindung zur koreanischen Nationalismusbewegung. Die Christen trafen sich im Untergrund und verbargen sich erst vor der japanischen Verwaltung und später vor den Kommunisten, die seit 1945 die Religion in Nordkorea unterdrückten. Zu diesem Zeitpunkt war die Messias-Erwartung in den Kirchen stark ausgeprägt.

Sun Myung Mun wurde 1920 im heutigen Nordkorea als Sohn eines Bauern geboren. Als Junge wurde er in einer konfuzianischen Religionsschule unterrichtet. Dann traten seine Eltern zum Christentum über, und der junge Mun wurde Lehrer in einer Sonntagsschule. 1935 erschien ihm bei einem Gebet in den Bergen in einer Vision Jesus Christus; dieser teilte ihm mit, seine Kreuzigung sei nicht Gottes Wunsch gewesen, denn seine Aufgabe auf Erden sei noch nicht beendet. Er, Mun, solle diese Aufgabe, nämlich Gottes Königreich auf Erden zu errichten, für ihn fortsetzen. Mun erforschte daraufhin, was Jesus auf Erden nicht hatte vollenden können. Er entwickelte die Lehren, die später als »Vereinigungsprinzip« zusammengefaßt wurden. Sun Myung Mun ernannte sich und seine Frau Hak Ja Han gemeinsam zum Messias.

Nach dem Vereinigungsprinzip schuf Gott das Universum als Ausdruck wahrer Liebe. Damit Liebe wachsen kann, braucht sie als wichtigste Institution die Familie. Eltern sollen für ihre Kinder und Kinder für ihre Eltern leben. Auf der Grundlage spiritueller und moralischer Erziehung innerhalb der Familie sollen Menschen generell zum Wohl der anderen leben. Dennoch entsprechen Menschen damit noch nicht Gottes Entwurf, denn das Selbstsüchtige beherrscht die Beziehungen zwischen den Menschen, im Privaten ebenso wie in ethnischen und nationalen Beziehungen.

Diese Situation führte Mun auf die Geschichte des Sündenfalls zurück. In seiner ungewöhnlichen Interpretation verlor Eva durch eine unziemliche Beziehung zu Satan (symbolisiert durch eine Schlange) ihre Reinheit und verführte anschließend Adam. So wuchsen sie nie bis zu dem Punkt, an dem sie wahre Liebe hätten zum Ausdruck bringen können. Statt dessen brachte ihr Sohn Kain seinen Bruder Abel um, weil er von seinen Eltern eine falsche, selbstsüchtige Liebe geerbt hatte. Von diesem Zeitpunkt an, so will es Muns Lehre, wurde falsche Liebe von einer Generation an die andere weitergegeben, bis schließlich die gesamte Menschheit damit infiziert war.

Nach der Befreiung von der japanischen Herrschaft gründete Mun 1945 in Korea seine Kirche. Er trat mit anderen christlichen Priestern in Kontakt und wollte seine Lehre mit ihnen teilen, da er glaubte, sie könne die Streitigkeiten zwischen den Konfessionen schlichten. Da niemand mit ihm zusammenarbeiten wollte, entwickelte er eine »Heimkirchen«-Bewegung, die in der Familie ihre Basis hatte, und predigte, daß man ein guter, aufopfernder Christ sein könne, ohne deswegen in die Kirche zu gehen.

Gott habe ihn geleitet, so sagte Mun später, öffentlich in Nordkorea zu lehren, wo die kommunistische Führung jegliche religiöse Ausübung im Keim zu ersticken bemüht war. Er wurde gefangengenommen und gefoltert; dann wurde sein lebloser Körper in einer Schneewehe verscharrt. Doch seine Anhänger waren ihm gefolgt, retteten ihn und pflegten ihn wieder gesund. Er nahm seine Predigten in der Öffentlichkeit wieder auf, wurde ein weiteres Mal festgenommen und zu fünf Jahren Zwangsarbeit in einem Arbeitslager verurteilt. Als er während dieser Zeit zu Gott betete, »konnte ich ihm nur sagen, daß mein eigenes Leid mich nie besiegen würde«[17].

Mun wurde befreit, als amerikanische Einheiten das Lager bombardierten. Er zog in eine Hütte, die aus alten Verpflegungskartons gebaut war.

1954 gründete er die »Vereinigungskirche« oder »Holy Spirit Association for the Unification of World Christianity«. Als Gläubige sich die Nacht über in der Kirche aufhielten, um seine Predigten zu hören, wurde von Sex-Orgien gemunkelt; je größer die Vereinigungskirche wurde, desto mehr wurde sie angefeindet.

In den 70er Jahren gewann die Kirche durch erfolgreiche »Werbe«-Veranstaltungen besonders in den USA viele neue Anhänger: Gerade für Jugendliche der Mittelschicht muß es verlockend gewesen sein, Karriere und weltlichen Besitz aufzugeben und sich nach der Trennung von den jeweiligen Partner nur noch der Religion zu widmen, denn dieser neue, asketische und Selbstaufopferung verlangende Lebensstil war eine eindeu-

Reverend Sun Myung Mun und seine Ehefrau bei einer Massentrauung, die in Seoul für 30 000 Paare aus der ganzen Welt veranstaltet wurde.

tige Absage an das von Materialismus und Hedonismus geprägte Leben Amerikas. Alarmierte Eltern sahen das anders und klagten die Vereinigungskirche der Gehirnwäsche an. Auch die Amtskirchen standen der »Mun-Sekte« mißtrauisch gegenüber, während die politische Linke sich durch Muns extreme Haltung gegenüber dem Kommunismus verunglimpft fühlte.

1981 wurde er von der amerikanischen Regierung wegen Steuerhinterziehung verklagt. Man bot ihm an, die Gefängnisstrafe zu erlassen, wenn er das Land verlassen würde, doch er weigerte sich und verbrachte 13 Monate hinter Gittern. Die geistigen Führer einiger Amtskirchen wandten sich gegen dieses Urteil, das ihrer Meinung nach die religiöse Freiheit verletzte.

Heute rechnet man weltweit etwa 100 000 aktive Mitglieder dieser Kirche zu. Einige junge und unverheiratete Mitglieder leben gemeinsam in kommunalen Zentren, doch die meisten führen ein Leben als Kleinfamilie, die den zentralen Punkt der Gottesverehrung bildet. Jede Woche werden formelle Anbetungsriten abgehalten, öffentliche Glaubensbekundungen mit Predigten und Gesängen, die mehr an unsere Gottesdienste erinnern, werden ebenfalls veranstaltet. Zentraler Ritus dieser Veranstaltungen sind die sogenannten Segnungen: als »Massenhochzeiten« bezeichnete paarweise Adoptionen, in denen Tausende von Paaren, oft aus verschiedenen Ländern, die unter Hinzuziehung von Menschen, die zwar Muns Kirche nicht angehören, aber ihr Ehegelöbnis erneuern wol-

Neue Religionen leben

Ursula ist Deutsche. Die Vereinigungskirche dachte ihr als Partner David McLackland aus England zu. Mittlerweile haben sie drei Kinder und leben in Neu Delhi, wo Ursula nun Bezirksleiterin der Kirche für Süd-Asien ist. Auf ihrer spirituellen Suche – sie ist geborene Christin – hatte sie sich zuvor »Ananda Marga« angeschlossen, einer auf Yoga basierenden Bewegung, die besonderen Wert auf Sozialarbeit legte.

»Ich bin protestantisch erzogen worden, aber interessiert habe ich mich für Religion nicht. Ich lernte alle Gebete auswendig, ohne sie wirklich zu fühlen. Als Fünfzehnjährige machte ich es meiner älteren Schwestern nach und trat aus der Kirche aus. Als Studentin schloß ich mich dann der kommunistischen Bewegung an der Universität an. Doch schnell war ich von dem Unterschied zwischen Theorie und Praxis der kommunistischen Denkweise enttäuscht.

Die Erfahrung, die mich wohl am meisten motiviert hat, war die Arbeit in einem Projekt für Drogenabhängige, denen ich half, ihre innere, spirituelle »Drogensucht« zu überwinden. Ich konfrontierte sie mit der Frage: ›Was ist der Sinn des Lebens?‹ Sie antworteten: ›Ob ich in 2 oder 20 Jahren sterbe, ist mir egal, und der Sinn des Lebens auch.‹ Wollte ich ihnen helfen, so, glaubte ich, müßte ich ihnen auch einen Lebenssinn vermitteln, einen Grund, warum sie Hoffnung schöpfen dürfen. Ich müßte die gleiche Ehrlichkeit einbringen wie sie. Zu diesem Zeitpunkt hatte mich ein Freund bereits in eine Yoga-Gruppe eingeführt. Dort spürte ich die Liebe zwischen den Menschen; das Singen und Meditieren zog mich besonders an und veränderte mein Leben von Grund auf. Durch die moralischen Prinzipien und den Beginn eines disziplinierten Lebens ließen sich viele Fragen in meinem Leben beantworten, und ich hatte das Gefühl, als wäre mein Geist endlich völlig klar.

Was mich an der Vereinigungskirche am meisten anzog, war, daß sie eine sehr klare, logische Erklärung der Rolle der Geschlechter hatte und die Familie als Ideal hochhielt. Die eigenen Mitglieder waren, obwohl verheiratet, nicht als einzelne, sondern als ganze Familie engagiert und opferten sich für die Gesellschaft und die Welt auf.

David und ich wurden ausgesucht und waren dann anderthalb Jahre verlobt. Wir lernten uns durch Briefe kennen. Als ich ihn dann zum erstenmal traf, spürte ich eine unglaubliche Liebe Gottes zu meinem Mann. Diese Empfindung war wirklich sehr stark. Es ist nicht meine Liebe zu ihm, sondern die Liebe Gottes, die sich durch uns mitteilt.

[Kritikern, die den höheren Rängen der Vereinigungskirche vorwerfen, die »Munies« als billige Arbeitskräfte auszubeuten, erklärt sie:]

Je höher ihr Rang, desto mehr opfern sich die Mitglieder auf, desto mehr Liebe verströmen sie. Ich jedenfalls könnte nicht wie Reverend Kwak (Muns direkter Assistent) oder Reverend Mun selbst leben. Sie schlafen höchstens ein paar Stunden am Tag, sie sind immer aktiv, immer sehr beschäftigt. Sie zeigen den anderen immer ihre Liebe, sind immer für einen da und unterstützen einen. Ich möchte so werden wie sie, denn sie zeigen mir wirklich, was es bedeutet, das Herz und die Liebe einer Mutter oder eines Vaters zu besitzen.

Natürlich ist es wahr, daß wir nicht nach beruflicher Sicherheit, nach Geld oder Ersparnissen streben. Wer bei uns Mitglied wurde, ist sehr idealistisch. Wir suchen nach innerer Befriedigung. Am häufigsten wird uns vorgeworfen, daß neue Mitglieder zur Unterstützung unserer Projekte im Verkauf tätig seien. Aber aus dieser Zeit rühren einige meiner schönsten Erlebnisse. Wenn ich einen ganzen Tag lang arbeite, um etwas zu verkaufen, dann spüre ich Gottes Liebe wirklich, denn der Grund, warum ich das tue, ist ein gutes Werk. Das Geld ist nicht für mich, sondern soll anderen helfen. Dabei habe ich ein sehr schönes Gefühl empfunden, als sei es nämlich Gott, der es verkauft. Nicht ich. Ich selbst könnte das gar nicht. Und das gilt, glaube ich, auch für alle unsere Mitglieder: Diese Arbeit vermittelt uns allen ein wunderschönes Gefühl.

Wenn man dann von Tür zu Tür geht, lernt man die unterschiedlichsten Leute aus den unterschiedlichsten gesellschaftlichen Schichten kennen. Normalerweise würden wir nur mit Leuten aus unserer eigenen Schicht verkehren. Als Arbeiter lernt man keinen Manager kennen. Als Manager hat man nichts mit Arbeitern oder Akademikern zu tun. Aber bei unserer Arbeit kommen wir mit den verschiedensten Menschen in Kontakt, und das ist auch Reverend Muns innere Motivation: Seinen Mitgliedern einen breiten Erfahrungshorizont zu vermitteln und die Fähigkeit, unterschiedlichste Menschen kennenzulernen, zu lernen, wie man sich ihnen gegenüber verhält, sie lieben lernen, sie verstehen lernen.

Als ich gerade zur Vereinigungskirche gekommen war, dachte ich: Toll! Hier sind Menschen, die ehrlicher sind als ich, Menschen, die mehr bereit sind, Opfer zu bringen, die ehrlicher sind in ihrem Bestreben, für andere zu leben. Ich wollte so werden wie sie. Und ich glaube, das ist das Motiv aller unserer Mitglieder – wir wollen nicht für uns selbst leben, sondern für die anderen.«

len, miteinander vermählt werden und dabei versprechen, einander liebende und dienende Familien zu gründen. Im Jahr 1995 wurden 30 000 Paare gleichzeitig getraut. Die Zeremonie fand im Olympiastadion von Seoul statt, und die Zeremonie wurde via Satellit weltweit zu anderen Munies übertragen, die sich ebenfalls vermählten. Die Gläubigen sehen solche Massenhochzeiten als Ausdruck des Wunsches, eine Menschenfamilie zu schaffen, in der Paare jeder Rasse und Nationalität »geistige Kinder« zeugen, die der »Göttlichen Weisung der wahren Liebe verhaftet sind«.

Die Gläubigen werden gelehrt, ihrer Verantwortung für die äußere Welt durch praktische Aktivitäten und Dienste an der Allgemeinheit gerecht zu werden. So wurden internationale Organisationen gegründet, die in akademischen, politischen, kulturellen und wirtschaftlichen Bereichen auch viele Menschen beschäftigen, die nicht der Vereinigungskirche angehören. Die von der Vereinigungskirche gesponserte »Inter-Religious Federation for World Peace« oder der »Religious Youth Service« beispielsweise haben einen internationalen und interreligiösen Dialog initiiert und gleichzeitig Serviceprojekte gegründet. Am 50. Jahrestag des Kriegsendes organisierte die von der Kirche gesponserte »Women's Federation for World Peace« ein sogenanntes »Schwestern für den Frieden«-Programm und brachte 300 000 Frauen aus den früher verfeindeten Nationen Japan–USA und Japan–Korea zusammen. Projekte solcher Art sind nicht nur organisatorisch, sondern auch finanziell aufwendig und werden durch Haustürverkäufe und Geschäftsgründungen von Mitgliedern unterstützt.

Das Ehepaar Mun verkündet seine Lehre auf Veranstaltungen in der ganzen Welt. Mit der immer gleichen Botschaft erklären sie, daß sie die »wahren Eltern« der Menschheit seien, gekommen, um die Herrschaft der wahren Liebe zu begründen. Sah man früher in Mun eher einen Wirrkopf, zeigen sich mittlerweile auch hochrangige Persönlichkeiten des öffentlichen Lebens, darunter der frühere US-Präsident George Bush, mit ihm. Für Mitarbeiter dieser Organisationen, die weder Muns theologische Auslegung noch seine messianistischen Ansprüche akzeptieren können, bedeutet die Zusammenarbeit hingegen eine ständige Zerreißprobe. Aber in seiner Rede »Die wahre Familie und ich« aus dem Jahr 1995 ließ Mun seine Zuhörer in verschiedenen Ländern wissen: »Die Welt tat alles, um sich gegen mich zu stellen und mich zu vernichten, aber ich lebe noch und stehe ganz oben.«[18]

Spiritualität der Natur

Wenn Religion im weitesten Sinne als Weg des Menschen zurück zum Heiligen verstanden wird, dann ist eine der stärksten Entwicklungen der Gegenwart die Religion der Natur. Viele Menschen, die wieder einen tiefen Kontakt zur Natur geknüpft haben, würden ihn gar nicht als Religion beschreiben, da er keine klare Struktur besitzt. Er wächst spontan, von innen heraus.

Welche Kraft dieser Zugang als globale »Religion« besitzt, zeigte die UN-Umweltkonferenz, die 1992 in Rio de Janeiro stattfand. Zehntausende Menschen aus den unterschiedlichsten Ländern und Angehörige der unterschiedlichsten Glaubensrichtungen strömten nach Brasilien, um dort ihre gemeinsame Sorge zum Ausdruck zu bringen – wie der Mensch sein eigenes Zuhause zerstört und was dagegen unternommen werden kann.

Nicht nur in den früher kommunistisch regierten Ländern sind die Auswirkungen der ungezügelten Industrialisierung erschreckend. So wurde das einzigartige Ökosystem des Baikalsees beispielsweise durch die Zelluloseproduktion und die Einleitung von Millionen Tonnen landwirtschaftlichen und industriellen Abwässern nachhaltig vergiftet und gefährdet, und erst jetzt rühren sich ernstzunehmende Gegner. Einige Industriegebiete sind ökologisch bereits tot: die Anzahl der Neugeborenen, die mit Behinderungen zur Welt kommen, ist enorm hoch, und die Bevölkerung leidet unter Krankheiten.

Eine Wiederbelebung alter Denkmodelle

Auf der Suche nach einer naturgeprägten Spiritualität wenden sich viele auch der Vergangenheit zu. Als *Neo-Paganismus* (oder »Bauernreligion«) wird diese Tendenz manchmal bezeichnet. Dabei handelt es sich um den Versuch einer Rückkehr zu den spirituellen Wegen der Frühvölker, die durch mächtigere, organisierte Religionen unterdrückt wurden. Gerade Frauen glauben, daß das Göttliche einst in Form einer weiblichen Macht verehrt worden sei. Durch die »Wiederbelebung« einer solchen weiblichen Gottheit könne eine alte Tradition wiederaufleben und ließen sich negative Aspekte der patriarchalischen Religion zurückweisen. Ihre Form der Anbetung nennen sie selbst *Hexerei*. Starhawk, eine Predigerin des »Covenant of the Goddess«, erklärt:

> *Moderne Hexen hält man für Mitglieder eines verrückten Kults ... dem die geistige Tiefe, die Würde und die Ernsthaftigkeit einer echten Religion abgehen. Doch die Hexerei ist eine Religion, vielleicht die älteste im Westen existierende Religion ... und sie unterscheidet sich sehr von allen anderen sogenannten Religionen. Die »alte Religion«, wie wir sie nennen, ist eher mit der Religion der nordamerikanischen Indianer oder dem Schamanismus des arktischen Kulturkreises verwandt. Sie basiert nicht auf einem Dogma oder einem festgefügten Glauben, besitzt keine heiligen Schriften oder Bücher, die von einem bedeutenden Mann verfaßt wurden. Die Hexerei bezieht ihre Lehren aus der Natur und sucht Inspiration in der Bewegung der Sonne, des Monds und der Sterne, im Flug der Vögel, in dem langsamen Wuchs der Bäume und dem Zyklus der Jahreszeiten.[19]*

Einige dieser Religionen sind pantheistisch und verehren beispielsweise die ägyptischen Götter und Göttinnen, wo sich »männliche« und »weibliche« Eigenschaften die Waage halten. Andere empfinden die Religionen früherer europäischer Völker nach, die der Kelten auf den Britischen Inseln beispielsweise oder der alten Stämme Skandinaviens. Doch eine Rekonstruktion dieser Traditionen ist schwierig, da sie meist mündlich überliefert wurden.

Mit der Etablierung anderer Religionen wie des Christentums wurden die Anhänger

Links: *»Fountain International«-Mitglieder beschwören am »Merry Maiden's«-Steinkreis in Land's End im englischen Cornwall die Erdgeister.*
Rechts: *Diese NASA-Fotografie der Erde, vom Weltraum aus aufgenommen, wurde als »spirituelles Symbol unserer Zeit« bezeichnet. Sie hat mit dazu beigetragen, daß eine zwar amorphe, aber stetig wachsende »Religion« des persönlichen Engagements zur Erhaltung der Erde sich entwickelte.*

alter Bräuche oft als Hexen gebrandmarkt, für Krankheiten verantwortlich gemacht, gequält und umgebracht. Man glaubte sie mit dem Teufel im Bunde, den es doch im alten
pantheistischen Paganismus gar nicht gab, sondern vielmehr erst durch das Christentum,
das Judentum und den Islam eingebracht wurde.

Die Lehrer solch lebensbejahender Religionen, die niemals vollkommen zerstört wurden – wie verschiedene heilige Riten der nordamerikanischen Indianer –, sind heute als
Führer zur Naturverehrung überaus wertvoll. Von solchen Weisen haben die heute Suchenden die tradierten Bräuche erlernt, die Visionssuche, die Schwitzhütten, die Medi-
zinräder.

Dennoch sind solche Bräuche komplex und erfordern eine langjährige Ausbildung;
sie sind zudem untrennbar mit einem Lebensstil verknüpft, der schon lange nicht mehr
existiert. Anhänger des Neo-Paganismus, die selbst keinem Naturvolk entstammen, können die Traditionen selten in ihrer ursprünglichen Intensität und Vollendung erleben.
Was bleibt, ist die Absicht, die Naturkräfte zu ehren und mit ihnen zu kooperieren, den
Kreis des Lebens zu feiern, anstatt ihn zu zerstören, wie es die sogenannte Zivilisation bereits getan hat.

Da heute die Rituale früherer Zeiten zur Geisterbeschwörung nicht mehr sicher zu
identifizieren sind, behilft man sich mit neuen Gruppenritualen und sucht nach göttlicher Inspiration.

Die Zeremonien finden meist draußen in der Natur statt; Bäume, Felsen, Gewässer,
die Sonne, der Mond und die Sterne sind die Altäre des Geheiligten. Der allem Leben innewohnende pantheistische Geist oder die unsichtbaren Geister der Stelle, an der die Zeremonie abgehalten wird, werden beschwört. Bei Zeremonien, die einer bestimmten
Mondphase oder einer Jahreszeitenwende gelten, werden die Betenden vielleicht daran
erinnert, wie ihr eigenes Leben mit den Rhythmen der Natur verwoben und von diesen
abhängig ist. Auch Gebete und Rituale zur Heilung der Erde, aller Kreaturen oder der
Menschen sind oft Teil solcher Zeremonien.

Wie bereits in Kapitel 2 erwähnt, sind bestimmte Orte seit langem schon als ener-
getische Plätze bekannt; dort finden oft Zeremonien oder auch weniger strenge Rituale
statt. Alte zeremonielle Stätten wie Stonehenge und Glastonbury Tor ziehen ein neues
Publikum an, das auf geführten Touren ebenfalls die Atmosphäre dieser Orte verspüren
will.

Die neuseeländischen Maori kennen die belebenden Kräfte von fließendem Wasser,
und ihre heiligen Wasserfälle sind mittlerweile als Orte negativer Ionisation erforscht worden, womit ihre belebende Wirkung auch wissenschaftlich bestätigt wurde. Schon seit
langem berichteten die Ältesten der Maori von den Heilkräften eines Wasserfalls auf der
Nordinsel; dieses Gebiet ist für alle bestimmt, die Heilung brauchen. Die Regierung hat,
ausschließlich für spirituelle Heilungszwecke, dort einen Parkplatz und einen Fußweg
zum Wasserfall geschaffen.

Ganzheitliche Ökologie

Neben den Gruppierungen, die sich um die Wiederbelebung der naturzentrierten Religiosität früherer Zeiten bemühen, versuchen in den nichttraditionell lebenden Gesellschaften viele Menschen, sich ihren eigenen – neuen – Weg zu einer Verbindung mit dem
Kosmos zu erschließen.

Ganzheitliche Ökologie steht für die Erfahrung, mit der Natur eins zu werden, wäh-
rend die meisten westlichen Religionen beispielsweise die Eroberung der Natur durch die
Menschen gutheißen und ihn Bären und Blumen, Bergen und Flüssen überordnen. Der
Australier John Seed, selbst ein Verfechter der ganzheitlichen Ökologie, nennt diese Ein-

stellung Anthropozentrismus – »der Chauvinismus des Menschen, die Idee, daß der Mensch die Krone der Schöpfung sei, die Quelle jeglicher Werte, das Maß aller Dinge«[20].

> *Was ist der Mensch ohne die Tiere? Gäbe es keine Tiere mehr, würden die Menschen an einer Vereinsamung der Seele und des Sprituellen sterben. Denn was immer dem Tier passiert, passiert auch bald dem Menschen … Die Erde gehört dem Menschen nicht; der Mensch gehört zur Erde. Das wissen wir. Alle Dinge sind miteinander verbunden, wie das Blut, das die Familie vereint.*   *Häuptling Seattle zugeschrieben*[21]

Viele von uns entwickelten ein neues Bewußtsein für ihr planetares Zuhause, als es erstmals auf Fotos, die vom Weltraum aus aufgenommen worden waren, zu sehen war. Die Erde war kein Globus mehr, der durch natürliche politische Grenzen geteilt war, sondern schien ein wunderschönes, zum größten Teil mit Wasser bedecktes Wesen zu sein, umwoben von Wolken, in der Dunkelheit des Raums schwebend. Einige Wissenschaftler haben diese Metapher der Erde als eines lebenden Wesens aufgegriffen und suchen Beweise für die wissenschaftliche Plausibilität. So schlug der Biogeochemiker James Lovelock 1969 vor, daß die Biosphäre (»alles, was auf der Erde lebt, vom Wal bis zum Virus, von Eichen bis zu Algen«) und die Atmosphäre der Erde, ihre Ozeane und ihr Boden, als »einzige lebende Einheit« angesehen werde, »die in der Lage ist, die Atmosphäre der Erde so anzupassen, daß sie den allgemeinen Bedürfnissen entspricht und mit Fähigkeiten und Kräften ausgestattet ist, die die ihrer Bestandteile bei weitem überschreitet«[22]. Lovelock hat diese komplexe, selbstregulierende Einheit nach der griechischen Erdgöttin *Gaia* genannt. In neueren Ausführungen seiner »Gaia-Theorie« betont Lovelock die weiblichen und göttlichen Charakteristika dieses Wesens:

> *Jeder lebende Organismus, der auch nur ein Viertel so alt ist wie das Universum selbst und immer noch voller Kraft steckt, kommt dem Unsterblichen so nahe, wie wir es uns überhaupt je vorstellen können. Sie [Gaia] ist Teil dieses Universums und denkbar auch ein Teil Gottes. Auf der Erde ist sie die Quelle des ewigen Lebens, und ist selbst jetzt lebendig; sie gebar die Menschheit, und wir sind ein Teil von ihr.*[23]

Die Findhorn-Gemeinschaft in Schottland zieht Menschen aus aller Welt an, die an ihrem spirituellen Weg teilhaben wollen – auf die Natur zu hören und mit ihr zusammenzuarbeiten.

Das planetarische Bewußtsein des New Age

Der Gaia-Hypothese entspricht das Konzept, das die Menschen zu dem globalen Gehirn des Planeten werden läßt, zu seiner Form einer bewußten Evolution. Im »Körper« von Gaia haben die Regenwälder die Funktion der Leber und/oder Lungen übernommen, die Ozeane sind der Kreislauf usw. Als das ständig weiter sich entwickelnde Gehirn des Planeten werden sich die Menschen der Gefahren bewußt, die ihre Aktivitäten auf andere Teile dieses Körpers haben.

Peter Russell, Autor von The Global Brain, sagt, daß dem Menschen nur noch wenig Zeit bleibe, sich seiner potentiellen Destruktivität und dem Verbundensein mit allem anderen vollends bewußt zu werden und entsprechend zu handeln, um ein Umweltdesaster zu verhindern:

> *Als Spezies stehen wir unserer letzten Prüfung gegenüber … die tatsächlich ein Intelligenztest ist – ein Test unserer echten Intelligenz als Spezies. Im Grunde genommen werden wir aufgefordert, unser ichbezogenes Denken und egozentrisches Verhalten aufzugeben. Wir werden aufgefordert, eine psychologische Reife zu erlangen, uns von den Krücken dieser beengten Identität zu befreien und unsere Kreativität auf eine Weise auszudrücken, die dem Wohl aller Menschen dient.*[24]

Russell räumt ein, daß die »Weisheit der menschlichen Psyche« bereits in viele Religionen, Philosophien und Ansätze der Psychologie Eingang gefunden hat. Dennoch muß seiner Meinung nach das Verständnis dieser heiligen Einigkeit in eine zeitgemäße Sprache und in die wissenschaftliche Begrifflichkeit einfließen, damit genug Menschen erreicht werden, um eine wirkliche Veränderung zu schaffen.

Doch wie viele Menschen sind nötig, um das Bewußtsein der Erde zu bewegen? Viele Anhänger dieses planetaren Bewußtseins arbeiten hier mit dem Begriff des »Hundredth Monkey«-Effekts. Sie glauben, daß das Bewußtsein aller Mitglieder unserer Spezies durch

Die Tänze des universellen Friedens (Sufi-Tänze) werden oft eingesetzt, um bei Gottesdiensten Menschen miteinander und in sich selbst in Harmonie zu versetzen. Rahima Dziubany (links) leitete diese Tänze in einer Behindertengemeinschaft in England. »Ich traf schon im ersten Moment ihre Herzen, und von diesem Ort aus tanzten wir.«

einen bestimmten Mechanimus miteinander verknüpft ist. Wenn nur genügend Menschen ihr Denken ändern, wird der Rest der Menschheit spontan folgen. Die »harmonische Konvergenz«, die der Kalender der Mayas zwischen dem 16. und 17. August 1987 als Zeitpunkt einer bedeutenden Veränderung voraussagte, an dem sich das Bewußtsein der Menschheit in eine weniger anthropozentrische Richtung entwickeln sollte, zog Hunderttausende zu Treffen und Versammlungen, die auf der ganzen Welt an heiligen energetischen Stätten abgehalten wurden, um das eigene Bewußtsein aus der Ichbezogenheit herauszuheben und zu einem planetaren, sogar kosmischen Bewußtsein wachsen zu lassen, in der Hoffnung, daß sich diese mentale/spirituelle Energie auf den ganzen Planeten auswirken werde.

Doch die Spiritualität des New Age läßt sich nicht nur als Mitglied einer Gruppe in der Meditation erleben, sondern auch als einzelner in der mystischen Erfahrung des Einsseins mit dem Kosmos. So haben Menschen die Erfahrung gemacht, daß sie, wenn sie in einem freundlichen Gefühl des Einsseins nonverbal miteinander kommunizieren, damit die Kulturgrenze zwischen Mensch und Natur überwinden. Voraussetzung für solche Erfahrungen ist meist eine spirituelle Disziplinierung, beispielsweise durch Meditation, denn die tatsächliche mystische Erfahrung selbst passiert spontan. Dorothy Maclean studierte bei Sufi-Meistern und erhielt dort Rat und Erleuchtung, bevor sie gemeinsam mit Eileen und Peter Caddy an der Küste Schottlands die Gemeinschaft *Findhorn* gründete und eine trostlose Dünenlandschaft in saftig-grünes, fruchtbares Land verwandelte. Sie hatte die Aufgabe, Mitteilungen von den Energien zu empfangen, die sie nach dem Hindu-Wort für die unsichtbaren Gottheiten »Pflanzen-Devas« nannte. Dafür entwickelte sie eine Form der Zusammenarbeit mit den Devas und bat sie beispielsweise um Rat bezüglich der Nährstoffe, die die Pflanzen benötigten.

Menschen wie Dorothy Maclean, die das Einssein mit dem Kosmos erlebt haben, sind es auch meist, die dadurch zu politischem Handeln inspiriert werden, um, beispielsweise in Umweltschutzorganisationen, auch »Mitglieder des Körpers Erde« zu schützen. Schon 1974 engagierten sich die Frauen und Kinder eines winzigen Bergdorfs im Himalaya für diese Art religiösen Umweltschutz: Sie bildeten Ketten um Bäume, deren Abrodung nur aus dem einen Grund drohte, um die Städte mit Brennholz zu versorgen. Die Dorfbewohner wußten, daß die Wurzeln der Bäume den Berg wie eine ausgestreckte Hand umfingen und vor Erosion schützten, daß sie den Pflanzen Schatten spendeten, die sie für ihre Medizin benötigten, und Vögeln und anderen Tieren ein Zuhause gaben. »Diese Bäume sind unsere Brüder und Schwestern«[25], lautete ihre Begründung. Auch wenn das »Tree-Hugging« von einigen als romantisch verklärt, naiv und hoffnungslos rückständig abgetan wurde, entwickelte es sich im Norden Indiens zu einer wahren Volksbewegung und veranlaßte die Regierung dazu, im bevölkerungsreichen Bundesstaat Uttar Pradesh die kommerzielle Rodung zu untersagen.

Universalreligionen

Neben der uneinheitlichen neuen religiösen Bewegung, die ihre spirituelle Naturerfahrung auch im praktischen Umweltschutz einsetzt, gibt es moderne spirituelle Bestrebungen ganz anderer Art, die sich um eine Harmonisierung der Weltreligionen bemühen. So fördert die Theosophische Gesellschaft beispielsweise eine intensivere Beschäftigung mit allen Religionen und unterhält zu diesem Zweck interreligiöse Bibliotheken, deren Bücher nicht nur Mitgliedern, sondern jedem Interessierten zugänglich sind. Die protestantische Kirche bildet viele Geistliche in interreligiösen Seminaren weiter. Und es existieren mittlerweile zahlreiche Gotteshäuser, die allen Religionen gewidmet sind, beispielsweise der

»Light of Truth Universal Shrine« im Satchidananda Ashram im amerikanischen Bundesstaat Virginia. Andere religiöse Gruppen wiederum konzentrieren sich in ihrem Glauben auf religiöse Einheit.

Universelle Anbetung

Der westliche Sufi-Orden bildet Geistliche aus, die Gottesdienste aller Konfessionen anbieten: Heilige Schriften aller wichtigen Religionen und religiöse Symbole der Naturreligionen liegen einträchtig beieinander auf einem Altar. An einer einzigen Lichtquelle werden Kerzen für jede einzelne Religion entzündet, um zu verdeutlichen, daß sie – wie das Leben auch – einer gemeinsamen Quelle entspringen. Die Teilnehmer solcher Gottesdienste lesen abwechselnd aus den Schriften vor, singen gemeinsam Lieder, hören und erzählen Geschichten und Meditationen aus allen Religionen zu einem bestimmten Thema, beispielsweise zu spirituellen Opferungen.

Murshid Hazrat Inayat Khan, der Anfang des 20. Jahrhunderts eine Art universellen Sufismus ins Leben rief, erklärte dazu:

Statt der Schaffung einer neuer Anbetungsform versammelt diese alle Formen zu einer Anbetungsform, damit niemand sagen kann: »Meinen Glauben hat man vergessen.« Sie bietet Beispiele an, wie Gläubige aller Religionen gemeinsam beten können. Und sie reiht alle bekannten und unbekannten Lehrer und Meister wie die unterschied-

Die Leistungen des Bahaismus sind teils religiöser, teils weltlicher Art, wie die Förderung dieser Radiostation in Ecuador, deren Programm Informationen über das Impfen von Vieh wie über die Wiederentdeckung der traditionellen Musik der Quechua-Indianer umfaßt.

Das Bahaismus-Modell zur Führung der Welt

Zu den ungewöhnlichsten Aspekten des Bahaismus gehört seine Organisation, die die Gläubigen auch als gutes Denkmodell für eine demokratische Führung und Leitung der ganzen Welt betrachten. Die Gruppierung verfügt überall dort, wo sie Mitglieder hat, über eine ausgefeilte Organisation, die nicht nur den Glauben weiterverbreiten, sondern auch die Führung zunehmend demokratisieren soll. Die religiösen Gemeinden sind nach politischem Muster konzipiert, und die Anhänger wählen ihre Führer so wie in westlichen Demokratien. Allerdings gibt es keinerlei Wahlpropaganda, und es werden auch keine Kandidaten aufgestellt; so vermeidet man die üblichen leeren Versprechungen an die Wähler, Korruption und Schlammschlachten, wie sie in den meisten Demokratien leider an der Tagesordnung sind.

Auf administrativer Ebene des Bahaismus wählt jede örtliche Gemeinde jährlich acht bis neun Vertreter in einen »Lokalen Geistigen Rat«. Dazu wird jedes Glaubensmitglied aufgefordert, zu beten und zu meditieren und dann die Namen von neun volljährigen Mitgliedern der örtlichen Gemeinde aufzuschreiben, die für ein Führungsamt am besten geeignet sind. Notwendige Voraussetzungen sind »uneingeschränkte Loyalität, selbstlose Hingabe, ein gebildeter und geschärfter Geist, Fähigkeit und Reife und Erfahrung«[26]. Dieser eigentlich simple und ungewöhnliche Vorgang bringt nach Meinung der Gläubigen im Normalfall Führungspersönlichkeiten hervor, die reif und bescheiden sind, keine politischen Wagnisse eingehen und nicht egoistisch ihr Amt ausüben. Auf die gleiche Weise wählen die Gemeinden den »Nationalen Geistigen Rat«, der seinerseits auf die gleiche Weise das »Universale Haus der Gerechtigkeit« wählt, das seinen Sitz in Haifa hat. Diese Struktur ermöglicht, so sehen es die Gläubigen, einen direkten Zugang der politischen Basis zum Entscheidungsprozeß und schafft den Überbau zu einer effizienten internationalen Koordination der Aktivitäten.

Innerhalb dieser gewählten Gruppen und in Beruf, Schule, Ausbildung und Familie versuchen die Gläubigen, eine konfliktfreie Entscheidungsfindung durch Beratung zu erreichen. Für die Beratungen bedienen die Mitglieder sich umfassender Information, und es wird erwartet, daß sie ehrlich und höflich im Umgang miteinander sind. Dieses dient der Wahrheits- und Konsensfindung ohne Machtkampf. Jede Idee, die einmal vorgeschlagen wird, gilt danach als Eigentum der gesamten Gruppe; sie ist nicht mehr im Besitz eines einzelnen oder einer bestimmten Gruppe, sondern wird nun objektiv untersucht. Svetlana Dorschiewa, die Geschäftsführerin des »Nationalen Geistigen Rats« von Rußland, Georgien und Armenien, erklärt diesen Gedanken: »Das Gute daran ist, daß derjenige, der eine Meinung äußerst, vergißt, daß sie ihm gehört. Er äußert sie, und dann wird sie diskutiert.«[27] Wird trotz Bemühungen keine Einstimmigkeit erzielt, dann kann auch die Mehrheit entscheiden. Den Erfolg dieses Verfahrens zeigt auch die Tatsache, daß es hier Menschen unterschiedlichster Herkunft gelingt, miteinander zu arbeiten und zu beten.

lichen Perlen in einem Rosenkranz auf. Allein die Vorstellung, daß sich diese Idee unter denen verbreitet und verankert, die wegen ihres unterschiedlichen Glaubens getrennt sind! … Das ist die Erfüllung des Gebetes von Mose, des Strebens von Jesus, des Bedürfnisses von Muhammad, des Traums von Abraham. Sie alle hofften, daß eines Tages die Zeit kommen würde, wo die Menschheit nicht mehr getrennt wäre.[28]

Der Bahaismus

Diese neuere Religion wurde gegründet und entwickelt, um die gesamte Menschheit unter einem Gott, der die Basis aller Religionen darstellt, zu vereinen. Der Bahaismus kam 1844 in Persien auf, als ein junger Mann, der sich Bab (arabisch für »Tor«) nannte, behauptete, daß bald ein neuer Gottesoffenbarer für alle Völker der Welt komme. Doch da in Persien das Siegel des Propheten Muhammad galt, wurde er nach diesen Äußerungen festgenommen und mit dem Tode bestraft. Auch seine etwa 22 000 Anhänger sollen die nachfolgenden Massaker nicht überlebt haben. Zu ihnen gehörte auch Alí Behâ Allâh, der der Aristokratie des Landes entstammte. Er wurde enteignet, gefoltert, nach Bagdad verbannt und später von den Türken in Palästina lebenslang eingekerkert. Aus dem Gefängnis heraus ließ er wissen, er sei der Bote, den Bab prophezeit habe, und in Briefen an alle Staatsoberhäupter der Welt behauptete er, die Menschheit sei auf dem Wege der Einigung, nun entwickle sich eine einzige globale Zivilisation.

Obwohl der Glaube anfangs heftig bekämpft wurde, hat er mittlerweile mehr als fünf Millionen Anhänger in 233 Ländern und Gebieten auf der ganzen Welt, darunter auch viele Angehörige unterschiedlicher Rassen und Ethnien. Der Bahaismus kennt keine Priesterschaft, besitzt jedoch heilige Schriften, die Alí Behâ Allâh offenbart worden waren. Die Anhänger des Bahaismus vergleichen diesen neuen Gottesboten mit früheren bedeutenden Propheten wie Abraham, Mose, Jesus, Muhammad, Zarathustra, Krishna und Buddha, mehr noch, sie sehen in ihm die Erfüllung der Prophezeiungen aller Religionen. Er selbst erklärte sich jedoch nicht zum endgültigen Gottesgesandten, sondern prophezeite, daß ihm 1000 Jahre später ein anderer folgen werde.

Seine zentrale Botschaft findet sich in seinem Werk *Kitab-i-Iqan* (»Das heiligste Buch«). Gott, so sagte Alí Behâ Allâh, sei nicht erreichbar. Der einfache Mensch könne Seine Unendlichkeit mit seinem endlichen Verstand nicht erfassen. Doch Gott habe sich durch Gottesboten offenbart, den Begründern der Weltreligionen. Sie alle seien Erscheinungen Gottes und dienten nur als Kanäle zum Verständnis Gottes. Die spirituelle Erziehung der Menschen sei ein Prozeß der *fortschreitenden Entdeckung* gewesen: Die Menschheit sei mittlerweile gereift, so wie ein Kind, in Alter und Ausbildung fortschreitend, komplexere Ideen begreife. Bei jedem weiteren Erscheinen eines Gottesboten sei den Menschen das Wissen gegeben worden, das dem jeweiligen Stand ihrer Reife entsprochen habe. Seine eigene Botschaft sah Alí Behâ Allâh als die am weitesten entwickelte und für die heutige Zeit am besten geeignete an. Sie beinhalte die gleichen ewigen Wahrheiten wie die früheren Offenbarungen, jedoch auch einige neue Aspekte, die die Menschheit erst jetzt verstehen könne, beispielsweise das Einssein aller Völker, Propheten und Religionen, sowie ein Programm der universellen Führung im Dienste des Weltfriedens und der sozialen Gerechtigkeit.

Die »Häuser der Andacht« der Bahai stehen allen Menschen offen. Mit ihren neun Eingängen und einer zentralen Kuppel sollen sie zugleich die Unterschiedlichkeit wie Einheit der Menschen symbolisieren.

Bei den Andachten wird aus den verschiedenen heiligen Schriften gelesen, es wird meditiert, gesungen und aus den Schriften von Bab, Alí Behâ Allâh und seinem ältesten Sohn und Nachfolger Abd al Behâ gebetet, der die Welt beschreibt, die dem Bahaismus vorschwebt:

> Die Welt wird zum Spiegel des himmlischen Königsreichs werden ... Alle Nationen werden eins werden, alle Religionen sich vereinigen ... der Aberglaube, den unterschiedliche Rassenzugehörigkeit, Nationalität, der einzelne, die verschiedenen Sprachen und die Politik der Länder verursacht haben, wird verschwinden; und alle Menschen werden unter dem Schatten des Herrn ewiges Leben erhalten ... Die Beziehungen zwischen den Ländern, die Verbindung, die Einheit und die Freundschaft unter den Menschen ... werden so erstarken, daß die menschliche Rasse wie eine große Familie sein wird ... Das Licht der himmlischen Liebe wird scheinen, und die Dunkelheit der Feindschaft und des Hasses werden aus der Welt vertrieben sein. Der Weltfrieden wird inmitten der Welt sein Zelt aufschlagen, und der geheiligte Baum des Lebens wird wachsen und sich so stark verbreiten, daß er den Osten und den Westen überschatten wird.[29]

Der Islam lehnt den Bahaismus als Häresie ab, da dieser leugnet, daß Muhammad der letzte Prophet sei. Auch sieht er theologische Legitimität in Religionen wie dem Hinduismus und dem Buddhismus, die der Islam nicht als rechte, gottesverehrende Traditionen anerkennt.

Im Iran werden seine Anhänger seit der islamischen Revolution im Jahre 1979 verfolgt; in den ersten fünf Jahren nach der Machtübernahme wurden Berichten zufolge 170 Anhänger getötet. Der Versuch des Bahaismus, die Erde im Glauben zu einen, reicht in der Tat auch bis in die Politik: Er unterstützt die Bemühungen der Vereinten Nationen zur Einigung des Planeten. Das Ziel ist die Schaffung einer geeinten, in Frieden lebenden globalen Gesellschaft. Dazu dienen die folgenden Prinzipien:

1 Das Ende von Vorurteilen in jeder Form
2 Die Gleichberechtigung der Frau
3 Die Anerkennung der Relatitivät und Einheit der spirituellen Wahrheit
4 Die gerechte Verteilung des Reichtums
5 Erziehung und Bildung für jedermann
6 Die Verantwortung des einzelnen, nach der Wahrheit zu suchen
7 Die Entwicklung einer Welt-Föderation
8 Die Harmonie zwischen der Wissenschaft und der wahren Religion[30]

Wenn die Religionen wahr sind, dann aus dem Grund, weil es jedes Mal Gott ist, der gesprochen hat, und wenn sie unterschiedlich sind, dann aus dem Grund, weil Gott in verschiedenen »Sprachen« entsprechend der Verschiedenheit der Empfänger gesprochen hat. Und endlich, wenn sie absolut und ausschließlich sind, dann aus dem Grund, weil Gott in jeder Religion von »Ich« gesprochen hat.   Frithjof Schuon[31]

Nicht nur die Anhänger des Bahaismus sind zu der Erkenntnis gelangt, daß der Mensch religiöser Vorlieben wegen eine Teilung zwischen den Menschen zugelassen hat. Auch Mitglieder anderer Glaubensrichtungen spüren, daß sich die Menschen nicht mehr als Mitglieder einer Spezies, einer menschlichen Familie empfinden. Das Schlußkapitel dieses Buches untersucht die Bestrebungen, über religiöse Grenzen hinweg zu einer neuen Nähe zu finden, und betrachtet außerdem neue Entwicklungen in der Religion allgemein am Ende dieses Jahrhunderts.

KAPITEL 14

RELIGION AM ENDE DES JAHRHUNDERTS

An der Schwelle zum 21. Jahrhundert hat sich die globale Landschaft in einen Flickenteppich der unterschiedlichsten Religionen verwandelt. Religion insgesamt zielt gleichzeitig in verschiedenste Richtungen. Die Schlußbemerkungen dieses Abrisses über Religion beschäftigen sich jedoch mit einem generellen Überblick: Welche Rolle spielt Religion heutzutage im Leben der Menschen, und welche Rolle kann sie vielleicht in naher Zukunft spielen?

Religiöser Pluralismus

Ein wichtiger Aspekt der religiösen Geographie ist, daß keine Religion allein die Welt dominiert. Auch wenn Führer und andere Autoritätspersonen der einzelnen Amtskirchen und Religionen in der Vergangenheit die Ausschließlichkeit ihres jeweils eigenen Glaubens betont haben, entwickeln sich auf der anderen Seite neue Religionen beziehungsweise neue Interpretationen alter Religionen, die erst zu Spaltung und Trennung führen und dann Reformbewegungen nach sich ziehen. Das Christentum hat von allen Weltreligionen zahlenmäßig die meisten Anhänger, doch es ist kein monolithischer Glaube – Tausende von Ausprägungen mit christlichem Hintergrund finden sich mittlerweile.

Völkerwanderungen, Ein- und Auwanderungen, missionarische Aktivitäten und Flüchtlinge aus anderen Ländern trugen Religionen aus dem Ursprungsland auch in andere Länder. Heute ist es nur noch schwer möglich, auf einer Weltkarte jedem Land »seine« Religion zuzuordnen. So leben beispielsweise in Rußland nicht nur russisch-orthodoxe Christen, sondern auch Moslems, Katholiken, Protestanten, Juden, Buddhisten, Hinduisten, Schamanen und Anhänger neuer Religionen. Auch der Buddhismus ist in seinem Ursprungsland Indien längst nicht mehr so bedeutend wie im ostasiatischen Raum. Ähnlich erging es dem Islam, der sich zwar im heutigen Saudi-Arabien entwickelte, aber in Indonesien mehr Anhänger zählt als in jedem anderen Land. In Mittelasien wie in den Vereinigten Staaten gibt es ebenfalls viele moslemische Enklaven.

Professorin Diana Eck ist Vorsitzende des »Pluralismus-Projekts« an der Harvard University. Sie beschreibt die neue »georeligiöse Realität«:

> *Unsere religiösen Traditionen sind keine Waren, die man, in Schachteln verpackt, unversehrt von einer Generation zur anderen weitergab, sondern man muß sie sich als Glaubensströme vorstellen – lebendig, dynamisch, ständig sich verändernd, abweichend, zusammenströmend, hier austrocknend und da neues Land bewässernd.*

Irgendwo sind wir alle Nachbarn, Minderheiten, Mehrheiten. Daraus speist sich unsere neue georeligiöse Realität. Im sogenannten amerikanischen Bibelgürtel stehen im texanischen Houston Moscheen, ebenso wie es im moslemischen Pakistan christliche Kirchen gibt. In Boston findet man kambodschanische Buddhisten, in Moskau Hindus und in London Sikhs.[1]

Religiöse Grenzen verhärten sich

Eine typische Reaktion auf die Verbreitung und geographische Interpenetration von Religionen ist der Versuch, den Wert aller anderen Religionen abzustreiten. In vielen Ländern herrschen Spannungen zwischen der am engsten mit der Nationalgeschichte und Identität des Landes verknüpften Religion und anderen Glaubensrichtungen, die in diesem Land praktiziert werden beziehungsweise später Anhänger fanden. Anhänger der etablierteren Religionen suchen häufig nach einer Balance zwischen genereller Religionsfreiheit und der damit verbundenen drohenden Veränderung traditioneller Werte, Sitten und Gebräuche und dem Gefühl nationaler Identität, die sie in ihrer Religion finden.

Damit verbunden ist oft die Frage, welche Religion in einem Land staatliche Unterstützung erhält. In Ontario in Kanada beispielsweise hat die Regierung die römisch-katholische Kirche ein Jahrhundert lang teilweise und in den vergangenen zehn Jahren vollständig finanziert, den Juden, Moslem und Protestanten solche Unterstützung jedoch verwehrt. Insbesondere neue Religionen, die vom Ausland organisiert und finanziell abgesichert werden, erhalten selten staatliche Unterstützung.

Diese Grafik zeigt die Zahl der Anhänger der Weltreligionen. Die nachstehenden Prozentangaben in Relation zur Weltbevölkerung und die ungefähre Anzahl der Gläubigen der jeweiligen Religion sind dem Welt-Almanach (1996) entnommen.

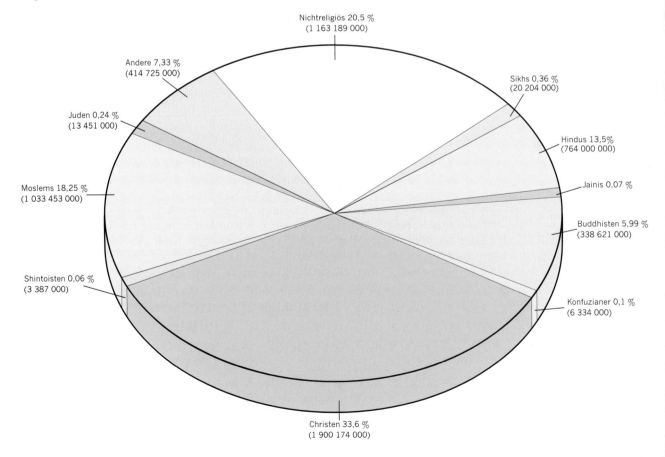

Nichtreligiös 20,5 %
(1 163 189 000)

Sikhs 0,36 %
(20 204 000)

Andere 7,33 %
(414 725 000)

Hindus 13,5%
(764 000 000)

Juden 0,24 %
(13 451 000)

Jainis 0,07 %

Moslems 18,25 %
(1 033 453 000)

Buddhisten 5,99 %
(338 621 000)

Shintoisten 0,06 %
(3 387 000)

Konfuzianer 0,1 %
(6 334 000)

Christen 33,6 %
(1 900 174 000)

Mit Hilfe der offiziellen Registrierung findet in einigen Ländern eine Kontrolle solcher Religionen statt, die nicht im eigenen Land entstanden sind. Auch werden Warnungen ausgesprochen, daß das Interesse an einer neuen Religion den Ausschluß aus der bisherigen Zugehörigkeit bedeuten könnte – so ließ beispielsweise die russisch-orthodoxe Kirche 1994 in ihrer Heiligen Synode verlauten, daß alle Gläubigen, die die Lehren von (nachfolgend aufgelisteten) Sekten und neuen religiösen Bewegungen annähmen oder verbreiteten, automatisch exkommuniziert würden.

Gerade in den Ländern, die den Zusammenbruch des atheistischen Kommunismus erlebt haben, sind die neu eingeführten oder gegründeten Religionen ein besonders sensibler Bereich. Sie mögen, so sehen es die Verfechter neuer Religionen, ein Vakuum füllen und ein lang unterdrücktes Bedürfnis nach einem mit Leben erfüllten Glauben stillen. Doch daß ein solches Vakuum überhaupt existiert, erkennen Gläubige, die ihre Religion in der einen oder aneren Weise auch unter der kommunistischen Herrschaft ausübten, nicht an. Viktor Petluschenko, Hoherpriester und stellvertretender Vorsitzender des Bereichs »Äußere kirchliche Beziehungen« des Moskauer Patriarchats der russisch-orthodoxen Kirche, betont:

> Sie sagen, sie würden Gott in unsere Gesellschaft zurückbringen, aber Jesus Christus hat immer im Herzen der Menschen gelebt. Die offizielle kirchliche Struktur wurde vom Staat beschränkt und unterlag seiner Kontrolle, doch die Kirchen selbst gingen einfach zu den Menschen, in die Familien, berührten ihre Herzen. Die Kirche wurde zu einer Familienangelegenheit. Die Tradition wurde innerhalb der Familie von einer Generation an die nächste weitergegeben.
> Die Idee der Ökumene ist heutzutage sehr fragil und durch Spannungen geprägt. Und wissen Sie warum? Bei so vielen Menschen unterschiedlicher Glaubenszugehörigkeit, die auf unterschiedliche Weise predigen, ihre Möglichkeiten ausschöpfen und ihre wirtschaftlichen Voraussetzungen einsetzen, ist es für alle Religionen sehr einfach geworden, einfach in unser Land zu kommen, zu predigen und eine Organisation zu gründen. Was benötigen sie denn schon dafür? Nicht mehr als zehn Anhänger, die man sich auch sehr leicht kaufen kann. Die Minderheiten sind manchmal aktiver als die Mehrheiten. Manchmal kommen Missionare und geben einem ein Blatt Papier, auf dem steht dann: »Der beste Weg zum Herrn ist unser Weg.«[2]

In einigen früher kommunistisch regierten Ländern flammte der alte Haß zwischen Menschen unterschiedlicher ethnischer Zugehörigkeit mit unglaublicher Gewalt auf, als die Regime wie Kartenhäuser in sich zusammenfielen. Das einst friedliche Miteinander zwischen orthodoxen christlichen Serben, römisch-katholischen Kroaten und Moslems im früheren Jugoslawien wurde plötzlich zum Völkermord. György Bulanyi, Gründer der ungarischen Bokor-Bewegung, ist der Meinung, daß die religiösen Führer im früheren Jugoslawien die Anstifter der ethnisch-religiösen Gewalt waren:

> Weder der Kardinal in Zagreb noch der Patriarch in Belgrad noch der Mufti von Sarajevo predigten zu ihrem Volk, daß Serben oder Kroaten oder Moslems ebenfalls von Gott geschaffen wurden und es daher eine Todsünde sei, sie umzubringen. Was wir von denen hören, ist etwas ganz anderes: »Es ist das Recht und die Pflicht des Menschen, seine Familie und seine Nation gegen Angriffe zu verteidigen.«[3]

Der Rausch, mit dem sich das 20. Jahrhundert dem Materialismus und den säkularen Werten hingegeben hat, brachte gleichzeitig einen wachsenden Fundamentalismus. Fundamentalisten lehnen es ab, ihre Werte und Lebensmuster durch die heutige säkulare Kultur verunglimpfen zu lassen, die sie als ungehobelt und Sakrileg empfinden. Ihnen bleibt entweder die Möglichkeit, sich dem sozialen Gefüge der säkularen Kultur zu entziehen oder diese zu verändern, sei es durch die politische Macht der Gesetzgebung, sei es durch Einflußnahme auf Schulbücher, in denen ihre Religion nicht so wiedergegeben wird, wie sie es sich vorstellen. Das »Projekt für Religion und Menschenrechte« beschreibt:

Das Basisziel der Fundamentalisten ist, Widerstand zu leisten – ihre Kultur, Ideologie und Sozialstruktur zu verteidigen – gegen die Gedanken und Lebensmuster, die in einer modernen säkularen Gesellschaft oder Kultur als selbstverständlich gelten, diese nicht wertzuschätzen oder wirklich an sie zu glauben. Fundamentalisten wahren Distanz. Sie weigern sich, die Legitimität aller Kulturen anzuerkennen, die mit dem im Widerspruch stehen, was für sie fundamentale Wahrheiten sind. In ihren Augen ist die säkulare Kultur eine niedere Kultur. Sie ist barbarisch, verroht und durch und durch gotteslästerlich. Sie bringt eine Gesellschaft hervor, die keinerlei heilige Ordnung respektiert und die Möglichkeit der Erlösung völlig ignoriert.[4]

Obwohl der Fundamentalismus auf religiösen Motiven basiert, wird er oft politisiert und gewaltsam umgesetzt. Für politische Führer sind religiöse Loyalität und der Absolutismus, den man bei Fundamentalisten finden kann, äußerst praktische Mittel zur Mobilisierung politischer Loyalität, und die Fundamentalisten selbst haben immer wieder politische Kontrolle angestrebt, um gewünschte Veränderungen herbeizuführen. So wurden Hindu-Fundamentalisten in Indien dazu ermutigt, islamische Moscheen, die auf den Überresten früherer Hindu-Tempel errichtet worden waren, zu zerstören und an ihrer Stelle wieder Hindu-Tempel zu errichten.

Hindus und Sikhs, die seit langer Zeit schon in Gemeinschaften friedlich nebeneinander lebten und sich gegenseitig tolerierten, teilweise auch bewunderten, sind in Indien zu gegenseitigem Haß angestachelt worden. Aber auch die Vereinigten Staaten, die stolz auf ihre Funktion als Schmelztiegel verschiedenster Kulturen sind und völlige religiöse Freiheit ohne Einmischung des Staates oder einer vom Staat unterstützten Religion gewähren, haben ihre Erfahrungen mit dem Fundamentalismus gemacht. Dort sind es christliche Gruppierungen, die sich in Erziehung, Bildung und Politik einmischen und diese kontrollieren wollen, dabei zunehmend gewaltsam gegenüber ethnischen und religiösen Minderheiten auftreten.

Die interreligiöse Bewegung

Während die Positionen zwischen den Religionen sich in bestimmten Gegenden verhärten, weichen sie in solchen Gebieten der Erde auf, wo die interreligiöse Bewegung an Beliebtheit zunimmt. Der Dialog zwischen den verschiedenen Religionen wird stärker, ebenso die Bereitschaft der Menschen aller Konfessionen, einander kennen- und schätzenzulernen, die Unterschiede ihrer Glaubensrichtungen zu erforschen und auch für die eigene Person als eine Bereicherung zu entdecken. In der Vergangenheit war dies schwierig, wenn nicht unmöglich, da die meisten Religionen Allgemeingültigkeit beanspruchten. Professor Ewert Cousins ist Herausgeber einer umfangreichen Buchserie über die spirituellen Inhalte der großen Religionen. Er ist der Meinung, daß »alle Religionen von den jeweiligen Offenbarungen, die sie erhalten haben, völlig überwältigt und somit der reichen Tradition anderer Religionen gegenüber blind sind«[5].

Doch wer über hinreichend Weitsicht und Bildung verfügt, kann erkennen, daß alle Religionen viele Prinzipien miteinander teilen, vor allem die, selbstsüchtigen Interessen zu entsagen, Nächstenliebe zu praktizieren und sich Gott zuzuwenden.

Die Reaktion auf andere Glaubensrichtungen

Diana Eck ist Professorin für Vergleichende Religionswissenschaft und Indienkunde an der Harvard Divinity School und zugleich Vorsitzende des Weltkonzil-Komitees für interreligiösen Dialog. Sie hat drei Reaktionen auf den Kontakt mit anderen Religionen beobachtet.

Die eine ist Exklusivität – »Unser Weg ist der einzig richtige Weg«: Das Christentum etwa hat Textstellen des Neuen Testaments in diesem Sinne interpretiert, wo Jesus sagt: »Ich bin der Weg, denn ich bin die Wahrheit und das Leben. Einen anderen Weg zum Vater gibt es nicht« (Johannes 14,6).

Doch unter den Religionswissenschaftlern gilt mittlerweile auch, daß diese und andere Stellen nicht außerhalb des Zusammenhangs und interreligiös zu deuten, beispielsweise daß die Wege des Buddhismus oder des Hinduismus wertlos seien. Dennoch ist auch Professor Eck der Überzeugung, daß der erste Schritt zum interreligiösen Dialog eine tie-fe, sehr persönliche Bindung an und eine Verpflichtung gegenüber dem eigenen Glauben sei.

Eine zweite Reaktion auf den Kontakt mit anderen Religionen sieht sie in der *Inklusivität*. Eine solche Reaktion kann entweder zur Schaffung einer einzigen Weltreligion wie dem Bahaismus führen oder sich als Gefühl ausdrücken, daß die eigene Religion Platz lasse für alle anderen Religionen, daß sie an die Stelle aller früheren Religionen trete, so wie der Islam sich als Höhepunkt aller monotheistischen Traditionen betrachtete. Andere religiöse Wege werden in diesem Fall nicht als Bedrohung empfunden, sondern als Zusammenschau aller Unterschiede in einer einzigen Sichtweise der Welt – nämlich der ihren.

Als dritte Reaktion macht Professor Eck *Pluralismus* aus – die Vertretung des eigenen Glaubens bei gelichzeitigem Interesse an den Gläubigen anderer Konfessionen. Nur hier sei ihrer Meinung nach wahrer Dialog möglich, ebenso wirkliche Kooperation und echte Beziehung. Uniformität und Übereinstimmung sind dabei nicht das Ziel. Vielmehr geht es um Zusammenarbeit, um die Verbindung der jeweiligen Stärken für das Gemeinwohl.

Der »Light of Truth Universal«-Schrein erhebt sich wie eine Vision in Pastell auf den Hügeln Virginias. Er wurde in der Absicht erbaut, interreligiöse Aufgeschlossenheit zu fördern. Zum Schrein gehören ein Meditationsraum, Altäre und religiöse Artefakte aller Glaubensrichtungen, die gemeinsam unter dem Hindu-Motto stehen: »Es gibt nur eine Wahrheit, aber viele Wege dahin.«

Um einen wirklich effektiven, pluralistischen Dialog zu führen, müssen die Menschen genug Offenheit besitzen, in anderen Religionen vielleicht heilige Wahrheiten zu entdecken. Unter dieser Prämisse entstand auch dieses Buch.

Raimundo Panikkar ist Katholik, Hindu und Buddhist, promovierter Wissenschaftler, Philosoph und Theologe. Er hat viel über dieses Thema geschrieben und spricht von »konkordanter Uneinigkeit«:

Wir erkennen, daß durch mein Schieben in die eine und dein Schieben in die andere Richtung die Weltordnung bewahrt und ihr der Impuls der richtigen Dynamik verliehen wird … Ein Animus ist nicht gleichbedeutend mit einer einzigen Theorie, einer einzigen Meinung, sondern einer (im wörtlichen Sinne) Behauchung und einer Inspiration (als ein Geist). Ein Konsens bedeutet in letzter Konsequenz das Einschlagen der gleichen Richtung, nicht nur einen rationalen Blickwinkel zu haben … Das Erzielen von Übereinstimmung weist auf ein angenehmes, freundliches Wesen hin, das gerne mit anderen Menschen zusammen ist. Doch Konkordanz heißt, die Herzen zusammenzuführen.[6]

Leitlinien für ein interreligiöses Verständnis

1 Die Weltreligionen zeugen für die Erfahrung der Letzten Realität, die sie mit verschiedenen Namen belegt haben: Brahman, das Absolute, Gott, Allah, Großer Geist, das Transzendente.

2 Letzte Realität übertrifft alle anderen Namen oder Konzepte, die man ihr verleihen kann.

3 Die Letzte Realität ist die Quelle (Grund des Wesens) allen Seins.

4 Glaube bedeutet, der Letzten Realität zu antworten, sich zu öffnen und zu überantworten. Diese Beziehung geht jedem Glaubenssystem voran.

5 Das Potential der menschlichen Ganzheit – der Befreiung, Selbsttranszendenz, Erleuchtung, Rettung, Verwandlung, moksha, Nirvana, fanâ – trägt jede Person in sich.

6 Die Letzte Realität kann nicht nur durch religiöse Praktiken erfahren werden, sondern auch über Natur, Kunst, menschliche Beziehungen und den Dienst am Mitmenschen.

7 Die Unterschiede zwischen den Glaubenssystemen sollten als unterscheidende Fakten präsentiert werden, nicht als Ausdruck der Überlegenheit.

8 Angesichts der heute herrschenden Globalisierung des Lebens und der Kulturen müssen die persönlichen und sozialen ethischen Prinzipien, die die Weltreligionen in der Vergangenheit angeboten haben, überdacht und neu formuliert werden. Zum Beispiel:

a) Im Hinblick auf die zunehmende Gefahr der globalen Zerstörung sollten die Weltreligionen die entsprechenden moralischen Verpflichtungen der Nationen und Ethnien betonen, um sich gewaltfreier Methoden zur Lösung von Konflikten zu bedienen.

b) Die Weltreligionen sollten Regierungen dazu anhalten, alle Religionen zu respektieren und keine zu bevorzugen.

c) Die Weltreligionen sollten sich dafür einsetzen, daß die Würde des Menschen wirklich unantastbar ist; daß materielle Güter gerechter verteilt werden, daß es Chancen für die Weiterentwicklung gibt; daß die Menschenrechte, besonders das Recht, eine bestimmte oder gar keine Religion für sich zu wählen, gewahrt werden; daß die menschliche Familie durch Solidarität und Harmonie geprägt ist; sie sollten das Verwalteramt der Erde und ihrer natürlichen Ressourcen übernehmen, für die Erneuerung der jeweiligen spirituellen Tradition sorgen und ein interreligiöses Verständnis mittels Dialog initiieren.[7]

Father Thomas Keating

Interreligiöse Treffen

Menschen aller Glaubensrichtungen haben begonnen, ihre Herzen zusammenzuführen. Ursprünglich versammelten sich bei ökumenischen Konferenzen Mitglieder verwandter Religionen, die miteinander uneins waren, beispielsweise Juden und Christen.

Heute verleihen auf interreligiösen Treffen Menschen aller Glaubensrichtungen ihrem gegenseitigen Respekt Ausdruck. 1986 lud Papst Johannes Paul II. zu Ehren von Franz von Assisi 160 Vertreter aller Religionen in dessen Heimatstadt ein, um dort gemeinsam für den Weltfrieden zu beten. »Wenn die Welt weiterhin bestehen soll und Männer und Frauen auf ihr existieren sollen, dann wird dies nicht ohne Gebet möglich sein. Das ist die Lektion, die wir für immer von Assisi mitnehmen«[8], erklärte der Papst damals.

Zwei Jahre später erweiterte man die Idee und lud nun auch Regierungsvertreter, Wissenschaftler, Künstler und führende Geschäftsleute ein, daneben Medienexperten und geistige Führer. 1988 trafen sich 200 von ihnen beim »Global Forum of Spiritual and Parliamentary Leaders on Human Survival« in Oxford. Die Plenartagungen fanden unter einer riesigen Flagge statt, die eine Aufnahme der Erde aus dem Weltraum zeigte. Nach vielen eindringlichen und besorgten Erklärungen zur Lage der Umwelt kamen die Teilnehmer zu dem Schluß, daß die ökologischen Gefahren, die die gesamte Menschheit heute bedrohten, vielleicht auch der Schlüssel zu einer neuen Nähe unter den Menschen seien. Doch was die Teilnehmer zusammenbrachte, war eher das Gefühl einer spirituellen Kameradschaft, weniger die Angst vor möglichen Umweltkatastrophen. Dr. Wangari Maathai ist Führer der Bewegung »Grüner Gürtel« in Kenia. Er beobachtete,

> daß alle Religionen über den Ursprung, die Quelle meditieren. Doch seltsamerweise ist es gerade die Religion, die die Menschen stärker als fast jede andere Macht trennt. Wenn die Quelle, der Ursprung gleich sind, und das müssen sie, dann meditieren alle Menschen und alle Religionen auch über diesen gleichen Ursprung.[9]

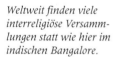

Weltweit finden viele interreligiöse Versammlungen statt wie hier im indischen Bangalore.

Seit 1974 veranstalten verschiedene spirituelle Gruppen jährlich die »Internationalen Konferenzen für die Einheit der Menschen«. Die erste fand unter dem Geleit von Sant Kirpal Singh in Indien statt. Mehr als 100 000 Menschen suchten damals nach spirituellen Wegen zu Frieden, Einheit und Dienst am Nächsten. Ähnliche Konferenzen fanden auch in Brasilien, Mexico, Kanada, Großbritannien und den USA statt.

Im Januar 1990 traf sich eine beeindruckende Versammlung an einem Ort, der einige Jahre zuvor als Austragungsort für ein Treffen spiritueller Führer aller Konfessionen, Wissenschaftler und Berufspolitiker völlig undenkbar gewesen wäre – Moskau. Die Schlußrede dieser Veranstaltung hielt der damalige Präsident Gorbatschow, der zu einer Verschmelzung wissenschaftlicher und spiritueller Werte aufrief, um den Planeten zu retten. Diese Vision wurde, zumindest auf dem Papier, noch weiter erarbeitet. Ein von spirituellen und religiösen Führern vieler Religionen aus 83 Ländern unterzeichnetes Dokument mit dem Titel »Appell der Wissenschaftler für die Umwelt« stellte unter anderem fest:

Wir stehen im Begriff – viele würden sogar sagen, wir sind bereits dabei –, etwas zu begehen, was in der Sprache der Religion auch als Verbrechen wider die Schöpfung gilt. Es liegt in der Natur dieser Verbrechen an der Natur, daß sie nicht von einer bestimmten politischen Gruppe oder einer Generation verursacht wurden. Es liegt in ihrem Wesen, daß sie länder-, generations- und ideologieübergreifend sind. Die verfügbaren Lösungen sind es auch. Um diesen Fallen zu entkommen, muß man mit einer Perspektive aufwarten, die alle Völker des Planeten und alle noch kommenden Generationen einschließt.[10]

Die interreligiöse Bewegung ist mittlerweile so stark geworden, daß sie weltweit über 800 Organisationen verfügt. Einige von ihnen haben globalen, andere rein lokalen Charakter.

Während des Jahres 1993 wurden auf der ganzen Welt spezielle interreligiöse Treffen veranstaltet, um den 100. Jahrestag des Parlaments der Weltreligionen in Chicago zu begehen. Swami Vivekananda, ein Gelehrter und Schüler von Sri Ramakrishna, hatte damals Aufmerksamkeit erregt. Er lehrte den Westen die Anerkennung der Religionen des Ostens und folgerte in seinen Schlußbemerkungen:

Wenn das Parlament der Weltreligionen der Welt überhaupt etwas gezeigt hat, dann dieses: Es hat der Welt bewiesen, daß Heiligkeit, Reinheit und Nächstenliebe nicht der alleinige Besitz einer bestimmten Glaubensrichtung sind und daß jedes System Männer und Frauen

EINE LEHRGESCHICHTE

Der Frosch im Brunnen

Ein Frosch lebte in einem Brunnen. Dort lebte er schon sehr lange. Eines Tages fiel ein anderer Frosch, der eigentlich im Meer lebte, in seinen Brunnen. »Wo kommst Du her?« fragte ihn der Frosch. »Ich komme aus dem Meer«, antwortete dieser. »Das Meer! Wie ist es da? Ist es so groß wie mein Brunnen?« fragte ihn der erste Frosch. Der zweite Frosch versuchte ihm klar zu machen, daß man gar nicht erklären könne, wie groß das Meer sei, sprang auf die andere Seite des Brunnens und sagte zu den übrigen Fröschen: »Was redet dieser Frosch für einen Unsinn, das Meer mit eurem Brunnen zu vergleichen!« Doch der Frosch im Brunnen konterte: »Nichts kann größer sein als mein Brunnen. Es kann nichts geben, was größer ist. Dieser Frosch ist ein Lügner, also werft ihn hinaus.«

Dieses Lehrstück erzählte Swami Vivekananda dem Parlament für Weltreligionen, das sich 1893 in Chicago erstmals versammelte.

hervorgebracht hat, deren Charakter über alles erhaben ist. Angesichts solcher Beweise be-
dauere ich jeden zutiefst, der vom Überleben allein seiner eigenen Religion und von der
Zerstörung aller anderen Religionen träumt.[11]

Anläßlich des Jahrestages wurde auch eine Versammlung an der Südspitze Indiens bei Kanyakumari abgehalten. Die Teilnehmer brachten Symbole und Gebete ihrer verschiedenen Religionen zu diesem Treffen mit, stellten sich zu einem Kreis auf und sangen: »Wir werden siegen, wir werden siegen. Wo immer Du auch hingehst, werde ich folgen, Dein Volk wird mein Volk sein und Dein Gott mein Gott. Wir werden für immer zusammen sein.«

Die größte der in diesem Rahmen abgehaltenen Veranstaltungen fand wiederum in Chicago statt. Hunderte der bekanntesten Lehrer und Weisen aller Glaubensrichtungen und Tausende von Teilnehmern versammelten sich zu einem Diskussionsforum über die Fragen und Probleme der Menschheit. Dabei ging es auch um die Definition und die Umsetzung eines weltweiten Verhaltens bezüglich zentraler ethischer Prinzipien, die allen Religionen gemein sind. Das vorläufige Dokument dieser Konferenz wurde von vielen Führern unterzeichnet und beinhaltete ein Abkommen, das als »Goldene Regel« bekannt wurde:

Es gibt ein Prinzip, das in vielen Religionen und ethischen Traditionen zu finden ist und
Jahrtausende überdauert hat: Füge keinem anderen zu, was man Dir nicht zufügen soll.
Oder, positiv ausgedrückt: Tue das für andere, was sie für Dich tun sollen. Dies sollte
als unwiderrufliche und uneingeschränkte Norm in allen Lebensbereichen gelten und
sich auf Familie und Gemeinschaften ebenso erstrecken wie auf Rassen, Nationen und
Religionen.[12]

Spiritualität ist nicht einfach Toleranz ... Es ist die absolute Anerkennung des
Gottesglaubens eines anderen als eigener Glaube.   *Sri Chinmoy*

Marcus Baybrooke ist Vorsitzender des »International Interfaith Organizations Co-Ordinating Committee«. Er beschrieb die Treffen anläßlich des Jahrestages:

Die tragische Zunahme des Extremismus und der Gewalt im Namen der Religion verleiht
allen Bemühungen um ein interreligiöses Verständnis und eine Kooperation höchste
Bedeutung. Meine Hoffnung ist, daß die Zusammenkünfte ... eine Botschaft der Hoffnung
quer durch die ganze Welt senden und die Menschen wieder an die spirituellen Werte
erinnern, auf denen eine Welt-Gesellschaft begründet sein muß.[13]

Gordon Kaufman ist Professor an der Harvard University und Mennonitenpriester. Für ihn ist der interreligiöse Dialog bei der Lösung der Probleme, die den ganzen Planeten betreffen, unerläßlich:

Die Probleme, mit denen uns das moderne Leben konfrontiert – bis hin zu der Möglichkeit,
die gesamte Menschheit in einem nuklearen Holocaust auszulöschen – erfordern es,
daß wir das Wissen, die Hingabe und das Verständnis, die die Menschheit in ihrer langen
Geschichte angesammelt haben, zusammenführen ... Wir können es uns einfach nicht
leisten, nicht in Kontakt mit den Vertretern anderer Glaubenstraditionen zu treten und
anderen Menschen alle die Ressourcen, die unsere eigene Tradition beinhaltet, zur
Verfügung zu stellen. Jeder muß vom anderen alles lernen, was immer er kann.[14]

Baba Virsa Singh betet zu dem einen Licht, das durch alle Propheten hindurchscheint und alle Schöpfung durchzieht.

Um wirklich etwas zu bewegen, darf der interreligiöse Dialog nicht nur in der Theorie stattfinden. Er läßt sich in bestimmten, äußerst problematischen Situationen auch ganz konkret anwenden, beispielsweise im Nordirland-Konflikt bei den gewaltsamen Auseinandersetzungen zwischen Protestanten und Katholiken oder in einigen Teilen Afrikas, wo Moslems und Christen ebenfalls in Auseinandersetzungen verwickelt sind. Ein konkretes Beispiel für die praktische Anwendung der Interreligiosität kommt aus einem Stadtteil der amerikanischen Hauptstadt Washington, deren Bewohner früher von schwerbewaffneten Drogendealern in Angst und Schrecken versetzt wurden. Eine Gruppe afro-amerikanischer Moslems ließ sich im Stadtteil Mayfair nieder, vertrieb die Dealer und machte den Ort wieder bewohnbar. Anschließend strebten sie allerdings nicht danach, ihre frisch gewonnene Macht zu sichern, sondern luden afro-amerikanische Baptistenprediger ein, die den Bewohnern von Mayfair mehr über ein religiös geführtes Leben erzählen sollten.

In Indien sind lokale Zwischenfälle zwischen Anhängern der unterschiedlichen Religionen bereits an der Tagesordnung. Die auf der Sikh-Religion basierende Arbeit von Gobind Sadan vereint Freiwillige aller Religionen bei praktischer Feldarbeit im Dienste der

Armen. Baba Virsa Singh ist seine spirituelle Inspirationsquelle. Er zitiert beständig aus den Werken aller Propheten und sagt:

Alle Propheten kommen aus demselben Licht; sie haben alle die gleiche Grundbotschaft. Keiner von ihnen ist gekommen, um die älteren entdeckten Schriften zu verändern; sie alle sind gekommen, um die Menschen an die Worte der Propheten früherer Zeiten zu erinnern, die man vergessen hat. Wir haben verschiedene Religionen wie gesicherte Festungen geschaffen, und jede von ihnen reklamiert einen der Propheten für sich. Aber das Licht Gottes läßt sich nicht durch Menschenhand begrenzen. Es durchstrahlt die ganze Schöpfung. Wie können wir es dann überhaupt besitzen?[15]

Religion und soziale Fragen

Heutzutage ist man innerhalb jeder Religion bemüht, die religiösen Perspektiven auch auf die Probleme der modernen Zeit anzuwenden, die die Menschheit insgesamt betreffen. Viele religiöse Gruppen entsandten beispielsweise Vertreter zu der großen UN-Umweltkonferenz nach Rio de Janeiro, die sich dort für die Bewahrung der Natur engagierten. Bei der Konferenz zum Thema Bevölkerung und Entwicklung 1994 in Kairo vertraten christliche und moslemische Delegationen nachhaltig ihren Standpunkt für eine gerechte wirtschaftliche Entwicklung, Erziehung und Bildung und Gesundheitsvorsorge für Frauen im Gegensatz zu einer staatlich verordneten Geburtenkontrolle oder Abtreibung als Mittel der Geburtenkontrolle. Armut und auf Ungerechtigkeit basierende Gesellschaften werden von vielen religiösen Gruppen angeprangert. Der katholische Befreiungstheologe Gustavo Gutierrez betont:

Letztendlich ist Armut gleichbedeutend mit einem ungerechten und frühen Tod. Heutzutage ist alles den Kräften des Marktes untergeordnet, ohne dabei die sozialen Konsequenzen für die Schwächsten in dieser Kette zu bedenken. Im Busineß, so sagt man ja, hat man keine Freunde. Solidarität ist unmodern geworden. Wir müssen eine Kultur der Liebe aufbauen durch Respekt vor dem Menschen und der ganzen Schöpfung. Wir müssen eine Gerechtigkeit praktizieren, die von Liebe geprägt ist. Gerechtigkeit ist die Basis des wahren Friedens. Wir, Brüder und Schwestern, müssen Mitleid oder Trost mit den Armen vermeiden und statt dessen die Freunde der Armen in der ganzen Welt werden.[16]

Ein Beispiel dafür ist Südafrika, das lange Jahre ein Symbol für Unterdrückung und Ungerechtigkeit war. Seine neue Führung mit einer unverhohlen spirituellen Grundlage hat Südafrika zu einem inspirierenden Beispiel des Friedens und der Vergebung gemacht. Buddhistische Mönche des Nipponzan Myohoji-Ordens unterstützten zwischen 1994 und 1995 acht Monate lang eine interreligiöse Pilgerfahrt für Liebe und Frieden, bei der 100 Menschen vieler Nationalitäten und Glaubenszugehörigkeiten 20 Kilometer am Tag von Auschwitz nach Hiroshima und Nagasaki pilgerten, um an den 50. Jahrestag des Kriegsendes zu erinnern und ein persönliches Zeugnis für die Notwendigkeit von Gewaltfreiheit und des Respekts gegenüber allem Leben abzulegen. Auf ihrer Pilgerfahrt durchquerten diese Menschen, zu Fuß und von Gesängen begleitet, viele Konfliktgebiete, darunter das frühere Jugoslawien, Israel, den Irak und Kambodscha – eine Erfahrung, die sowohl auf die Pilger als auch auf die Menschen, denen sie begegneten, nachhaltig wirkte. Martha Penzer, eine Quäkerin aus Boston, erinnert sich:

(…) Was uns vereinte, war, so glaube ich, unser Hunger, unsere Sehnsucht, unsere Suche nach einem besseren Weg, die Erkenntnis, daß die Menschheit sich in den 50 Jahren seit

Kriegsende mit sich selbst beschäftigt und die ihr innewohnenden dämonischen Kräfte akzeptieren muß. In den 50 Jahren seit dieser Epoche der Zerstörung ... haben wir den Militarismus als Lebensweg weiterhin unterstützt – gegen den Willen des Volkes. Wir sollten niemals vergessen, daß es Menschen gibt, die um Versöhnung kämpfen. Ich habe die größte Hochachtung vor Menschen, die nur zufällig in ein von Konflikten erschüttertes Land hineingeboren wurden und dort ein von Ehre und Edelmut geprägtes Leben führen. Wir als interreligiöse, interkulturelle Gemeinschaft erlebten die höchste Herausforderung – miteinander zurechtzukommen. Und die höchste Gnade, die uns zuteil wird, ist, nicht davonzulaufen und uns hinter unseren Feindschaften zu verschanzen, sondern es zuzulassen, daß Gott in diese Feindschaften eindringt und sie verändert. Ich halte das für die Aufgabe religiöser Menschen, ... daß wir bereit sind, zu Gott zu sagen: »Ich entwickle mich gerade erst und brauche Deine Hilfe.« Ein religiöser Mensch ist wohl ein Mensch, der bekennt, der sein Leben ständig vor Gott rechtfertigt. Und nicht jemand, der auf alles eine Antwort hat.[17]

Religion und Materialismus

Alle Religionen lehren, daß man anderen Menschen kein Leid zufügen, nicht lügen und nicht stehlen, die Rechte des anderen nicht mißbrauchen und nicht habgierig sein, sondern selbstlos, maßvoll und hilfsbereit anderen gegenüber sein und dem Unsichtbaren voller Demut gegenüberstehen solle. Diese universellen spirituellen Prinzipien sind mit der Verbreitung des Kapitalismus im 20. Jahrhundert verschwunden. Der Profit hat weltweit als wichtigster wirtschaftlicher Wert gesiegt.

Viele Menschen führen ein nur von materieller Habgier bestimmtes Leben. Václav Havel, der frühere Dissident und jetzige Staatspräsident der Tschechischen Republik, wurde wegen seines mutigen Eintretens für die Menschenrechte ins Gefängnis geworfen. Dort schrieb er an seine frühere Frau Olga:

Der Mensch, der nicht mehr weiß, was der Sinn des Lebens ist, existiert einfach nur noch, und es stört ihn nicht; er lebt wie ein Parasit, und es stört ihn nicht; er ist völlig dem Problem seines eigenen Metabolismus verhaftet, und darüber hinaus interessiert ihn nichts: weder die Menschen, die Gesellschaft, die Welt, das Sein – für ihn sind es alles Dinge, die entweder konsumiert oder vermieden werden müssen oder sich zu einem bequemen Ruhekissen umfunktionieren lassen. Alles, was im Leben wirklich etwas bedeutet, wenn es auch die dramatischsten Formen der Zermarterung und des Zweifels annimmt, unterscheidet sich von der Existenz des menschlichen Individuums durch eine bestimmte Transzendenz. Nur durch den Blick nach draußen ... wird man wirklich zu einer Person, zu einem Schöpfer der Ordnung des Geists, zu einem Wesen, das zu einem Wunder fähig ist: der Neuerschaffung der Welt.[18]

Jetzt, an der Schwelle zu einem neuen Jahrhundert, sind es Einzelpersonen und auch große Wirtschaftsunternehmen, die sich einen Moment des Nachdenkens gönnen und versuchen, spirituelle, religiöse Motive mit dem Erwerb des Lebensunterhalts in Einklang zu bringen. Professor Syed Anwar Kabir ist ein gläubiger Moslem, der am Management Development Institute in New Delhi unterrichtet. Er lehrt seine Studenten und zukünftigen Manager tägliche Meditationstechniken zur Entspannung des Geistes, durch die sie lernen sollen, stärker auf ihr Gewissen zu hören und aus einer inneren Ruhe heraus Entscheidungen zu treffen, die ethisch sind.

Heutzutage besitzen Wirtschaftsunternehmen sehr viel Macht und Vermögen. Zudem unterhalten sie enge Beziehungen zur Bürokratie der politischen Maschinerie. Wenn diese drei

Faktoren – Bürokratie, politische Maschinerie und Wirtschaft – zusammentreffen, ist das gleichbedeutend mit Macht, und Ethik und Werte geraten ins Hintertreffen. Die Zahl der Wirtschaftsskandale und der ethisch fragwürdigen Geschäftspraktiken nimmt ständig zu.Als Manager werden wir in alltäglichen Situationen mit vielen ethischen Dilemmas konfrontiert – Arbeitskräfte einstellen, Produkte minderer Qualität auf den Markt bringen, deren Nebenwirkungen bekannt sind, oder völlig überzogene Werbung betreiben, um ein Produkt an den Mann zu bringen. Ob eine Firma ethisch oder unethisch agiert, hängt von ihren Führungskräften ab. Wenn eine Firma ethisch agiert, bedeutet das, daß ihre Manager oder ihr Führungssystem ethische Werte vertreten.

Zwar mögen Firmen über schriftlich niedergelegte ethische Grundsätze verfügen, doch nicht jede ethische Situation läßt sich so einfach in schwarz auf weiß niederlegen. Und wie intensiv man sich auch intellektuell mit einem Thema beschäftigen mag – ein wirklicher Nutzen entsteht erst dann, wenn man in sich geht und die eigenen Gefühle und Gedanken verstehen lernt. Die ethische Transformation, die man im Bereich des Managements benötigt, kann nur auf der persönlichen Ebene in Gang gesetzt werden.

Die Erkenntnis, welche Bedeutung Werte und Ethik im Geschäftsleben besitzen, müssen die Geschäftsleute selbst erfahren. Wer zügellose Geschäftemacherei mit dem Blick auf die Anhäufung von Vermögen betreibt, der, so sagen sie selbst, genießt keinen guten Ruf. Die eigenen Werte und die eigene Ethik zu vergessen kann vielleicht kurzfristig von Nutzen sein. Doch wenn ein Unternehmen langfristig in einer äußerst wettbewerbsorientierten Welt überleben will, muß es ein Image in der Öffentlichkeit schaffen, für Wohlwollen und guten Willen sorgen und sich eine erfolgreiche Marktnische erkämpfen. Die Werte und die Ethik einer Firma spiegeln sich im Umgang mit ihren Angestellten wider und im Grad des Respekts gegenüber deren Individualität, Freiheit und Gefühle. Wenn man Menschen nicht als Mittel zum Zweck, sondern als Selbstzweck sieht, dann zeigt sich das ganz selbstverständlich auch in den Produkten oder Dienstleistungen des Unternehmens und hat eine spürbare Wirkung im Markt, so daß die Konsumenten wiederum die Prinzipien und Strategien des Unternehmens respektieren lernen.[19]

Im Wirtschaftsbereich macht sich durchaus schon ein Bewußtsein für Ethik bemerkbar, in der Politik hingegen weniger: Machtspiele, eigene Interessen und Korruption stehen an vorderster Front der politischen Aktivitäten; Ehrlichkeit, Altruismus, Opferbereitschaft, Dienstleistung, Harmonie, Gerechtigkeit und Gemeinwohl hingegen sind nicht die bevorzugten Werte und Kräfte von Regierungen. Immer wieder – Südafrika sei noch mal als Beispiel genannt – vernimmt man auch in der Politik einmal das kurze Aufglimmen religiöser Grundsätze. Im allgemeinen aber scheint die Ausübung religiöser Prinzipien eher eine Sache des Volkes als die seiner politischen Führer zu sein.

Gewissensentscheidungen einzelner haben sich in der politischen Arena zur leisen, aber wirkungsvollen Kraft entwickelt. Der bemerkenswert schnelle Zusammenbruch der totalitären kommunistischen Regime beispielsweise ist nicht zuletzt durch die mutigen Taten unzähliger unbesungener Helden zustande gekommen, die entschlossen waren, ihren Glauben in die Tat umzusetzen, selbst wenn es Folter oder Tod bedeutet hätte. Allein das Christentum verzeichnet für das 20. Jahrhundert mehr Märtyrer als in allen vorangegangenen Jahrhunderten. Seit 1976 hat das »Christian Committee for Defense of the Rights of Religious Believers« über 3000 Seiten Dokumentenmaterial aus der früheren Sowjetunion herausgeschleust, auf denen die damals herrschenden Verfolgungen dokumentiert sind. Zoja Krachmalnikowa wurde inhaftiert und gefoltert, weil sie darüber geschrieben hat. Wie andere Gläubige auch verweigerte sie die Zusammenarbeit mit den Kräften, die sie als »Tragödie der Menschheit« beschrieb, »die sich gegen Gott erhoben hatte.«[20]

In Lettland, der Ukraine, Polen, der ehemaligen Tschechoslowakei, DDR und UdSSR und im ganzen übrigen Ostblock bildete sich aus der Entscheidung einzelner, für ihren Glauben einzutreten, ein Netzwerk von Menschen, deren Einsatz gegen den Totalitarismus (und die religiöse Unterdrückung) so viel Kraft und Macht besaß, daß ebenfalls mächtige und scheinbar fest verwurzelte Regime stürzten.

In ihrem Buch »Aufbruch: Heimliche Helden – die Friedliche Revolution« kommt die Journalistin Barbara von der Heydt nach der Befragung zahlreicher Betroffener zu dem Schluß:

Was genau war es, das durch den Kontinent Europa donnerte und 1989 und 1991 die kommunistischen Regime Knall auf Fall zu Boden brachte? Selbst die politischen Kenner und Beobachter räumen ein, daß für ein so unerwartet auftretendes Phänomen nicht nur rein politische Gründe ins Feld zu führen sind. Es war ein Umsturz riesigen Ausmaßes, der 400 Millionen Menschen befreite – und das auf bemerkenswert friedliche Weise. Zum Schluß fiel eine der größten Supermächte der Erde mit einem Stöhnen einfach in sich zusammen. Doch warum?

Als die Panzer während des Putschversuchs im August 1991 das russische Parlamentsgebäude in Moskau eingekreist hatten – was verlieh da einer jungen Frau den Mut, zu einem der Panzer zu gehen und den Fahrer zu bitten, nicht zu feuern? Warum weigerte sich ein junger Grenzsoldat an der Mauer, auf seine fliehenden Landsleute zu schießen? ... Der wichtigste Aspekt dieses Kollapses war eine moralische und spirituelle Revolution.[21]

Jahrzehntelang war die Kirche der Heiligen Kosmas und Damian in Moskau geschlossen. Jetzt wird sie renoviert und von Gläubigen viel besucht.

Religion und die Zukunft der Menschheit

Religionsfreiheit bedeutet nicht automatisch, daß eine Religion wirklich ausgeübt wird. Die schlimmsten Auswüchse materialistischer Habgier, Verbrechen und des Hasses auf andere Volksgruppen waren stets dann zu verzeichnen, wenn Regierungen gestürzt wurden, die auf Unterdrückung basierten. Amoralität ist weit verbreitet. Viele religiöse »Führer« sehen auch ihren Glauben als reines Geschäft und nicht mehr als lebendige, spirituelle Inspiration und Erfahrung.

Die Negativzeichen unserer Zeit werden von einigen Vordenkern als dunkelste Stunde vor einem Neubeginn gewertet. Wie es Yasuhiro Nakasone, der frühere japanische Premierminister, optimistisch formulierte: »Vielleicht unterziehen wir uns gerade einem Test – einem Test, der die Wiedergeburt der menschlichen Rasse erleichtern wird.«[22]

Baba Virsa Singh ist sich gewiß, daß der tiefgreifende Wandel im Herzen und Handeln der Menschen für den Einen, der den gesamten Kosmos erschaffen hat, keine schwierige Aufgabe darstellt. Er erinnert die Menschen daran, daß es wichtig ist, die ewigen spirituellen Lehren zu praktizieren, und weist sie an, solche meist selbst ernannten religiösen Führer zu ignorieren, die selber nicht tun, was sie predigen, und die Menschen statt dessen von der Wahrheit entfernen, weil sie selbst keine Bindung zu ihr haben. Wahrheit und Liebe, so glaubt er, sind letzten Endes überaus machtvoll, selbst wenn sie in der Minderheit sind. Jeder Mensch soll das Licht in sich selbst finden, dessen Kraft alles überall durchdringt:

> Erwartet den Tag, an dem Gott die Welt verändert und die Wahrheit, die jetzt verborgen ist, zu Tage tritt und wieder für die Menschen arbeitet. Dieser Tag wird kommen.[23]

Zum Ende dieses Jahrhunderts ist die Weltbühne bereit für eine wahrlich moralische und spirituelle Revolution. Die Menschen jeder Glaubenszugehörigkeit werden wirklich beginnen, in ihrem eigenen Leben das umzusetzen, was die Propheten lehrten. An der Wende des Jahrtausends wird oft der verstorbene französische Theologe und Forscher Teilhard de Chardin zitiert:

> Irgendwann, nachdem wir den Wind, die Wellen, die Gezeiten und die Schwerkraft beherrschen gelernt haben, werden wir Gott anzapfen für die Energien der Liebe.
> Und dann wird der Mensch zum zweiten Mal in der Weltgeschichte das Feuer entdecken.

ANMERKUNGEN

KAPITEL 1
WIE SICH RELIGION ÄUSSERT

1 Karl Marx, *Die Frühschriften*, Stuttgart 1953; *Das Kapital*, Stuttgart 1957; *Über Religion*, Berlin 1958
2 Jiddu Krishnamurti, *The Awakening of Intelligence*, New York 1973, S. 90
3 Buddha, *Dhammapada: Die älteste buddhistische Sprachsammlung*, Heidelberg 1970
4 Eknath Easwaran, *Der Mensch Gandhi: Sein Leben ist eine Botschaft*, Freiburg im Breisgau, Basel, Wien 1987
5 Ebd.
6 Auszug aus Agnes Collard, »The Face of God«, Life, Dezember 1990, S. 49
7 Philipperbrief 4,7, King-James-Bibel
8 *Altindische Weisheit aus Brâhmans und Upanishaden*, Düsseldorf, Köln 1958
9 William James, *Die Vielfalt religiöser Erfahrung: Eine Studie über die menschliche Natur«*, Frankfurt am Main, Leipzig 1997
10 Robert Bly, *The Kabir Book*
11 William Wordsworth, *Gedichte*, Heidelberg 1959
12 Franz von Assisi, *Der Sonnengesang*, Heidelberg 1947
13 *Das Teilhard-de-Chardin-Lesebuch*, Solothurn, Düsseldorf 1995
14 AE (George William Russell), *The Candle of Vision«*, Wheaton (Illinois) 1974, S. 8 f.
15 John White, »An Interview with Nona Coxhead: The Science of Mysticism – Transcendental Bliss in Everyday Life«, Science of Mind, September 1986, S. 14, 70
16 William James, a. a. O. (Anm. 9)
17 Persönliches Gespräch mit Dr. Anand Mohan, 27.10.1995
18 Lucien Cuenot, *Invention et finalité en biologie*, Paris 1941, S. 240 f.
19 Robert Augrus, George Stanciu, *The New Biology*, Boston 1987, S. 209, 213
20 Zit. in: John Gliedman, »Mind and Matter«, Science Digest, März 1983, S. 72
21 Albert Einstein, *Mein Weltbild* (Carl Seelig, Hrsg.) Zürich, Stuttgart, Wien 1953; *Aus meinen späterenJahren*, Stuttgart 1952
22 *Der Koran* (Sure 42,15), Stuttgart 1988

23 Zit. in: Gordon Rupp, *Luther and the Reformation*, in: Joel Hurstfield (Hrsg.), *The Reformation Crisis*, New York 1966, S. 23
24 R. C. Zachner, *Mystik, religiös und profan: Eine Untersuchung über verschiedene Arten von außernatürlichen Erfahrungen*, Stuttgart 1960; *Der Hinduismus: Seine Geschichte und seine Lehre*, München 1964
25 Sallie McFague, *Models of God: Theology for an Ecological, Nuclear Age*, Philadelphia 1987, S. 133
26 *Marx and Engels on Religion*, Einleitung von Reinhold Niebuhr, New York 1964, S. viii–ix
27 Zit. in: Huston Smith, »The Future of God in Human Experience«, in: Dialogue and Alliance, Band 5, Nr. 2, Sommer 1991, S. 11
28 Maimonides, »Guide for the Perplexed«, 1,59, zit. in: Louis Jacobs, *Jewish Ethics, Philosophy and Mysticism*, New York 1969, S. 80
29 Guru Gobind Sangh, *Jaap Sahib*, ins Engl. übers. von Surendra Nath, New Delhi 1992, Verse 7,29–31
30 Bede Griffiths, *Return to the Center*, Springfield (Illinois) 1977, S. 71
31 Pir Vilayat Inayat Khan, »The Significance of Religion to Human Issues in the Light of the Universal Norms of Mystical Experience«, in: Finley P. Ounne, jun. (Hrsg.), *The World Religions Speak on the Relevance of Religion in the Modern World*, Den Haag 1970, S. 145
32 Antony Fernando, »Outlining the Characteristics of the Ideal Individual«, Vortrag bei der Inter-Religious Federation for World Peace Conference, Seoul, 20.–27.8.1995, S. 9
33 Joseph Campbell, *Der Heros in tausend Gestalten*, Frankfurt am Main 1986
34 Merlin Stone, *When God was a Woman*, San Diego (Kalifornien) 1976, S. x
35 Rosemary Radford Ruether, *Woman-Church: Theology and Practice of Feminisit Liturgical Communities*, San Francisco 1985, S. 3
36 Dr. Syed Z. Abedin, »Let There be Light«, in: Saudi Gazette, Jeddah, Juni 1992, abgedruckt in: Council for a Parliament of the World's Religions Newsletter, Band 4, Nummer 2, August 1992, S. 2
37 Rev. Valson Thampu, »Religious Fundamentalism in India Today«, in: Indian Currents, 2.11.1995, S. 3
38 Jonathan Edwards, Predigt in Enfield, Connecticut,

8.7.1741, abgedruckt in: Charles Hurd, *A Treasury of Great American Speeches,* New York 1959, S. 19 f.

39 John Welwood, »Principles of Inner Work: Psychological and Spiritual«, in: The Journal of Transpersonal Psychology, 1984, Band 16, Nr. 1, S. 64 f.

40 Erklärung der Weltreligionskonferenz zum Thema Religiöse und Menschliche Solidarität, Kochi, Kerala, Indien, 1.–6.10.1991

KAPITEL 2
DIE HEILIGEN WEGE DER NATURRELIGIONEN

1 Vine Deloria, *Gott ist rot,* München 1987

2 Gespräch mit Lorraine Mafi Williams, 16.9.1988

3 Gerhardus Cornelius Oosthuizen, »The Place of Traditional Religion in Contemporary South Africa«, in: Jacob K. Olupona, *African Traditional Religions in Contemporary Society,* New York 1991, S. 36

4 Zit. von Bob Masla, »The Healing Art of the Huichol Indians«, in: Many Hands: Resources for Personal and Social Transformation, Herbst 1988, S. 30

5 Gespräch mit Dhyani Ywahoo, 31.5.1988

6 George Tinker, *Missionary Conquest: The Gospel and Native American Genocide,* Minneapolis 1933, S. 122

7 Ywahoo, a. a. O. (Anm. 5)

8 Williams, a. a. O. (Anm. 2)

9 John Lame Deer, Richard Erdoes, *Tanca Ushte: Medizinmann der Sioux,* München, Leipzig 1995

10 Knud Rasmussen, *Schneehüttenlieder: Eskimoische Gesänge,* Essen, Freiburg im Breisgau 1947

11 Interview mit Rev. William Kingsley Opoku, August 1992

12 Adaption eines Yoruba-Märchens, erzählt von Deidre L. Badejo, »Osun Seegesi: The Deified Power of African Women and the Social Ideal«, Vortrag bei der Inter-Religious Federation for World Peace Conference, Seoul, 20.–27.8.1995

13 Jo Agguisho, Oren R. Lyons, Sprecher des Ältestenrates, Wolf Clan, Onondaga Nation, Haudenosaunee, Six Nations Iroquois Confederacy, Auszug aus seiner Rede vor der Fourth World Wilderness Conference, 11.8.1987, S. 2

14 Bill Neidjie, *Speaking for the Earth: Nature's Law and the Aboriginal Way,* Washington 1991; Nachdruck von Big Bill Neidjie, Stephen Davis, Allan Fox, *Kakadu Man,* Northryde, New South Wales (Australien) o. J.

15 Jaime de Angulo, »Indians in Overalls«, in: Hudson Review, II, 1950, S. 372

16 Kahu Kawai'i im Interview mit Mark Bochrach in: The Source, zitiert in: Hinduism Today, Dezember 1988, S. 18

17 Zit. in: Matthew Fox, »Native teachings: Spirituality with Power«, in: Creation, Januar/Februar 1987, Band 2, Nr. 6

18 John Lame Deer, Richard Erdoes, a. a. O. (Anm. 9)

19 Tlakaelel, Vortrag bei Interface, Watertown (Massachusetts) 15.4.1988

20 Ebd.

21 Zit. in: Georges Niangoran-Bouah, »The Talking Drum: A Traditional African Instrument of Liturgy and of Meditation with the Sacred«, in: Jacob K. Olupona (Hrsg.), *African Traditional Religions in Contemporary Society,* New York 1991, S. 86 f.

22 Leonard Crow Dog, Richard Erdoes, *The Eye of the Heart,* unveröffentlichtes Manuskript, zit. von Joan Halifax, *Shamanic Voices: A Survey of Visionary Narratives,* New York 1979, S. 77

23 Zit. in: John Neihardt, *Black Elk Speaks,* New York 1932, S. 208 f.

24 Interview mit Mado (Patrice) Somé, 14.9.1989

25 Für dieses Buch geführtes Gespräch mit Tatjana Kuschnetsowa

26 John Lame Deer, Richard Erdoes, a. a. O. (Anm. 9)

27 Uvavnuk, in: Knud Rasmussen, a. a. O. (Anm. 10)

28 Igjugarjuk, in: Knud Rasmussen, *Intellectual Culture of the Hudson Bay Eskimos,* Report of the Fifth Thule Expedition, 1921–1924, übers. von W. E. Calvert, Band 7, Kopenhagen 1930, S. 52

29 Ruth M. Underhill, *Papago Woman,* New York 1979, S. 9

30 Ywahoo, a. a. O. (Anm. 5)

31 Dhyani Ywahoo, *Am Feuer der Weisheit: Lehren der Cherokee-Indianer,* Zürich 1980

32 Leonard Crow Dog, Richard Erdoes, in: Joan Halifax, a. a. O. (Anm. 22), S. 77

33 Interview mit Wande Abimbola, 6.8.1992

34 Jameson Kurasha, *Plato and the Tortoise: A Case for the death of ideas in favour of peace and life?,* Vortrag bei der Versammlung der Weltreligionen, Seoul, August 1992, S. 4 f.

35 Tlakaelel, a. a. O. (Anm. 19)

36 Zit. von Black Elk, in: Joseph Epes Brown, *Die heilige Pfeife: Die sieben geheimen Riten der Sioux-Indianer,* Olten, Freiburg im Breisgau 1956

37 »Declaration of Vision: Toward the Next 500 Years«, aus der Versammlung der Vereinigung der Naturvölker beim Parlament der Weltreligionen, Chicago (Illinois) 1993

38 *Communique No. 12,* Auszug aus Traditional Circle of Indian Elders and Youth, Haida Gwaii, Queen Charlotte Islands, 14.6.1989, S. 5 f.

39 Rigoberta Menchú, zit. in: Art Davidson, *Endangered Peoples,* San Francisco 1994, S. ix

KAPITEL 3
HINDUISMUS

Das »s« des Sanskrit wird höchst uneinheitlich als »s«, »sh« oder »sch« transliteriert.

Dieses Kapitel folgt den seit langem bestehenden,

wenn auch inkonsequenten Schreibweisen und unternimmt nicht den Versuch einer Vereinheitlichung.

1 Skuta-yajur-Veda XXVI, 3, in der Auslegung von Sri Baba, in: Eruch B. Fanibunda, *Vision of the Divine,* Bombay 1976

2 Auszug aus Sri Aurobindo, *The Immortal Fire,* Auroville (Indien) 1974, S. 3 f.

3 *The Upanishads,* übers. von Swami Prabhavananda und Frederick Manchester, New York 1957

4 *Chandogya-Upanischade,* a. a. O. (Anm. 3), S. 46

5 *Brihadaranyaka-Upanischade,* a. a. O. (Anm. 3)

6 T. M. P. Mahadevan, *Outlines of Hinduism,* Bombay ²1960, S. 24

7 Zusammenfassung der von H. H. Wilson (London 1840) übersetzten Vishnu-Purana, Buch IV, Kapitel 24, durch Heinrich Zimmer in dessen Buch *Myths and Symbols in Indian Art and Civilization,* New York 1946, S. 15

8 Aus dem Ramayana, zit. in: P. Thomas, *Epics, Myths and Legends of India,* Bombay 1961, S. 30

9 Uttara Kandam, *Ramayana,* nach der Schilderung durch Swami Chidbhavananda, Tiriuuparaitturai (Indien) ³1978, S. 198 f.

10 Kapitel III,30, S. 57, sämtliche im Original englischsprachigen Zitate aus der *Bhagavadgita,* in: *Bhagavad-Gita as It Is,* übers. von A. C. Bhaktivedanta Swami Prabhupada, New York 1972

11 III,30, a. a. O. (Anm. 10), S. 57

12 IV,3, a. a. O. (Anm. 10), S. 64

13 IV,7–8, a. a. O. (Anm. 10), S. 68 f.

14 VII,7–8, a. a. O. (Anm. 10), S. 126, 128

15 IX,26, a. a. O. (Anm. 10), S. 157

16 X,10, a. a. O. (Anm. 10), S. 167

17 *Srimad-Bhagavatam,* zweiter Gesang (»The Cosmic Manifestation«), Teil 1, Kapitel 6,3 und 1,39, übers. von A. C. Bhaktivedanta Swami Prabhupada, New York 1972, S. 275 f., 59

18 *Thus Spake Sri Ramakrishna,* Madras ⁵1980, S. 54

19 Swami Prajnananda, Einleitung zu *Light on the Path,* Swami Muktananda, South Fallsburg (New York) 1981, S. x

20 Swami Satchidananda, Philip Mandelkorn (Hrsg.), *To Know Your Self,* Garden City (New York) 1978, S. 42

21 Swami Sivananda, *Dhyana Yoga,* Shivanandanagar (Indien) ⁴1981, S. 67

22 Ramana Maharshi, *The Spiritual Teaching of Ramana Maharshi,* Boston 1972, S. 4, 6

23 Swami Vivekananda, *Karma-Yoga and Bhakti-Yoga,* New York 1982, S. 32

24 Bhagavad-Gita as It Is, op. cit., Kapitel 2:49 (S. 36), Kapitel 5:8 (S. 12)

25 Bhakta Nam Dev, entnommen aus: Sri Guru Granth Sahib, nach der Übers. von Manmohan Singh, Amritsar (Indien) 1989, S. 693

26 Bhakta Ravi Das, entnommen aus: Sri Guru Granth Sahib, a. a. O. (Anm. 25), S. 694

27 Ramakrishna, zit. in: Carl Jungs Einleitung zu Ramana Maharshi, a. a. O. (Anm. 22), S. viii

28 Leela Arjunwadkar, *Ecological Awareness in Indian Tradition (Specially as Reflected in Sanskrit Literature),* Thesenpapier, vorgelegt auf der Weltreligionenkonferenz in Seoul, 24.–31. August 1992, S. 4

29 Swami Sivasiva Palani, persönliche Mitteilung vom 26. Oktober 1989

30 Gerard Blitz in einem Vortrag im Satchidananda-Ashram, Yogaville (Virginia), am 2. April 1988

31 Swami Palani, a. a. O. (Anm. 29)

32 Robert N. Minor, »Sarvepalli Radhakrishnan and ›Hinduism‹: Defined and Defended«, in: Robert D. Baird (Hrsg.), Religion in Modern India, Neu-Delhi 1981, S. 306

33 *Condensed Gospel of Sri Ramakrishna,* Mylapore (Madras) 1911, S. 252

34 Vorträge von Shastriji Pandurang Vaijnath Athavale auf dem Zweiten Weltreligionskongreß in Shimizu (Japan), Oktober 1954

35 Shri Pandurang Vaijnath Athavale Shastri, *Nivedanam,* Bombay ³1973, S. 6

36 Ansprache von Pandurang Shastri Athavale in Bombay anläßlich der Feier zum diamantenen Jubiläum von Shrimad Bhagvad Geeta Pathshala durch Saga-Putras der Fischereigemeinschaft, 10. Januar 1988, S. 5

37 Ramakrishna, zit. in: Swami Vivekananda, *Ramakrishna and His Message,* Howra (Indien) 1971, S. 25

38 John S. Hagelin et al, »Results of the National Demonstration Project to Reduce Violent Crime and Improve Governmental Effectiveness in Washington, D.C.«, September 1994 (Institute of Science, Technology, and Public Policy)

39 »US studies back meditation as substance abuse therapy«, Indian Express vom 21. Januar 1995, S. 2

40 Krishna Kaumar Das, Interview vom Oktober 1994

41 Sinngemäß zitiert aus einer Broschüre des Vedanta Centre, Ananda-Ashram, Cohasset (Massachusetts)

42 Karan Singh, *Essays on Hinduism,* Neu-Delhi ²1990, S. 43

KAPITEL 4
JAINISMUS

1 Akaranga Sutra, übers. von Padmanabh S. Jaini, in: *The Jaina Path of Purification,* Berkeley 1979, S. 26

2 Akaranga Sutra, Vierte Lesung, Erste Lektion, in: Max Müller (Hrsg.), *Sacred Books of the East,* Bd. XXII, Gaina Sutras, Teil 1, Oxford 1884, S. 36

3 Jaina Sutras, Akaranga Sutra, Zweites Buch, Erste Lesung, in: Max Müller (Hrsg.): *The Sacred Books of the East,* Bd. XXII, Delhi 1964, S. 105 ff.

4 Samani Sanmati Pragya, Interview vom 11. Dezember 1993 in Rishikesh, Indien

5 Grußadresse an das North American Assisi Interfaith Meeting in Wichita (Kansas), 31. Oktober 1988

6 Gurudev Shree Chitrabhanu, *Twelve Facets of Reality: The Jain Path to Freedom,* New York 1980, S. 93

7 Lala Sulekh Chand, in: *A Rare Renunciation,* The Hindustan Times (Neu-Delhi), 17. Februar 1992, S. 5

8 Muni Amit Sagar, in: *A Rare Renunciation,* a. a. O. (Anm. 7)

9 Padma Agrawal, *Jainism: Mahavira as Man-God,* Dialogue and Alliance, S. 13

10 Acharya Kund Kund, in: M. K. Dhara Raja (Hrsg.), *Barasa Anuvekkha* (Zwölf Kontemplationen), Neu-Delhi 1990, S. 32

11 Ebd., S. 11

12 Acharya Shri Sushil Kumar, persönliche Mitteilung vom 30. Oktober 1989

13 Acharya Mahapragya, zit. in: Prof. R. P. Bhatnagar, *Acharya Mahapragya: A Living Legend,* Anuvibha Reporter, Januar–März 1995, S. 8

KAPITEL 5
BUDDHISMUS

1 Muharparinibbana Sutta, Digha Nikaya, 2.99 f., 155–156, zit. in: William Theodore de Bary (Hrsg.), *Sources of Indian Tradition,* New York 1958, S. 110 f.

2 *Gopakamoggallana Sutta,* Middle Length Sayings III, S. 59

3 »A message from Buddhists to the Parliament of the World's Religions«, Chicago, September 1993, zit. in: World Faiths Encounter, Nr. 7, Februar 1994, S. 53

4 Majjhima-Nikaya, »The Lesser Matunkyaputta Sermon«, Sutta 63, übers. von P. Lal, in: ders., *The Dhammapada,* New York 1967, S. 19

5 Walpola Sri Rahula, *What the Buddha Taught,* überarb. Ausgabe, New York 1974, S. 17

6 Ajahn Sumedho, »Now is the Knowing«, undatierte Broschüre, S. 21 f.

7 Sigalovada Sutta, Dighanikaya III, S. 180–193, zit. in: H. Saddhatissa, *The Buddha's Way,* New York 1971, S. 101

8 P. Lal, *The Dammapada,* a. a. O. (Anm. 4), S. 152

9 Ebd., S. 49

10 Achaan Chah, in: Jack Kornfield, Paul Breiter (Hrsg.), *A Still Forest Pool,* Wheaton (Illinois) 1985

11 P. Lal, a. a. O. (Anm. 4), S. 71 f.

12 Samyutta Nikaya, zit: in P. Lal, a. a. O. (Anm. 4), S. 17

13 Vinaya-pitaka I, 20 f., zit. in: Edward Conze (Hrsg.), *Buddhist Texts Through the Ages,* New York 1954, S. 33

14 So Mouy, zit. in: Coalition for Peace and Reconciliation Newsletter, Phnom-Penh (Kambodscha), Juli 1995

15 Joko Beck, zit. in: Lenore Friedman, *Meetings with Remarkable Women,* Boston 1987, S. 119

16 »Khandhaparitta, The Group Protection«, aus: Pali Chanting with Translations, Bangkok, S. 18 f.

17 Seine Heiligkeit, der 14. Dalai Lama, am 15. Februar 1992 in Neu-Delhi anläßlich der Ninth Dharma Celebration des Tushita Meditation Centre

18 Zit. in: Lenore Friedman, a. a. O. (Anm. 15), S. 75

19 Roshi Jiyu Kennett, zit. in: Lenore Friedman, a. a. O. (Anm. 15), S. 168

20 Seine Heiligkeit, der 14. Dalai Lama, a. a. O. (Anm. 17)

21 David W. Chappell, persönliche Mitteilung vom 26. Juli 1995

22 Tarthang Tulku, *Openness Mind,* Berkeley (Kalifornien) 1978, S. 52 f.

23 *Stories and Songs from the Oral Tradition of Jetsun Milarepa,* übers. von Lama Kunga Rimpoche und Brian Cutillo, in: *Drinking the Mountain Stream,* New York 1978, S. 56 f.

24 Seine Heiligkeit, der 14. Dalai Lama, »I know I am a Human Being«, in: Interview von Suma Varughese, Society, September 1994, o. Pag.

25 Grundlagenschrift des 6. Patriarchen Hui-neng, zit. in: Lucien Stryk (Hrsg.), *World of the Buddha,* New York 1969, S. 340

26 Aus dem »Hsin hsin ming« des 3. Zen-Patriarchen Sengtsan, übers. von Richard B. Clarke

27 Roshi Philip Kapleau, *The Three Pillars of Zen,* New York 1980, S. 70

28 Bunan, zit. in: *World of the Buddha,* a. a. O. (Anm. 25), S. 343

29 Zen-Meister Seung Sahn, persönliche Mitteilung vom 18. Januar 1990

30 Genshin, *The Essentials of Salvation,* zit. in: William de Bary (Hrsg.), *The Buddhist Tradition in India, China, and Japan,* New York 1969, S. 326

31 Taitetsu Unno, persönliche Mitteilung vom 28. März 1988

32 The Most Venerable Nichidatsu Fujii, zit. in: Broschüre anläßlich der Einweihung der Friedenspagode in Leverett (Massachusetts) am 5. Oktober 1985

33 »Introduction to NSA« (Nichiren Shoshu Soka Gakkai of America)

34 Ebd.

35 »Rissho Kosei-kai, Practical Buddhism and Interreligious Cooperation«, Broschüre des Tokioter Risshokoseikai

36 Richard B. Clarke, persönliche Mitteilung vom 2. Oktober 1981

37 Walpola Rahula, »The Social Teachings of the Buddha«, in: Fred Eppsteiner (Hrsg.), *The Path of Compassion,* Berkeley (Kalifornien) 1988, S. 103 f.

38 *Metta Sutta,* übers. von Maha Ghosananda, in:

»Invocation: A Cambodian Prayer«, in: Fred Eppsteiner, a. a. O. (Anm. 37), S. xix

39 Sulak Sivaraksa, »Buddhism in a World of Change«, in: Fred Eppsteiner, a. a. O. (Anm. 37), S. 16

40 Thich Nhat Hanh, »The Individual, Society, and Nature«, in: Fred Eppsteiner, a. a. O. (Anm. 37), S. 42 f.

KAPITEL 6
DAOISMUS UND KONFUZIANISMUS

1 *The I Ching*, übers. von Richard Wilhelm (Deutsch)/ Cary F. Baynes (Englisch), Princeton (New Jersey) 1967, S. 620 f. Den Zitaten in diesem Kapitel liegt die (jüngere) engl. Übersetzung zugrunde.

2 Auszug aus Vers 1 des *Tao-te Ching*, übers. von Stephen Mitchell. Copyright 1988 für die Übers. bei Stephen Mitchell.

3 *Tao-te Ching*, übers. von Lin Yutang, New York 1948, Vers 1, S. 41

4 Lao-tzu, *Tao-te Ching*, übers. von D. C. Lau, London 1963, Vers 25, S. 82

5 Ebd.

6 Chang Chung-yuan, *Creativity and Taoism*, New York 1963, S. 5

7 Chuang-tzu, *Basic Writings*, übers. von Burton Watson, New York 1964, S. 36

8 Chuang-tzu, , a. a. O. (Anm. 7), S. 40

9 *The Way to Life: At the Heart of the Tao-te Ching*, freie Übersetzung von Benjamin Hoff, New York/Tokio 1981, Kapitel 78, S. 52

10 *Tao-te Ching*, übers. von Stephen Mitchell, a. a. O. (Anm. 2), Kapitel 15

11 Lao-tzu, *Tao-te Ching*, übers. von D. C. Lau, a. a. O. (Anm. 4), Kapitel 20,47, S. 77

12 *The Way to Life: At the Heart of the Tao-te Ching*, a. a. O. (Anm. 9), Kapitel 35, S. 33

13 *Tao-te Ching*, übers. von Stephen Mitchell, a. a. O. (Anm. 2), Kapitel 15

14 *The Secret of the Golden Flower*, übers. von Richard Wilhelm/Cary Baynes, New York 1962, S. 21

15 Chuang-tzu, a. a. O. (Anm. 7), S. 59

16 Auszug aus Huai-Chin Han, *Tao and Longevity: Mind-Body Transformation*, übers. von Wen Kuan Chu, York Beach (Maine) 1984, S. 4 f.

17 Zit. in: Cheng Man-ch'ing, Robert W. Smith *T'ai-chi*, Rutland (Vermont) 1967, S. 106

18 Ebd, S. 109

19 Auszug aus Al Chung-liang Huang, *Embrace Tiger, Return to Mountain*, Moab (Utah) 1973, S. 12, 185

20 Zit. nach Da Liu, *The Tao and Chinese Culture*, London 1981, S. 161

21 »Brooms, Gourds, and the Old Ways, An Interview with Daoist Master An«, in: Heaven Earth: The Chinese Art of Living, Bd. 1, Nr. 1, Mai 1991, S. 2

22 Yu Yingshi, »A Difference in Starting Points«, in: Heaven Earth, a. a. O. (Anm. 21), S. 1

23 *The Analects*, VII,1, in: William Theodore de Bary, Wing-tsit Chan, Burton Watson (Hrsg.), *Sources of Chinese Tradition*, New York 1960, Bd. 1, S. 23

24 *The Analects*, XIII,6, in: de Bary et al., a. a. O. (Anm. 23), S. 32, sowie Analekten II,1 in der Übers. von Ch'u Chai und Winberg Chai, in: *Confucianism*, Woodbury (New York) 1973, S. 52

25 Confucius, *The Analects*, VIII,19, übers. von D. C. Lau, London 1979, S. 94

26 *Great Learning*, in: de Bary et al., a. a. O. (Anm. 23)

27 *Chung Yung* (Die Lehre der Mitte), übers. von Ch'u Chai und Winberg Chai, in: *The Sacred Books of Confucius and Other Confucian Classics*, New Hyde Park (New York) 1965, S. 11 f.

28 *The Analects*, XI,11, in: Chai und Chai, a. a. O. (Anm. 24), S. 46

29 *The Analects*, X,25, ebd., S. 105

30 *The Analects*, X,103, ebd.

31 *The Mencius*, in: de Bary et al., a. a. O. (Anm. 23), S. 91

32 Ebd., S. 89

33 *Xunzi*, Kapitel 17, in: de Bary et al., a. a. O. (Anm. 23), S. 101

34 Zhang Zais *Western Inscription*, in: de Bary et al, a. a. O. (Anm. 23)

35 Gebet des Ming-Kaisers aus dem Jahr 1538, in: James Legge, *The Religions of China*, London 1880, S. 43 f.

36 *Das Rote Buch — Worte des Vorsitzenden Mao Tse-tung*, eingel. von Tilemann Grimm (Hrsg.), Frankfurt am Main, Hamburg 1967, S. 83

37 China Daily vom 30. Januar 1989, S. 1

38 Ann-ping Chin, persönliches Interview, Juli 1992

39 »Surgeon with pure heart«, China Daily vom 19. Januar 1989, S. 6

40 Korean Overseas Information Service, *Religions in Korea*, Seoul 1986, S. 55 ff.

KAPITEL 7
SHINTO

1 Yukitaka Yamamoto, *Way of the Kami*, Stockton (Kalifornien) 1987, S. 75

2 Aus den *Nihon Shoki* (Chroniken Japans) I,3, in: Stuart D. B. Picken, *Shinto: Japan's Spiritual Roots*, Tokio 1980, S. 10

3 Sakamiki Shunzo, »Shinto: Japanese Ethnocentrism«, in: Charles A. Moore (Hrsg.), *The Japanese Mind*, Hawaii o. J., S. 25

4 Kishimoto Hideo, »Some Japanese Cultural Traits and Religions«, in: Charles A. Moore, a. a. O.(Anm. 3), S. 113 f.

5 Ise-Teijo, *Gunshin-Mondo, Onchisosho*, Bd. X, zit. in: Genchi Kato, S. 185

6 Yamamoto, a. a. O. (Anm. 1), S. 73 ff.

7 Ebd., S. 97

8 Nicht belegtes Zitat aus Stuart D. B. Picken (Hrsg.), *A Handbook of Shinto,* Stockton (Kalifornien) 1987, S. 14

9 Ebd.

10 Hitoshi Iwasaki, »Wisdom from the night sky«, in: Tsubaki Newsletter vom 1. Juni 1988, S. 2

11 Motoori Noringa (1730–1801), *Naobi no Mitma,* zit. in: Tsubaki Newsletter vom 1. November 1988, S. 3

12 Jinja-Honcho (The Association of Shinto Shrines), *The Shinto View of Nature and a Proposal Regarding Environmental Problems,* Tokio o. J.

KAPITEL 8
ZOROASTRISMUS

1 *The Hymns of Zarathustra,* übers. von Jacques Duchesne-Guillemin, Mrs. M. Henning, London 1952, S. 7

2 Yasna 46,1–2, *Songs of Zarathustra,* The Gathas, übers. von Dastur Framroze Ardeshir Bode und Piloo Nanavutty, London 1952, S. 83

3 Yasnas 31,8; 45,6; 46,9, *Songs of Zarathustra,* a. a. O. (Anm. 2), S. 33

4 Yasna 33,14, ebd., S. 66

5 Yasna 34,5, 4, ebd, S. 67

6 Ahunavaiti Gatha

7 Yasna 30 in der Übers. von Stanley Insler, in: *The Gathas of Zarathustra,* Leiden 1975, S. 34

8 Yasna 31,18, in: *Songs of Zarathustra,* a. a. O. (Anm. 2), S. 55

9 T. R. Sethna, *Book of Instructions an Zoroastrian Religion,* Karachi 1980, S. 87

10 Zamyad Yasht, zit. in: Rustom Masani, *Zoroastrianism: The Religion of Good Life,* New York 1968, S. 75 f.

11 Dr. Homi Dhalla, »The Avestan View of Ecology«, Thesenpapier, vorgelegt auf der Weltreligionenkonferenz in Kochi (Indien), 1.–6. Oktober 1991, Auszug in Erinnerung an die Konferenz, S. 60 f.

12 *Shayest ne-Shayest,* xx-6

13 I. J. S. Taraporewala, *The Religion of Zarathustra,* Madras 1926, S. 70

14 Dr. Framroze A. Bode, »Mazdayasna Today«, Eugene (Oregon) o. J., S. 5

15 Aus Ervad Godrej Dinshawji Sidhwa, *Discourses on Zoroastrianism,* Karachi, 2. Auflage, o. J., S. 52

16 Dr. Homi Dhalla

17 I. J. Taraporewala, *The Religion of Zarathustra,* Bombay 1979, S. 62

KAPITEL 9
JUDAISMUS

1 Genesis 1,1. Die Bibelzitate dieses Kapitels folgen der Ausgabe *Tora Nebiim Chetubim. Die vierundzwanzig Bücher der Heiligen Schrift,* übers. von Leopold Zunz, Basel 1995

2 Genesis 1,28, *Tora Nebiim Chetubim,* a. a. O. (Anm. 1)

3 Genesis 6,17, ebd.

4 Genesis 9,17, ebd.

5 Genesis 22,12, ebd.

6 Persönliche Mitteilung, 24. März 1989.

7 Deuteronomium 7,7, *Tora Nebiim Chetubim,* a. a. O. (Anm. 1)

8 Exodus 3,5, *Tora Nebiim Chetubim,* a. a. O. (Anm. 1)

9 Exodus 3,10, ebd.

10 Exodus 3,12, ebd.

11 Exodus 3,14–15, M. Buber, F. Rosenzweig, Köln 1954–62

12 1. Samuel 17,32–54, die Zehn Gebote Exodus 20,2–17, *Tora Nebiim Chetubim,* a. a. O. (Anm. 1)

13 Exodus 34,13, *Tora Nebiim Chetubim,* a. a. O. (Anm. 1)

14 1. Könige 8; 13,27–29, *Tora Nebiim Chetubim,* a. a. O. (Anm. 1)

15 1. Könige 9,3, ebd.

16 Daniel 7,13–14, *Tora Nebiim Chetubim,* a. a. O. (Anm. 1)

17 Martin Buber, »Jews and Christians«, in: Nahum N. Glatzer (Hrsg.), The Way of Response. Martin Buber, selections from his writings, New York 1966, S. 149

18 Aus Talmud und Midrasch, zit. in: Nahum N. Glatzer (Hrsg.), *The Judaic Tradition,* Boston 1969, S. 149

19 Mose ben Maimon, *Führer der Unschlüssigen,* übers von Adolf Weiss, 3 Bücher in 2 Bänden, Hamburg 1972, 3. Buch, S. 365f.

20 Zitiert in S. A. Horodezky, *Leaders of Hasidism,* London 1928, S. 11

21 Eliezer Berkovits, *Faith After the Holocuast* (1973), zit. in: Francine Klagsbrun, *Voices of Wisdom. Jewish Ideals ans Ethics for Everyday Living,* New York 1980, S. 436

22 Elie Wiesel, Rede an der University of Connecticut, Storrs, Connecticut, 7. September 1988

23 Emil Fackenheim, *God's Presence in History* (1970), zit. in F. Klagsbrun, a. a. O. (Anm. 21), S. 435

24 Rede von Jitzhak Rabin, zit. in: »The Peace of the Brave«, Indian Currents, 9. November 1995, S. 1

25 Maimonides »Grundprinzipien des Glaubens«, zit. in: Louis Jacobs, *Principles of Jewish Faith,* New Jersey 1988, S. 33

26 Ibn Gabirol, *Keter Malkut,* zit. in: Abraham J. Heschel, »One God«, in: Fritz A. Rothschild (Hrsg.), *Between God and Man. An Interpretation of Judaism, from the Writings of Abraham J. Heschel,* New York 1959, S. 106

27 Abraham J. Heschel, a. a. O. (Anm. 26), S. 37

28 Ebd., S. 105

29 Ebd., S. 104

30 Martin Buber, *Ich und Du,* in: ders., *Das dialogische Prinzip,* Darmstadt ³1984, S. 83

31 Jesaia 65,25, *Tora Nebiim Chetubim,* a. a. O. (Anm. 1)

32 nach der englischen Fassung von Rabbi Sidney Greenberg, *Likrat Shabbat,* Bridgeport (Connecticut) 1981, S. 61

33 Job 1,20–21, *Tora Nebiim Chetubim,* a. a. O. (Anm. 1)

34 Das jüdische Gebetbuch, zit. in: Jocelyn Hellig, »A South African Jewish Perspective«, in: Martin Forward (Hrsg.), *Ultimate Visions,* Oxford 1995, S. 136

35 Leviticus 11,45, *Tora Nebiim Chetubim,* a. a. O. (Anm. 1)

36 Talmud Berakhoth 11a, in: *Ha-Siddur Ha-Schalem,* ins Engl. übers. von Philip Birnbaum, New York 1977, S. 14

37 Zit. nach Ruth Gan Kagan, »The Sabbath: Judaism's Discipline for Inner Peace«, Vortrag bei der Assembly of the World's Religions, Seoul (Südkorea)

38 Sanhedrin 22a, zit. in: Sharon Strassfeld, Michael Strassfeld (Hrsg.), *The Second Jewish Catalog,* Philadelphia 1976

39 Rabbi Jochanaan ben Nuri, Gebet zu Rosch Haschana, zit. in: Arthur Waskow, *Seasons of our Joy,* New York 1982, S. 11

40 Arthur Waskow, a. a. O. (Anm. 39), S. 175

41 Mordechai M. Kaplan, »The Way I Have Come«, in: I. Eisenstein und E. Kohn (Hrsg.), *Mordechai M. Kaplan. An Evaluation,* New York 1952, S. 293

42 »Declaration of he ELCA to the Jewish Community«, zit. in: Joel Beversluis, *A Sourcebook for Earth's Community of Religions,* Grand Rapids (Michigan) 1995, S. 170

43 Rabbi David Karpow, Interview vom 24. Oktober 1994.

44 Amos 5,24, *Tora Nebiim Chetubim,* a. a. O. (Anm. 1)

KAPITEL 10
DAS CHRISTENTUM

1 Moskauer Patriarchat, *The Russian Orthodox Church,* Moskau 1982, S. 239

2 Das Thomasevangelium, in: Wilhelm Schneemelcher (Hrsg.), *Neutestamentliche Apokryphen in deutscher Übersetzung,* 5. Auflage der von Edgar Hennecke begründeten Sammlung, 1. Band: *Evangelien,* Tübingen 1987, S. 110, Vers 110

3 Lukas 2, 47; 49. Die Bibelzitate (Neues Testament) in diesem Kapitel folgen der ökumenischen Einheitsübersetzung, Freiburg, Basel, Wien 1980

4 Markus 1,10–11, a. a. O. (Anm. 3)

5 Matthäus 6,25–27, a. a. O. (Anm. 3)

6 Matthäus 7,7, ebd.

7 Lukas 9,17, a. a. O. (Anm. 3)

8 Johannes 6,48, a. a. O. (Anm. 3)

9 William, zit. in: *Das Evangelium der Bauern von Solentinane, Gespräche über das Leben Jesu in Lateinamerika,* aufgezeichnet von Ernesto Cardenal, 2. Band, Wuppertal 1978, S. 68

10 Matthäus 5,21–22, a. a. O. (Anm. 3)

11 Matthäus 5,44–45, ebd.

12 Matthäus 22,39, ebd.

13 Matthäus 25,37–40, ebd.

14 Matthäus 5,3, ebd.

15 Lukas 10,25–37, a. a. O. (Anm. 3)

16 Matthäus 13,47–50, a. a. O. (Anm. 3)

17 Markus 1,15, a. a. O. (Anm. 3)

18 Lukas 4,43, a. a. O. (Anm. 3)

19 Matthäus 6,10, a. a. O. (Anm. 3)

20 Matthäus 24,30–31, ebd.

21 Leviticus 20,9, a. a. O. (Anm. 3)

22 Jesaja 29,13, a. a. O. (Anm. 3)

23 Matthäus 15,1–20, a. a. O. (Anm. 3)

24 Matthäus 23,1–3; 27–28, ebd.

25 Jesaja 56,7, a. a. O. (Anm. 3)

26 Jeremias 7,11, a. a. O. (Anm. 3)

27 Markus 11,15–18, a. a. O. (Anm. 3)

28 Markus 8,29–30, ebd.

29 Johannes 11,27, a. a. O. (Anm. 3)

30 Matthäus 17,2–5, a. a. O. (Anm. 3)

31 Johannes 7,16; 8,23; 8,58, a. a. O. (Anm. 3)

32 Matthäus 26,28, a. a. O. (Anm. 3)

33 Markus 11,10, a. a. O. (Anm. 3)

34 Markus 14,36, ebd.

35 Joachim Jeremias, *Neutestamentliche Theologie. Erster Teil: Die Verkündigung Jesu,* Gütersloh 1971, S. 140.

36 Markus 14,4, a. a. O. (Anm. 3).

37 Matthäus 26,64, a. a. O. (Anm. 3)

38 Matthäus 27,11, ebd.

39 Matthäus 27,46, ebd.

40 Matthäus 28,18–20, ebd.

41 Apostelgeschichte 2,36, a. a. O. (Anm. 3)

42 Apostelgeschichte 26,18, ebd.

43 Apostelgeschichte 17,28, ebd.

44 Das Thomasevangelium, in: Wilhelm Schneemelcher, a. a. O. (Anm. 2), Vers 82

45 Augustinus, Bekenntnisse, lateinisch und deutsch, Übers. Joseph Bernhart (Frankfurt am Main 1987), S. 441.

46 Rowan Williams, *Resurrection,* New York 1984, S. 46 mit Zitat Johannes 14,19

47 Archimandrit Chrysostomos, *The Ancient Fathers of the Desert,* Brookline (Massachusetts) 1980, S. 78

48 Ebd., S. 80

49 Das Solowky-Memorandum, zit. in: Barbara von der Heydt, *Candles Behind the Wall,* Grand Rapids (Michigan) 1993, S. 46

50 Michail Gorbatschow, zit. in: Michael Dobbs, »Soviets,

Vatican to Esthablish Ties«, The Hartford Courant, 2. Dezember 1989, S. 1

51 Vater Alexej Wlassow, Interview, 26. Oktober 1994

52 Vater Feodor, Interview, 29. Oktober 1994

53 St. Gregorios Palamas, »Homilie auf die Darstellung der Heiligen Jungfrau im Tempel«, zitiert in: Vladimir Lossky, *Die mystische Theologie der morgenländischen Kirche*, Graz, Wien, Köln 1961, S. 285

54 Jim Forest, *Pilgrims to the Russian Church*, New York 1988, S. 50

55 Aus: *A Hopkins Reader*, hrsg. von John Pick, New York 1953, zit. in: D. M. Dooling (Hrsg.), *A Way of Working*, New York 1979, S. 6

56 Aus dem Testament des Heiligen Franziskus von Assisi, zit. in: Jean Leclerc, François Vandenbroucke, Louis Bouyer (Hrsg.), *The Spirituality of the Middle Ages*, Bd. 2 von *A History of Christian Spirituality*, New York 1982, S. 289

57 *The Cloud of Unknowing and The Book of Privy Counseling*, Garden City (New York) 1973, S. 56

58 Martin Luther, *Ein Sendbrief an den Papst Leo X. Von der Freiheit eines Christenmenschen*, in: Otto Clemen (Hrsg), *Luthers Werke in Auswahl*, unter Mitw. v. Albert Leitzmann, Zweiter Band: *Schriften von 1520–1524*, Berlin ⁶1967, S. 25

59 Huldrych Zwingli, »Über die wahre und falsche Religion«, in: *Zwingli-Hauptschriften*, Band 10: *Zwingli der Theologe*, 2. Teil, Zürich 1963, S.137

60 Jean Calvin, *Institution de la Religion Chrétienne*, zit. in: Harry Emerson Fosdick, *Great Voices of the Reformation*, New York 1952, S. 216

61 John Wesley, zit. in: F. L. Cross, E. A. Livingstone (Hrsg.), *The Oxford Dictionary of the Christian Church*, Oxford 1983, S. 1467

62 *Die Seelenburg der heiligen Theresia von Jesu*, in: *Sämtliche Schriften der heiligen Theresia von Jesu*, Fünfter Band, München, Kempten ⁶1981, S. 209

63 John Wesley, zit. in: John Dillenberger, Claude Welch, *Protestant Christianity*, New York 1954, S. 134

64 Sarah Grimke, »Letters on the Equality of the Sexes and the Condition of Women« (1836–1837), in: M. Schneir (Hrsg.), *Feminism. The Essential Historical Writings*, New York 1972, S. 38

65 Walter M. Abbott (Hrsg.), *The Documents of Vatican* II, New York 1966, S. 665

66 Ebd., S. 661 f.

67 Johannes 14,2–10, a. a. O. (Anm. 3)

68 Paul Knitter, in: John Hick, Paul F. Knitter (Hrsg.), *The Myth of Christian Uniqueness. Towards a Pluralistic Theology of Religions*, Maryknoll (New York) 1987, S. 192 f.

69 Matthäus 20,28, a. a. O. (Anm. 3)

70 Johannes 3,16–17, a. a. O. (Anm. 3)

71 Erzbischof Desmond Tutu, »The Face of God«, Life, Dezember 1990, S. 49 f.

72 Mutter Theresa, zit. in: Malcolm Muggeridge, *A Gift for God*, London 1975, S. 37 f.

73 Reverend Larry Howard bei einem ökumenischen Gottesdienst, Syracuse (New York), 25. Oktober 1992

74 Thomas Keating, *The Mystery of Christ. The Liturgy as Spiritual Experience*, Amity (New York) 1987, S. 5

75 Thomas von Kempen, *Vier Bücher von der Nachfolge Christi*, übers. von Joseph Görres, Leipzig 1871, S. 91

76 F. Iwan Kronstadtsky, zit. in: F. Benjamin Fetschenkow, *Heaven on Earth*, Moskau 1994, S. 70

77 Julia Gatta, persönliche Mitteilung, 22. Juli 1987

78 »Brief Order for Confession and Forgiveness«, *Lutheran Book of Worship*, Prepared by the churches participating in the Inter-Lutheran Commission on Worship, Minneapolis (Minnesota) 1978, S. 56 (In der deutschen Fassung unter Benutzung des Wortlautes, wie er in der Evangelischen Kirche Berlin-Brandenburg üblich ist.)

79 World Council of Churches, *Baptism, Eucharist and Ministry*, Faith and Order Paper No. 111, Genf 1982, S. 2

80 Vater Apollinari, Interview, 28. Oktober 1994.

81 Johannes 1,9, a. a. O. (Anm. 3)

82 Jim Forest, a. a. O (Anm. 54), S. 72

83 Thomas Merton, *Contemplative Prayer*, Garden City (New York) 1969, S. 67

84 Vater Paulos Mar Gregorios, World Congress of Spiritual Concord, Rishikesh (Indien), 11. Dezember 1993

85 Professor Kathleen Dugan, Interview, 4. Februar 1993

86 Lukas 1,38, a. a. O. (Anm. 3)

87 Zit. in: Jim Forest, a. a. O. (Anm. 54), S. 63

88 New York Times, nachgedruckt in: »The Gospel of Life«, Indian Currents, 8. April 1995, S. 1

89 Sean McDonagh, *The Greening of the Church*, Maryknoll (New York) o. J., S. 65

90 Don. A. Schanche, Russell Chandler, Los Angeles Times, »Tensions confront pope in U.S.«, The Hartford Courant, 11. September 1987, S. 1

91 Zit. nach Garaldine Baum, »Fallen fundamentalists: solving the puzzle«, The Hartford Courant, 8. März 1988, S. C1

92 Roman I. Bilas, Interview, 25. Oktober 1994

93 Members of African Independent Churches Report on their Pilot Study of the History and Theology of their Churches, »Speaking for Ourselves«, Braamfontein (Südafrika) 1985, S. 23 f.

94 Martin Luther King Jr., »An Experiment in Love«, in: James Melvin Washington, *The Essential Writings of Martin Luther King, Jr.*, San Francisco 1986, S. 16

95 Gustavo Gutierrez, zit. in: Philip Berryman, *Liberation Theology*, New York 1987, S. 33

96 Bakole Wa Ilunga, *Paths of Liberation. A Third World Spirituality*, Maryknoll (New York) 1984, S. 92

97 Thomas Berry, Äußerungen zur Frage »Auf der Suche nach der wahren Bedeutung von Frieden«, Konferenz in San José (Costa Rica), 27. Juni 1989

98 Jozef Tischner, zit. in: von der Heydt, a. a. O
    (Anm. 49), S. 197

99 Alexander Ogorodnikow, ebd., S. 28

100 Gabriele Anger, ebd., S. 175.

101 Vaclav Havel, zit. in: Timothy Garton Ash, *Ein Jahr-
    hundert wird abgewählt. Aus den Zentren Mitteleuropas
    1980–1990*, München, Wien 1990, S. 211

102 Christian Führer, zit. in von der Heydt, a. a. O
    (Anm. 49) S. 186 f.

103 Interkonfessionelle Konferenz »Christlicher Glaube
    und menschliche Feindschaft«, Danilow-Kloster,
    Moskau, 21.–23. Juni 1994, Schlußdokument,
    S. 2 ff.

KAPITEL 11
DER ISLAM

1   *Der Koran*, Sure 1. Koran-Zitate folgen der Ausgabe
    von Max Henning, Stuttgart 1960

2   Abu Abdallah Muhammad Bukhari, *Kitab dschami
    as-sahih*, zit. in: Annemarie Schimmel, *Und Muhammad
    ist Sein Prophet. Die Verehrung des Propheten in der
    islamischen Frömmigkeit*, München ³1995 , S. 12

3   Sure 8,18, *Der Koran*, a. a. O. (Anm. 1)

4. Maulana M. Ubaidul Akbar, *The Orations of Muhammad*,
    Lahore 1954, S. 78

5   Sure 41,5, *Der Koran*, a. a. O. (Anm. 1)

6   Sure 28,56, ebd.

7   Hadith, zit. in: Annemarie Schimmel, a. a. O
    (Anm. 2), S. 51 und 58

8   Zit. in: Mahmoud Ayoub, *The Qur'an and its
    Interpreters*, Band 1, Albany 1984, S. 14

9   *The Holy Qur'an*, XCVI, 1–5, ins Engl. übers. von
    Abdullah Yusuf Ali, Durban 1946, Fußnote 5778,
    Sure 74,1, S. 1640

10 Khalid Duran, »Interreligious Dialogue and the Islamic
    ›Original Sin‹«, in: Leonard Swidler (Hrsg.), *Toward a
    Universal Theology of Religion*, Maryknoll (New York)
    1988, S. 213

11 Sure 42,14, *Der Koran*, a. a. O. (Anm. 1)

12 Islamic Society of America, *Islam at a Glance*, Plainfield
    (Indiana) o. J.

13 Abu Haschim Madani, zit. in: Samuel L. Lewis, *In the
    Garden*, New York 1975, S. 136

14 Frithjof Schuon, *Understanding Islam*, London 1963,
    S. 59

15 Sure 2,130, *Der Koran*, a. a. O. (Anm. 1)

16 Sure 32,15–17, ebd.

17 Seyyed Hossein Nasr, *Ideal und Wirklichkeit des Islam*,
    München 1993, S. 24

18 Zit. in: Abdur-Rahman Ibrahim Doi, »Sunnism«,
    in: Seyyed Hossein Nasr (Hrsg.), *Islamic Spirituality:
    Foundations*, New York 1987, S. 158

19 Sure 17,14–15, *Der Koran*, a. a. O. (Anm. 1)

20 Sure 70,15–18, ebd.

21 Zit. in: Muhammad Rida al-Muzaffar, *The Faith of Shi'a
    Islam*, London 1982, S. 35

22 Ebd., S. 42

23 Hadith 535, zit. in: Badi'uz-Zaman Furuzanfar,
    Ahadith-i Mathnawi, Teheran 1955, zit. in:
    Annemarie Schimmel, *Mystische Dimensionen des Islam.
    Die Geschichte des Sufismus*, Frankfurt am Main, Leipzig
    1995, S. 134

24 Rabi'aal-Adawiyya al-Qaysiyya, zit. in: Abu Talib, *Qut
    al-Qulub*, II, Kairo, A.H. 1310, S. 57, englisch in: Mar-
    garet Smith, *Rabi'a the Mystic and her Fellow-Saints in
    Islam*, Cambridge 1928, 1984, S. 102

25 Mewlana Dschelal ed din Rumi, *Mesnevi*, aus dem Per-
    sischen von Georg Rosen, München 1913, S. 59

26 Mewlana Dschelal ed-Din Rumi, *Mathnawi-i ma'nawi*,
    hrsg. und übers. von Reynold A. Nicholson, London
    1925–1940, Band 4, Zeile 2102

27 Hadith 352, zit. in: Dr. Javad Nurbakhsh, *In der
    Schenke des Entwerdens. Sieben Aufsätze über Sufismus*,
    Köln 1992, S. 30

28 Zit. in: Javad Nurbakhsh, *Sufism. Meaning, Knowledge,
    and Unity*, New York 1981, S. 19, 21

29 Idries Shah, *The Sufis*, London 1964, S. 76

30 Rumi, *Mathnawi*, VI, 3220–3246, nach der englischen
    Übersetzung von Coleman Barks, in: Rumi, *We Are
    Three*, Athens (Georgia) 1987, S. 54 f.

31 Sure 2,257, *Der Koran*, a. a. O. (Anm. 1)

32 Hadith, zit. in: Syed Ali Ashraf, »The Inner Meaning of
    the Islamic Rites: Prayer, Pilgrimage, Fasting, Jihad«,
    in: Seyyed Hossein Nasr, a. a. O. (Anm. 8),
    S. 114

33 Hammudah Abdalati, *Islam in Focus*, Indianapolis 1975,
    S. 88

34 Seyyed Hossein Nasr, *Traditional Islam in the Modern
    World*, London 1987, S. 33

35 Sure 22,40–41, *Der Koran*, a. a. O. (Anm. 1)

36 Sure 2,186, ebd.

37 Sure 2,214; 2,189, ebd.

38 M. R. Bawa Muhaiyaddeen, »Islam's Hidden Beauty:
    The Sufi Teachings of M.R. Bawa Muhaiyaddeen«,
    Tonbandkassette der New Dimensions Foundation,
    San Francisco 1989, S. 1

39 Zit. in: Philip K. Hitti, *Islam and the West*, Princeton
    (New Jersey) 1962, S. 112

40 Usbek Khan, Urkunde an den Metropoliten Pjotr
    (1313), zit. in: Al Risala, Juni 1994, S. 12

41 Dalil-ul-Arifin, S. 37, zit. in: W. D. Begg, *The Holy
    Biography of Hazrat Khwaja Muinuddin Chishti*,
    Botswana 1979, S. 41

42 Präsident Suharto von Indonesien, zit. in: Hinduism
    Today, Juli 1989, S. 20

43 Annemarie Schimmel, »Islam's Hidden Beauty«,
    Tonbandkassette der New Dimensions Foundation,
    San Francisco 1989, S. 1

44 Dschelal ad-Din Rumi, *Mathnawi*, IV, in: Rumi, a. a. O.
    (Anm. 30), S. 52

45 Noor Grant, zit. in: *Islam in America*, 2, Nr. 2, Sommer 1995, S. 41

46 Sajida Sultana Alvi, Interview, 15. Juni 1992

47 Seyyed Hossein Nasr, »The Pertinence of Islam to the Modern World«, in: Finley P. Dunne, Jr. (Hrsg.), *The World Religions Speak on the Relevance of Religion in the Modern World*, Den Haag 1970, S. 133

48 Die erste Weltkonferenz zur muslimischen Erziehung, zit. in: Syed Ali Ashraf, *New Horizon in Muslim Education*, Cambridge 1985, S. 4

49 Mufti Magomed-Khaji Albogatschiew, Redebeitrag auf der Konferenz der interreligiösen Föderation für den Weltfrieden, Seoul (Südkorea) 1995

50 Ebd.

51 Mamoon-al-Rasheed, »Islam, Nonviolence, and Social Transformation« hrsg. von Glenn D. Paige, Chaiwat Datha-Anand, Sarah Gilliatt, Honolulu 1993, S. 70

52 Dr. A.K. Abu'l Majd, zit. in dem Video »Islam«, Smithsonian World Series, Smithsonian Institution and WETA, Washington, D.C., 1987, Abschrift S. 6, 17

KAPITEL 12
SIKHISMUS

1 Kabir, in der modernen Übers. von Robert Bly: *The Kabir Book: Forty-four of the Ecstatic Poems of Kabir*, Copyright 1971, 1977 bei Robert Bly, S. 33

2 Puratan, zit. in: Khushwant Singh, *Hymns of Guru Nanak*, Neu-Delhi 1969, S. 10

3 Guru Nanak, zit. in: W. Owen Cole, Piara Singh Sambhi, *The Sikhs: Their Religious Beliefs and Practices*, London 1978, S. 39

4 Var Maji 7,1, *Adi Granth*, zit. in: W. H. McLeod (Hrsg. und Übers.), *Textual Sources for the Study of Sikhism*, Totowa (New Jersey) 1984, S. 43

5 Sri Rag, zit. in: Trilochan Singh, Jodh Singh, Kapur Singh, Bawa Harkishen Singh und Khushwant Singh (Übers.), *The Sacred Writings of the Sikhs*, o. O. 1973, S. 59

6 Guru Granth Sahib 724

7 Guru Har Rai, zit. in: Dr. Gopal Singh, *A History of the Sikh People*, Neu-Delhi 1979, S. 257

8 Guru Gobind Singh, *Bachittar Natak* (Autobiographie)

9 Aus einem in der Baisakhi-Ausgabe von »The Spokesman« (1956) abgedruckten Brief von Dr. S. Radhakrishnan, nachgedruckt als Einleitung von Giani Ishar Singh Nara, *Safarnama and Zafarnama*, Neu-Delhi 1985, S. iv-v

10 Mul-Mantra, zit. in: Khushwant Singh, a. a. O. (Anm. 2), S. 25

11 Jaap Sahib, Verse 84 und 159, ins Engl. übers. von Harjett Singh Gill, Neu-Delhi o. J.

12 Adi Granth 684, zit. in: W. Owen Cole, Piara Singh Sambhi, a. a. O. (Anm. 3), S. 74

13 Ralph Singh, Interview vom 30. Oktober 1988

14 Guru Arjun, Rag Majh, zit. in: Singh et al., a. a. O. (Anm. 5), S. 180

15 *Anand Sahib*, Vers 14

16 Auszug aus Guru Gobind Singh, *Rahitnamas*, übers. von Gurden Singh

17 Ebd.

18 Japji, Verse 9 und 10

19 Baba Virsa Singh, Ansprache in Gobind Sadan (Neu-Delhi) vom 13. September 1994

20 Baba Virsa Singh: »News from Gobind Sadan«, Mai 1994, S. 4

21 Baba Virsa Singh, persönliche Mitteilung, 1.12.1992

22 Guru Gobind Singh, *Dasam Granth*

KAPITEL 13
NEUE RELIGIÖSE STRÖMUNGEN

1 Friday M. Mbon, »The Social Impact of Nigeria's New Religious Movements«, in: James A. Beckford (Hrsg.), *New Religious Movements and Rapid Social Change*, Paris, London 1986, S. 177

2 Dr. Marc Galanter, in: Daniel Coleman, »A Cultist's Mind«, New York Times, 21. April 1993, S. A21

3 Reiko Hasumi, »In a spiritual vacuum anything can flourish, even destruction«, in: Asian Age, 28. Mai 1995, S. 9

4 Ernest Cashmore, *Rastaman*, London 1983, S. 22

5 Tenri kyosi den (»Life of the Founder of the Tenri-kyo Sect«), zusammengestellt von dem Tenri-kyo doshi-kai, Tenri 1913, zit. in: Ichiro Hori, *Folk Religion in Japan*, Chicago 1968, S. 237

6 Sandra Pfortmiller, »Messages«, in: The National Spiritualist Summit, Januar 1989, S. 31

7 Prinzipien 7 und 8 der Declaration of Principles, National Spiritualist Association of Churches

8 H. P. Blavatsky, *Der Schlüssel zur Theosophie*, Graz 1969, S. 3

9 Usha John, »J. Krishnamurti, An Extraordinary Mystic«, in: Indian Perspectives, März 1994, S. 23

10 Elizabeth Claire Prophet, Broschüre des Summit Lighthouse, Livingston, Montana

11 »The Chart of Your Divine Self«, Summit University, Livingston, Montana

12 Gespräch mit Rev. William Kingsley Opoku, 6.2.1993

13 Ernest Holmes, Auszug aus »I am Vitalized by the Strength of God«, Nachdruck in: Science of Mind, Oktober 1981, S. 59

14 Gespräch mit Tom Johnson, 19.2.1990

15 »A Brief Biography of Rajinder Singh«, Delhi, Sawan Kirpal Publications Spiritual Society, S. 11

16 Brahma Kumaris World Spiritual University: »Women and Spirituality in a Changing World«, Broschüre

17 Rev. Sun Myung Mun in: W. Farley Jones (Hrsg.): *A Prophet Speaks Today*, New York 1975, S. 157

18 Rev. Sun Myung Mun: »The True Family and I«, Rede in Neu Delhi, 25.11.1995, S. 11

19 Starhawk, *Der Hexenkult als Ur-Religion der Großen Göttin,* Freiburg im Breisgau 1987

20 John Seed, »Anthropocentrism«, in: Awakening in the Nuclear Age, Ausgabe Nr. 14 (Sommer/Herbst 1986), S. 11

21 John Seed, Joanna Macy, Pat Fleming, Arne Naess, *Denken wie ein Berg: Die ganzheitliche Ökologie des Lebens,* Freiburg im Breisgau 1989

22 J. E. Lovelock, *Gaia: Die Erde ist ein Lebewesen,* Bern, München, Wien 1994, S. 9, 11

23 James Lovelock, *The Ages of Gaia,* New York 1990, S. 206

24 Peter Russell, »Endangered Earth: Psychological roots of the environmental crisis«, in: Link Up, Nr. 38 (Frühling 1989), S. 7 f.

25 David Albert, »A Children's Story: Gaura Devi Saves the Trees«, in: Awakening in the Nuclear Age, a. a. O. (Anm. 20), S. 15

26 »The Baha'is: A Profile of the Baha'i Faith and its Worldwide Community«, Leicestershire (UK), Baha'i Publishing Trust, S. 42

27 Interview mit Swetlana Dorschiewa, 26.10.1994

28 Hazrat Inayat Khan: »A New Form«, in: Addresses to Cherags, Lebanon Springs (New York), o. J., S. 75

29 Abdu'l-Baha, zit. in: »One World, One Faith«, Neu-Delhi 1979, S. 3

30 Entnommen »The Baha'i Faith«, New York: Baha'i International Community

31 Frithjof Schuon: »Den Islam verstehen: Innere Leere und mystische Erfahrung«, Freiburg im Breisgau; Basel; Wien 1993

KAPITEL 14
RELIGION AM ENDE DES JAHRHUNDERTS

1 Diana Eck, »A New Geo-Religious Reality«, Vortrag bei der Weltkonferenz über Religion und Frieden der 6. Weltversammlung in Riva del Garda, Italien, November 1994, S. 1

2 Interview mit Hohepriester Viktor Petluschenko

3 Gyorgy Bulanyi, »Church and Peace: Vision and Reality« bei der Kirchen- und Friedenskonferenz zur Überwindung der Gewalt, Ungarn, April 1995, Nachdruck in: Church and Peace, Frühling 1995, S. 4

4 Charles Strozier et al., »Religious Militancy or ›Fundamentalism‹«, in: *Religion and Human Rights,* The Project on Religion and Human Rights, New York 1994, S. 19

5 Ewert Cousins, Rede bei der North American Interfaith Conference in Buffalo (New York) 1991

6 Raimundo Panikkar, »The Invisible Harmony: A Universal Theory of Religion or a Cosmic Confidence in Reality?«, in: Leonard Swidler (Hrsg.), *Towards a Universal Theology of Religion,* Maryknoll (New York) 1987, S. 147

7 Father Thomas Keating, Nachdruck in: Susan Walker (Hrsg.), *Speaking of Silence: Christians and Buddhists on the Contemplative Way,* Boulder (Colorado) 1987

8 Papst Johannes Paul II, zit. in: Richard N. Ostling, »A Summit for Peace in Assisi«, Time, 10.11.1986, S. 78

9 Wangara Maathai bei einer Rede vor der Oxford Global Survival Conference, zit. in: The Temple of Understanding Newsletter, Herbst 1988, S. 2

10 »Preserving and Cherishing the Earth: An Appeal for Joint Commitment in Science and Religion«, zit. in: Carl Sagan, »To Avert a Common Danger«, Parade Magazine,1.3.1992, S. 14

11 Ansprache von Swami Vivekananda vor dem Parlament der Weltreligionen, Chicago 1893

12 »Towards a Global Ethic«, Versammlung der Religiösen und Spirituellen Führer beim Parlament der Weltreligionen, Chicago 1993

13 Marcus Baybrooke, Brief an die Sarva-Dharma-Sammelana in Bangalore (Indien), 28.6.1993

14 Gordon Kaufman, *The Myth of Christian Uniqueness,* Maryknoll (New York) 1987

15 Baba Virsa Singh, in: Mary Pat Fisher (Hrsg.), *Loving God: The Practical Teachings of Baba Virsa Singh,* Neu-Delhi o. J., S. 7 f.

16 Ansprache von Gustavo Gutierrez bei der Weltkonferenz über Religion und Frieden in Riva del Garda, November 1994

17 Interview mit Martha Penzer, 31.3.1995

18 Václav Havel, *Briefe an Olga: Betrachtungen aus dem Gefängnis,* Reinbek bei Hamburg 1993

19 Interview mit Professor Syed Anwar Kabir, 12.4.1995

20 Zoya Krachmalnikowa: »Once Again About the Bitter Fruits of a Sweet Captivity«, Thomastown (Victoria, Australien) 1989, S. 7

21 Barbara von der Heydt, *Candles Behind the Wall,* Grand Rapids (Michigan) 1993, S. xiii

22 Ansprache von Yasuhiro Nakasone bei der 6. Weltkonferenz über Religion und Frieden, Riva del Garda, 4.11.1994

23 Baba Virsa Singh, *Loving God,* Neu-Delhi ²1995, S. 60

GLOSSAR

Hinweise zur Aussprache
Die Aussprache der meisten Begriffe ergibt sich aus der
Schreibweise. Ausnahmen:
ch wie tsch
sh wie sch
y wie j

Agni Der Gott des Feuers im Hinduismus.

Agnostizismus Der Glaube, daß die Menschen unfähig seien, eine möglicherweise existierende transzendente Realität zu erkennen.

Ahimsa Gewaltlosigkeit als zentrales Prinzip des Jainismus.

Ahura In der indoiranischen Tradition eine der höchsten Gottheiten.

Allah Der eine Gott des Islam.

Amesha Spenta Die leuchtenden Gottheiten des Zoroastrismus.

Amida (Sanskrit: Amithaba) Der Buddha des schrankenlosen Lichts; die Personifikation des Mitgefühls,
von den Reines-Land-Buddhisten als Mittler zwischen
Menschen und Oberster Realität verehrt; esoterisch:
das Höhere Selbst.

Anatta Buddhistische Lehre, daß in dieser vergänglichen Existenz nichts ein dauerhaftes Selbst besitze.

Anekantwad Das Jaina-Prinzip der Relativität oder
Aufgeschlossenheit.

Angra Mainyu Böser Geist oder üble Gesinnung im
Zoroastrismus.

Anitya Im Buddhismus die Unbeständigkeit alles Existierenden.

Aparigraha Das Jaina-Prinzip der Besitzlosigkeit.

Apokalypse In Judentum und Christentum das bevorstehende Weltende mit der Ankunft/Wiederkunft
des Messias und dem Jüngsten Gericht.

Arhant (Sanskrit; Pali: Arhat oder Arahat) Ein »Wert-
voller«, der Buddhas achtfachen Weg der Befreiung
befolgt, die die an das Leiden bindenden Fesseln des
Kreislaufs der Wiedergeburten abgelegt und das Nirvana erreicht hat; das Theravada-Ideal.

Arier Indogermanische Hirten, die im 2. Jahrtausend
v. Chr. in zahlreiche Agrarkulturen Europas und des
Mittleren Osten eindrangen.

Asana Körperhaltung (Yoga).

Ashram In indischer Tradition eine meist asketisch lebende, um einen Guru versammelte spirituelle Gemeinschaft.

Atheismus Der Glaube, daß es keinerlei göttliche Wesen
gebe.

Atman Im Hinduismus die Seele.

Avesta Die »heiligen Texte« auf der Grundlage der
Lehre Zarathustras.

Bar Mitzwa Der Initiationsritus ins Erwachsenenle-
ben für jüdische Knaben.

Baraka In der islamischen Mystik der Segen und die
spirituelle Weisheit, die der Meister an einen Schüler
weitergibt.

Bat Mitzwa Der Initiationsritus ins Erwachsenenle-
ben für jüdische Mädchen (nicht bei den Orthodoxen).

Befreiungstheologie Richtung des Christentums, die
aus Jesu Lehren die politische Folgerung der Solidarität mit den Armen zieht.

Bhagawadgita Teil des hinduistischen Epos Mahabharata, in dem Gott Krishna Wege zum spirituellen
Fortschritt aufzeigt.

Bhakti Im Hinduismus die intensive Verehrung des
persönlichen Aspekts einer Gottheit.

Bhikshu (Pali: Bhikku; weiblich: Bhikshuni, Pali: Bhik-
kuni) Buddhistischer Mönch, der dem Weltlichen entsagt, um dem Pfad der Befreiung zu folgen, und dessen schlichte materielle Bedürfnisse von Laien befrie-
digt werden.

Bodhisattva Im Mahayana-Buddhismus jemand, der Erleuchtung erlangt hat, doch dem Nirvana entsagt, um allen empfindenden Wesen auf ihrem Weg zur Befreiung vom Leiden zu helfen.

Brahman Im Hinduismus das nicht personifizierte Endgültige Prinzip.

Brahmanas Die Rituale betreffender Teil der hinduistischen Veden.

Brahmane Im Hinduismus ein Priester oder Angehöriger der Priesterkaste.

Buddha-Natur Gänzlich erwachtes Bewußtsein.

Bundeslade Die Lade, in der die Juden die Mose übergebenen Gesetzestafeln verwahrten.

Chakra Energiezentrum des subtilen Körpers (Kundalini-Yoga).

Chassidismus Mystisch-ekstatische Form des Judentums, im 18. Jahrhundert in Polen entstanden.

Dao (Tao) In den ostasiatischen Traditionen gleichbedeutend mit Weg oder Pfad; auch als Name für den Namenlosen verwendet.

Dao-chia Die alte philosophische Tradition des Daoismus.

Dao-chiao Die neuere, magisch-religiöse Tradition des Daoismus.

Darsan Visueller Kontakt mit dem Göttlichen durch Begegnungen mit hinduistischen Bildnissen oder Gurus.

Davenen jiddisch; »Beten« im Chassidismus.

Derwisch Im Islam Eingeweihter in den Sufismus.

Deva Im Hinduismus Gottheit.

Dhammapada Sammlung kurzer, Buddha zugeschriebener Aussprüche.

Dharma (Pali: Dhamma) Die von Buddha offenbarte Lehre (Gesetz); auch das von der erreichten Bewußtseinsebene abhängige, korrekte individuelle Verhalten.

Dhimmi Im Islam Schutzbefohlener, Angehöriger einer Religion des »Buches«. Er steht unter dem Schutz der islamischen Gemeinschaft und genießt (gegen Kopfsteuer) freie Religionsausübungm, darf aber nicht unter Moslems missionieren.

Dogma Glaubenslehre, die in einer Religion als absolute Wahrheit gilt.

Dreifaches Juwel Die drei Juwelen des Buddhismus: Buddha, Dharma und Sangha.

Dschihad Eine der tragenden Pflichten der Moslems: Bekämpfung der widergöttlichen Triebe des Selbst und der Kräfte in der Welt, welche die Herstellung der göttlichen Weltordnung verhindern; die Übersetzung mit Heiliger Krieg ist irreführend.

Dualismus Die Trennung der Realität in zwei kategorial geschiedene Bereiche, etwa Geist–Materie; gut–böse.

Duhkha Nach Buddha ein zentraler Lebensumstand, übersetzt als Unbehagen, Leiden, Frustration oder mangelnde Harmonie mit der Umwelt.

Durga Die große Göttin als Vernichterin des Bösen und bisweilen als Shakti von Shiva.

Engel In Judentum, Christentum, Islam und Zoroastrismus meist geflügelt dargestellte Boten Gottes.

Erbsünde Der christliche Glaubenssatz, daß, ausgehend vom ersten Menschenpaar, alle Menschen die Sünde des Hochmuts teilen.

Essener Jüdische Sekte, die zur Zeit Jesu abgesondert von der Welt ein mönchisches Leben in der Wüste führte.

Evangelisieren Verbreiten der Botschaft Jesu; im engeren Sinne meist auf die Tätigkeit protestantischer Sekten bezogen.

Evangelium Die »gute Nachricht«; Bericht von der Auferstehung Jesu und der Erlösung der Menschheit; schriftlich in Form der Evangelien.

Fatiha Die »Öffnende«; erste Sure des Korans.

Fegefeuer In manchen christlichen Kirchen, insbesondere im römischen Katholizismus Läuterungsinstanz für die Seele nach dem Tod (erst seit dem Mittelalter).

Frasho-kereti Im Zoroastrismus die endgültige Wiederauferstehung des Menschen zu Vollkommenheit und ewigem Leben.

Fundamentalismus Entschiedener Rückbezug auf die angeblich reine Urform einer Religion gegenüber moderneren Auslegungen; nimmt gelegentlich sektiererische und auch gewalttätige Züge an.

Gathas Die Hymnen Zarathustras.

Gayatri-Mantra Tägliches vedisches Gebet der Hindus aus den oberen Kasten.

Ghetto In Europa eingeführte abgeschlossene Wohnviertel für Juden; im übertragenen Sinne für jede religiös oder rassistisch motivierte Separierung spezifischer Bevölkerungsteile.

Glaubensbekenntnis Kurzgefaßte Formulierung der Hauptlehren einer bestimmten Religion; förmlich ausgestaltet vor allem im Christentum zur Abgrenzung von häretischen Sekten.

Gnosis »Wissen«; Teilhabe an einer mystischen Geheimlehre, insbesondere die christliche Gnosis, häretisch-dualistische Strömungen im Frühchristentum.

Gottheits-Yoga Im tibetischen Buddhismus (Lamaismus) die meditative Konzentration auf eine einzelne Gottheit.

Gunas Im Yoga die drei Zustände der kosmischen Substanz: Sattvas, Rajas und Tamas.

Gurdwara Tempel der Sikhs.

Guru Im Hinduismus ein erleuchteter spiritueller Lehrmeister.

Guru Granth Sahib Die von den Sikh-Gurus zusammengestellte heilige Schrift.

Hadith Im Islam ein überlieferter Bericht von Aussprüchen oder Taten des Propheten Muhammad.

Hadsch Die Pilgerfahrt nach Mekka; eine der heiligen Pflichten der Moslems.

Haggada Im Judentum der nichtjuristische Teil von Talmud und Midrasch.

Halacha Rechtsentscheidung im Judentum; die Teile des Talmud, die der Rechtsauslegung gewidmet sind.

Haoma Berauschender Trank der indoiranischen Gläubigen (siehe auch Soma).

Häretiker Angehöriger einer Religion, deren Ansichten mit der herrschenden Orthodoxie in grundlegenden Fragen nicht übereinstimmen.

Hatha-Yoga Körperhaltungen, Ernährungsvorschriften und Atemübungen zur Schaffung einer für die spirituelle Weiterentwicklung angemessenen körperlichen Grundlage.

Heide Im Judentum Bezeichnung für alle Nichtjuden und Götzendiener; im Islam und Christentum für die Angehörigen nichtmonotheistischer Religionen.

Heilige Dreifaltigkeit Dogma der meisten christlichen Kirchen von dem dreieinigen Gott, bestehend aus Gottvater, Jesus Christus und dem Heiligen Geist.

Heiliger Faden Im Hinduismus ein von Männern und in die Erwachsenenwelt der oberen Kasten eingeführten Knaben über der Schulter getragenes Band.

Heyoka In den religiösen Traditionen einiger nordamerikanischer Indianerstämme wird so das »gegensätzliche« Wissen oder eine Person, die dieses verkörpert, bezeichnet.

Hidschab Die Verschleierung der Frauen als züchtiges Verhalten im Islam.

Hidschra Die Flucht des Propheten Muhammad von Mekka nach Medina (622); Bezugspunkt der islamischen Zeitrechnung.

Hinayana Bezeichnung der Mahayana-Buddhisten für die orthodoxe südliche Tradition (»kleines Fahrzeug«; heute: Theravada); in tibetischer Begrifflichkeit eines der drei von Buddha aufgezeigten, zur Erlösung führenden Fahrzeuge.

Holocaust Der Völkermord der Nazis an sechs Millionen europäischen Juden in der Zeit des Zweiten Weltkriegs.

Ikone In der Ostkirche heiliges Abbild, insbesondere von Jesus, der Jungfrau Maria und von Heiligen.

Imam Vorbeter im Islam; bei den Schiiten Bezeichnung für den initiierten Erben des Propheten und Führer des Islam, der in der Verborgenheit lebt.

Indra In hinduistischer Tradition der alte vedische Donnergott.

Inkarnation Fleischwerdung des Göttlichen.

Inquisition Behörde der römisch-katholischen Kirche (seit dem 13. Jahrhundert) zum Aufspüren von Häretikern und Schismatikern mit polizeilicher und richterlicher Befugnis; im übertragenen Sinne Bezeichnung für jede Form geistlichen Gesinnungsterrors.

Interreligiöser Dialog Auf Wertschätzung basierende Kommunikation zwischen Menschen verschiedener Religionszugehörigkeiten.

Japji Das von Guru Nanak verfaßte erste Morgengebet der Sikhs.

Jen Die zentrale konfuzianische Tugend der Menschlichkeit und Nächstenliebe.

Jina Im Jainismus jemand, der des höchsten, allwissenden Aspekts seiner Existenz gewahr wurde und somit vollkommen ist.

Jiva Im Jainismus die Seele.

Jnana-Yoga Die Nutzung intellektuellen Strebens als yogische Technik.

Kabbala Die jüdische Mystik.

Kali Im Hinduismus die zerstörende und umgestaltende Weltenmutter.

Kali Yuga Im hinduistischen Weltenkreislauf ein Zeitalter des Chaos und Egoismus, so auch das, in dem wir leben.

Kalif Im sunnitischen Islam der Nachfolger des Propheten als geistliches Oberhaupt der Umma.

Kami Shinto-Begriff für die unsichtbare, heilige Qualität, die Verwunderung und Ehrfurcht in uns erweckt, auch für die aus dieser Essenz hervorgegangenen unsichtbaren Geister in der gesamten Natur.

Kannagara Im Shinto die Harmonie mit dem Weg der Kami.

Karma (Pali: Kamra) Im Hinduismus und Buddhismus unsere Taten und ihre Auswirkungen auf dieses und die künftigen Leben.

Karma-Yoga Im Hinduismus der Pfad der selbstlosen Dienstbarkeit.

Kaste Durch Geburt oder Beruf bestimmte Differenzierung von Gesellschaftsklassen.

katholisch »universell, allumfassend«; die christlichen Kirchen, die sich in ihren Glaubensbekenntnissen als katholisch bezeichnen, bekennen sich damit zur Tradition der ungeteilten Urkirche (auch die Protestanten); im engeren Sinne Bezeichnung für die römisch-katholische Papstkirche.

Kenotizismus Das praktizierte russische Mönchtum; Verbindung von asketischer Armut mit Dienst an und in der Welt.

Kensho Im Zen-Buddhismus die schlagartige Erleuchtung.

Kevala Im Jainismus der höchste Zustand der Vollkommenheit.

Khalsa Im Sikhismus die von Guru Gobind Singh eingeführte Gemeinschaft der Reinen.

Kirtan Im Sikhismus das andächtige Singen von Hymnen aus dem Buch Guru Granth Sahib.

Kommunion (auch Eucharistie oder Abendmahl) Sakrament in den christlichen Kirchen, durch das der Gläubige seine Zugehörigkeit zum mystischen Leib der Kirche erneuert, indem er Brot und Wein als Fleisch und Blut Christi genießt; die Abendmahlslehre weicht in den einzelnen christlichen Kirchen stark voneinander ab.

Konfession Bezeichnung für die verschiedenen christlichen Kirchen, beruhend auf ihren unterschiedlichen Bekenntnisschriften.

Koscher »rein« gemäß dem jüdischen Ritualgesetz.

Kshatriya Mitglied der Krieger- oder Herrscherkaste des traditionellen Hinduismus.

Kufr Im Islam die Sünde der Undankbarkeit gegenüber Gott; dort gleichbedeutend mit Atheismus.

Kult Jede Religion, die auf die Anbetung einer bestimmten Person oder Gottheit bezogen ist.

Kundalini Im hinduistischen Yoga die Lebensenergie, die vom unteren Ende des Rückgrats bis zum Scheitel führt und das dortige spirituelle Zentrum erleuchtet.

Kusti Das heilige Band, das die Zoroastrier sich um die Hüfte knüpfen, um gegen inneres und äußeres Übel gewappnet zu sein.

Lama Im tibetischen Buddhismus meist einer der höher stehenden Mönche.

Langar Im Sikhismus Volksküche oder kostenlose Mahlzeit für alle Menschen ohne Kastenunterschiede.

Li Im Konfuzianismus Zeremonien, Rituale und Regeln des rechten Verhaltens.

Linga(m) Ein zylindrischer Stein oder ein ähnliches natürliches oder künstliches Gebilde als phallisches Symbol des Gottes Shiva (siehe auch Yoni).

Liturgie Gottesdienstordnung der christlichen Kirchen.

Mahabharata Langes Hindu-Epos, das die Bhagawadgita enthält.

Mahayana Das »große Fahrzeug« des Buddhismus; die liberalere, mystische nördliche Ausrichtung legt größeres Gewicht auf die Tugend des altruistischen Mitgefühls als auf das intellektuelle Streben nach individueller Erlösung.

Mandala Symmetrisches Bild mit aus der Mitte hervortretenden Formen; wird als Meditationshilfe verwendet.

Mantra Klang oder Silbe, die gesungen wird, um die Klangschwingung eines Aspekts der Schöpfung hervorzurufen oder eine Gottheit zu preisen.

Mazdayasna Iranische Bezeichnung des Zoroastrismus.

Messe Römisch-katholischer Gottesdienst mit Kommunionsfeier.

Messias »Der Gesalbte«; der vom Judentum erwartete Retter; im Christentum Jesus Christus.

Metaphysik Forschungszweig der Philosophie, der sich mit der systematischen Behandlung der letzten Wahrheit befaßt.

Metta Im Buddhismus die liebevolle Güte.

Midrasch Im Judentum die exegetische Literatur zur Thora.

Mikwa Tauchbad für den jüdischen Reinigungritus.

Millennium »Tausend Jahre«; im Christentum und in manchen neuen Religionen die in der Johannes-Offenbarung prophezeite tausendjährige Zeit des Friedens und des Glücks, in der Christus die Erde beherrschen wird.

Minjan Das Quorum von zehn erwachsenen Männern, das im Judentum für die Abhaltung eines Gemeindegottesdienstes erforderlich ist.

Misogi Im Shinto die rituelle Reinigung unter einem Wasserfall.

Mitzwa (Plural: Mitzwot) Im Judentum ein Gebot Gottes beziehungsweise eine Tat zur Erfüllung eines göttlichen Gebotes.

Moksha Im Hinduismus die Befreiung der Seele von Leiden und Verblendung.

Monismus Lehre von einer einheitlichen Schöpfung ohne abgegrenzten Sakralbereich; Allheiligkeit des Lebens ohne gegenübergestellten Schöpfergott.

Monotheismus Das Glaubenskonzept, daß es nur einen Gott gebe.

Mudschahid »Gotteskämpfer«; im Islam ein selbstloser Streiter für Allah.

Muni Im Jainismus ein Mönch.

Murschid Ein geistlicher Lehrer im esoterischen Islam.

Mystiker Ein Gläubiger, der die innere Glaubenserfahrung über äußerliche Autoritäten und heilige Schriften stellt.

Naga Eine im Hinduismus verehrte Schlange.

Nam Der von den Sikhs rezitierte, in allem Geschaffenen widerhallende heilige Name Gottes.

Nirvana (Pali: Nibbana) Im Buddhismus der höchste, ichlose Zustand der Wonne.

Ökumene »Der Weltkreis«; die ökumenische Bewegung ist das organisierte Bemühen um Wiederherstellung der Einheit der christlichen Kirche, im weiteren Sinne auch um Annäherung zwischen allen Weltreligionen.

OM Im Hinduismus der Urklang.

Orthodoxie Der herrschenden Tradition verpflichtete Glaubenshaltung.

Pali Der erstmals für die Niederschrift der Lehren Buddhas verwendete indische Dialekt; noch heute innerhalb des von den Theravada-Buddhisten anerkannten Pali-Kanons von Bedeutung.

Pantheismus Das Glaubenskonzept, daß eine Absolute Realität überall existiere.

Papst Bischof von Rom, Oberhaupt der römisch-katholischen Kirche; auch das Oberhaupt der koptisch-monophysitischen Kirche Ägyptens wird Papst genannt.

Parabel Allegorische, beispielhafte Erzählung.

Paraklet Das Wesen, das, seinen eigenen Worten zufolge, nach Jesu Tod den Menschen zur Hilfe gesandt werden soll.

Parsen Die Nachfahren der nach Indien ausgewanderten Anhänger Zarathustras.

Parvati Gattin Shivas (»süße Tochter des Himalaja«).

Pehlewi Die während der Sassanidenherrschaft gültige Amtssprache (Mittelpersisch).

Pentateuch Die fünf Bücher Mose am Anfang der jüdischen und christlichen Bibel.

Pfingsten Die Ausgießung des Heiligen Geistes auf die Jünger nach Jesu Tod.

Pharisäer Im römisch beherrschten Judäa die Richtung des Judentums, die nach spezifischen Regelungen für die Praktizierung des Glaubens im Leben strebte.

Polytheismus Der Glaube an viele Götter.

Prakriti Kosmische Urmaterie in der Samkhya-Philosophie.

Prana Im indischen Denken die unsichtbare Lebenskraft.

Pranayama Yogische Atemübungen.

Prasad In der indischen Tradition gesegnete Speisen.

Puja Rituelles Gebet der Hindus.

Puranas Hindu-Schriften zur Popularisierung der abstrakten Wahrheiten der Veden durch Geschichten über historische oder legendäre Gestalten.

Purusha Im Hinduismus der kosmische Geist, die Seele des Universums.

Qi (Chi) In den ostasiatischen esoterischen Traditionen die Lebensenergie im Universum und im menschlichen Körper.

Qi Gong (Chi-kung) Daoistisches System der Nutzung innerer Energien zur spirituellen Selbstvergegenwärtigung.

Rabbi (Rabbiner) Historisch ein jüdischer Glaubenslehrer, heute der eingesetzte geistliche Führer einer jüdischen Gemeinde.

Rajas Im Hinduismus der aktive Zustand, eines der drei Gunas (siehe dort).

Ramayana Hinduistisches Epos über den Prinzen Rama als Verfechter des Guten.

Rechtfertigung Im Christentum die Sündlosigkeit der erlösten Menschen vor Gott.

Reines Land Buddhistische Bewegung in China und Japan; Schwerpunkt ist der Glaube an Amida Buddha, der versprach, die Gläubigen im Paradies des Reinen Landes – metaphorisch für »Erleuchtung« – zu empfangen.

Reinkarnation Der nach dem physischen Tod erfolgende Übertritt der Seele in einen neuen Körper.

Reliquien Körperteile oder Kleidungsstücke Christi oder eines Heiligen, die in manchen christlichen Kirchen Verehrung genießen.

Rigveda Grundstein des Hinduismus und zugleich vermutlich die älteste Schrift überhaupt.

Rishi Hinduistischer Weiser.

Rujia Chinesische Bezeichnung für die auf Konfuzius zurückgehenden Lehren.

Schabbat (Sabbat) Der für Ruhe und Gottesdienst bestimmte Wochentag im Judentum, auch für den christlichen Sonntag anwendbar.

Sadduzäer Im römisch besetzten Judäa die reichen, hohepriesterlich orientierten Juden.

Sadhana Spirituelle, vornehmlich yogische Praxis innerhalb des Hinduismus.

Sadhu Im Hinduismus ein asketisch lebender heiliger Mann.

Sakrament Das äußerlich sichtbare Zeichen für den Gnadenzustand des Christen; fast alle christlichen Kirchen erkennen Taufe und Abendmahl als Sakramente an, der römische Katholizismus kennt noch fünf weitere Sakramente.

Samadhi In der yogischen Praxis der wonnevolle Zustand der überbewußten Vereinigung mit dem Absoluten.

Samkhya Eines der großen philosophischen Systeme des Hinduismus, wonach das menschliche Leiden der Verwechslung von Prakriti und Purusha entstammt.

Samsara In Hinduismus, Jainismus und Buddhismus der stete Kreislauf der Wiedergeburten.

Sanatana Dharma Die »ewige Religion« des Hinduismus.

Sangha Im Theravada-Buddhismus klösterliche Gemeinschaft; im Mahayana-Buddhismus spirituelle Gemeinschaft der Dharma-Anhänger.

Sannyasin Im Hinduismus ein entsagener Heilssucher.

Sanskrit Hochsprache, in der die klassischen Hindu-Schriften verfaßt sind.

Sati Offiziell verbotene hinduistische Tradition der Witwenverbrennung.

Satori Im Zen-Buddhismus die Erleuchtung, Vergegenwärtigung der letzten Wahrheit.

Sattvas Der Zustand der Reinheit und Erleuchtung, eines der drei Gunas des Hinduismus.

Schahada Das entscheidende moslemische Glaubensbekenntnis: »Es gibt keinen Gott außer Gott.«

Schamane Ein Medizinmann oder eine Medizinfrau eines Naturvolkes, die sich spirituellen Prüfungen unterzogen haben und ihre Fähigkeit zur Kommunikation mit der Geisterwelt einsetzen, um ihren Stammesgenossen zu helfen.

Scharia Das göttliche Recht des Islam.

Schechina Im Judentum die Präsenz Gottes in der Welt; in der Regel weiblich personifiziert.

Scheich Ein geistlicher Führer in der esoterischen Tradition des Islam.

Schiit Angehöriger der islamischen Minderheit, für die Ali und eine Abfolge von Imamen die legitimen Nachfolger Muhammads waren; Staatsreligion im Iran.

Schirk Im Islam die Sünde des Glaubens an weitere Götter neben Allah.

Sekte Eine Untergruppe innerhalb einer größeren religiösen Tradition.

Seligpreisungen Kurze Segenssprüche Jesu über die im Geiste Armen, die Friedfertigen usw. in der Bergpredigt.

Semiten Bezeichnung für eine Sprachenfamilie (Babylonisch, Arabisch, Hebräisch usw.); später auch rassistisch gebraucht, wobei Antisemitismus ausschließlich für eine rassistisch motivierte Judenfeindlichkeit verwendet wird.

Shabd Bezeichnung der Sikhs für den rezitierten Namen Gottes oder eine Hymne aus dem als Wort Gottes angesehenen Guru Granth Sahib.

Shaiva Im Hinduismus die Anhänger Shivas als göttlicher Gestalt.

Shakta (Plural: Shakti) Im Hinduismus der schöpferische, aktiv-weibliche Aspekt des Göttlichen.

Shaktipat In der hinduistischen Tradition des Siddha-Yoga der kraftvolle, erhebende Blick oder die Berührung des Gurus.

Shiva Der höchste Gebieter der Yogis, absolutes Bewußtsein, Schöpfer, Bewahrer und Zerstörer der Welt; der zerstörende Aspekt des Höchsten Wesens.

Shudra Angehöriger der untersten der vier Hindu-Kasten.

Sikh »Schüler«, vor allem jene, die die Lehren der zehn Sikh-Gurus befolgen.

Soma Von den frühen Hindu-Gläubigen verwendeter berauschender Trank.

Spenta Mainyu Im Zoroastrismus der guter Geist oder die geistige Macht.

Stupa Rundmonument mit buddhistischen Reliquien und Memorabilien.

Sufismus Der mystische Weg im Islam.

Sunna Das Verhalten des Propheten Muhammad als Vorbild einer moslemischen Lebensführung.

Sunni Angehöriger der Mehrheitsmeinung im Islam, wonach die Wahl des Führers der islamischen Gemeinde bei der Gemeinde selbst lieg.

Sunyata Im Buddhismus die Leere; transzendentale letzte Realität.

Sure Kapitel des Koran.

Sutra (Pali: Suta) Wörtlich »Juwelenschnur«; Bezeichnung für die Lehrreden Buddhas.

Synagoge Ort des Studiums, der Lehre und des Gebets im Judentum nach der Zerstörung des Tempels.

Synkretismus Vermischung von Glaubenslehren verschiedener Religionen.

synoptisch Im Christentum bezogen auf die drei Evangelien des Matthäus, Markus und Lukas, denen wahrscheinlich gleiche Quellen zugrunde liegen und die sich zu einer Evangelienharmonie zusammenstellen lassen.

Tai-chi chuan Altchinesisches System von Körperübungen, durch deren langsame Bewegungen der Übende Teil des universalen Energiestroms werden soll.

Talit Umhang, den orthodoxe jüdische Männer beim Gebet anlegen.

Talmud Jüdische Gesetze und Brauchtümer; eine Schriftensammlung, die im 6. Jahrhundert abgeschlossen wurde.

Tamas Der Zustand der Mattheit von einem der drei Gunas des Hinduismus.

Tanach Die jüdische Bibel.

Tantras Die auf der esoterischen Verehrung des Göttlichen als weiblich basierenden altindischen Texte.

Tantrayana Siehe Vajrayana.

Taufe Christliches Sakrament, durch das Gott den Täufling von allen Sünden reinigt und am ewigen Leben teilhaben läßt; Aufnahmeritus in die christliche Kirche.

Tefilin Eine kleine Lederbüchse, die Verse über Gottes Bund mit dem Volk Israel enthält; wird zum Gebet an Stirn und Oberarm gebunden.

Thanka Im tibetischen Buddhismus ein als Meditationshilfe dienendes, komplexes Bildnis einer spirituellen Gestalt.

Theismus Glaube an einen persönlichen Gott oder – als Pantheismus – an mehrere Gottheiten.

Theravada Die verbliebene orthodoxe Schule des Buddhismus, die sich eng an die ältesten Schriften hält und das individuelle Bemühen, den Geist vom Leiden zu erlösen, betont.

Thora Der Pentateuch beziehungsweise die Gesamtheit der jüdischen Lehre und Praxis; im Judentum tritt neben die schriftliche Thora (das heilige Buch) die mündliche Thora (die traditionelle Überlieferung und Auslegung).

Tirthankaras Die großen erleuchteten Lehrmeister des Jainismus, mit Mahavira als letztem Vertreter im gegenwärtigen Zeitalter.

Tsumi Im Shinto Unreinheit oder Unglück, deren Entfernung durch rituelle Reinigung angestrebt wird.

Ulama Die einflußreichen Führer der traditionellen moslemischen Gesellschaft, zu der die geistlichen Führer, Imame, Schreiber, Marktaufseher und Richter gehörten.

Umma Die Gemeinschaft aller Muslime.

Ungläubige Im Islam vor allem auf Angehörige der Schutzbefohlenen monotheistischer Religionen angewendet, die den Propheten Muhammad nicht anerkennen; im Christentum Bezeichnung für Nichtchristen oder für Angehörige der eigenen Religionsgemeinschaft, die sich von der Lehre abgewendet haben. Wer als Ungläubiger bezeichnet wird, muß zumeist mit Verfolgung durch die Gläubigen rechnen, soweit in der entsprechenden Glaubensgemeinschaft nicht Toleranzgebote praktiziert werden.

Upanischaden Der allein den ernsthaft Suchenden vorbehaltene philosophische Teil der Veden.

Vaishnava Im Hinduismus die Anhänger Vishnus, vor allem seiner Inkarnation als Krishna.

Vaishya Angehöriger der aus Bauern und Händlern bestehenden dritten Hindu-Kaste.

Vajrayana Vornehmlich in Tibet vertretener Sonderzweig des Mahayana-Buddhismus, gekennzeichnet durch esoterische Tantra-Praktiken und die Konzentration auf einzelne Gottheiten.

Varuna Der althinduistische Donnergott der kosmischen Ordnung.

Vedanta Auf den Upanischaden fußende hinduistische Philosophie.

Verkündigung Mariä Im Christentum die Erscheinung eines Engels, welcher der Jungfrau Maria verkündigte, daß sie vom Heiligen Geist den Gottessohn Jesus empfangen werde.

Vipashyana Im Buddhismus die Meditation unter Beachtung der eigenen Gedanken, Gefühle und Handlungen.

Vishnu Im Hinduismus der bewahrende Aspekt des Höchsten Wesens oder das Höchste Wesen selbst, das sich fortwährend inkarniert, um die Welt zu retten.

Visionssuche Ein Konzept der Naturvölker, das eine Gottesprobe beschreibt, der man sich unterzieht, um eine Antwort auf den Sinn des eigenen Lebens zu erhalten.

Voodoo In Südamerika und der Karibik lebendige Traditionen, die versuchen, mit der Geisterwelt zusammenzuarbeiten. Dabei wird mit Elementen aus der römisch-katholischen Lehre und aus Stammesreligionen Westafrikas gearbeitet.

Wu Wei Im Daoismus »nicht tun«, d. h. nicht gegen den natürlichen Fluß handeln.

Yagna (Persisch: Yasna) Im Hinduismus und Zoroastrismus traditionsreiche religiöse Rituale.

Yang In der chinesischen Philosophie die helle, bestimmende, »männliche« Energie im Universum.

Yantra Das die spirituelle Konzentration unterstützende kosmische Liniensymbol.

Yi Rechtes Verhalten (im Gegensatz zu durch persönliches Gewinnstreben motiviertem Verhalten), eine von Mengzi betonte konfuzianische Tugend.

Yin In der chinesischen Philosophie die dunkle, empfangende, »weibliche« Energie im Universum.

Yoga In verschiedenen östlichen Religionen anzutreffende alte Techniken der spirituellen Selbstvergegenwärtigung, zugleich eines der Hauptsysteme der hinduistischen Philosophie.

Yoni Im Hinduismus die abstrakte Repräsentation der weiblichen Scheide als kosmische Lebensmatrix.

Yuga Im Hinduismus einer der vier wiederkehrenden Weltzyklen.

Zaddik Ein erleuchteter jüdischer Mystiker.

Zakat Die dem Moslem als heilige Pflicht vorgeschriebenen Abgaben.

Zazen Im Zen-Buddhismus die sitzende Meditation.

Zen (Chinesisch: Chan) Aus China und Japan stammende buddhistische Schule, nach der die in allen Dingen vorhandene Buddha-Natur nur erfassen kann, wer dem intellektuellen Geist entrinnt.

Zendo Meditationshalle der Zen-Buddhisten.

Zweimal Geborene Im traditionellen Hinduismus männliche Angehörige der oberen Kasten, die in die arische Gesellschaft eingeführt wurden.

BILDNACHWEIS

Autor und Verlag danken folgenden Personen und Institutionen für die freundliche Überlassung des Bildmaterials.

REGISTER

	2000 v. Chr.	1500	1000	500	0
Naturreligionen	←				
Hinduismus	← *Veden* mündlich überliefert	Erstmalige Niederschrift der *Veden*, um 1500		*Ramayana* und *Mahabharata* in heutiger Form, 400+ Pantanjali systematisiert die Yoga-Sutras, um 200	Manu-Kodex vor 100 n. Chr. kompiliert
Judentum	Abraham 1900–1700	Mose 1300(?)	König David 1010–970	Erster Tempel zerstört; Exil 586	Jerusalem fällt unter römische Herrschaft, 70
Daoismus und Konfuzianismus			Laozi, um 600– 500 Konfuzius, um 551–479	Zhuangzi, um 400–300 oder früher Aufbau des Bildungssystems auf den kanonischen Schriften, ab 205	
Buddhismus			Gautama Buddha, um 563–483	Verbreitung des Buddhismus unter König Asoka, um 258 Theravada-Buddhismus, um 200 v. Chr.–200 n.Chr.	
Christentum					Jesus, um 4 v. Chr.–30 Chr. Paulus organisiert frü Christen, um 50–60 Evangelien, um 70–95
Islam					
Zoroastrismus	Erste Elemente des Zoroastrismus bei indoiranischen Stämmen		Zarathustra, um 1100–550	Staatsreligion des iranischen Reiches, 131	
Jainismus	Abfolge der 23 Tirthankaras		Mahavira, 599–527	Aufspaltung in Digambaras und Shvetambaras ab dem 3. Jh.	
Shinto	Prähistorischer Ursprung als lokale, auf Natur und Ahnen basierende Traditionen				
Sikhismus					
Interreligiöses					

300	600	900	1200	1500	1800	2000 n. Chr.

Alte Formen wurden überliefert und über Jahrtausende angepaßt ⟶

Bhakti-Bewegung,
600–1800 ⟶ Ramakrishna,
1836–86

Rabbinische
Tradition ent-
wickelt, 1.–4 Jh.

Maimonides, 1135–1204

Baal Schem
Tov, 1700–60

Holocaust,
1940–45
Israel unab-
hängig, 1948

Daoistische Religion institutionalisiert, ab 2. Jh.

Sung-Dynastie wiederbelebt ritualistischen
Konfuzianismus (»Neokonfuzianismus«),
960–1280

Einführung des Konfuzianismus in
Japan zwecks Eingliederung von
Stämmen in das Reich, um 500–600

Kulturrevolution
attackiert Religionen,
1966–76
Chinesische Führung
schränkt Religions-
freiheit ein, 1989

Entwicklung des
Mahayana-
Buddhismus, 1. Jh.

Buddhismus zur
Nationalreligion
Tibets erklärt, 700

Ächtung des
Buddhismus in
China, ab 845

Chan-Buddhismus
gelangt als Zen
nach Japan, 13. Jh.

Verbreitung des
Buddhismus im
Westen, 20. Jh.

Zentralisierung päpstlicher
Macht, 800–1000

Ausbreitung der
Mönchsorden, 13. Jh.

Protestantismus,
1521

Zweites
Vatikanisches
Konzil, 1962

Trennung West-
und Ostkirche

Inquisition in
Spanien, 1478

Muhammad, um 570–632
Ausbreitung des Islam ab 633
Trennung Sunniten–Schiiten, 682
Blütezeit des Islam, 750–1258

Mogul-Herrscher
Akbar, 1566

Dominanz Europas
18–19. Jh.
OPEC; moslemisches
Wiedererwachen in
den 1970ern

Auswanderung der
Parsen nach Indien,
10. Jh.

Mönche gründen Jaina-
Zentren außerhalb Indiens,
1970er–80er Jahre

Aufkommen der Bezeichnung
»Shinto«, 6. Jh.

Staats-Shinto
etabliert, 1868

Guru Nanak,
1469–1504

Nach dem Tod von
Guru Gobind Singh wer-
den die Schriften zum
Guru erhoben, 1708

Mogul-Herrscher
Akbar beginnt
interreligiösen
Dialog,
1556–1605

Erste »International
Human Unity«-Kon-
ferenz, 1974
Jahrhundert-
jubiläum 1993